HEINRICH VOGELER · WERDEN

HEINRICH VOGELER

WERDEN

Erinnerungen

Mit Lebenszeugnissen aus den Jahren
1923–1942

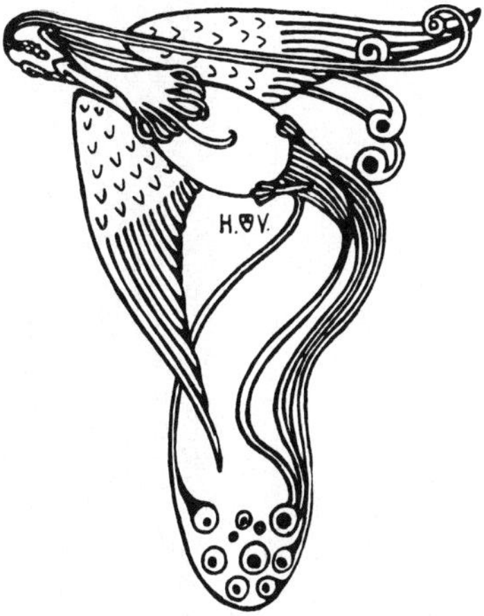

Verlag Atelier im Bauernhaus

Herausgegeben von Joachim Priewe
und Paul-Gerhard Wenzlaff

Mit 71 Abbildungen

WERDEN

ERINNERUNGEN

VORWORT

[Von Heinrich Vogeler]

Anstelle eines Vorwortes gebe ich einige grundlegende Worte von Karl Marx wieder:

Wie die Individuen ihr Leben äußern, so sind sie. Was sie sind, fällt also zusammen mit ihrer Produktion, sowohl damit, *was* sie produzieren, als auch damit, wie sie produzieren.

Was die Individuen also sind, das hängt ab von den materiellen Bedingungen ihrer Produktion.

Es wird nicht ausgegangen von dem, was die Menschen sagen, sich einbilden, sich vorstellen, auch nicht von dem gesagten, gedachten, eingebildeten, vorgestellten Menschen – um von da aus bei dem leibhaftigen Menschen anzukommen; es wird von dem wirklich tätigen Menschen ausgegangen und aus ihrem wirklichen Lebensprozeß auch die Entwicklung der ideologischen Reflexe und Echos dieses Lebensprozesses dargestellt.

Der wirkliche Mensch Resultat seiner eigenen Arbeit.

Sinnlich sein, d. h. wirklich sein, ist, Gegenstand des Sinnes sein, sinnlicher Gegenstand sein, also sinnliche Gegenstände außer sich haben. Sinnlich sein ist leidend sein, Gegenstände seiner Sinnlichkeit haben. Der Mensch als ein gegenständliches sinnliches Wesen ist daher ein leidendes und, weil sein Leiden empfindendes Wesen, ein leidenschaftliches Wesen. Die Leidenschaft, die Passion, ist die nach seinem Gegenstand energisch strebende Wesenskraft des Menschen.

Karl Marx

ERSTES BUCH
JUGENDZEIT

Denkst du der Vögel und der Bäume
Des schönen Gartens, wo du oft
Geträumt der Liebe junge Träume.
Wo du gezagt, wo du gehofft?

Heine

Im grauen Schieferdach unseres Hauses hob sich das Dachfenster. Vaters kräftige Hände, wie aus Holz geschnitzt, hoben die beiden kleinen Brüder Franz und Eduard durch die geöffnete Fensterluke. Dann konnte auch ich mich von der Wäschekiste aus zwischen den beiden Kleinen durchrecken. Der Vater hatte uns auf den Boden gerufen. Wir sollten die große Überschwemmung sehen, die durch den Deichbruch der Wümme angerichtet war. Die Wassermassen waren schon bis an die alte Hansestadt vorgedrungen.

Ein überraschendes Bild lag unter uns. Wo gestern noch Felder und Wiesen waren und der Bürgerpark, da stand jetzt das Wasser, eine blanke Fläche bis an den Horizont. – Erfüllt von dem gewaltigen, großzügigen neuen Landschaftsbild, rief ich vor Freude aus: »Das Meer ist gekommen!« Die Bäume des Bürgerparks hatten keinen Grund. Sie spiegelten sich. Zu dem Haus des reichen Bauern Klatte konnte man sicher nur noch mit einem Kahn kommen. Protzig lag es in seiner städtischen Verkleidung, ganz einsam in dem weiten See. – In diesem Augenblick brach die Märzensonne durch und vergoldete in weiter Ferne einen schmalen Fetzen Land. Der lag da wie ein goldener Fisch auf einer silbern blinkenden Schüssel. Ich kletterte im eisernen Rahmen der Dachluke hoch und zeigte den beiden Brüdern die leuchtende Insel. »Wir müssen ein Schiff bauen mit einem Segel und die Insel entdecken«, rief ich. Das Wasser ging jetzt bis an den Bahndamm, der die Hintergärten der Häuser an der Schleifmühle begrenzte. Die Gärten waren durch schwarzgeteerte Holzplanken voneinander getrennt, die mit grüngestrichenem Lattenwerk benagelt waren, um Obstspaliers daran hochzuziehen. »Die Insel, die ihr dort in der Ferne seht, Kinder, das ist der Weyerberg im Teufelsmoor, und der Fluß, der in der Nacht den Deich gebrochen hat, ist die Wümme«, rief uns der Vater zu.

Aus unserem geplanten Schiffsbau wurde nichts, denn die Ereignisse überstürzten sich. Um Mittag desselben Tages, es war ein Sonntag, kamen die Mädchen, Gesine, die Köchin, und Anna, das Hausmädchen, aus der Souterrainküche die Treppe hinaufgepoltert. Sie trugen die Arme voll Küchensachen und Eßwaren und riefen: »Das Wasser kommt durch den Hintergarten ins Haus!«

Man muß verstehen, wie die Häuser an der Schleifmühle gebaut waren. Sie hatten deshalb ein halb in die Erde versenktes Souterrain, weil das hinter den Häusern liegende Gartengelände offenbar einstmals von dem Mühlengraben gebildet war. Es lag tiefer wie das Vorland an der Häuserfront mit der schönen Fahrstraße, die von alten Lindenbäumen beschattet war. Vor den Häusern, der Straße zu, befanden sich wohlgepflegte Rosengärten, von denen eine Steintreppe über eine Glasveranda auf die Haustüre zu führte. Auch führte eine kurze Steintreppe hinunter zur Souterraintür, die den Eingang zur Badestube, zum Torfkeller, Speisekeller, Küche und Waschküche bildete.

Wir Kinder liebten den Souterraineingang, da man von hier nach der Schule ziemlich unbemerkt durchs Haus in den Hintergarten kommen konnte. Ich, der längste von den Kindern, konnte auch die Klingel der Souterraintür festhalten, bevor die Tür so geöffnet war, daß die Glocke zu belfern anfing. Die Haupteingangstür, zu der vom Vorgarten aus eine breite Steintreppe über die weinberankte Terrasse hinaufführte, mieden wir. Diese Tür hatte eine elektrische Klingel, und die konnte man nicht beschummeln.

Im Souterrain stieg das Wasser. Ich war die Küchentreppe heruntergeschlichen. Der große hölzerne Waschtrog löste sich schon von dem Steinfußboden der Waschküche und war in Bewegung geraten. – Schließlich gelang es mir, den Trog mit einem Besen zu entern. – Vorsichtig stieg ich in das schwankende rundbäuchige Fahrzeug. Es gelang mir auch, einige Küchensachen zu retten und an Land zu bringen, das heißt auf die Treppenstufen abzusetzen. Jetzt aber kam große Hilfe. In mächtigen Wasserstiefeln kam Krischan Gädje, der Packhausarbeiter, angepulscht und machte in der Küche rationelle Aufräumungsarbeit. Vater hatte ihn aus seiner Wohnung geholt und um Hilfe gebeten.

Doch darüber waren nun schon wieder Monate vergangen, der Deichbruch wurde ausgebessert, das Wasser lief ab. Der Frühling trocknete alle Spuren der Überschwemmung, vertilgte sie. Der Sommer kam, und bald herrschte wieder eine natürliche Ordnung in den Gärten der östlichen Vorstadt. In den Vorgärten begannen die hochstämmigen Rosen zu blühen, die weißgelbe Maréchal-Niel und die rosarote La France und an der Nachbargrenze die Moosrosen. Die Fahrstraße unter den alten Lindenbäumen war seit einiger Zeit stiller geworden, da man die ewig bimmelnde Pferdebahn in eine Nebenstraße gelegt hatte. Morgens in aller Frühe, wenn ich noch vor der Schule zum Bäcker Fürkölter geschickt wurde, um frische warme Bremer Zwiebäcke zu holen, zogen die Torfwagen der Moorbauern aus den fernen Dörfern vorbei. Sie fuhren meistens gegen Mittag wieder heim. Vormittags rumpelte auch der altmodische Omnibus durch die Straße, hinaus aus der Stadt, auf die Dörfer, mit Bauersfrauen und Handlungsreisenden.

Die Hintergärten an der Schleifmühle zeigten vielfach einen sehr gepflegten Charakter, sauber, so wie die Rosengärten vor den Häusern; Gärten mit großer Blumenpracht und herrlichen Obstbäumen; die Beete waren mit Buchsbaum eingefaßt, gezirkelte Wege umrahmten maschinengeschorene Rasenplätze, und der scharfe Weserkies knirschte unter den Füßen der Besitzer, die auf den Wegen wandelten. Aber das handelte sich dabei natürlich nur um Gärten alter Ehepaare oder Kinderloser. Waren Kinder da, so hatten die Gärten einen ganz anderen Charakter. Wenngleich die Spuren der ursprünglichen geregelten Anlage noch durchblickten, weiteten sich Plätze durch das Spiel der Kinder, Turngerät war eingepflanzt, und der Kies knirschte nicht mehr, die Wege waren festgetreten und führten, möglichst weit vom Haus ab, in ein Kinderreich, das manchmal ganz wüst aussehen konnte. – Im Hintergarten unserer Familie begann dies Reich mit dem großen pyramidenförmigen alten Birnbaum, dessen untere Zweige schon eben über dem Rasenplatz begannen. Das Gras war lang; mühselig stapften ein paar schwarze Flußschildkröten durch das Gewirr der Halme, die sich leicht bewegten. Der breite Baum verdeckte die Einsicht in das Kindergebiet, das sich in fortwährender Umgestaltung befand. Jetzt sollte es eine phantastische Tropenlandschaft darstellen mit einem Vulkan. Allerdings war die Landschaft baumlos, der Berg hatte hinten eine tiefe Höhlung zum Einlegen von Sprengstoff, denn er mußte richtig funktionieren. In der Nähe des Berges befand sich ein See, dargestellt durch eine eingegrabene Kinderbadewanne. Am Ufer des Sees lag ein erdgrauer Alligator, der faul aus goldgelben Augen blinzelte. Sein Schuppenschwanz hing im Wasser der Wanne und zeigte daher eine dunkle braungrüne Farbe. Die Ecke des Gartens, dem Bahndamme zu und andererseits zum Nachbarn, hatten wir als Gartenbude ausgebaut. In die Langseite, mit der Sicht zum Birnbaum, war ein Fenster eingebaut, und in der Schmalseite, zur Tropenlandschaft, befand sich das Türloch. Ein flaches Dach, mit Dachpappe eingedeckt, machte die Bude regensicher. Trat man durch das Türloch, so hatte man einen leichten schwarzen Vorhang zurückzuschlagen; dann war die gegenüberliegende schmale Wand in der Hütte rot und die Langwand dem Bahndamm zu weiß. Fahnentuch. Wir hatten die Fahne aus der Zeugkiste auf dem Boden genommen. Wir konnten uns nicht entsinnen, daß sie einmal im Gebrauch gewesen war. Die weiß-rot gestreifte hanseatische, die war schon ein paarmal draußen gewesen. Dann hing sie am Sedanfeiertag vorne aus dem Dachfenster, der Straße zu, hinunter bis in die zweite Etage. Die weiß-rote wurde also sauber zusammengenommen und wieder in die Tiefe der Kiste versenkt. Die Gartenbude war ganz behaglich. Eine lange Bank lud zum Sitzen ein, ein Brett unter dem Fenster stellte den Tisch dar. Hier konnte man zur Not auch Schularbeiten machen. Am Ende des Tischbrettes stand ein kleiner Morseapparat, dessen Zeiger mit Punkten und Strichen ein Telegramm ablesen ließ, das von oben aus dem Wohnhause, aus dem Kinderzimmer kommen konnte. Durch die Bäume des Gartens hingen Drähte, und in der Waschküche hatten wir die Drahtführung an die Klingelleitung anzuschließen. Daß die Klingelleitung häufig nicht funktionierte oder manchmal so funktionierte, daß sie nicht zu beruhigen war, gehörte zu den Schrecknissen unseres Hauses.

Heute war ich ganz aufgeregt aus der Schule gekommen, fast zu spät zum Mittagessen. – In der Wallstraße hatten die »Butjer« die Steintreppe, die nach oben zum Wall führt, besetzt, und als wir Knirpse aus dem Gymnasium und aus der Handelsschule kamen, ging die Keilerei los; nur mit Hilfe von ein paar größeren Jungens konnten wir uns schließlich durchschlagen. Eine grimmige Feindschaft bestand zwischen den Butjern und den Swinern. Die Bezeichnung Butjer galt den Arbeiterkindern, die vielfach in der engen Wallstraße wohnten, welche die ganze Altstadt umringte. Die Arbeiterkinder nannten die »Vornehmen« Swiner. – Es war üblich, diese Bezeichnungen in den Stadtkämpfen zu gebrauchen, zu Beginn der Rauferei, als Anregung zum Mutmachen. Trafen die Gegner im Bürgerpark zusammen, so waren die Butjer Krähenindianer und wir, die Vornehmen, waren die Sioux. – Nach dem Mittagessen raste ich, den die Sioux den Roten Falken nannten, gleich wieder los. Es war Sonnabendnachmittag, und alle wußten, daß an solchen Tagen die in der Stadt unausgetragenen Kämpfe der Butjer und Swiner nachmittags im Bürgerpark beendet werden mußten. Unterwegs traf ich die Kameraden nicht mehr, mußte mich also im vollen Kriegsschmuck mit Federn am Kopf und einem richtigen Tomahawk in der Faust, den der Tischler Taubner in der Menkestraße für Geld und gute Worte angefertigt hatte, zum Versammlungspunkt durchschleichen. Am Ende des weiten Parks, im Weidengebüsch, nahe dem Torfkanal, war der Sammelpunkt der Sioux. Man reichte mir, dem Roten Falken, die Friedenspfeife. Ich nahm zwei kräftige Züge. Das Kraut, die trockenen Buschblätter, rauchte und stank. Der Geschmack war scheußlich. Aber ein Sioux hatte noch andere Dinge zu überwinden; darin zeigte sich schon die Tapferkeit und Furchtlosigkeit des Stammes. – Vor dem Kriegsgötzen flammte jetzt ein Rauchfeuer auf. Der dicke hockende Mann aus Lehm, den ich fabriziert hatte, glich mehr einem bös gewordenen Buddha als einem kantigen phantastischen indianischen Gott. – Plötzlich horchten wir Jungens auf. War das nicht der dreimalige Schrei des Eichelhähers? Und jetzt wieder ein ähnlicher Vogelruf von der anderen Seite des Lagers. Einer der Sioux trat schnell das Feuer aus, zu spät, noch ein dritter Häherschrei, und von allen Seiten wurde das Lager bestürmt. Der falsche Buddha verlor seinen Kopf, der rollte ins Gras. Die Schlacht war im vollen Gange, die Jungens ineinander verknäult. Endlich gelang es den einzelnen Sioux, sich aus dem Tumult zu lösen und zu entfliehen. Die Krähenindianer behaupteten das Feld, selbst einige Tomahawks blieben in ihren Händen.

Es ging schon dem Abend zu, als ich, etwas zerzaust und entfedert, nach Hause in den Hintergarten kam. Franz und Edu hatten lange genug auf mich gewartet. Es war so verabredet, denn heute sollte der Vulkan Feuer speien. Ich hatte Strontium und Schießpulver gegen eine alte Hanseatenmarke eingetauscht, die ich in der Briefkiste auf dem Boden gefunden hatte. Nachdem der Berg gefüllt, die hintere Öffnung mit Lehm verschlossen war, wurden die Chemikalien in Brand gesteckt. Blendend rot stieg aus der Bergspitze eine rauchende Flamme auf, dann ein mächtiges Brausen und Zischen, der Berg barst auseinander und fiel in sich zusammen. Am Abend brachten wir noch alles wieder in Ordnung, es wurden sogar die Wege geharkt. Vater war um diese Zeit in der Liedertafel zum Singen, aber Sonntag morgens früh kam er stets ohne Überrock in schneeweißen Hemdsärmeln in den Hintergarten zum Kontrollieren. Angst hatten wir Kinder vor dem Vater eigentlich nicht, aber Respekt vor der Strenge seines Wortes und seines Blickes. Außerdem wollten wir selber, daß der Sonntag ohne Aufregung war, der Mutter zuliebe, an der wir Kinder mit Liebe und Verehrung hingen. Der Vater hatte eine besondere Art, die Selbstdisziplin bei uns Kindern zu wecken, die nur ein Vater haben kann, der im Spiel der Kinder Kräfte erkennt, die zum Gestalten treiben. Mit mir war es schwer genug, da ich am Tage nicht lernte. Der Tag stellte zu große Anforderungen an mich, sowohl im Garten wie auch bei der heimlich betriebenen Zeichnerei, die meistens das Schulleben karikierte, vor allem die Lehrer. Arbeiten für die Schule machte ich immer erst morgens ganz in der Frühe, wenn das Haus noch schlief.

Der Vater war ein kleiner Mann mit energischen, bestimmten Bewegungen. Er hatte eine tiefe Baritonstimme und begleitete sich am Klavier selbst. Schön sang er Schubertsche Lieder. Meistens sang er

Sonntag abends, da er alltags zu spät aus dem Geschäft heimkam. Der Vater hatte eine Firma vom Großvater geerbt, die sich mit dem Verkauf von Röhren, Bandeisen, Eisenblechen und Trägern befaßte, welche die Firma von den Werken aus dem Ruhrgebiet bezog. Das Geschäftshaus lag nicht an der Langenstraße, an der die großen vornehmen Bremer Handelshäuser schon vor Jahrhunderten ihre verzierten Sandsteingiebel aufrichteten; sondern Vaters Geschäft lag in einer Straße, wo kleinbürgerliche Ladeninhaber wohnten, Schlachter, Bäcker, Sattler, Tabak- und Zigarrenhändler. Sonst hatte das Haus Ähnlichkeit in der Anlage mit den Häusern in der Langenstraße; im Vorderhause das Kontor und nach hinten über den Hof das Packhaus mit dem Ausgang zur Wallstraße. Die giebeligen Packhäuser der Langenstraße grenzten an den Weserfluß und konnten früher vom Schiff aus mit ihren Waren versorgt werden, aber auch nach der Langenstraße zu öffneten sich die Luken der langgestreckten Lagerkeller, um die Waren auf Frachtfuhrwerke, die von der Straße kamen, verladen zu können. Die alten Packhäuser hatten einen eigentümlichen Grundgeruch. In der Langenstraße kam aber dazu der vielsagende Warengeruch von Südfrüchten, Tee, Kaffee, Tabak. Der erzählte uns Kindern von weiten Reisen über den Ozean, die diese Sachen gemacht haben mußten. Das trat in Vaters Packhaus zurück. Da war eine andere Anziehungskraft. Im Vorderhause war es wohl langweilig, wenn die Kinder auf die Mutter warten sollten. Da saß der Vater im Erker, der Straße zu, und schrieb und schrieb. Auf den hohen Drehböcken, die aussahen wie dreibeinige braune Pilze, hockte der Buchhalter Wolters vor seinem Stehpult und schielte giftig an dem Lehrling vorbei auf uns Kinder, die er zum Teufel wünschte. Das merkten wir wohl. Dann drückten wir uns schnell, über den Hof, ins Packhaus. Hier wurde kein Hochdeutsch gesprochen, sondern Platt. Hier regierte Krischan Gädje. Der war wohl stark wie ein Riese. Wenn er das Eisen anfaßte und auf die Waage zog, brauchte ihm der krumme alte Wiese kaum zu helfen. Wieses Hauptbeschäftigung war, das Eisen, was die beiden auf den zweirädrigen Handwagen verluden, in die Vorstadt zu fahren. Die Käufer waren vielfach Schmiede aus den Dörfern, und die Torfbauern, die bei der Kneipe von Senkstake am Heerdentorsteinweg ausspannten, nahmen die Eisenware bei der Rückfahrt auf ihren leeren Torfwagen für den Schmied mit ins Dorf. – Der alte Wiese hatte einen Sohn, Fidi Wiese, der war ein Seemann. Der fuhr nach Rangoon, um Reis, und nach Amerika, um Tabak, Baumwolle und Mahagoniholz zu holen. Fidi erschien alle paar Monate mal in der Hansestadt. Für uns war er ein weitgereister Seeheld, der alles das, was wir in der Schule mühselig aus den bunten Atlaskarten lernen mußten, selber in Wirklichkeit gesehen hatte. Fidi Wiese liebte

Anna, das Hausmädchen. Er hatte deshalb auch zu uns Kindern ein kameradschaftliches Verhältnis, brachte immer etwas mit von der Seereise: Muscheln, getrocknete Seetiere und letztes Mal sogar ein lebendes Krokodil. Heute war er selber mit seinem breitbeinigen wiegenden Schritt durch den Garten gekommen. Wir Kinder stürmten ihm entgegen und hingen an ihm wie die Kletten. Fidi Wiese nahm den Alligator und guckte dem faulen Tier in die gelben Augen und in die rosa Schnauze. Dann setzten wir uns zusammen in die Gartenbude, er mußte dies letzte Werk von uns bewundern.

Fidi Wiese saß nun zwischen uns, er nahm eine kleine Schachtel mit Löchern aus der Bluse und setzte auf das Tischbrett ein langgeschwänztes kleines graues Tier, eine Art von Eidechse. Das Tier erhob sich gleich auf seine Vorderbeine und suchte einen Gegenstand, um ihn mit dem Schwanz zu umringeln. Große runde Augen hatte das Tier, so grau wie der Körper. Die Augen hatten ein kleines bewegliches schwarzes Loch. »Eine Eidechse«, rief Franz aus. »Ein Drache«, behauptete ich. »Ich habe im Buch ein Bild von ihm gesehen, eine Steinfigur an einer Kirche: Da war ein Ritter, der mit der Lanze dem Drachen ins Maul sticht. Darunter stand: Ritter Georg, der Drachentöter. Seht doch, seht doch«, rief ich, »sein Auge. Eben war das kleine schwarze Augenloch noch vorne, und nun guckt es uns rückwärts an.« Fidi Wiese klärte die Sache auf. »Das ist kein Drache, das ist ein Chamäleon. Findet man es in der heißen Gegend, so entdeckt man bald, daß das Tier seine Farbe wechseln kann. Kommt es über das Gras, so ist es grün, läuft es über einen rötlichen Felsen, so bekommt es genau die rötliche Farbe vom Stein. Das Tier soll bei euch bleiben. Aber seid gut mit ihm, es war auf dem Schiff mit allen befreundet, kletterte auch nicht weit. Nur müßt ihr immer Fliegen und Käfer fangen, im Winter könnt ihr Mehlwürmer geben, die frißt es gern, und keine Angst vor der langen Zunge, die manchmal ganz schnell herausschießt, um eine Fliege zu fangen.«

Die Schulzeit

Die Schule machte mir größte Sorge. Wenige Lehrer verstanden es, den Unterricht lebendig zu gestalten, mit dem Leben zu verbinden. Aber Geographie, Naturwissenschaft und Geschichte, das packte mich. In dem Geschichtsunterricht konnte ich historische Situationen mit großer Lebendigkeit phantasievoll wiedergeben. Am schlimmsten war für mich der Zeichenunterricht; da mußten mit Zirkel und Lineal Muster konstruiert werden. Das hatte ich mir ganz anders gedacht. – Gegen verschiedene Lehrer erfüllte mich

Verachtung und Haß. Die Leute schlugen. Ich hatte bei meinen Eltern bemerkt, mit welchen Worten der Verachtung sie von Menschen sprachen, von Nachbarn, die ihre Kinder prügelten. Zweimal kam es aber in der Schule bei mir selber zu körperlicher Züchtigung. Beide Male brachten mich auf so hinterlistige Gedanken, die mich zur Tat trieben, so daß ich über mich selber erschrak. Das eine Mal steckte ich in die Schiebeplatte meines Schulpultes (ich saß auf der untersten Bank) einen Federhalter mit einer spitzen Feder in die Halterrinne, so daß der wütende Lehrer sich die Spitze in den Oberschenkel rannte, ehe er zuschlagen konnte. Das andere Mal brachte ich das Tintenfaß so geschickt in der Federhalterrinne an, daß es sich, beim ersten Schlag mit dem Stock, über die helle Sommerhose des Wüterichs ergoß. Da ich nun mit meinen Lehrerkarikaturen schon genügend auf dem Kerbholz hatte, mußte ich die Handelsschule verlassen. Ich kam auf eine Realschule. – Hier fand ich eine Gesellschaft von Schülern vor, der ich gar keine Sympathie entgegenbringen konnte. Es waren meistens Jungens aus kleinbürgerlichen Familien. Es schien, als ob es ihnen gar nicht darauf ankäme, das Schulziel, die Berechtigung zum Einjährigen-Militärdienst und zu einer höheren Ausbildung, zu erreichen. Die Zucht in der Schule war sehr streng, geschlagen wurde viel, und die Jungens rächten sich an den Lehrern bandenmäßig. Da wurde so einem Erzieher nach der Schule aufgelauert, man schleppte ihn unter eine Pumpe und bestrahlte ihn mit dem kalten Wasser. Daß während des Unterrichts unter dem Schulpult Karten gespielt wurde und man sich eine Schnapsflasche zureichte, gehörte zu den täglichen Ärgernissen. Der Gegensatz zu diesen Schülern brachte mich aber jetzt endlich dazu, das Lernen ernst zu nehmen, um auf keinen Fall länger als die normale Zeit in der Schule sitzen zu müssen.

Schließlich bestand ich das Examen und hatte die Schuljahre hinter mir. – Freiheit. – Aber noch tief ins Leben hinein verfolgten mich schreckliche Schulträume, dann sprang ich nachts aus dem Bett und glaubte meine Schulmappe packen zu müssen. Ein anderer Traum, der immer wieder auftrat und mich wie ein Alpdruck quälte, war der: Da war eine lange, lange Kegelbahn und eine ganz kleine, rote Kugel, und die rollte, immer größer werdend, auf mich zu, dahinter erhob sich das maskenhaft verzerrte Gesicht eines Arbeiters, die Kugel wurde größer und größer und das Gesicht des Arbeiters unheimlich lang. Schließlich verwischte dann aber alles in dem Augenblick, als die rote riesenhafte Kugel mich erfaßte, dann erwachte ich. Die Beine und Arme schienen sich von mir loszulösen. Was war das nur? Ich lag im Bett und atmete, als hätte ich einen Wettlauf hinter mir. Ich suchte mir das zu deuten. Kramte in meinem Gedächtnis. Es konnte sich auf eine mir unverständliche Bemerkung meines Vaters im Gespräch mit der Mutter beziehen. Der Vater sagte: »Die Roten machen sich jetzt wieder sehr bemerkbar. Sie wollen gegen die Regierung vorgehen, sie sind auch gegen uns Kaufleute, gegen die Fabrikbesitzer und gegen die Rittergüter.«

Der Weg zum Weyerberg

Es trieb mich hinaus in die Natur. Das Bild von der fernen Insel im Meer aus der Überschwemmungszeit war während der Schuljahre verdrängt gewesen. Nun tauchte es wieder auf, und bald konnte man uns auf der Landstraße zum Weyerberg marschieren sehen, zwei jugendliche Wanderer mit Rucksäcken auf dem Rücken. Die Horner Chaussee mit den üppigen Landhäusern der Bremer Kaufleute hatten wir bald hinter uns. Nach der häuserarmen schnurgeraden Eichenallee, die das Marschland durchquerte, kam die neue Flutbrücke der Wümme, und weiter ging es durch den Flecken Lilienthal mit Amtsgericht und Gefängnis.

»Was sind eigentlich die Roten, Karl?« fragte ich den älteren Freund Karl Müller.

»Die Roten sind Arbeiter, ganz ungebildete Leute; die wollen aber in Deutschland regieren und würden alles kaputtmachen.«

»Aber sie bauen doch die Häuser und die Eisenbahnen.«

»Dafür bekommen sie doch bezahlt.«

»Können denn Arbeiterkinder nicht auch so viel lernen, zum Beispiel das Regieren?«

»Was bist du doch für ein Dummkopf, Heinrich; die gehen doch auf die Freischule.«

»Das doch nur, weil die Eltern die höhere Schule nicht bezahlen können.«

»Mensch, frag doch nicht so dumm, arm und reich hat es immer gegeben und wird es immer geben. Die Fleißigen werden reich, und die Faulen bleiben arm.«

Wir Jungens waren nun den Heidehang des Weyerberges hinaufgestiegen und lagerten uns in der Sonne. Unter uns lag das Moor, und wir sahen auf die birkenbestandene Landstraße, die wir gekommen waren. Ich nahm meine Malsachen aus dem Rucksack und malte den Heideweg, der sich den Berg hinaufschlängelte. – Mit Karl Müller konnte ich wenig sprechen nach den letzten Fragen. Ich hatte das Gefühl: durch Karl Müller kann ich nicht klüger werden. Als ich meine fertige Ölskizze eingepackt hatte und wir unsern Proviant verzehrt hatten, marschierten wir über den Berg hinunter in die Wiesenebene dem Hammefluß zu, um bis zur Bahnstation mit einem Torfboot zu fahren. Wir beeilten uns sehr, da ein Gewitter im Anzuge war, und bald, als wir im Boot saßen, prasselte ein scharfer kalter Regen herunter; wir wurden völlig durchnäßt. Im Eisenbahncoupé fühlte ich mich sehr schlecht, ich fror. Außerdem war ich traurig; konnte mir kein Bild von meiner Zukunft machen. Der Vater hatte mich bei einem großen Bremer Handelshaus als Lehrling festgemacht, und ich hatte doch vor Zahlen, Addieren und Subtrahieren ein wirkliches Angstgefühl.

Am anderen Tage konnte ich nicht vom Bett aufstehen, hatte hohes Fieber; meine Mutter saß bei mir und hielt meine heiße Hand. Die Mutter hatte rotgeweinte Augen. Dann kam der Arzt und horchte mich ab. Lungenentzündung. – Die Krankheit dauerte lange. Dann fuhren die Eltern mit mir in den Schwarzwald nach Baden-Baden. – Das war wohl für alle drei eine schöne Zeit; denn der Vater lernte seinen Sohn jetzt erst richtig kennen, das Verhältnis des Jungen zur Natur und auch das unentwegte Bestreben, zu zeichnen und zu malen. Als wir drei Erholungsreisenden wieder in Bremen waren, willigte der Vater ein, daß ich auf der Akademie in Düsseldorf die Malerei erlernen könne, und stellte die Mittel zur Verfügung. Zu Weihnachten schenkte er mir einen Malkasten, er hatte auch ein Brett von einer Zuckerkiste zurechtgemacht, und Vater malte mit mir zusammen auf dem Brett eine Schweizerlandschaft mit Ölfarben. Das geschah während der Weihnachtsfeier beim lichterstrahlenden Tannenbaum und wurde für mich ein unvergeßlich frohes Ereignis.

Kaum arbeitete ich ein Jahr auf der Düsseldorfer Akademie, da starb plötzlich der Vater, grade in einer Zeit, als ich auf Ferien bei den Eltern zu Hause war. Meine jüngeren Brüder wurden auch nach einiger Zeit mit der Schule fertig, doch auch sie hatten keine Neigung zum kaufmännischen Beruf. Die Firma wurde verkauft, und wir drei Jungens bemühten uns, so schnell wie möglich selbständig zu werden, um die Mutter von allen Sorgen zu entlasten, zumal noch zwei jüngere Schwestern da waren.

Auf der Düsseldorfer Akademie

Die Studienjahre auf der Düsseldorfer Akademie waren für mich von vielen Widerständen begleitet. Endloses Gipszeichnen nach der Antike – die geniale, einschmeichelnde Zeichenmethode der Akademie, mit dem Kreidewischer ein geschicktes malerisches Bild von dem Gipsoriginal zu geben – ärgerte mich, stieß mich ab. Ich sah im Studium der Antike das Mittel, den menschlichen Körper kennenzulernen, auf das genaueste die Form, die Bewegung zu studieren; ganz egal, ob ein malerisches Bild daraus entstand. Ich wollte beim Zeichnen fühlen, wie so ein Körper gewachsen ist. Nicht die malerische Erscheinung, sondern das Organische, den Bau, die Form suchte ich zu ergründen. So ein hartköpfiger Schüler war dem Professor Janssen noch nicht vorgekommen. »Wehrt sich da ganz offen gegen die anerkannte Methode der Malerakademie!« Ich hatte, als Protest gegen die Wischerei aus dem Handgelenk, meine Arbeit mit dem scharf zugespitzten Kreidestift durchgeführt, um bis in die intimste Form vordringen zu können. »Wie ein altmodischer Kupferstecher aus dem vergangenen Jahrhundert«, sagte wegwerfend der Professor Janssen. Für die kunstgeschichtlichen Vorträge konnte ich mich auch nicht erwärmen. Ich war mit so großen Erwartungen und Hoffnungen auf die Akademie gekommen. – Ich hätte gern etwas von der Art des Lebens und des Studiums der großen Maler und Bildhauer aus der Vergangenheit gehört.

Als der Frühling kam, konnte ich unmöglich noch die Abende bei Vorträgen in der staubigen Akademie zubringen; der Düsseldorfer Frühling war eingetroffen, der Frühling, der hier so mild und verführerisch einsetzt. In der Hansastadt peitschten um diese Zeit noch die Regenschauer über die grünen Kupferdächer der Kirchen und alten Gebäude. Blau aufgerissen eilten dort die weißen regenverkündenden Wolken über die alte Stadt. Aber hier war ruhige blanke Frühlingssonne. Sie rief uns hinaus, wenn die Korrektur im Antikensaal beendet war. Dann wanderten wir, zwei Freunde, über die Rheinbrücke zum anderen Flußufer. Man saß schon auf der Veranda irgendeines kleinen Gasthauses beim Spargelessen und brütete geheime Wünsche aus. Alles schien uns zuzurufen: Kommt zur Natur, kommt in den Frühling. Singt mir mein Lied, ihr jungen Künstler.

Am anderen Tage wurden wir beiden Freunde zum Akademiedirektor gerufen, der Alte kam uns Jungens vor wie eine verstaubte Mumie. Wir sollten uns für die Versäumnisse in den kunstgeschichtlichen Vorträgen verantworten. Eine Entschuldigung war nicht da – so mußten wir eine Akte unterschreiben, daß wir von nun an die Vorträge des Kunstgeschichtsprofessors regelmäßig besuchen würden. Als wir die Tür hinter uns zuklappten und auf dem Korridor standen, packte mich Robert beim Arm und sagte: »Mensch, lach noch nicht, aber morgen fahren wir zusammen nach Holland.«

Die erste Studienreise

In Holland begann eine arbeitsreiche Zeit, fast wie ein Wettbewerb. Wir waren drei Freunde. Die durch die Düsseldorfer Akademie verdrängten künstlerischen Kräfte forderten ihre Rechte. Nahe der belgischen Grenze die kleine holländische Stadt Sluis wurde unser Arbeitsplatz. Die Familie Maldegen bewirtschaftete das Gasthaus am Hafen, wo der Kanal beginnt, der nach Brügge führt. Hier stiegen wir drei Maler ab, Robert aus Stuttgart, sein Vetter aus Frankfurt und ich. Unser Wirt Maldegen war eine vierschrötige flämische Bauerngestalt, die Mutter Maldegen eine eingetrocknete, flinke geschäftige Frau, der drei Töchter zur Hand gingen, Pharailde, Elodi und Romani. Daß in der Familie auch irgendein Einschlag von spanischem Blut vorhanden war, sah man bei Pharailde, deren eiförmiges Gesicht von schwarzem glattem Haar umrahmt war. Mit einer feinen Spitze wuchs es in die hohe Stirn hinein. Die Kenntnis des Ortes Sluis verdankten wir Otto Sohn, dem jungen Freund aus Düsseldorf, der sich in dem Nachbardorf Sant Anna ter Muiden angesiedelt hatte. Mit meinem nahen Freund Robert wanderte ich schon am nächsten Morgen los, um Otto aufzusuchen. Frühling war es, blank die Straße, windschief die alte Pappelallee am Kanal. Vor uns schritt eine schlanke, zugeknöpfte schwarze Gestalt, die lustig mit dem Spazierstock um sich focht, als wolle sie sich von zudringlichen windigen Frühlingsgespenstern befreien. Das war der Dominus von Sant Anna ter Muiden. Als wir uns dem Orte näherten, beherrschte die Landschaft ein mächtiger viereckiger Kirchturm ohne Spitze, um den sich ein paar niedrige Häuser gruppierten, der Rest einer großen Stadt, die in den spanischen Kriegen zerstört worden war. Man sah noch in der Umgebung die hohen Wälle, die die Stadt eingefaßt hatten. Dazwischen breiteten sich jetzt Kohlfelder hin, und auf den Wällen weideten schwere flämische Pferde. Als wir näher kamen, erkannten wir auch, daß der Turm der einstigen Kathedrale allein stand und kein Kirchenschiff mehr hatte. Er schaute herab auf ein paar Häuser. Das größere war offenbar das Rathaus, zu dem eine Steintreppe hinaufführte. Dann waren noch sechs, sieben Häuser da, die den Großbauern gehörten, außerdem einige kleine Katen. Zwischen dem buckeligen Gestein des Pflasters wucherte Gras. Das Ganze wirkte auf mich wie das Bühnenbild für eine Operette, in der jeder Mitwirkende sein Haus, seinen Ausgangspunkt und sein Endziel hatte. Das Rathaus, das im Augenblick nicht bewohnt war, hatte sich der Düsseldorfer Maler Paul Baum gemietet. Sechs reiche Bauern bewohnten die größeren Häuser.

Aus einer der kleinen Katen trat eben der junge Maler Otto Sohn zu uns mit freudigem Gruß. Er bat uns in sein Haus. Im Innern der Kate war alles sehr behaglich eingebaut. Ein großer Alkoven zum Schlafen war da, zwei kleine Fenster, ein Kachelofen mit angebautem Herd und ein Tisch mit Stühlen. Der junge Maler bewirtete uns mit Brot, Butter und Käse, jeder bekam aus dem bauchigen Einmacheglas, in dem Zitronenscheiben schwammen, einen Schnaps, dazu englischen Porter und Ale. Ein frischer grüner Salat beschloß das Mahl. Dann zeigte uns Otto Sohn das Dorf. Ein feister Bauer kam vorbei mit den Worten: »Mijnheer Sohnje, will zij niet met in de kerk gaahn, beetje van de lekkere wijn drinke?« Er war auf dem Wege zum heiligen Abendmahl. »Karfreitag«, bemerkte Otto mit einem darauf bezüglichen Lächeln. Die Bauern hatten sich in der Kirche ganz gut eingerichtet. In den Turmrest war ein Schrägdach über eine rundgewölbte Decke gesetzt. Unten standen solide Gebetsbänke, in denen die Familiennamen der Großbauern eingekerbt waren. Vor jedem Familiensitz lag an einer Messingkette eine dicke schöngedruckte Bibel. Beim Abendmahl hatten die Bauern einen besonderen Komment: Wenn der Dominus, der die Predigt zu halten hatte, das heilige Abendmahl gab, so füllte er den Pokal bis an den Rand mit Sherry. Die Bauern kamen aus ihren Bänken. Dann reichte er ihnen den heiligen Pokal; der nächste Bauer griff mit beiden Händen zu und setzte den Kelch nicht eher ab, als bis er die Nagelprobe machen konnte.

Von Sluis aus besuchten wir auch das nahe liegende belgische Brügge. Um diese Zeit, es war in den neunziger Jahren des vergangenen Jahrhunderts, lag die alte Hansastadt da wie ein verträumtes Märchen aus alter Zeit. In grasbewachsenen Straßen mit holperigem Pflaster saßen vor ihren kleinen weißen Giebelhäusern alte Frauen in weißen Hauben an ihren Klöppelbrettern und wirkten Spitzen. Verwachsene Kanäle, über die sich steinerne Brücken bogen, durchzogen die ganze Stadt. Zwischen dem blanken Grün der Wasserrosenblätter spiegelten Schwäne ihren weißen Leib im dunklen Gewässer. Man möchte viel von dem Schicksal dieser Stadt wissen; die Häuser, der mächtige Belfried am Marktplatz, die Klöster, Kirchen, Tuchhallen und Hospitäler sprachen zu uns mit ihren Kunstschätzen. Wie muß das Leben in dieser Stadt geblüht haben. Wie viele Maler haben hier vor vierhundert Jahren gelebt und gearbeitet! Die Bildnisse Hans Memlings, die »Legende von der heiligen Ursula« im Johannishospital, die Bilder von Jan van Eyck, Gerard Davids »Taufe Christi«, auch der »Tod der Jungfrau Marie« von van der Goes machten auf uns nicht nur durch die Vermittlung des Gefühlslebens und der Typen aus jener Zeit einen starken Eindruck, sondern wir standen auch erregt vor der unerklärbaren hohen Technik, mit der die Bilder gemalt waren. Dann kamen wir in die Liebfrauenkirche und standen wie gebannt vor dem Grabmal Marias von Burgund. Die schlichte Anmut der jungen Gestalt, die uns der Bildhauer Pieter de Beckere aus dem Ende des fünfzehnten Jahrhunderts vermittelte, blieb bis heute in mir lebendig. Was wir in Brügge gesehen hatten, regte uns sehr an, wir fühlten eine tiefe Verantwortung für unser eigenes Studium.

In der Stadt Sluis hatten wir ein gutes Verhältnis zu der lebenslustigen flämischen Bevölkerung, malten auch einige Firmenschilder für Schlachter und Handwerker mit witzigen Motiven. Abends war das Gasthaus am Kanalhafen immer sehr belebt. Durch meine plattdeutsche Sprache konnte ich mich auch mit den Flamen ziemlich gut verständigen. In der Gaststube schob man die blanken Holztische aneinander, und dann schossen und glitten die großen Silbergulden über die Fläche. Man spielte nach ähnlichen Regeln, wie sie mit den Kugeln beim Boccia der Italiener gebräuchlich sind.

Es wurde Herbst. Von dem alten Birnbaum rieselten schon die gelben Blätter in den Hof. Es wurde kalt und grausig. Die Cholera kam von den Häfen ins Land, von der Stadt zum Dorf. Nun war sie auch in Holland und schlich von Haus zu Haus. Das fidele Leben in der Kneipe erstarb. Die schwarzen Beginenweiber mit den großen weißen Hauben sammelten zwar weiter milde Gaben von Haus zu Haus, mieden aber bald die Nähe des Kanals, an dem das Gasthaus lag. Dort im Hafen war ein Bockschiff vertäut. Alle Insassen waren schon erkrankt, und eines Nachts schaffte man sie als Leichen fort. Cholera. – Wie fortkommen aus der bedrohlichen Atmosphäre? Überall beim Reisen Quarantäne. Zum Glück half der Geneesheer, der Doktor, ein Nachkomme von Peter Paul Rubens; er half mit einem offiziellen Gesundheitszeugnis, so daß wir drei über die belgische Grenze kommen konnten. – Stürmischer Herbst. In Blankenberge auf dem Diek promenierte kein Mensch mehr, alle Villen und Hotels waren schon durch Holzverschalung gegen die Winterstürme geschützt. Ein Hotel hatte in dem Holzmantel eine Tür, die nicht verschlossen war. Nach Überredung der alten Wächterin bekamen wir Flüchtlinge ein Zimmer. Der weitere Fluchtplan wurde beraten und beschlossen. Nur nach Süden, nach Süden war die einstimmige Losung. Man fuhr nach Brüssel, bepackt mit Holzrahmen, Leinwand und anderem Malgerät, dann kurz entschlossen nach Genua. Die Geldmittel schmolzen zusammen, aber das Gespenst der Cholera trieb zu schnellen Entschlüssen.

Genua. Keiner kannte die italienische Sprache. Am Bahnhof stand ein bärtiger Hotelportier, auf seiner Kappe lasen wir die Worte »Hotel Schmidt«. Wir hatten das Gefühl, als müßten wir den Mann umarmen. Das billigste Zimmer in der höchsten Lage wurde von uns bezogen, glücklich waren wir und fühlten uns geborgen. Noch lange lagen wir im Fenster, oben blinkte der Sternenhimmel, und ganz, ganz unten sah man auf ein viereckiges Stück Hof. Es war so milde Luft. Wir ließen einen Kupfersoldo auf den Hof herunterfallen, um zu hören, wie lange es dauerte, bis er unten aufklang.

Zum Arbeitsplatz wählten wir Rapallo. Die erste Nacht verbrachten wir mit dem ganzen Gepäck in einer höhlenartigen Felsenvertiefung, am Meeresstrand. Aber die Nacht war noch nicht herum, da wurden wir durch einen Zollwächter vertrieben. Da saßen wir drei nun am Strand auf unseren Gepäckstücken. Hinter uns breitete sich die Stadt mit den dunklen Häusern hin. Das nächtliche Meer war gar nicht heiter. Die heranrollenden Wogen hatten fast keinen Glanz und fielen dumpf und schwer aufschlagend in sich zusammen. Sie waren voll von Seetang, und Roberts Versuch zu baden verwandelte ihn gleich in ein zottiges Seeungeheuer. Endlich kam der Morgen. Wir warfen unser Geld zusammen und fanden eine Wohnung, ein Zimmer in der ersten Etage eines der kastenförmigen rosa gestrichenen Häuser. Dann ging jeder seines Weges auf Entdeckungsreise. Um die Mittagszeit, als die Sonne hoch stand, meldete sich der Hunger. Jeder hatte nur noch eine Handvoll Soldi. In einem engen kühlen Straßengang fand ich eine kleine Fischerkneipe. Man setzte mir gleich eine Karaffe mit offenem weißen Wein vor. »Frutti di mare?« fragte die mächtige Wirtin. Wie schön das klingt. Ich bat darum mit einem Kopfnicken und trank vom wohlschmeckenden Wein. Frutti di mare erschienen auf einem großen Teller, es war Gebackenes in allen möglichen Formen, die ich gleich zu untersuchen begann. Am anderen Tisch saß eine Gruppe Fischer. Ein mächtiger Kerl zeigte seinen Tischkumpanen ein Kunststück, das mich erschütterte: mit einem Biß seiner weißen Zahnreihen weidete er einen großen rohen Fisch aus und klatschte das Eingeweide auf den Zementfußboden. Mein Essen machte mir nun keine große Freude mehr, zumal die Durchstocherung der Frutti di mare ergab, daß es, in Teig schamhaft verhüllt, die Saugarme von Tintenfischen waren, an deren Genuß ich mich nicht so schnell gewöhnen konnte. Ich legte die schuldigen Soldi auf den Tisch und schluckte den guten Wein weg. Als ich aber aus dem kühlen Schatten der Gasse in die sonnige breite Straße kam, merkte ich, daß mir meine Beine nicht mehr recht gehorchten. »Mensch, du bist ja besoffen«, sagte ich mir und harfte mich langsam an den Häuserwänden entlang unserer Wohnung zu, warf mich aufs Bett und mußte wohl gleich eingeschlafen sein.

Nach einiger Zeit erwachte ich durch Roberts Kommen. Der Württemberger war sehr geknickt, er hatte in einem Olivenhain einen flachgedeckten Eselstall entdeckt, auf dem Feigen in der Sonne trockneten. Er war so glücklich und stopfte seine Taschen voll Feigen, da ertönte ein wütendes Geschrei und bald darauf ein Schuß, so daß er die Schrotkörner an die Mauer prasseln hörte und schleunigst türmen mußte.

Peter Hoffmann, der Frankfurter, war noch nicht da, kam und kam nicht. Erst in der Nacht hörten wir an der Außenwand des Hauses ein seltsames Kratzen und Schaben, und nach wenig Minuten schwang sich eine dunkle Figur über die Fensterbank ins Zimmer. Peter war an der Regenröhre in die Etage hinaufgeklettert, da man ihn unten nicht hineinließ. Kaum auf festem Boden, führte er einen Freudentanz auf und schwang einen Packen Geldscheine. – Auf seinen Streifzügen hatte Roberts Vetter in einem ausgetrockneten Flußbett den Karlsruher Professor Schönleber, seinen früheren Lehrer, entdeckt, der ihm mit größter Zuvorkommenheit aus der Klemme half. Später kam Geld aus Deutschland. Unsere Angehörigen waren sehr froh, Nachricht zu haben, daß es ihren Sprößlingen gelungen war, das choleraverseuchte Holland zu verlassen. – Es kamen nun arbeitsreiche Herbsttage. Im November kehrte ich, als einziger, nach Düsseldorf zurück, die Freunde fuhren nach Paris. – Die Aufnahme in die Akademie war für mich nicht leicht. Wenngleich die Qualität der Studienarbeit, der Reichtum der geleisteten Arbeit anerkannt wurde, steckte man mich für das Disziplinarvergehen vorderhand noch mal in die staubige Antikenklasse.

Der erste Versuch zur Wandmalerei

Ich wohnte jetzt nicht mehr als Pensionär bei dem Oberlehrer, bei dem mich meine Eltern eingemietet hatten, sondern ich war in ein kleines Atelier gezogen. Auch veränderte sich mein Leben dadurch, daß man mich als Fuchs gekeilt hatte. Ich war somit Mitglied der Malerverbindung »Tartarus« geworden. Gleichzeitig mit mir trat ein junger Hamburger in den »Tartarus« ein. Man taufte uns Hanseaten mit Spitznamen, mit »Lining« und »Mining«, nach Fritz Reuter, in dessen Werken diese beiden als Druwäppel (die beiden am Zweig zusammen gewachsenen Äpfel) bezeichnet sind. Die Bezeichnung „Mining" blieb für immer an mir hängen. Im »Tartarus« wurden wir erzogen. In erster Linie sollte uns vom Fuchsmajor Filbert beigebracht werden, die Vertilgung von unzähligen Gläsern Bier als Heroismus anzusehen. Zuerst machte ich mit und wurde hundeelend dabei. Als ich dann jedoch Leibbursch von Ernst Eckehardt geworden war, hatte ich den Schutz eines fürsorglichen älteren Freundes. Ernst Eckehardt liebte die Literatur; vor allem beschäftigte er sich mit dem Studium von Goethes »Faust«, das ihn, in der Periode, in der ich mich mit ihm befreundete, ganz erfüllte. Für mich war dieser nahe Verkehr mit dem älteren Tartaren der Einblick in eine künstlerische Welt, die mir bisher durch die Schule ziemlich verleidet worden war. – Durch den Fuchsmajor kam ich aber unverhoffterweise zur Wandmalerei. Das war so: Im Herbst, als wir nach Mitternacht, etwas angeheitert, aus der Kneipe auf die menschenleere Straße kamen, blieb Filbert, der Fuchsmajor, mit seinen Mannen an einer Straßenecke stehen. Hier beleuchtete die Gaslaterne eine hohe

Hauswand, an der die Reste eines Abbruchs sichtbar waren. Zerrissene Tapeten hingen an der Wand, der schwarze Winkelzug eines abgerissenen Schornsteins zeichnete sich ab, ausgebrochene Treppenstufen lenkten den Blick auf die innere Aufteilung des Hauses mit den Vorplätzen, Stuben und Kammern. Filbert versammelte seine Füchse in einer dunklen Ecke und hielt eine Ansprache: »Ihr krummen Füchse, diese Nacht gibt es Arbeit für euch. Ihr sollt den Düsseldorfern eure hohe Kunst zeigen, es wird das erste Mal sein, daß man euch zur Wandmalerei zuläßt. Reißt euch zusammen, die öffentliche Ehre des ›Tartarus‹ steht auf dem Spiel. Jetzt geht jeder schleunigst auf seine Bude, sucht schwarze Temperafarbe zusammen; wer die nicht hat, kratzt sich Ruß aus dem Ofen, große Pinsel werden mitgebracht, einer geht mit auf meine Bude, um einen Eimer Leimwasser zu holen.« – Nach einer Viertelstunde war alles am Platze. Polypen waren nicht zu sehen. Zwei Jungens standen Schmiere; die anderen kletterten auf die Leitern, etwas Gerüst war auch da, und nun belebten sich die Wände schnell. Alle ließen ihrer Phantasie freien Lauf und malten: Auf der Treppe kam der betrunkene Hausherr mit dem Hausschlüssel in der Hand nach Hause, in einer Dachkammer ein Dienstmädchen mit ihrem Geliebten, in einem anderen Zimmer stand ein Ehemann seiner eifernden Schwiegermutter gegenüber, auch fehlten nicht Vorgänge im Schlafzimmer der Eheleute, im Kinderzimmer und auf dem Lokus. Dann war höchste Zeit, daß man verduftete, es wurde dicke Luft angesagt oder vielmehr gepfiffen, man mußte sogar das Malgeschirr in Stich lassen. Doch gelang es dem heransausenden Polypen nicht, einen der »Künstler« abzufangen.

Ein ungewöhnliches Kunstinteresse erfaßte am nächsten Tage alle Kreise der Düsseldorfer Bevölkerung, die zu dem bewußten Hause wanderte. Die Polizei mußte den Bauherrn veranlassen, sofort, noch selbigen Tages, die ominöse Wand überkalken zu lassen.

Unter den Tartaren hatte ich noch einen Freund gefunden, den schweigsamen Fritz Overbeck. Er war Landschafter und stammte auch aus der Hansestadt Bremen. Fritz Overbeck verließ aber schon die Akademie, um in der Nähe unserer Vaterstadt auf das Dorf Worpswede im Teufelsmoor zu ziehen.

Im vierten Jahr beendete ich das Studium auf der Kunstakademie in Düsseldorf. Die letzten Jahre war ich neben dem Atelierstudium ein eifriger Schüler bei dem Lehrer für Kunstgewerbe gewesen, zeichnete und sammelte eine Fülle von Material aus den Kulturperioden der verschiedenen Länder und der verschiedenen Jahrhunderte. Der griechischen und römischen Antike, aber auch dem Empire wendete ich großes Interesse zu; auch die Gotik stand mir nah. Da waren es besonders die Buchminiaturen und die Schrift, die mich interessierten, sowie ihr Einfluß auf die modernen Schriftzeichen vor allem bei den Engländern. Ich hatte unter den Professoren einige Sympathie; vor allem bei diesem Professor des Kunstgewerbes, der sich besonders mit mir beschäftigte und mir Verständnis für Architektur und für die Darstellung der Perspektive beibrachte.

Das Examen für Anatomie bestand ich auf etwas humoristische Weise. Der Anatomieprofessor schätzte mich aus irgendeinem Grunde. Da ich aber in letzter Zeit wegen des guten Frühjahrswetters und wegen meiner Arbeit im Freien viele Anatomiestunden geschwänzt hatte, suchte er mir während der Prüfung die Fragen so leicht wie möglich zu stellen. Einen Schädel nahm der Anatome in die Hand und fragte mich, wie der Knochen an der Stirn heiße, auf dem sein Zeigefinger ruhte; »Stirnbein« war die unausbleibliche Antwort. Bei einer anderen Fragenrunde nahm er einen leicht gebogenen Knochen vom Tisch, zugleich zog er, wie spielend, aus der Hosentasche, unvermerkt für die jurierenden Professoren, seinen Hausschlüssel. Ich war von der niederen Einschätzung meiner Kenntnisse so gerührt und belustigt, daß ich mir einen Witz erlaubte. »Der Hausknochen« (studentische Bezeichnung für Hausschlüssel), war meine Antwort, die ich schnell mit Schlüsselbein verbesserte. Natürlich ein schallendes Gelächter, aber ich bestand meine Abgangsprüfung.

Inzwischen bereiteten sich meine beiden Brüder für die Geflügelzucht vor. Der jüngere, Eduard, hatte in der Nähe von Paris auf einer staatlichen Schule die Geflügelzucht erlernt; währenddem verwandelte Franz, der ältere, den Hintergarten des Hauses an der Schleifmühle in einen Geflügelhof. In der Waschküche standen Brutmaschinen. Als Eduard zurückkam, wurde dies alles liquidiert, und beide Brüder fuhren nach Amerika, wanderten dort lernend als Tramps und Gelegenheitsarbeiter von Geflügelfarm zu Geflügelfarm.

Paris und die Heimfahrt

Bevor ich nach Beendigung des akademischen Studiums in meine Vaterstadt zurückfuhr, besuchte ich meinen Freund Robert in Paris. Ich hatte von ihm damals in Holland viel gelernt, vor allem die Anfangsgründe der Malerei verdankte ich ihm zu einer Zeit, als mein Studium in den Gipssälen der Akademie verkümmerte und mir niemand half.

Das helle sonnige Grün der Kastanien mit den festlich leuchtenden Blütenpyramiden, die Anmut und Leichtigkeit des Lebens der studentischen Jugend, die blumenbekränzten Vorortzüge, in denen die Pariser Jungens mit ihren lebenslustigen Freundinnen aus der

Umgebung der Stadt heimkamen, das war für mich, den Norddeutschen, ein Erlebnis, als atme meine Brust plötzlich frei. Ich fühlte mich wie ein Genesender in einer ruhigen Rekonvaleszenz nach stumpfen, frostigen Wintertagen. Dankbar dachte ich an den Tartaren Ernst Eckehardt, der mir noch am Bahnhof vor der Abreise aus Düsseldorf ein kleines Reclamheft ins Coupé reichte: Murger, »Bohèmiens«. Meine Reise nach Paris wurde mir dadurch zu einer festlichen Ouvertüre.

Der Besuch des Louvre erfüllte mich mit der Sehnsucht nach eigener Gestaltung, und die Männer von Fontainebleau, vor allem Millet und Courbet, waren mir sehr nahe, als zeigten sie mir Richtung und Ziel. Im Louvre waren es drei Arten ziemlich gegensätzlicher Kunst, die mich ergriffen: die monumentale Kraft der Komposition fand ich bei Mantegna, Anmut bei Botticelli; aber die Gestaltung der Materie durch die Farbe mit einer Kraft, als entdeckte man zum erstenmal das Organische in den Wirklichkeiten der Natur, diese erschütternde Schönheit gab mir Rembrandt, vor allem in seinem kleinen Bilde »Der geschlachtete Ochse«.

Mir gefielen aber auch besonders die Pariser selbst, die kleinen Leute, die im Studentenviertel wohnten. Mir gefiel die kultivierte Art, wie sie Fremden behilflich waren, so daß man das Gefühl bekam, du bist hier ein gern gesehener Gast. Nur zu kurz war dieser erste Aufenthalt.

Nun fuhr ich heim; an der Schleifmühle saß ich bei der Mutter, die an allem, was ich gesehen und gelernt hatte, und auch an meinen Plänen regen Anteil nahm. Ich besuchte dann auch die alte Mutter des Malers Overbeck und erfuhr, daß Fritz ganz in Worpswede lebte und sich dort mit seiner Arbeit eingemietet hatte. Am anderen Tage packte ich meine Sachen zusammen, wartete an der Straße den Morgenomnibus nach Worpswede ab und übergab dem Kutscher das Gepäck mit der Bitte, es bei dem Maler Overbeck abzustellen. Ich selber warf noch einen letzten Blick hinauf zur Mutter, die oben am Fenster bei ihrem Klöppelbrett saß. – Mein Ziel war der Weyerberg, das Dorf Worpswede, aber ich hatte nicht die Geduld, jetzt in dem rüttelnden Omnibus mit den Reiseonkels zu sitzen, sondern machte einen Teil des Weges mit der Eisenbahn, wie mir die Mutter Overbeck geraten hatte, und dann zu Fuß. In der Kreisstadt Osterholz stieg ich aus. Man wies mir den Weg zum Hammefluß. Die Sonne war schon hoch, als ich den Ort hinter mir hatte und durch die Wiesen schritt. Über mir meckerte eine »Himmelszeeg«, wie die Bauern die große Schnepfenart nennen, die beim Flattern mit den Flügeln ein Meckern hervorbringt, als käme es von einer Ziege. In Paris hatten schon die Kastanien geblüht, hier war Vorfrühling. Ein frischer Morgenwind wehte. Rauschend kam ein

Torfkahn unter seinem braunen Segel flußaufwärts. Ich rief den Schipper an. Das Boot scherte ans Ufer, ohne zu halten, und ich sprang hinein. Einen Moment schlapperte das Segel, dann war das Boot wieder unter Wind. Nach einstündiger Segelfahrt streifte der Kahn das niedere Ufer des Moorflusses bei der Hammehütte »Neuhelgoland«. Hier mußte ich hinaus. Mit einem Gruß an den Torfbauern: »Kumm man gaud hen«, sprang ich ans Ufer. Rüstig schritt ich durch die frischgrünen Wiesen dem Berge zu, der sich, feldergestreift, mit einer kleinen dunklen Kiefernhaube in der Ferne, vom Horizont abhob. Bald war ich im Dorf.

Fritz Overbeck schmunzelte froh, als er mich kommen sah. Dann ging er mit mir zu den Freunden. Alle waren mir, dem jungen Ankömmling, sehr behilflich, und abends lag ich schon, eingemietet in dem Giebelzimmer eines kleinen Hauses, das einer Gendarmenwitwe gehörte, im reinlichen Bett.

Die Maler von Worpswede

Der älteste Begründer der Malerkolonie, der Maler Fritz Mackensen, wohnte bei Mutter Schröder, einer alten Lehrerswitwe; zwei Töchter waren da, die ich kennenlernte. Eine jüngere sollte noch vorhanden sein; die war jetzt in ein Moordorf gegangen, um für eine Hochzeit Papierrosen abzugeben, die sie für die Bauern angefertigt hatte.

Die alte Lehrerswitwe Meta Schröder war arm. Sie hatte dreizehn Kinder großgezogen, der Mann war schon vor vierzehn Jahren gestorben. Sie lebte von einer Pension, die ihr im Jahr neunhundert Mark brachte. Eines half ihr sehr: zur Hochzeit hatte sie vom Großonkel, dem Bauern Semken, eine Parzelle Land als Geschenk bekommen, genügend für ein Stück Roggen, für Kartoffeln und Gemüse; um das Haus herum lag noch ein guter Obstgarten, dazu kam ein kleines Stück Moorland zum Torfmachen. Von den dreizehn Kindern waren die meisten nach Amerika ausgewandert. Das war im Teufelsmoor, so um die siebenziger Jahre, üblich. Das Moor war für die Siedler Ende des achtzehnten Jahrhunderts entwässert und in kleine, ca. acht Morgen umfassende Stücke aufgeteilt worden. Es war somit für die Nachkommen, wenn sich die Familie vergrößerte, keine Möglichkeit vorhanden, sich auf den paar Morgen Torfmoor einen Lebensunterhalt zu schaffen. Denn die großen Wiesenländereien und die Felderwirtschaft auf dem Berge gehörten den sieben Großbauern. Verschiedene von Mutter Schröders Kindern, die über den großen Teich gefahren waren, lebten nicht mehr. Einer wurde im Staate Georgia als Polizist beim Eingreifen in eine Lynchjustiz von Farmern erschlagen, einer verunglückte als Kunstreiter in einem Wanderzirkus. Andere Auswanderer aus dem Dorfe hatten mehr Glück gehabt. Keiner fing mit der Landwirtschaft an. Am liebsten eröffneten sie einen kleinen »Liquorshop«, einen Schnapsladen. Dann nahmen sie allmählich Werkzeug und den Verkauf von billigen Arbeitsanzügen hinzu, und heute sind manche dieser Leute in den Südstaaten Besitzer der großen Warenhäuser, zu denen der Liquorshop den Grundstein gelegt hatte. Man sprach untereinander das Plattdeutsch des Teufelsmoores, man war sehr fromm, der Sonntag war immer der ödeste Tag, da man sich dann ausschließlich mit dem »lieben Gott« beschäftigte. Armen Verwandten schickte man eine Schiffskarte nach Deutschland, die kamen dann zu Besuch nach Amerika. Ihre Berichte, wenn sie heimkamen, zeigten, daß sie Amerika gar nicht gesehn hatten, sondern nur die Verwandten, Tanten und Onkels, und daß sie sich mit ihnen über die deutschen Verwandten in ihrer plattdeutschen Muttersprache unterhalten hatten. Manchmal kamen reiche amerikanische Verwandte nach Worpswede, sie fielen durch die Eleganz der Kleidung und durch die mit Spitzen umsäumten farbigen Sonnenschirme in der Landschaft auf. Ein amerikanischer zurückgewanderter Millionär, der sein Glück als Heereslieferant in dem Kriege zwischen den Nord- und Südstaaten gemacht hatte, lebte jetzt im Dorf seiner Herkunft, Worpswede am Weyerberg.

Als ich nach Worpswede kam, waren im Hause der alten Mutter Schröder außer den drei Töchtern noch zwei Söhne. Beide hatten den Lehrerberuf gewählt. Der ältere war schon angestellt, heiratete später ein elegantes, aus Amerika zurückgewandertes Mädchen aus dem Moor. Der jüngere lernte noch. Der Lehrer ist später während des Weltkrieges in Rußland verschollen. Die älteste Tochter, Marie, arbeitete in der Küche des Gasthauses »Stadt Bremen«. Marie war ein großes kräftiges Mädchen, schlank, mit fast eckigen, groß ausholenden Bewegungen. Die Anziehungskraft des kantigen Kopfes, umrahmt von dem flachgescheitelten Haar, beruhte auf dem energisch gezeichneten Mund und den grauen Augen, die keinesfalls nur Hingabe an die zeitweilige Situation des Lebens versprachen. Marie ging mit dem Maler Mackensen; doch später, als der Frauenbedarf des Malers immer größer wurde und immer spekulativere Formen annahm (er forschte nach Erbgut seiner zeitweiligen Verbindung sowohl in rassischer als auch in materieller Beziehung), da wurde Fritz Mackensen wohl blind gegenüber dem wertvollen norddeutschen Typ, der ihm in Marie zur Seite gestanden hatte. Bei Marie änderte sich wenig. Die grauen Augen blickten nun zwar stählern, konnten aber im nächsten Augenblick die ganze strahlende Wärme eines innerlich reichen Menschen haben. Der Mund allerdings hatte einen neuen Zug bekommen: von Hohn, von fast lustigem Hohn. Vielleicht wie bei einem Menschen, der mutig einen Abgrund übersprang, an dessen Rand ein zaghaft Spekulierender langsam, aber sicher abgerutscht wäre. Onkel Martin aus Georgia sandte ihr eine Schiffskarte. So fuhr sie nach New York, heiratete einen Verwandten, einen Kellner, und trug das schwere Leben einer Proletarierfrau. – Minna, die zweite Tochter, war ein weicher Charakter. Sie nähte, arbeitete im Haushalt, war immer tätig, da sie mit der alten Mutter auch den Acker bestellen mußte. Mutter Schröder war noch rüstig, hatte ein Auge auf alles, was um sie her vorging, ohne daß es jemand merkte. Güte, geboren aus menschlicher Erfahrung, bei unverwüstlicher, fester Willenskraft, waren die Hauptzüge dieser bäurischen Frau, die ruhig, unauffällig ordnend und herrschend ihren Lebensweg zu Ende ging. Ihre einzige Bibel war das Traumbuch, aber auch das wurde für sie schöpferisch, sie deutete die Deutungen einfach in ihrem Sinne um.

Ihr Mietsmann Fritz Mackensen kümmerte sich sehr um mein Wohlergehen und um mein Studium. Gleich am nächsten Tage, nach dem Essen im Gasthaus, zogen wir Maler, Fritz Mackensen, der Radierer Hans am Ende, Fritz Overbeck und ich, los, um den Landschafter Otto Modersohn aufzusuchen. Der rotbärtige Westfale arbeitete in einem hellen früheren Schulraum. Alles sah bei ihm nach intensivster Arbeit aus. Ich war ganz erregt, nicht nur von der Fülle der Arbeit, sondern auch davon, wie Otto Modersohn dies Land erfaßte; sowohl die braunrote Herbststimmung des Moores als auch den smaragdgrünen blumigen Frühling der Wiesen und die weißen Birkenstämme im Moor. Aber über allen anderen Eindrükken waren es die Lüfte, das sommerliche Ziehen der weißen Wolken über das Land, der graue Herbststurm, der die Bäume peitschte, und die niegesehene Kraft der Farbe, die der Moorlandschaft eigen ist, wenn sich die Natur, vor allem die Luft, in dem dunklen Schwarzspiegel der Torfgräben und Moorsümpfe spiegelt.

Wir zogen dann alle zusammen über den alten Kirchhof, der hinter der alten Schule lag, zur Dorfkirche hinauf, an deren Wand das große Bild Fritz Mackensens, »Die Missionspredigt«, verankert war. Wir kehrten das Bild um, und nun sahen wir in einer weiten Moorlandschaft Bauern und Bäuerinnen, viele in der alten Bauerntracht, sie saßen und standen unter einer primitiven Kanzel, von der ein alter Pastor predigte. – Die fertigen Einzelheiten des Bildes zeigten mir, dem junger Anfänger, ein großes Können, wenngleich ich mir darüber nicht klarwerden konnte, aus welchem Grunde die Zusammenstellung der Figuren mich so kalt ließ, als sei es eine Illustration, die man vorübergehend ansieht und dann vergißt.

Dann wanderten wir weiter auf den hohen Berg. Unten blieb das

Dorf. Der lang ausgedehnte Weyerberg, der die baumlose Felderwirtschaft der Großbauern trug, bekam hier hinter der Kirche über dem Dorf einen anderen Charakter, eine ganz ausgeprägte Form, die Form einer abgeplatteten Spitze, die von windschiefen alten Kiefern umgeben war. Dichtes Eichengebüsch umkränzte die Kiefern. Die innere Platte bildete ein länglicher freier Platz mit seidigem Heidegras, in dessen Mitte ein Denkmal stand, ein Obelisk aus rötlichen Granitquadern. In dem vierkantigen Sockel des Obelisken befand sich eine schwarze Eisentafel, auf der man in plastischen goldenen Buchstaben lesen konnte:

GOTTFRIED FINDORFF
machte im Jahre 1792
das Teufelsmoor durch Anlage einer großzügigen Entwässerung
mit Stauanlagen im Auftrage des Königs von Hannover
bewohnbar.

Wir Maler lagerten uns bei dem Obelisken. Die drei älteren, die Entdecker des Moores, Fritz Mackensen, Hans am Ende und Otto Modersohn, erzählten von den vergangenen Jahren, wie Fritz Makkensen zuerst durch Freundschaft mit einer Dienstmagd, die aus dem Dorfe Worpswede stammte, hierher gekommen war. Mackensen hatte in München studiert, und die anderen beiden Maler, die auch dort lernten, folgten ihm nach Worpswede.

»Das Zimmer beim Kleinbauern Segelken, wo wir wohnten«, sagte er, »war von den drei Betten ganz gefüllt, so daß der Eingang nur durchs Fenster gehen konnte. Unsere Studien hingen über uns, wir nagelten sie an die Balkendecke. Ein alter Birnbaum, vor dem Fenster, wurde unser Kleiderschrank. Den Rest von einem geteerten Segel spannten wir zwischen den Zweigen als Regenschutz aus.«

Meine besondere Sympathie gewann Fritz Overbeck. Der schwieg zwar fast immer. Aber der gedrungene breitschultrige Mensch mit dem widerspenstigen Schnurrbart und mit dem borstigen Haarschopf schmunzelte manchmal so sympathisch, als wenn manches in ihm vorginge, was er nicht aussprechen konnte.

»Dieser da ist unser geheimer Dichter«, sagte Hans am Ende, indem er zu uns rückte. »Er ist ein Schüler der berühmten schlesischen Nachtigall.«

»Schlesische Nachtigall kenn ich nicht«, warf ich ein.

»Friederike Kempner ist die schlesische Nachtigall«, sagte am Ende, »sie fabriziert Gedichte von einer so unfreiwilligen stumpfsinnigen Komik, daß die Breslauer Studenten beschlossen, die Dichtkunst dieser Frau zu verulken und sie in die höchste Sphäre des Ruhmes zu erheben.«

Fritz Overbeck steckte seine Pfeife zwischen die Zähne und kletterte wortlos den Obelisk hinauf, indem er seine Stiefelsohlen in die Quaderfugen klemmte. Dann legte er sich bequem mit dem Bauch auf die abgestumpfte Spitze des Denkmales, nahm seine Pfeife aus dem Mund und begann zu deklamieren:

Warum steht so schief
Haus mit Stroh bedacht?
Kommt wer aus der Stadt,
Steht er da und lacht.

Und er denkt nicht dran,
Daß du bist schon alt,
Daß im Sommer warm
Und im Winter kalt.

Schmunzelnd fuhr er fort, nachdem er seine Pfeife neu angesteckt hatte:

Wenn der Mond durchs Fenster sieht,
Findet er im Schlafe
Mann und Weib und kleines Kind,
Ziegen, Hühner, Schafe.
Alle leben im Verein
Glücklich und in Liebe.
Fraget da das Herze mein,
Ob ich auch hier bliebe.

Während der letzten Verse kam aus dem Eichengebüsch ein hellgekleidetes, schlankes blondes Mädchen mit hängendem Zopf. Auf der Hand trug es eine zahme Elster. Vierzehn Jahre mochte es sein; ein jüngeres rothaariges Kind folgte ihr. Fritz Mackensen winkte den beiden, und sie setzten sich zwischen uns. Das muß die Martha Schröder sein, die jüngste Tochter der alten Lehrerswitwe, fühlte ich sofort. Der Eindruck dieser jungen elastischen Mädchengestalt wirkte auf mich wie etwas tief in mein Leben Eingreifendes. Ein ganz junges Menschenkind, ohne ein Bedürfnis, irgendwie wirken zu wollen, interessiert an allem, was geschieht, nirgends eine Hemmung, eine konventionelle Einschränkung! – Ich mußte auf die Hände sehen, so geschickt und so real wie sie Dinge anfaßte, das Tier, die Blumen, wie sie mit der Hand über das weiche Heidegras strich. Und dieser Kopf. Fast kantig war diese Stirn, wo sie sich über den Schläfen unter die gelben Haare schob. Einen Anlaß, ihr nähERzutreten, fand ich nicht. Ich war böse mit mir, hielt mich für dumm und tölpelhaft.

Mein Verhältnis zu Mädchen war immer so gewesen, oder war es so geworden? Die Tanzstunden in Bremen mit den Schulmädchen waren so eingeengt in Konventionen, daß sie auf mich wie Schulzwang wirkten, von dem man sich möglichst drücken mußte. Und nachher, in meiner Akademiezeit, als ich ein eigenes Atelier hatte und weibliche Modelle zum Studium brauchte, fühlte ich mich angewidert von ihren hemmungslosen Versuchen, in mir sexuelles Verlangen zu erwecken. Ich bekam die Einstellung, alle Weiber sind so; sie können nicht begreifen, daß Kunst eine ernste Arbeit ist, die keine Ablenkung verträgt.

Am anderen Tag durchstreifte ich mit meinem Skizzenbuch unter dem Arm das Moor und die weite Wiesenlandschaft. Ich wanderte über den Weyerberg zu den windschiefen alten Kiefern, wo wir gestern gelagert hatten. Ich zeichnete Naturstudien und phantasierte Kompositionen, deren Inhalte Märchenmotive waren, in denen die Erscheinung des Mädchens auf dem Berge wiederkehrte. An einem der nächsten Tage sah der Radierer Hans am Ende das Skizzenbuch an und war ganz überrascht. »Aber das müssen Sie alles radieren mit der Nadel in Kupfer; ich zeige Ihnen, wie man das macht.«

Ich bekam von ihm Platten und Radiernadeln, lernte von dem älteren, erfahrenen Freund die Zubereitung der Platten, die Technik der Radierung und das Ätzen. Gleichzeitig organisierte Mackensen mir das Studium der Malerei. Morgens saß ich in dem etwas verwilderten Obstgarten Mutter Schröders mit Mackensen vor der blonden jungen Martha und malte ihren Profilkopf. Ich lernte von dem Meister das strenge, nüchterne naturalistische Beobachten der Natur, die weiche Auflösung von Kontur und Fläche durch das Spiel der Farben. Als das Profilbild fertig war, begann ich ein größeres Ölbild: Martha unter einem kleinen, fruchttragenden Apfelbaum stehend. In Bremen hatte ich einige englische leichte Libertystoffe gekauft, in die ich das Mädchen kleidete. Als auch dieses Bild fertig war, wählten meine Lehrer es aus, um es mit ihren eigenen Bildern auf eine Ausstellung in der Bremer Kunsthalle zu schicken. Ich war mit dem Bild nicht zufrieden und hätte lieber den Profilkopf in der Ausstellung gehabt. Einerlei, die Ausstellung hatte großen Erfolg, der Zufall brachte den Präsidenten des Münchner Glaspalastes nach Bremen, der sich in die frisch gemalten Sachen vertiefte und alle Bilder für die Jahresausstellung im Münchner Glaspalast übernahm. Das wurde nun noch ein größerer Erfolg. Mackensens Bild einer Mutter mit Kind, einer Bäuerin, die auf einer Schubkarre im Moor sitzt und ihr Kleines nährt, bekam die Große goldene Medaille, und »Der Sturm im Teufelsmoor« von Otto Modersohn wurde für die Neue Pinakothek angekauft.

Im Frühling kam Otto Sohn, den wir auf unserer Studienreise in Holland aufgesucht hatten, nach Worpswede. Ich freute mich, einen jüngeren Menschen mit gleichen Interessen in unserer Künstlerkolonie zu haben, gab meine Wohnung bei der Gendarmenwitwe auf und mietete mit Otto die halbverfallene Villa an der Landstraße, die der Ziegelei gehörte und seit Jahren nicht bewohnt war. Der Ziegeleibesitzer mußte unten leben, wo der Fuß des Berges ins Moor stößt, denn dort lag der Brennofen und standen die Trockenschuppen. Dort im Moor befand sich auch eine kleine Hafenanlage zum Abtransportieren der Steine auf den Moorgräben in die Dörfer. Zu unsrer Zeit war aber die Hafenanlage schon verfallen, der Hafen verschilft, die Ladungsrampe verfault. Der Ziegelei ging es schlecht, die Steine waren salpeterhaltig, froren im Winter kaputt. Zur Ziegelei führte von der Landstraße aus eine schattendunkle Eichenallee hinunter, durch die der Lehm aus den Lehmbrüchen am Berge der Fabrik zugeführt wurde. Auf der linken Seite der Allee, von dichten Hecken begrenzt, war ein großer alter Obstgarten, der aber nur noch spärlich Obst gab, da die Bäume nie mehr gepflegt wurden. Silbergraue Flechten hatten alle Zweige bepelzt, so daß nur an ihren Spitzen einige kümmerliche Blätter hervorsprießen konnten. Auf der anderen Seite der Allee war ein wilder Garten, in dem vorne, der Landstraße nahe, die Villa lag, die wir beiden Jungens bezogen. Ich nannte das Haus »unser Aquarium«, da es so feucht war, daß in einigen Zimmern die Fußböden, vom Hausschwamm zerfressen, beim Betreten durchbrachen. Uns störte das wenig, gereizt hatte uns vor allem der romantisch verwachsene Garten, der sich bis ins Moor hinunterzog. Er sah aus, als ob er nie mehr von Menschen betreten würde. Aber man konnte erkennen, daß er vor vielen, vielen Jahren einmal von einem Manne angelegt worden war, der ein poetisches Gemüt hatte und viele Hoffnungen auf Zukünftiges, auf glückliche Zeiten in ihm versenkte. – An Sonntagen hatten die beiden alten Karrengäule der Fabrik die Freiheit, diesen Garten zu durchstreifen, um dort zu weiden. Müde und langsam zogen sie ihre schweren Hufe, mit den zottelhaarigen Fesseln spurend, durch das hohe Gras; durch das Dickicht der Büsche, vorbei an verwachsenen Lauben, über lindenumstellte Ruheplätze, deren einstmalige Funktionen nur ein romantisches Gemüt nachfühlen konnte, vorbei an alten tiefen Lehmkuhlen, deren Hänge jetzt mit Kiefern bestanden waren, durch deren Stangen man den dunklen Wasserspiegel blinken sah. Von der Landstraße zur Haustür der Villa führte ein kurzer Weg und drei steinerne Stufen, auf deren Seitenpfosten Zementfiguren hockten, zwei Putten, die Blumenschalen über dem Kopf hielten. So wohnten wir. Zum Essen gingen wir ins Gasthaus, wo Martha Schröder uns mittags bediente. Es waren drei Münchner Maler gekommen, von unseren Erfolgen in München verlockt. Sie saßen mit an unserem Tisch. Die älteren Worpsweder Maler, die Begründer der Kolonie, waren erbost über die bayrischen Eindringlinge, trennten sich von unserem Tisch und verlangten von uns, daß wir keinen Verkehr mit den Leuten haben sollten. Aber wir sahen absolut keine Gründe dafür ein, hatten im Gegenteil das Gefühl, daß die drei Münchner, Ubbelohde, Thalheimer und Gröber, manche neue Anregung in unsere Abgeschiedenheit bringen konnten. Gewiß, die Münchner hatten manche Seiten, die für die äußerlich kühlen Norddeutschen unverständlich waren. Bei den Bauern war besonders kein Verständnis für Maler, die ohne zu fragen in die offene Diele ihres Bauernhauses kamen, ihre Staffelei in den Lehmfußboden der Tenne bohrten und zu malen anfingen. Aber die Bauern halfen sich auf ihre Weise. Die Frau legte, ohne ein Wort zu sagen, auf das offene Feuer ein paar Stück Weißtorf, der nicht flackert, sondern schwelt, und in kurzer Zeit war alles blauer Rauch, keine Sicht mehr auf der Diele, den Malern trieften die Tränen aus den Augen, und sie mußten bald einpacken und abhauen. Die Lage zwischen den beiden Malerparteien wurde immer gespannter. Nur Otto Modersohn fand ein derartiges Verhältnis blöd und behandelte die Münchner wie Arbeitskollegen.

Eines Tages hingen im Schröderschen Garten zwei blaue bayrische Offiziersuniformen in der Morgensonne. Ich ärgerte mich über das grelle Bild. Der Radierer Hans am Ende und der Maler Makkensen waren dabei, die Uniformen zu bürsten und die Knöpfe zu putzen. Am anderen Morgen stiegen beide, als blankgeputzte Reserveoffiziere, in den Morgenomnibus, nachdem sie sich von den Mädchen mit tiefernster Miene verabschiedet hatten, als gehe es um Leben oder Tod. Sie wollten den Münchnern eine Duellforderung überbringen lassen.

Am Weyerberge errichteten sich die Münchner einen kleinen Schießstand und schossen mit Pistolen, bis ihnen die Bauern den Gendarmen auf den Hals schickten. Am Abend kamen die Krieger ganz klein und gedrückt von Bremen heim und verpackten ihre Uniformen. Der Vorsitzende des Offiziersehrengerichtes hatte ihre Sache für unwichtig befunden und riet den Herren, sich nicht provozieren zu lassen und die Leute auch nicht weiter zu behelligen. Die Münchner zogen bald ab.

Der Marschendichter Hermann Allmers

Eines Tages las man in den »Bremer Nachrichten« folgendes: »Worpswede. Mitteilung unseres Berichterstatters: Als sich am 13. August der Morgenomnibus dem Dorfe Worpswede näherte, wurde er an der Landstraßenbiegung von einer Gruppe seltsam kostümierter Männer angehalten. Die Leute waren unvollständig bekleidet mit Fellen und grobem Leinentuch, an den Füßen Sandalen. Bewaffnet war die Bande mit langen Torfstechmessern. – Die Leute drangen in den Wagen ein und ergriffen den bekannten Marschendichter Hermann Allmers. Zwei von ihnen hoben den alten Herrn auf ihre Schultern und trugen den Dichter zu einem Gefährt, einem Ackerwagen, der bekränzt war mit Grün und mit roten Vogelbeergirlanden. Zwei Kühe, denen man die Hörner vergoldet hatte, zogen den Wagen, der von den – es sollten wohl alte Germanen vorstellen –, von den Männern in Fellen begleitet war, ins Dorf Worpswede. Vor dem Gasthaus ›Stadt Bremen‹ standen am geöffneten Dielentor zwei weißgekleidete, bekränzte Jungfrauen, eine hellblonde und eine schwarze. Jede von ihnen hielt ein Trinkhorn mit Met (Honigbier) in der Hand. Als der Marschendichter abgestiegen war, empfingen ihn die Jungfrauen mit einem wechselseitig vorgetragenen Empfangsgedicht und überreichten ihm den Ehrentrunk. Es waren die Empfangsfeierlichkeiten der Malerkolonie Worpswede für den bei uns allen so bekannten und beliebten Marschendichter. Wir hören, daß der Dichter einige Tage unter uns verweilen und aus seinen Dichtungen lesen wird. K. N.«

Am Mittag desselbigen Tages kam ein schwerer großer alter Mann, der breit seine Füße auf die Stufen setzte, die Treppe in den Bremer Rathauskeller hinunter. Die Gesichter der Gäste, es waren um diese Zeit, vor Beginn der Börse, meistens Stammgäste, wurden aufmerksam, erstaunt: es raunte von Tisch zu Tisch: Hermann Allmers. Plötzlich erhoben sich alle, wie verabredet, und es erklang der Ruf: »Der Triumphator, der Triumphator! Es lebe der Triumphator!« Alle waren vereint zu einer lärmenden Kundgebung. – Der Alte war erstaunt und völlig überrascht, wußte gar nicht, was los war, bis einer seiner Verehrer ihm die »Bremer Nachrichten« mit dem obigen Artikel reichte. Das Gesicht des Dichters erheiterte sich zusehends, dann legte er seine mächtige Faust auf den Tisch, die Hand mit dem goldenen Ring am Finger, dessen durchgeteiltes Wappenschild neben den Bauernemblemen seiner Familie auf der anderen Hälfte der Siegelplatte den halben Reichsadler zeigte, das ererbte Wappenschild, das seine Vorfahren erhielten, als sie die friesische Leibgarde Friedrich Barbarossas bildeten. Und mit seiner starken

Stimme, die durch die Hasenscharte in der Oberlippe eine überlaute Betonung der Vokale hatte, legte er los: »Das war ein Tag« – und er malte nun das angefangene Bild, das der Bericht gab, in einer Weise aus, daß den Börsenherren die Ohren abstanden.

In Wirklichkeit hatte sich Hermann Allmers um einen Tag verspätet. Er war jetzt erst nach Bremen gekommen und hatte den ganzen Aufwand der Künstler nicht erlebt. – Die Malersleute waren aber durch das Warten an der Landstraße ziemlich enttäuscht gewesen und hatten im Gasthaus »Stadt Bremen« die Köpfe beim Bier zusammengesteckt und den Bericht fabriziert; Clara Westhoff, eine junge Bildhauerin, schwang sich auf ihr Rad und strampelte die vierundzwanzig Kilometer zur Redaktion nach Bremen, um dem Dichter eine kleine Überraschung zu bereiten.

Am nächsten Abend war nun wirklich Hermann Allmers in Worpswede. Im Gasthaus »Stadt Bremen« strömten die Bauern aus der ganzen Gegend zusammen. Das Billard war an die Seite gerückt. Im schwarzen Wachstuchsofa saß der mächtige Alte. Blau von Tabakrauch war die Bude. Zunächst erzählte Allmers von seinen Reiseerlebnissen. Dann kam er aber bald dazu, die bei den Bauern so beliebten Himmelsgeschichten zu erzählen oder zu erfinden, er sprach natürlich meistens plattdeutsch und gab zuerst den Traum Kloppenburgs zum besten:

»De ole Kloppenborg leeg in sin Bett un dröm, he wör dod, un sin Seel, de fleuch' von em, toerst dör't Finster, dann dör de natten Wulken. Kloppenborg, Kloppenborg, wenn dat man gaut geit, bi din Reismatism! dacht he. – Toles köm he an de Hemmelsdör un klop' 'r an. ›Wer is dor buten‹, sä Petrus. ›Ick, de olle Kloppenborg‹, sä he. ›Herrscheess, Jung, wi hebbt all lang up di töwt‹, sä Petrus, nöhm sin groten Slötel un mok de Hemmelsdör open. Kloppenborg gung nu dör de Hemmelswelt stracks to 'n Olen, de sitt up sinen Tron un seeg em all von wi'en. Do sä he to sin Sön, de an sin rechen Hann sitten deit: ›Jung, sto mol 'n beeten up un lot den olen Kloppenborg dor sitten.‹ He muß em nu veel vertelln, de Ole wär 'n beeten neeschierig un wull dat allens weten von 'n Weyerberg. Von de veelen Leewschaften unner de Molerslüe, von Jann Kaiser un Geesk-Odelheid, as se in Pastors Goren de Wutteln klaut harrn un nu upp 'en Karkhoff säten in 'n Moonschin un de Wutteln aftellten: ›dat is mine, dat is dine‹, un as de lange Koster dor Angst kregen har, he dacht jo, upp 'n Karkhoff sitten de Doden un tellt ehr Knoken. – Nu käm de Ole up de groten Buern. ›De seeben Fuhlen‹, so sä de Ole von de groten Buern, de har he mächtig upp 'n Kieker von wegen de hogen Graspachten, un erst den Landrot, de mit disse Lüe to hop gung. Toless sä de Ole tau 'n olen Kloppenborg: ›Jung, nu häst woll Durst krägen, wust du 'n warmen oder 'n kolen Grog?‹

Vor 'n kolen har Kloppenborg 'n beten Schiß, un do sä he tom Olen: ›Is beter 'n warmen.‹ Un de Ol nöhm sin Hannen hoch un ropp in Hemmel: ›Gobriel, Gobriel, hebbt wi warm Woter?‹ Un dormit wok de ol Kloppenborg up, haut met de Hannen an de Bettkanten: ›Harr ick mi doch man bloß 'n kolen Grog bestellt!‹«

Dann ging Hermann Allmers noch zu der Geschichte mit den Jüstern[?] über, die ja als die tollsten Strandräuber bekannt waren; für sie war deshalb im Himmel kein Platz; sie hatten es aber doch verstanden, sich zugleich mit einer anderen armen Seele durchzuschmuggeln, »un glieks, links in 'n Himmel, up de lütte Bank, wo Petrus mehrstens sitten deiht, dor harrn se sick henklemmt. De Ole mok een grotet Dunnerwe'er. Petrus ober, de wör nich dumm, he har jo ok mol Schipp fohren upp 'n See Genezareth un kenn de Bröders. Mit 'n mol stott he boben in 'n Hemmel de Luken open un ropp: ›Schipp up Sand, Schipp up Sand, alle Mann an Strand!‹ – As von 'n Duwel drewen, klatterten de Jüsters dör de Luken.«

Der Lärm der Bauern war ohrenbetäubend. Der Alte lehnte sich ein paar Minuten im Sofa zurück und schlief. – Dann wachte er mit neuen Kräften auf; nun sollte in Gemeinschaft gesungen werden. Hermann Allmers machte eine kleine Einleitung und erzählte von seinem Besuch beim König der Eskimos in dessen Eispalast: Frühlingsfest; langer Tisch aus Schnee, auf der einen Seite Männer in Eisbärenpelzen, auf der anderen Seite die Frauen in Gewändern aus durchsichtigen Fischblasen. Jeder hatte einen Humpen Lebertran vor sich. Und nun sang der Alte mit dröhnender Stimme das Frühlingslied der Eskimos, und die Bauern mußten nach jedem Vers den Refrain brüllen: »Ava eve ava lu.«

Der nächste Tag gehörte den Malern. Man wanderte über den Berg; meistens lagerten wir zusammen irgendwo in der Heide. Hermann Allmers wußte viel von den Sagen, die im Teufelsmoor sich noch erhielten, die Geschichten von dem Riesen Hüklüt, zu erzählen. Über uns zogen die hellen Sommerwolken hin. In mir erklang das Lied von Hermann Allmers, das Brahms vertonte: »Ich liege still im hohen grünen Gras«.

Jugend. Träume und Sehnsüchte

Wenn der Abend kam, wanderte ich manchmal mit Otto Sohn zum Hammefluß hinunter zum Baden, oder wir fuhren mit dem Kahn in die aufkommende Sternennacht. Manchmal saßen wir bei Martha in dem kleinen Obstgarten am Schröderschen Hause. Sehr zutraulich war das blonde Mädchen noch lange nicht. Vor Leuten, die aus der Stadt kamen, hatte sie, wie die meisten Bauern, ein schwer zu überwindendes Mißtrauen. – Am liebsten war es ihr, wenn wir beide zusammen zu ihren verwandten Kleinbauern in die Moordörfer wanderten. Man sah uns da gern, zeigte das Vieh und den mit Roggen und Kartoffeln bestellten Acker und bewirtete uns mit Kaffee und Butterkuchen. Auf dem Heimweg aus dem Moor machten wir gewöhnlich noch einen Streifzug über den Heideabhang des Berges. Dort lag hoch an einer alten, abgesoffenen Lehmkuhle ein graugranitner Findlingsblock. Das wurde unser Ruheplatz. Die vom Berge sanft abfallende Landschaft war hier ziemlich baumlos, zeigte aber gegen den Himmel eine charakteristische Silhouette. Auf halber Höhe des Hanges kuppelten sich gegen die Abendluft zwei mächtige Kastanienbäume hoch, unter denen ein Strohdachhäuschen zu erkennen war. Ich liebte diesen Platz mit dem Granitblock wegen dieser Aussicht. Aber Martha kannte ihn auch, die Kinder streiften ja mit Vorliebe auf diesem Heidehang, der zur Ziegelei gehörte, herum, die Mädchen flochten Kränze aus weißrosa Heide-Immortellen, und die Jungens fischten Wassermolche. Wie schön muß es sein, unter den großen Kastanienbäumen wohnen zu können, träumte ich. Aber ich sprach es nicht aus.

Dies Häuschen unter den Kastanienbäumen gehörte dem Brennmeister der Ziegelei. Ich unterhielt mich gern mit ihm, wenn er von der Arbeit an der Villa vorbeikam. Der Brennmeister Belz war Thüringer, konnte wenig plattdeutsch, er war ein kranker, tuberkulöser Mann, grauweiß die Haut, die sich über die Knochen seines Gesichtes straffte; die hellen Augen mit den Falten in den Winkeln konnten aber so voller Güte sein, daß man das andere vergaß. Einmal ging ich auch mit ihm in sein Häuschen. Das war innen sehr ärmlich. Meta, die Frau, machte uns beiden Männern Bratkartoffeln auf dem offenen Feuer der Diele. Ein paar Ziegen im Stall meckerten neugierig und ungeduldig vor dem Melken. Das Land, von dem das Haus umgeben war, befand sich in einem völlig verwahrlosten Zustand; nur ein kleiner Fetzen Acker am Hause war mit Kartoffeln bebaut, und ein paar Kohlstrünke und einige Johannisbeerbüsche zeigten, daß das alles einmal besser gepflegt worden war. Meta Belz soff nämlich Branntwein und war dadurch heruntergekommen, und die Kräfte des Brennmeisters Belz reichten nach der Arbeitszeit in der Fabrik nicht mehr aus, um mit dem Spaten im Lande zu arbeiten. – Ich war eigentlich mit ihm gekommen in der Absicht, zu erfahren, ob der Brennmeister das Haus und Grundstück nicht verkaufen wolle; ich dachte an mein väterliches Erbe von dreitausend Mark, die mir zur Verfügung standen; aber ich brachte es nicht fertig, mit dem Mann darüber zu sprechen, ich hätte ihm vielleicht grade das genommen, was den kranken Mann mit Liebe und Hoffnung an den Ort, an das Stück Erde fesselte.

Frühling. Radierung, 1896

Im Herbst starb der Brennmeister Belz und wurde auf dem Worpsweder Kirchhof begraben. Meta war lange nicht zurechnungsfähig, sie trank. Als das Schlimmste überstanden war, ging ich zu ihr und verhandelte mit der Alten. Sie war froh, das Haus mit den vier Morgen Land, mit der vielen Arbeit, die sie gar nicht leisten konnte, los zu sein, und die dreitausend Mark betrachtete sie als einen vom Himmel gesandten Reichtum. Ich war sehr glücklich, zumal ich mich in dem »Aquarium« sehr einsam fühlte, seitdem Otto wieder nach Holland abgefahren war. Martha betrachtete den Kauf offenbar mit sehr gemischten Gefühlen. Ihr kam das alles wohl so fremdartig und gar nicht sympathisch vor, daß ein so junger Mensch soviel Geld in der Hand haben konnte und dann gleich ein Haus kaufte. Bald wird er sich auch eine Frau holen aus der Stadt, dachte sie. Ihre Gefühle mir gegenüber kühlten sich merkbar ab.

Schon im Oktober war es stürmisch und regnerisch. Ich hatte mir zwei Bauarbeiter genommen, die in dem Häuschen einen Schornstein aufrichten sollten anstelle des offenen Feuers; auch der Rauch aus den Zimmeröfen sollte nicht mehr auf die Diele zum Räuchern gehen, sondern in den Schornstein geleitet werden. Das Strohdach war daher schon halb herunter. Zwei Zimmerleute waren dabei, die Dachkonstruktion stabiler zu machen. Die neue Belattung sollte ein Ziegeldach tragen. Auf diese Weise konnte ich noch ein Zimmer im Seitengiebel gewinnen. Ich half beim Ausschachten des Kellers, über dem ein kleines Atelier als Anbau errichtet wurde. Es schloß sich an den Schweinestall, den ich in eine kleine Bibliothek verwandelte. Im Augenblick aber war das Haus überall halb angerissen, halb offen nach allen Seiten und fast ohne Dach. Der Sturm heulte ums Haus, der Regen peitschte. – Ich hatte mir in der Stube auf der Bettstelle mit Decken und Mänteln ein Lager zurechtgemacht und lag in den Nächten zusammengekauert unter einem aufgespannten Regenschirm. Eines Nachts war es mir, als hörte ich was über die Diele schlürfen, nahm meine Vogelflinte, die ich im Bett gegen den Regen schützte, und öffnete vorsichtig die Stubentür. Vor mir stand eine dunkle Figur. »Herjees, wat heb ick mi verjocht!« Sie stützte sich wankend an die Dielenwand. Branntweinduft schlug mir entgegen: Meta Belz. Ich nahm sie unter den Arm, führte sie zum Ziegenstall, suchte einen Armvoll trockenes Dachstroh zusammen. »Dor lech di hen, Meta, kannst slopen, bis dat de Sünn upgeit.« Sie war im Tran in ihrer alten Wohnung gelandet. Nun sicherte ich das Haus besser, wenn auch nur provisorisch. In einer anderen Nacht wachte ich auf durch ein fürchterliches Wolfsgeheul, das von der Diele her kam. Ich schlich vorsichtig hinaus, hatte einen Feuerhaken ergriffen und warf ihn gegen die Hundeklappe, die sich neben der großen Dielentür befand. Ich hörte nur noch, wie eilige Schritte auf Holzschuhen den Berg hinaufpolterten. Aha, der lange Ahnemann, dachte ich gleich, der Strolch aus der verfallenen Hütte am Berge! »Wi möt so 'n Stätter ers mol dat Gruseln bibringen«, hatte er zu Jann Kaiser gesagt, dem humpelnden alten Tagelöhner mit seinem gebrochenen, schief angeheilten Bein. Der abrutschende Berg hatte ihn einmal beim Ausschachten der Lehmgrube samt dem Lehmkarren begraben. Er war dem Tode nur dadurch entgangen, daß der andere Ziegeleiarbeiter, Fidi Segelken, ihn gleich ausgraben konnte.

Am anderen Tage hielten wir Maler einen Kriegsrat über den Spuk; alle kamen spät am Abend wieder auf meinem Hof zusammen, und wir konstruierten ein Gespenst, um den Heidestrolch zu erschrecken. An einer langen Bohnenstange steckte der Totenschädel, den ich einmal aus der Lehmkuhle am Berge herausgefischt hatte. Die Stange war umwallt von einem großen weißen Bettlaken, einen Zipfel hatten wir an eine zweite Stange geknotet, mit dem konnte das Gespenst eine drohende Bewegung machen. So schlichen wir Maler durch den Kiefernwald an Ahnemanns Hütte heran. In der Hütte ließ niemand was von sich merken, nur das kleine Hundebiest kläffte fürchterlich, als das Gespenst das Haus ein paarmal umkreiste. Schließlich zogen wir ergebnislos wieder ab. Aus dem Walde erscholl ein Wolfsgeheul und ein schallendes Gelächter, man konnte aber niemanden entdecken.

Endlich wurde mein Haus gemütlich. Die Mutter schickte mit dem Fuhrmann allerhand alte Möbel heraus; sie hatte auch mit Geldmitteln bei dem Umbau geholfen. Die Malerkolonie brachte Gelder zusammen und kaufte eine große alte Kupferpresse von Felsing in Berlin, die nun bei mir im Hause untergebracht wurde. Das machte mich sehr produktiv; wir druckten alles selber, so daß ich eine ganze Kollektion meiner radierten Märchenphantasien zur graphischen Ausstellung nach Wien hatte senden können. Eines Tages kam der Bäckermeister Jann Kellner, der auch zugleich Postverwalter war, ohne Mütze in seinem mehlbestaubten Arbeitsanzug zu mir über den Berg gelaufen und winkte schon von weitem mit einem Telegramm. »Die Kleine goldene Medaille von der Wiener Graphischen Ausstellung!« rief er mir schon von weitem zu. Je mehr Erfolge ich hatte, desto schwerer wurde es für mich, Martha Schröders Vertrauen zu gewinnen. Ich begann ein Bild zu malen: »Abschied«, doch blieb es im Zustand der Anlage. Ich konnte mich nicht entschließen, Martha zum Modellstehen aufzufordern. Aber es war mir auch nicht möglich, das Bild ohne sie zu denken. Statt dessen entstanden Todesträume. Die Radierung »Tod und Alte« und das Bild »Der Tod«. Der Tod in Bauerntracht lehnt am Geländer einer Moorbrücke und schaut hinab in das schwarze Wasser. Ich ließ nun alles andere liegen, nahm den Spaten und ging an die Gartenarbeit; machte Erdlöcher in die verwahrloste Wiese an der Landstraße, um einen kleinen Wald junger Birken zu setzen, die mir ein Moorbauer überlassen hatte, der ein Stück seines Landes von Bäumen befreite, um es urbar zu machen. Plötzlich stand der Schriftsteller Rudolf Alexander Schröder neben mir, der mich offenbar schon eine Zeitlang bei meiner Arbeit beobachtet hatte. Rudolf Alexander war mit dem Gymnasium fertig und beschäftigte sich jetzt mit Literatur und Musik. Er war auf ein paar Tage nach Worpswede gekommen, um die Bekanntschaft mit mir zu festigen und mich für einen großen Plan zu gewinnen, den er mit seinem Vetter Alfred Walter Heymel beraten hatte. Ich steckte den Spaten in den Grund und ging mit ihm ins Haus. Als wir beiden uns gegenübersaßen, sagte Rudolf Alexander: »Mein Vetter Alfred und ich haben vor, in München eine moderne Zeitschrift zu gründen, für die wir schon einige wichtige Schriftsteller gewonnen haben. Alfred ist jetzt majorenn, sein Vermögen ist sehr bedeutend, wir werden an der Ausstattung des Journals in keiner Weise zu sparen brauchen und haben an Sie gedacht. Sie müßten die graphische Ausstattung übernehmen, durch eigene Arbeiten und durch Auswahl von Graphik anderer Künstler. Um die finanzielle Seite brauchen Sie sich keine Sorge zu machen, wir mieten Ihnen auch ein Atelier, in dem Sie ungestört arbeiten können. Mein Vetter Heymel ist von allem, was ich abmache, unterrichtet und erwartet uns so bald wie möglich in München. Alfred Walter ist das angenommene Kind meines Onkels, der eine sehr scharmante Frau, eine Schauspielerin, hatte, aber kinderlos war. Der Onkel war sehr reich, er war brasilianischer Konsul. Über die eigentliche Abstammung Heymels gibt es keine Nachrichten. Die Pflegemutter, an der das Kind mit großer Liebe hing, starb, und bald darauf erfolgte auch der Tod des Vaters. Dem Kinde blieb eine Erbschaft von vielen Millionen. Als Alfred nun vor kurzem majorenn wurde, streute er erst einmal einen Goldsegen auf die sogenannten Verwandten aus, dann stürmte er mit großen Plänen ins Leben.

Ich versuchte«, fuhr Rudolf Alexander Schröder fort, »alles in solche Bahnen zu lenken, daß die großen Mittel einer wichtigen Kulturarbeit zugute kommen sollten. – Nun, Sie werden ja sehen. Mein Vetter ist aber ein wilder, leidenschaftlicher Charakter und in keine Fessel zu bringen. Auch macht ihn die Macht des Geldes manchmal unerträglich, übermütig und verschwenderisch an verkehrter Stelle. Er ist auch gewalttätig, und manchmal erscheint er völlig kulturlos. Ich war schon in München bei ihm, habe ihm in der Pension Beckenbauer einige Räume eingerichtet und ihn mit guter Kunst umgeben.« So endete unser Gespräch.

Ich überlegte nicht lange und nahm die Arbeit an. Wir beide fuhren zusammen nach München, nahmen aber einen Umweg, um uns den Kölner Dom und das Straßburger Münster anzusehen. Der Kölner Dom machte in seiner geordneten Massigkeit wohl einen starken Eindruck auf mich, aber doch hatte ich mir die Gotik anders, lebendiger vorgestellt, vielleicht volkstümlicher, nicht so kalt, so formal. Jedenfalls wurde der Eindruck ganz verdrängt durch das, was ich in Straßburg sah. Es war ein Zufall, daß gleich das erste Auftauchen des Münsters so überwältigend auf uns beide wirkte. Es war nämlich ein Spätnachmittag im Oktober, als wir, in einer Droschke sitzend, in jene kurze Straße einbogen, die direkt auf die Vorderfront der Kirche führt. Die ganze Straße mit ihren kastenförmigen hohen Häusern lag im dunkelgrauen Schatten, und auf der Kirche ruhte das glühendrote Abendlicht der tiefstehenden Sonne. Wir gingen noch zu Fuß um den Bau und in das Innere. Ich fand viel *mehr* bestätigt von *der* Gotik, als ich mir bisher durch mein Studium vorgestellt hatte. Ich war tief erregt, vor allem auch von den Skulpturen am Münster.

München

Die Fremdenpension Beckenbauer wurde meist von reichen Ausländern, vor allem von sehr bemittelten Amerikanern bewohnt. Hier hatte Alfred Walter Heymel eine ganze Etage. Da waren sowohl seine privaten Räume als auch die Arbeitsräume des Verlages. Als wir die Räume betraten, begrüßte mich Heymel erfreut: »Hat er Sie doch losgeeist aus Ihrem Dorfidyll im Teufelsmoor!« Alfred Walter Heymel war eine schlanke, im Rücken etwas vorgebeugte elegante Gestalt, schwarzhaarig, mit schmalem bräunlichem Gesicht und starker Nase. Seine Art zu sprechen war leicht, etwas witzig ironisch, worunter der junge Millionär seine eigentliche Denkart zu verbergen suchte. Heymel war gerade vom Reiten gekommen; er stand im schwarzen modischen Reitdreß vor uns. Heymel orientierte mich über die Pläne des »Insel«-Unternehmens. Die Räume, die uns umgaben, waren von Rudolf Alexander Schröder mit auserlesenem Geschmack eingerichtet. Nirgends museumshaft überladen. Fühlte man aber irgendeine sympathische Anziehungskraft von der Wand her und näherte sich – so war es ein Aquarell Manets, die Dame mit dem weiten grünen Kleid auf einem Diwan liegend, oder Zeichnungen von Gauguin, Skulpturen von Minne. Vor dem Spiegel stand eine dunkelbronzene Napoleonstatuette. Napoleon auf seinem Pferd in lässiger Haltung. Von den Wohnräumen kam man dann in die Arbeitsräume der »Insel«.

»›Insel‹ haben wir den Verlag genannt; er soll eine Insel werden, ein Rettungseiland für unsere besten jungen Kräfte aus der Literatur, eine Manifestation gegen Unkultur und gegen vulgarisierte Tradition«, sagte der zukunftsfreudige Initiator. Die »Insel« wurde ein Sammelpunkt der Begabtesten der neuromantischen Dekadenz. Die außerordentliche technische Qualität im Druck, die verschwenderische Verwendung erstklassiger Papiersorten und die gute graphische Ausstattung des Journals »Insel« wurde ein bedeutender Faktor in der Entwicklung des bis dahin sehr darniederliegenden deutschen Buchgewerbes.

Es kam mir sehr zustatten, daß ich die große Bewegung, die um diese Zeit in der englischen Buchgewerbekunst durch William Morris vor sich gegangen war, studiert hatte. Außerdem war für mich die Kenntnis der frühen Pergamente, wie das »Breviarium Grimmani« und die Stundenbücher des Herzogs von Berry aus dem frühen Mittelalter, eine wichtige Quelle der Anregung für meine buchtechnischen Arbeiten.

Hugo von Hofmannsthal, Franz Blei, Julius Meier-Graefe, Otto Julius Bierbaum, Richard Dehmel, Rudolf Borchardt, die Vlamen Maeterlinck und der Bildhauer Minne gehörten zu den ständigen Mitarbeitern der »Insel«. Das Journal wurde begleitet von der Ausgabe eines Mappenwerkes von Originaldrucken moderner Künstler.

Da gab es natürlich eine große Arbeit für mich. Manche dieser bekannten Leute, die persönlich in den Verlag kamen, standen mir, dem schweigsamen, auf alles aufhorchenden unbeholfenen jungen Menschen, mißtrauisch gegenüber, wie ich es zu fühlen glaubte, wenn ich zufällig im Nebenzimmer Meier-Graefes ironische Frage an die Insel-Leiter auffing: »Was ist denn dieser Vogeler für ein Mensch, den Sie da aufgefischt haben?« Das berührte jedoch die beiden führenden Insulaner nicht, das freundschaftliche Verhältnis blieb; wenngleich mich vieles, was ich hier erlebte, einfach erschreckte. Da war vor allem die Art und Weise der Behandlung der Dienerschaft, die jederzeit fühlen mußte, daß man uneingeschränkt Gewalt über sie hatte. Selbst Rudolf Alexander Schröder, der eine sehr einfache, betont einfache, Wohnung hatte, konnte seinen schwarzgekleideten jungen Diener eine halbe Stunde mit dem frischen Frackhemd hinter seinem Klavierschemel warten lassen, wenn er in der Heymelschen Wohnung am Bechsteinflügel saß und phantasierte. – Das begab sich gewöhnlich so um sechs Uhr vor dem Essen, wenn Heymels Diener, in kaffeebrauner Livree, im Nebenzimmer die Speisetafel vorbereitete. Die Tafel war nicht groß, kreisrund und stets nur für drei Personen gedeckt. Ein weißseidener Goldbrokat verdeckte die Fläche. Für Vorspeise und Suppe gebrauchte man englisches Steingut aus Wedgwood, im übrigen hatte man Sèvres oder Nymphenburger Porzellan. Helle Weine trank man aus altem venezianischem Glas, und für Rotwein und Burgunder stand vor jedem der Inselleute ein leichter Renaissancepokal, aus Silber getrieben, innen vergoldet. In der Mitte des Tisches, umgeben von Früchten des Südens, saß auf einem porzellanenen weißen Baumstamm ein scharfgrüner Meißener Porzellanpapagei. Wildgebogene Orchideen mit rosavioletten Blüten erhoben sich aus dem Baumstamm

Titelseiten zur Zeitschrift »Die Insel«. Federzeichnung, 1900

und schwebten wie groteske tropische Insekten über dem Tisch. Das silberne Eßbesteck war dem Heymel zu schwer, zu klobig. »Heinrich Vogeler, das können wir doch besser machen«, sagte er zu mir während der Mahlzeit. Ich dachte an die flache Plastik von Tulpenblättern und an die schalenartige Gebogenheit der Tulpen selbst, so etwas könnte die Grundlage geben für ein Besteck, das bequem in der Hand liegt, das schön sein kann, wenn man es so modelliert,

daß die Naturformen abstrakt wirken und alles nur aus dem Bedürfnis des praktischen Gebrauches geboren scheint. Nach dem Abendessen ging man in das Nebenzimmer, wo Mokka und Schnäpse aufgebaut waren. Es erschienen dann bald die drei Witwen, wie man die Geliebten dreier Freunde nannte. Die wichtigste, eine schlanke, elegante Erscheinung, gehörte zu dem jungen Millionär, eine paßte zu dem Advokaten, dem Rechtskonsulenten der »Insel«, und die flinke Kleinere zu einem jungen Arzt, der im Hause der »Insel« täglich verkehrte. Die Frauen versorgten die Männer, die sich noch um einige Gäste vermehrt hatten, mit Mokka, Likören, Zigarren und Zigaretten. Die Konversation bewegte sich meist um recht heikle Themen. An manchen Abenden wurde getanzt, an anderen fuhr man ins Theater, besonders gern ins Residenztheater, wenn Richard Strauss Mozart dirigierte. Auch brachte Richard Strauss damals die »Fledermaus« von Johann Strauß in einer entzückenden künstlerischen Form heraus. Der junge Lebemann fiel während der Aufführung allerdings manchmal in Schlaf. Das Leben stellte zu große Ansprüche an ihn: die Verlagsgeschäfte, die Pferde, das Polospiel, das Einfahren des Viererzuges, die Frauen; hinzu kam der Alkohol und die gute Verpflegung. Zudem war es nicht nur die eine der drei Witwen, die fast zur Familie gerechnet wurde; da waren noch romantische Nebenlinien, wie eine berühmte Tänzerin, die auch ihre Ansprüche an den jungen Menschen stellte. – Am meisten Sorge hatte der Vetter Rudolf Alexander; er war immer um den »Herrenstil« seines Schützlings besorgt, zumal wenn Alfred Walter im Logensessel während der Vorstellung im Theater hintenübersackte und zu schnarchen anfing oder wenn der Kopf in der grünseidenen japanischen Weste mit der silbergewirkten Reiherstickerei versank. Ja überhaupt diese Weste, die gefiel dem Rudolf Alexander schon gar nicht an ihm, so schön sie auch war. »Du darfst diese künstlerische Weste nicht tragen, du nicht. Ein Mensch mit solch einer Nase wie du und mit solchen Mausezähnen muß alles vermeiden, was auffallend ist. Trag deinen anständigen englischen Frack, wie wir. Es ist für München schon erregend genug, daß da abends tadellos rasierte ›Gents‹ im Frack im Theater erscheinen, in einer Stadt, wo alles den Germanenbart trägt, oder wenigstens den Henri Quatre.«

Ich war immer froh, wenn ich in meinem nüchternen hellgrau getünchten Atelier in der Gabelsbergerstraße bei der Arbeit sitzen konnte. Es kam auch vor, daß mich eine der »Witwen« besuchte. So ein wildgemachtes Wesen, wie ich sie von einigen Abenden in der Pension Beckenbauer kannte, war dann ganz zahm, entpuppte sich als ein richtiger Mensch, kramte in den Zeichnungen und Entwürfen, hatte Interesse für all die Arbeiten, die da entstanden, kochte mir Tee und ruhte. Sie war wohl froh, ohne männliche Ansprüche in dieser ruhigen Atmosphäre ein Stündchen verbringen zu können.

Ich hatte in München immer das Gefühl, als ginge ich am Leben her und wüßte nicht den Weg, wie sich mir das Tor zum Leben öffnen würde. Meine graphischen Arbeiten dieser Zeit drücken wohl diese Horizontlosigkeit aus. Unbewußt entstand eine rein formale, wirklichkeitsfremde Phantasiekunst ohne Inhalt. Sie war eine romantische Flucht aus der Wirklichkeit. Sie war daher den bürgerlichen Menschen eine angenehme Ablenkung von den drohenden sozialen Fragen der Gegenwart. Im Rahmen des Satzspiegels des Inselformates erhoben sich märchenhafte Vögel, wie blätter- und blumengeboren, mit wallendem Gefieder, das wieder in wogende Zweige, in Früchte und Blumen überging, Blütenkelche, die Blütenkelche aus sich herausstießen, ein Formenreichtum, der geradezu nach Farben schrie, nach giftigen, süßen, einschmeichelnden und aufreizenden Farben. Nirgends war ein Horizont, nirgends ein Durchblick, nirgends eine Perspektive. Ein schöner Vorhang, der die Wirklichkeit verbarg. Im Aufbau waren die Blätter organisch, der Rhythmus der Fläche bildete eine geschlossene Welt. – So traf wohl meine Inselgraphik den Charakter einer besonderen Zeitepoche, die auch meinen Charakter irgendwie formte. Eine engbegrenzte Romantik, die keinen Ausweg zuließ, die nicht zur Totalität, zur Wirklichkeit durchdringen konnte, ja im Widerspruch zu ihr stand, ihr eine neue, traumhafte Wirklichkeit entgegensetzen zu können glaubte. Weil sie auf Abwege führte, abwegig war, vor den häßlichen Wirklichkeiten des Tages floh, gerade dadurch hatte meine Kunst wohl den Erfolg, war manchen ein Trost gegenüber den warnenden Zeichen des Keimens neuer Erkenntnisse, gegenüber der Saat einer neuen Zeit.

Um die Weihnachtstage ruhte die Arbeit der »Insel«. Ich fuhr nach Florenz zu meiner Mutter, die dort mit den jüngeren beiden Schwestern in einer Pension den Winter verbrachte. In der Galerie traf ich Rudolf Borchardt, der mir von der Redaktion der »Insel« bekannt war. Der Dichter führte mich abends zu einem Freund, der ein auf dem flachen Dache eines alten Palastes aufgebautes Zimmer bewohnte. Von dem Zimmer aus trat man gleich ins Freie, unten blinkten die Lichter von Florenz. Man wurde wie ein alter Bekannter empfangen, keiner nannte seinen Namen. Seltsam versonnen wirkte die Persönlichkeit dieses neuen Menschen auf mich. Ich glaubte einen Mönch vor mir zu haben, der gern seine Hände etwas hoch am Körper hält, als sei er immer bereit zum Gebet; dazu der weiche, wollige junge Bart, wie bei Klosterbrüdern, deren Kinn und Backen nie das Rasiermesser fühlten. Auf dem Rückwege fragte ich meinen Begleiter: »Bei wem sind wir da eigentlich gewesen?« –

»Den müssen Sie doch kennen. Das ist der Dichter Rainer Maria Rilke«, war die Antwort.

In München blieb ich noch bis über den Karneval; erlebte noch manche glückliche Stunde in der Galerie bei den alten Meistern und kopierte Albrecht Dürers »Bildnis des Oswald Krell«, des Mannes in lockigem, langwallendem Haar auf einem zinnoberroten Hintergrund, neben dem eine schmale Landschaft sichtbar ist. Nur war es für mich ein schwerer Moment, wie ein Bankrott, als ich mich mit meiner fertigen Arbeit von dem Original lösen mußte. Obgleich die Kopie sehr gefiel, quälte es mich, daß ich nicht zu dieser Freiheit der Malerei des alten Meisters vordringen konnte bei intimster Erfassung und Wiedergabe der Materie, wie sie uns der Altmeister Dürer vermittelte.

Dann nahm mich der Karneval ganz in Anspruch. Die Künstlerkreise Münchens hatten nämlich beschlossen, das »Insel«-Unternehmen der Glattrasierten als Hauptmotiv des heurigen Karnevals zu karikieren. Daß wir Inselleute sofort beschlossen, mit lustiger Selbstironie in die Sache der »Halbinsel« hineinzuspringen, war selbstverständlich. Ich bereitete eine Halbinselmappe vor, im halbierten Format der Original-Inselmappe, außen mit Titelaufklebezettel wie beim Original, nur aus halbiertem perforiertem Lokuspapier. Inhaltlose Blätter, Karikaturen, die die Sehnsucht der Romantiker nach Realitäten und den Hunger der Realisten nach Romantik darstellten. – Das Fest der »Halbinsel« wurde erdrückend voll. Ein langhaariger Dichter in violettem Frack deklamierte idiotisch formalistische Dichtungen ohne Inhalt und stärkte sich zwischendurch mit einem Schluck blauen Wassers, das er aus einem rosa Köppingglas sog, einem Glas mit endlosen Stielwindungen, so daß der Dichterling offenbar Mühe hatte, mit seinem Mund überhaupt den Kelch zu erreichen. Auf einer Bühne an anderer Stelle trat der Männerchor eines Kriegervereins auf. Ernste Männer in Schwarz mit Zylinder, den sie vor sich auf die Bühne stellten. Die Männerbrust war mit einem Eichenkranz umwunden. Jedes Lied, das sie sangen, wurde von einem andersfarbigen Notenpapier abgesungen, jedes Lied hatte einen anderen Geruch, der durch grünmaskierte Diener mittels Parfümzerstäuber ins Publikum gespritzt wurde. Dann erschien Serenissimus mit seinem Adjutanten und amüsierte todernst das Publikum mit idiotischer Kritik, die den Geschmack des preußischen Königs für jeden erkenntlich machte. Die Zuhörer kreischten vor Vergnügen.

Die wichtigste Arbeit für die »Insel« war nun beendet. Ich mußte nach Dresden fahren, um dort eine Ausstellung meiner Bilder und Radierungen zu organisieren. Da kam Alfred Walter Heymel auf mich zu und sagte: »Ich fahre mit Ihnen. Ich bitte Sie, fahren Sie über Stuttgart. Ich muß Sie mit einer australischen Tänzerin bekannt machen, tolles Weib, tanzt wie ein Affe, wie ein Kobold, wie Blütenstaub im Sommerwind; seien Sie zufrieden.« Ich war einverstanden, wir fuhren.

Am nächsten Nachmittag schon wanderten wir mit der eleganten, schlanken Tänzerin durch die Straßen Stuttgarts. Der junge Alfred Walter Heymel in lustigen Gesprächen mit der schönen Frau, der Maler, wie gewöhnlich, als stummer Passagier. Vor dem Schaufenster eines Juwelierladens blieben wir stehen, und die Tänzerin zeigte mit ihrem dünnen elfenbeinernen Spazierstock auf die Schmucksachen, die ihr besonders gefielen. Für Smaragde schien sie eine Vorliebe zu haben.

Abends war die Tanzaufführung im Theater. Allerdings, das war Temperament, sagte ich mir; verbunden mit einer affenartigen Gelenkigkeit. Eine Leichtigkeit »wie eine Blumenfloskel« ist auch kein schlechter Vergleich vom Heymel. Die Biegsamkeit des Körpers in der organischen Verbindung mit allen übrigen bewegten Körperteilen ergab diese Leichtigkeit des Ausdrucks, bei dem ich alles Akrobatenhafte der Frau vergaß. Die schlanken Beine und Füße waren dabei Hauptausdrucksmittel; sie hoben und senkten sich und stießen schwarz und elastisch aus einem roten Blütenblätterwald von Volants hervor, wie die Stempel traumhafter Blumen aus ihrer Blütenhülle. Der Applaus war donnernd, sie erschien ein paarmal; der Theaterdirektor überreichte ihr ein großes Bukett Maréchal-Niel-Rosen, an dem ein Päckchen hing, das Geschenk von dem verliebten Kavalier, ein kleiner Smaragdschmuck. Auf den weiteren brausenden Applaus reagierte die Tänzerin nicht mehr, nur wir beiden Jünglinge in der vorderen Loge erkannten, wie hinter der Kulisse ein schmales schwarzes Bein aus dem Gekrause der roten Volants zur Loge hinaufwinkte.

Spätabends erschien die Australierin beim Heymel zum Souper, auf seinem Hotelzimmer. Es war sehr lustig, wenngleich ich mich wieder sehr unbeholfen und töricht fühlte und benahm und es auch gar nicht verstand, zur Lustigkeit beizutragen. Nach dem Abendessen wurde getanzt, wozu die Musik, die aus den unteren Räumen des Hotelrestaurants heraufklang, die Stimmung gab. Die schlanke Australierin verwandelte jeden Kontretanz in ein wildes Haschen und Jagen, Fangen und Loslassen. Die Möbel wurden ihr beliebte Hindernisse, die sie durch überraschende akrobatische Kunststücke überwand. Noch einmal gab sie schließlich dem splendiden Gastgeber einen wuchtigen Schwung, dann schoß sie, von Sessel zu Sessel, geschickt über den abgegessenen Tisch hinweg, auf den erstaunten Maler los, packte ihn beim Kopf, daß er einen Moment unter dem flutenden schwarzen Wuschelhaar der Tänzerin vergraben schien, küßte den wunderlichen Heiligen ab, und im nächsten Augenblick verschwand sie durch die Tür auf immer. »Toller Affe«, lachte Alfred Walter Heymel. »'ne gute und raffinierte Ehefrau für ihren Manager«, ergänzte ich.

Dresden

Die Ausstellung meiner Bilder und Radierungen in Dresden war ein Erfolg. Die Landschaft »Mein Haus« wurde von der Dresdner Galerie angekauft. Es ist dies eins meiner ersten Bilder. Das Haus hatte noch Strohdach, die Moorlandschaft, die man auf dem Bilde vom Berge aus über das Dach weg sah, bis an den Horizont, war noch nicht so dicht verwachsen wie einige Jahre später, als selbst die Strohdachhäuser der Dörfer kaum noch sichtbar waren. Ich blieb noch März und April in Dresden. In der Galerie kopierte ich die Lavinia mit dem Fähnchenfächer von Tizian; abends leitete ich das Aktzeichnen in einer Abendschule von Malerinnen. Vor meiner Ausstellung hatte der Kunstsalon Bilder von dem Norweger Munch ausgestellt, die mich Norddeutschen stark beeindruckten. Edward Munch verstand es, die durchsichtige Atmosphäre des Nordens, das ausgesprochen starke Licht ungebrochener Töne, die verträumte Poesie weißer Häuser unter der Kuppel hoher dunkler Bäume überzeugend wiederzugeben und die Teilnahme seiner Menschen, etwa eines rotgekleideten Mädchens oder eines gelben auf der hellen Landungsbrücke des Fjordes, so glaubhaft zu machen, daß die romantischsten Gefühle und Sehnsüchte in mir geweckt wurden, als hörte ich einen nordischen Gesang.

Meine Ausstellung verschaffte mir viele Bekannte. Ein langhaariger blonder Jüngling, ein Musiker, sprach mich an und nahm mich mit in sein elterliches Haus, wo ich herzlich aufgenommen wurde. Henri Petri, der Vater des Jungen, war einer der bekanntesten Geiger, seine Frau eine beliebte Gesangslehrerin, die Tochter Sängerin, und mein junger Freund Egon spielte, obgleich er noch zur Schule ging, als Violinist in der Kapelle des Königlichen Hoftheaters mit. Er war übrigens dabei, zum Klavier überzugehen, und spielte auch Orgel, um der Musik Johann Sebastian Bachs nahe zu kommen. Im Hause Petri gab es immer anregende Gesellschaft von Künstlern. Überflüssige Konversation wurde nicht gemacht, man ging meistens bald zum Musizieren über.

Eines Tages teilte mir der Konzertmeister Petri mit, die Prinzessin Feodora von Schleswig-Holstein habe die Ausstellung gesehen und interessiere sich für meine Kunst, sie möchte den Maler kennenlernen. »Wir machen bei ihr einmal im Monat Kammermusik«, sagte er und: »Ich bitte Sie, gehen Sie in die Eisenstuckstraße. Sie brauchen da unten dem Diener nur Ihre Karte abzugeben, dann erhalten Sie die Einladung auf einen bestimmten Tag.«

Am anderen Ufer der Elbe, gleich an der Augustusbrücke, lag ein großes Haus, ein alter Kasten aus barocker Zeit mit einem hohen ausgebauten Mansardendach. Verwaschene große Buchstaben an der Langfront über der Elbe ließen noch die Worte »Wiener Hof« erkennen. Es mag wohl einmal Hotel gewesen sein, jetzt war es Mietskaserne. Breite ausgetretene, barockgeschwungene Holztreppen führten innen hinauf und wurden oben zu engen Stiegen, die zu Proletarier-Quartieren führten. Das alte Haus hatte mich besonders gereizt, wenn ich über die Augustusbrücke kam. Es mußte eine herrliche Aussicht über die Elbe hinweg auf die Stadt haben. So stieg ich hinauf und fand bei dem Bauarbeiter Mesebach ein Quartier. Mir wurde nach einigem Hin und Her das Nebenzimmer eingeräumt. Ich war sehr froh. Morgens weckten mich gurrende Tauben auf meiner Fensterbank. Zwar mußte man durch das Schlafzimmer des Ehepaares, das zugleich Küche war; auch wimmelten einige Kinder auf dem Fußboden. Seltsamer Mietsherr, mag die Mutter Mesebach gedacht haben; dieser junge Mann kommt häufig spät nachts nach Hause, mit großer Vorsicht, ganz leise, um keinen Schlafenden zu wecken. Manchmal kommen ältere Herren mit Zylinder und Handschuh zu ihm herauf, wohl Professoren, sie geben ihre Visitenkarte ab und bitten höflichst zu grüßen, oder es klopft eine Malerin an mit einem Briefchen, und heute kam da gegen Abend, als der junge Mann schon in den Abendunterricht gegangen war, sogar ein Lakai in betreßter sandgelber Livree und gab einen Brief für den Herrn Kunstmaler ab.

Das Konzert

Als ich in der Eisenstuckstraße die Haustür öffnete, wurde sie mir gleich von einem jungen livrierten Diener mit einer Verbeugung aus der Hand genommen. Dann geriet ich in die Hände eines sehr vornehmen, befrackten Mannes, dessen Backenbart an einen Hamburger Kommerzienrat erinnerte. Der Mann befreite mich von meinem Mantel, nicht ohne einen betont höhnischen Blick auf den eingenähten leinenen Lappen mit der Nummer einer chemischen Reinigungsanstalt zu werfen, den ich vergessen hatte auszutrennen. – Im Gesellschaftszimmer war der Konzertmeister Professor Petri schon anwesend mit seiner Frau. Er führte mich der Prinzessin Feodora von Schleswig-Holstein zu. Die Kunstgespräche erhoben sich nicht über das Niveau allgemeiner Konversation. Die Prinzessin war auch Malerin und ließ ihre eigenen Arbeiten holen. Es waren in Kreide ausgeführte Kompositionen, die sich mit dem Leben der alten Germanen beschäftigten. Auf allen Blättern bemerkte ich, daß mit großer deutscher Schrift, oft ganz rücksichtslos in die Zeichnung hinein, eine schnoddrige Kritik geschrieben war von »Wilhelm«. Wilhelm, der kaiserliche Schwager der Prinzessin, befand sich augenblicklich in Nordafrika. Eine illustrierte Zeitung brachte schon ein Bild, auf dem Kaiser Wilhelm in weißer Toga mit silbernem Kürassierhelm, einem Bühnenhelden ähnlich, der den Lohengrin darzustellen hat, mit seinem Gefolge durch die Straßen Tangers zog. In diesem Augenblick erschien die Augustenburgerin, die Kaiserinmutter, eine alte Dame mit einer etwas schiefgerutschten schwarzen Spitzenhaube, auf der ein paar orangefarbene Stoffblumen wie Schmetterlinge saßen. Die alte Dame benutzte bald eine Konversationspause, um sich an das Harmonium zu setzen. Eine Kantate von Bach gelang mit einigen Hindernissen. Der Konzertmeister Petri schien auf Kohlen zu stehen. Seine Blicke rollten hilfesuchend umher und verloren sich schließlich an der Zimmerdecke. Endlich hauchte das Instrument seinen Schlußakkord aus. – Petri nahm seine Geige aus dem Kasten, und bald erfüllte die Wucht der Chaconne den Raum und kämpfte alle schlechten Gedanken nieder.

Kaum war die Musik verklungen, da öffneten sich die Flügeltüren, und die ganze Gesellschaft begab sich unter der Führung der Prinzessin Feodora in die große hellerleuchtete Halle. »Die Friedrich August«, flüsterte mir der Konzertmeister noch schnell zu. Ein anmutiges weibliches Wesen in Schwarz, von wallenden Trauerschleiern aus Spitzen umhüllt, rauschte auf die Prinzessin zu. Die Toskanerin trauerte um die ermordete österreichische Kaiserin. Sie hing einen Moment mit einem zarten Kuß an der stocksteifen Holsteinerin wie eine fruchtreife Traube am kahlen Rebpfahl. Nachdem die sächsische Kronprinzessin alle begrüßt hatte, ging man zur Abendtafel. Die Tafel war reich mit Südfrüchten dekoriert. Die silbernen Leuchter ohne Lichter hatte man mit hängendem Grün in Palmen verwandelt und untereinander durch zartes grünes Schlingpflanzengehänge verbunden. Die große politische Geste Kaiser Wilhelm II., der die Macht des Deutschen Reiches bis in den schwarzen Erdteil demonstrierte, fand hier ihren poetischen Widerhall. Das Konzert nach dem Abendessen ließ die ganze Umgebung vergessen, Dankbarkeit erfüllte mich, Dank gegenüber den Musikern, den Freunden, deren Kunst die Atmosphäre beherrschte.

Bei Tage war ich fast immer in der Dresdener Galerie. Ich hatte nun durch meine Ausstellung außer dem Kreis von Musikern und einigen führenden Kunstgelehrten noch eine mütterliche Freundin gefunden. Eine ältere Dame, die Frau eines Konsuls. Sie interessierte sich vor allem für die Radierungen, in denen sie Gleichnisse für den Ausdruck einer jungen aufkeimenden Liebe zu sehen glaubte, obgleich ich meine persönlichen Erlebnisse in romantische Phantastereien kleidete, in Formen einer vergangenen Zeit, die mir durch die Dichtungen der Minnesänger nahegekommen war. Die Radierungen »Frühling«, »Die Froschbraut«, »Das Märchen«, »Verkündigung«, »Der Minnetraum« und »Die Quelle« waren es, die ihr am meisten gefielen. Als ich mich nun von der alten Dame verabschiedete, sagte sie mir: »Lassen Sie uns Freunde bleiben, und wenn Sie dort in Ihrem Künstlerdorf ein junges Menschenkind haben, das Ihnen lieb ist und von dem Sie möchten, daß es einmal unser schönes Dresden sehen möchte, hier lernen und sich mit unserer alten und neuen Kunst bekannt machen, dann überbringen Sie ihr meine Grüße und sagen Sie ihr, daß in unserem Hause jederzeit ein Platz für sie ist, wo sie eine Zeitlang leben kann.« Ich war erstaunt, daß die Frau Gedanken aussprach, die in mir selber als Wunschtraum schlummerten.

Heimkehr

Als ich in Worpswede ankam, war Martha nicht da. Minna, die Schwester, stand in der Tür des Schröderschen Hauses und sagte gleich: »Martha ist auf der Schneiderschule in Bremen; da aber heute Sonnabend ist, wird sie früher heimkommen.« Es war mittags zwölf Uhr. Beim Vorübergehen am Barkenhoff hatte ich mein Gepäck unten an der Landstraße beim Krämer Haar eingestellt. Jetzt nahm ich den Richtweg vom Schröderschen Hause aus über den Berg, der Kleinbahn zu, die mich nach Bremen brachte. In der Schneiderwerkstätte erhielt ich die Nachricht, daß das kleine Fräulein schon seit längerer Zeit unterwegs nach Hause sei. Ich setzte voraus, daß Martha die fünfundzwanzig Kilometer wie immer zu Fuß machen würde, da sie mit ihren geringen Mitteln sehr haushälterisch umging. Ich warf mich in eine Einspännerdroschke, versprach ein gutes Trinkgeld, wenn der Gaul einen scharfen Trab machen würde, und rollte ab. Nach einstündiger Fahrt, auf der breiten, backsteinroten Flutbrücke, die nach der großen Überschwemmung über die Wümme gebaut worden war, sah ich sie schreiten: schlank, frei, blond, im hellblauen Kleid, Martha. Erstaunt blieb sie stehen, da der Wagen halten wollte; dann sprang sie freudig in die offene Kutsche, in der ich sie an meine Seite zog: »Mensch, du kannst nach Dresden fahren, wenn du willst; da habe ich viel Freunde gefunden. Du sollst Gast sein bei einer älteren Dame und kannst viel sehen und viel lernen!« Wenngleich auch Martha der Gedanke einer zeitweiligen Trennung nicht willkommen war, wurde der kleine Wagen doch bald ein Nest jugendfroher Seligkeit. Die Birkenbäume der Landstraße huschten vorüber, als ständen sie Spalier und wollten mit ihren grünen Zweigen winken. Am Fuß des Weyerberges lohnte ich den Kutscher ab, nachdem wir ihn mit Essen und Trinken versorgt hatten. Dann schritten wir über den Berg Hand in

Heimkehr. Öl, 1896

Hand, durchquerten die Tannenschonung und eilten meinem Hause zu, dem ich den Namen »Barkenhoff« gegeben hatte, seitdem ich den kleinen Birkenwald an der Landstraße gepflanzt hatte, durch dessen Zweiggegitter man hinaufsah zum Häuschen.

Das kleine Bauernhaus sah ziemlich wüst aus. Ich hatte es während der Winterszeit den Brüdern für ihre Geflügelwirtschaft zur Verfügung gestellt. Die Brüder waren aus Amerika zurückgekommen mit einem großen Koffer voll Bruteiern, Eiern der großen weißen amerikanischen Pekingente. Der jüngere Bruder Eduard war schon mit einem Gespann voll Brutmaschinen und Kästen mit jungem Geflügel abgezogen, nach Adiek, einem Bauernhof auf der Heide, vierzig Kilometer entfernt auf trockenem Sandboden, den sie inzwischen gekauft hatten.

Der Bruder Franz war jetzt damit beschäftigt, mein Haus zu reinigen, in dem noch der penetrante Geruch von Federvieh stand. Martha griff gleich zu und half ihm, und ich beschäftigte den kleinen weißblonden Hermann, einen geschickten Bauernjungen, der den Brüdern bei der Pflege des Geflügels geholfen hatte. Franz übergab mir eine Reihe von Briefen. Es waren Verlegerbriefe für Buchillustrationen aus Wien und ein Brief, aus Rußland datiert, von Rainer Maria Rilke. Der Brief stammte aus Jasnaja Poljana: »Lieber Heinrich Vogeler, ich denke an Sie, werde mein Versprechen wahr machen und bin im August bei Ihnen.« Ich hatte Rilke nach dem Florentiner Zusammentreffen in seiner Schmargendorfer Wohnung aufgesucht, und dann war zwischen uns eine Zeitlang ein lebhafter Briefwechsel entstanden.

Die nächste Zeit arbeitete ich mit Martha eifrig zusammen. Sie stand Modell für das Bild »Die Heimkehr«, in das sich »Der Abschied« verwandelt hatte. Ein stehendes Liebespaar, ein heimkehrender Kreuzritter, der sein Rüstzeug schon abgelegt hat und behelmt, in einen roten Kaftan gekleidet, ein junges Weib an sich zieht, das sich blau und blond an ihn schmiegt; umgeben von einem stillen, ummauerten Garten, an dessen Ausgangstor die mächtigen Kuppelkronen zweier blühender Kastanienbäume sichtbar wurden.

Im Mai war das Bild beendet. Martha Schröder fuhr nach Dresden.

Nordisches Land

An einem sonnenhellen Junitag sah ich den Maler Fritz Mackensen mit der jungen Bildhauerin Clara Westhoff aus dem Moore heraufkommen. Sie gingen Hand in Hand. Ich kannte die Clara als Schulmädchen aus der Tanzstunde meiner Schwester, da war sie ein etwas unbeholfenes großes Geschöpf; wohl viel Kraft im Werden, man hatte Angst, daß sie mit ihren Bewegungen überall etwas umschmeißen müßte. Ich hatte sie lange nicht gesehen, jetzt sah ich ihr schmal aufgebautes Gesicht wie zum erstenmal, ein paar widerspenstige Locken drängten sich an den Schläfen vor unter dem Kranzgewinde von wildem Hopfen. Weiß war ihr Kleid. Die großzügigen Bewegungen hätten die einer Diana sein können. Ich dachte, der müßte man einen Wurfspeer in die Hand geben; ihre lockeren, kraftversprechenden Bewegungen würden sich dann bis in die Fersen des elastischen Körpers straffen, der alles in die Wucht des Speeres treibt, einem fernen Ziele zu. – Neben ihr schritt der blonde Fritz Mackensen mit aufgezwirbeltem Schnurrbart – wie ein eitler Sieger, der seine Kriegsbeute heimführt.

Es kam eine neue Malerin aus Berlin, ein etwas bleiches Mädchen mit einem entschlossenen Mund und heißen braunschwarzen Augen; sie wurde Schülerin von Fritz Mackensen. Er war nun außerordentlich in Anspruch genommen. Clara Westhoff liebte keine rationierten Gefühle. Die Episode Mackensen war für sie zu Ende. Eines Tages traf ich sie auf der Landstraße, als ich zur Post radelte. Beide fuhren wir langsamer und stiegen gleichzeitig von den Rädern.

»Ich will mit der Marie Bock eine Radtour durch Schleswig-Holstein machen ans Meer. Kommen Sie doch mit!«

»Das wäre nicht schlecht.«

»Wenn Sie sich entschließen, dann seien Sie heute abend bei der Marie.«

Marie Bock war die Frau eines Schiffsingenieurs, der fast immerwährend auf See war. Sie lebte vereinsamt als Malerin mit ihrer kleinen Tochter in Worpswede. Abends wurde von uns dreien alles für die Tour verabredet, und am nächsten Morgen fuhren wir schon los. Hermann, der kleine blonde Bauernjunge, hütete den Barkenhoff.

Die erste Station nach einer Vierzig-Kilometer-Fahrt war Adiek, das Geflügelgut meiner Brüder, ein behagliches altes Strohdachhaus, umgeben von langgestreckten Geflügelställen. Der Bauernhof Adiek, den die Brüder für ihr Geflügelunternehmen gekauft hatten, lag eine Wegstunde von dem alten Ort Zeven entfernt in der Heide. In der Nähe gab es keine weiteren Bauernhöfe, nur noch einen anderen einstelligen Hof. Das Adieker Land grenzte an den Fluß Oste, zu dem die heidebewachsenen Grenzufer steil abfielen. Hier befand sich eine höhere umwallte Fläche, die im Volksmund Pepinsburg genannt wurde. Beim Pflügen herausgeschälte Steinwerkzeuge, Waffenteile und Reste von knöchernen Kämmen zeigten, daß die Ufer des Flusses einmal von Menschen bewohnt gewesen waren. Jenseits der etwas abliegenden Landstraße war jener andere einstellige

Großbauernhof, der Ahof genannt wurde. Ein fast undurchdringliches Stück Urwald nicht weit von der Straße barg einen schmalen Bach, der schließlich der Oste zueilte. Als ich das Waldstück später entdeckte, packte mich sein Charakter sehr; die anmutigen Formen des Buschwerks, die von Wildfraß niedergehaltenen Grasufer des Baches, als liefe das bräunliche, aber goldig durchsichtige Wasser durch das abgerundete kurze Ufergehänge eines blumigen Grasteppichs, hatten einen seltsamen Reiz; darüber baute sich das ernste Grün alter Eichbäume hoch, das noch durchsetzt war mit alten schwarzdunkelnden haushohen Wacholderbäumen, deren innere kahle Zweigkonstruktionen gebogen aufsteigende Formen zeichneten, als wollten ihre mächtigen Harfenformen ein Lied aus grauer Vorzeit mit ernsten Akkorden vergangener Herrlichkeiten unterlegen. – Später malte ich dies: Ein in der Waldstille dicht an mich herantretender Rehbock verwandelte sich da in meiner Phantasie in ein märchenhaftes weibliches Wesen, das aus dem Bach hervortrat und wie verträumt plötzlich einem geharnischten Ritter gegenübersteht, der die verschlungene Urwaldwildnis durchbrach.

Adiek wurde auch die Unterkunft einer kleinen Kolonie von Malerinnen, aus deren Mitte sich der jüngste der Brüder eine Lebensgefährtin nahm, die ihm einige tüchtige Kinder schenkte, die den Geflügelbetrieb hochhielten trotz der schweren Transportbedingungen, unter denen der Warenversand aus diesem abgelegenen Winkel der Erde litt.

In Hamburg ging es auf einen Dampfer nach Brunshaupten. Die Elbe war lehmgelb, die aufsteigende Flut staute das Wasser, und als wir uns der Mündung näherten, tauchten im gelben Brackwasser der Elbe Delphine mit ihrem gebogenen schwarzen Rücken am Bug des Schiffes auf. In Brunshaupten wurden die Räder ausgeladen, und dann ging es nach Norden. Ich machte mir von Bauern- und Gutshäusern Notizen ins Skizzenbuch, zeichnete auch kleine Küstenlandschaften. Schließlich wurde uns dreien die Sache zu eintönig, da wir von der Landstraße aus zu wenig Beziehungen zum Meer hatten, und das Meer war doch unser Ziel gewesen. Die kleine Karawane beschloß, sich nach der letzten deutschen Insel, Romö, übersetzen zu lassen, die damals, vor dem Kriege, zu Deutschland gehörte. Die anderen Nordseeinseln mit ihrem Badebetrieb wurden gar nicht in Betracht gezogen, wir drei wollten keine eleganten Menschen sehen, sondern Meer; Strand, Vögel, Fischer. Der Segelkahn, in dem wir die Räder und uns selber verstaut hatten, war mit lustigen Insulanerinnen gefüllt. Der Wind ging gut, nach kaum zwei Stunden landete man am Strand von Romö. Hinter den Dünen sahen wir nur zwei Häuser. Ein verlassenes, das von dem Vordringen der See gefährdet war, stand hoch auf einem abgebrochenen Dünenhang dicht am Strand, im Dünengras lag eine altmodische Schiffskanone. Zwischen den Dünen ging es hindurch auf das Gasthaus zu. Eine dicke Strohdecke bedachte es, schweifte an der Langseite, dem Meere zu, mit einem kühnen Bogen hoch, hier befand sich ein breites weißgesproßtes Halbrundfenster, wie ein Auge, das jemanden erwartet, der von der See kommen wird. Gäste schienen hier selten; wir wurden sympathisch empfangen. Oben unter dem Strohdach in der Mansarde bekamen die Frauen ein Zimmer, dessen Wände aus violettlackiertem Holz bestanden mit eingebauten Wandschränken. Eine weiße Tür führte zur Treppe und eine Tür in die kleine weißlackierte Kammer, die ich bewohnen sollte. Die Treppe, die zu den Zimmern hinaufführte, war schmal und steil, wie im Schiff, so daß die Hände, die das Geländer ergriffen, mehr zu tun hatten als die Füße, um den Körper hinaufzubugsieren. – Das Dorf lag eine halbe Stunde vom Gasthof entfernt und wirkte auf uns sehr eigenartig. Vor dem Eingang befand sich ein dreieckiger, grasbewachsener Platz an der Stelle, wo sich der Weg gabelte. Auf dem abgetretenen Kreisrund dieses Platzes wanderte eine alte Frau unentwegt, fuchtelte dann und wann mit den Armen in die Luft und redete für sich; blieb auch wohl stehen, hob die Hand über die Augen und schaute in die Ferne, dem Meere zu. Dann wanderte sie wieder im Kreis. Ihr Rundweg war so abgetreten, als wäre sie schon Jahre so gewandert; vielleicht blieb ihr Mann auf dem Meer verschollen, und nun wartete sie und wanderte, hielt Ausschau, gefesselt an diesen Platz durch zerschlagene Hoffnungen.

Die Häuser des Dorfes waren breit, ehrwürdig, strohbedacht, mit geschweiften Sprossenfenstern, wie das Gasthaus, auch sie schauten auf das Meer. Rot waren die Häuser; Backstein; Fugen und die Fensterrahmen weiß. Ein Haus, das uns Wanderern besonders gefiel, besuchten wir. Die Frau, die hier wohnte, nahm uns gut auf. Dem Anschein nach das Haus eines Kapitäns. In den meisten Häusern wohnten Seeleute; alles war so behaglich eingerichtet. Die Liebhaberei für peinliche Sauberkeit, für Messinggegenstände, polierte Möbel und frischen Farbenanstrich gab den Reiz. Chinesisches Porzellan in gesproßten Glasschränken, blanke Türklinken, große Muscheln und trockene Seetiere, ein schönes Schiffsmodell. Dann blieben wir vor einem Bildnis, das an der Wand hing, erstaunt stehen: das sauber, fast holbeinisch gemalte Bildnis eines Mannes in schwarzem Bratenrock mit hoher schwarzer Binde um den Vatermörderkragen. Die Augen der alten Frau leuchteten auf, und sie sagte einfach: »Mein Mann.« – »Wer hat denn das gemalt?« – »Ein Chinese.« Die Seeleute lieben es, sich malen zu lassen, wenn sie mit ihren Segelschiffen lange in einem chinesischen Hafen liegen müssen. Dann gibt es chinesische Maler, die sich anbieten, den Kapitän für seine Frau zu malen.

Der Aufenthalt auf der Insel war ruhig und einsam. Man badete zusammen im Meer, wanderte über die Watten und sah dem Flug der Möwen zu, man wurde im Gasthaus gut verpflegt und lag faul, wie Seehunde, in den Dünentälern. Eines Morgens, als wir drei vom Strand zurückgekommen waren, stand im Fremdenbuch des Gasthauses ein neuer Name: Professor Seeligmann aus Augsburg. Interessant – gibt eine gute Abwechslung – sicher ein junger unternehmender Wanderer, vielleicht ein Dichter, der Einsamkeit sucht. Der Mann selbst war nicht sichtbar. Wir legten uns, nicht weit vom Hause, in die beliebte Dünenmulde und warteten schließlich auf den Ruf der alten Schiffsglocke, die zum Mittagessen auffordern mußte. Da erschien oben am Dünenrand ein Mann mit Bauch in einer weißen Weste, die von einer goldenen Uhrkette überspannt war. Es war sehr heiß; aber über die Schultern des Mannes hing ein gräulicher Radmantel. Dickliches Gesicht, Hängebacken, ausgefranster Germanenbart. »Ein Germane«, flüsterte ich. Belustigt nahmen die Frauen die schwungvolle Begrüßung durch die Erscheinung auf, die ihren randdurchschwitzten Filzhut lüftete. Da ertönte die Glocke. Wir setzten uns ins Gasthaus zusammen an den Tisch, auf dem schon dampfend das Essen aufgebracht war. Der Professor Seeligmann aus Augsburg verlangte »Silentium« und erhob sich für das Tischgebet, was uns Hungrige nicht abhielt, sofort den dampfenden Schüsseln Genüge zu tun. – Nachmittags wanderte unsere kleine Künstlerbande zu dem Zollkutter, der auf dem Watt lag. Ein Matrose begrüßte uns mit dem Schipperklavier. Der zweite Matrose kam hinzu, und man tanzte auf dem heißgebrannten Deck, bis Clara an ihren bloßen Füßen derartige Blasen unter der Sohle bekam, daß man Schluß machen mußte. Ein Matrose operierte sie und opferte einen Eimer Süßwasser zur Kühlung. Die Flut begann aufzulaufen. Der Musikermatrose nahm Clara ritterlich auf den Rükken und trug sie an Land, wir folgten planschend durch das steigende Wasser.

Am Abend war in der Kneipe große Fete beim Kaffeepunsch, organisiert und beherrscht von Professor Seeligmann. Der Germane hatte uns schon erzählt, daß er es neben seinen erzieherischen Aufgaben als Lehrer als seine Hauptlebensaufgabe betrachte, jedes Jahr in den Ferien an eine andere Grenze unseres geliebten Vaterlandes zu reisen, um das Deutschtum zu verbreiten. »Ich pflanze es in die Seelen der Wankelmütigen, und meine begeisterten Zuhörer begießen es.« Dann legte der Bauchige los: erzählte von Schlachten gegen Frankreich, sang und bummerte dazu ein militärisches Potpourri mit Pauken und Trompeten, ergriff allerhand Geschirr und vollführte damit einen blöden Lärm, der Schlachtgetümmel, Gewehrfeuer und einschlagende Granaten bedeuten sollte. Zum Glück verstanden die meisten Besucher wenig von dem Krach, da auf der Insel nur dänisch gesprochen wurde. Bevor die unausbleibliche Nationalhymne erklang, zwinkerte ich den Matrosen zu und verschwand mit ihnen in den Dünen, auch die Frauen folgten bald. In den Dünen wurde ein Komplott geschmiedet: Der Germane mußte sofort aus dieser Atmosphäre verschwinden, die er verpestete. Ich schrieb für die Matrosen einen Zettel an den Kommandanten des Zollkutters, der anderentags in See gehen sollte, schrieb, daß die Malersleute, die bei ihm an Bord gewesen wären, ihn inständig bäten, den bekannten Professor Seeligmann aus Augsburg mitzunehmen und an der Küste von Sylt abzusetzen als Ehrenpassagier. Gewagt! Wird der Kommandant die ganze Sache als Ulk auffassen oder ernst nehmen? Einerlei, die Matrosen wollten es schon machen. – Wirklich – es gelang. Am anderen Tage war alles, was Beine hatte, am Strand, die Sache hatte sich also herumgesprochen. Ich war abends noch lange beim Professor gewesen und hatte ihm vorgestellt, was für ehrenvolle Aufgaben ihn auf der Insel Sylt erwarteten. – So wurde es für alle Beteiligten ein wahrer Triumphzug, als das Wasser auflief. Einer der Matrosen nahm den bauchigen Professor huckepack, der andere das Gepäck, und so stapften sie hintereinander durch das Wattenmeer. Nach einiger Zeit setzte der Kutter Segel. Freudig, befreit von dem taktlosen Spießbürger, winkten die Zurückgebliebenen ihm hinterher.

Worpswede

Nach der Heimkehr lag in Worpswede außerordentlich viel Arbeit für mich vor. Da waren schon die Texte der Romane »Niels Lyhne« und »Marie Grubbe« von dem Dänen Jens Peter Jacobsen, die der Verlag Eugen Diederichs geschickt hatte. Ein glückliches Zusammentreffen, da ich gerade aus dem nordischen Land kam, erfüllt von Eindrücken, die dieser Illustrationsarbeit zugute kommen mußten. Ein zweiter Auftrag führte mich häufiger nach Bremen. Der Senat der Hansastadt hatte beschlossen, die Ausstattung der alten Güldenkammer im Rathaus von mir ausführen zu lassen. Die Güldenkammer war ein ziemlich großer Raum, der sich innen von der vorderen Giebelfront in den großen Rathaussaal hineinbaute. An der äußeren Seite des Raumes, dem Saale zu, führte eine Wendeltreppe in einen oberen Raum. Das Ganze trug eine äußerst reiche Schnitzerei von Lüder von Bentheim aus dem siebzehnten Jahrhundert, tiefschwarz nachgedunkeltes Eichenholz. Der Innenraum war seit Menschengedenken kahl, nur mit ein paar Stühlen und einem verbrauchten Tisch. Ich stattete die Güldenkammer so aus, daß der reichgeschnitzte äußere Rahmen beim Öffnen der schweren geschnitzten dunklen Eichentür einen warmen heiteren Gegensatz fand in der Farbigkeit glattpolierter Hölzer, deren Vertäfelung wenig profiliert war, aufgeteilt durch Pilaster, die Rundbogen trugen aus kaukasischem Nußbaumholz, mit hellem Birken- und schwarzem Ebenholz eingelegt. Die Kapitelle der flachen Pilaster ließ ich aus vergoldeter Bronze flach plastisch ausführen. Alle Dekorationsmotive entwarf ich in den Formen phantastischer Reiher mit wogendem Gefieder, so auch die aus Messing getriebenen Beleuchtungskörper. Der obere Teil der Wände über der Paneelierung wurde mit einer reichen Ledertapete nach meinem Entwurf bedeckt.

Ein Einladungstelegramm von dem Konzertmeister Petri brachte mich im Hochsommer für ein paar Tage auf die Insel Sylt. Jeden Vormittag, wenn alle Badegäste am Strande waren, erklang im leeren Kursaal beste Musik. Liszt, Schumann, Schubert, Mozart, Beethoven und Johann Sebastian Bach. Der junge Egon Petri hatte sich inzwischen unter der Leitung Busonis meisterhaft als Klavierspieler entwickelt, und der Konzertmeister Petri gab sein Bestes in den Violinkonzerten, ich war der einzige Zuhörer im Saal. Wir badeten und streiften am Meeresstrand entlang. Die Geräusche des Meeres, der Schrei der Seevögel, das Jiepen eines Segeltaus am Fischerkahn gab den Musikern manchmal den Anlaß, sich über die Lage, über den Charakter des Tones auszusprechen. Wenn dann der Abend kam und die Badegäste in die hellerleuchteten Restaurants und in den Kursaal geströmt waren, gingen wir an den Strand, schoben ein paar Strandkörbe vor den leise rauschenden, umklappenden Meereswellen zusammen, und die ganze Familie saß mit ihrem Gast vor der Stille des versinkenden Tages. Die schöne Zeit endete nur zu schnell, die begonnene umfangreiche Arbeit für die Güldenkammer rief mich heim, nach Bremen.

In Bremen kam ich jetzt auch mehr mit den alten Bekannten meiner Vaterstadt zusammen, hatte Aufträge vor allem kunstgewerblicher Art für Privathäuser. Besondere Freude machte mir die Einrichtung eines neuen Hauses, das sich ein befreundeter Rechtsanwalt bauen ließ. Der Anwalt hatte einen musikalisch äußerst begabten vierzehnjährigen Sohn, mit dem die Eltern auf Barkenhoff gewesen waren. Unvergeßlich war für mich der Eindruck dieses jungen Menschen, Georg Kulenkampff, wie er in seinen kurzen Hosen auf der Diele des Hauses die Violine nahm und eine Sonate von Beethoven spielte. Der langaufgeschossene junge Geiger war in seinen Bewegungen ganz Musik. Georg Kulenkampff wurde ein weltbekannter Violinspieler, dessen feinsinnige Kunst ich später im Konzertsaal des Moskauer Konservatoriums wieder hörte.

Mit der Familie des Baurates Becker schloß ich in dieser Zeit eine

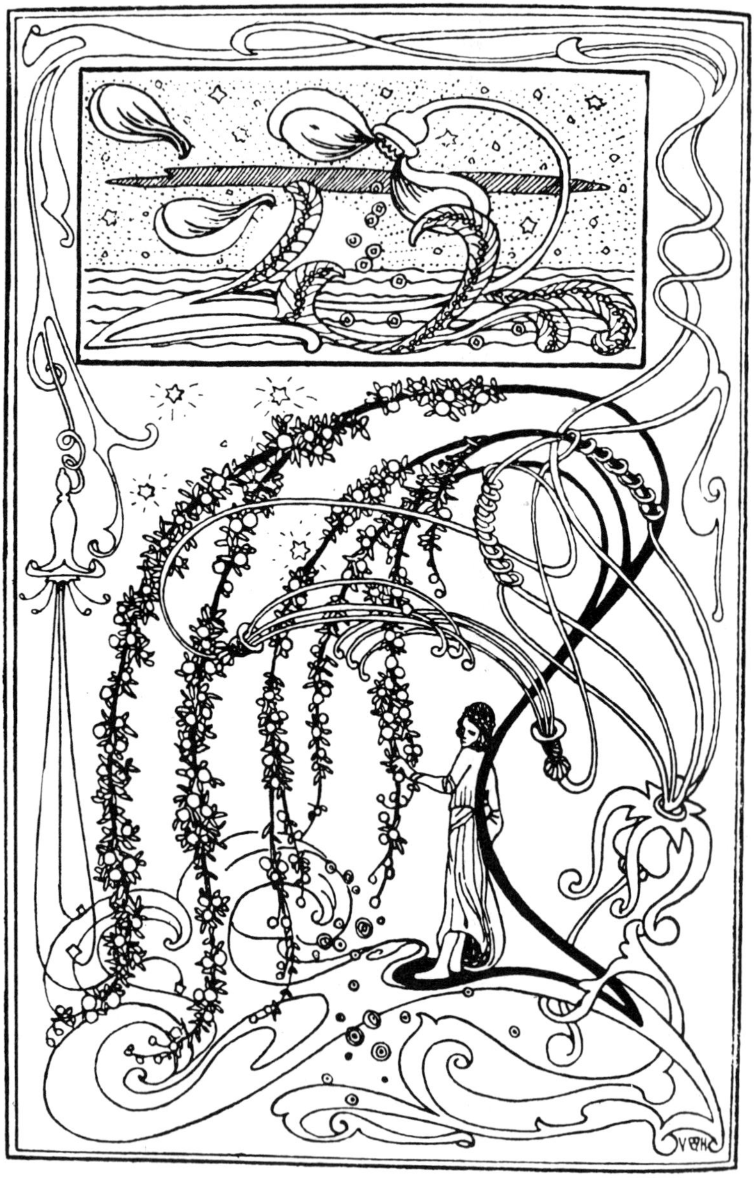

Titelseiten zu Ricarda Huch, »Vita somnium breve«.

besondere Freundschaft. Die Familie Becker, die in bescheidenen Verhältnissen lebte, führte ein sehr kultiviertes Haus, in dem hauptsächlich Künstler verkehrten, aber auch Wissenschaftler und die Senatoren der Hansastadt in Verbindung mit der Jugend. Mutter Bek-

Federzeichnung, 1903

ker erzählte mir von ihrer Tochter Paula, daß diese in den nächsten Tagen aus Berlin zurückkommen würde. Vater erlaubte ihr jetzt, Malerin zu werden, und »wir werden ein kleines Fest feiern«, sagte die glückstrahlende Mutter.

Paulas Gartenfest

Tiefblauer Nachthimmel wölbte sich über dem dunklen Garten. Die alten Obstbäume und die Wäschepfähle waren mit Papierlaternen behängt, die jetzt unter den Händen hellgekleideter Mädchen gelb und blumig aufleuchteten. Das kleine Fleckchen Erde an der Schwachhauser Chaussee, das an einen hohen Eisenbahndamm grenzte, bekam festlichen Glanz. Aus dem Hause des Eisenbahnbaurats Becker strömte die Jugend mit Paula in den Garten, einige halfen noch den Festschmuck zu beenden, und bald erfüllte Musik, vom Tennisplatz aus, Gesang und jugendliches Gelächter die Luft. Auf dem festgetretenen Platz schoben und drehten sich die Pärchen. Helle Mädchenkleider tauchten zwischen den Büschen auf oder verschwanden im nächtlichen Dunkel des Gartens. Alles das gab dem Fest einen geheimnisvoll lockenden Reiz. Die Vettern und Cousinen Paulas erfanden lustige Formen der Spiele und Tänze, um alle in die harmlos verführerische Liebesstimmung der Nacht einzubeziehen. Fast unsichtbar waltete überall die sorgende Hand Mutter Beckers, der praktischen Hausfrau, die es verstand, mit den geringen Mitteln, die der kinderreichen Familie des Baurates zur Verfügung standen, an diesem Abend einen Reichtum an Genüssen aller Art hervorzuzaubern. War es doch das Fest für Paula, die nun nach abgeschlossenem Studium als Lehrerin von Berlin zurückkam und gewillt war, ihre eigenen Wege zu gehen. Ich war wieder mal öde, stand manchmal ganz stumm irgendwo im festlichen Garten und sah versunken und gehemmt auf das wunderbare Bild von Jugendfreude, Kraft und von Hingabe an die kleine festliche Gemeinschaft. Da wurden mir plötzlich von hinten die Augen zugehalten, dann schob sich ein Arm in den meinen und zog mich auf den Tanzplatz. Es war Paulas schöne, bewegliche schwarze Cousine, die mich immer wieder zu finden wußte. Ich war ein guter Tänzer. Aber warum riß ich dieses warme Wesen nicht an mich, warum vergaß ich nicht alle Hemmungen und wurde selber Ausdruck der Schönheit dieser Sommernacht? –

Nun war ich allein, mechanisch bewegte ich mich auf der dunklen Landstraße fort. Die Eindrücke des Festes versanken. Das Bild eines verwilderten Gartens tauchte in mir auf; eine alte Lärchentanne, deren Hängezweige den Boden schleiften. Eine dämmrige Bank im Schutz des rieselnden Tannengezweiges. Schmale gute Hände eines jungen Menschenkindes, die den weichen Nadelvorhang teilten. Eine Blonde, hinter der sich der natürliche Vorhang wieder schloß. –

Ich schüttelte das Bild ab, meine Schritte wurden straff und bekamen einen scharfen Rhythmus. Die Geliebte war weit, weit in der Ferne; wann würden wir uns sehen?

Es ging gegen Morgen. Hellgrün lichtete sich die blaue Sommernacht auf, als ich zu meinem Häuschen am Bergabhang hinaufschritt. Am großen Tisch auf der Hausdiele saß Hermann. Im Schlaf war er auf die Tischkante gesunken, der weißblonde Kopf des kleinen Bauernburschen ruhte auf dem Arm. Die Lichter des zweiarmigen silbernen Leuchters waren heruntergebrannt, erloschen. Zwischen Hermanns hingebreiteten Armen lag ein Buch: Zola, »Germinal«, die erste Seite aufgeschlagen. Weiter war er wohl nicht gekommen. Zu schwer diese geistige Arbeit, war er doch kaum aus der Dorfschule entlassen und ackerte sich mühsam durch die Buchstaben. Hermann hatte offenbar an dieser halben Seite seine ganze Wissenschaft verschwendet. Da lag er nun, der hellblonde kleine Kerl in seiner weiß-rot gestreiften reinlichen Arbeitsjacke, um auf meine Rückkehr zu warten. Ich weckte ihn vorsichtig und schickte ihn zu Bett.

Paula kommt nach Worpswede

Nach einigen Tagen kam die Baurätin Becker mit ihren drei Töchtern nach Worpswede, Paula erhielt eine Wohnung bei dem Moorbauern Martin Brünjes an der Landstraße. Es war das Eckzimmer nach der Straße zu. Jedoch konnte man die Straße nicht sehen, da eine hohe, ganz verwilderte Rotdornhecke den Hausplatz begrenzte. Das Haus stand schon auf Moorboden, es lag tiefer als die Landstraße, von der aus nur die Spitze des Strohdaches zu sehen war. Paulas Stube war ziemlich kahl. Ein grauweiß gestrichener Alkoven zum Schlafen befand sich in der Wand, dann waren da ein Tisch und ein paar rotgestrichene Bauernstühle mit binsengeflochtenem Sitz. Sehr gefiel Paula der bäuerliche Kalkanstrich der Wände, ein scharfes Blaugrün, aber ganz, ganz hell, das aussah wie die Frühlingsluft selber. – Es dauerte keine halbe Stunde, da war der kleine Raum einladend wohnlich. Bücher lagen auf dem Tisch, ein Krug mit Feldblumen stand neben einem kleinen Rokokostandspiegel, dessen Oval von durchsichtigen, milchweißen und von roten gläsernen Rosen umrahmt war. Mutter Becker hatte das Bett im Alkoven eingerichtet, und an der Wand standen Paulas Malsachen.

Dann wanderten die Schwestern über den Berg. In der Lehmkuhle, in der heute am Sonntag nicht gearbeitet wurde, streiften die Mädchen ihre Kleider ab und tauchten ihre weißen Körper in das durchsichtige Grün der klaren Wassertümpel. Als der Abend kam, hörte man über den Berg den dreistimmigen Kanon der jungen Menschenkinder – voll, feierlich, aus der Anmut der Stunde geboren.

Das Studium Paulas

Paula wurde Schülerin von Fritz Mackensen. Die Forschheit und Nüchternheit, mit der der junge Maler der Natur gegenüberstand, gefielen ihr. »Bei dem kann man lernen!« Dann traf sie Clara Westhoff. Mit der Bildhauerin verband sie bald eine tiefe Freundschaft. Sie betrieben ihr Studium gemeinschaftlich. Eine kräftige Landarbeiterin, eine sinnenfrohe Frau, wurde ihr gemeinsames Modell. Paula malte sie nackt mit dem hellen Körper, dem gebräunten Gesicht und den gebräunten Armen und Beinen, lebensgroß; Claras plastische Figur hatte auch lebensgroßes Format. Beide Arbeiten zeigten eine Großzügigkeit, die überraschte. Wohl hatte ich Paulas Studien aus Berlin angesehen; da war außer den Aktstudien, die kaum den Durchschnitt anderer Schülerarbeiten überragten, auch ein Selbstbildnis: Paula in einem grauen Kleid mit braunem Besatz, den Hals von einem schmalen Spitzenkragen umrahmt, und ihre braunen Augen leuchten lebendig aus dem farbig hellen und plastisch gemalten Gesicht. Das Biedere einer kleinen Lehrerin hatte sie wohl dabei empfunden. Hier in der Studie der Landarbeiterin aber war etwas Neues, ein Bildaufbau, der den Weg zum Monumentalen zeigte. Claras plastische Arbeit in Lehm war offenbar von ganz ähnlichen Gefühlen getragen und wuchs von Tag zu Tag in ihrer Einfachheit, ohne die intime Form zu verlieren. Eine jauchzende innere Freude, ein gewaltiges Drängen erfüllte die beiden jungen Menschenkinder. Dann lösten sie sich manchmal von ihrer Arbeit und streiften durchs Moor. Nach einem solchen Spaziergang kamen die beiden Mädchen einmal über den Weyerberg und stiegen auf den Turm der Dorfkirche, um die Schönheit des ganzen Landes überschauen zu können. Unter ihnen lag das weite Moor, vergoldet von der Nachmittagssonne, und auf der anderen Seite zog sich das silberne Band des Hammeflusses durch die grüne Wiesenlandschaft hin, über der der rosa Schleier der blühenden Kuckucksblume lag. – Da ergriffen die beiden Mädchen die Stränge der Kirchenglocken. Leise und dann immer lauter tönten die Glocken, bis sie schließlich in die Landschaft dröhnten. Die jungen Mädchenkörper beugten und strafften sich im Bewußtsein ihrer gelösten Kräfte – bis der Pastor, wie von Furien gepeitscht, die schmalen steinernen und schließlich die hölzernen Turmstufen hinaufgerast kam und die beiden aus ihrem Jubilieren riß. »Frevel, Frevel! Die Stimme des Herrn zu wecken und über unser Land zu senden! Was soll das bedeuten?!« Die Mädchen ließen die Seile und standen ganz freundlich da und erstaunt, während die Taue im Rhythmus der Bewegung ausschwangen. »Weil es so schön war«, sagten sie; als sei ihnen ein Gedicht eingefallen.

In diesem Sommer baute ich mein Haus um. Ich hatte das Glück, daß der Bauunternehmer, den ich beauftragt hatte, einen alten geschickten Zimmermann mit seinen Leuten schickte. Es galt vor allem die Küche zu vergrößern, ein Schlafzimmer nach Sonnenaufgang zu gewinnen und über der Küche ein Fremdenzimmer. So wurde aus dem Spitzdach ein Mansardendach. Ein Giebel wurde vorgezogen, und hinten über der Küche mußte auch ein schmaler Giebel hochgezogen werden. Es war für mich eine reiche Zeit der Gestaltung, wenn ich mit den Handwerkern täglich den Bau überlegte. Die Giebelformen zeichnete ich in Originalgröße in den

Der Barkenhoff. Zeichnung, 1899

Sand, der Zimmermann baute sie auf dem Boden aus Holz zum Aufrichten vor, dann brachten wir diese großen Modelle hoch, übersahen die Wirkung, die gut war. Dann wurden diese Kulissen von den Maurern einfach in Backstein hintermauert, und der neue Barkenhoff in seiner charakteristischen Form war fertig. Dazu entstanden über dem Hof Pferdestall, Wagenremise, Kutscherstube und eine Werkstätte mit Oberlicht.

Schützenfest

Hochsommer. Bauersfrauen, fein gekleidet, Bauern, Krämer, Kaufleute, Handwerker, Maler, Malerinnen, auch schick amerikanisch gekleidete Frauen und Mädchen, die Verwandten von drüben über dem großen Teich, wanderten durch den gelben Dünensand den Berg hinauf zum Schützenfest. Dort stand das Tanzzelt aufgerichtet, daneben war der Schießstand und auf der Stange der Vogel, der Königsadler. Der Brummbaß trug seinen Rhythmus ins Land, die Geigen jauchzten auf, die Blechinstrumente drängten sich vorlaut in den Vordergrund, das Fagott, das Martin Brünjes spielte, Paulas Mietsherr, ließ die Blechinstrumente manchmal aufhorchen, Flöten und Geigen gaben seine Motive weiter, und die Trommel legte ihren trockenen Rhythmus unter. – Über den Häuptern der Tanzenden hingen abwechselnd schwarzweißrote Fahnen und das Sternenbanner der Vereinigten Staaten. Alt und jung schwofte über die Bretter. Da segelte in ihrem weißen Kleide mit einem jungen Bauern Clara vorbei, wie eine Fregatte unter vollen Segeln. – Fest auf den Arm ihres Tänzers gelehnt, kreiselte in ruhiger Kraft Paula vorüber. Vatter Brünjes hatte sein Fagott zur Seite gelegt und tanzte mit ihr. Ich konnte das mitfühlen, wie die Wucht ihres Körpers den Tänzer an ihren Tanzrhythmus fesselte und beide zu einem schwungvollen Dreh einte, der ganz leicht ging. Jetzt schwieg die Musik, und ich ging mit Clara und Paula an den gemeinsamen Tisch. Im Vorübergehen sah ich das belustigte höhnische Grinsen des dicken Fietchen. Zwei zudringliche, angeheiterte Krämerlehrlinge, Heringsbändiger, wie der Bauer sie nannte, hatten es gewagt, sich an den Großbauerntisch zu setzen. Als habe er es mit ein paar Brotkrumen zu tun, so fegte der mächtige Dickwanst sie mit einem Handstreich unter den Tisch. Der dicke Fietchen wurde an diesem Tage wieder Schützenkönig, wahrscheinlich mit einigen Schiebungen, denn das Schützenkönigtum war stets mit großem Spendieren verbunden. Da mußte nachgeholfen werden, denn es war besser, wenn es einen der Reichen traf. Heute waren dem Saufen also keine Grenzen gesetzt. Selbst eine Gruppe von mißvergnügten Bauernknechten wich zur Seite, als der schwere Kerl in seiner grau und grünen Schützenuniform auf den Schenktisch zusteuerte. Er hatte vermöge seiner massiven Körperkraft die Fähigkeit, durch die dickste Menge zu gehen, die unter seinem Druck wie Butter schwand.

Als ich mit den anderen das Schützenzelt verließ, ertönte grade der Kehraus-Galopp, etwas dünn zwar, da viele der Musiker schon an ihren Instrumenten benebelt umgesackt waren. Blaßblau dämmerte der Morgenhimmel über dem Zelt.

Der dicke Fietchen bekam in dieser Nacht noch Keile von den Bauernknechten. An den war nur heranzukommen, wenn er schwer geladen hatte und man ihn umlegen konnte, aber als die jungen Kerle ihn erst auf der Erde liegen hatten, gab es etwas; dann bugsierten sie den schweren Körper mit Hebestangen auf einen Misthaufen seines Hofes. – Als der Großbauer gegen Mittag dort erwachte und sich die Augen rieb, sah er hoch oben auf dem dreißig Meter langen Strohdach seines Hauses einen mit Mist beladenen Ackerwagen hocken. Zeit und Kraft hatten es sich die Bauernburschen kosten lassen, um diesen Spuk zu fabrizieren. So einen Ackerwagen auseinandernehmen, da hinaufschaffen, wieder zusammensetzen und noch mit Dünger beladen ist sicher keine Kleinigkeit. Aber das Gaudium des Dorfes dauerte ja auch lange, bis der Spuk wieder mit gleicher Mühe abgebaut war.

Rainer Maria Rilke

Gegen Ende des Sommers kam Rainer Maria Rilke aus Rußland auf den Barkenhoff. Er stand stark unter dem Eindruck der russischen Menschen, wie Dostojewski sie darstellte. Die unterirdischen Kirchen von Kiew hatten seine Veranlagung zur Mystik weiter befruchtet. Dann war er bei Tolstoi gewesen. Viele der Eindrücke spiegelten sich in seiner Kunst wider, so wie ein geschliffenes böhmisches Glas das Bild der Wirklichkeit in vielfältiger Veränderung und Bereicherung seiner Farbe und Form wiedergeben kann. – Rilke wohnte jetzt in dem Giebelzimmer des Barkenhoffs, das auf den Arbeitshof hinabsah. Bei mir im Hause war damals nicht mehr der weißköpfige kleine Hermann, sondern eine alte Haushälterin versorgte uns. Sie hatte ein sonderbares Entsetzen vor dem eigentümlichen Gast; vor allem wenn er in der umgürteten grünen Rubaschka mit den bunt applizierten roten tatarischen Lederstiefeln an den Füßen durch den Garten ging, dann wurde sie von entsetzlicher Angst befallen, er könne vielleicht in diesem Aufzuge ins Dorf gehen! Außerdem: das »Beten« – »er betet wieder, er betet den ganzen Tag«. So stand sie ganz verstört aufhorchend unten in der Diele, wenn Rilke oben im Zimmer seine Verse sprach.

An einem der ersten Abende wanderte ich mit Rainer Maria am Fuße des Berges entlang zum Moor. Eine schwefelfarbene Abendluft stand am Himmel; über den Bergrand schob sich in sie hinein eine lange dunkelviolette Wolke, sie wirkte wie ein zum Moor herübergreifender Arm, der in eine krallige Hand auszulaufen schien. Als wir beim Anfang des Moores hinter Kucks Gastwirtschaft an dem schwarzen Torfsumpf vorüberkamen, erschauerte Rilke: »Ein grausiges Land, in dem ihr da lebt.« Wir wanderten weiter über die Landstraße und bogen in die schimmernde Birkenallee nach dem Moordorf Westerwede ab. Es dunkelte schon, als wir beide vor dem Giebel eines alten Strohdachhauses standen. In der großen Dielentür erschien das leuchtende Weiß einer Frauengestalt, die uns begrüßte. Es war Clara Westhoff, man konnte sie aber im Dämmer der angebrochenen Nacht kaum erkennen. Sie führte uns in die Weinlaube an der Hausecke. Schnell kam ein bildreiches Gespräch auf, als Rainer Maria von Tolstoi und seinen Reiseeindrücken aus Rußland erzählte. Clara meinte, ihr stehe der russische Mensch so fern: »Mich beunruhigen die mystischen Gefühle der slawischen Menschen.« Sie beschrieb auch, wie eine Künstlerin, den Typ dieser Menschen, was mich wirklich erschreckte, da sie in mir einen Typ lebendig machte, der ganz auf Rilke paßte. Clara ging ins Haus und kam mit einer brennenden Petroleumlampe zurück. – Wie angewurzelt blieb sie im Rahmen des Laubeneinganges stehen, als das Licht auf den Gast fiel.

Rainer Maria Rilke schrieb in mein Buch diese Verse:

Einsame Stunden sind uns zu eigen,
Wenn das schwere
Tägliche Schweigen
Von uns fällt
Wie ein staubiges Kleid.
Stimmen hören wir aus uns steigen,
Denn wir sind wie silberne Geigen
In den Händen der Ewigkeit.

In den kommenden Zeiten fanden sich die beiden Menschen Clara und Rainer Maria immer mehr zueinander. Dann reisten sie zusammen nach Paris, Rilke wurde der Sekretär von Rodin, der nahe Verkehr mit dem großen Bildhauer war für Clara eine große Bereicherung ihrer künstlerischen Erkenntnisse. Aus dieser für sie so wichtigen Zeit schrieb sie einen begeisterten Brief an Paula Bekker, und in den letzten Tagen des Jahres fuhr auch Paula nach Paris, nachdem sie sich vorher in Berlin in der Haushaltsführung und in der Schneiderei auf Wunsch der Eltern ausgebildet hatte. Paula betrachtete das als ihren Läuterungsprozeß, denn sie war jetzt mit Otto Modersohn verlobt, und im Frühling wollten sie heiraten.

Im Herbst war Alfred Heymel zu Besuch gekommen und der Maler Vinnen aus Ostendorf. Da gab es ein Atelierfest in Otto Modersohns Atelier. Heymel und Paula tanzten viel zusammen und konnten sich nicht genug tun im Erfinden von neuen Touren. Paula war sehr froh, endlich einmal in dem Arbeitsraum Ottos sein zu können.

Bisher hatten sie sich selten gesehen. Dann entstand ein Briefverkehr zwischen ihnen. Ein bestimmter flacher Stein in der Heide deckte ihren brieflichen Austausch. Aus der Freundschaft wuchs die große Liebe, die Lebensbindung mit Otto Modersohn.

[Meißen]

Martha Schröder war während dieser Zeit in Dresden bei der mütterlichen Freundin gut versorgt. Sie lernte von ihr manche neue Technik weiblicher Handarbeit. Die Sorgen des Haushaltes teilte sie mit der älteren Freundin, und für Theater, Musik und für den Besuch der Kunstsammlungen war Muße und Zeit. Ende Herbst fuhr ich nach München. Das neue Heymelsche Haus war fertig, und ich mußte noch einige Hilfen leisten. Ich fuhr über Dresden, machte hier aber keinen Halt, fuhr gleich weiter nach Meißen, um in der Porzellanfabrik einen Porzellansatz Rosenschalen, die ich meiner jungen Geliebten zugedacht hatte, im halbfertigen Zustand, im Zustand der plastischen Modelle, zu kontrollieren. Eine Bremer Firma hatte mir nach meinen Entwürfen gleich einen festen Auftrag für diese Arbeit gegeben. In Meißen suchte ich den Maler Oskar Zwintscher auf und mietete mich auf ein paar Tage mit seiner Hilfe in der alten Meißner Burg ein. Nach Dresden schrieb ich an Martha meine Ankunft und bezeichnete meine Wohnung. Sie war nicht schwer zu finden, denn der steile Weg vom Bahnhof zur Oberstadt war an einer Stelle durch die Burg überbaut und bildete eine tunnelartige Unterführung, durch die die von der Bahn Ankommenden fluteten; über der Unterführung lag mein Zimmer, primitiv, aber ziemlich groß, mit zwei Fenstern, die auf die Straße gingen. Der weißgekalkte Raum hatte ein Bett, zwei Stühle und einen kleinen wackeligen Tisch. Ich machte, nach Erledigung meiner geschäftlichen Angelegenheit in der Fabrik, ein paar Spaziergänge, kam mit einem Armvoll Feldblumen nach Hause, die ich in einer leeren Konservenbüchse unterbrachte, sie gaben dem Raum eine frohe Stimmung; ich stellte sie an mein Fenster. Häufig sah ich hinunter auf die vom Bahnhof kommenden Menschen. Endlich, am zweiten Tage, fiel mir unter der Gruppe der Ankommenden schon von weitem das helle Kleid und das leuchtende Blond Marthas auf, und es beglückte mich, als sie zu meinem Fenster hinaufschaute. Martha war in Begleitung der Tochter der alten Dame, die ihr den Weg zeigen sollte. Beide waren jetzt unter dem Torweg verschwunden, das begleitende Fräulein hatte sich verabschiedet. Kurz darauf öffnete sich die Tür, und Martha war bei mir und blieb. Es war das erstemal, wo wir in Ruhe und Abgeschlossenheit wie Mann und Frau

Meißen

einige glückliche Tage verleben konnten. – Sie fuhr nach Dresden zurück und ich nach München an meine Arbeit.

München

Die »Insel« hatte jetzt größere Repräsentationspflichten. Das zur Boheme ausgewachsene Leben Alfred Heymels, des Begründers der »Insel«, in der Pension Beckenbauer mußte aufgegeben werden. Der Betrieb in der Heymelschen Wohnung konnte leicht zum literarischen Stoff für einen amerikanischen Satiriker werden, der in der angrenzenden Etage wohnte und offenbar Interesse an den Vorgängen im Insel Verlag und an seinen privaten Trägern hatte. Der verschwenderische Verschleiß von Luxusgegenständen war grotesk. Altes venezianisches Glas zerbarst in wilden Nächten, Wachskerzen brannten nieder, und ihr Träufeln verwandelte wertvolle Teppiche in eisähnliche Bahnen, so daß man meinte, man könne sie nur mit dem Steigeisen an den Füßen betreten. Außerdem war es notwendig, die »Damen«, die sogenannten »Witwen«, abzuschaffen. Das Herrenleben mußte auf einen anderen Stil gebracht werden, und das kostete eben Opfer. Die Arbeitszimmer des Verlages blieben vorderhand in der Pension, und Otto Julius Bierbaum wurde nach Rudolf Alexander Schröder verantwortlicher Redakteur der Zeitschrift.

Alle diese Umwälzungen brachten für mein Atelier in der Gabelsbergerstraße keine Veränderungen mit sich, es sei denn, daß meine Tätigkeit auf dem Gebiete des Kunstgewerbes noch intensiver wurde. Hier, umgeben von den einfachen graugestrichenen Wänden, entstanden die Entwürfe für das Heymelsche Silber, Tischleuchter und Wandkandelaber; da hingen die großen Entwürfe für die grauseidenen Vorhänge, an deren unteren Schichtungen schwere Volants aus gestickten hellen Rosenbuketts hervorquollen, die an seidenen Bandstreifen hingen und durch einzelne gestickte Rosen gebunden waren. In der Heymelschen neuen Wohnung in der Leopoldstraße erinnerten sie an seidenrauschende duftige Frauengewänder. Ein reiches Rosengitter, aus Messing gestanzt, war für die Kaminverkleidung entstanden. Aus flammenden Grasblumen wuchs es auf zu einem wogenden Rhythmus rosenbeladener Büschung. Entwürfe für Porzellan und Silber lagen da, und der Tisch war bedeckt mit Zeichnungen in allen Stadien des Werdens für Buchillustrationen.

Endlich war die Wohnung in der Leopoldstraße fertig. Thomas Theodor Heine hatte schon die phantastischsten Gerüchte über den Reichtum und die Verschwendung edelsten Materials verbreitet, das

Illustration zu Irene Forbes-Mosse, »Mezzavoce«, 1901

mit Schiffen und Kamelkarawanen aus allen Teilen der Welt herbefördert sein sollte, das der Millionär aber hätte mit Farbe überpinseln lassen, um nicht als Protz zu erscheinen.

Es gab die ersten Feste, an denen ich noch vor meiner Abreise teilnahm. Es waren kleine intime Gesellschaften aus Musikern und Schriftstellern. Die Tänzerin Isadora Duncan war nach Europa gekommen, und Alfred Walter Heymel mußte natürlich derjenige sein, der sie zuerst einführte. Isadora Duncan kam mit ihrer Mutter. Jedes Stück, das die Frauen vom Tisch in die Hand nahmen, um es zu betrachten, oder das die Wände schmückte, hatte in irgendeiner Weise Beziehung zum Tanz. Antike Terrakotten, Meißner und Sèvres-Porzellan, japanische Holzschnitte, javanische Schattenpuppen und primitive Negerplastiken. Zum Tanzen war die gefeierte Tänzerin nicht so leicht zu bewegen, aber Franz Blei, Otto Julius Bierbaum, Stavenhagen, Max Schillings und Twile[?] schmiedeten am Flügel ein Komplott. Der Flügel erklang unter den Händen Stavenhagens, und der lange Dirigent Max Schillings im eleganten Frack rutschte auf den Knien über das blanke Parkett mit bittend gegeneinander gelegten Händen auf Isadora Duncan zu. Lächelnd nahm sie den Arm Heymels, der sie in den Vorsaal führte. Dieser Raum machte bei Tage einen etwas düsteren Eindruck. Er war aufgeteilt in Flächen aus vielen kleinen quadratischen Schwarzspiegeln, deren Rhythmus an einigen Stellen durch größere echte Spiegelflächen unterbrochen war. An der Schmalseite des Vorsaales befand sich der Eingang von den Garderoberäumen aus, dem Eingang gegenüber lag die Kaminwand mit dem durchbrochenen Rosengitter; durch Versilberung hatten wir es der Stimmung des Raumes angepaßt. – Jetzt aber, abends, wirkte alles anders, festlich! Der rötliche Feuerschein, der hinter den durchbrochenen Silhouetten des blumigen Kamingitters hervorstieß, streute warme Flämmchen über die Spiegelwelt. Der Raum wurde ganz weit und durch tausendfältige Lichter belebt; er schien wie unendlich, als die Gäste in ihren festlichen Abendkleidern eingetreten waren und die Spiegel ihre Gestalten aufnahmen und vielfach weitergaben. Bald schloß sich die Gesellschaft zum Kreis um die Tanzende, deren Spiegelbilder den Raum mit Bewegung erfüllten.

Neben meinen kunstgewerblichen Arbeiten beendete ich in München auch die Kopie nach Albrecht Dürer, das Porträt Oswald Krells in der Pinakothek. Dann fuhr ich nach Worpswede zurück, und bald traf auch Martha aus Dresden ein.

Paula Beckers erste Pariser Reise

Paula Becker war im Januar nach Paris gefahren, um mit Clara Westhoff und Rilke zusammen zu sein. Rilke stand Rodin nahe, er wurde sein Sekretär; das war für Clara eine reiche Zeit; und doch waren sich die beiden Freundinnen fremd geworden. Paula schrieb später an Clara, daß diese ihr Selbst abgelegt und als Mantel hingebreitet habe, auf daß ihr König darüber schreite. »Für die Welt, für die Kunst und auch für mich möchte ich, daß Sie den güldenen Mantel wieder trügen.«

Paris stimmte Paula ernst. Sie sah viel Trauriges, viel Unsoziales. Wohl wirkte auch auf sie die kultivierte menschliche Art, wie das Pariser Kleinbürgertum der studierenden Jugend hilfreich zur Seite stand – aber die Verworfenheit in den höheren Schichten der Bourgeoisie, der Schmutz und die Verkommenheit des Lumpenproletariats erschütterten sie. »Was für den Pariser lustig sein soll, das ist das Allertraurigste«, schrieb sie an Otto Modersohn. Da lernte sie Bernhard Hoetger kennen. Hoetger war damals in der Periode seiner stärksten künstlerischen Entwicklung. Aus armen Verhältnissen stammend, war er von Freunden auf eine Reise nach Paris mitgenommen worden; er beschloß aber sofort, dort zu bleiben und zu lernen. Es wurde eine schwere Zeit für ihn. Als er ein adliges deutsches Fräulein aus dem zum zaristischen Rußland gehörenden Livland kennenlernte, änderten sich seine Verhältnisse. Das Fräulein wurde seine Frau. Da die Lebensgefährtin sehr vermögend war, stand jetzt einer freien Entwicklung seiner künstlerischen Kraft nichts mehr im Wege. Er wohnte mit ihr und der Schwester in einem einfachen typischen Pariser Atelier, mit Hängeboden zum Wohnen und Schlafen, zu dem eine Halstreppe hinaufführte. Der große untere Raum blieb Werkstätte. Als Paula das Paar besuchte, ließ sie nicht merken, daß sie Malerin war. Paula hatte damals noch künstlerische Beziehungen zu den Bildern von Cottet und Lucien Simon. Es war wohl hauptsächlich das Thematische, was sie anzog und was an ihre Erlebnisse in Worpswede erinnerte. Als sie aber später bei einem Kunsthändler eine große Anzahl von Bildern Cézannes entdeckte, dessen Namen sie noch nicht kannte, versanken diese Erinnerungen; der Eindruck der Cézanne-Bilder war so stark, daß eigene Saiten in ihr zu klingen begannen. Später waren es Gauguin und vor allem van Gogh, die wegweisend für ihre Entwicklung wurden. Alles trieb in ihr nach Form, nach stark sprechender, realistischer Form. Sie erkannte, daß diese Künstler die atmosphärische Auflösung der Form, wie sie es bei den Impressionisten fand, überwanden und zu einer festen Raumgestaltung übergingen, der alles diente, sowohl die Farbe wie die Form. Bei van Gogh kam die leidenschaftliche Kühnheit hinzu, mit der er die Erdgebundenheit seiner Empfindungen mitteilen konnte.

In Paula Beckers frühesten Skizzen konnte man schon erkennen, wie sie, wenn auch in primitiver Art, nach großer Form suchte. Später kam vor allem die Bewegtheit der Farbe hinzu, mit der sie die realen Dinge füllte. Das wollte sie malerisch erreichen: wirkliche Dinge mit ihrer charakteristischen Eigenfarbe bis zum Sprengen wiederzugeben. So bekamen ihre Ausdrucksmittel einen Zug, der zum Monumentalen trieb. – Natürlich war es falsch von mir, daß ich damals in ihrer frühesten Entwicklungsperiode in der Worpsweder Kunsthalle eine Ausstellung von Skizzen ihrer Hand organisierte; denn die Eigenwilligkeit, die in diesem noch unbeholfen beschrittenen Weg zu neuen künstlerischen Ausdrucksmitteln lag, wirkte auf die Betrachter wie hölzerne Absichtlichkeit und stieß sie *so* ab, daß der damalige Leiter der Bremer Kunsthalle, den ich in die Ausstellung führte, ganz entsetzt war; er lag lange mit mir im Grase vor dem Ausstellungsraum und versuchte mich zu bestimmen, die Ausstellung der Skizzen von Paula Becker zu schließen. »Mit einem derartigen Dilettantismus an die Öffentlichkeit zu gehen, wird dem Namen Worpswede einen großen Schaden zufügen«, war seine Warnung. Trotzdem erfolgte aber nach einem Jahr mit reiferen Arbeiten eine Ausstellung von Bildern Paulas in Bremen, allerdings mit einem niederschmetternden Mißerfolg.

Es war die Zeit, als Paula sich mit Otto Modersohn befreundet hatte, der bis zum Tode seiner kranken Frau ein sehr in sich verschlossenes Leben geführt hatte. Er fand in Paula einen Menschen, der von höchsten künstlerischen Zielen getrieben und erfüllt von einer mitreißenden Lebensfreude war und der dem rotbärtigen stillen Westfalen eine Lebensgefährtin wurde, trotz aller Kämpfe und Nöte, wie man sie in vielen Künstlerehen findet, in denen beide Teile künstlerische Ziele verfolgen. Doch immer wieder fand Paula die tiefe Bindung zu Otto Modersohn wieder, die beide Teile zu neuem, innigeren Verstehen vorwärtstrieb.

Otto Modersohn war ein schlanker Mann mit einem schmalen Langkopf, der mit fein geformten Schläfen das Gesicht überbaute. Otto hatte gute Hände. Der Typ eines Westfalen. Eine seiner Vorfahren war Frau des Johann von Leyden gewesen und wurde in Münster, dem Geburtsort Ottos, zur Zeit der Wiedertäufer geköpft. Vielen galt Otto als Sonderling. Wer ihm nähertrat, mußte Sympathie und Verständnis für diesen so eng mit der Natur verbundenen Künstler finden. Wer ihn im Moor bei seiner Arbeit an der Staffelei beobachtete, sah ihn wohl plötzlich aufhorchend seinen Arbeitsplatz verlassen, dem Gesang eines Vogels zu lauschen. Keiner kannte die kleinen Sänger wie er und konnte nach den Tönen ihre Familiennamen feststellen. Hastige Bewegungen konnte man bei ihm nicht wahrnehmen. Manchmal hockte er auch an einem Roggenfeld im Hochsommer nieder, wo er sich freundschaftlich mit den Grillen beschäftigte, oder er erforschte das Bauen der Ameisen und der Wespen; die Maulwurfsgrille war seine besondere Freundin. – Den Bauern waren diese Beziehungen zum Kleintier gewiß sonderbar. Mit seiner Kunst hatten sie sich schon abgefunden mit den Worten: »Mokt Spoß un geit de Tid met hen!« Von seiner verstorbenen Frau hatte Otto eine Tochter, die Paula, als sie Ottos Frau wurde, mit ihrer Sorge umgab. Von dem Kinde malte sie ein Bildnis voller Anmut.

Für Paula war Ottos Malerei, die den bewegten Reichtum des Farbtones mit einer romantischen großzügigen Form verband, ein Klang, der in ihrer Kunst noch zu fehlen schien. Manche Bilder Paulas aus dieser ersten Zeit mit den spielenden Kindern am Moordamm lassen die Bereicherung ihrer eigenen Ausdrucksmittel durch Ottos Kunst erkennen. In der Loslösung von diesen wertvollen Einflüssen und in dem Entdecken und in der Verschmelzung der ureigensten künstlerischen Veranlagung mit dem Zug zum monumentalen Realismus lagen viele Ursachen zu jenen Kämpfen zwischen den beiden Menschen, die eine zeitweise Entfernung voneinander zur Folge hatten. – Die künstlerischen Mißerfolge, die Paula Becker während ihres Lebens beim Publikum hatte, beeinflußten sie in ihrem Streben überhaupt nicht nachteilig, im Gegenteil; desto ernster wurde ihr Studium, desto ausdrucksvoller ihre Kunst, die ihr außerhalb der Modeströmungen in der Malerei einen festen Platz schaffte, wenn auch zu ihren Lebzeiten das Werk vollkommen verborgen blieb im Alkoven ihrer kleinen Arbeitsbude bei Martin Brünjes, dem Kleinbauern im Ostendorfer Moor. Daß Paula dies kleine Zimmer im strohbedachten Bauernhause für ihre künstlerische Arbeit auch nach der Verheiratung mit Otto beibehielt, war eine abgemachte Sache. Und alle achteten den Wunsch der Freundin, niemand störte sie in ihrem Reich, wenn sie ihn nicht selber rief. – Das Haus von Martin Brünjes, in dem Paulas Zimmer lag, hatte eine breite Viehdiele wie alle anderen Bauernhäuser. Trat Paula aus ihrem Zimmer, so war sie auf der Diele, ging an den Kühen vorbei durch die große Einfahrtstür und war dann gleich im Moor. Vor ihr lag das weite flache Land mit dem smaragdgrünen Roggenstreifen des Kleinbauern. Dann wanderte sie an den dunklen Torfgruben entlang und war bald am Moordamm, der die Äcker trennte von den Bauernbesitzen Bergedorfs. Hier am Moordamm war Paulas Welt. Hier lagen die Hütten der Häuslinge, die sich bei den Kleinbauern durch schwere Moorarbeit, durch Torfmachen ihr

Wohnrecht abverdienen mußten. Im Winter banden die Leute Birkenbesen oder strickten Wollstrümpfe für die Bauern. Die schornsteinlosen Hütten mit dem offenen Feuer im Vorplatz hatten nicht einmal Seitenwände. Zeltartig wuchs das bemooste, mit kleinen Birkenbäumchen und Hahnenfuß bewachsene Strohdach über den Wohnraum und verband sich beiderseitig wieder mit dem leuchtenden Grün der Moorgräser. Vorn in der Hütte war die Tür, hinten das Fenster dieser primitiven Behausung, die quer in der Mitte durchteilt war in einen Vorplatz mit den Verschlägen für die Ziegen und das eigentliche Zimmer zum Wohnen und Schlafen. Der einzige Reichtum in der Hütte war der Ziegenkäse, der auf der Fensterbank lag. An dem sonnigen, birkenbestandenen Moordamm hüteten die Kinder die Ziegen und spielten mit den kleinen Geschwistern. Katzen und Hunde gesellten sich ihnen zu. Hier lebte Paula mit den Kindern, malte die liebgewonnenen kleinen Geschöpfe und ihr phantastisches Spiel. Dann malte sie die durchfurchten Gesichter der Bauern und der alten Frauen. Vor allem aber malte sie die Mütter mit dem Jüngsten. Nirgends finden wir in Paulas Kunst eine Elendsmalerei, und doch wühlt uns die erschütternde Kraft des Ausdrucks der dargestellten Menschen auf. Paula malte Mütter, die in ihrer primitiven Hingabe an das Kind für eine kurze Zeit die Schwere des Lebens vergaßen, ihr Antlitz ist ungerührt, fast hoffnungslos, sie werden bald wieder die sechszinkige eiserne Moorhacke ergreifen, um den Acker umzureißen, dessen weicher Boden den Pflug nicht trägt. Paula verstand diese Frauen, deshalb konnte sie uns ihren Charakter so stark vermitteln. Sie selber litt bald nach ihrer Verheiratung unter den Fesseln, die das bürgerliche Leben ihr anlegte, unter der Gebundenheit an das hauswirtschaftliche Leben, an der Abhängigkeit vom Willen des Geliebten und an der Einsamkeit, in der sie ihren Weg beschritt. – Hier am Moordamm versank das alles. Hier vergaß sie ihre persönlichen Bedrängnisse, sie eignete sich das Schicksal dieser Menschen an, wurde im Augenblick der Schöpfung wie diese Mutter und ihre Kinder. Es waren die bäuerlichen Menschen des Jahrhundertbeginns. Der Weltkrieg hatte ihnen Männer und Söhne noch nicht genommen, und fern war noch die würgende Geißel des Faschismus mit seiner Zwangs- und Hungerwirtschaft und mit seinem imperialistischen Vernichtungskrieg. Paula selbst war noch ganz befangen in bürgerlicher Erziehung, war weit davon entfernt, an die Möglichkeit der Erweckung der schöpferischen Kräfte in den Massen zu denken. Und wir Maler waren auch völlige politische Analphabeten; künstlerisch lebten wir in einem Kartenhaus von Romantik, das jeder Sturm, jede soziale Erschütterung umwerfen konnte, oder wir vegetierten von einem Tag in den anderen und malten, was uns die Natur gerade bot.

Als Clara Westhoff und Rainer Maria Rilke sich zusammenfanden, wuchs in Paula ein mächtiger Widerwille gegen den Dichter. Das waren keine Gefühle, die man leichthin mit Eifersucht bezeichnete. Die Veränderungen in dem lebensfrohen, freien, offenen Charakter der Freundin, ihr neues Leben, das von Rilke zur Feier gemacht wurde und die natürlichen, einfachen Gefühle dieser stark veranlagten Frau verschüttete, waren für Paula eine bittere Erkenntnis. Paula malte diese beiden befreundeten Menschen, und an diesen Bildern kann man den Charakter beider erkennen, gesehen durch eine tiefe, liebeswarme Melancholie, die Paula dem neuen Leben ihrer Freundin gegenüber erfüllte. Das Bildnis Clara Westhoffs, das in der Hamburger Kunsthalle hängt, ist erschütternd in seiner Auffassung von Claras Charakter, der für Paula alles Frohe und Freie zu verkörpern schien und die nun als Frau des Dichters Rainer Maria Rilke ihr Leben änderte.

[Hochzeit]

Im Frühling des Jahres 1901 heirateten die drei befreundeten Paare. Vor dem Barkenhoff fuhr die alte, mit rotem Samt ausgeschlagene Kucksche Kalesche vor; das Innere war mit Efeuranken geschmückt. Etwas leichtes Gepäck kam auf den Bock zum Kutscher, Martha stieg ein und auch die Tante Henny, unser Familienfaktotum, das in der letzten Zeit das Haus durch ihre sorgende Hilfe behaglich gemacht hatte. Dann stieg ich mit Marthas Schwester Minna ein, die Fahrt ging durchs Moor hinauf zur Geest, über das holprige Kopfsteinpflaster der kleinen Kreisstadt Zeven in die Heide nach dem Geflügelgut Adiek. Die Brüder hatten alles vorbereitet. Gegen Abend fuhren wir noch mit einem Adieker Gespann beim Pastor in Heeslingen vor, und am nächsten Tage fand die Trauung in der alten Kirche statt. Heeslingen hat wohl die älteste Kirche im hannoverschen Lande. Romanisch in der Schlichtheit der Raumkonstruktion. Nach außen wirkten die bis ans Dach der niederen Kirche gehenden schweren Strebepfeiler, die dem Ganzen mit dem rundbogigen Kirchentüreingang den Charakter einer Mausefalle geben würden, wenn nicht ein frech mit rotem Backstein aus der Landschaft herausplatzender vorgebauter Kirchturm in romanisch-gotischer Regierungsarchitektenphantasie gleich jeden traumhaften Vergleich zerstören und eine Wut über die Kulturlosigkeit Neudeutschlands erzeugen würde. Das kleine Familienfest im engsten Kreise war bald überstanden, der lustige angeheiterte Pastor vom Geflügelhof heimgefahren, als Martha und ich nach Hamburg abreisten. Unsere Fahrt ging von dort nach Amsterdam und dann weiter nach Sluis und nach Brügge. Otto Sohn, den wir in Sant Anna ter Muiden aufsuchten, begleitete uns auf einem Teil unserer Reise, auch hatten wir unser Familienfaktotum Tante Henny, die uns immer so hilfsbereit zur Seite gestanden hatte, nachkommen lassen, um ihr etwas von Holland und holländischer Kunst zeigen zu können. Martha hatte einen starken Eindruck vom Brügger Spitzenmuseum, das sie sehr genau studierte. Im späteren Leben zog man sie gern zu Rate in allen Fragen, die Ursprung und Technik von echten Spitzen betrafen. Über Brüssel ging die Reise wieder heimwärts auf den Barkenhoff.

Das Giebelzimmer in der Vorderseite des Barkenhoffs, in das wir als junge Eheleute einzogen, hatte eine besondere Schönheit; Barkenhoff, so hatte ich das Haus genannt, nachdem der kleine Birkenwald, den ich unten auf dem Grundstück gepflanzt hatte, eine feine Durchgitterung bildete, durch die man das Haus von der Landstraße aus erblickte. Im Herbst hatte ich sie eingesetzt, und alle standen jetzt im Frühling, als wir heirateten, im zarten Grün. Aus den beiden kleinen Fenstern des Schlafzimmers, die nach Sonnenaufgang gingen, blickte man hinunter über den Blumengarten ins Moor. Es lag dort unten wie ein unermeßlicher Wald, in dem die Dörfer sich einbauten mit ihren Strohdächern und bebauten Feldern. In der Nacht blaute der Sternenhimmel zwischen den offenen Fenstern, wie ein brokatner Vorhang, als schlösse er den Raum, in dem zwei Menschen sich vereinten zum gemeinsamen Lebensbau. – Aber das schönste war der Morgen. Leise trat er in die Kammer mit seinem rosigen Licht –, steigerte sich dann aber (fast wie lärmend) über ein volles Rot zu einer alles erfassenden goldenen Farbensinfonie.

Die kleine Bibliothek, von der Diele aus neben der großen Einfahrtstür, hatte ihre Einteilung für Bücher, Papier und Hefte im Rahmen schwarz gefärbter Täfelung erhalten. Eine geschnitzte Bauerntruhe barg Kostümstücke einer mittelalterlichen romantischen Welt, die ich für meine künstlerische Arbeit sammelte und anfertigen ließ. Schnell füllten sich die kleinen Borde. Ich liebte alte Originalausgaben von Walter Scott, Tieck, Novalis, Brentano und E.T.A. Hoffmann mit den Callotschen Stichen. Die Romantiker waren der Grundstock, auch Heinrich Heines frühe Romantik wirkte in mir künstlerisch. Bald kamen auch viele Geschenke von Werken moderner Künstler, die sie dem Barkenhoff widmeten, und von Verlegern, mit denen ich arbeitete. Eugen Diederichs war in der Beziehung besonders großzügig. Er schenkte die Monographien der verschiedenen Berufe, die so reich an alten Holzschnitten und Kupferstichreproduktionen waren. Sie waren für mich eine nie versagende reiche Quelle der bildnerischen Ausdrucksmittel, die die altdeutsche Märchenwelt in mir auferstehen ließen. Die Minnesänger, Walther von der Vogelweide, »Des Knaben Wunderhorn«. Dazu kamen alte Schweinslederbände aus längst vergangenen Zeiten; Bücher, die sich mit dem Leben berühmter Maler der Vergangenheit beschäftigten. Ein herrliches altes Kräuterbuch mit sehr charakteristischen Holzschnitten von Pflanzen, mit der Hand koloriert, deren Text aber hauptsächlich unter der Rubrik »Kraft und Würkung« in zwei lehrreiche Abteilungen »Äußerlich« und »Innerlich« zusammengefaßt war. Von der Bibliothek aus konnte man durch einen schmalen Gang ins Wohnzimmer gehen und ließ dadurch die eingebaute kleine Arbeitsnische der Bibliothek unberührt; die Nische selber, zum Schreiben eingerichtet, hatte ein breites Schiebefenster mit ein paar in Blei gefaßten farbigen Glasbildern, so konnte man durch das Fenster die Verbindung mit dem Wohnzimmer aufnehmen. Im Sommer lag über dem kleinen intimen Raum der grünliche Dämmer der mächtigen Kastanienbäume, die das Haus beschatteten, und aus dem breiten Wohnzimmerfenster sah man auf das Naturtheater, das vor dem Bergabhang gelegen war. Auch auf den Hausplatz mit den alten Birkenbäumen war der Blick frei.

Trennung von den Begründern der Künstlerkolonie

Mit dem jungen Ehepaar Paula Becker und Otto Modersohn verband uns ein inniges Freundschaftsverhältnis. Einmal in der Woche waren wir bei ihnen, und sonntags am Nachmittag kam Otto mit der Paula von unten durch den Garten zwischen den Blumenbeeten auf die Terrasse vor unserem Hause hinauf, Paula in ihrem weißen Kleide, umgürtet mit roten Korallen, und mit einer Kette von Bernsteinkugeln um den Hals. Sie erzählte viel von ihrer Pariser Reise. Wenngleich sie neben dem vielen Schönen, Künstlerischen und der Kultiviertheit des Lebens auch das soziale Elend sah, so war sie doch noch ganz abhängig, wie wir selber auch, von unserer bürgerlichen Erziehung. An schöpferische Kräfte der Masse glaubte Paula nicht, sie hielt die Wiederaufrichtung eines kaiserlichen Frankreichs für die einzige Rettung der Pariser Kultur. Sie glaubte, daß Führertypen wie Napoleon I. und Bismarck Gestalter des Lebens waren, Riesen, unabhängig von äußeren Verhältnissen, die sie umgaben. Ihre große Verehrung für Nietzsche unterstrich noch diese Anschauung. Dabei sehnte sie sich nach Gemeinschaft, hinter der auch das Familienleben zurücktreten müßte, obgleich sie ein starkes traditionelles Gefühl für ihre Familie hatte, der ihre Kunst zwar unbegreiflich war, die aber ihren Werken mit mitleidiger Duldung gegenüberstand.

Ich hatte damals betreffs Paulas und Ottos meine letzte große Auseinandersetzung mit dem Malerradierer Hans am Ende, der unten auf dem Grundstück des Barkenhoffs das kleine Haus bewohnte, welches meine Mutter sich gekauft hatte, um es später für eine Sommerwohnung einrichten zu können.

Am Ende und Mackensen, die beiden Vertreter der konventionellen Welt, beide Reserveoffiziere, sahen eines Tages die Ehre der ganzen Künstlerkolonie dadurch angetastet, daß Paula und Otto sich gegen die Sitten der bürgerlichen Gesellschaft tief versündigten. Otto hatte in dem Tannenwäldchen an einer der Lehmgruben Paula nackt gemalt. Das hatte einem neugierigen, lüsternen Anschleicher die Phantasie so angeregt, daß wilde Kneipengerüchte von Nacktorgien im Tannenwald entstanden. Die beiden militärischen Ehrenmänner schlugen sich auf die Seite der Spießer, und am Ende verlangten sie von mir die Aufgabe des Verkehrs mit den belasteten Freunden. Ich ging zu am Ende ins Haus. Mag sein, daß meine Auseinandersetzung zu hart und zu laut gewesen war, der Maleroffizier schloß wenigstens während meiner Anwesenheit die Fenster, und die Folge des Gesprächs war eine Duellforderung. Am anderen Tage, als ich längst alles vergessen hatte und im Garten einem Bienenschwarm nachstieg, der sich im Busch zur Traube formte, stand der Dorfarzt plötzlich neben mir, sah mich bitterernst durch seine Brille an, als ich ein paar gleichgiltige Begrüßungsworte sagte. Er antwortete mir: »Ich bitte Sie, mit mir in Ihr Haus zu gehen, mein Kommen betrifft eine sehr ernste Angelegenheit.« Nun schwante mir was. Im Zimmer brachte der Dorfdoktor die Duellforderung vor, die ich mit einem natürlichen belustigten Gelächter quittierte. – »Zurücknehmen? – Denke gar nicht daran! Wenn der Beleidigte das blöde Geschwätz zum Stillstehen bringen kann, ist der Fall für mich erledigt.« Den Freunden Otto und Paula teilte ich nichts davon mit, wozu sollte ich ihre Harmlosigkeit untergraben.

Zusammentreffen mit dem Bruder

Der vegetationslose aufgeschüttete Sandweg der Dörfer im Teufelsmoor hörte auf. Ein grasbewachsener Nebenweg zweigte ab zwischen Birkengebüsch. Dann kam dünenartig gewellter Sandboden, mit Heide bestanden. Die letzten menschlichen Behausungen, zwei kleine Strohhütten ohne Seitenwände, die wie Erdzelte auf dem Boden ruhten, waren längst hinter uns, als ich den leichten gelben Wagen, den Sandschneider mit seinen dünnen hohen Rädern, über die rundgekuppelten Heidehügel unter einen niedrigen Kiefernwald lenkte. Im Wald, an einer zur Ruhe einladenden Mulde in der

Heide, stieg ich aus und half Martha aus dem Wagen. Das Pferd machte ich frei, nahm der Stute das Gebiß aus dem Maul und ließ sie auf der Heide grasen. Martha setzte sich auf den Heiderand, und ich lag auf dem Bauch am Heidehang hinauf. Martha bezweifelte, daß der Franz diesen abgelegenen Ort finden würde. Ich wußte aber, daß er mit mir zu Fuß diese Gegend schon manchmal durchstöbert hatte. Sein Weg aus der Zevener Heide war allerdings sehr weit. Er besaß aber einen ähnlichen amerikanischen Sandschneider wie wir, nur in Schwarz. Mit seinen hohen dünnen Rädern rollt er auf der Klinkerstraße sehr leicht und kommt auch durch den Wüstensand. »Franz seine Freundin, die er heiraten will, habe ich übrigens auch noch nie gesehen, er wird sie ja heute mitbringen.« Franz erzählte mir nur, daß sie ein Mädchen aus dem Waisenhaus ist, daß

Das Konzert (Sommerabend). Öl, 1905

sie sehr schön sei, dunkelhaarig, mit großen erstaunt blickenden Augen.

Wir horchten auf. Im scharfen Trab rollte das schwarze leichte Gespann aus Adiek heran. Franz sprang vom Führersitz, half der Braut und versorgte das Pferd, während wir drei uns begrüßten. Die Braut blieb still und beobachtend, als Franz hinzugekommen war und wir die Pläne für den Ausbau von Adiek besprachen. Das alte Strohdachhaus sollte so ausgebaut werden, daß man eventuell auch an Sommergäste vermieten konnte. Hühnerställe und Ställe für Enten mußten angelegt werden, und der Teich war höher zu stauen, damit man ihn mit Karpfen besetzen konnte. »Der Hof«, erzählte Franz, »hat eine sehr gute Rebhuhn- und Hasenjagd, auch wechseln Rehe herüber.« Die amerikanischen Enteneier seien gut ausgebrütet, und nun wolle er seine Braut Philine heiraten. Von meiner Pferdeerrungenschaft war Franz nicht sehr begeistert, er glaubte, wir würden an der edlen Stute nicht lange Freude haben. Ich hatte nämlich das Pferd von einem Bremer höheren Offizier bekommen.

Das erste Pferd

Der Major von Bl. hatte auf der Ausstellung mein Bild »Heimkehr« gesehen, das aber bereits verkauft war; er bat mich, ein kleineres mit demselben Motiv zu malen, sagte, er würde mir das Bild nicht bezahlen können, wir müßten einen Tausch machen; er bekäme das Bild und mir gäbe er ein wertvolles ungarisches Vollblutpferd. – Wir wurden einig. Das Bild wurde nach einiger Zeit geliefert, dann kam der Major mit seinem Burschen und lieferte das Pferd. Ich verstand damals gar nichts von Pferden. Der Gaul sah etwas müde aus, ging auch nicht besonders, nach dem Ritt von vierundzwanzig Kilometern. Sonst war das Tier recht gut mit Sattel und Zaumzeug ausgestattet. – Damals hatten wir den ersten Besuch von Egon Petri. Wir beiden wechselten uns ab im Reiten. Manchmal lahmte der Gaul, der übrigens herrliche Begleitpapiere (Pedigree) hatte, also vornehme Eltern, gute Vergangenheit. Manchmal war er übrigens sehr müde, so daß er beim Reiten vorne in die Knie ging. Egon nahm sich deshalb immer ein paar Stück Zucker mit zur Belohnung, wenn sich die Stute wieder mit des Reiters Hilfe erhoben hatte und ihn unbehindert aufsteigen ließ. Doch schließlich war die Lahmerei unerträglich. Der Tierarzt stellte Hufspalt an beiden vorderen Hufen fest. Da half kein doktorn, außerdem hatte »Erzsi«, das war der Name der Vollblutstute, offenbar ihre Lebenszeit schon erfüllt. Ich gab sie noch nach Adiek zu meinen Brüdern auf Erholungsurlaub, wo sie bald auf der Weide krepierte. Der Major hatte mit meinem geringen Pferdeverstand gerechnet und mich glänzend betrogen. Die einzige größere Fahrt, die ich mir mit der ungarischen Edelstute leisten konnte, war das Zusammentreffen mit meinem Bruder Franz am Kniependamm.

Egons Musikstudien

Egon hatte sich jetzt im Dorfe bei einem Schneider ein Zimmer gemietet. Die Bechstein-Vertretung in Bremen belieferte ihn mit einem guten Flügel, und nun begann er eine große Vorarbeit für seinen Lehrer Feruccio Busoni, die Bearbeitung der Choralvorspiele von Bach für Klavier. Das war für mich eine außerordentlich reiche Zeit, in der ich mich in Bachsche Musik vertiefen konnte. Der kleine Raum, in dem Egon Petri bei dem Schneider wohnte, war zu winzig für die brausenden Töne seines Bechsteinflügels. Egon mußte schon bei geöffneten Fenstern spielen, so daß die Atmosphäre des Dorfes häufig erfüllt war vom Rauschen des Instrumentes. Oft saß ich neben ihm. Das Umblättern nahm ich ihm ab. Obgleich ich mich nie mit Notenlesen beschäftigt hatte, ergriff mich das Interesse für das graphische Bild einer Bachschen Notenseite. Ich stand einem neuen Ausdrucksmittel gegenüber, in dessen schwarz-weißen Zeichen monumentaler Bau und klingende Kraft verborgen lagen. Volkstümliche Fröhlichkeit, tiefer fester Glaube, der helle Glanz und tanzschwingende Rhythmen versenkten mich in eine Gefühlswelt, in der jede Last und Sorge sich auflöste in der Hingabe an ein umfassendes Liebesgefühl. Manchmal gingen wir hinauf in die Kirche, weil Egon die Originalfassung der Choralvorspiele auf der Orgel hören wollte. Egon war ein sehr eigenwilliger junger Mensch, dem die Musik, überhaupt die Kunst, eine ernsthafte Angelegenheit war. Eines Tages, während seines Orgelspielens, kam der Pastor mit einer sich etwas laut unterhaltenden Gesellschaft in die Kirche, Egon brach ab und intonierte ein paar Walzertakte, eine grausige brausende Antwort. – »Da habt ihr Unterhaltungsmusik, wenn ihr wollt«, sagte er und verließ mit mir die Kirche.

Rom und Pompeji

Den Winter 1903 verbrachte ich mit Martha einen Monat in Rom. Otto Sohn hatte sich dort angesiedelt. Er wohnte in jenem abgetrennten Teil der Villa Borghese, der dem Schweizer Maler F. gehörte. In dem völlig verwilderten bergigen Teil des alten Parks befanden sich einstmalige künstliche Seen, die abgelaufen waren; ihr zementierter Bodengrund war längst durch die Wurzeln von Lorbeer- und Oleandergebüsch gesprengt. Einige Maler- und Bildhauerateliers hatte der Schweizer an verschiedenen Stellen des Parkes zum Vermieten eingebaut. Stieg man weiter in der Wildnis herum, so gelangte man schließlich zu einem tiefer liegenden Felsenstück, das mit Efeu dicht verhängt war, so daß ich es einem Zufall verdankte, als ich hinter dem dichten Geriesel von Efeuranken auf den Eingang von Katakomben stieß. – Der Aufenthalt in Rom war für mich sehr fruchtbar. Hier stand ich zum erstenmal ganz in der Atmosphäre der Antike und zeichnete nach den Originalen. Leider fuhr Martha früher fort. Ihr Befinden war nicht gut, da sie der Geburt unseres zweiten Kindes entgegensah.

Nachdem Martha aus Rom nach Worpswede gefahren war, schloß ich mich sehr an Otto Sohn an. Wir machten nun zusammen unsere Kunstentdeckungsreisen in Rom und in der Campagna. Ich zeichnete viele Antiken nach dem Original, wunderte mich selber, daß ich trotz meiner Düsseldorfer Antiken-Erlebnisse vor den Originalen ein so warmes Gefühl für die antike Kunst behalten hatte. Wir lebten jetzt sehr einfach. In der Via Laurina aßen wir bei der Juliana zu Mittag. Ein schmales tiefes echt römisches Restaurant, das hinten mit einer Küche abschloß. Eine Anrichte, über die man Einblick in die Küche hatte, trennte Küche und Restaurant. Dieser letzte Raum hatte Oberlicht und war der vornehmste Speiseraum des Unternehmens. Hier saßen an vier bis fünf Tischen Kleinbürger und heruntergekommene Adlige. Sie wurden als Abonnenten verpflegt. Einer der Tische war von herrschaftlichen Kutschern besetzt, die eine verteufelte Ähnlichkeit mit ihren beiden Bulldoggen hatten, die auf den beiden Nebenstühlen hockten. In der Ecke hinter der Anrichte thronte die Juliana in einer rosa Wollbluse, breit, mit übereinandergekreuzten Armen; sie trug eine tadellose schwarze römische Frisur und phantastische Ohrgehänge. Von ihrem Platz aus konnte sie alles übersehen, von der Küche über den Oberlichtraum mit den vornehmen Gästen, durch den dämmerigen langen Zugang bis auf die Straße. An der Straße vor dem Restaurant saßen Arbeiter. Wenn der Alfonso mit dem großen Topf voll Bohnenpüree kam, klappten sie ihr dickes, viereckiges Weißbrot auf, und Alfonso gab einen Schwung voll Püree mit dem großen Löffel hinein. Im Dämmer des Durchganges saßen häufig Modelle und trieben ihren Ulk mit alten Priestern, die sich gern dieser fidelen Gesellschaft zugesellten. Man klimperte mit der Mandoline, dann stülpten die Mädchen wohl dem einen der Gottesmänner einen blumenreichen Frauenstrohhut auf, den sie mit einer zierlichen hellblauen Schleife banden, danach wurde der Alte auf den Tisch gestellt und tanzte nach der Musik eine Tarantella. Im vornehmen Teil des Speisehauses, direkt unter den Augen der Juliana, bediente ihr Mann, ein kleiner magerer, sehr behender Kerl. Er machte das mit viel Witz. Schimpfte einer der Abonnenten über die Langsamkeit der Bedienung, dann eilte er sofort in die Küche, arrangierte auf einem sauberen Teller ein Stilleben aus einem alten schmutzigen Küchenlappen, verzierte ihn mit etwas Grün und einer Zitronenscheibe und servierte das alles in höchster Eile. Einem besonders leckerigen Gast, der immer wieder die Oberschicht mit dem Streuzucker von der Polenta wegfraß, erneuerte er aufmerksam die süße Schicht, beim zweiten Mal aber streute er Pfeffer drauf.

Von Rom fuhr ich nach Neapel. Das Museum gab mir einen guten Einblick in die Kunst zur Zeit des Unterganges von Herculanum und Pompeji durch den Ausbruch des Vesuvs. Der Anblick von Pompeji ergänzte das Bild. Ich blieb dort auch über Nacht, die Fremdenexkursion nach der Ruinenstadt hatte eine zu kurze Dauer, um ganz in den Charakter dieser interessanten alten römischen Landstadt eindringen zu können. Nun bekam ich aber ein vollendetes Bild von dem Leben der Römer vor zweitausend Jahren. Dazu trug bei, daß in Neapel im Museum Porträtbüsten von Persönlichkeiten waren, deren guterhaltene Häuser man heute noch besuchen kann. Auch die Werkstätte eines Malers ist in der Stadt zu sehen, Verkaufsläden und ein öffentliches Freudenhaus. Die enkaustische Wandmalerei in den Privathäusern reizt durch Schönheit der erhaltenen Farbe; die Technik, wie die Figurenkompositionen eingesetzt sind, hatte meistens etwas so Freies wie eine flotte Handschrift. Die Peripherie der Stadt Pompeji, wo das Gelände nach der Ebene zu abfällt, gab dem Ganzen einen so friedlichen Charakter, mit den großen am Ausgang der Stadt hingelagerten rundgeschweiften Steinbänken. Man glaubte, es müßten gegen Abend römische Menschen der alten Zeit kommen, die die Stadt verlassen, um hier vor den Toren bei einer kultivierten Unterhaltung dem Sonnenuntergang entgegen zu sehen und den Abendfrieden zu genießen.

Wieder in Neapel, trieb es mich noch einmal in das Aquarium am Meeresstrand, um Abschied von den Fresken zu nehmen, mit denen Hans von Marées die Wände dieses Studienortes für italienische und ausländische Studenten geziert hatte. Wenn man diese frischen, realistischen monumentalen Wandbilder aus dem Leben der Fischer mit den Naturforschern gesehen hat, dann forscht man immerwährend nach der Fortsetzung dieses einzigartigen Weges zur monumentalen Kunst, der hier beschritten wurde. Denn man findet wohl einen Reichtum idealistischer Komposition, die großes Können und ein starkes Stilgefühl ausdrücken, vor allem auch in den Zeichnungen, die ich bei Meier-Graefe sah – aber völlig fehlt es an großen Aufgaben, geschöpft aus den Wirklichkeiten der Zeit.

Deutschland, das zu Marées' Zeit das Land des Spießertums, des schläfrigen Vegetierens unter der Polizeiknute einer Unzahl kleiner reaktionärer Fürsten war, konnte für einen derartigen realistischen Künstler keinen Boden haben, und so blieb nur diese eine große Aufgabe, in der die Kraft dieses starken, ringenden Künstlers frei wurde und sich erschöpfte.

Auf der Rückreise nach Deutschland kam ich noch über Padua, Vicenza, Venedig und Bologna [folgt unleserliches Wort] mit seinen steinernen Bogenstraßen, nachdem ich Assisi (Kirche des heiligen Franz, Wandbilder Giottos) und Perugia besucht hatte. In Venedig hatte ich schlechtes Wetter. Der Schirokko hielt das schmutzige Wasser in den Kanälen zurück, die Luft, die darüber lag, war dumpf, und bedrückend waren die Geräusche des unentwegt niedergehenden Regens, die der steinerne Rahmen der Häuser und Brücken am Kanal widerhallen ließ.

[Ausbau des Barkenhoffs]

Im Frühling war auch ich wieder in Worpswede zurück und malte nun den Sommer über an dem großen Bild »Konzert«, auf dem sich Paula und Otto und auch Clara befinden. Am niederen Tor der Terrasse steht Martha, und auf der steinernen Treppenstufe liegt ein russischer Windhund, ein Geschenk Heymels. Heymel sandte mir damals auch ein Pferd als Geschenk, einen kleinen, gut eingefahrenen und gut gerittenen hellen Fuchs. Mein leichter amerikanischer, hochrädriger Wagen paßte gut dazu, und nun war ich unabhängig von der Eisenbahn, was mir bei der Zunahme der kunstgewerblichen Aufträge für Bremen sehr zustatten kam.

Bettina war inzwischen geboren. Rilke, der sich wieder in Worpswede aufhielt, besuchte Martha häufig; er schrieb in mein Buch ein Wiegenlied, das er Clara gewidmet hatte:

Ich möchte jemanden einsingen,
Bei jemandem sitzen und sein.
Ich möchte dich wiegen und kleinsingen
Und begleiten schlafaus und schlafein.
Ich möchte der einzige sein im Haus,
Der wüßte: die Nacht war kalt.
Und möchte horchen herein und hinaus
In dich, in die Welt, in den Wald.
Und die Uhren rufen dich schlagend an,
Und man sieht der Zeit auf den Grund,
Und unten geht noch ein fremder Mann
Und stört einen fremden Hund.

Dahinter wird Stille. Ich habe groß
Die Augen auf dich gelegt,
Die halten dich sanft und lassen dich los,
Wenn ein Ding sich im Dunklen bewegt.

Im Winter malte ich ein größeres Bild: »Wintermärchen«. Das Dorf im Schnee, vom Berge kommen drei etwas phantastisch gekleidete Bauernkönige, über der Hütte steht in einer rötlichen Abendluft der Stern, und ein Junge ruft vom Dorfe aus den Wanderern die Richtung zu. Dasselbe Motiv radierte ich auch. Dann malte ich im Sommer Martha mit der kleinen Miekelies in einer Laube von wilden Rosen, die ich unten im Garten angepflanzt hatte; auch hiervon existiert eine Radierung. Das Bild kaufte die Bremer Kunsthalle an.

Ich hatte die große Arbeit im Bremer Rathause zur Ausstattung der Güldenkammer im Auftrage des Senats beendet. Zugleich waren andere kunstgewerbliche Aufträge zu erfüllen, die mich eng mit dem Handwerk verbanden. – Der regierende Bürgermeister von Bremen, Dr. Markus, dem Bremen die große Weserkorrektion verdankt und die technischen Anlagen am Freihafen, hatte großes Interesse an meiner Arbeit, die er angeregt hatte. Alle künstlerischen Fragen waren ihm von Wichtigkeit. Er selber lebte einfach, mit seiner Frau, die kinderlos war und zwei Waisenkinder aus proletarischen Verhältnissen an Kindes Statt angenommen hatte. – Er kam mit seiner Frau auch manchmal nach Worpswede und faßte schließlich den Plan, das Grundstück der alten Ziegelei, die allmählich schon verfiel, zu kaufen. Um das Grundstück zu erwerben, wandte er sich an meinen Bruder Franz, der sich von dem Bruder Eduard in Adiek trennen wollte, um in Worpswede eine Kunstausstellung zu eröffnen und auch meine geschäftlichen Angelegenheiten zu verwalten. Der Ankauf der Ziegelei durch den Bürgermeister Markus war für mich deshalb von größter Bedeutung; er rückte die Erfüllung meines stärksten Wunschtraumes nahe, nämlich die Vergrößerung des Barkenhoffgrundstücks um den wüsten Lehmbruch der Ziegelei und die angrenzend darüberliegende unbebaute Heide. Markus gab gern die Einwilligung zur Abtrennung dieses Stückes von der Markus-Heide. Der Form wegen wurde ein niedriger Preis festgesetzt, der von mir gar nicht ausbezahlt zu werden brauchte, da der Bürgermeister später mein Bild »Sehnsucht« zu einem hohen Preis ankaufte. – Alle geschäftlichen Angelegenheiten für Markus erledigte mein Bruder Franz. Das gemeinsame Geflügelunternehmen der Brüder konnte zwei Familien nicht gut tragen; es lag zu weit von der Bahn entfernt. Der jüngere Bruder hatte sich inzwischen auch verheiratet. Seine Frau war eine Malerin, die nun in dem Betrieb der Züchterei ganz aufging.

Ausbau des Barkenhoffs

Das Konzert (Sommerabend).
Öl, 1905 (v. l. n. r.: Paula Modersohn-Becker, Agnes Wulff, Otto Modersohn, Clara Rilke, Martha Vogeler)

Ausbau des Barkenhoffs

Der Bürgermeister nahm das alte Strohdachhaus am Ende der Eichenallee, das zur Ziegelei gehörte, als Sommerwohnung für seine Frau. Auch er kam sonntags heraus, mußte aber, dem alten Bremer Gesetz gemäß, am selben Tag wieder heim sein, da ein hanseatischer Bürgermeister nicht länger als vierundzwanzig Stunden aus der Stadt entfernt sein durfte. Das Haus wurde sehr behaglich eingerichtet, die Ziegelei abgebrochen und der Garten in Ordnung gebracht.

Während der Zeit der großen kunstgewerblichen Arbeiten in Bremen baute ich den Barkenhoff noch einmal im großen Stil um. Eine bequeme Küche mit darüberliegendem Fremdenzimmer war schon vorhanden. Das untere Atelier neben der kleinen Bibliothek verwandelte sich in ein Wohnzimmer, und darüber baute ich ein schönes luftiges Schlafzimmer auf, das sogenannte »blaue Zimmer«, nach seinem farbigen Wandanstrich; es hatte weißlackierte Möbel mit leichter Rosenschnitzerei, die etwas angetönt war. Man konnte von hier ins Badezimmer gehen, das über der kleinen Bibliothek eingebaut war, und auf der anderen Seite öffnete sich die Tür zu einem großen neuen Atelier. Dieser Bau war turmartig, achtkantig abgestumpft im Grundriß, etwa wie der Unterbau einer Windmühle, hatte ein spitzes Glasdach für das Oberlicht und einen Balkon zum Naturtheater hin, das den Hausplatz, dem Berge zu, abschloß. Parterre war noch Raum genug für die Kupferpresse und für die Druckeinrichtungen. Außerdem war für gute Unterkellerung gesorgt, in der die Zentralheizung ihren Ausgangspunkt hatte und die Wasserversorgung durch einen Druckkessel. – Das Hofgebäude bestand jetzt aus Wagenremise, Pferdestall, Kutscherwohnung und Werkstätte.

Der Gewinn des neuen Grundstückes an der Markus-Heide, die wüsten Lehmlöcher und die wilde Heide, hatten meine Gedanken jahrelang planend beschäftigt. Nur meine Kräfte reichten nicht aus, ohne fremde Hilfe die großen geplanten Umwandlungen vorzunehmen, vor allem fehlte es an Zugkraft. Ein gutes Pferd mußte angeschafft werden, denn ich hatte ein Jahr zuvor, als meine wirtschaftlichen Verhältnisse nicht gut standen, meinen kleinen hellen Fuchs an den Stifter Alfred Heymel zurückgegeben; auch verlor ich auf diese Weise meinen guten Helfer, Gottlieb, den Kutscher. – Heymel hatte sich verheiratet und bewohnte ein Landgut, das er sich bei Bremen kaufte. Er war jetzt geadelt worden, nachdem er eine große Sammlung von peruanischen Goldsachen dem Münchner Museum geschenkt hatte.

Ich fuhr jetzt auf Anraten Gottliebs, den ich wieder zu mir gerufen hatte, nach Glücksburg an der Elbe zu der Holsteinschen Pferdezuchtanstalt, die zugleich eine Reit- und Fahrschule zur Ausbildung von Pferdepflegern hatte, wo Gottlieb ausgebildet war. Gottlieb war mein Berater in allen Dingen der Praxis. Er spannte auch verschiedene Pferde in einen Wagen ein, um ihre Gänge zu zeigen. Schließlich konzentrierte sich unser ganzes Interesse auf eine junge, vierjährige dunkle Fuchsstute, die ich für tausend Mark kaufte. Ein Pferd mit scharfen, weit ausholenden Gängen, ein Holsteiner Halbblut. Ich fuhr per Bahn nach Worpswede. Gottlieb transportierte das Pferd über Hamburg und über Adiek, dem Geflügelgut der Brüder, unter dem Sattel nach dem Barkenhoff.

Wie kam es denn, daß Gottlieb nun wieder da war, der mir seinerzeit bei der Anlage meines Gartens so gut geholfen hatte? – Als er von mir ging, bekam er gleich eine gute Stelle in dem Rennstall eines Majors von Bopp, und einige Zeit darauf arbeitete er im Marstall des Königs von Württemberg in Stuttgart. Ich dachte mir, nun nach den Nachrichten, er sei nun ein ganz vornehmer Mann geworden, der nur seine Arme hinzuhalten brauchte, daß ihm die Stalljungen seine Livree anziehen. Außerdem hatte er den König im Viererzug auf den Exerzierplatz zu fahren, wofür ihm jedesmal ein Goldstück als Extrabelohnung sicher war. Doch dem Gottlieb paßte das alles nicht, er hatte mit mir am Gestalten des Barkenhoffgrundstückes gearbeitet, und nun ließ ihn das nicht mehr los, er schrieb einen Brief, wie es ginge und ob für ihn kein Platz auf dem Barkenhoff sei; nur sagte er, es wäre zu wenig Arbeit für ihn, ich müsse zwei Pferde anschaffen. Da dachte ich nun zuerst nicht dran, war aber sehr erfreut, daß er Lust hatte, mit mir weiterzuarbeiten. Durch den Gewinn des wilden Grundstückes stand uns eine riesige Arbeit bevor. Das erste war der Durchbruch durch den Sandberg neben den Lehmgruben, um einen tadellosen Fahrweg zum Hausplatz heraufzuführen. Die Kastanienallee am alten Grundstück war schon zu eng geworden. Gottlieb maß das Gelände ab wie ein Ingenieur, und der Weg wurde unter seinen Händen eine mustergiltige Anlage. Dann pflügten wir die Heide um. Die junge Stute ging aber scharf ins Zeug, so daß ich ohne Gottlieb beim Pflügen nicht fertig werden konnte. So nahm er das Pferd am langen Leit, und ich bediente den Pflug.

Dann hatte Gottlieb den guten Einfall, die enge Einfahrt zu den Lehmgruben zu verbreitern, damit für uns unten ein großes Stück Land gewonnen würde zum Gemüseanbau; und zwar kam er auf eine ganz einfache Methode: In den Moordörfern ist Sand sehr gesucht, zum Ausfüllen der Fahrwege, die durchs Moor führen. Gottlieb veranlaßte mich, in der Worpsweder Zeitung ein Angebot auszuschreiben, daß bis zu einem gewissen Termin vom Grundstück des Barkenhoffs unentgeltlich Sand abgefahren werden könne. Karawanen von Ackerwagen kamen, und nach zwei Monaten hatten wir ein ansehnlich günstiges, niedrig gelegenes Gelände bei den Lehmgruben zum Gemüsebau. Auf diese Weise war ich aber doch gezwungen gewesen, ein zweites Pferd anzuschaffen, da die Erdarbeiten, die bei uns noch im Plan lagen, dem jungen Pferd allein zu sehr auf die Knochen gehen würden. Leider war unser Kauf bei dem zweiten Pferd nicht so günstig wie bei dem Holsteinschen Halbblut. Jetzt zogen wir die Lehmgruben zusammen zu einem großen Teich, in der Mitte ließen wir eine ovale Insel stehen. Ich steckte an ihren Rand Pappelreiser ein, die sich später zu mächtigen Bäumen entwickelten. Im nächsten Jahr ritten wir die Pferde ein.

Jetzt hatte ich wieder durch das eigene Gespann Gelegenheit, den Verkehr mit den Landgutbesitzern, von denen ich Aufträge bekam, stärker aufzunehmen. Wir fuhren dann mit den Kindern zu den Leuten und blieben dort über Nacht. Gottlieb war nun nach seinem Wunsch auch tadellos eingekleidet in den Farben des Barkenhoffs, Grün und Weiß; dunkelgrüne Livree mit silbernen Knöpfen. Im Außendienst zeigte Gottlieb jene angelernten Verkehrsmanieren mit der »Herrschaft«, die er von seiner Erziehungsanstalt in Glücksburg empfangen hatte, die sich aber bei unserer gemeinsamen Arbeit auf dem Barkenhoff in ein kameradschaftliches Verhältnis verwandelt hatten. Von Gottlieb hatte ich in der Behandlung des jungen Pferdes viel gelernt, und er sorgte auch kategorisch dafür, daß ich die Rosinante täglich in der Morgenfrühe unter dem Sattel bewegte. – In der ersten Zeit hatte ich das Pferd auch einmal mit zur Hubertusjagd genommen. Ich ritt mit dem Landgutbesitzer, bei dem wir über Nacht zu Gast waren. Ich hatte keine Absicht, mit der jungen Stute die Jagd mitzureiten. Aber als die Hunde auf die Spur des Wildschweines angesetzt waren und als die Luft erfüllt war von dem dumpfen Getöse der nachfolgenden Pferdehufe auf dem Heideboden, das Sattelzeug unter den Rotröcken knirschte, da war es mit der beobachtenden Geduld meines jungen Pferdes zu Ende. Die Stute verließ mit ihrem Reiter den gut gewählten Feldherrnhügel und zog besinnungslos mit ihm ab. Unhaltbar. Kein steilabfallender Sandhang schreckte sie, kein Graben, kein Hindernis, das sie nicht nahm; ich versuchte noch, sie auf einen engen Kiefernstangenwald loszusteuern in dem naiven Glauben: sei doch vernünftig, Rosinante, das ist ein dichter Wald, in dem du kein Schwein, keine Hunde und keinen Rotrock findest. Vergeblich. Krachend bogen und brachen die dünnen Kiefernstangen um uns herum und sausten mir um den Kopf. Endlich kamen wir heraus aus dem Gewirr, ein paar Sätze über die harte Landstraße, und der tolle Ritt endete im sumpfigen Gelände eines umgepflügten Ackers. Der trug uns nicht. Rosinante bäumte auf, da sie mit den Hinterbeinen einsank und nicht herauskommen konnte. Ich benützte die Gelegenheit, um sicher in den Dreck hinunterzurutschen. Nun hatte ich das Pferd am Zügel und konnte es beruhigen. Zu Fuß, das edle Reittier am Zügel, gewannen wir bald wieder festen Boden unter den Füßen.

Von jetzt an begann ein ernsthaftes Trainieren der Stute unter Gottliebs Leitung. Da wir eine Zeitlang ein zweites Pferd für unsere Erdarbeiten hatten, ritten wir immer zusammen. Auf der Hubertusjagd hatte ich eine Reiterin aus Hannover kennengelernt, die mit äußerster Bravour die schwierigsten Geländehindernisse mit ihrem Pferde nahm. Sie hatte mich aufgefordert, sie in Burgwedel auf ihrem Landsitz zu besuchen. Als wir unser Training nach mehr als zweimonatiger systematischer Arbeit beendet hatten, machten wir unseren Ritt. Fast hundert Kilometer in einem Tagesritt sind natürlich keine leichte Sache, und da zeigte sich erst, was Gottliebs strenge systematische Arbeit in die Leistungsfähigkeit der Stute, die ich ritt, hereingebracht hatte. Das Pferd kam elastisch und ohne Ermüdungserscheinungen für den nächsten Tag in den Stall, zur Bewunderung unserer Gastgeber, die mit ihren Pferden, wenn sie sie unter dem Sattel zur Hubertusjagd nach Bremen transportierten, wenigstens zwei volle Tage brauchten. Leider war unser anderes Pferd, das Gottlieb ritt und das erst zu kurze Zeit unter seiner Pflege stand, am anderen Morgen ziemlich steif in den Gliedern, was sich erst während des Heimrittes legte. Der Ritt durch die Heide, durch alte hannoversche Dörfer mit uralten Kirchen und mächtigen, strohbedachten Bauernhöfen gehört zu den schönsten Eindrücken meiner Reittouren. Und nun trug mich die Rosinante häufiger in ferne Gegenden. Wenn ich zum Beispiel als gewählter Geschworener einer Gerichtssitzung in Verden beiwohnen mußte oder zu fernliegenden Landgütern meiner Bekannten, die mich mit künstlerischen Aufgaben bedachten, benutzte ich keine Eisenbahn, sondern das Pferd trug mich zum Ziel. – Das zweite Pferd ließen wir decken. Leider verfohlte es. Ein prächtiges, sehr großes totes Hengstfohlen. Danach lahmte die Stute und wurde an einen Fuhrmann verkauft.

Die großen Erdarbeiten auf dem Barkenhoffgrundstück waren vollendet. Ein neuer Fahrweg führte hinauf; bequem und technisch ausgewogen in der Steigung wie eine erstklassige Ingenieurarbeit war Gottliebs Werk. Der Gemüsegarten hatte jetzt Fläche, war windgeschützt von den Hängen, die wir mit Tomaten bebauten, und die Anlage des Teiches mit der Insel garantierte eine gute Wasserversorgung.

Aus der Martha, dem geschickten blonden bezopften Dorfmädchen, war nun eine junge Mutter geworden. Ihren schlanken Körperbau verlor sie nicht, die Hände, die von schön gestalteter Anlage waren, bekamen außergewöhnlich ausdrucksvolle Form und ließen den Blick auf die schön gebildeten Fesseln der Füße gleiten, die den geschmeidigen Körper trugen und bewegten. Alles war so wohl gepflegt an ihr. Müdes Fleisch konnte sich nicht festsetzen, denn das arbeitsame Leben von Kind auf gab keine Veranlassung, derartige Reserven aufzusparen. In der ersten Zeit der jungen Ehe wurden einige Versuche gemacht, aus der Stadt angelernte gute Dienstboten als Haushaltungshilfen anzuwerben; aber die junge Frau war selber zu aktiv in der Wirtschaft, und das besondere menschliche Verhältnis zu diesen wechselnden angestellten Personen gab ihr nicht das, was sie sich unter einem Zusammenleben gedacht hatte. Deshalb ging sie ins Dorf und suchte sich unter den gleichaltrigen Mädchen, deren Familien sie gut kannte, zwei Mädchen aus, die Sine und die Tine, mit denen sie ihre umfangreiche Arbeit im Hause und auf dem Felde verrichtete. Dabei wuchsen die Kinder sehr selbständig auf, hatten ihre eigenen selbstgewählten Spielplätze und zum Tanzen die ebene Grasbühne des Naturtheaters. Martha konnte immer Zeit für den Bau ihrer Kleider, das Schneidern, aufbringen. Beim Malen, beim Modellstehen herrschte ein präraffaelitischer Stil vor, dann kam eine Biedermeierperiode, die wie aus dem Stil des Hauses geboren schien, und schließlich war sie eine der elegantesten modernen Frauen, wenn sie mit mir auf den Landgütern der Bremer Kunstmäzene erschien oder auch vor der Eröffnung der Brüssler Weltausstellung, wenn abends nach getaner Arbeit die ausgelassene frohe Gesellschaft der Künstler, meistens Architekten, zum Tanz versammelt war. Ihr Tanz war außerordentlich leicht und nicht nur mit mir, für andere ein hoher künstlerischer Eindruck, so daß die tanzenden Paare sich manchmal losließen und nur ihrem Tanz zuschauten. – Der ganze Zuschnitt des Barkenhoffs gab der jungen Frau einen Rahmen, der sorgenlose Lebensfreude, künstlerische Lebensgestaltung und gesellschaftliche Eleganz ausdrückte.

Gottlieb, der auf dem Hof und im Felde der einfache Landarbeiter war und, wie ich selber, in Holzschuhen und derbem Arbeitszeug, die Feldarbeit verrichtete, war, wenn wir auf ein fernes Landgut oder zur Bahnstation fuhren, der stilvolle gelernte herrschaftliche Kutscher. Im gelben hochrädrigen amerikanischen Wagen saß die Familie, das schnellste und ausdauerndste Pferd der Gegend, die Rosinante, wurde geleitet von dem eleganten Kutscher in dunkelgrüner Livree mit silbernen Knöpfen, am Zylinder die grünweiße Kokarde des Barkenhoffs. Gottlieb liebte auch diese Seite des Lebens, wo er Gelegenheit hatte, das, was seine Glücksburger Erziehung ausmachte, dann und wann zeigen zu können. Auf dem Barkenhoff kam das nicht zum Ausdruck. Der Gebrauch der dritten Person als Anrede war dort natürlich von vornherein ausgeschlossen, und das enge Zusammenarbeiten im Acker und im Garten mit mir, später gemeinsame Ritte, verwischten die Grenzen der dienenden Abhängigkeit, gaben dem Verhältnis zwischen uns beiden einen freundschaftlichen, gestaltenden Charakter.

Ein schwerer Schlag

Das Jahr 1906 wurde ein schweres Jahr. Ich hatte einen Auftrag angenommen, der mir nicht lag. Ich sollte ein Gedenkblatt radieren für eine reiche Familie zur silbernen Hochzeit. Es mußte der Landbesitz auf dem Blatt sein und die Abbildung der Familie. Die Bildnisse machten mir besondere Sorge, und ich schnitt sie mit dem Stichel in die Platte unter Zuhilfenahme der Lupe. Zum Schluß war mein Sehnerv durch das Arbeiten auf der blanken Platte so angegriffen, daß ich nur noch mit größter Anstrengung und größten Schmerzen sehen konnte. Und dann – mußte ich mich ständig im verdunkelten Zimmer aufhalten. Ich konnte kaum noch sehen. Die Platte war abgeliefert und wurde hoch bezahlt. Nun ließ ich mich von Augenärzten untersuchen. Sie konnten kein organisches Leiden entdecken; der Sehnerv war überanstrengt. »Wir Ärzte können nichts machen, empfehlen äußerste Ruhe; Ausspannung von der Arbeit ist für Monate dringend notwendig.« In dieser Zeit besuchte mich auch Professor Woermann, der Direktor der Dresdener Galerie; er war sehr erregt über meinen hilflosen Zustand. Gehen Sie doch fort, fahren Sie zur See; das war schließlich der allgemeine Rat. Als mein Zustand sich etwas besserte, fuhr ich, mit einer Empfehlung aus Bremen, nach Hamburg. Dort war ich an die bekannte Handelsfirma Leiss empfohlen, die mich sehr zuvorkommend aufnahm und mir einen kostenlosen Platz auf ihren Segelschiffen anbot. Die Firma war bekannt durch die schnellen Fahrten ihrer großen Viermaster. – Sie stellte mir eine Barkasse zur Verfügung, die mich an das Segelschiff »Preußen« heranführte. An Bord sah ich nun die riesigen glatten Ausmaße des Schiffes, den mächtigen freien Raum des Oberdeckes, der bei Dampfschiffen durch den Maschinenraum ganz eingeengt ist. Die Kajüten befanden sich an Deck, und sie standen an komfortabler Einrichtung einer modernen städtischen Wohnung nicht nach. Aber als ich nun hörte, daß so ein Schiff, das Salpeterladungen von Millionenwert nach Europa bringen mußte, ein ganzes Jahr für die Hin- und Herfahrt benötigte, da mußte ich ausschlagen, zumal meine noch so gute finanzielle Lage den Ausfall meiner Arbeit auf viele Monate nicht vertragen konnte. So fuhr ich zurück nach Bremen, kaufte mir eine Rückfahrkarte nach der Insel Ceylon für 1800 M. Der Lloyddirektor Wigand, den ich aufsuchte, gab mir eine Empfehlung an seine Kapitäne mit.

Als ich frühmorgens den Barkenhoff verließ und Gottlieb mich nach Bremen fuhr, schaute ich noch einmal zum Barkenhoff hinauf. Da lag das Haus in einer Feuerglut der Morgensonne, als schlügen die Flammen aus dem Fenster. So hatte ich es noch nie gesehen.

In Bremen bestieg ich den Lloydzug.

Ceylon 1906

Um Zeit zu sparen und die Nordseefahrt sowie die Route durch den unruhigen Golf von Biscaya zu vermeiden, wollte ich direkt in Genua an Bord gehen. Dort bestieg ich den Dampfer »Gneisenau«. Meine Augen schmerzten kaum noch, und ich konnte leidlich sehen. Die Ruhe, eine gute Kabine erster Klasse und vor allem die schriftliche Anordnung, die mir der Lloyddirektor Wigand für den Kapitän mitgegeben hatte, diesem Passagier auf dem Schiff das Kapitänsdeck zur Verfügung zu stellen, gaben mir die Möglichkeit, mich ganz von dem Deckbetrieb der Passagiere zurückziehen zu können. Doch begannen einige Typen mich zu interessieren. Da war ein italienischer Missionar, ein Bischof, in chinesischer Kleidung mit einem dicken braunschwarzen Zopf; sein Hauptgepäck war eine Reihe von Bienenkörben. Offenbar wollte er die italienische Biene, die (vor allem die Alpenbiene) durch ihren leidenschaftlichen Fleiß und durch die schnelle intensive Ausnutzung der Wetterlage bekannt ist, mit der, nach seiner Erfahrung, weniger fleißigen chinesischen Biene kreuzen. Eine Gruppe rüpelhafter vornehmer Japaner war da, im modernen Smoking gekleidet; sie machten von ihrem Bedürfnis, nach dem Essen zu rülpsen, ausgiebig Gebrauch. Als Protest gegen die schlechte Behandlung (sie waren nicht am Kapitänstisch placiert worden) hatten sie sich an einem kleinen Nebentisch etabliert. Während des Kohlens in Port Said verschwanden sie vom Dampfer und kamen erst im Augenblick der Abfahrt zurück. Im Vergleich mit diesen Leuten war der chinesische Gesandte aus London ein äußerst kultivierter Typ. Auch er saß mit seiner Familie an einem besonderen Nebentisch. Das Familienoberhaupt war ein langer Mandschuchinese mit schmalem Kopf, von den Mundwinkeln und vom Kinn rieselte ein dünner grauer Bart herab. Die Bewegungen der ausdrucksvollen Hände, ja des ganzen elastischen Körpers des alten Mannes, dazu das kluge freundliche Auge offenbarten einen lebenserfahrenen Charakter, der menschenliebende Höflichkeit mit seiner beruflich notwendigen Distanziertheit verband. Seine Frau hatte jenen erfahrenen Ausdruck, wie ich ihn bei deutschen Bäuerinnen fand, die mit beiden Füßen fest in einer Wirtschaft stehen und deren Leben Arbeit ist. Beide waren in sehr schöne farbige Seide gekleidet, sie in Dunkelblau, er in Goldgelb, mit grauem Fehpelz verbrämt. Die Söhne gingen in schwarzer Seide und führten manchmal die Schwiegertochter der Eltern an Deck. Sie selber konnte allein, mit ihren verkrüppelten Füßen, kaum gehen. Die junge Frau hatte einen Kopf, als sei alles künstlich gebildet, das porzellanfarbige weißrosa Gesicht, das festgepreßte schwarze Haar mit der durch Blumenschmuckstücke hochgehaltenen Haarrolle. Machte die Altchinesin einige Schritte ohne Hilfe, so wirkten ihre hochgezogenen, balancierenden Ellenbogen wie die kurzen Flügel eines Pinguins, der aus der Meereswelt an Land gekommen ist und nun unbeholfen wackelnd seine mangelhaften Beziehungen zur Erde auszudrücken gezwungen war.

Häufig ging ich ins Zwischendeck, dort saß am Oberdeck der Hauptingenieur; in ihm traf ich den Ehemann der Malerin aus Worpswede, mit der ich vor einigen Jahren die Radtour nach Holstein gemacht hatte. Der Ingenieur liebte den gesellschaftlichen Betrieb in der ersten Klasse nicht, ließ sich dort gar nicht sehen; er wußte gut Auskunft zu geben über alles, was an den Küsten und auf dem Meere in den vielen Jahren vor sich gegangen war. Die Japaner liebte er nicht, nahm die Hilfe japanischer Hafenarbeiter für seine Arbeit nie in Anspruch; desto mehr hatte er für seine chinesischen Kulis übrig, kräftige mittelgroße Südchinesen, die man auch als Pärchen anheuerte, da sie als Homosexuelle nicht von ihrem Freunde zu trennen waren.

Die »Gneisenau« ankerte auf der Reede von Aden. Kohlen wurden nicht mehr genommen. Das stille Wasser nahm die Küchenabfälle und Auswürfe des großen Passagierdampfers auf und umgab das Schiff mit einem schwimmenden undurchsichtigen Dreckkranz. Möwen stießen herunter und holten sich ihre Bissen. Unzählige braune Bussarde hatten von den Möwen gelernt – auch sie stießen auf die Wasserfläche herunter, und fast greifbar für den Beobachter stiegen sie neben dem Schiffsbauch hoch, beugten im Fliegen den Krummschnabel der Beute zu, die sie mit den Krallen dem Meer entrissen hatten.

Von diesem Hafen aus gelangten wir in den Indischen Ozean. Glatt wie ein silberner Spiegel lag das Meer; nur kleine Gruppen fliegender Fische wurden aufgescheucht, schwebten im flachen Bogen und tauchten schnell wieder in die Fläche unter. Je mehr man sich von der Küste entfernte, desto knappere Formen hatten die Vögel und desto schneller erschien ihr Flug. Es kam mir so vor, als sei die Torpedoform der körperliche Ausdruck dieser Weitreisenden. Und wenn die tropische Nacht ihr golddurchwirktes blaues Sternenbanner über den Ozean spannte, schaukelten sich im leise rauschenden Keil der Bugwellen leuchtende Medusen.

Eines Morgens liefen die Schiffsmaschinen langsam, dann verstummten alle Geräusche. Ich kletterte schnell aus der Koje und trat an das Bullauge. Das runde, messinggerahmte Kajütenfenster bot den Einblick in eine märchenhafte Welt. Himmel und Meer schienen nicht mehr getrennt, alles lag da wie eine einzige goldweiß glühende Fläche, auf der geräuschlos in fliegender Eile seltsame schmale Böte mit Auslegerbalance und spitzkantigen Segeln vorbeiglitten. Schwarze nackte Gestalten standen im engen Schiffskörper und hantierten mit kurzem Ruder.

Eilig machte ich mich fertig und ging an Deck. Von den Böten, die zum Dampfer herüberruderten, ertönten die Rufe der Fahrenden, ein langgezogenes Ku-u-i, der Ruf, den ich von Paula kannte. Eine Barkasse mit Lloydflagge lag unten an der herabgelassenen Falltreppe. Herren stiegen an Bord; große Aufregung. Telegramme aus der »Times«: »Unwürdige Behandlung japanischer Diplomaten an Bord des deutschen Dampfers ›Gneisenau‹.« – Also da haben wir den langen Aufenthalt der japanischen Passagiere in Port Said! Ein hinterhältiger Jiu-Jitsu-Griff. Nur, die Kampfunfähigkeit des angegriffenen Schiffskapitäns blieb aus. Ein deutscher Tropenarzt, der die ganze Sache beobachtet und nach dem zeitweiligen Verschwinden der Japaner in Port Said ein Protokoll aufgesetzt hatte, wozu er sich unsere Unterschriften geben ließ, überreichte alles den Lloydvertretern, die die Japaner aufsuchten und sie in höflicher Form ersuchten, von Colombo aus, wo wir jetzt waren, einen japanischen Dampfer zur Weiterreise zu benutzen.

Colombo. Warnungstafel am Landungsplatz: »Hüte dich vor Sonnenstich. Erinnere dich an Mister Howard, gestorben am 13. August 1897, Mistreß Taylor, gestorben am 4. September 1897«, und so weiter. Es wurden alle aufgezählt, die unvorsichtigerweise an dieser Stelle ihr Leben durch Sonnenstich verloren. Zwischen der Geschäftsstadt, dem Eingeborenenviertel mit phantastischen Tempeln und dem mächtigen Gallface-Hotel lag ein weit ausgedehnter unbebauter Platz am Meer. Das Hotel schloß ihn ab. Im Hochparterre des Gebäudes befanden sich offene Terrassen mit Liegestühlen und breite Korridore, in denen Läden eingebaut waren. Hier hatten Schneider, Edelsteinhändler, Händler mit japanischer Kunst und Kunstgewerbe ihre Verkaufsstände. Dahinter lag der weißgekälkte große Speisesaal mit einem Heer farbiger Bedienung. Das Haus umschloß einen offenen Palmenhof. In den überaus hohen schlanken Bäumen trieben sich Krähen herum, die als geheiligte Tiere eine räuberische Frechheit entwickeln. Sie erdreisteten sich, auf den Gesimsen des offenen Speisesaales zu hocken, um einen Moment abzuwarten, vielleicht wenn abgeräumt wurde, und sich sofort auf unbeobachtete abgegessene Tische zu stürzen und sich zu versorgen. Auch ein Neuling wie ich wurde oben in der Etage, wo ich mein Zimmer bezogen hatte, bald von der Bande besucht, denn die Fenster schloß man nie. Ich las am Spiegel die Warnung: »Reisender, laß keine Schmucksachen liegen, die Krähen werden sie nehmen.« Doch der Blick auf das mit sauberen weißen Moskitonetzen verhängte Bett beruhigte mich, und bald zog ich die Vorhangmitte hoch und schlüpfte auf mein Lager. Der fallende Mullvorhang schloß den Betteingang. Als ich abends mein Zimmer betreten hatte und das Licht anknipste, huschte es überall an den Wänden weg, als hätten sich schwarze Mäuse in gewandte graue Käfer verwandelt. Mich entsetzte der Gedanke, mit den Biestern in einem Raume zu leben. Das riesige zweischläfrige Bett wirkte jetzt wie eine kleine, aber geräumige, gesicherte Wohnung.

Wohltuender Schlaf auf festem Grund. Anderen Morgens klopfte es. Ein Singhalese grüßte: »Selam Master«, stellte einen aromatisch duftenden Tee, Toast und Butter sowie Bananen auf den Nebentisch. Dann führte er mich zum Bad. Als ich aus dem Bad zurückkam, hörte ich grade noch, wie ein Teelöffel fiel; die schwarzbeflügelte Krähenbande hatte mit meinem Frühstückstisch aufgeräumt, ich sah, wie einer Krähe noch das Stück Butter aus dem Schnabel fiel.

Anderen Tages traf ich meine Bekannten vom Schiff im Palmenhof des Hotels, einen Berliner Rechtsanwalt, der den guten Jahresabschluß seines Geschäfts in den Tropen verzehren wollte, und einen reichen Schweizer Fabrikanten von pharmazeutischen Präparaten. Aus dem Inneren des Gebirgslandes waren der Hauptverwalter der Farmen des Schweizers, ein Engländer, und sein Chemiker von dort, ein Italiener, heruntergekommen, um ihren Chef zu begrüßen und hinaufzuführen. Man saß in diesem hohen Palmenwald an kleinen Tischen, zwei Singhalesen standen unterwürfig und dienstbereit bei jeder noch so kleinen Gruppe. Als einer der Singhalesen einen Löffel oder Saughalm oder was weiß ich beim Bedienen vergessen hatte, nahm der Engländer einfach sein Glas mit Eiswasser und Whisky und schleuderte den Inhalt über seine Schulter dem Farbigen ins Gesicht. Das genügte mir als Probe westeuropäischer Kultur, um den großen Packen Empfehlungsschreiben an Regierungsvertreter und die Chefs großer Kaufhäuser, den ich in meiner Brieftasche trug, unbenutzt zu vernichten.

Um sechs Uhr morgens ging die Sonne auf; um zehn Uhr war die Hitze schon so stark, daß man seine Besorgungen nur von einer Rikscha aus machte. Dem dunkelbraunen Rikschakuli lief der Schweiß in Strömen am nackten Rückgrat herunter. Um sechs Uhr abends ging die Sonne unter; jetzt im Januar, in der Regenzeit, manchmal nach großen Theatereffekten am Himmel. Die kamen ganz plötzlich. Der Himmel überzog sich dunkelviolett, die ausgezackten Palmenwipfel standen schwefelgelb gezeichnet gegen die dunkle Wolkenwand – dann war es, als wenn der Himmel bräche. Schwer fielen die Wassermassen auf die eilenden Menschen. Ein paar weißgekleidete Matrosen der königlich britischen Marine, die sich im angetrunkenen Zustand blutig geschlagen hatten, wurden auf diese Weise schnell reingewaschen und ernüchtert. Den anderen, wie mir, floß der Regen vom Halskragen am Körper herunter bis in die Schuh. In wenigen Minuten war der tropische Gewitterregen vorbei. Doch viele Tage waren auch regenlos. Dann entwickelte sich auf dem weiten Platz vor dem Gallface-Hotel ein märchenhafter Korso. Wohl zogen noch einige hochrädrige Teekarren, mit mächtigen grauweißen Zebus bespannt, zur Stadt; aber aus der Stadt kamen Spaziergänger, Gefährte und Reiter – ein Strom phantastischer Art.

Auf einem Platz hatten sich die Parsen hingehockt. Mächtige Kerle, noch erhöht durch einen Turban, aus dem eine abgestumpfte Spitze stieg. Einige der Männer hatten sich ihrer Oberkleider entledigt und traten in den Halbkreis zum Ringen. Andere nahmen ein schmales Seidentuch von der Schulter, das wohl einen Gebetsteppich vorstellen sollte, breiteten es auf den Boden hin, wandten sich der Sonne zu und begannen mit feierlichen Gesten ihre Abendandacht. Eine englische Miss klappte ihre Lorgnette auf und betrachtete die Männer, als befände sie sich in einem Panoptikum. In schnellem Trippeltrab eilte ein kleines singhalesisches Renngefährt vorbei, von einem winzigen Zebubullen gezogen. Der kleine zweirädrige Wagen war bunt bemalt mit Blumen; auf dem schmalen Sitzbrett hockte ein Singhalese dicht am Hinterteil des winzigen Bullen, das er mit einem kleinen leichten Stock betrommelte. Auf einem irischen Hunter ritt in pathetischem Schritt ein Halfcast, hier in Ceylon Burgers genannt, vorüber, auffallend elegant europäisch gekleidet, mit roten Glacéhandschuhen. Auf einem blanken käferschwarzen Dogcart thronte ein Pfarrer, hinter ihm saß seine lustige, buntgekleidete Familie. Behaglich trabte der feiste Braune unter der Leitung des grauhaarigen Geistlichen, überholt von einer eleganten Kutsche, die zwei langschweifige Araber-Grauschimmel zogen. Im Wagen lehnten wie hingegossen zwei vornehme Inder, in erdbeerfarbene und goldgelbe Seide gekleidet. Vor ihnen auf dem Bock zwei beturbante Farbige, weiß in weiß, mit dunkel umwickelten Beinen und unbekleideten Füßen. Hinter dem Rücksitz, auf dem die Inder saßen, standen ebenfalls zwei gleichartig in Weiß gekleidete Diener mit überkreuzten Armen, in einer Hand einen Fliegenwedel aus Pferdeschweif. – Da galoppierten, wie Säcke auf ihren Gäulen hängend, eine Reihe Farmer heimwärts, denen der Alkohol offenbar eine natürliche Balance gab. Im langsamen Trab erschien ein dunkelgrün lackiertes Gefährt mit halbgeöffneten Jalousieklappen, hinter denen man die neugierigen Blicke phantastisch farbig gekleideter Frauen erkennen konnte und die zarte schlanke Figur eines in Weinrot gekleideten Knaben. Auf dem Fußweg des Platzes am Meer begegnete man auch typischen Mauren im Burnus, Abkömmlinge arabischer Abenteurer. Der ganze Abendkorso weckte Gedanken an die vielen verschiedenen Eroberer und Ausbeuter dieser reichen Insel; schon den Römern war sie wegen ihrer Edelsteinfunde bekannt.

Ein Schrecken für die großen Hotels waren die Farmer. Ihre Begrüßung auf der Straße war »Love a drink«. So schloß man sich an, und so mehrte sich die Gesellschaft, jeder bezahlte eine Runde. In den kellerartigen unteren Räumen des Hotels war eine besondere Bar für sie eingeräumt. Der Fußboden aus Zement, alle Möbel aus Eisen, die Tische und die Stühle. Die Pantry, hinter der zwei schwarze Barkeeper arbeiteten, konnte man durch eiserne Läden schließen. Wenn der Uhrzeiger auf die Feierstunde zehn Uhr abends vorrückte, versuchten die Schwarzen listig und unbemerkt ihre Hakenstange in die Öse der Jalousien zu bringen, um Punkt zehn die Rolläden herunterrasseln zu lassen und sich so vor den Wurfgeschossen, Tellern, Gläsern, Löffeln usw., zu schützen.

Im Gallface-Hotel befreundete ich mich mit einem Singhalesen, einem Edelsteinhändler, der im Untergeschoß seinen Laden hatte. Der gab mir allerhand Aufschlüsse über die Bevölkerung, über die Reste der alten Architekturen, die in den Urwäldern, verschlungen von üppigem Pflanzenwuchs, vorhanden waren und durch menschliche Arbeit wieder ans Tageslicht gebracht wurden, über die Fundstellen seiner Ware und über die Perlfischerei, die vor allem von den Parsen finanziert wurde. Vor der Abreise ins Gebirge schenkte mir der farbige Freund einen dünnen, aber gewichtigen, krückenlosen, glatten Spazierstock mit dem Bemerken: »In diesem Lande kann man nicht ohne Stock gehen, Sie müssen es lernen, sich der Schlangen durch Querschläge zu erwehren, vor allem ist es die Kobra, der Sie begegnen werden.«

Am anderen Tage begann die Reise ins Gebirge nach Kandy, der alten Hauptstadt der Singhalesen: der Schweizer Chef, der mich auf seine Teefarm eingeladen hatte, der Engländer, der sie verwaltete, der italienische Chemiker, der Berliner Rechtsanwalt und ich.

Das Hotel in Kandy war überfüllt, ich war gezwungen, im Barbierladen ohne Moskitonetz zu übernachten. Wie häufig strich ich mir später über das Gesicht, wenn ich an diese Nacht zurückdachte; die unsympathischen Gefühle wurden dann wieder wach, als ob mir eben wieder eines der mausegroßen grillenartigen Insekten mit den kratzigen Beinen über das Gesicht gelaufen wäre. – Kandy mit seinen Tempeln und Teichen, die Blumenopfer vor den Buddhagestalten in den halbdunklen Tempelhallen, die hockenden, knienden und sich aufreckenden Bewegungen der braunen halbnackten Körper der Andächtigen prägten sich mir ein. Ein warmes Gefühl für die Farbigen war in mir lebendig. Ich konnte es gut verstehen, daß der Italiener, der Sproß einer alten adligen Familie, der schwarzen Venus huldigte, obgleich jeder Engländer ihm aus diesem Grunde verachtungsvoll aus dem Wege ging.

Spätabends wurde ich von dem Schweizer gebeten, einen Streifzug mitzumachen, um das Nachtleben Kandys kennenzulernen. Jeder schwang sich in eine Rikscha, der Chef, der Chemiker, der Maler. Im schnellen Lauf zogen die schwarzen Kulis die zierlichen Wagen durch die noch sehr belebten Straßen in das spärlich beleuchtete Eingeborenenviertel – winklige Straßen, niedrige Hütten. Der Italiener war hier offenbar gut orientiert, als er die Rikschas schließlich halten ließ. Wir stiegen zu der etwas höher liegenden Straßenfront der Hütten hinauf. Diese haben einen offenen überdachten Vorplatz, keine Tür; eine lotrecht zwischen Holzschienen stehende Wand loser dicker Bretter trennt den Innenraum von der Außenwelt. Ein Farbiger, der sich uns von der Rikscha aus anschloß, nahm eines der Bretter, schob es auf das nebenstehende, und durch den Spalt traten wir in einen kleinen Wohnraum. Ärmlich, aber sauber. Der schwarze Begleiter war wieder auf der Straße verschwunden. Der kalkweiß gestrichene, durch eine Hängelampe ziemlich gut beleuchtete Raum hatte nur einen Schmuck, der alle Gefühle auf sich konzentrierte. Das war in der einen Ecke der dunkelgrüne, ganz primitive Baldachin; darunter lag, auf den Ellenbogen gestützt, eine bronzefarbene Frau, fast unbekleidet; die Frau war schön. Die ebenmäßigen, wie gedrechselt runden Glieder, die Brüste, die sich kugelig unter einem ganz kurzen weißen Brustmieder strafften, der hochgehobene Kopf, der uns, als sei sie freudig erstaunt, mit entblößten, herrlichen Zähnen entgegenlächelte, mußten mir ein unvergeßliches Bild bleiben. Ein paar halbwüchsige Mädchen verschwanden durch den aufgeschobenen Spalt der Hinterwand ins Dunkel des Nebenraumes. Der pharmazeutische Chef folgte der kleinen Bande, die ihm winkte; die weiße Wand schloß sich hinter ihm. Nachdem der bärtige Italiener seine Unterhaltung mit der schwarzen Schönheit begonnen hatte, hielt ich es für angebracht, zu verschwinden. Auf der Straße winkte ich meiner Rikscha, und bald landete ich im Hotel, wo man mir jetzt ein eigenes Zimmer hergerichtet hatte.

Der Chef, der Chemiker und der Verwalter fuhren anderen Tages ins Gebirge auf die Teefarm. Der Rechtsanwalt und ich unternahmen einen Ausflug ins Hochgebirge zu dem Luftkurort Newelia (Habara eliga). Dort war es ziemlich kühl, im Kamin des sehr kultivierten englischen Hotels brannten sogar ein paar Holzscheite; aber die Üppigkeit der Vegetation hatte in keiner Weise nachgelassen. Vor allem die Schluchten der Bäche, die der Eisenbahnzug überquerte, zeigten eine unbeschreibliche Üppigkeit. Die Schönheit der Baumfarne ließ den stolzen Wuchs der Palmen ganz vergessen. Wo der Wald lichter wurde, säumten uralte blühende Rhododendrongebüsche von Baumeshöhe den Waldrand. Newelia lag auf einer Hochebene, umgeben von großen Bergen. Am Stadtrand lagen Plätze für Pferderennen und für Polospiel. Unternehmungslustige englische Sportler stiegen von hier zu Fuß in die Berge, um mit ihren schwarzen Treibern auf die Hirschhetze zu gehen. Hier lebt der weißgesprenkelte Axishirsch, und es galt als »gentlemanlike«, ihm so lange nachzusteigen, bis man ihm mit dem Jagdmesser den Fang geben konnte.

Eine andere Fahrt machten wir noch zusammen von Kandy aus nach Dambulla. Hier hatte man den stärksten Eindruck von tropischem Urwald. Zwei kräftige australische Pferde zogen im scharfen Trab den Wagen, auf dessen erhöhtem Führerbock zwei Pferdepfleger saßen; die hinteren beiden bequemen Sitzplätze waren niedriger und ließen den Blick rückwärts in die Landschaft offen. Das Ganze war überdacht. Wie in einen grünen Tunnel streckte sich der Weg durch den Wald hin. Eine ganze Strecke lang glaubte man in ein dichtes Schneegestöber zu kommen, aber es waren Millionen von weißen Schmetterlingen, die in der Luft flatterten. Da unterm Wagen (offenbar aus Höflichkeit gegen die Tiere des Urwaldes) eine Glocke hing, sah man wenig vom Tierleben des Waldes; nur ein mächtiger Wasserbüffel, dem das Gebimmel keinen Eindruck machte, blieb angriffsbereit mitten auf der schmalen Straße stehen und zwang uns, durch Wasserpfützen und zwischen hohen rötlichen Termitenhügeln hindurch einen beschwerlichen Umweg um das Biest zu nehmen. – An einer anderen Stelle erschreckte uns die Schnelligkeit einer mächtigen Pythonschlange, die sich aus einem Gewässer heraus einen alten Baum hinaufwand; die Baumkrone schüttelte sich wie im Sturm, eine Affenherde schoß heraus, und weit in anderen Bäumen konnte man an den bebenden Wipfeln den Weg der Flüchtenden erkennen.

Die Eingeborenendörfer kündeten sich sehr geräuschvoll an. Wenn man dann aber auf der offenen Veranda eines Rasthauses im Liegestuhl lag und die Pferdepfleger ihre Pfleglinge unter den hohen Palmen massierten, traten selbst die Geräusche des Dorfes zurück gegen die Sinfonie der Urwaldtöne. Hier gab irgendein großer Frosch den Unterton an. Der Ton hatte einen Klang, als schlüge man mit Holzlöffeln auf ein Tongefäß. Dann kam dazu das Gekreisch der Affen und der Papageien. Die Geckos knallten ihre kurzen Takte dazwischen, und die verschiedenen Singvögel, vor allem die Webervögel, die grade über uns ihre kunstvollen Bauten unter den Palmblättern aufgehängt hatten, legten ihr zartes, vieltöniges Gezirpe, ihr Flöten und Gegeige über die ganze reiche Komposition. Das Dorf lag an einem großen Stauweiher, von dem die Berieselung der Reisterrassen ausging. Der Teich war immer von Alten und Jungen lustig belebt. Man stieg ins Wasser, wusch seine Leibtücher, breitete sie am Ufer in der Sonne aus. Riesige Bäume umgaben den Teichrand, neben denen der Mensch ganz winzig erschien. – Dunkelhäutige Frauen wandelten mit ihren bauchigen Wasserkrügen am Rasthaus vorbei; die einen trugen das mächtige vasenförmige Gefäß auf dem Kopfe, andere stützten es auf die Hüfte. Lange konnte man seine Blicke auf diesen anmutigen Gestalten ruhen lassen; aber in einigen Stunden würde die Sonne sinken. Vom Tempel am Berge tönte der Gong. Ich wanderte daher den Tönen nach, kletterte über flache, rundgeschliffene kahle Felsen, die den Eindruck machten, als seien sie die grauen Rücken riesenhafter Elefanten. Mächtige Landschildkröten stempelten sich langsam über dem Gestein hoch, als wollten sie mit ihren plumpen Füßen den Felsen ihr Petschaft aufdrücken. Dann kam eine Grasterrasse, über die der Felsenberg steil aufstieg. Offenbar bildete hier der Berg an seinem Fuß eine tiefe Falte, denn eine lange Mauer schien ihn zu stützen, eine Mauer, in der zwei offene dunkle Türlöcher waren. Im Rahmen einer Tür, zu der eine steinerne Stufe hinaufführte, lehnte ein braunhäutiger Priester in einer schwefelgelben Toga, mit kahlrasiertem Schädel. Er machte dem Fremden Platz, ich trat in einen großen, nicht sehr tiefen, nicht sehr hohen, aber langen Raum. Wenn man aus der Sonnenglut draußen kam, glaubte man zuerst, in völlige Dunkelheit zu stoßen; aber bald gewöhnte sich das Auge, der Raum schien hell zu sein, von seinem Höhlencharakter keine Spur. Dahinten standen eine Reihe von Buddhafiguren, die aber vor ihren Gesichtern fahnenartige Tücher hängen hatten. Mitten im Raum lag ein viereckiger Brunnen mit kristallklarem Wasser. In kurzen Abständen fiel Tropfen um Tropfen auf die sich kreisförmig wellende Wasserfläche. Die Türlöcher wirkten jetzt wie Weißglut, aber der große Raum hatte ein ruhiges, gleichmäßig verteiltes Licht. Leicht wirkte er – wie ein Zelt, denn die ganze Decke war mit einer Konturenmalerei von Rot, Schwarz und Ockergelb auf weißem Grund überzogen. Der Priester winkte mir vom Ende der Halle zu und gab mir einen brennenden Wachsfaden in die Hand, er kroch gebückt durch ein niederes Türloch und winkte wieder. Jetzt standen wir beide in einer niedrigen langen Höhle von geringer Tiefe.

Der Priester bewegte leuchtend seinen Wachsfaden an einer riesenhaften liegenden Figur entlang, die, aus der Felswand gehauen, den Eindruck machte, als trüge sie den ganzen Berg; aber sie lag, schlafend in einem langen, dünnfaltigen Gewand, und der riesige eirunde, schlummernde Kopf ruhte auf einer äußerst schlanken Hand mit schmalen Fingern: Buddha. Dies war der erschütterndste Eindruck hoher künstlerischer Kultur, den ich auf dieser Reise hatte.

Die Reise zur Teefarm

Zwei Dogcarts, einer für Gepäck und einer für die beiden Weißen, wanden sich eine Tagereise lang ins Gebirge hinauf. Bei Tage war die Bergstraße noch sehr belebt. Wandernde Farbige mit langen Bergstöcken, ihre Reisration kugelrund in einem Teil der Toga verstaut, zogen vorüber. Einmal, um die Mittagszeit, begegneten wir hinter einer Wegbiegung einer Frau, die ihren nackten Körper dadurch vor der Sonne schützte, daß sie beim Schreiten ihr Gewand, das ja nur aus einem roten Tuch mit weißer Strichborte bestand, mit den beiden Händen hoch hielt und es wie einen Baldachin im Winde flattern ließ. Erschreckt schlug sie sofort das Tuch um ihren dunklen Körper, als sie die Wagen gewahrte. Es begann zu dunkeln; uns wurde ungemütlich, da wir nicht wußten, wie weit es noch bis zur Teefarm war. Ich war zu Fuß vorgegangen, die Wagen mit Gepäck und mit dem Rechtsanwalt kamen nach. Plötzlich Schüsse, unregelmäßig; die nächste Wegbiegung hob sich schwarz ab von einem Feuerschein. Die Wagen kamen. Ich setzte wie ein Kundschafter meinen Weg fort, gefolgt von dem europäischen Reisekollegen. Wie wir hinter die Wegbiegung kamen, waren wir bald umringt von Eingeborenen, und dicht vor uns begannen zwei nackte Schwarze, behangen mit silbernen Ketten und muschelförmigem Silberschmuck, einen wahnsinnigen Tanz mit Luftsprüngen und Kniebeugen. Unsere vagen, staunenden, etwas ängstlichen Empfindungen änderten sich, als jedem von uns Europäern ein Wiener Rohrstuhl zum Sitzen untergeschoben wurde. Der Tanz endete bald; jeder Tänzer bekam von uns ein dickes Silberstück in die schwarze Hand. Jetzt, als etwas Beruhigung eingetreten war, hörten wir auch plötzlich den Farmerruf »Ku-u-i« aus den Bergen herunterschallen. Es mußte gar nicht mehr weit sein, und bald waren wir von den Gastgebern umringt, die sich wegen unseres langen Ausbleibens schon geängstigt hatten. Als wir von dem letzten Abenteuer erzählten, gab es großes Gelächter. »Ja, Sie sind da grade in eine Hochzeit von unseren Tamuls hineingeraten; aber Sie können von Glück sagen, es ist heute wenigen vergönnt, die Teufelstänzer zu Gesicht zu bekommen.«

Die einstöckigen Bungalows der Teefarm und die kultivierte Gastfreundschaft der englischen Familie machten den Aufenthalt sympathisch, wenngleich die Behandlung der schwarzen Arbeiter in mir alles Negative hochkommen ließ. Es war sehr heiß. Die Decke des Zimmers, in dem man speiste, nachdem auf der Veranda mit Gin und Whisky die nötige Grundlage gegeben war, bestand aus langen schmalen nebeneinandergereihten Stofflappen, die durch unsichtbar bleibende Kulis von einem Nebenraum aus als Fächer hin und her gewedelt wurden. Der Teefarmer rief einmal dem Headboy etwas zu, und der brachte darauf einen seltsamen Tischschmuck, den er geschickt auf der Tafel placierte: ein dürres Baumgeäst, in dem mit glotzenden Räderaugen zwei Nachtaffen hingen, fast unbeweglich mit den einzelnen Gliedern in die dicken Zweige verkrallt. Die Tiere waren bei der Kultivierungsarbeit gefunden worden.

Neben den Teekulturen wurde hier vor allem auch Koka angebaut. Die Gewinnung eines Halbfabrikats für die Kokainherstellung war die Hauptaufgabe des Italieners. Der Chemiker genoß bei den Farbigen besonderes Vertrauen; er war ihr hilfsbereiter Berater in allen schwierigen Lebensfragen. Sein Bungalow lag über einem ausgetrockneten Flußbett, in dem sich die Kobras sonnten. Der Bau dieses Landhauses ließ leicht erkennen, mit welchem Verständnis die Engländer sich die Erfahrungen der Eingeborenen zunutze machten.

Nach einem Monat Aufenthalt fuhr ich wieder heim. Seit der Durchfahrt durch den Suezkanal, beim Verlassen Europas, hatte ich mit dem Sehnerv keine Schwierigkeiten mehr gehabt. Selbst die Tropensonne hatte daran nichts geändert. Die Heimfahrenden auf dem Dampfer bestanden zum großen Teil aus russischen Soldaten, die aus der japanischen Gefangenschaft heimkehrten. Ein dicker kleiner Marineleutnant von strahlender Lebensfreude war unter ihnen. Ihm hatte das Hasardspiel das Leben gerettet, so behauptete er wenigstens. Der Tod kam ihm zugeflogen in einem Granatsplitter, der aber gegen eine Hosentasche voll Geldstücke schlug, die er im Hasardspiel gewonnen hatte. Das Geschoß warf den Besitzer zwar um und brachte die Geldstücke ins Rollen, aber das Leben des lustigen Leutnants war gerettet.

Fischerhude

In diesem Winter machten wir große Ausflüge auf Schlittschuhen. Das Eis war gut, vollkommen schneefrei. Wir waren alle gute Schlittschuhläufer. Paulas sichere, gleichmäßig-wuchtige Balance blieb mir immer in Erinnerung. Bei der Gelegenheit suchten wir auch Hoetger auf, der sich jetzt auf kurze Zeit in Fischerhude niedergelassen hatte. Auch Clara Westhoff hatte sich mit ihrem Töchterchen dort angesiedelt, nachdem sie sich von Rainer Maria getrennt hatte. Wahrscheinlich wollte Hoetger sich diese Malerkolonie Worpswede erst einmal von der Ferne ansehen, ehe er sich entschloß, ganz nach dort überzusiedeln. Als wir im Frühsommer noch einmal mit Modersohns (und Paulas Schwester Herma) bei ihm waren, konnte ich ihm vieles erzählen von dem, was ich auf der Insel Ceylon gesehen hatte. Da Hoetger damals dem Buddhismus nahestand und große Reliefs in Arbeit hatte, die in der ganzen Anlage der Komposition auf der javanischen buddhistischen Reliefskulptur fußten, waren unsere Aussprachen sehr anregend. Über Nacht blieben wir in Fischerhude. Gegen Abend hatten wir uns noch ein Boot genommen. Geräuschlos glitt der schwarzgeteerte flache Kahn auf dem dunklen Moorfluß dahin. Still horchten die Insassen auf das gurgelnde Wasser unter den Wurzeln der alten Erlenbäume am niederen Ufer. Dumpf stöhnte eine Kuh, die sich wie ein mächtiges Gebäude vom Abendhimmel abhob. Das Boot stieß ans Ufer. Freudig erregt und erfüllt von der Schönheit der anbrechenden Sommernacht, verließen die Freunde das Schiff. Durch das wogende Gras gingen wir auf einen niederen Hügel zu, offenbar eine einstige Hausstelle. Hier stand noch ein alter Holunderbusch, dessen flache Blütenteller aus der Dämmerung herausleuchteten und dem Platz ein festliches Gepräge gaben. Wir lagerten uns am trockenen Heidehang. – Aber wo waren die Frauen geblieben? Die gelbe Mondscheibe begann heller zu leuchten im blaßblauen Himmel. Da wies einer der Freunde nach der runden Uferweide am Fluß und flüsterte: »Seht die Frauen!« In diesem Augenblick sahen alle, wie sich der Weidenbusch teilte und die zwei Frauen, Paula und Herma, heraustraten. Ihre Kleider hatten sie bis auf einen schmalen Schleierschal abgelegt. Nun überflutete das Mondlicht ihre schönen Körper. Wiegend kamen sie sich entgegen, ihre Hände fingen sich, schwangen hoch und trennten sich, gingen auf und nieder, einten sich und gaben den Schwung zur Trennung und zum wirbelnden Tanz. Einer weihevollen Stunde künstlerischen Ausdruck zu geben, das war das Wesen Paulas.

Die polnische Reise

In diesem Frühling verkaufte ich mein großes Bild »Frühling« nach Lodz. Im Sommer kam eine Einladung von dort, nach Lodz zu kommen und bei einer Fabrikantenfamilie auf dem Lande als Gast zu weilen. Als Martha und ich auf dem Lodzer Bahnhof ankamen, wurden wir von einer Frau abgeholt, die durch die Einfachheit ihrer schwarzen Kleidung, mit schlichtem schwarzem Filzhut, auffiel und durch den sympathischen, aber ernsten Ausdruck der grauen Augen gleich anziehend war. Ein elegantes Gespann mit sehr schnellen Pferden brachte uns durch die mit hohen Holzplanken eingefaßten Straßen. Das Holztor einer dieser Planken wurde schließlich von einem Wärter geöffnet, der sich tief verbeugte, der Wagen fuhr durch und wendete vor dem Hauseingang einer modernen Villa. Nur einige Tage hielten wir uns in Lodz in dem Milieu des reichen Textilfabrikanten auf, einer Familie mit einer Anzahl von Kindern. Hier machte die ernste Frau, die Mutter, den Eindruck einer Erzieherin mit strengen Ansprüchen, aber auch mit Wärme und Sorglichkeit für ihre Kinder. Dann fuhren wir hinaus auf das Landgut, ein einfaches, langgestrecktes Landhaus mit weißgekälkten Zimmern. Einrichtung und Ernährung hatten auch diesen betont nüchternen, soliden Charakter. Eine große Kinderschar empfing uns. Alle hatten hohe Stiefel an und einfache russische Hemden. Hier schien uns das besondere Reich zu sein, in dem die Frau ihr Eigenleben führte, in dem sie regierte. In der Stadt lebte noch, im Nebenhause, ihre alte Mutter, die einstmals mit dem Tuchpacken auf dem Rücken aus dem Elend des schlesischen Weberlandes nach Russisch-Polen eingewandert war. Der Aufstieg der Lodzer Fabrikanten zu großem Reichtum belastete die junge Frau. Sie hielt sich verpflichtet, die sozialen Mißstände auf ihre individuelle Weise zu lösen. Schulkinder aus proletarischen Kreisen, die mit ihren eigenen Kindern zusammen lernten oder spielten, faßte sie im Sommer zusammen, kleidete alle ganz neu ein, auch hatte sie eine Reihe kleiner Pferde gekauft, auf denen die Kinder sich tummeln konnten. Mißklang unter den Kindern duldete sie nicht, dann hielt sie eine kleine Besprechung ab, und im schlimmsten Falle wurde dem Urheber das Paket mit seinem alten Zeug unter den Arm gegeben, und er mußte abziehen.

Eines Abends kam ihr Mann mit der Zeitungsnachricht, Egon Petri gäbe in Warschau einen Chopin-Abend. Wir fuhren hin und erlebten außer dem Zusammensein mit unserem Freund einen Chopin-Abend, der bei den Polen stürmische Begeisterung auslöste.

In Lodz hatte ich noch das Bildnis der Schwester unserer Gastgeberin zu malen. Dann fuhren wir heim. Der Reichtum der Familie brachte den Kindern wenig Glück; sie wandten sich von der Mutter ab, dem Vater zu. Später verloren wir auch die Verbindung mit der Mutter, obwohl sie in Deutschland gelebt haben muß. Die Frau fühlte sich wohl entwurzelt, wußte keinen praktischen Weg, ihre Erkenntnisse mit den Bestrebungen der Masse in Verbindung zu bringen; sie endete mit Selbstmord.

Paulas Tod

Als ich auf dem Bremer Bahnhof ankam, sah ich im Wartesaal an einem Tisch Herma und Milly Becker mit einigen Freunden sitzen. Freudig ging ich auf die Gruppe zu: Was macht Worpswede, was macht Paula? Aber die Worte erstarrten schon auf meinen Lippen vor dem erschütternden Ausdruck ausgeweinter Augen, mit denen die Frauen zu mir aufblickten: Paula ist tot!

Erst nach Tagen und stillen Stunden mit Otto Modersohn vervollständigte sich in mir das Bild Paulas. Sieben reiche Arbeitsjahre als Künstlerin, erfüllt mit jubelnder Lebensbejahung, mit ernsten und manchmal bitteren Kämpfen und unsentimentalen Todesahnungen, hatten mit der Erfüllung ihres heißen Wunsches geendet, mit der Mutterschaft, mit der Geburt eines Kindes, eines Töchterchens. – Es kam die Feierstunde des 21. November 1907, Paula wollte zum erstenmal aufstehen. Otto hatte die kleine Wohnung geschmückt. Viele Lichter brannten. Das Tageslicht war verhängt; in den vielen kleinen eingenähten Rundspiegeln der orientalischen Fenstervorhänge spiegelten sich tausend Lichter. Jetzt kam Paula langsam aus dem Kämmerlein, das die Erfüllung ihrer Mutterträume barg. Sie ging mitten in das festliche Zimmer, sank zusammen und starb im Arm ihres Lebensgefährten mit den Worten: »O wie schade!«

In der nächsten Zeit ging ich häufiger mit Otto Modersohn zu Martin Brünjes, in Paulas Arbeitswohnung. Hier erlebten wir feierliche Stunden vor dem großen Werk, das Paula hinterließ. Für uns, selbst für Otto, war es eine große Überraschung, was für ein Reichtum an Arbeiten, auch an unbekannten, sich in ihrem Alkoven vorfand. Ich kannte bis dahin nur wenige Bilder. Martha und ich waren zwar jeden Donnerstag, wie wir es festgesetzt hatten, mit Paula und Otto zusammengekommen, aber in ihrer Wohnung, und dort sah man kein Stück von ihrer Malerei. Sonntags nachmittag hatten uns beide auf dem Barkenhoff besucht. Paula hatte sich bei ihrer Verheiratung ausbedungen, ihre Stube bei Brünjes im Moor als Arbeitsraum beizubehalten, und alle achteten ihr kleines Sonderreich und hatten sie dort nur aufgesucht, wenn sie aufgefordert waren. Als Paula in Paris war, war ich einmal mit Otto in ihr kleines Atelier gekommen. Da sahen wir aber nur die nächstliegenden Bilder, die gerade fertig geworden waren. Ich hatte damals einen sehr starken Eindruck. Ein Stilleben: Äpfel mit einem dunkelgrünen Glas auf einer braunroten Decke, war für mich der Inbegriff einer Monumentalität, wie ich sie bei Stilleben noch nie gesehen hatte. Es war die Eigentümlichkeit der Kunst Paulas, die einzelnen Dinge an sich in ihrem Formcharakter und im vollen Reichtum der Eigenfarbe darzustellen und mit ihnen den Bau des Bildes zu gestalten. Ihre künstlerischen Ausdrucksmittel unterschieden sich von ihrem Meister Cézanne in der Bereicherung durch Form und Farbe. Cézanne ging vom ganzen Milieu des Vorwurfes aus, kam daher vielfach zur Wiederholung des einmal erfaßten Farbklanges, wogegen man beim Vertiefen in die Kunst Paula Becker-Modersohns dadurch in Erregung geriet, daß jedes Ding für sich ein neues Farb- und Formproblem darstellte im Rahmen einer festgefügten Komposition. Das Apfelstilleben mit dem grünen Glas hängte ich bei mir im Barkenhoff auf und sandte an Paula eine kleine Summe Geldes nach Paris.

Wenn man so das ganze Lebenswerk Paulas übersah, so konnte man feststellen: die Lehrzeit in Berlin war häuslich und nüchtern. Das künstlerische Resultat ihrer Arbeiten erhob sich nicht über den guten Durchschnitt. Ich nehme ein Selbstbildnis aus: Sie stellt sich dar als eine einfache, etwas hausbackene Paula, die auf einer Haushaltungsschule das Wirtschaften zu lernen hat. Das Antlitz ist noch weich, der Mund hat noch eine jugendlich geschwungene Oberlippe. Ihr grau und braunes Kleid mit dem kleinen Spitzenkragen gibt dem Bild etwas Biederes, Solides. In den ersten Worpsweder Arbeiten mit Clara Westhoff zusammen fällt sofort die große ruhige Form auf, intimstes Studium bei einer freien, farbigen Malerei; hierher gehört vor allem die nackte Landarbeiterin, die man als eine feste Grundlage ihrer malerischen Erkenntnisse nehmen muß, auf der sie die souveräne Freiheit ihrer Pinselführung entwickelte. Während des ersten Zusammenseins mit Otto Modersohn nahm Paula gewisse impressionistische Anregungen aus Modersohns Kunst auf, durch die sie in der Lage war, schnell vorübergehende Stimmungen, vor allem in der Landschaft, festzuhalten, bis sie sich, bereichert, von ihnen löste und wieder zu ihrem starken Formempfinden überging. Das Suchen nach großer Form geht immer wieder über das ruhige Studium von Stilleben. Von großem Einfluß war für Paula die nahe Freundschaft mit dem Bildhauer Bernhard Hoetger in Paris gewesen, der damals seine Rodinsche Stilperiode überwunden hatte und in der Blüte seines künstlerischen Schaffens stand mit starken realistischen Werken, Frauenkörpern, deren vollendete Technik in Bronze eine hohe Meisterschaft zeigte. In der ersten Zeit, als Paula aus Worpswede nach Paris gekommen war, fühlte sie sich noch zu den Bildern von Cottet und Lucien Simon hingezogen. Hier wird es aber in der Hauptsache das Thematische, das Leben der Fischer und Bauern gewesen sein, das sie stark berührte. Aber dann entdeckte sie eines Tages bei einem Kunsthändler eine große Anzahl von Bildern Cézannes, dessen Namen sie noch nicht kannte. Dies war für sie ein ausschlaggebender, tiefer Eindruck, der alle Saiten in ihr klingen ließ. Da war nicht die atmosphärische Auflösung der Form, wie bei den Impressionisten, da war feste Raumgestaltung, der alles diente, sowohl die Farbe wie die Form. Die Menschen, die Cézanne malte, gefielen ihr nicht. Er malte sie wie Stilleben. Sie wollte mehr wissen und mehr geben von den Menschen. Als die Werke Vincent van Goghs in Paris an die Öffentlichkeit kamen, da ergriff sie die kühne Leidenschaftlichkeit und die Erdgebundenheit dieser großen Kunst: Quellen wurden in ihr angeschlagen, deren dumpfes Drängen sie seit langem zu fühlen glaubte. Die Bewegtheit der Farbe, die die reale Form bis zum Sprengen erfüllte, wie sie es bei vielen Bildern van Goghs empfand, das wollte sie nicht entbehren. Die Zeit des Stillebenmalens war für Paula offenbar die Zeit des Ausruhens und Versenkens gewesen. Da begannen die Gedanken abzuschweifen vom Objekt. Die Farbe, die Form erzählten ihr etwas, brachten ferne Erlebnisse an die Oberfläche, beflügelten die Phantasie. So blieb sie weit entfernt von jeder nüchternen Abmalerei. Sie steckte in den Dingen drin. Gläser, Tücher, Früchte, Perlenketten, die nächsten Dinge, die sie umgaben, vermählten sich mit ihren träumenden Gedanken, und ein neues Stückchen Welt wurde geboren. Einmal ist es die orangefarbene Aufgebrochenheit des grünen Kürbis, ein anderes Mal ein einfacher, als mächtige Form leidenschaftlich hingestrichener Weidenkorb, umgeben von Früchten, dann ist es ein blöder Porzellanhund, der glotzend zwischen einem herrlichen Reich farbiger Früchte steht, als wolle Paula den sturen Bewußtseinsmangel den Herrlichkeiten dieser Welt gegenüber darstellen. – Das Kind mit dem Goldfischglas und den Blattpflanzen, ganz realistisch dargestellt im primitiven Pariser Atelier, trägt sofort über die Realität hinaus zu fernen tropischen Erlebnissen; oder die alte Anna Dreebehn, die Armenhäuslerin im Mohnblumengarten: beim Anschauen dieses Bildes wird die ganze Märchenwelt, uralte Sagen von hexenartigen Wesen, erweckt. Paula Beckers letzter Entwurf zu einem monumentalen Gemälde läßt noch einmal einen Blick in die Tiefe der Melancholie zu, die den strahlenden Charakter dieses jubilierenden Lebens unterbaute. Drei weibliche Figuren im Hintergrund sind angedeutet. Davor die Mittelfigur trägt unverkennbar Paulas eigene Züge; vereinsamt, wie Abschied nehmend von der Welt. Die ungläubig abwehrenden zweifelnden und verzweifelnden Bewegungen der Nebenfiguren, die sie umrahmen, steigern die monumentale Ruhe der Früchte tragenden Mittelfigur. Unerbittliche Erkenntnis und Erwartung des Heranreifens der letzten Stunde scheinen diesen Menschen zu erfüllen und beginnen ihn von der Umwelt zu isolieren. – Paula Becker malte sich häufig selber. Es sind, außer dem liebreizenden einfachen biederen Bildnis aus der Frühzeit, meistens Selbstbildnisse einer ihrer Kraft bewußt werdenden Frau; die Oberlippe verlor ihre Weichheit, energisch, gradlinig unterstreicht sie den klaren, beobachtenden Blick der Augen. Andere Selbstbildnisse sind von einer phantastischen Farbenschönheit. Sie liebte es eine Zeitlang, diese Bildnisse schmal im Rahmen aufzubauen. Einige dieser Bilder mit ihrem lebendigen Augenausdruck erinnern an die Werke der griechischen Maler, an jene bildnisgeschmückten schmalen Holzplatten, die man im Altertum den mumifizierten Toten in Ägypten mit ins Grab gab. Die pastose Maltechnik dieser Griechen finden wir nun auch bei den Bildern Paula Becker-Modersohns wieder; lebendige Bewegtheit des Tones, ohne etwas von der Einfachheit und der Klarheit der Form und der Farbe aufzugeben. – Unvergeßlich wird uns immer bleiben, wie sie die Frauen, die bäuerlichen Mütter, malte mit ihren Kindern, und das Leben, das Spiel der Kinder mit den Dingen der Natur. Auch die durchfurchten Gesichter der alten Männer, die sie malte, vor allem auch die Hände dieser Menschen, erzählen von einem ganzen Leben schwerer Arbeit und Sorge. Von Elendsmalerei oder von Sentimentalität finden wir in Paulas Kunst keine Spur, und doch wühlt uns die erschütternde Kraft des Ausdrucks dieser Menschen auf. – Sie selber malte sich manchmal in ihrer eigenen nackten Körperlichkeit. So sehen wir ein Aktbildnis hell leuchtend auf einem lichten gelben Grund. Der Ausdruck dieses Bildes ist ganz Erwartung und stille Freude. Wir lesen mit Bleistift auf das Bild geschrieben: »Dies malte ich mit 30 Jahren, an meinem 6ten Hochzeitstag.« Dann ist da noch eine Hand mit einem Feldblumenstrauß. Ja, so habe ich Paula gesehen, wie sie über den Berg kam mit erhobener Hand, wie sie im Schreiten das Sonnenlicht über die Blumen spielen ließ.

Fast erschrocken haften unsere Augen auf zwei Bildnissen, das von Clara und das von Rainer Maria Rilke. Clara, die Freundin, die für Paula alles Frohe und Freie zu verkörpern schien und dann als Frau des Dichters ihr Leben zur Feier machte und ihre Freiheit in ihr wesensfremde Formen einmauerte. Sie malte Clara, eine bräunliche schwarzhaarige Frau auf dunklem Grund in weißem Kleid. In der Hand hält sie eine dunkelrote Rose. Clara wendet sich schwermütig nach außen. Das Bild ist wie ein schmerzhafter Abschied und wie ein Rückblick auf Verlorenes.

Dagegen steht das Bildnis Rainer Maria Rilkes, auf ein rötliches Violett und Seidengrau gestimmt: mönchische Weltabgeschiedenheit und scheinbare Weichheit, hinter der sich eine fanatische und zielbewußte geistige Kraft verbirgt. Der eigentümlich sprechende Mund über dem schütteren Bart, der beobachtende, glanzlose, wie nach innen gekehrte Blick der Augen, das alles wirkte traumhaft faszinierend.

Paris. Curt Stoermer

Als wir Paula das letzte Mal in Paris besuchten, waren wir eine kleine Karawane Worpsweder. Auch Karl Emil Uphoff hatte sich angeschlossen. Er traf dort einen jungen Freund, den er aus Westfalen kannte. Curt Stoermer wollte gegen den Willen des Vaters Künstler werden; sein Vater war Rektor. Die Atmosphäre im Haus war ihm zu eng, und so rückte er aus nach Paris. Er machte wohl einige Linoleumschnitte, aber damit konnte er sich in der Großstadt natürlich nicht über Wasser halten, seine Beschäftigung wurde notgedrungen Modellstehen und Zeitungen ausrufen. Im übrigen hatte er in dem Apachenviertel beim Pantheon ein Zimmer in Himmelshöhe und in einem kleinen Studentenrestaurant der Rue de Rivoli mit sechs oder acht Tischen eine alte italienische Wirtin. Sie gab ihm dann und wann etwas zu essen, wenn er kein Geld hatte, in der Hoffnung, daß zu irgendeiner Zeit vielleicht einmal ein Onkel aus Amerika kommen und ihre Güte belohnen würde. Curt Stoermer fühlte sich wie ein alteingesessener Pariser. Wir mußten zuerst seine Wohnung sehen, auf die er sehr stolz war. Eine enge, endlose alte Pariser Straße mit hohen Häusern und Tordurchblicken in tiefe Hinterhöfe, in denen dann und wann Polizisten standen. Auch begegnete man, vor allem in der Dunkelheit, immer wieder Polizeipatrouillen auf Fahrrädern. Ein altes Hotel mit ausgetretener Holztreppe. Auf der Höhe des ersten Treppenabsatzes, wohl sechs Stufen mußte man nehmen, war ein kleines Guckfenster in Bodenhöhe, hinter dem eine Concierge saß, die den Verkehr kontrollierte. Dann ging es höher und höher. Schließlich war da ganz oben ein enger Korridor, dessen verfallender Holzfußboden an einigen Stellen mit roten Backsteinen ausgebessert war. Aber auch die mußten schon ihr Alter haben, waren abgeschliffen und lagen lose im Sandbett. Einige Zimmertüren, an denen wir vorüberkamen, hatten Oberlichtglas. Da sah man eine Zimmerdecke geschmückt mit einem farbigen Plakat von Toulouse-Lautrec. Endlich schloß Curt eine Tür auf. Ein einfenstriger Raum, tiefrote hellgeblümte Tapete, Bett, Tisch, Stuhl. Am Tisch griff Curt gleich enttäuscht nach einer Aschenschale, in der ausgerauchte Stummel lagen, und warf sie unwillig auf den Tisch zurück. »Léon muß dagewesen sein, mein ganzer Tabak ist aufgeraucht. Ich hatte mir Stummel gesammelt, um heute rauchen zu können.« Dann machte er den Schritt zum Fenster und stieß die Flügel auf mit einer grandiosen Gebärde, als wenn er sagen wollte: Seht, dies Zimmer beherrscht dort unten mein Paris. Man sah aber nichts weiter als ein Meer von Dächern, auf denen sich eine amüsante Gesellschaft von Schornsteinen in allen möglichen Formen befand. Von unten drang das Straßengeräusch herauf, übertönt von dem schmetternden Lied eines Kanarienvogels, der irgendwo in einem Käfig saß.

Curt gefiel mir. Ich hatte mir im Bon Marché einen leichten Filzhut gekauft. Meine steife moderne Melone setzte ich dem neuen Freund auf sein blondes Haupt. Curt strahlte froh und schob den Hut in den Nacken. So machte er mit seinem neuen Kopfschmuck, unter dem eine blonde Locke hervorquoll, den Eindruck eines Abenteuer suchenden Boulevardbummlers.

Unsere Tage wurden im Louvre, im Musée Luxembourg und im Musée Gise zugebracht. Dazwischen lagen Ausflüge nach Versailles und Meudon. Mittags trafen wir uns mit Paula in einem kleinen Restaurant im Quartier latin. Hier behandelte man uns von Anfang an wie Gastfreunde; abends besuchten wir irgendein Vorstadttheater, in dem das Arbeiterpublikum den fremden Besuchern großes Interesse entgegenbrachte und auf manches aufmerksam machte, oder wir gingen mit Curt in das halbdunkle Kellerrestaurant der Italienerin. Da fanden wir eine ganze Boheme-Gesellschaft mit den dazugehörenden Freundinnen versammelt. Dichter, Maler und Weltbummler. Es war sehr lustig unter diesen Leuten. Ein amerikanischer Bummler, der den Ruf hatte, genialer Verfertiger von Pferdesätteln zu sein, war in Amerika als Sportsmann Pufferreisender gewesen und hatte darin die höchsten Rekorde aufzuweisen. Er kannte die meisten Großstädte der Welt und beurteilte sie nach seinen Liebeserlebnissen. Er gab uns einige drastische Beispiele aus Colombo, von Kanton und anderen Weltstädten, so daß ich mich veranlaßt fühlte zu fragen, ob er auch einmal meine Vaterstadt Bremen erlebt habe. Damit war er gleich zur Hand: Gepflegte Straßen und Häuser, blumige Vorgärten, dämmernder Abend. Über die schmiedeeiserne Gittertür des Gartens lehnt sich ein hellgekleidetes sauberes Dienstmädchen mit einer winzigen raupenartigen weißen Haube auf dem glattgescheitelten Haar. – Die Herrschaft ist auf dem Landgut. Wir befreunden uns. Das Zimmer riecht nach Bohnerwachs und frischer Wäsche. Auguste, glaube ich, hieß sie oder Minna, wußte was von Bremer Gastfreundschaft. Nie trank ich so guten Bordeaux, und die Importen werde ich auch nicht vergessen. –

Paula hatte sich das Leben in Paris auf ihre besondere Weise gestaltet. Ihre zweite Pariser Reise war von ihr im stillen gut vorbereitet. Vor allem hatte sie sich Kleider gebaut. Da war ein silbergraues mit braunem seidenem Rüschenbesatz und dann das dunkelgrüne mit Fuchspelz, zu dem sie eine große fuchsige Muff trug. Auf ihrem kastanienbraunen Haar, das sich in zwei Rollen über den Nacken wellte, trug sie einen steifen kleinen fast weißen Herrenhut mit einem langen grünen Schleier. Der Hut fiel offenbar sehr auf, das ist schon aus dem Brief herauszulesen, den sie ihrer Schwester Herma schrieb: »Wie ich das Maison du Louvre betrete, ging das Wort ›chapeau‹ wie ein Lauffeuer von Verkäuferin zu Verkäuferin. Mein armer kleiner Hut, du hast nicht bestanden.« Das rührte sie aber nicht; gut gekleidet, fühlte sie sich besonders frei und kühn. So erschien sie eines Tages in dem weltbekannten Maison Druet, dem berühmten Teppichmagazin. Als ob sie nur gewohnt wäre, unter höchst kultivierten Bedingungen zu leben, ließ sie sich in einem der breiten Klubsessel nieder. Die Angestellten erkundigten sich ehrerbietig nach ihren Wünschen (gewiß eine reiche Russin). So ließ sich Paula Becker-Modersohn stundenlang Gobelins vorführen aus gotischer, Renaissance- und barocker Zeit. Schließlich wählte sie einige Stücke aus. Bei den Preisen, die man ihr sagte, schwindelte ihr nicht. Sie beliefen sich auf Tausende. Bei ihrem Monatswechsel von hundert Francs schon an sich eine märchenhafte Utopie. Aber Paula hatte alles auf eine Karte gesetzt. Einige der alten berühmten Pariser Handelshäuser gaben damals noch eine Ware auf vierundzwanzig Stunden zur Ansicht ins Haus. Sie aber wollte einmal mit diesen schönen Dingen allein sein und mit ihnen arbeiten. Sie gab ihre Adresse und eilte fort. Eilte durch schmale Straßen, unter Torbogen alter Häuser hindurch in einen engen Hof, der bei seiner Höhe das schwindende Tageslicht empfing wie durch einen Schornstein. Hier stand Paula inmitten des Hofes und rief durch ihre gerundeten Hände den Namen ihres italienischen Modells hinauf, bis ihr in Himmelshöhe der schwarzhaarige Kopf der Rosa erschien. »Morgen ganz früh haben wir einen wichtigen Arbeitstag, Rosa!«

Am anderen Morgen kamen die Boten mit den Gobelins. Wer die alten unhygienischen Pariser Häuser mit ihren Ateliers kennt und die primitive Arbeitsstätte Paulas selber, würde die Situation äußerst gewagt finden – aber Paulas autoritäre, dabei so einfach menschliche Art, mit den Angestellten zu verkehren, dazu ein fürstliches Trinkgeld, ließen mißtrauische Bedenken nicht aufkommen. Für Paula begann nun ein Arbeitstag freudigster Erfüllung. Die schönen Gewebe als formenreicher und farbiger Grund, auf dem sich der nackte Mensch bewegte, gaben ihr größte Anregung. Sie kam sich vor, als habe sie einen unerschöpflichen stofflichen Reichtum empfangen. In vielen ihrer späteren Arbeiten, die im Pariser Atelier entstanden, finden wir den Nachklang, den Widerschein dieses Tages.

Die Gobelins gab sie als »nicht zur Wohnung passend« anderen Tages zurück.

In dieser Zeit malte Paula Becker-Modersohn die Mutterschaft in einer neuen Form, losgelöst von allem persönlichen Schicksal, die nackte Mutter mit dem säugenden Kind in der ganzen primitiven Hingabe an das Kind, und vom Kinde aus: das Gefühl des Geborgenseins an dem mächtigen Körper der spendenden Mutter. Ein Urbild der Mutterschaft. Erregend durch die Monumentalität, gestaltet durch eindringliche Schlichtheit. Es war, als würden uns durch dieses Bild die ursprünglichen animalen Empfindungen aller Mütter vermittelt.

Die Worpsweder führte sie zu allen wichtigen Stellen; auf diese Weise sahen wir auch eine große Privatsammlung von Werken Gauguins. Auch wurden wir mit Hoetger bekannt. Er hatte damals die realistischen, stark aufgebauten weiblichen nackten Figuren in Arbeit, die später in Bronze gegossen wurden.

Paula sorgte auch auf ihre Weise für eine gute Ernährung der Worpsweder Gäste. Da war die Brasserie Universelle von ihr ausgekundschaftet worden. Dort gab es das beste Horsd'œuvre. Sie instruierte vorher die Worpsweder Karawane: Also an der Kasse auf der gelben Karte nur das Horsd'œuvre bezahlen, dann Platz nehmen und tüchtig zugreifen. Das wurde natürlich von allen in reichlichem Maße befolgt. Dann erfolgte bei erstaunten Gesichtern der anwesenden Gäste der schleunige Aufbruch, der desto auffallender war, als in diesem Restaurant alle Gäste an einer langen gemeinsamen Tafel saßen.

Durch Curt Stoermer kamen wir auch mit dem russischen Bildhauer Archipenko zusammen. Auf dem Wege zu seinem Atelier nahmen wir von einer Neubaustelle noch einen Sandstein mit, so stark, daß wir ihn eben noch unauffällig schleppen konnten. Es war in der Abenddämmerung, und der Stein sollte unser Gastgeschenk sein. Als wir sein Atelier betraten, saß er, ein langhaariger breitknochiger russischer Typ mit eigentümlichen hellen Augen, die aber wie traumhaft abwesend in die Welt schauten, unter dem Hängeboden des Arbeitsraumes, hatte im Arm ein seltsames russisches Saiteninstrument, das einer Leier ähnlich war, und sang. Es wurde Tee gekocht, Zucker hatten wir mitgebracht. Man trank den Tee aus Konservenbüchsen. Um uns herum standen in Wassereimern herrlich empfundene Mädchenleiber aus Zement, bei denen der Träumer auf die Wiedergabe von Armen, Beinen und Köpfen verzichtet hatte.

[Gorki]

Um die Zeit, als Paula von uns ging, trat zum erstenmal die aufrüttelnde Kunst Maxim Gorkis in mein Leben. Die Tore zur Erkenntnis einer Welt wurden mir aufgeschlagen, die vollkommen fern von mir lag, gegen die sich zuerst alles in mir wehrte. – Wie begrenzt war doch mein Leben. Wie groß wurde die Unruhe, die mich immer mehr erfaßte wie ein Brand. Aber mein Leben änderte sich nicht. Ich wußte keinen Weg, herauszufinden. Ich sah auch auf Paulas Leben, in dem ich grade jetzt das Streben nach Totalität fühlte, und doch war auch sie so gebunden an bürgerliche Tradition, an bürgerliche Erziehung. Sie hatte nur das Hemmendste abgestoßen, aber die Grundlage ihrer Weltanschauung hatte in keiner Weise Totalität. Viele Gespräche mit den beiden Freunden wurden in mir lebendig. Paula glaubte an große Führer, an die Riesen, wie sie sie nannte, die sie anderen Gesetzen unterworfen glaubte als die unfähige breite Masse des Volkes. Sie sah wohl, in Paris besonders, die Abgründe der sozialen Probleme, glaubte aber, daß nur in einem kaiserlichen Paris diese Probleme gelöst werden könnten. Bei mir war vieles ins Wanken gekommen. Rüttelte Maxim Gorki an den Grundpfeilern meiner selbstgeschaffenen Wirklichkeiten? Ich wußte es nicht. Aber die Früchte meines Schaffens wurden reif und trieben zur Aussaat, zu ihrer eigenen organischen Erfüllung, zu neuen Keimen, die außerhalb meiner Zukunftssehnsüchte lagen.

Es waren wieder neue Leute nach Worpswede gekommen, der Sänger Tobi, der den Dichtermaler Carl Emil Uphoff besuchte. Der Barkenhoff trug weiter seinen gastfreien Charakter. Schwere Ackerarbeit und lange Ritte mit der Stute Rosinante waren es, hinter denen ich meine Unruhe, mein Chaos verbarg.

1908

Warum ich eigentlich erschuf
Die Welt, ich will es gern bekennen:
Ich fühlte in der Seele brennen,
Wie Flammenwahnsinn, den Beruf.

Krankheit ist wohl der letzte Grund
Des ganzen Schöpferdrangs gewesen.
Erschaffend konnte ich genesen,
Erschaffend wurde ich gesund.

Heine

Nein, mir gefiel das Fest nicht, so viel sich vordrängende Eitelkeit, bei den Dichtern, und so wenig aufrüttelnde, erhebende große Kunst. Doch alle waren froh, schien mir. Ich paßte nicht in den Rahmen, den ich selber aufgebaut hatte. – Unauffällig drückte ich mich fort. – Ich mußte an Paula denken; so wie sie an Sonntagen, nachmittags, im weißen Kleid mit roten Korallen umgürtet, von unten durch unseren Blumengarten auf den Barkenhoff zu kam mit ihrem »König Rother«. Reiche Stunden waren es, wenn die beiden bei uns weilten. Waren bei den beiden Freunden alle Probleme der Gemeinsamkeit gelöst? Alles schien so glücklich, so im Gleichgewicht, und doch war auch ihr Leben allezeit ein Kampf, ein schwerer Kampf um die Freiheit des Schaffens des einzelnen. Und in der großen Stunde der Erfüllung, als alles sich zusammenzuschließen schien zu einer neuen Stufe des Lebens – nahm der Tod sie in seine Arme.

Paulas vorwärtsbrausende Lebensbejahung trug eine völlig unsentimentale Auseinandersetzung mit dem Tod. Er ging neben ihr wie ein Freund. In der ersten Zeit ihrer Ehe ging sie zum Grabe derer, welcher einst Ottos Liebe galt, und legte einen Kranz auf die schneeige Winterdecke des kleinen Hügels. – Sie dachte an ihren eigenen Tod; dachte sich eine ganz einfache Begräbnisstätte aus: so an der Hecke, die an die Roggenfelder stößt. Keinen Hügel muß das Grab haben. Ein kleines längliches Beet, mit weißen Nelken eingefaßt, von einem kleinen Kiesweg umrahmt, ein Holzgestell, das die Wucht der Rosen trägt, die mein Grab umgeben. Ein kleines Tor vorne im Gitter, durch das die Menschen zu mir kommen, hinten eine kleine anspruchslose stille Bank. Zu meinen Häupten vielleicht zwei Wacholder. In der Mitte eine kleine Tafel mit meinem Namen, ohne Datum und Worte. Daß eine Schale stünde, in die man mir frische Blumen setzte, das wollte ich auch wohl.

»Ist ein Fest schöner dadurch, daß es länger dauert? Und mein Leben ist ein Fest.« Das schrieb sie einmal in ihr Tagebuch. »Meine Sinneswahrnehmungen werden feiner, als ob ich in den wenigen Jahren, die mir geboten sein werden, alles, alles noch aufnehmen sollte. Mein Geruchssinn ist augenblicklich erstaunlich fein. Fast jeder Atemzug bringt mir neue Wahrnehmungen von Linden, reifem Korn, von Heu und Reseden. Und ich sauge alles in mich auf. Und wenn nun die Liebe mir noch blüht, vordem ich scheide, und wenn ich drei gute Bilder gemalt habe, dann will ich gern scheiden mit Blumen in den Händen und im Haar.«

Was trieb aber mein Leben zu dieser Rastlosigkeit? Jeder Tag stellte neue Aufgaben. Im Garten und auf den Feldern des Barkenhoffs war ich jedem Baum, jeder Pflanze nah, suchte sie täglich auf, half ihnen im Wachstum, gab ihnen Bodennahrung und Halt, beschnitt sie und unterstützte die Wachstumsrichtung, die dem Organismus am zutunlichsten schien. Und alles sah so reich, so glücklich aus, und die Früchte wurden reif, samten sich aus, und die Bäume wurden groß und zeigten ihren Eigenwillen, dem man nicht mehr helfen konnte, man konnte nur ernten, was sie gaben.

Vielleicht war ich den Menschen auch nur ein Gärtner, der ihnen zur Zeit helfen mußte mit seiner Schaffenskraft. Und wenn die Früchte reiften, war meine Aufgabe erfüllt, als Saat fielen sie zur Erde und begannen keimend und wachsend ihr Eigenleben, an dem ich keinen Anteil haben durfte?

Lange hatte ich am Berghang gesessen. Die Sterne begannen zu bleichen, und im Osten schob sich der grünlich leuchtende frühe Morgen in die fliehende blaue Nacht. Ich ging zu Tal, auf den blinkenden Fluß zu. Ich ließ mich auf die Ruderbank meines Bootes nieder. Leise plätscherte das flutende Wasser des dunklen Moorflusses am Bug des Kahnes. Das Horizontgrün der Morgendämmerung vergoldete sich. – Aus der Ferne klangen Stimmen. Torfschiffer. Die kalte Morgenluft trug ihre eintönigen Worte weit: »Tierst' er wedder hen« und die Antwort »mott woll«, die ewig wiederkehrende Begrüßung der wortkargen Bauern des Teufelsmoores, des Heimkehrenden mit dem Ausfahrenden; dann kam ein dunkles Boot, ein hochstehendes schwarzes Segel hing schlaff am Mast. Achtern stand der Bauer und stakte den Kahn, der leise vorüberglitt. Die Sonne ging auf. Golden bestrahlte sie das Wiesenland. Ich kettete meinen Kahn los und ließ mich treiben. Zwei Seeschwalben saßen wie verträumt auf den Uferpfählen. Sie segelten ab, als das Boot heranglitt. Die Wiesenwelt wachte auf. Kiebitze, schwarz-weiß, mit schwerfällig scheinendem Flügelschlag stiegen auf und schossen in eleganter, schneller Bogenfahrt, wie vom Wind getrieben, über die Wiesenfläche. Trillernd flatterte eine Lerche hoch. Irgendwo wurde eine Sense gedengelt. – Ich faßte die Riemen und ließ das Boot zwischen dem hohen Wasserliesch und über Seerosen durchgleiten, bis die Schlingpflanzen es festhielten. Ich war im »Söten Lock« gegenüber dem »Nadelkissen«. Hier kam die Hamme mit dem Umbeck zusammen und bildete ein Sumpfdreieck, das diesen Namen hatte, da vor vielen, vielen Jahren die Bauernschmuggler an dieser Stelle eine ganze Zuckerladung bei der Verfolgung durch die hanseatischen Zollwächter hatten absaufen lassen müssen, um den Verfolgern zu entgehen. Am Ufer stand eine kleine dunkle Hütte; sie machte mit ihrem dicken, abgerundeten Strohdach wirklich den Eindruck eines Nadelkissens, und so wurde sie auch im Volksmunde genannt. Jetzt verfiel sie; war unbewohnt. Trin-Mogret war gestorben, und der Verkehr über den Umbeck war sowieso gering. Trin-Mogret hatte den Malern vor zwei Jahren den letzten Kaffee gekocht, als Carl Hauptmann da war. Die Maler kamen damals mit einem großen Torfboot. Hellgekleidete Frauen hatten an einer Leine zwischen den Wäschepfählen buntfarbene Papierlaternen in die blaue Nacht gehängt. Am grasigen Ufer des Moorflusses hatte sich Carl Hauptmann zwischen den Freunden gelagert und so lebendig und witzig von den schlesischen Menschen erzählt, die er in seinen Schauspielen mit ihrem Leben, ihren Sorgen, Kämpfen und Erfüllungen dargestellt hatte.

Es mußte schon auf Mittag gehen, als ich heimfuhr. Auf den Wiesen sah ich die saubergekleideten Bauernmädchen mit den weißüberzogenen Schutenhüten beim Heuen, als ich den Kahn mit den Rudern stromaufwärts steuerte. Auf einer kleinen treibenden Torfinsel standen sich zwei Kampfhähne mit aufgeplustertem Halskragen und spitz aufeinandergerichteten Schnäbeln gegenüber. Doch schnell verschwand das graziöse Kampfspiel der braunbunten Vögel auf dem treibenden und kreiselnden schwarzen Wasser.

Und die Welt ändert sich nicht

Gegen Mittag kam ich heim. Martha war nicht da. Haus und Garten sah ich in tadelloser Ordnung. Keine Spur erinnerte an das nächtliche Fest. Das Hausmädchen Stine und die Köchin Tine waren offenbar froh, daß ich auf der Hausdiele erschien. Sie begannen gleich, mir den Mittagstisch zu bereiten. Die Mädchen stammten aus dem Dorf, standen der jungen Frau nah, die organisatorischen Fähigkeiten Marthas, die Freude, mit ihr zu arbeiten und zu lernen, waren der Untergrund einer warmen sympathischen, freundschaftlichen Atmosphäre im Hause. Inzwischen ging ich hinaus zu den Kindern auf den Hof. Hier hatten die Kleinen einen sonnigen Sandplatz unter dem Hausgiebel. Neben ihnen saß der weiße Schnürenpudel und guckte aufmerksam auf die Hände der Kinder.

Eine Märchenwelt kleiner Gebilde aus Blättern, Blüten und Feldfrüchten war da zu sehen.

In einem schalenförmigen Huflattichblatt, das von Natur in der Form einer Kalesche gebogen war und das auf roten runden Wagenrädern aus Mohrrübenscheiben ruhte, lag hingeschmiegt wie eine vornehme Dame, im rosavioletten Malvenblätterkleid, ein weibliches Wesen, dessen gelbes Margeritengesicht von dem weißen Blütenblätterkranz umrahmt war. Der Blattstengel des Huflattichs bildete die Deichsel, an deren beiden Seiten phantastische Zugtiere befestigt waren, seltsame Kartoffelgebilde mit eingesteckten Beinen und Glotzaugen aus roten Johannisbeeren. Da war noch vieles andere, Bäume, Büsche, Lauftiere und Vögel, die man in diesen Formen und Farben wohl noch nicht gesehen hatte. Zu Spielsachen hatten die Mädchen kein Verhältnis. Spiel war ihnen Werk. Werk wurde ihnen Spiel.

Nach dem Essen auf der Hausdiele verschwand ich auf den Heuboden im Stall, sank müde in das trockene, duftende Gras und schlief wohl viele Stunden. Als ich vom Boden herunterkam und mich abgebürstet hatte, ging es schon dem Abend zu. – Da kam gerade Martha zurück vom Hammefluß, froh, sonnenverbrannt. Nichts wurde von meinem unverständlichen Verschwinden erwähnt. Das Leben ging weiter; sah so normal, so glücklich aus. Und doch lagen überall unausgesprochene Dinge, wie wucherndes Gestrüpp, dem die geheime Tendenz innewohnte, sich ineinander zu verschlingen und den Lebensweg zu bedrohen.

Selbstkarikatur. Radierung, 1909

Es war mir, als könne ich keinen Ausweg finden aus meiner inneren Belastung als die Flucht aus diesem Leben. Aber dann war der Tag wieder da, das Schaffen, die Arbeit. Ich stapfte hinter dem Pflug her und riß das Heideland um zur Aufnahme der Saat, beredete mit Gottlieb, der das Pferd führte, die zukünftige Gestaltung des Grundstückes. Dem Gang der Hauswirtschaft gab Martha den Charakter. Ich war so froh, wahrzunehmen, wie sie das alles anfaßte.

Martha Vogeler. Öl, 1910

Die materiellen Mittel aus meinen Einkünften als Künstler erlaubten es, alles breit und solide zu ordnen. Viele Freunde kamen, Schriftsteller, Dichter und Musiker und bereicherten das kulturelle Leben, das sich auf dem Hof abspielte. Die Gastfreundschaft des Barkenhoffes war bekannt und bot manchem jungen Künstler, der zeitweilig auf Strand geraten war, ein Obdach, bis er wieder flott war und sich eine eigene Existenz im Dorfe aufbauen konnte. Die Jugend war es schon gewohnt, ihre Sorgen bei der jungen Mutter Martha abzuladen, die immer Rat und Hilfe wußte. Diesen Zug meiner mütterlich veranlagten Frau liebte ich besonders, glaubte auch, daß sich die Leere, die sich manchmal zwischen uns auftat, durch die Wärme, die sie den jungen, werdenden Menschen entgegenbrachte, immer wieder schließen müßte. Doch merkte ich zuwenig auf ihre Vereinsamung, die meine Rastlosigkeit in dieser starken Frau hervorrief. Vielleicht hatte sie schon das feste Gefühl: der Mining braucht mich nicht mehr. Sein Schaffen frißt die Liebe zu mir. – Und die jungen Menschen im Hause? Sie verehrten das Werden, meine schöpferische Tätigkeit, sahen und konnten die Klüfte nicht sehen, in die ich nach dem Fieber der Tätigkeit versank. Seltsam – wir norddeutsche Menschen, in deren Innern es glüht und die eine so kalte Hülle tragen. So war auch sie, Martha. Vielleicht hätte eine weiche Bewegung, die Bewegung ihrer Frauenhand, die leise über meinen Kopf streicht, über meine Stirn – alles lösen können; denn ich war doch erfüllt von Sehnsucht nach innerer Befreiung! Die Jungen aber dachten wohl: Den darf man nicht stören, es wird ja alles so schön!

In meine Bibliothek kam ich jetzt selten; die Romantiker hatten mir nichts mehr zu sagen, nachdem die Romantik Heinrich Heines auch den bitteren Kern der spießbürgerlichen Schlafmützen gezeigt hatte. Aber dann kam ich zu den Werken Maxim Gorkis; die wühlten mich auf, schlugen mir ein Tor auf, durch das ich in eine andere Welt blickte, vor der mir grauste, die weit entfernt war von meinem privaten Leben, vom »Leben als Kunstwerk«. Die Begrenztheit meines Lebens wurde mir klar, sie schien mir manchmal die Ursache all meiner Bedrängnisse zu sein. – Ich mußte allein sein. – Ich beschloß, nach Berlin zu fahren, in die Museen zu gehen und irgendwie still auf mich zu horchen, was wird.

Straßburg

Es war eigentlich eine ziellose Fahrt. Ich hatte meinen Platz im Bremer Zug, der nach Berlin fahren sollte, schon eingenommen, als auf meinem Perron unter meinem Fenster in Tragkörben die wimmernden und die stummen Reste zweier Arbeiter vorbeigetragen wurden, Anstreicher, die bei ihrer Arbeit aus dem hohen Eisengerüst des Glasdaches der Bahnhofshalle abgestürzt waren. Erschüttert warf ich mich in meinen Eckplatz. Reichte die Kunst der Ingenieure nicht, den Arbeitern, den Erhaltern ihres eisernen Baues, alle Lebenssicherungen zu geben, die sie bei der jährlich wiederkehrenden Arbeit vor dem Tode des Absturzes bewahren?

In Berlin bezog ich ein Zimmer in einem billigen christlichen Hospiz. Unruhig war die Nacht. Schlaflos. Dann kamen Träume: Eine mächtige Flamme schoß rot zum Himmel aus einer grauen kantigen Schale. Ich glaubte zu erkennen, wie die Flamme Form bekam, Architektur, gotische Form. Aus dem Rot modellierte sie sich heraus; und eine graue Schattenstraße war da, die hinführte, und eine Droschke bog ein, darinnen saßen zwei Freunde. Das Rot der Abendsonne ließ das Gestein des Straßburger Münsters erglühen.

Ich saß auf meinem Bettrand. Die Ziellosigkeit war gewichen. Ich legte meine Sachen zusammen. Ich ordnete meine Rechnung und verließ Berlin.

An einem frühen Morgen stand ich in der Bauhütte des Straßburger Münsters und bat den Dombaumeister, mir Gelegenheit zu geben, das Dach der Kirche zu besteigen. Ein Bauarbeiter führte mich ins Innere der Kirche; hinter einer schmalen niederen Tür ging in der Mauer eine enge Wendeltreppe hinauf. Die Tür schloß sich hinter mir, und ich stieg und stieg durch den gewundenen halbdunklen Treppengang, bis ich wieder gegen eine Tür stieß, die sich nach dem Dachplatz öffnete. Dächer, Balustraden, Türme, Giebel umgaben mich. Die Frühsonne gab dieser seltsamen Welt von architektonischen Formen und Figuren lebendiges Leben. Ich wanderte und kletterte in dieser ungeahnten Welt herum, um mich zu orientieren. Der erste Eindruck war die vollendete zweckentsprechende Technik, mit der für die Bauarbeiter gesorgt war, die die Reinigung und Reparaturen des mächtigen Gebäudes zu besorgen hatten. So war es bei der Wasserabfuhr von den Dächern, so waren auch die Türme gebaut, bequem besteigbar. Die Ziertürme, deren Spitzen durch eine schwere Rose belastet waren oder durch die Figur eines Hirten oder Wächters, der auf dem Horn zur Wachsamkeit blies, hatten Rippen, mit Krabbenornamenten verziert, als lüden sie ein, Hand und Fuß daran zu probieren, um der Spitze nahe zu kommen. Die himmelaufstrebende Tendenz der Türme bekam durch die Last realistischer Gestalten gleichsam ihre Erdgebundenheit zurück. – Da war ja aber auch das ganze mittelalterliche Dorf versammelt neben dem Wächter: wütende Hunde mit faltiger Fratze, Esel und Kühe. An der Vorderfront der Kirche, über den Haupteingängen, kam auch die Satire in kraftvoller bäurischer Art zum Ausdruck. Die abstrakten eleganten Bogenformen der Zwickel unter der Galerie endeten, wie zur Erde weisend, in meisterhaften realistischen Skulpturen: der Teufel, der die nackte Eva und den Adam unter dem Arm

Tanz. Zeichnung (Ferdinand Hodler zugeeignet), 1913

trägt und mit ihnen der Erde zu, zur Hölle fährt, oder die Nonne mit zusammengelegten Händen fromm betend, indem sie dem Himmel ihr blankes Hinterteil zeigt, von dem die Kutte heruntergerutscht ist, so fährt sie mit den betenden Händen der Erde, der Hölle zu.

Unendliche Lebensfreude erfüllte mich, als ich die schmale Steintreppe in der Mauer herabstieg. Was war das für eine Zeit, in der ein gemeinsamer Wille eine derartige kraftvolle Kunst hervorbringen konnte. Wo mag die Quelle dieser volkstümlichen Kunst sein? – Auf diese Fragen, die mich beunruhigten, gab mir erst in meinem späteren Leben Karl Marx die überzeugende klare Antwort an der Stelle in seinen Werken, wo er über die Gründung der Städte spricht, als die handwerklichen bäuerlichen Kräfte, die den ritterlichen Fronhöfen entflohen, in die Städte kamen und einen großen Anteil an der Arbeit der kirchlichen Baugemeinden hatten.

Es war fünf Uhr nachmittags geworden, als ich die Ausgangstür der Treppe hinter mir hatte, aber nun stand ich vor dem mächtigen, verschlossenen schmiedeeisernen Gitter einer Kapelle mit dem Blick in das innere Kirchenschiff. – Nach kurzer Zeit näherte sich von dort der rotgekleidete Kirchenschweizer. Erstaunt und ungehalten schloß er dem Eingegitterten auf. »Wo kommen Sie denn her?« – »Vom Himmel«, war meine frohe Antwort, indem ich mit der Hand nach oben wies.

Trotz der außerordentlich starken Eindrücke vom Straßburger Münster veränderte sich meine Kunst um diese Zeit nicht zum Guten. Ich strebte eine Monumentalität an, aber da alle Gefühle noch gebunden waren an die »Einzige«, an Martha, deren Leben meine ganze Schöpferkraft gewidmet war, ohne zu zünden, ohne Widerhall zu finden, entstanden blutleere dekorative Phantasien anstelle einer großen vollblütigen monumentalen Kunst, die alle Grenzen sprengt und in die Weite der Welt ausstrahlt. – Das Leben ändern, neue Wurzeln schlagen unter Menschen, die, eng verbunden mit der Natur, ein kämpferisches Dasein führen. Seefahrer, Fischer auf einer Insel im Meer, im Nordmeer. Doch das waren wieder leere Träume, Ausflüchte zu neuer Isolierung. Zudem hatte das Leben, die Wirklichkeit noch viele Ketten, die nicht so einfach zu sprengen waren. Man ist nicht allein, Gemeinsamkeiten mit nahen Menschen bauten schon zu stark in das Zukünftige hinein. Da kommt schon Gottlieb: das Stück an der Landstraße muß noch gepflügt werden, oder: wir müssen heute auf die Bienen achten, sie wollen schwärmen. Alles tagtägliche Dinge, die man nicht einfach abschütteln kann, ohne die Freundschaft zu verraten, die Gemeinsames schuf, das dazu beiträgt, in die Zukunft zu weisen.

Am Main 1912

Manchmal erfaßte mich das Gefühl einer großen Heimatlosigkeit, aber nicht im sentimentalen Sinne, wenn ich vom Hause fortwanderte. Stärker war immer der Drang nach Erforschung der Zusammenhänge, der Wechselbeziehungen zwischen Leben und Kunst, der mich beunruhigte. Was war in meinem Leben die Ursache des Leidens und was der Untergang, die Verflachung meiner Kunst?

Die Werke Maxim Gorkis ließen immer wieder das Bild einer anderen Welt in mir auftauchen, die Welt der Unerlösten, für die der Schaffensprozeß verschlossen war. Ich lernte ihre Gefühlswelt verstehen; ich begriff, daß aus den Spannungen Kräfte hervorstoßen werden, die die gesellschaftlichen Verhältnisse grundsätzlich ändern müßten. Wie unwichtig bleibt da das Einzelschicksal. Sinnlos die Gedanken an die Fluchtversuche aus der selbstgeschaffenen Atmosphäre. Hatte Gorkis Kunst den Boden meiner bürgerlichen Ideologie nicht aufgelockert, umgeworfen zur Aufnahme einer neuen Saat, die schon keimt, wachsen will und Früchte tragen muß? Konnte ich bei all dem einer romantischen Kunst noch nachjagen, die meinem privaten Leben entsproß, einem Boden, der keine reine Frucht mehr hervorbringen kann? – Warnend zeigte mir das Resultat der Kunst, die jetzt unter meinen Händen entstand, daß dekorative Oberflächlichkeit der Lohn meines Strebens zur großen Form, zur Monumentalität, geworden war.

Mein wirkliches Leben hatte sich im Grunde nicht geändert. Die praktische Arbeit in der Landwirtschaft, die täglich fordernd an mich herantrat und mich mit meinen nächsten Menschen verband, die Aufträge auf der kunstgewerblichen Linie, das waren bis dahin Bindungen gewesen, die mir ein unbegrenztes Unabhängigkeitsgefühl vortäuschten, waren Rosenketten gewesen, die mein Leben umkränzten. Jetzt erkannte ich sie als Fesseln. Die schöne Melusine aus dem Märchenland zeigte ihren Fischschwanz.

Das waren einige Gedanken, die mich begleiteten, als ich wieder einmal alles von mir geschoben hatte, um Abstand von meinem Leben zu bekommen, und von Würzburg aus den Main herunter wanderte. In Würzburg, wo der große Bildhauer Tilman Riemenschneider gelebt hatte, war ich erschüttert und gehoben durch die tiefe menschliche Ausdrucksweise, mit der er uns seine Empfindungen vermittelte. Wie mag der Mensch gelebt haben, der in uns diese umfassende Skala einer humanistischen Gedankenwelt aufklingen läßt.

Damals war ich weit davon entfernt, ein wirkliches Bild von dem Leben dieses großen Künstlers empfangen zu können. Erst die Forschungen marxistisch geschulter Kunstgelehrter zeigten, wie tief Tilman Riemenschneider mit dem Leben des Volkes verbunden war, als Bürgermeister von Würzburg, als Organisator der Fischerei, als Schützer des Kampfes der Handwerker gegen Kirche und Adel um den gerechten Lohn, als Freund und Helfer der revolutionären Bauern, wie er sich den Haß der Geistlichkeit und der Fürsten zuzog, bis man ihn unter die Folter schleppte.

So wanderte ich über Wertheim, verbrachte einige Ruhestunden in dem stimmungsvollen Kreuzgang des Klosters Maulbronn und blieb schließlich zum Schlafen in einem alten spitzgiebligen Gasthaus der alten Stadt Miltenberg. Tilly hatte einstmals auf seinen Feldzügen in diesem Zimmer des alten Giebelhauses gewohnt.

Eines Morgens ging die Tür auf, und vor mir stand mein Bruder Franz. Ohne Begrüßung, mit dem Anflug eines leichten Lächelns, das sich bald in einen ernsten Ausdruck verwandelte, schritt er in dem langen halbdunklen Zimmer auf mich zu:

»Ich weiß, daß du mal wieder auf der Flucht bist, auf der Flucht vor dir selber. Mach doch endlich Schluß mit dem Menschen in deinem Hause, der dein Leben zerstört, verbiete dem Kerl dein Haus! Schmeiß ihn hinaus!«

Wie fern bist du von mir, mußte ich denken, denn das Bild meiner Kinder stand vor mir, die drei, die mit inniger Liebe an der Mutter hingen, ich kann und will in diesen jungen Leben nichts zerstören, ich kann ihr Leben nicht verlassen, ich muß bei ihnen sein; muß an ihrer Zukunft bauen, auch aus den Bruchstücken des Lebens werde ich noch gestaltende Kraft schöpfen.

Doch nun stand der Bruder forschend vor mir:

»Deine kunstgewerblichen Aufträge haben sich vervielfacht, du mußt in die Arbeit zurück. Ich habe in Tarmstedt, am Ende der Kleinbahn, Werkstätten mit Tischlern eingerichtet, wo wir alles selber herstellen können. Du mußt jetzt bei deinen Freunden das Geld aufbringen für den Bau einer größeren Werkstätte, für die Anstellung von Arbeitern und die Aufstellung von Maschinen!«

[Englandreise]

Getrennt voneinander fuhren wir beide heim. – Geld bekam ich nicht, hätte es vielleicht bekommen, aber man stellte mir die Bedingung, daß ich mich in dieser Sache ganz von meinem Bruder trennen müßte; von ihm, der mir meine geschäftlichen Sachen abnahm und dem ich eine Existenz zu schaffen bemüht war. Ich schätzte ihn hoch. Aber der Bruder war mit der Gründung der Werkstätten schon zu weit gegangen, er mußte eine finanzielle Stütze haben. Zu dieser Zeit war ich aber mit einer sehr umfangreichen graphischen

Arbeit für eine Schriftgießerei beauftragt worden. Die Einnahmen waren sehr bedeutend, ich rettete das Unternehmen dadurch, daß ich mein Geld und auch einen großen Teil meiner Arbeitskraft in die Tischlerei steckte. Doch war ich nicht imstande, die Lebensverhältnisse unserer Arbeiter in dem kleinen verlassenen Nest zu verbessern, und das trieb mich in einer anderen Richtung vorwärts. Soziale Bedenken erfüllten alle meine Gedanken. Ich studierte jetzt eifrig moderne Architektur, war Mitglied der Deutschen Gartenstadt-Gesellschaft und bekam durch diese Organisation die Möglichkeit, als Gast der englischen Gartenstadt-Gesellschaft mit einigen Architekten, Ärzten und Regierungsbeamten England zum Studium der sozialen Einrichtungen zu bereisen. In England sahen wir, wie man, auf alten guten Traditionen fußend, die moderne Architektur befruchtet hatte. Bei Liverpool war es vor allem Port Sunlight, die weltbekannte Seifenfabrik, die eine reizvolle kleine Stadt für die Arbeiterschaft aufgebaut hatte. Strohbedeckte Dächer schützten die Bewohner vor Sonnenhitze und vor Winterkälte, die Müllabfuhr war gut organisiert, jedes Haus hatte ein Bad; in manchen entdeckte ich zwar, daß es als Schlafplatz benutzt wurde. Die Häuser standen ohne Zäune erhöht von der Straße, auf gepflegtem grünem Rasen, der Grundriß der Häuser war praktisch. Die Kinder der Arbeiter hatten einen schönen Platz mit Sandhaufen und Planschbecken zum Spielen. Eine Reklamestadt erster Güte; sie kam auch den englischen Bedürfnissen nach mit einer modernen gotischen Kirche, in der uns Egon Petri, der damals seinen Sitz in Birmingham hatte, ein Bachkonzert auf der Orgel gab.

In Glasgow sah ich mir mit einigen der Reisebegleiter die Elendsviertel an. So etwas Erschütterndes hatte ich noch nicht gesehen. Verkommene Mietskasernen, eiserne Treppen von außen hinauf zu den Etagen, deren offene Gänge zu den einzelnen Kammern führten. Dort gab es keine Möbel. Menschen mit bösem, vertiertem Ausdruck lagerten auf schmutzigen Lumpen, mit denen der Zementfußboden bestreut war. Unter den Mitreisenden fand ich wenig Menschen, mit denen ich in Beziehung trat. Nur einen Arzt traf ich immer wieder auf den Spuren, denen ich selber nachging.

Der Freund

Auf dem Perron des Osnabrücker Bahnhofs standen wartend zwei einsame Männer. Beide hatten die soziale Studienreise in England mitgemacht, waren sich aber nicht nähergetreten. Jetzt kamen sie aufeinander zu, begrüßten sich; der Arzt und ein Maler. Der Arzt schilderte dem Maler sein Leben in der grauen Fabrik- und Bergwerkstadt Hamm. »Können Sie mir nicht helfen, in mein Heim etwas Freude und Licht hereinzubringen?« Mir gefiel der Arzt sehr, und das Bild von der grauen Stadt wie die Aufforderung, dem Leben dieses Wissenschaftlers einen frohen lebendigen Rahmen zu geben, reizten mich. Ich ließ meinen Zug nach Bremen fahren und begleitete den gewonnenen Freund nach Hamm.

Nach Ablauf weniger Wochen sah sein Heim so aus: Der Patient betritt das Sprechzimmer des Arztes, eines der bedeutendsten Spezialisten für Hals- und Ohrenleiden, und befindet sich in einem Raum, dessen eingebaute hellgelbe Naturholzmöbel aus amerikanischer Kiefer, auf einem lichtblauen Wandgrund, den Eindruck eines Sonnenzimmers hervorrufen. Der nächste Raum hat ein feines ruhiges Grau, auf dem die weißen Instrumentenschränke stehen sowie Drehsessel und Lager für die Operationen. Ein etwas dämmriges Zimmer mit dunklen warmen rötlichen Tönen und bequemen Diwans gibt dem behandelten Patienten die Möglichkeit, seinen Körper und Geist auszuruhen. Auch die Privaträume in der oberen Etage änderte ich vollkommen, machte sie für den Charakter meiner neuen Freunde, des Arztes und seiner Frau, passend, für ihr Leben ein warmer anheimelnder Rahmen.

Neue Aufgaben, neuer Bankrott

Inzwischen machte ich mit einem Architekten nach den Erfahrungen der englischen Reise eine große Winterarbeit. Ich baute mit seiner Hilfe auf dem Papier ein Dorf für die Arbeiter der Tarmstedter Möbelfabrik mit allen modernen sozialen Einrichtungen, die ich studiert hatte. Da waren die Häuser für Ledige, die für Familien, die sozialen Einrichtungen für Kinder: Kinderheim, Schule, Badeanstalt und Spielplätze mit Planschbecken, und eine gute helle Fabrik. Die Arbeit machte mich stark, froh und hoffnungsvoll. Dann nahm ich sie unter den Arm und ging mit meinen Entwürfen zu meinen sogenannten Freunden, sicher, daß diese Gönner leicht zu überzeugen waren, daß hier etwas Neues, ganz Mustergiltiges geschaffen werden könnte. – Die »Freunde« fanden nicht mehr als ein mitleidiges Lächeln für den weltfernen Träumer und seine Arbeit. »Die schönen Sachen werden wir uns erst ansehen, wenn Ihr Unternehmen funktioniert und Profit abwirft.« Ich packte meine bis ins Intimste durchgearbeiteten Aquarelle zusammen und eilte fort. Man rief mir noch nach: »Malen Sie lieber schöne Bilder!«

Ich lasse dich nicht

Ich konnte nicht mehr los von den Problemen, in die ich mich vertieft hatte. Die Tischlerei machte wirtschaftlich ihre Kinderkrankheiten durch, an eine Lösung sozialer Probleme war nicht zu denken. Die Fabrik fraß meine sonstigen Einnahmen. Der Architekt blieb und hatte sich in meiner Nähe in der Kiefernschonung angebaut, ich arbeitete mit ihm weiter, und zwar war ich davon erfüllt, dem Eindringen einer mißverstandenen Bautradition, vor allem der Hannoverschen Gotik, die die Regierungsbeamten vertraten und die sie bei Schulbauten, Bahnhöfen und Großbauernhäusern einzuführen suchten, Halt zu gebieten. Das ging nur, wenn ich jeden Bauplan, den man mir vorzeigte, unentgeltlich umarbeitete, um der Gegend, in der wir lebten, ihren Charakter zu bewahren. Viele Bauern kamen gern, andere wurden meine wütendsten Gegner, und schließlich genehmigte die Kreisbaupolizei, die vom Landrat geleitet wurde, keinen Bau mehr, der nicht von mir, bewilligt oder geändert, unterschrieben war. Selbstverständlich gewann ich auch durch diese diktatorische Art vor allem bei reaktionären Elementen eine scharfe Gegnerschaft.

Meine Arbeit wurde anerkannt. Meine Hingabe an das Allgemeininteresse hatte die Folge, daß der Landrat nach Beratung mit dem benachbarten Kreisgewaltigen mir einen großen Auftrag für die projektierte Kleinbahn des Kreises gab: Entwürfe für alle Bahnhöfe und Gestaltung der Personenwaggons. Die Bedingung war schwer – ich mußte die Arbeit als »Unternehmer« verantwortlich ausführen. Nachdem ich nun die ganze Strecke bereist hatte, entstanden die Bahnhofsgebäude je nach dem Charakter der Gegend. Modern sachlicher Stil in der Kreisstadt, behaglich breite Formen alter bürgerlicher Tradition mit ausgebautem Mansardendach, Restaurant und Veranda für den fremdenverkehrsreichen Bahnhof Worpswedes und Bahnhöfe in kleinen Dörfern, die die Überlieferungen bäuerlicher Bauweise für den wachsenden Verkehr nutzten. Den Bau der Waggons vereinfachte ich zu schlichten, praktischen und bequemen Coupés, die durch ihren hellen Anstrich, mit ein paar lustigen Farben umrahmt, Behaglichkeit ausstrahlten. Einen Luxuswaggon mit ledernen Klubsesseln und Mahagonitisch konnte ich auch noch durchdrücken; an seinen Wänden waren die Radierungen aus meiner Kollektion »An den Frühling« einmontiert.

Es gab eitel Freude, als alles fertig war und wir mit einem reichen Frühstück im Luxuswaggon und mit schönen Reden unsere Einweihungsfahrt machten. Für mich, den »Unternehmer«, war die Freude recht gedämpft, die ganze Bauerei war mir ein teurer Spaß geworden, dem der Landrat ein Trostpflaster aufzusetzen beabsichtigte, indem er mich zum Professor machen wollte. Voreilig hatte das »Berliner Tageblatt« meine Berufung schon abgedruckt, aber ich nahm nicht an. Ich hatte auf eine wirtschaftliche Hilfe gehofft, zumal mir durch schlechte Maurerarbeit noch bedeutende Unkosten aus Reparaturen erwuchsen.

Meine wirtschaftlichen Verhältnisse waren um diese Zeit so schlecht geworden, daß ich mich von meinem Pferde, von der Rosinante, trennen mußte. Ich verkaufte sie an einen Geestbauern, der sie zur Zucht haben wollte. Gottlieb war verheiratet, hatte zwei Kinder und ein kleines Haus. – Er blieb somit in Worpswede. Er ging zur Torfmoorarbeit, die ihm sehr schwer wurde, da die Moorkuhlen, die er mit einer Reihe von Arbeitern für einen Großunternehmer ausheben mußte, sehr tief, kalt und feucht lagen.

Das Waldheim des Freundes

Mein aus Papier erbautes Dorf schenkte ich meinem Freunde, dem Doktor Löhnberg, der darum bat und es gern bei sich aufstellen wollte. In Hamm hatte ich noch einige Bürgerhäuser auszustatten. Dann kamen auch die Vorbereitungen für die Brüsseler Weltausstellung, auf der ich das Zimmer einer jungen Frau in weißlackiertem Holz mit farbiger Rosenschnitzerei ausstellte und einen Preis erhielt. Bei der Aufstellung war Martha mir in Brüssel sehr behilflich. Es gab viel intensive Arbeit, aber auch, wie in der Zeit vor allen Ausstellungseröffnungen, eine hochgespannte Freudigkeit. Man tanzte bis in die Nacht mit den vielen Künstlern, die am Aufbau beschäftigt waren.

Zurück in Deutschland, machten wir mit unseren Freunden aus Hamm eine Fußtour durchs Sauerland, um einen Platz für den Bau eines Sommerhauses zu finden, in dem die Familie ihre Erholung vom Beruf und vom städtischen Leben finden wollte. Wenn Löhnberg so eine Tour mit uns begann, trug er immer im Rucksack einen Packen »Leipziger Volkszeitung«, deren eifriger Leser und Propagandist er war. Die Einzelexemplare verteilte er in den Waggons dritter Klasse.

Betreffs des Hausbaues hatte ich mir ausbedungen: Wenn wir auf unseren Streiftouren im Gebirge glauben, einen geeigneten Bauplatz gefunden zu haben, so lassen wir uns auf dem Platz nieder, um den Aufgang der Sonne und ihren Rundgang bis zum Untergang, bis in die Nacht, zu erleben. Auf diese Weise bekommen wir den Eindruck, den wir benötigen, um dem Haus den Charakter zu geben, in dem ihr beiden Menschen eure glücklichen Ruhestunden verleben wollt.

Schon der zweite Platz überbot alle unsere Erwartungen, eine halbe Wegstunde vom Orte Willingen, am breiteren Austritt eines schmalen Bachtales auf einem ziemlich baumlosen Wiesen- und Heideplatz mit einem kleinen Stauteich für das Mühlengewässer. Ein Sonnenplatz mit dem kühlen Hintergrund eines dunklen alten Tannenwaldes und der seitlich höher gelegenen Flanke hochstämmiger Buchen. Unter dem Platz im Haupttal lag die Oberförsterei, seitlich eine Wassermühle.

Das Haus wurde aus Bruchsteinen errichtet, schieferbedacht, hatte mit Wohnküche, großem Gemeinschaftsraum, schönen Schlafzimmern mit Morgensonne, mit Bad, Balkon für Luftbäder, Zentralheizung und eigener Wasserleitung von dem Bach her alle Bequemlichkeiten einer modernen Stadtwohnung; das abschüssige Gelände ergab eine hohe Steintreppenzuführung zur Veranda und

Haus im Stryck. Radierung (als Postkarte), 1912

zum Hauseingang und sogar im Vorderteil der Unterkellerung, die sich in den Berg hineinschob, außer Heizungs- und Vorratskeller einen gesunden Wohnraum für die Sommerszeit. Das verwendete natürliche Baumaterial, der Ausklang der Bruchsteinarchitektur in einer kleinen halbrunden offenen Terrasse, die ins Gelände führte, gab in kurzer Zeit eine derartige Verwachsenheit mit der umgebenden Natur, daß jeder denken mußte, das Haus hat hier schon ewig gestanden und die Landschaft ist ohne das Haus nicht denkbar. Im Innern war alles in frohen Farben gestrichen, und einige schöne Bilder von Paula Modersohn, wie das Mädchen mit der Wollblumenvase und die alte Frau auf dem scharfgrünen Hintergrund mit den gekreuzten Händen auf der Brust, gaben dem Ganzen lebendiges Leben und künstlerischen Reichtum.

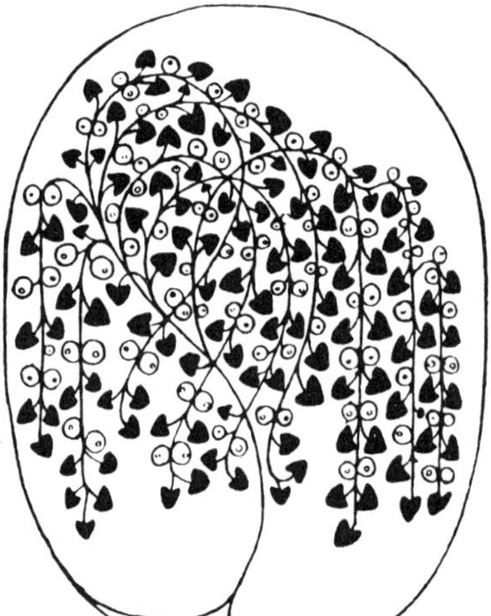

[AUS DEN ENTWÜRFEN ZUM ERSTEN BUCH]

[Zum Abschnitt »Rainer Maria Rilke«]

... da war es ihr, als hätte sie den Mann geschildert, dessen Typ, dessen Charakter jetzt vor ihr saß. Unwiderstehlich zog er sie an, hier mußte eine Auseinandersetzung kommen, etwas Neues, etwas Grundlegendes im Leben dieser Frau. Es kam. Es kam eine große starke Liebe zwischen den beiden, es kam der feierliche Aufbau eines madonnenhaften Wesens von Seiten Rainer Marias, eines Wesens, dem diese ewige festliche Feierlichkeit, mit der die natürlichen Dinge von dem Geliebten umkleidet wurden, im Grunde zuwider war, aber die liebende Frau fiel unter den Zwang der eigentümlichen Kraft dieses Dichters, dessen Charakter weich und biegsam schien, aber im Endergebnis gradlinig und stoßkräftig wie die Klinge eines Floretts. Es kam ein Kind und eine gesteigerte Mystifizierung der Vorgänge. Es kam der unerbittliche schwere Kampf zweier Menschen, die in diesem Bauernhause miteinander lebten und sich in ihrer künstlerischen Befähigung lähmten. Es kam die Trennung. Unendlich schwer litt die Frau, bis zu einer stillen Resignation, die für ihr Leben charakteristisch blieb. Diese Frau, die, bevor dieser Mann in ihr Leben trat, eine bezwingende, mitreißende Lebensfreude und Lebenskraft ausstrahlte. Clara hatte durch diese Bindung eine tiefste Wunde empfangen, den Bruch mit Paula, der Freundin, deren ringendes Künstlertum die Bildhauerin Clara beeinflußt hatte: Ein mächtiger weiblicher Akt, der Körper einer jungen Bäurin, bis zur Typisierung der schuftenden Kraft im Moment der erschlaffenden Ermüdung, stand in dem ungenutzten Raum der Schule. – Clara selbst zerschlug das Werk; es war das stärkste gewesen, was sie schuf. Paula aber haßte die feierliche Wandlung der Freundin und haßte den Dichter, der mit dem Eigenleben einer wertvollen Frau zu spielen schien, bis ihr die Triebkräfte versagten.

[Zum Abschnitt »Ausbau des Barkenhoffs«]

Mit Hilfe der guten Kenntnisse Gottliebs erstand Johannes eine dunkelbraune Fuchsstute, der er den Namen Rosinante gab. Es wird manchmal die Rede von ihr sein, da sie am Aufbau des Barkenhoffs, an der Bezwingung des verwilderten Urlandes einen guten Teil hatte. Rosinante trug nun den Johannes auf ihrem Rücken viele Kilometer weit nach Verden zum Gericht, wo der Maler als Geschworener beisitzen mußte. Übrigens war er später in Berlin auch noch einmal Geschworener, aber beide Male war die Folge, daß man ihn nie wieder als Geschworenen auftreten ließ; denn bei der Richteraussprache und Urteilsformulierung vertrat Johannes aus fester Überzeugung den Standpunkt, daß beide Verbrechen, die den Leuten zur Last gelegt waren, nicht den Verbrechern, sondern der Gesellschaft zugeschrieben werden müßten, einer Gesellschaft, die alle Bedingungen zur Entstehung dieser Irrwege schuf, die die beiden Belasteten gegangen waren. Da Johannes das Urteil nicht unterschrieb und dagegen stimmte, war man sehr ungehalten, denn das Gericht hat es gern, wenn ein Urteil einstimmig ausgesprochen wird. Es machte Johannes froh und frei, wenn er so einen festen Standpunkt gefunden hatte, und bald saß er wieder auf seiner Rosinante, setzte einen forschen Galopp ein und fühlte, wie die Heideluft ihn aufnahm, der Boden unter ihm dröhnte und das Pferd seinen Übermut austobte. Gegen Abend auf der Grasberger Landstraße war der Vollmond hell aufgestiegen und legte die langen dunklen Schatten der Birkenstämme quer über den Weg, so daß die Rosinante den komischen Einfall bekam, die stärksten Schattenbarrieren zu überspringen.

[Maskerln in Partenkirchen]

Den Winter verbrachten wir einen Monat in Partenkirchen, machten Skitouren. Ich fuhr auf Ski mit unserem Wirt, einem Engländer, nach dem Kreuzeck hinauf, von dort aus auf die großen Abfahrten der Alpspitze. Wir hatten auch durch einen einheimischen Freund Gelegenheit, an den Maskerln teilzunehmen, einer alten Volkssitte. Um die Zeit des Maskerln durfte kein Unmaskierter die Räume der einheimischen Restaurants betreten. Die Räume waren erfüllt von dem unheimlich klingenden Graunzen der Holzmasken, die man sich vorgebunden hatte und hinter denen man seinen Feind, seinen Freund, seine Geliebte suchte, um irgendeine bittere oder frohe Botschaft an den Mann bringen zu können. Unter den Holzmasken, die seit alters her in vielen Partenkirchner Familien vererbt wurden, befinden sich ganz hervorragende Kunstwerke, Charaktere jeder Art mit überzeugender Kraft des Ausdruckes. Die Starrheit des Gelächters, der Wut oder der bittren Trauer wirkt rätselhaft erregend. In Partenkirchen entstanden die ersten Skizzen zu dem Bild »Sehnsucht«, das aber ganz den Worpsweder Charakter trug.

Straßburg 1908

Er mußte es wohl nicht verstehen, bei seinem rastlosen Schaffen die Gefühle der Frau, der geliebten, schöpferisch teilnehmend an sein Schaffen zu binden oder auch nur Raum zu schaffen für Ruhezeiten, die, reich an neuen Eindrücken und gemeinsamen Erlebnissen, die Bindungen zweier Menschen erneuern und vertiefen können. Das gastfreie Haus, das so viele jugendliche Künstler, Maler, Musiker und Dichter vorübergehend beherbergte, gastfrei am inneren Leben der Familie teilnehmen ließ, bot indessen der Frau viel Gelegenheit, diese Leere auszufüllen. Ein dunkler Jüngling kommt, mit einem negerhaften weißen Gebiß wie ein Nußknacker, das zu lachen versteht, kommt von einer romantischen Seereise, singt zur Gitarre hawaiische Liebeslieder, und es entspinnt sich eine tiefere Beziehung. Die blumigen Wiesen der Hamme-Ebene, der Fluß, der Sommerhimmel und die tiefen farbigen Abende werden Zeugen dieser Bindung. Wenn die Frau sonnenrot und freudig strahlend auf den Hof zurückkam, vergrub sich Johannes in seiner Werkstatt, oder er verschwand und verbrachte die Nacht in seinem Boote treibend auf dem Fluß. Sein Vorhandensein, sein Schmerz sollte keine Bitternis in das Leben der Geliebten tragen. Auch Tiere, die krankgeschossen sind, dachte Johannes, belasten nicht mehr die Gemeinschaft, sondern verziehen sich in eine einsame Schonung, um zu gesunden oder zu krepieren. Man muß irgendwie das Leben anders anfassen. Alle Quellen seiner Kunst waren nur in seinem privaten Leben. Er merkte bald, daß sich auch seine künstlerischen Ausdrucksmittel veränderten. Anstelle einer gewissen Erdgebundenheit, die seiner Romantik einen verführerischen Wirklichkeitsschein gab, trat ein formalistischer, dekorativer Stil, fast wie ein Kunstgewebe. Er merkte das selber bei der Arbeit noch nicht; nur eine rastlose Unruhe, eine tiefe Unzufriedenheit mit sich selber erfüllte ihn.

Gequält verließ er eines Tages das Atelier frühmorgens, warf noch einen Blick auf die schlafenden beiden Mädchen – die jüngste schlief noch im Zimmer der Mutter – und fuhr nach Bremen. Eigentlich war er ohne besonderes Ziel, er nahm eine Eisenbahnfahrkarte nach Berlin. Als er den Waggon betreten hatte, wurden in einem Tragkorb auf seinem Perron die wimmernden und stummen Reste von zwei Anstreichern vorbeigetragen [weiter ähnlich S. 128 ff. bis: »... nach oben wies.«].

Als er in seinem Hotelzimmer saß, bestürmten ihn tausend Fragen. Er mußte an den vielgepriesenen Mailänder Dom denken, dieses Zuckerbäckerwerk, das so berühmt war und das an keiner Stelle die konstruktive Konsequenz der Gotik zog. Dort war jede architektonische Konsequenz durch Säulen und Figurenzierat zerschlagen. In Venedig hatte man wenigstens die Folgerichtigkeit gotischer Formen wie einen Teppich äußerlich vor die Häuser gehängt. Aber die Grabmäler der Scaliger, die waren echt, ging Johannes durch den Sinn. Dem allen gegenüber stellte sich die Wucht der Renaissance, Giotto, Mantegna, Michelangelo, Leonardo da Vinci. Wo haben diese widersprechenden Entwicklungstendenzen, die mannigfaltigen Veränderungen des menschlichen Schönheitsgefühls ihre Wurzeln? Woher kommt die Veränderung des Schönheitsideals, das die Kunst zum Ausdruck bringt? – Johannes wollte das alles nicht einfach so hinnehmen; das Was und das Wie und das Warum und das Wen? begann auch ihn zu quälen. Aber erst viele, viele Jahre später öffnete ihm das Studium der Werke von Marx und Engels das Bewußtsein über diese Wirklichkeiten.

[Carl Hauptmann]

Im Winter 1909 besuchten wir Carl Hauptmann in Schreiberhau. Ein behagliches Haus ohne großen Luxus nahm uns auf. Wir liefen Ski, wanderten auf den Kamm des Riesengebirges, sahen das Wettlaufen der Skiläufer, staunten über die grotesken Formen der schneebeladenen Krummtannen, die der Schneesturm in gespenstische Geschöpfe verwandelt hatte, die zum Gebirgskamm hinaufzueilen schienen. Carl Hauptmann besuchte mit uns auch den Bruder Gerhart in Agnetendorf. Die Üppigkeit von Gerharts Dichterheim stand im direkten luxuriösen Gegensatz zu Carls Heim. Eine fürstliche Verpflegung, die wir genossen, überbot alle meine lukullischen Lebenserfahrungen, ohne meine Sympathien für den Dichterfürsten zu vergrößern.

[Architekturarbeit]

Dann tauchte immer wieder der Gedanke an die Flucht aus dem von mir selber aufgebauten Leben auf. Doch immer wieder waren auch diese Versuche, die nie ausgeführt wurden, Fahrten zu einsamen Inseln im Ozean, wo ich glaubte, unter primitiven Menschen, die eng verbunden mit der Natur, mit dem Meer ihren Kampf um die Früchte des Meeres führten, ein neues Leben beginnen zu können. Doch war auch das wieder nur eine romantische ziellose Flucht, und der neu aufsteigende Tag, die Wirklichkeit, rief mich auf meinen Acker, an den Pflug, um die mit Gottlieb begonnene Arbeit zu vollenden, oder die Kinder kamen mit ihren Anliegen und Spielen.

Wenn ich kurze Zeit das Bedürfnis zur Ruhe hatte, dann griff ich zu meinen Büchern in der kleinen Bibliothek. Die Romantiker sagten mir gar nichts mehr, nachdem mir durch die Werke Maxim Gorkis jener Teil der Welt gezeigt worden war, dem ich infolge meiner Erziehung vollkommen fremd gegenübergestanden hatte. Dann war kein Platz mehr zum Träumen, und wie ich Heines Werke aufschlage, lese ich:

Girre nicht mehr wie ein Werther,
Welcher nur für Lotten glüht.
Was die Glocke hat geschlagen
Sollst du deinem Volke sagen,
Rede Dolche, rede Schwerter.

Aber wo ist der Weg, wo sind die Möglichkeiten, alle die vielen Fesseln abzustreifen, mit denen der Künstler an die Klasse gebunden ist, der er entstammt, die sein materielles Dasein stützt, aber für die er kein heimatliches Gefühl mehr aufbringen kann? Wo ist der Weg eines ehrlich Suchenden. Welche Irrwege mußte ein Mensch gehen, der einsam sucht, ohne die große führende Bindung mit der Masse zu finden, ihre Sorgen und Nöte zu verstehen? Noch glaubte ich, daß der einzelne ein kleines Stück von einem neuen Leben gestalten könne.

Ich beschloß nun zuerst von der künstlerischen Seite aus an die Probleme heranzugehen, die mir zuerst ins Auge fielen: Das war in erster Linie der Hausbau, die Notwendigkeit, gesunde, schöne Wohnungen und Schulgebäude zu schaffen, anstatt durch Überwucherung der Architektur mit falsch verstandener Gotik und aufgenagelten Renaissance-Elementen den gesunden Sinn der Bauern zu untergraben. Ich stellte mir einen Architekten an und machte unentgeltlich die Entwürfe für Neubauten und Umbauten. Den Regierungsbehörden kam diese kostenlose gesellschaftliche Arbeit ganz recht, so daß sie bald alles, was gebaut wurde, zur Kontrolle mir zuschickten und die Kreisbaupolizei keinen Plan genehmigte, der nicht von mir unterzeichnet war. Der Architekt baute sich in dem nahegelegenen Kiefernwald am Berge an.

Architekturarbeit

Ein hölzernes Strohdachhaus baute er sich, das er mit seiner Frau und deren Schwester bewohnte. Dies Haus barg einen großen Arbeitsraum bis unter das Dach und zwei kleinere Räume, die übereinanderlagen und durch eine Treppe vom Hauptraum aus in Verbindung standen. Das Haus lag hoch im jungen Kiefernstangenwald am Berge, und vor ihm am Hang war eine tiefe wasserlose Lehmgrube, in die der Architekt sich einen Brunnen mit Pumpenaufsatz gegraben hatte. Hier sah ich ein paarmal die junge schlanke Schwester der Frau des Architekten, wenn sie morgens in der sommerlichen Frische am Brunnen stand und das kühle Erdwasser ins Haus hinaufdrückte. Da das Mädchen bei dieser Frühmorgenarbeit an dem versteckten, abgelegenen Ort keine Kleider trug, bewunderte ich den schlanken nackten Körper, der vor der Vollentwicklung stand und in seiner eigentümlichen straffen Schönheit jünglingshafte Formen offenbarte. – Ich rief sie an. Mit ein paar mächtigen Sätzen kam sie den Berghang hinauf zu mir, ungehemmt in dem Bewußtsein jugendlicher Kraft und Schönheit.

»Asta, kommen Sie doch zu mir, ich werde Sie malen als Frühling, als über Blumen schreitende Jugend, als Werden.«

Bald darauf entstand jenes Bild der Schreitenden, aus deren flatterndem schmalen grünen Schleier Veilchenblüten in die Landschaft rieseln.

Asta war eine der Frauengestalten, die ich später mit in ein Bild verschiedener Frauenerscheinungen aufnahm, das ich »Träumerei« nannte: Ein Boot auf dem Fluß; drei nackte Frauen im Boot mit Pfeil und Bogen, die auf vorüberziehende Kraniche schießen. Am Ufer steht ein einsamer Mann, der sich in ein blaues Gewand hüllt und sich abzuwenden scheint.

Inzwischen hatte ich aber auch meine kunstgewerbliche Tätigkeit sehr entwickelt. Die Beschäftigung mit dem Wohnungsbau brachte mich selbstredend auch zur Innenausstattung, zum Bau von Möbeln, und ich dachte bald daran, den Möbelbau selber in die Hand zu nehmen. Dann tauchte aber sofort die Frage für mich auf, wie schaffst du deinen Arbeitern in einer Tischlerei beste Lebensbedingungen. Ich schloß mich der deutschen Gartenstadt-Gesellschaft an, um über diese Organisation nach England zu kommen und die sozialen Einrichtungen für Arbeiter in den verschiedenen englischen Städten studieren zu können.

Träume (ursprünglich: Hoffnungen). Öl, 1911

Bildnisse. Johannes

Die Arbeitszeit in München, der Luxus dieses Lebens, die Beschäftigung mit einer dekadenten mystischen Kunst, Hofmannsthal, Maeterlinck usf., konnten ihn nur kurze Zeit beeindrucken und seine Phantasie künstlerisch anregen. Erst viele Jahre später öffneten die Werke Maxim Gorkis dem jungen Menschen das Tor, durch das er eine andere Welt sah, die sich dem Johannes durch seine bürgerliche Erziehung verschloß. Jetzt erst erkannte er die Welt der ausgebeuteten, niedergehaltenen Masse. Jene Gefühlswelt, aus deren Spannungen die Kräfte stoßen, die auf eine grundsätzliche Veränderung der gesellschaftlichen Verhältnisse zielen, auf revolutionäre Auseinandersetzung mit der bürgerlichen, mit der kapitalistischen Welt und Auslösung des Klassenkampfes.

Alle Zweifel, alle Erkenntnisse, alle Fluchtversuche – aller Gestaltungswille und viele, viele Irrwege seines Lebens begann Johannes von einem neuen Standpunkt aus zu sehen. Der Boden seiner bürgerlichen Ideologie war aufgeackert, umgeworfen und erwartete Saat und Keimung. Wirklichkeiten seiner Umwelt wurden ihm jetzt sichtbar, an denen er sich bisher vorbeigeträumt hatte.

Doch noch wenig änderte sich in seinem äußeren Leben. Nach wie vor galt er für den Glückspilz, dem alles gelingt, der das Leben leichtnimmt, etwas weichlich ist und singend und träumend durchs Leben geht. Der enge Zusammenhang mit der Natur, die praktische Landarbeit als Kleinbauer befruchtete auch seine Kunst, gab den Bildern eine überzeugende reale Note. Gab ihm sogar zuzeiten ein Unabhängigkeitsgefühl, das dadurch gestützt war, daß seine Flucht in die ihm romantisch erscheinende Vergangenheit, dieses Ableiten von den Wirklichkeiten des Tages in eine glückliche Scheinwelt, der bürgerlichen Ideologie in dieser Zeit als ein Ausweg, ein Ausruhen sehr genehm war, so daß sie dem Künstler und dem Verleger guten geschäftlichen Erfolg brachte. Bald wurde (ihm unbewußt) alles, was er anfaßte, zum Geschäft gemacht. [Später eingetragen: »Ich fühlte, daß ich mich eigentlich nicht von einem Unternehmer unterschied.«] Aber der Zweifel, den in ihn die Werke Gorkis gesenkt hatten, ließ in ihm immer wieder das Bild von der anderen Welt auftauchen, das Maxim Gorkis große Kunst offenbart hatte. Johannes war einmal wieder auf einer seiner Fluchtreisen. Flucht aus der Atmosphäre seines eigenen Hauses, die ihm untragbar schien. Das schlimmste, niederdrückendste doch war, daß seine künstlerische Betätigung etwas Gewaltsames hatte. Das Aufrechterhalten einer Romantik, die keinen Boden, keine gesunde Quelle mehr hatte, weil sie nur dem privaten Leben seiner Familie entsprossen war und ihre

Gleichnisse in vergangenen Zeiten suchte. Die Bilder, die er malte, bekamen einen formalistischen, kunstgewerblichen Charakter. Das erkannte er, und das mißfiel ihm. [Später gestrichen: »Aber woher kam es, daß die Verbundenheit der Menschen, der Frauen mit der Natur nicht mehr die Verwurzelung erkennen ließ, die seinen früheren Bildern den Charakter gaben?«]

In dieser Zeit floh Johannes aus seiner Malerei in die Praxis des Kunstgewerbes. Nachdem er für den Bremer Senat die alte Güldenkammer im Bremer Rathaus innen ausgestattet hatte, deren äußerer Rahmen, dem Rathaussaale zu, im siebzehnten Jahrhundert von Lüder von Bentheim mit den reichsten Schnitzereien geschmückt worden war, und den Stil seiner phantastischen Schöpfung noch durch das Ratssilber für die Feste der Regierung ergänzt hatte, waren viele Anträge an ihn gegangen, private Häuser auszustatten und zu bauen. Bisher war er mit Hilfe von fremden Unternehmern diesen Wünschen nur selten nachgekommen, er mußte die Ausführung nach seinen Entwürfen vergeben. Es reizte ihn aber, alles selber in die Hand zu nehmen, an der Entstehung der Möbel direkt Anteil zu haben. Doch im Augenblick hatte er alles von sich geschoben; war nach Mitteldeutschland, nach Würzburg gefahren, wollte alles von ferne sehen, Abstand von seinem Leben gewinnen. [Weiter zwölf Zeilen ähnlich S. 131].

[Löhnberg]

Dr. Emil Löhnberg war ein nicht sehr großer, kräftiger Mann mit ganz ruhigen und bestimmten Bewegungen, einem kurzhaarig gehaltenen Schädel mit reinen charakteristischen Konturen. Er hatte etwas Lebensfrohes im Ausdruck, das leicht auf seine Patienten überging und festes Vertrauen erzeugte: Kopf-, Nasen-, Ohren-, Halskrankheiten waren es, die der jüdische Arzt meisterhaft zu operieren verstand, so daß sein Ruf als genialer Operateur weit über die Grenzen Deutschlands ging. Er wurde der Lebensretter für viele Schwerkranke aus der reichen Bourgeoisie, die ihm dankbar war und ihn reich belohnte. Das gab ihm die Möglichkeit, proletarische Menschen unentgeltlich zu behandeln und von ihren Qualen zu befreien. Über seinen Beruf und seine Erfolge sprach er wenig. Manchmal kam ein besonderer Fall aus seiner Praxis an die Öffentlichkeit, der einen Einblick gab in die Machenschaften seiner Feinde aus jenen Kreisen, die er bekämpfte. So war es mit dem Fall der Maria Esser, einer hysterischen jungen Frau, die seit Jahren ihre Sprache verloren hatte. Die Frau war zu dem berühmten Arzt geschickt, um seinen Rat und seine Hilfe in Anspruch zu nehmen. Löhnberg erkannte, was mit der Frau los war, und inszenierte eine schwere Scheinoperation, ohne an der körperlichen Situation der Kranken etwas zu ändern. Dann mußte die Frau im Ruhezimmer eine Stunde liegen. Er entließ sie mit der Bemerkung, in einigen Tagen würde sie eine Veränderung fühlen, die Sprache würde wiederkommen. Auf Veranlassung ihrer Familiensippschaft begab sich Maria Esser nun auf die Wallfahrt zur Heiligen Mutter Maria nach Kevelaar, und zum staunenden Erschrecken der frommen Gottsucher trat das Wunder ein: Maria begann zu sprechen. – Die Kirche begann natürlich sofort, die wunderwirkende Macht der Heiligen Mutter Maria von Kevelaar in breitester Form zu propagieren, und Emil Löhnberg wußte in seiner einfachen Sprache den wahren Tatbestand der sonderbaren Heilung auf den realen wissenschaftlichen Grund zurückzuführen.

Wenn ich meinen Freund besuchte, war das meistens mit einer Fußtour durch das sauerländische Gebirge verbunden. Im engen Tal von Brilon-Wald sah ich ihn dann schon an der Eisenbahnstation stehen mit Rucksack und Bergstock. Dann marschierten wir los. Planmäßig hatte er immer neue Marschrouten ausgearbeitet, damit ich die Schönheiten dieses Landes kennenlernte.

Durch Emil war auch die Politik stärker in mein Leben getreten. Emil Löhnberg war ein eifriger Verehrer der »Leipziger Volkszeitung«. Es war mir schon bei meinen Fahrten mit ihm aufgefallen, wenn wir von Hamm kamen, daß er bei Zeitungshändlern einen Packen »Leipziger Volkszeitung« aufkaufte und in seiner Aktentasche versenkte. Suchten wir uns nun im Eisenbahnzug ein bequemes Coupé dritter Klasse, so gingen wir möglichst lang durch die Abteile, und Löhnberg verteilte seine Zeitung kostenlos unter den Passagieren, die er für aufnahmefähig hielt. Als ich Löhnbergs graues Haus in Hamm in ein farbenfrohes behagliches Heim umgewandelt hatte, entstand in dem mit Arbeit überladenen Arzt der Wunsch, Ende der Woche auf ein bis drei Tage ins Sauerland zu gehen, um neue Kräfte zu schöpfen. Emil wollte dort ein Heim gründen zur Unterkunft für sich und seine Familie. Wie schön muß die Aufgabe sein, dachte ich, für seinen Freund etwas bauen zu können für Tage der Erholung, das dem Charakter und den Sehnsüchten dieses wertvollen Menschen entsprach. Er verstand so gut auf alle Vorschläge einzugehen, sie zu erweitern und mit seinen Erfahrungen und Kenntnissen zu bereichern. [Folgt Beschreibung des Hausbaues im Sauerland (»Haus im Stryk«); vgl. S. 137f. Danach:]

Dr. Löhnberg genoß großes Ansehen, große Verehrung bei der Bevölkerung, die auch sehr bald viele von seinen Ruhetagen in Anspruch nahm. Selma Löhnberg, seine musikalische Frau, verstand es, durch ihre wirtschaftliche Veranlagung den Ihren und den Gästen eine behagliche Atmosphäre zu schaffen. Zur Zeit des Krieges wurde Löhnberg einige Monate als Arzt auf dem östlichen Kriegsschauplatz gebraucht. Dann bekam er die Bahnhofskommandantur in Hamm. In dieser Eigenschaft machte er illegale Arbeit für die Revolution. Hatte der Bahnhofskommandant Nachricht über den Durchtransport von politisch wichtigen Menschen zur Front – so wurden diese auf dem Bahnhof krank, er half ihnen durch Brechpulver nach, ließ ihnen den Kopf verbinden und sie ins Krankenhaus transportieren, wo sie bis zum Ausbruch der Revolution ungesetzlich vegetierten. Als die Truppen vom französischen Kriegsschauplatz heimmarschierten, wehte im Hammer Bürgerviertel eine große rote Fahne vom Hause des bekannten Arztes, die die Soldaten grüßte. Der Haß gegen den Juden wurde sehr groß, so daß sogar seine Frau einmal in den Anlagen von eleganten Herren der hohen Kreise verfolgt und niedergeschlagen wurde; sie erhielt zwar keine ernsthafte Verletzung, sondern kam mit dieser brutalen Warnung davon.

Das Haus im Stryk wurde vor Ausbruch des Weltkrieges noch einmal vergrößert und mit den bequemsten modernen Einrichtungen versehen, so daß Löhnberg auch ärztliche Behandlungen ausführen konnte. Die Hausform und das Baumaterial auch des Anbaues waren der ganzen Umgebung so angepaßt, als habe das kleine Gebäude schon ewige Zeiten an diesem Platz gelegen, als sei der Platz ohne das Haus undenkbar.

Die Brüssler Bekannten

[Randnotiz am Anfang: »Ich selber hatte vom Anarchismus eine recht romantische Vorstellung: Man gab mir Bücher von Kropotkin zu lesen.«]

Bevor die Brüssler Weltausstellung eine große Reihe deutscher Künstler, vor allem Architekten, auf dem Ausstellungsterrain zu gemeinsamer Arbeit vereinte, hatten die Verwandten meines Freundes Löhnberg in einer bekannten Kunstausstellung eine Sonderausstellung meiner Gemälde und Radierungen organisiert. Löhnbergs Schwägerin war sozialistisch orientiert, sympathisierte mit der revolutionären Arbeiterbewegung, war aber nicht auf die kommunistische Linie eingestellt. Ihr Mann, ein frischer und temperamentvoller Unternehmertyp, verstand es, materielle Vorteile aus allen Lebenslagen zu gewinnen. Die Freunde waren wohl anarchistisch eingestellt. Der nächste Freund der Familie war der Pelzhändler Meyer; eine auf dem internationalen Pelzmarkt äußerst bekannte Persönlichkeit. Wenn man den Meyer in seiner einfachen Wohnung aufsuchte, so öffnete er selber die Haustüre. Ein alter Mann, dem man seine Jahre nicht anmerkte, helle blaugraue jugendlich dreinblickende Augen und tadellos gesunde Zähne. Man traf ihn meistens in Hemdsärmeln, ohne Jacke, so wie sich die Arbeiter in ihrer Wohnung bewegen. Meyer war ausgesprochener Anarchist; er hatte außerordentlich große Einnahmen aus dem Pelzhandel, von denen er einen großen Teil an den Fürsten Kropotkin abführte, der in London lebte und die Gelder dazu verwendete, für politische Gefangene und Verschickte die Flucht aus den Händen der zaristischen Gendarmerie organisieren zu können. – Meyer war dadurch ziemlichen Gefahren ausgesetzt, denn die zaristische Geheimpolizei wußte immer Subjekte zu finden, die auch im Auslande mit den Angehörigen revolutionärer antizaristischer Organisationen aufräumten. – Eines Abends auf einem Ball, wo viele Ausländer zusammenkamen, glaubte die Schwägerin meines Freundes Löhnberg ein großes Interesse bei einer kleinen Gruppe junger Männer für ihre eigene kleine Gruppe deutscher Belgier zu bemerken. – Am andern Tage erschienen zwei junge Männer um die Vormittagszeit im Meyerschen Hause. Einer ging mit Meyer ins Wohnzimmer, einer schloß die Küche ab, in der sich die Frau und das Dienstmädchen befanden. Inzwischen verhandelte der erste junge Mann mit Meyer, indem er eine Bombe auf den Tisch des Zimmers stellte, über die Auslieferung einer außerordentlich hohen Summe Geldes, die sofort geliefert werden müsse. Meyer selber würde von ihm zur Bank begleitet, dabei stellte man die Forderung, daß er auf vierundzwanzig Stunden aus Brüssel verschwinden müsse. Der Streich gelang, die unversehrte Bombe fand man später auf dem Sandhaufen eines Bauplatzes. Einer der Attentäter wurde auf der Flucht von der Polizei erschossen, auch der andere soll ihr an der Schweizer Grenze in die Hände gefallen sein.

[Melusinen-Wandbild]

1912 malte ich noch einmal ein großes dekoratives Melusinen-Wandbild, ein letzter Versuch, von den Wirklichkeiten des Lebens abzulenken: horizontloser verwachsener Wald mit der märchenhaften Frau, die den Fischschwanz trägt und nach der ein Jäger äugt, der durch die Waldwildnis dringt. Eigentlich kein Bild, sondern ein Teppichentwurf. Noch einmal war es der verwachsene, horizontlose wilde Wald, in dem Melusine lebt, zu der der Jäger, alle Hindernisse überwindend, strebt. (Vor dem Kriege.)

Kinderbilder 1914. Nach dem Kriege Geburtsmotive, »Die Frau im Kriege«, »Frauenschicksale«, »Die Insel der Rettung«, »Ich lasse dich nicht«, Hindenburgbild.

Weg zur Krisis. 1912/13

Immer hatte dem Johannes der romantische Gedanke vorgeschwebt, aus seinem Leben ein Kunstwerk zu machen. Träume in Wirklichkeiten zu verwandeln und diese Wirklichkeiten der Geliebten zu Füßen zu legen, wurde der Ursprung seines Handelns. So baute er aus der schornsteinlosen Bauernhütte ein Haus mit allen bequemen technischen Einrichtungen. Arbeitete mit den Dresdner Werkstätten zusammen hellpolierte Möbel in Kirschbaumholz und in Birke, entwarf für eine Londoner Firma blumige Möbelstoffe (Cretonnes). Gebrauchssilber und Luxusgegenstände entstanden; er ließ Messinggeräte und Schalen bei Bremer Handwerkern treiben. In Meißen wurde nach seinen Entwürfen ein Rosenporzellan hergestellt für den Toilettetisch seiner Frau. Plastische, praktische Formen zum Einlegen für Nadeln, Scheren, Puder und Parfümflaschen. Dazu benutzte er die jeden Plastiker gewiß reizende Form der altmodischen aussterbenden Zentifolie, jener kugelrunden rosaroten Rose, die vorn am Giebel seines Hauses so reich blühend heraufrankte. Johannes hatte sie auf Wildlinge, die er sich aus dem Moor geholt hatte, gepfropft. Dies Rosenmotiv, in flach geschnitzter Form, liebte er auch bei weißlackierten Möbeln anzuwenden und mit einem leichten hellen Grün und einem ins Violette spielenden Rosa herauszuholen. Diese Schlafzimmereinrichtung baute er für die Kinder. Auf der Brüsseler Weltausstellung hatte ein in dieser Art von ihm ausgeführtes »Zimmer einer Dame« einen außergewöhnlichen Erfolg. Die Quelle dieser Arbeiten war aber immer nur sein privates Leben.

Er arbeitete in Metall, ließ Fußteppiche knüpfen und Wandteppiche weben. Für die Bibliothek sammelte er vor allem alte Originalausgaben. E.T.A. Hoffmann, Eichendorff, überhaupt die Romantiker waren zu Anfang der Grundstock seiner Liebhaberei. Die Gestaltung des Gartens, die Verwandlung des brachliegenden Urbodens in ein verschlungenes Paradies, in dem man immer wieder Entdeckungen machte, wenn die Natur ihre eigenen Wege ging und Johannes überrascht die neue Initiative der Natur unterstützte und in der Richtung zukünftiger Entwicklungsmöglichkeit ausbaute. So vervielfältigte sich die ursprüngliche Natur unter der gestaltenden Hand des Malers und wuchs als eine Geschlossenheit organischer Zusammenhänge mit dem Wohnhaus zu einer Einheit, in der der Mensch wandelte wie in einer abgeschlossenen Welt. Es schuf sich Johannes aus seinem privaten Leben eine Begrenztheit, eine Abkehr von der Außenwelt, die ihm einmal zum Verhängnis werden mußte. Die vielen Fluchtversuche, sich aus dieser selbstgeschaffenen Romantik der Lebensform zu lösen, lassen das instinktiv aufkeimende Mißtrauen gegen den eigenen Lebensweg erkennen. Aber erst sehr spät untergruben die Zusammenstöße mit den Wirklichkeiten der Umwelt die Traumgestaltungen des Romantikers. – Man kann auch mitempfinden, welch ein ungeheurer Kraftaufwand nötig war, um diese vielfältige Art der schöpferischen Arbeit zu bewältigen. Neben der ganzen künstlerischen Arbeit rief der Pflug, der Spaten, das Meßgerät; müde wurde er nicht, weil der Schaffensprozeß ihn mit heißer Lebensfreude erfüllte, in der eine tiefe Tragik verborgen lag – eine Entfernung, eine Kluft, die sich zwischen ihm und seiner Lebensgefährtin auftat, der einzigen, an die sich seine ganze Schöpfung richtete. Es kamen Zeiten, wo er die Kluft sah, aber er fand nicht das Mittel, sie zu überbrücken, versank in eine abgrundtiefe Traurigkeit, die ihn wieder tiefer in die schöpferische Arbeit trieb. Dann wieder fand er keinen Ausweg als die Flucht. Die Gefühle der Vereinsamung waren bei der blonden schlanken Mutter in steigendem Maße vorhanden; die starke organisatorische Kraft dieser Frau erlahmte nicht. Sie gab dem ganzen Hauswesen den Charakter. [Weiter ähnlich S. 126f.: »Ich war froh ...« bis Absatzende: »alles so schön!«]

Feste zu organisieren, das verstand Johannes. Das Naturtheater mit den Kulissengängen aus geschnittenen Lebensbäumen wurde hergerichtet, Worpsweder Dichterlinge machten hier die ersten Versuche, ihre Dramen aufzuführen. Gute Musiker halfen, dem Abend eine festliche Weihe zu geben. Johannes verstand es, allen Gästen so viel zu geben, daß sie sich selber als Träger des Festes fühlten. – Ehe ein Fest seinen Höhepunkt erreicht hatte – war Johannes verschwunden. Grundlos, böse mit sich selber, mit keinem anderen! Warum konnte er keine Feste feiern, nie hatte er es wohl verstanden. Warum, dieser Glückspilz, dieser Mensch, dem alles gelang, was er anfaßte. – Und nun saß er da fern vom Fest am einsamen Bergrand, ein Häuflein Elend; hielt den Kopf in den Händen und stierte auf den blanken Wiesenfluß, der dort unten, sich windend in der Unendlichkeit der blauen Nacht verlor. Darüber standen die Sterne.

[Später fortgeführt:] Ich trug eine tiefe Sehnsucht in mir, das Leben neu zu beginnen, mit neuen Menschen, mit einfachen Menschen, die in enger Verbindung mit der Natur in Arbeit ihr Leben gestalten. An ferne einsame Inseln im Ozean dachte er[!], Färöer oder Orkney-Inseln. Ich las damals zum ersten Mal Werke von Maxim Gorki, zuerst mit innerem Widerstreben, dann mit erregter, aufwühlender Leidenschaft. Gorkis Werke schlugen mir ein Tor auf, durch das ich eine Welt erkannte, zu der ich keine Beziehung hatte. Eine wachsende Unruhe bemächtigte sich meiner. Wie fern war ich der Totalität des Lebens durch meine privaten Sorgen, die darin restlos aufgingen, einer Frau, einer Familie den künstlerischen wohlhabenden Rahmen zu geben, auch aus ihrem Leben ein Kunstwerk zu machen. Was wußte ich denn von Martha? Vielleicht verdrängte ich dadurch ihre besten schöpferischen Kräfte, vielleicht vereinsamte sie an meiner Seite?

Flucht! aus diesem Leben. Sich befreien von sich selbst. Das muß die letzte, die wichtigste Tat meines Lebens sein. Nie belastete mich der Gedanke, daß nur mein Tod die gänzliche Befreiung für die geliebte Frau sein könne. Was kann der Tod sein, wenn man das Leben noch gar nicht kennt; eine feige Flucht. Die Anerkennung eines Bankrotts, eines betrügerischen. Aber es war doch nur ein Selbstbetrug, und in der Erkenntnis des Selbstbetruges liegt doch schon der Keim eines neuen Lebens.

[Reflexion über Kunst]

I. Buch. (Vor die Periode mit der Malerei meiner Kinder und ihres Lebens 1914 setzen.)

Mich interessierte am wenigsten die Geschichte der Schulung der bedeutenden Künstler der Vergangenheit, wogegen ein Blick in ihr Leben mich ganz erfüllte, anregte zu forschen, wie auf dem Boden des wirklichen Lebens der Inhalt ihrer Kunst wuchs. Vor allem, sagte ich mir, muß das auch in der großen Architektur zum Ausdruck kommen, weshalb, unter welchen Bedingungen sich das künstlerische Schönheitsgefühl änderte. Die bürgerlichen Bekannten konnten mir nichts darüber sagen, da sie den Künstler und den Menschen trennten: Für sie kann der Künstler ein bedeutender Gestalter von Kunstwerken sein, aber als Mensch ein selbstsüchtiges, verachtenswertes, spekulatives Subjekt. Wo ich auf meinen Reisen auch hinkam, waren diese Gedanken das quälend Unaufgeklärte, das mich beunruhigte. Im wirklichen Leben dauerte es bei mir lange, mich selber zu erkennen, nicht romantischen Träumen nachzujagen, sondern meine Kunst fest aus den Wirklichkeiten des Lebens realistisch zu gestalten. Erst nach dem Zusammenbruch einer selbstgeschaffenen Traumwelt zeigte mir das eigene Machwerk in ganz klarer Weise, daß eine Kunst nur noch formalistischen Leerlauf hat, wenn die Lebensbedingungen des Künstlers sich so veränderten, daß die Gegenstände seiner Gestaltungstriebe ihn längst verlassen haben und ein blutleeres, abstraktes, vielleicht noch dekoratives Gespenst sein Unwesen auf der Leinwand treibt.

Die Frau im Kriege (Die Mütter im Kriege). Öl, 1918

ZWEITES BUCH
KRIEG

Krieg. 1914

Die Konturen der Dinge im blauen Zimmer versanken im Dämmer der anbrechenden Sommernacht. Es schien, als weite sich der Raum ins Unbegrenzte. – Nur durch das breite Fenster fiel ein warmer Abendschein auf die weißen Kissen und Leinentücher, in denen die beiden kleinen Mädchen lagen, Bettina und Miekelies. Ihre strahlenden wachen Gesichter konnte man gut erkennen. Das hohe Gestell eines weißlackierten Himmelbettes umrahmte das Bild. – Vier kleine Hände streckten sich mir entgegen, ich war vom Bett aufgestanden. Das Märchen von der Prinzessin, die nicht lachen konnte, das ich den Kindern vorgelesen hatte, war zu Ende, und nun hieß es: gute Nacht. Den Fenstervorhang zog ich zu, verließ das Zimmer, schloß leise die Tür hinter mir und schritt die drei kleinen Stufen hinab, die den Neubau mit dem alten Haus verbanden. Dann kam ich über den breiten Vorplatz. Zögernd öffnete ich die Tür zum Schlafzimmer meiner Frau, um nach der achtjährigen kleinen Martha zu sehen, die bei der Mutter schlief. Das Zimmer war dunkel. Tine, das Hausmädchen, hatte die Fenstervorhänge geschlossen. Ich riß ein Zündholz an. Da lag ruhig atmend die Kleine, fast verloren in der großen Bettstelle aus poliertem Birkenholz. An der gegenüberliegenden Wand stand ein gleiches Bett, das Bett der Mutter. Es war die alte Einrichtung, wie ich sie zu unserer Verheiratung bei den Dresdner Werkstätten hatte ausführen lassen. Auch diese Betten waren Himmelbetten, deren Kopfrahmen innen leichte grünseidene Vorhänge trugen. Mit dem niederbrennenden Streichholz ging ich auf den Toilettisch zu, der zwischen den Fenstern an der Giebelwand stand, und entzündete die beiden Kerzen. Der Schein fiel auf das Bildnis eines jungen Studenten, dessen Brust ein Couleurband umspannte: Ludwig. – Die Fotografie lehnte sich an den großen ovalen Spiegel, der den Toilettisch abschloß, jetzt aber eine ganz phantastische Versammlung von porzellanenen Schalen, Dosen und Leuchtern, die sich vor dem Studentenbild aufbauten, spiegelnd verdoppelte. – Da wuchsen die beiden Kerzenhalter säulenartig aus einem hingelagerten plastischen Kranz von farbigen Rosen hoch. Dazwischen stand eine lange weiße Porzellanschale, die seitlich umfaßt war von zwei rosafarbenen Rosen mit tiefrotem Herz und deren grüne Blattarme, die die erhöhte Rückwand bildeten, sich in der Mitte gegeneinander bäumten. In der schmalen Schale lagen Hutnadeln und eine feine Schere. An anderer Stelle war ein runder Rosenkomplex von einer schweren Rose bekrönt, die man an dem gekrümmten Stiel abheben konnte, um den Puderquast zu nehmen, der in dem weißen Inneren der Rosen ruhte. Bei einer einzeln stehenden Rose reizte das zweiseitig sich auffaltende Deckblatt, das Blatt zwischen die Finger zu nehmen und abzuheben. Eine kleine Ansammlung von Knöpfen und Perlen lag im Innern der porzellanenen Blume. Alles das ruhte auf einer feinen Batistdecke, die Martha mit einer breiten Brügger Spitze eingefaßt hatte. Die Porzellanrosen hatten jene kompakte kugelrunde Form, die jeden Bildhauer reizen mußte, die Form und auch den Farbenreichtum der fast vergessenen altmodischen Zentifolie. Nach dem ersten Umbau unseres Hauses hatte ich diese hundertblättrige Rosenart auf Wildlinge okuliert, die ich mir aus dem Moor geholt hatte. Heute berankte sie in überreicher Fülle mit ihren Blütentrauben die Außenwand des Empiregiebels. Ich mußte an die kurze Spanne Zeit denken, an die glücklichen Tage in Meißen, als das Porzellan entstand, das ich meiner Geliebten zugedacht hatte. Es war ja damals das erstemal gewesen, daß Martha bei mir blieb und wir, wie ein junges Ehepaar, zusammenlebten.

Schnell löschte ich mit den Fingern die brennenden Kerzen. Ich hatte das unsympathische Gefühl, als sei ich ein Lauscher. Nichts aber war mir widerwärtiger als ein absichtliches Einschleichen und Eindringen in die letzten Intimitäten meiner Mitmenschen. Ich verließ das dunkle Zimmer, ging über den Vorplatz, der von einem kleinen Oberlicht in der Decke einen schwachen Lichtschein bekam. Rainer Maria Rilke nannte den Vorplatz den »Weißen Saal«. Das konnte man seinerzeit auch sagen; empfing der weißgestrichene Raum doch seine Gäste, wenn sie von der unteren Hausdiele die gewundene Treppe hinaufkamen, mit warmem Kerzenlicht, das von den getriebenen barockenen Wandleuchtern kam und über die feine Malerei von Urnen und Blumengewinden schimmerte, die die weißen Zimmertüren umrahmte. Der Saal bekam aber erst seinen vollen Reiz, wenn sich unsere junge Künstlerschar dort versammelte, wenn musiziert wurde oder die Gemüter phantasievoll erregt waren von dem Vortrag der Dichtungen Rainer Marias. Er brachte den Bildreichtum seiner rhythmischen Verse mit einer so wechselnden Färbung seiner klangvollen Stimme zum Ausdruck, als sänge er sie. – Wie weit lag das nun schon. Mehr als zehn Jahre waren vergangen. Ich strich mir mit der Hand über meine Stirn. Was sollten diese Bilder aus einer Welt, die am Versinken war. – Im Giebelzimmer begann irgendein neues Leben mit neuen Zielen, an denen ich keinen Anteil haben konnte. Alles, was ich schaffte, schien mir sinnlos geworden zu sein. Ich verließ das dunkelnde Haus. Draußen war noch helle Dämmerung. Ich schlenderte durch den Garten, hinunter an den Gemüsebeeten vorbei zum Teich. Hier war das Reich der Kinder. – Ich hatte es eigentlich erst jetzt wieder entdeckt in der Leere meiner Vereinsamung. Hier malte ich die Kinder beim Baden, beim Früchtesammeln, wenn sie sich ein Sonnenzelt bauten und ihren Pudel kostümierten, damit er im Zelt hocken sollte als märchenhafter Gast, der sich von den Kindern bedienen ließ. Ich stieg zwischen den Tomatenhängen zu den höher gelegenen Feldern empor. Von dort aus sah man hinunter auf den Teich mit der kleinen pappelumstandenen Insel. Jahre hatte es gedauert, bis ich mit Gottlieb zusammen das verwüstete, tief in den Berg einschneidende, aufgerissene Gelände der Ziegelei in ein so fruchttragendes Gefilde hatte verwandeln können, das ich nach der tannenbewachsenen Berglehne hin mit einer romantischen Landschaft umschloß. Ich stapfte über den Acker. Mit dem Pflug in den Fäusten hatte ich ihn dem Mutterboden abgerungen. – Ein unbewußtes Gefühl trieb mich zu dem kleinen Brombeerenhügel im Felde, der vom Pflug unberührt geblieben war. Von hier aus konnte man die Landstraße übersehen. Da kamen die Bauernwagen, die ins Feld fuhren, der Omnibus rollte zur Stadt, auch elegante Autos sausten vorüber, die Fremde brachten. Um die Mittagszeit saß der weiße Pudel gewöhnlich auf dem Hügel und äugte mit steifen aufmerksamen Ohren auf die Straße, die unten um den Fuß des Berges bog. Zu einer gewissen Stunde erschienen hier die Kinder Miekelies und Bettina. Mit ihren Büchertaschen kamen sie aus der Dorfschule. Dann raste der Pudel mit flatternden Ohren los über das Feld, begrüßte sie und begleitete sie mit freudigen Sprüngen nach Haus.

Jetzt, um die Abendzeit, ging auf der Landstraße allerhand vor sich, man konnte auch Gesang hören. Ich sah gespannt auf die Straßenecke, wo an der Wegbiegung eine weißgekleidete Frauengestalt erkennbar wurde. Es mußte Martha sein. Jetzt, in dem Augenblick, da er verstummte, kam mir auch der Marschgesang zum Bewußtsein. Ich konnte erkennen, wie eine kleine Gruppe Männer die Frau begrüßte und bald ihren Marsch wieder aufnahm. Offenbar waren es die jungen Maler, die für den Nachtdienst mit umgeschnalltem Revolver zur Eisenbahnbrücke wanderten, um die Brückenwache am Fluß abzulösen. Es war Krieg. Deutsche Truppen waren in Belgien einmarschiert.

Es dunkelte mehr und mehr. Aus den rötlichvioletten Tönen des Abendhimmels über dem Horizont blinzelte die Venus, allmählich verwandelten sich die Töne in ein tiefes Blau. Langsam schritt ich zwischen den Blumenbeeten dem Hause zu.

Da hörte ich meinen Namen rufen. Seitlich durch das Gras, von der Landstraße her, kam Martha. »Schlafen die Kinder?«

»Sie schlafen.«

Sie nahm meinen Schritt auf, ging hinter mir. Ich wendete mich ihr zu: »Was wird nun werden?«

»Eins weiß ich«, kam es hart von ihren Lippen, »was auch kommen mag, nie werde ich mit dir leben, nie, nie. Du hast keine Zeit fürs Leben, bist ein Märtyrer deiner Kunst und fühlst dich noch wohl dabei.«

Ich konnte nicht antworten. Jedes ihrer Worte fraß sich in mich hinein. Tausend Bilder stiegen in mir hoch. Hatte ich dies bißchen Leben und Liebe nur als Mörtel benutzt, um zu schaffen und zu bauen? Aber dieser Turm, in dem ich sie traumhaft zu sehen glaubte, umgeben von vielen Dingen, die ich schuf. Dieser Turm! – ich wurde das Bild nicht los. Und da kamen die Zugvögel, umflatterten den Turm, setzten sich auf seine Kanten und sangen ihre Lieder. Hawaiische Lieder; und eine Gitarre fiel mir ein. Ein schwarzhaariger Kopf, ein Gesicht mit Zähnen wie ein Nußknacker tauchte grinsend in mir auf. – Lieder voll Sehnsucht nach unbekannten fernen Welten. Und die Vögel kamen wieder, und Martha war unter ihnen, ein weißer. Und alle flogen zusammen über die Heide, über den blanken Fluß und über die Wiesen. – Und einmal wurde das Spiel Ernst. – Es kam einer, der einen Hafen suchte oder vielleicht Untergang. Ein Junger, ein Student, der sich ausgestoßen fühlte aus der Gemeinschaft mit seinen Altersgenossen. Ein ausgeschlagenes Duell, eine verlorene Ehrensache, hatte er in Alkohol zu ersäufen gesucht. Das war Ludwig. Sein rundes Gesicht tauchte vor mir auf, das von Schmissen zerhackte, auch das erschreckte Gesicht Marthas war da, als hätte sie ein Abscheu erregendes Reptil vor sich. Das war Ludwig und – sie warb um ihn. – Dann kam diese eine Nacht. Ich sah mich selber mit der erhobenen Kerze in der Hand, glaubte Marthas verschwollenes Gesicht vor mir zu sehen. Ein Kampf mußte stattgefunden haben. Ihr Kopf senkte sich, und die Worte waren da: »In dieser Nacht wird Ludwig sich das Leben nehmen.«

Ich wollte das Bild wegwischen, griff mir an die Stirn, reckte meine Glieder, ich wollte die Wirklichkeit meines Körpers fühlen. Stark sein! Abwehrend! Aber nun waren sie wieder da, meine eigenen Worte, die ich ihr gab, damals, in jener Nacht, wie einen Befehl:

»Geh zu ihm. Hilf! Du mußt!« In dieser Nacht verlor ich die Geliebte auf immer.

Langsam kamen wir beide bis an die Steintreppe der Terrasse. Da riß mich die scharfe Stimme Marthas aus dem Wachtraum, so daß ich mich hastig gegen sie wandte. »Träume nicht, werd mit den Wirklichkeiten fertig. Deine Liebe zu mir ist unwirklich. Du bringst nicht einmal die Kraft auf, Ludwig zu erschießen.« Dann stürmte sie die Terrassentreppe hinauf und verschwand im Haus.

Das Giebelzimmer sah ein schluchzendes Menschenkind, das seinen Kopf in den Knien vergrub. Unsichtbar im Dunkeln hing über ihr ein Scherrebeker Wandteppich, ein Ritter, der durch die Rosendornen bricht, um Dornröschen zu befreien.

Ich hockte mich auf die Terrassenmauer hin, es war mir, als versänke ich langsam in den Abgrund. Über mir stand die schwarze Silhouette unseres Hauses, ein drohend abwehrender Klotz.

Es war einmal

Ich erwachte in einer niederen Föhrenschonung auf dem seidenweichen trockenen Heidegras. In der hellen durchsonnten Morgenluft über mir flatterte eine Lerche und schmetterte ihr Lied zum Himmel. Plötzlich endete sie und ließ sich, wie ein Stein, in die Heide fallen, als kehre das kleine Wesen, erfüllt von grenzenloser Hingabe an die Natur, zur irdischen Welt zurück. Schnell stand ich auf den Beinen und schritt durch den hohen Kiefernwald dem Barkenhoff zu. – Irgend etwas war in mir ins Gleichgewicht gekommen, ich fühlte meinen Körper, meinen Gang. – Der Weg vom Berg endete mit einem steilen Schwung vor der Hintertür des Atelieranbaues. Zum Arbeitsraum hinauf führte eine Treppe. Ich durchquerte das Atelier, öffnete vorsichtig die Tür zum blauen Zimmer. Die Kinder schliefen noch; ich deckte mein Bett auf, als wenn ich dort geschlafen hätte. Wieder im Atelier, fiel mein Blick auf eines meiner Bilder aus der letzten Zeit. Ich hatte plötzlich einen Ekel vor meinem eigenen Machwerk und drehte das Bild mit der Bildfläche zur Wand. Alles, was ich malte, nachdem mich Martha allein gelassen hatte, wirkte jetzt auf mich wie eine leere Lüge. Es sollte ein Durchbruch zum Monumentalen werden und wurde nur eine flache, formalistische dekorative Malerei. Martha hatte zwar mit Anerkennung von diesen Bildern gesagt: »Wenn es dir schlecht geht, malst du die besten Bilder.« War das nun Betrug oder Selbstbetrug? Für mich war es auf alle Fälle unwahr.

Die Flügeltür zum Balkon stieß ich auf und trat hinaus. Von hier aus hatte man einen weiten Blick über die Heide, über das sanft abfallende Berggelände mit den Feldern des Barkenhoffs und mit der Silhouette des kleinen Brombeerenhügels. Dort weiter, irgendwo, muß auch der graue Findling an der verlassenen Lehmgrube liegen, auf dem wir manchmal abends saßen, Martha Schröder und ich. Wir waren noch so jung; Martha erst ein Jahr aus der Dorfschule und ich eben aus der Düsseldorfer Akademie zurück. Jetzt war da alles verwachsen, vieles versperrte den Blick.

Ich sah hinunter auf unseren Hausplatz. Die architektonischen Formen des Barkenhoffs bildeten mit den beschnittenen Tannen und Lebensbaumhecken einen harmonischen Ausklang und führten organisch in die frei wachsende Natur hinüber bis zu den bebauten Feldern. Dem Berghang zu lag das Naturtheater. Da war ein grasbewachsener erhöhter Bühnenplatz mit seitlichen Lebensbaumkulissen, in die die halbrund geöffnete Bühnenhinterwand aus Lebensbäumen und Rhododendron endete. An der Bergwand stiegen drei perspektivisch sich verjüngende Wege hinauf, die diese Hinterwand aufteilten. Ich hatte hier meine Erinnerungen an das Teatro Olimpico von Palladio versucht in die Natur umzusetzen. – Manche Feste wurden hier gefeiert, zu denen die jungen Dichter ihre Verse auf die Bühne brachten.

Es hatte an die Tür geklopft. Tine rief zum Frühstück. Als ich auf die Diele kam, waren die Kinder schon fort zur Schule und Martha irgendwo im Haushalt oder Gemüsegarten beschäftigt. – Da war die Hausdiele mit ihren Reichtümern an alter Bauernkunst. Die große dunkle Anrichte, auf der Zinnkrüge und silberne Leuchter standen, hinter denen blaues und farbiges Delfter und gelbgeblümtes Kellinghusener Steingut hervorleuchtete. Neben der Anrichte an der ockergelben Wand hing ein Stilleben von Paula. Weiße, silbergraue Töne eines Tischtuches, eines Wasserglases und einer Wasserflasche umspielten das tiefe Schwarz einer Bratpfanne mit Spiegeleiern. Das warme Gelb der Eier, ruhend in Weiß und Schwarz, darunter das kalte Gelb einer halbierten Zitrone auf dem hellen Tischtuch, gaben der festgebauten Komposition wirkungsvolle Kraft in der Umwelt reicher, differenzierter Farbtöne. Darüber hing das Bildnis einer alten Bäurin mit einem roten, weißgepunkteten Tuch um den Kopf. Der Kopf ruhte, wie in einer Schale, auf der gichtigen schweren Arbeitshand der Alten. Es war das Bildnis Klönken-Adelheids, und ihre Hände erzählten von harter Arbeit in kalten feuchten Moorkuhlen, erzählten von dem Binden und Schleppen der Birkenbesen, die die Alte zu Fuß in die ferne Stadt brachte. Ohne Sentimentalität, aber auch ohne Hoffnung schaute sie in die Welt.

Als ich auf die Haustür zugehen wollte, blieb ich wie festgebannt stehen vor dem kleinen Stilleben, das mir immer Neues erzählte; ich liebte es so. Wie einfach: da waren ein paar verschiedenartig getönte gelbe Blumen; sie stiegen aus dunkelgrünen, schmalen Blättern auf. Das kleine, kaum sichtbare Gefäß, aus dem die Blumen kamen, stand auf einer weißleinenen Decke, die einige Kurven zeigte, als habe die Malerin einen umgekehrten Teller untergelegt. Das Ganze spielte sich auf einer hellen, kalkgrünen Wand ab, der Wand von Paulas Arbeitsbude. Die Wand wirkte aber, als sähe man hinter den Blumen eine leuchtend blaugrüne Frühlingsluft. Und in mir tauchte eine neue Wirklichkeit auf: arktischer Frühling. So hatte mir der amerikanische Maler Fred Ulrich, der mit MacKennan Sibirien bereiste, den Frühling geschildert: wenn man nach langen dunklen Wintertagen und dem Nächtigen in dumpfen Jurten der Tungusen im Schnee eine kleine aufgetaute Erdinsel findet, auf der unter den blendenden Strahlen der Frühlingssonne ein paar Blumen mit der größten Intensität ihrer Farbe zutage brachen.

Ich verließ das Haus.

Das Torfmoor zeigte noch die Aufteilung, wie sie vor hundertzwanzig Jahren von dem Ingenieur Findorff vorgenommen war. Kam man über den sandigen Weyerberg zum Barkenhoff, der auf der Ostseite des Hanges lag, so konnte man die vierzehn Morgen Land des Grundstückes ganz gut übersehen. Unten war es von der Landstraße begrenzt. Auf der anderen Seite der Straße begann schon das niedrig gelegene Moor. Die Kleinbauern, die hier angesiedelt waren, hatten acht Morgen Moorland, auf denen Roggen und Kartoffeln gebaut wurden, manchmal auch Hanf und Futterrüben. Für größeres Weideland war kein Platz. Hoch aufgeschüttete, birkenbestandene Fahrdämme mit seitlichen Moorgräben, die schiffbar waren, durchschnitten das Land und begrenzten die Dörfer. Vom Damm zu den Bauernhäusern führte eine Eichenallee; eine alte Tradition gebot den Bauern, wenn sie sich ansiedelten, die Bäume als Baumaterial für die kommende Generation anzupflanzen. In bezug auf die Versorgung des Viehbestandes mit Heu waren die Moorbauern ganz in der Hand der Großbauern, denen das ausgedehnte Weideland am Flusse gehörte.

Als ich vom Barkenhoff kam und die Landstraße überquert hatte, schritt ich am Graben entlang dem Nachbardorfe zu. Ich hatte das Gefühl, ich müsse jemanden von den Freunden sprechen, um zu Entschlüssen zu kommen, ohne zu wissen, wie sich die Unklarheiten in mir ordnen würden.

Als ich am Ende des Gartengrundstückes vorbeikam, das dem Bildhauer Hoetger gehörte, sah ich ihn selber zwischen den Obstbäumen auf den Moordamm zukommen. In der Ferne, der Landstraße zu, lag sein Haus, ein schloßartiges Gebäude, von zwei spitzenlosen Türmen flankiert.

Wir begrüßten uns. Hoetger kam zu mir hinauf auf den Moordamm. Für uns beide war der Krieg eine irrsinnige Angelegenheit. Die wirklichen Ursachen, die Beweggründe kannte keiner von uns. Beide waren wir, wie die meisten Künstler, politische Analphabeten, die die treibenden Kräfte im gesellschaftlichen Leben der Menschen nicht erkannten. An einem heidebewachsenen Abhang des Moordammes, über dem Moorgraben, lagerten wir uns. Ich ließ etwas von meiner Arbeitsunfähigkeit und Vereinsamung durchblikken. Kaum ausgesprochen, fühlte ich aber, daß die Unsicherheit, die die Einsamkeit bringt, seit gestern geschwunden war. »Einsamkeit«, sagte der Bildhauer, »ist das Schicksal aller großen Künstler. Er sucht alle Fehler in sich selber, und jedes Werk ist seine Läuterung. Im Schaffen löst er sich selber auf. Seine Persönlichkeit verschwindet im Werk. So samt er sich ein ins All, ins Nichts, das sagte uns schon Buddha.«

Das Wasser im schmalen Graben staute sich an den Ufern hoch. Ein Bauer in einem schwarzgeteerten Torfkahn stakte vorbei mit den Worten: »'n beeten an't Klönen?« – »Mött woll«, war meine Antwort. Der Torfkahn verschwand unter der dunklen Brückenöffnung eines Querdammes. »Sie denken nur immer an Ihr eigenes kleines Leben. Sie waren nicht stark genug, den großen Strom des Lebens zu erfassen und gestaltend weiterzugeben. Vielleicht sind Sie auf dem Wege, das buddhistische Nirwana zu erleben. Erst dann sind Sie reif, den geklärten Strom des Lebens unsentimental, gestaltend, weiterzugeben.«

»Sind denn nicht die Wirklichkeiten des Lebens die Grundlagen, die Quellen der Kunst?«

»Ja, wenn sie standhalten in ihren Zusammenstößen mit den Wirklichkeiten der Umwelt und vom Geist gestaltet weiterfließen!«

»Hoetger, geben Sie mir einen Rat ohne Ihre Philosophie, was soll ich tun?«

»Fegen Sie Ihr Haus rein von den Freiern, die Sie belasten; frei wird man nur durch das, was man los ist.«

Der Wasserspiegel des Moorgrabens hatte sich wieder geglättet; ein schwacher Wellenkeil zog sich über den Spiegel hin. Eine Ratte. Sie schwamm auf uns zu. Eine blanke Nase, zwei winzige schwarze Knopfaugen; tauchten unter in Wellenkreisen. Sie verschwand. Ich starrte auf das Wasser. Meine Kinder waren mir nahe und ihre Mutter. Wie bedeutungslos ist mein Leben für sie geworden, dachte ich. »Nur nicht sentimental werden, mein Lieber«, rief mir Hoetger zu, als ich aufstand und forteilte.

Ich wanderte durchs Moor und auf dem Rückwege über den Berg. Hoetgers Philosophie war mir zu hoch und zu vieldeutig. Als ich an die niederen Föhren kam, in denen Curt Stoermers Haus lag, traf ich ihn beim Begießen seines Gemüses. »Na, Curt, was sagst du zu der ganzen Lage?«

»Mich werden sie bald holen.«

»Ich gebe dir einen Rat, Curt, geh mit mir freiwillig. Ich gehe zu den Oldenburger Dragonern.«

Curt hatte einigermaßen erstaunt die Wassereimer abgestellt, ging aber, zuerst zögernd, dann entschlossen, auf mich zu, reichte mir die Hand: »Wir gehen zusammen.«

Der Dienst

Die Aufnahme bei den Oldenburger Dragonern ging schnell vonstatten. Ich hatte mein Gesuch an den Hofmarschall des Großherzogs gerichtet, denselben, der mir fünf Jahre vorher bei Gelegenheit der Oldenburger Gewerbeausstellung die Große Goldene Medaille für Kunst und Wissenschaft überreicht hatte. Damals war ich in zwei Sälen mit meinen Bildern und Radierungen auf der Oldenburger Ausstellung vertreten und hatte großen Erfolg.

Jetzt lebte ich in Oldenburg mit Curt Stoermer zusammen in dem Giebelzimmer eines kleinen schmucklosen Hauses, das einer Wachtmeisterswitwe gehörte. Der Dienst war stramm und begann in der Frühe um fünf Uhr mit dem Wecken. Bei jedem Abendappell, den der Vizewachtmeister abhielt, tauchte einen Moment die Hoffnung auf, vielleicht befiehlt er heute statt fünf Uhr sechs Uhr; was natürlich nie eintrat. Unsere Kräfte wurden völlig aufgebraucht bis zum Mittag. Dann gab es in der Kaserne ein gutes kräftiges Mittagessen, das selbst den Rittmeister manchmal verführte, sich an den Tisch der Kriegsfreiwilligen zu setzen, um mit ihnen zu speisen. Nach dem Essen kam der Mittagsschlaf zu Hause. O größte gedankenlose Seligkeit, wenn sich die Glieder lösten. Überhaupt die völlige Gedankenlosigkeit; das Ausschalten jeder Rückerinnerung und jeder Spekulation in das Zukünftige – das wog alles andere auf, das war in dieser Zeit die Befreiung. Zudem das Leben unter ganz jungen Leuten, der Dienst mit dem Pferd, mit den Waffen und das Schwimmen an Nachmittagen in dem kalten blauen Moorfluß, das war die Welt, die meine Kräfte ganz beanspruchte. Dabei schien es mir, als wenn ich noch geschont würde. Manchmal beim Säbelfechten reichten meine Kräfte nicht mehr, dann rief der Feldwebelleutnant Beling dem Dragoner zu: »Das sieht aber nicht schön aus, hören Sie auf!« Beim Reiten ging es besser, da wurden wir Neuen einfach beim Felddienst zwischen die bereits fertig ausgebildeten Schwadronen gebracht und mußten wohl oder übel sofort alles mitmachen, was die eigenen Pferde mit uns taten. Mit Pferden verstand ich mich sehr gut. Manchmal tauschten die Mannschaften Pferde aus, die ihnen nicht paßten; so fand ich bei mir, nachdem ich ein paar Tage im Lazarett gelegen hatte, einen Bock vor, der schon vieles auf dem Gewissen hatte, ein Schläger war, bissig, mit dem Kopf hochging, daß ein einzelner ihn gar nicht aufzäumen konnte. Einem Bremer Jungen, der ihn mit Schlägen traktierte, legte der Gaul das abgerissene Ohr in die Krippe. Ich merkte bald, daß man das Pferd miserabel behandelt hatte, indem man es wahrscheinlich mit der Reitpeitsche zwischen die Ohren schlug. So nahm ich mir jeden Morgen ein paar Stück Zucker mit, um den Kopf friedlich nach unten zu bringen. Es dauerte keine acht Tage, und das verbiesterte Pferd ließ beim Aufzäumen alles mit sich machen.

Auf einigen Ausritten des Rittmeisters nahm er mich persönlich mit; ich mußte dicht neben ihm reiten, und er brachte mir bei, was mir noch fehlte. Ich konnte mich ihm dankbar erzeigen, indem ich ihn durch die Oldenburger Gemäldegalerie führte und etwas über die Kunstwerke erzählte.

An einem Tage während der Felddienstübung stand in der Heide bei einer Birkengruppe ein gelber eleganter Jagdwagen mit Zivilpersonen. – Da ritt der Offiziersstellvertreter Beling an mich heran und gab mir den Befehl, auf den Wagen zuzureiten und mich bei Ihrer Königlichen Hoheit, der Prinzessin Waldemar von Preußen, zu melden. Ich ritt nun los in meinem vollen Kriegsschmuck, hatte eine blöde Angst, daß ich mit meinem unbequemen Spieß einen der eleganten Hofschranzen aufspießen würde. Vor der »hohen« Frau angekommen, vergaß ich meine Meldung, über die mir die Prinzessin huldvollst hinweghalf. Da hatte ich einige schmeichelhafte Worte der Konversation anzuhören über meine Radierungen, hatte ich doch bei der Exlibriskonkurrenz mit meinem Exlibris Kronprinzessin Cecilie und mit der Platte für den Prinzen Johann Georg von Sachsen beide ersten Preise des Ausschreibens gewonnen. Im übrigen fühlte ich mich wie ein aufgezogener Affe und war sicher sehr unbeholfen. Der Feldwebelleutnant Beling schien auch gar nicht zufrieden zu sein mit meiner Haltung, als ich mich zurückmeldete. Um Mittag standen wir wieder auf dem Kasernenhof an den Ställen und reinigten die Pferde von dem festgetrockneten Staub der Übung. Nachmittags war Schwimmen in der Hunte, wobei Körper und Gemüt sich von den Einwirkungen des Vormittags reinigten.

Eines Tages waren unsere Pferde fort; wir mußten in einem anderen Stall antreten, um neue Pferde zurechtzumachen. Das waren nun Gäule der verschiedensten Sorten, Neulinge für den militärischen Dienst. Ausgespannt aus Milchwagen, Droschken, Omnibussen und vom Acker. Sie wurden frisiert, gesattelt, dann ging es in den fußhohen Septemberschlamm des Exerzierplatzes hinaus. Mancher Reiter nahm mit seinem Reittier ein Schlammbad. Nach einigen Wochen galten wir als ausgebildet. Wir sollten abtransportiert werden nach dem östlichen Kriegsschauplatz. Martha war mit den beiden ältesten Mädchen nach Oldenburg gekommen. Sie befanden sich auf dem Kasernenhof. Die Schwadron stand schon abgesessen in Reih und Glied auf der anderen Seite der Kaserne. Noch immer war von Mining nichts zu sehen. – Da kam mit einem Ruck ein gesatteltes Pferd aus dem Stall, versuchte ein paarmal hochzugehen, ehe der Dragoner aufsaß, dann aber raste der Gaul mit dem Reiter besinnungslos direkt auf die Kasernenmauer zu, schlug um und begrub den Reiter. Mit Hilfe von ein paar Leuten wurde er von dem Gaul befreit und suchte unter größten Schmerzen unauffällig in die Schwadron einzurücken, was nicht gelang. Das Pferd wurde ihm gleich abgenommen. Der humpelnde Dragoner wurde in die Schreibstube gebracht. Der Arzt schnitt ihm den Stiefel herunter, untersuchte ihn, brachte ihn im Auto ins Lazarett. Röntgenaufnahme: zweiter Zeh des linken Fußes gebrochen. »Nun«, sagte der Arzt, indem er mir einen festen Verband machte, »das ist nicht gefährlich, der Zeh ist vom großen Zeh gut geschützt. Jetzt fahren Sie mit Ihrer Familie nach Hause, und in vierzehn Tagen melden Sie sich zurück.«

Was war denn an dem Morgen des Abmarschtages geschehen? In meinem Pferdestand war das Gebiß aus dem Kopfgeschirr, das am Pfosten hing, gestohlen. Eine ganz verzweifelte Lage. Ich hatte einem Gefreiten zehn Mark versprochen, wenn er mir ein Gebiß heranschaffte. Endlich kam er an. Aber das Gebiß war für mein Pferd, das – vor allem der Kopf – unnormal groß war, zu klein, und doch mußte es eingesetzt werden. Das verursachte dem Tier solche Schmerzen, daß es besinnungslos hinstürmte bis zum Fall auf dem Pflaster.

In Worpswede humpelte ich schon nach ein paar Tagen aufs Feld, nahm mir als Unterlage einen Sack mit und machte die Rüben aus. Nach vierzehn Tagen rückte ich wieder ein. In der Kaserne lauter neue Leute; konnte mich gar nicht gewöhnen. Nur ein junger Kunstgelehrter war geblieben, der erst später zur Ausbildung gekommen war und deshalb mit dem ersten Transport nicht hinaus konnte.

In dieser Zeit verlas der Vizewachtmeister einen Befehl, daß aus allen Truppenteilen die Schneeschuhläufer herausgenommen werden sollten zur Bildung eines zweiten Schneeschuhbataillons. »Alle Schneeschuhläufer haben sich morgen um acht Uhr in der Schreibstube zu melden.« Der Kunstgelehrte, ein früherer Holländer, war ebenso wie ich Schneeschuhläufer, und wir meldeten uns zusammen für das zweite Bataillon. Nach zwei Tagen schon kam der Abtransport nach München.

Es war um die Weihnachtszeit 1914. Auf der ganzen Fahrt war die Verpflegung noch sehr reichlich, viele Frauen und junge Mädchen versorgten uns auf den Stationen. In München wurden wir eingekleidet. Es gab viel zu organisieren für die verantwortlichen Leute, Offiziere, Feldwebel und Unteroffiziere, da die ganze Ausstattung des Bataillons neu war. So hatten wir Rekruten noch einige Zeit, und ich konnte auch Clara Rilke besuchen, die hier mit ihrem Kinde eine kleine Wohnung hatte. – Das Wiedersehen war frei, offen und warm. Sie hatte selber viel gelitten. Sie verstand offenbar, was mich heraustrieb aus meinem Leben. Wir tauschten unsere Erinnerungen aus, die aber sich meistens um Paula bewegten.

Das zweite Schneeschuhbataillon wurde nach Partenkirchen abtransportiert. Wir mußten Skikjöring lernen mit der Kavallerie. Außerdem wurden Hänge mit Reisern abgesteckt, um die wir, kehrend, die Schwünge zu lernen hatten. Nun bestand unser Bataillon nicht nur aus geübten Schneeschuhläufern, sondern auch aus jenen fatalen Elementen, die die Regimenter abzustoßen suchten. Das wurde beim Militär so gemacht: Da befahl der Feldwebel einfach: »Morgen in der Schreibstube melden, du kannst Schneeschuh laufen.« – Ich hatte aber meine wahre Freude daran, wie schnell gerade diese Elemente, die nie auf den Brettern gestanden hatten, sich diesem Kriegssport hingaben, wie schnell sie lernten, die Balance ihres Körpers in den Brettern zur Auswirkung kommen zu lassen. Wenn ich vom Exerzieren frei war, besuchte ich einige Plätze, wo ich mit Martha vor Jahren gewesen war. Da gewahrte ich einmal vor einem Hotel einen Schlitten, in dem eine in Pelz gehüllte rothaarige Frau saß. – Am Schlitten stand Rainer Maria Rilke. Freudig wollte ich auf ihn zugehen und ihm die Hand reichen. Er wandte sich kalt ab, stieg ein; der Schlitten sauste ab. – Offenbar wirkte ich in meinem Feldgrau wie ein Gespenst auf ihn. Hatte er doch meinem Leben und meiner Arbeit Grenzen gesetzt, in denen auch er der Romantik seiner eigenen Träume nachgehen konnte, so wie er auch über mich und meine künstlerische Arbeit geschrieben hatte. Jetzt mag er gefühlt haben, daß die Grenzen gesprengt waren. Bittere Enttäuschung! – Mag auch sein, daß er in mir einen Kriegspatrioten sah. – Ich war nicht einmal mehr enttäuscht, als ich den Schlitten in der Ferne der Straße verschwinden sah, denn in dem Blick, der an einem vorbeisieht, hatte ich plötzlich einen Zug entdeckt, der den Charakter des Menschen von einer neuen Seite zeigt, die die Plastik seiner Wesenheit vollendet.

Auf dem Rückmarsch von einer Felddienstübung rief mich der Hauptmann zu sich aus dem Glied der Marschkolonne. – Ich dachte, jetzt gibt es einen gehörigen Anschnauzer. Hatte ich doch, der ich Gefreiter war und Unteroffiziersdienste machen mußte, es nicht fertiggebracht, mit den richtigen Befehlen meine kleine Gruppe von Leuten durch das enge kleine Tor unseres mit Kiefernstangen umzäunten winzigen Exerzierplatzes herauszubekommen. Die Mannschaft half sich schließlich ganz natürlich selber über meine militärische Talentlosigkeit hinweg. – Nein, das war es gar nicht. Der Hauptmann sagte mir: »Sie sind ein älterer, ruhiger Mensch; da wir unter unseren Leuten eine Gruppe von Elementen haben, die die Disziplin der Truppe stören können und mit denen nicht leicht umzugehen ist, will ich, daß Sie diese Gruppe in die Hand nehmen. Ich mache Sie zum Unteroffizier, Sie übernehmen mit Ihren Leuten den Train des Bataillons.« – »Zu Befehl, Herr Hauptmann«, damit trat ich ins Glied zurück.

Der Abmarsch ins Feld war noch mit einem schweren Verlust verbunden: Uns Schneeschuhläufer hatte man ganz neu und sehr gut ausgestattet. Der Rucksack enthielt verschiedene Beutel, mit verschiedenfarbigen kleinen aufgenähten Lappen gekennzeichnet, für Reserveteile, für Fette und Wachs, für Lebensmittel und so weiter. Der Rucksack hatte schon ein ziemliches Gewicht, dazu kamen nun noch viele gute Lebensmittelgeschenke von zu Hause und von den Freunden in München, so daß es mir unmöglich war, den Sack auf dem Rücken zu tragen. »Legen Sie Ihren Rucksack zum Offiziersgepäck«, wurde mir vom Leutnant befohlen, was ich auch ausführte. Den Rucksack sah ich nie wieder, und alle Nachforschungen blieben vergebens. So zog ich nun in den Weltkrieg, bekleidet nur mit meiner Uniform und dem Karabiner. – Aber es geschah etwas Erfreuliches. Als sich auf der Eisenbahnfahrt mein Unglück herumgesprochen hatte, kamen angewandert: Strümpfe, Hemden, Lebensmittel, und schließlich wurde auch irgendwie ein Rucksack aufgetrieben, ich fühlte mich jetzt glücklich und sehr reich.

Es ging durch Ungarn, Verpflegung mit Gulasch, Tee und Rum war gut; dann über Munkács hinauf in die Karpaten. Einmal mußte der Zug lange warten, da machte ich auf dem Gleise Feuer und röstete aus dem empfangenen Brot mit Schweizer Käse Welsh rabbits; der Käse schmolz gut mit dem gerösteten Brot zusammen, und der gute Geschmack gewann die Begeisterung und Dankbarkeit der Kameraden.

Unterdessen hatten die Forstbeamten – es waren eine ganze Reihe von Förstern und Forstgehilfen in unserem Truppenteil – sich nach der Lage unseres Wegzieles erkundigt, das gar nicht mehr weit war. Sie schnallten ihre Bretter unter und liefen vor, um eventuell Wild schießen zu können. Die Kälte war sehr stark. Endlich setzte sich der Zug wieder in Bewegung, und in Volacs[?] empfingen uns schon die Förster mit langen Gesichtern. Keine Quartiere. Außerdem waren in diesem Durchgangspunkt der Karpatentruppen schwere Krankheiten gewesen, auch Cholerafälle. Das sah schlimm aus. Ich fand für meine Leute und für mich Unterkunft in einem primitiv zusammengebauten Pferdeschuppen, durch dessen Bretterritzen der Wind wehte. Wir vergruben wegen der Kälte unsere Beine bis an den Bauch im Pferdemist. Anderen Tages hatte ich so schwere Dysenterie, daß ich nur mit Opium auf den Beinen gehalten werden konnte, dann aber schließlich doch zusammenklappte und den nächsten Marsch im Krankenwagen mitmachte. – Als es nach einigen Tagen besser wurde, schnallte ich die Schneeschuhe wieder unter und machte den Aufstieg zu einem Paß mit. Der Hauptmann, ein Ingenieur und Reserveoffizier, hatte zwei gute Pferde mit, die es ihm ermöglichten, im Skikjöring den ganzen Zug der Truppe immer zu kontrollieren. Er war ein sympathischer hagerer Mensch, der überall seinen Blick hatte und überall helfend und ermutigend eingriff. – Es wurde Nacht, und ich war mit meinen Kräften völlig am Ende, lag im Schnee, meine letzten Energien verflogen schnell, ich gab alles auf, nur schlafen wollte ich, was mein Ende gewesen wäre. – Da hörte ich über mir zwei Stimmen, und eine elektrische Handlampe leuchtete mir ins Gesicht. »Das geht nicht, das geht nicht, auf, auf!« Ich kam mit ihrer Hilfe hoch, und die beiden Leute schleppten mich in eine halbverfallene Hütte, wo schon Leute von uns am lodernden Feuer saßen. – Bald kam ich wieder in Ordnung. Von dort aus marschierten die Fußtruppen einen besonderen verkürzten Weg, und ich fuhr mit unseren Karren die Bergstraße hinab. Wir näherten uns dem Fluß im Tal. Es war schon Nacht, und der Mond schien hell. Wir waren gewarnt und mußten unsere Augen offenhalten wegen herumstreifender Kosaken. – Da plötzlich war es mir, als wenn vom Hang jenseits der Brücke dunkle Gestalten, Berittene, zwischen den Bäumen herunterstürmten. Ich sprang vom Wagen, machte den Karabiner schußbereit und rief noch einen Mann heran. Die Wagen mußten halten, und wir pürschten uns an die Brücke heran, um das jenseitige Flußufer übersehen zu können. – Da hatten wir unsere Kosaken. – Eine kleine Gruppe mächtiger Hirsche und Hirschkühe war an den Fluß zur Tränke geeilt. Wir verloren keinen Schuß, da auf diesem Marsch jeder Schuß Verdacht erregen konnte. Die Bergstraße stieg nun wieder hoch, und gegen Morgen kamen wir in Pereszlő an, unserem Marschziel.

Winterfeldzug in den Karpaten

In Pereslő bezogen wir Quartier. Ärmliche einfache Holzhäuser, bestehend aus einem Zimmer mit großem Ofen und mit einem Vorplatz für die Kohlfässer. Wir wurden in die Schule einquartiert, aus der allerdings die Zimmerdecken und die Fußböden von durchziehenden Truppen schon als Brennholz aufgebraucht waren. Über uns waren die Dachsparren zu sehen. Das Haus bestand aus zwei Räumen. In einem lagen wir Mannschaften, im anderen standen die Pferde. Eines wurde gleich von unseren Leuten praktisch eingerichtet: In Krippenhöhe waren ein paar Bretter in der Trennwand herausgerissen, so daß wir immer die Pferdeschnauzen beobachten konnten. Ich fand am Hause auf dem Mist sehr schön geschriebene Pergamente mit hebräischen Buchstaben. War hier eine Judenschule oder etwas anderes gewesen?

Unsere Schneeschuhläufer waren in die Berge hinaufmarschiert, einen Teil des Marsches machten einige von uns mit. Dann hob die Truppe ihre Schützengräben aus und baute ihre Maschinengewehrnester ein. Wir hatten die Truppe von Pereszlő aus mit Munition und mit Lebensmitteln zu versorgen. Der Aufstieg war nicht mit großen Gefahren verknüpft. Unter dem Berggrat ging der Saumpfad her, da baute sich jetzt auch gerade deutsche Feldartillerie ein. Der Weg wurde von den Russen sehr beschossen, aber die Flugbahnen waren zu weit berechnet: Alle Geschosse krepierten erst weit neben dem Wege über der Schlucht. Ich machte die Tour nur einmal mit, um mich und unsere Leute zu orientieren, denn ich war unten nötig, um die von der Artillerie völlig zerfahrenen Wege mit einigen Leuten wieder instand zu bringen. – Dann kam die Versorgung meiner Leute hinzu. Ihre Touren waren sehr anstrengend, vor allem bei den Schneestürmen; dann kamen sie erst um zwölf oder ein Uhr nachts heim. Ich hatte in einem großen runden Eisen ohne Boden, vielleicht einem alten Kessel, ein gutes Feuer zum Empfang bereitgemacht, und darüber hingen die Kaffeekessel der Mannschaften. Infolge der widerlichen Kriegsreklame, die mit meinem freiwilligen Eintritt in den Heeresdienst von der Presse gemacht worden war, wurden mir viele Feldpostpakete zugeschickt, so daß meine Leute, wenn sie aus dem Gebirge zurückkamen, nicht nur einen gewärmten Raum vorfanden, sondern auch Licht, Zigarren, Zigaretten, Schokolade und genügend zum Essen. Auf diese Weise konnte ich mich auf meine kleine Gruppe immer verlassen. Es kamen auch schwierige Zeiten. Unsere guten Pferde aus München waren zu schwer für das Gebirge, verletzten ihre Beine im Eis und Schnee, die Beine schwollen an und eiterten, mußten aufgeschnitten werden, die Pferde wurden unbrauchbar. Es blieb nichts anderes übrig als Pferde stehlen. In der Umgebung von Pereszlő gab es bis hoch ins Gebirge hinauf außerordentlich gutes Weideland; hier stand bis in den Winter hinein das Heu in schmalen hohen Haufen aufgeschichtet, in deren Mitte ein Pfosten steckte. An diesen Heustadeln sammelten sich häufig Pferde von den Tragtierkolonnen, die sich ihrer Last entledigt hatten, nachdem die Führer ausgerissen waren. Man hatte nämlich aus der ruthenischen Bevölkerung Tragtierführer mobilisiert. Die Leute mußten manchmal mit ansehen, wie man drüben ihre eigenen Häuser beschoß, vernichtete; außerdem sympathisierten sie mit den Russen, deren Schriftzeichen die ihren waren, deren Sprache sie verstehen konnten. Unsere Leute schnallten sich also ihre Schneeschuhe unter und fingen oben in den Bergen an den Heustadeln Pferde. Die wurden dann möglichst umfrisiert, damit man sie nicht wiedererkennen sollte, und mit diesen neuen Tragtieren stellten wir eine Kolonne zusammen. Es waren in dieser Gegend kleine, schlanke, sehr zähe Tiere, in den Formen dem ungarischen Vollblutpferd ähnlich. Auf diese Weise kamen wir aus unserer Bedrängnis heraus.

Auf die Dauer war unser Quartier mit der offenen Decke wegen der Kälte im Winter für uns nicht zu halten. Wir bezogen ein kleines Bauernhaus. Hier lagen wir eng gepfercht auf dem Fußboden. Auf dem Ofen lagen die beiden Alten, der Bauer mit seiner Frau, am Ofen ein Kalb, das den Boden beschmutzte; auch waren noch Hühner da.

Um diese Zeit verloren wir unseren Hauptmann. Bei einer Patrouille, die er selber führte, wurde er von finnischen Scharfschützen erschossen. Die Finnen lagen uns gegenüber und waren sehr hinter unserer guten Schneeschuhkleidung her, graue leichte wasserdichte Überkleidung, die, umgewendet, einen schneeweißen Anzug ergab, den man im Schnee kaum erkennen konnte. – Es kam ein neuer Hauptmann vom westlichen Kriegsschauplatz, der durch die französischen Quartiere sehr verwöhnt war. Furchtbar schimpfte er auf unsere Behausung. Er bekam auf dem Durchmarsch in unserer Hütte den besten Platz, den langen Tisch, auf dem er seinen Schlafsack ausbreiten konnte. – Als aber nachts in dem kleinen Raum die Schnarcherei ausbrach, bekam er einen Wutanfall und brüllte: »Ich schieße, wenn noch einer schnarcht.« Auch dieser Mann wurde überstanden und kam später als Schwerverwundeter durch unseren Ort.

Ein Platz in unserer Stube war von uns nicht besetzt; da stand das vierbeinige hohe kastenförmige Gestell mit dem niederen Rand, das Bett einer jungen Frau, die offenbar krank war. Sie lag auf ihren Pelzen. Sie hatte einen eigentümlich strahlenden Blick und gewann die ganze Sympathie unserer Leute, die sie an warmen Sonnentagen hinaustrugen und auf den Pridwor setzten; das ist das verandaartige schmale Bord, das ungefähr in Meterhöhe jede Karpatenhütte umgibt und durch das überhängende Dach geschützt ist. Eines Tages, als wir dienstlich außerhalb der Wohnung zu tun hatten, war die »Madonna von Pereszlő«, wie wir sie nannten, verschwunden, auf immer.

Nach kurzer Zeit wurde das leere Bett von unseren Leuten bezogen. – Das war der Beginn der Flecktyphusepidemie unter den Unsrigen. Ich war der einzige, der verschont blieb, wurde aber ganz in der Pflege der Leute aufgebraucht. Hatte einer hohes Fieber, wollte er das warme Getränk nicht nehmen, der nächste hatte Schüttelfrost und lehnte natürlich das kalte Getränk ab. Das schlimmste war, daß wir die Krankheit noch nicht kannten und daß die Hospitäler in diesem Teile der Front erst im Bau waren. – Es kamen Urlauber durch, die wir für eine Nacht aufnehmen mußten. Später erfuhren wir, daß sie die Heimat nicht mehr erreicht hatten, unterwegs gestorben waren. Nur von einem Urlauber, der in dieser Zeit durchgekommen war, hörten wir später. Für den Mann hatte aber keiner Interesse. Es war ein unbeliebter Offizierstellvertreter. Als er bei uns war, behauptete er, daß ihm ein Hemd gestohlen worden sei. Er ließ bei der eisigen Kälte alle am Wegrand in Reih und Glied aufstellen, dann mußten wir unsere Oberkleider ausziehen, und er kontrollierte die Hemden, unter denen er seines nicht fand. Am anderen Morgen, als er abmarschieren wollte, war sein Rucksack verschwunden, wahrscheinlich trieb er längst in dem reißenden Gebirgsfluß. Und als er den Trainwagen besteigen wollte, war dieser so bepackt, daß er keinen Platz mehr fand und der Fahrer sich weigerte, ihn mitzunehmen. Er mußte zu Fuß nebenhergehen.

Es ging jetzt auf den Frühling zu. Der Generaloberarzt vom Stab des XXIV. Reservekorps war dagewesen. Die Kranken wurden abtransportiert. Mit mir hatte der Arzt ein längeres Gespräch. – Nach einiger Zeit kam der Befehl, ich solle mich beim Generalkommando melden. – Ich marschierte los. Beim Stab wurde ich zuerst dem Rittmeister Graf Kessler vorgeführt. Er sagte mir, meine Kommandierung sei auf Veranlassung Seiner Exzellenz von Gerok, auf Veranlassung des Kommandierenden, geschehen und ich solle vorderhand bei dem Nachrichtenoffizier arbeiten. Dann mußte ich mich bei der Exzellenz melden und wurde dem Offizierskorps bekannt gemacht.

Eines Tages hatte ich der Infanterie-Division an der Front einen besonderen Befehl zu überbringen. Nach Erledigung meines Auftrages beim Stab der Division nahm mich der Divisionspfarrer mit in sein Quartier. In der Nacht entstand an der nahe liegenden Front eine höllische Schießerei. Zuerst meinte der Pfarrer, es sei bei dem benachbarten Korps Hoffmann, das ihm immer zu viel Unruhe machte. Hoffmann war nämlich so eine Condottiere-Existenz, ein gewesener ungarischer Gendarmeriewachtmeister, der mit seinen Leuten zuerst die kleinen Kosakenabteilungen abgeschlagen hatte, die ins Gebirge eindrangen. Er hatte an Wegbiegungen im Gebirge kleine Schützenlöcher angelegt und diese mit einigen Gendarmen besetzt. Durch allerhand Gaunerstücke, die der Erfolg legalisierte, gelang es ihm, sein Truppenkontingent zu einem Korps zu erhöhen. – Nun stellte sich aber bald durch den Lärm in den Quartieren heraus, daß die Schießerei von den Russen kam, die uns gegenüber lagen. Sie verstummte gegen Morgen mit vereinzelten Schüssen. Unsere Truppen waren nachgestoßen, ohne Widerstand zu finden. Das Nest war leer, und es begann sofort die Verfolgung. Auch wir machten uns auf den Weg. Vor den Schützengräben, in einem Offiziersunterstand, ging es hoch her, da hatten die Aufräumungssoldaten Vorräte gefunden und betranken sich. Der Pastor ging gegen sie vor und erntete für den Marsch zwei gute Flaschen schweren Wein. Zwischen den Gräben sah es schlimm aus. Da lagen die unbegrabenen halbverwesten Toten, und einige hingen in den Stacheldrähten. Die russischen Gräben waren glatt geräumt. Nun ging der Marsch durch eine grandiose, unbewohnte Waldlandschaft, durch die Waldkarpaten.

Der Vormarsch

Uralte Tannen standen zwischen umgestürzten Riesenbäumen, aus denen man ein Rundstück herausgeschnitten hatte, gerade groß genug, um die Tragtiere mit Gepäck durchlassen zu können. So ging der Marsch zwei Tage lang. In einem verfallenen Haus konnten wir übernachten. Es war schon ziemlich warm. Die Büsche hingen voll von den sogenannten Hindenburgjacken, grauen Windjacken, schön gefüttert mit Kaninchenfell. Niemand konnte das überflüssig gewordene Gepäck tragen. Man warf sie weg. Endlich gegen Abend des zweiten Tages erreichten wir ein verlassenes russisches Feldlager mit brennenden Magazinen. Die kleineren Holzhäuser im Walde, wahrscheinlich Offiziersquartiere, waren teils erhalten und sehr geschickt halb in die Erde eingebaut. Sie boten uns eine bequeme, praktische, fast behagliche Unterkunft. Wir bezogen eines. Ich ging los zur Brandstätte und konnte noch einiges fassen, Büchsen mit Tomaten und auch welche mit Fisch in Öl, so daß wir gut zu leben hatten. Aber nach kurzer nächtlicher Rast ging es weiter. Unsere Artillerie war durchgekommen, mit deren Hauptmann Hagemann ich mich bekannt gemacht hatte. Er war bei Pereszlő mit seiner Batterie an unserem Gebirgsweg eingebaut gewesen. Der Hauptmann stellte mir ein Pferd zum Reiten zur Verfügung, dann ging es mit den Kanonen durch einen reißenden Fluß den steilen Uferhang hinauf. Später lichtete sich der dunkle Wald, wir kamen in eine weite Flußebene, und nun war ich plötzlich mitten in unserem Generalkommando, das seinen Transport durch das Flußtal genommen hatte. Bei Dolina kamen wir ins breite galizische Land. Die ukrainischen Bauern in ihren braunen selbstgewebten Röcken machten einen ganz russischen Eindruck, die Gutsbesitzer, bei denen wir Quartier bezogen, waren ohne Ausnahme Polen. – Der Vormarsch verlangsamte sich, schließlich stoppte er ganz. Die Erdbauten der Russen waren so außerordentlich gut maskiert, so dem welligen Gelände angepaßt, daß wir nur mit großen Verlusten an sie herankommen konnten. Unser Ia, der Operationsoffizier, war ein General und hatte nach den ersten Mißerfolgen die Hose voll. Wir kamen nicht weiter. – Der General wurde abgerufen, verschwand. In den nächsten Tagen wurde bei den Mahlzeiten viel herumgeraten über den Charakter des neuen Mannes. Der Name war bekannt. Was war das für einer? Aus welcher Schule kam er? – Da erschien eines Tages beim Mittagessen der Major v. Kl., ging lockeren elastischen Schrittes die Tafel entlang und meldete sich bei Seiner Exzellenz. Kl. hatte eine Ringerfigur mit gradem Nacken, kurzgehaltenem schwarzem Haar. Sein Blick war frei und offen. Er hatte eigentlich etwas selbstverständlich Sieghaftes. Der neue Ia schritt die Tafel entlang und machte sich mit jedem einzelnen und mit seiner Beschäftigung bekannt. Als er sich meinem Platz näherte, fragte ich meinen Tischnachbar, den Hauptmann der Stabswache: »Sagen Sie, Herr Hauptmann, was soll ich dem Major erzählen?« – »Lassen Sie nur, ich werd es ihm schonend beibringen«, war seine Antwort. Und als der Major v. Kl. beim Hauptmann stand, wies mein Tischnachbar auf mich: »Dies ist unser Kunstmaler, er arbeitet beim Nachrichtenoffizier.« – »Na, wir sind ja 'n Kulturvolk, solche Leute müssen wir auch mitnehmen, malen Se mir nur keene Leichen!« war die Antwort.

Nun begannen kriegerische Zeiten; die Eingeweihten lebten in steten Ängsten. Einen Flügel unserer Truppen schwächte der Major ganz ab, warf alles zum rechten Flügel hinüber, auf der anderen Seite im Felde mußte sogar unsere kriegsungewohnte Stabswache, lauter alte Leute, lanzengeschmückt einen Vorposten der Kavallerie markieren; das war alles in der Nacht gemacht. Dann begann der Kampf mit dem Einsetzen mächtigen Artilleriefeuers. Nachmittags, als die Sonne tief stand, schwieg der Höllenlärm, und durch einen großen Kartoffelacker wälzten sich die braungrauen Russen heran, waffenlos. Die Sonne beschien ihre Köpfe rot, als rollten uns Hunderte und Tausende Apfelsinen entgegen. Achttausend Gefangene wurden gezählt. Glückliche Menschen, die nun alles hinter sich hatten. Als sie aufgestellt waren und eine Schwadron Ulanen sie abtransportieren sollte, trat ein jüdischer Soldat an den Rittmeister heran: »Herr Offizier, wozu so viel Lait, mer bräuchen nur ain Mann, der uns den Weg zaigt.«

Von jetzt ab ging es schnell vorwärts. Allerdings war es für die Herren Telefonoffiziere manchmal sehr ungemütlich, wenn sie beim Chef im vorgeschobenen Gefechtsstand bleiben mußten. Manchmal war unser Gepäck schon auf den Panjewagen verladen, fertig für alle Fälle, und wenn auf der Landstraße die Trainwagen knarrten, rasselten und klapperten und im gestreckten Galopp rückwärts, landeinwärts jagten, dann war nur der einzige Halt und die Hoffnung die ruhig gegen den Strom marschierende deutsche Infanterie, die der Chef aus der Reserve in Vormarsch gesetzt hatte. – Das Gepäck des Stabes war sehr umfangreich. Was man da aus polnischen Schlössern als lebensnotwendig für die Offizierstafel mitgehen ließ an gutem französischem Porzellan! Sogar schwere wertvolle Empire-Armleuchter nahm man mit.

Etwa fünfzehn Kilometer von Brest-Litowsk war ein großes russisches Militärlager mit vielen kleinen Holzhäusern in einem alten Kiefernwald. Das wurde von uns bezogen. In einigen großen Bäumen waren bequeme Beobachtungsplätze eingebaut. Eines Nachmittags saßen wir in einem größeren Raum beim Kaffee, als plötzlich die über dem Tisch hängende Petroleumlampe hochhüpfte und dann in Scherben herunterschlug. Gleichzeitig schien der Boden unter uns zu rollen. Im Nu waren alle draußen, in der Meinung, daß über uns ein Flieger seinen Bombenangriff gemacht hätte – aber nichts war zu sehen. Ich kletterte, so schnell ich konnte, auf einen der hohen Beobachtungsposten und sah über Brest-Litowsk eine riesige schwarze Wolke stehen, die oben ganz breit wurde wie eine mächtige Pinie. Langsam sank sie um und verdunkelte bis weit an den Horizont die Landschaft, die vor wenigen Minuten noch in klarer Sonne dagelegen hatte. Erst am nächsten Tage gab der Chef die Erlaubnis, daß der Nachrichtenoffizier mit mir an die Explosionsstelle fahren dürfe. Ein grausiges Bild. Brest-Litowsk war ein großes Munitionslager gewesen, Hunderte von russischen Gefangenen waren hier beschäftigt. Jetzt fuhr man Wagen auf Wagen mit den toten Leibern fort. Tote Pferde lagen und hockten in den sonderbarsten Stellungen überall bei Wagentrümmern. Sichtbar war nur ein Explosionstrichter, der war aber sehr tief, wohl zwanzig Meter in grauem Lehm- oder Erdgrund. Unten stand schillerndes Wasser, und an seinem Rand lagen zwei Pferde, ein Schimmel und ein Fuchs. Auf welche Weise die hierhin geflogen sein mochten, war allen unerklärlich.

Der Vormarsch ging weiter in die Rokitnosümpfe. Ein unsicheres Gelände. Manchmal sind Sandinseln da mit Kiefernbestand, meistens führen nur Fahrdämme durch ungangbare Wiesen und Wälder. In Kolki wurden wir einquartiert. Damals ging ein Gerücht, daß der Kaiser diesen Teil der Front besuchen würde. Die Russen hatten daher in den Wäldern Kosaken versteckt; sie trugen die Kleidung der Bauern und arbeiteten mit den Bauern auf den Feldern. Aus der Reise des Kaisers wurde nichts. Die Kosaken beschäftigten sich nun damit, in den Dörfern die Juden niederzumachen, meistens kleine Händler und Gastwirte, außerdem töteten sie unsere Leute, die zur Requirierung von Vieh hinausgeschickt waren, und nahmen ihnen das Vieh wieder ab. Der Major sandte eine größere Patrouille in die Wälder, die von einem Offizier geführt wurde, zu dem ich auch befohlen war. Ein großes Hin- und Herziehen in den Wäldern – ohne Resultat. Erst später erbot sich ein österreichischer Kriminalist, daß er, wenn man ihm genügend Zeit ließe, sich der Räuberbande anzuschließen, sie ausheben werde. Der Kriminalist machte eine Zeitlang alle Verbrechen mit, dann ließ er die Bande durch Kavallerie abfangen; es waren dreiundfünfzig Mann, und jeden Morgen hingen in Kolki vor dem Bahnhofseingang drei Mann am Galgen. Ein Hamburger Kriminalist, der die Henkersarbeit ausführte, schenkte seinen Verdienst an Goldstücken dem Roten Kreuz. [Notiz Vogelers am Manuskriptrand: »Wahrheit oder Dichtung?«]

Um diese Zeit kam der Durchbruchsversuch des russischen Generals Brussilow, und das Loch befand sich bei einer unserer Divisionen. Der Rittmeister Graf Kessler bekam den Befehl, den Tatbestand festzustellen. Man rechnete damit, daß wieder einmal die Österreicher, die Zwockels, wie man sie nannte, uns diesen Streich gespielt hatten. – Ich setzte mich während der Mahlzeit mit dem Rittmeister in Verbindung, um Näheres zu erfahren; das fiel dem Chef auf, und er rief gleich herüber: »Ich sehe, da will mal wieder einer mit.« Auf diese Weise bekam ich meinen Marschbefehl und konnte für einige Zeit, vielleicht Wochen, die langweiligen Tage beim Stab vermeiden. Unser Gepäck war auf Kesslers Jagdwagen verstaut und wurde per Achse in zwei Tagen zur Division befördert. Ein kräftiger Rotschimmel zog das Gefährt. Uns beförderte ein Automobil. Man nahm uns gut auf; abends hatten wir bei der Division ein gutes Konzert; ein russischer Gefangener, ein Klaviervirtuose, spielte Chopin. Die Nacht wurde ganz unruhig. Feuer. Auf unerklärliche Weise waren Kosaken durchs Dorf galoppiert und hatten in alle Strohdächer ihre Feuerzünder gesteckt. Lichterloh brannte das ganze Dorf. Kessler zeigte sich als einer der ersten, als ein guter Organisator der Löscharbeiten. Ich war die ganze Zeit mit der Rettung von Vieh beschäftigt. Am nächsten Tage in der Früh kam auch unser Gepäckwagen, und wir empfingen Pferde. Kessler ritt einen Dunkelfuchs, ich einen Schimmel. Als Leibgarde wurde uns ein baumlanger Kürassier zugeteilt, der einen Rotfuchs ritt; der Gepäckwagen beschloß die Expeditionsgruppe.

Von der Division aus ritt Graf Kessler mit mir zuerst zu den Polen. Wir kamen in einen hohen Kiefernwald, in dem unter den Bäumen Gruppen von Soldaten lagerten, unter ihnen auch uniformierte Frauen. Einige Ulanen trugen den riesig hohen Ulanenpapphelm, der jeden Polen schon auf Meilen verrät und ihn im Schützengraben direkt zur Zielscheibe macht. Die Schützengräben machten einen mehr als primitiven Eindruck, waren einfach aus dem Sandgrund ausgeworfen, nichts war abgestützt. Gleich am Graben befand sich ein größerer Unterstand, in die Erde eingelassen und aus Stämmen gezimmert. Man nahm uns unsere Pferde ab. Da erschien unten vor dem Unterstand ein Mann im grauen Sweater ohne militärische Abzeichen. Sein hängender buschiger Schnurrbart und die starken Augenbrauen gaben ihm einen bestimmten Charakter. Es war Pilsudski. Graf Kessler meldete sich mit seinem Namen und wurde mit mir in den Unterstand gerufen. Die Unterredung ging in französischer Sprache vor sich, so daß ich nur wenige Brocken verstehen konnte. – Durch das Eintreten eines österreichischen Offiziers wurde das Ganze unterbrochen. Kessler erzählte mir nachher, daß die Österreicher irgendwie unseren Ritt zu den Polen ausgekundschaftet hatten und nun einen Offizier sandten, der uns beobachten sollte. Dieser Offizier lud unseren Rittmeister zur Kavalleriedivision ein. Die Österreicher wollten auf jeden Fall verhindern, daß irgend etwas zwischen dem deutschen Offizier und Pilsudski besprochen wurde, was den Österreichern nicht zu Ohren kam. So mußten wir schließlich mit dem Österreicher zusammen abreiten. In der Nähe eines Gewirres von unaufgeräumten verlassenen Schützengräben trennten wir uns verabredetermaßen, damit ich bei der Division unsere für morgen beginnende Tour vorbereiten konnte.

Die beiden Reiter verschwanden bald im unübersichtlichen Gelände. Ich ließ meinen Schimmel das hohe kahle Hügelgelände, das sich an einem Fluß hinzog, hinauftraben, um mich zu orientieren. Oben standen nur ein paar schwarze verkohlte Pfähle, die Reste eines ehemaligen Hauses. Ich stieg ab, um eine Zeichnung vom Gelände zu machen, warf den Zügel des Pferdes über einen der Pfähle. Kaum war ich in Ruhe – da ertönte ein Schuß, vom Pfahl splitterte ein Span ab, das Pferd ging mit dem Kopf hoch, der Zügel wurde dadurch vom Pfahl befreit, und der Schimmel zog ab. Ich hinterher. Eine lange, dumme Tour – bis der Gaul in einem der Schützengräben landete und vor Drahtgewirr und hindernden Toten nicht mehr weiterkonnte. Mit größter Anstrengung konnte das Pferd, das ich endlich am Zügel ergriffen hatte, die hohe Grabenwand nehmen.

Dann ging die kleine Expeditionsgruppe auf Marsch. Fast der ganze Tag ging mit der komplizierten Fahrt über verlassenes Kampfgelände und ausgebrannte Dörfer hin, bis wir ein menschenleeres Dorf fanden, in dem einige unversehrte Häuser standen. Es war gut, daß ich unterwegs aus einer Brandruine ein Fenster gelöst und mit einem kleinen Tisch auf dem Wagen zu unseren Sachen verstaut hatte. Jetzt richteten wir uns in einem der leeren Häuser ein. Das Fenster wurde im Rahmen befestigt, unsere Klappbetten aufgebaut und die Gummibadewanne des Rittmeisters entrollt. Ein Tisch war ja auch da, und Lichter wurden ausgepackt. Nur das Fenster dichtete ich mit großen Zeitungen noch ab, damit kein Lichtschein nach außen fallen konnte. Den ganzen anderen Tag war der Rittmeister unterwegs und kam erst bei Dunkelwerden heim. Den Kürassier hatte er fortgeschickt in die entfernt liegende Poststation; der konnte erst am Abend des nächsten Tages zurück sein. Wir waren jetzt sozusagen im Niemandsland und mußten daher unbemerkt bleiben; desto mehr erschreckte es uns, als in der Nacht durch den Zeitungsvorhang des Fensters ein starker Lichtschein kam. Wir machten kein Licht und erkannten durch einen Papierspalt, daß auf der anderen Seite der Dorfstraße neben einem Bauernhause ein großes Feuer brannte, umgeben von – nackten und halbbekleideten Menschen, die sich mit Schnee ihren Körper rieben, wahrscheinlich gegen die Läuse. Nun waren wir beruhigt; das konnte nur ein Transport von russischen Gefangenen sein. Wir verhielten uns ganz still, und am Morgen war der Spuk verschwunden. Als am Nachmittag der Rittmeister früher nach Hause kam, erschien auch bald der Kürassier mit der Post. Pferd, Sattel und er selber behängt mit Paketen und Blechdosen. Zeitungen waren da aus Deutschland, Frankreich, England und aus der Schweiz. Die herrlichste Verpflegung mit eingemachten Früchten und Konserven, auch fehlten nicht die englischen violetten Zinkeimer mit Schildkrötensuppe, und viele andere Überraschungen kamen zutage, die einem Manne galten, der mit der französischen Nation verschwägert ist und dessen nächste Freunde in England saßen. Sie versorgten ihren Feind-Schwager und Freund mit den schönsten Sachen über die neutrale Schweiz. Kessler war eine internationale Figur. Er hatte den Ausbruch des Krieges in London am Teetisch mit Asquith und Grey erlebt, die ihm damals raten mußten, schleunigst in sein eigentliches Vaterland zurückzukehren.

Für uns blieb jetzt noch der Besuch einer Kavalleriedivision, die ganz am Rande eines großen Sumpfgeländes lag. Als wir die Stellung erreichten, sahen wir den ganzen Train fertig angespannt und gepackt stehen. Ein schlechtes Zeichen. – Fluchtbereit? – Wir wurden aber beruhigt. Im Offizierskasino war alles versammelt. Wir hatten inzwischen Quartiere bezogen, das einzige leere Haus, das letzte der nahen Front zu. – Diese Division Kavalleristen lebte, verglichen mit unserem Stab, sehr einfach, wenngleich die Namen der Offiziere: Fürst Fugger, Graf von Montebello, Graf von Montecuculi, Prinz Hohenlohe, andere Erwartungen wecken mußte. Auch das Abendessen war einfach, aber mit guten Getränken. Endlich begaben wir uns zur Ruhe, mußten noch durch das ganze Dorf bis zum Ende. Die unaufhörliche Schießerei erlaubte nicht, daß man ein Uniformstück auszog oder die Waffe ablegte. Als Kopfkissen hatte der eine eine Schublade, der andere einen Holzscheit. – Fester Schlaf, der nicht lange dauerte. – Eine Fensterscheibe klirrte laut auf den Boden. Aufgewacht, sahen wir die Fensterlöcher wie glühendes Feuer. Maschinengewehrgeknatter, Kanonenböller, Höllenlärm. Unser Wagen war angespannt. Pferde schon gesattelt. Die Fensterscheibe wahrscheinlich von unseren Leuten zum Aufwecken eingestoßen. Im Galopp konnten wir noch vor den abrückenden Train kommen. Das war die letzte Etappe vor der Heimfahrt. Die ganze

Selbstporträt als Unteroffizier. Zeichnung, 1915

Sache hatte mit Etappen bei Infanterieregimentern länger gedauert, als sie hier verkürzt erzählt ist. Das Resultat war entmutigend. Kessler, ein durchaus ehrlicher, gewissenhafter Untersucher, hatte herausbekommen, daß beim Durchbruch Brussilows das Regiment Kronprinz besoffen gewesen war und daß die »Zwockels« keine Schuld traf. Nach militärischem Ermessen hatte Graf Kessler somit seinen Auftrag nicht erfüllt; er hatte ihn mißverstanden. Er wurde fortgeschickt und mit diplomatischen Aufgaben in der Schweiz betraut. Den Brussilow-Durchbruch brachte unser Chef dadurch zum Stehen, daß er einer Truppe, die nach Frankreich abtransportiert wurde, den ganzen Autopark wegnahm und mit den Lastwagen die eigenen Truppen in den Nächten überraschend an andere Stellen warf und überall in die Offensive ging. Weihnachten 1916 trat dann eine Entlastung ein.

Im Februar 1917 baute sich der junge Nachrichtenoffizier während der Mahlzeit am Tisch neben der Exzellenz auf und meldete: »Der Zar ist abgesetzt, geflohen, und der Offizierstellvertreter Kerenski hat den Oberbefehl über die Truppen übernommen.«

Harry Graf Kessler. Zeichnung, 1915

An die rumänische Front

Im März 1917 wurden wir durch die Karpaten nach Siebenbürgen transportiert. Die Personenautos waren in offene Güterwagen verladen, das Wetter war mild, die Sonne schien. Auf diese Weise war die Fahrt in den bequemen Sitzen der Autos ein friedlicher Genuß; es ging durch eine waldige Gegend mit einer grandiosen Gebirgsnatur. Unser Standort wurde Kézdivásárhely am Eingang des Gebirges, über das der Ojtoz-Paß nach Rumänien führte. Im Quartier waren wie gewöhnlich die beiden ersten am morgendlichen Frühstückstisch die alte Exzellenz und der Unteroffizier. – In dieser Zeit verloren wir unseren Chef, den mit der sympathischen Ringergestalt. Es war von der Heeresleitung Erzherzog Joseph ein Oberst zur Besprechung mit dem Leiter von Ia gekommen. Der Mann hatte sich, ohne zu fragen, in die Operationsabteilung begeben, in der sich der Chef im Augenblick nicht befand. Bei der Rückkehr in sein geheimes Reich den fremden hohen Offizier vorfinden, ihn mit den schärfsten Worten aus dem Zimmer verweisen war das Werk weniger Sekunden. Die Folgen waren groß. Sofortige Versetzung unseres Operationsoffiziers. Zwar fiel er die Treppe hinauf mit der Versetzung in eine Abteilung der Obersten Heeresleitung, aber wir bekamen einen neuen Mann.

Der neue Operationsoffizier hatte entschiedenes Mißtrauen gegen den Unteroffizier in der Nachrichtenabteilung, und bald wurde ich als Beobachter zur ungarischen Artillerie am Ojtoz-Paß kommandiert. Die alte Exzellenz gab mir Gelegenheit, eine Strecke in die Berge auf seiner Maschine mitzufahren. An einem bestimmten Punkt wurde ich von einem ungarischen Artilleristen empfangen, der mich in die Berge führte. Bei der Batterie angekommen, bekam ich ein Bett in dem Unterstand, in dem der Major mit seinem Adjutanten lag. – Es war im Frühling, die Birken hatten schon grüne Blätter. Aber plötzlich kam Neuschnee, von der Last bogen sich die Bäume bis zur Erde, viele Birkenstämme brachen. Jeden Morgen tasteten die Russen und Rumänen den Wald mit Schrapnells ab. Doch die Batterie und die Unterstände waren geschickt unter der Bergkante gelegen, und das Feuer der feindlichen Artillerie richtete keinen Schaden an. Ich erwachte eines Morgens durch ein leise prasselndes Geräusch und sah über mir, daß die Rillen der Deckenverschalung rot glühten. Das konnte nur Feuer sein. Ich weckte die Offiziere, doch der Major befahl dem Gast, dem Unteroffizier, liegenzubleiben. »Das machen die Burschen schon in Ordnung.« Doch bald brannte die Wand, die vom Ofenschornstein her Feuer gefangen hatte, und ich sprang aus dem Bette und rettete an Akten, was ich fassen konnte. Der Unterstand brannte vollkommen aus. Abends war an einem anderen Platz ein neuer. Als ich über die etwas weitgehende Gastfreundschaft eine Bemerkung machte, daß man doch leicht hätte braten können, lachte mich der Major aus: »Ja, ihr Nordländer wißt ja nicht, was ungarische Gastfreundschaft ist. Sie sollten mal in der Erntezeit bei uns in Ungarn sein. Da gastieren wir von Gut zu Gut. Zigainer kommen, man ißt und trinkt, spielt und tanzt. Am nächsten Tag will man weiterfahren, kommt in Stall: Wogen kaine Räder. Alle Gäste suchen, tauchen in Fluß und Fischteich. Abends finden Räder, muß gefeiert werden. Zigainermusik, Essen, Trinken, Spielen, Tanzen. Anderen Morgen, man will fahren. – Keine Pferde in Stall. – Gäste in Pußta Pferde fangen.«

»Und was war der Schluß der Gastfreundschaft?« fragte ich gespannt.

»Haben Freund Haus in Brand gesteckt, nahmen Familie mit auf Gasterei und bauten ihnen neues.«

Wenn die Geschichte auch vom Major erfunden war, gab sie doch einen Einblick in das Leben der ungarischen Magnaten, die keinen Moment daran denken, wer die Werte schafft, die sie vergeuden.

Meine Aufgabe war, das feindliche Gelände zu beobachten und jede kleine Veränderung mitzuteilen. Ich hatte meinen Standort auf der Generalstabskarte genau zu fixieren. Dann kletterte ich auf freie Felsen oder in die Wipfel hoher Bäume und legte das Beobachtete in einer Zeichnung mit Buntstiften fest. Da die rumänische Erde hier ockergelb war, konnte man mit dem Fernglas das Ausheben neuer Stellungen gut beobachten. Übrigens bekam ich allmählich durch die Vergleichung der Zahlen auf der Generalstabskarte mit dem Gelände eine Fähigkeit, Karten zu lesen, daß in mir aus Zahlen und Zeichnung ein Landschaftsbild entstand, das der Wirklichkeit sehr nahekam. Jedenfalls muß ich mehr gesehen haben als die Offiziere am Scherenfernrohr, da ich immer das Ganze beobachten konnte. Ich wurde da oben eine Art von Sehenswürdigkeit, die Offiziere der Nachbarregimenter kamen und sahen sich die Zeichnungen an.

Das Felsengelände hinter den Batterien war schwer zugänglich. Jetzt sah man, wie schwer es die rumänischen Truppen auf dem Punkt Marc[?] gehabt haben. Das schützengrabenähnliche Gebilde mußte an dem Felsenrand ausgehackt werden. Im Rücken hinter der Felswand lag der Wald. Manche von den Toten hatte man nicht wegräumen können, der Frühling nahm sie auf. Sich auflösend betteten sie sich immer tiefer in das blumenreiche Waldgras. Als ich auf den Felsengrat geklettert war, sah ich, wie ein kleines Rudel Wölfe, dem sich verwilderte Hunde angeschlossen hatten, die verlassenen Schützengräben durchstöberten. Sie wurden auf mich aufmerksam, wie ich auf einem kahlen Felsen stand. Ich rührte kein Glied, als ich die unsympathische Gesellschaft unter mir entdeckte, und eilte erst fort und suchte Deckung, als der letzte Wolf den Schwanz einzog und abtrollte. Auf meinem eiligen Rückzug hörte ich noch das Knacken des Geästes im Walde, aber das Gewirr von Stacheldrähten hinderte vielleicht das Raubgesindel vorzudringen.

Ein anderes Mal traf ich hier oben zwei gänzlich heruntergekommene Feldgraue der österreichischen Armee, die schon die Beobachtungsart und die Bewegungen von Tieren des Waldes angenommen hatten. Die beiden Leute hatten eine mir völlig unbekannte Sprache. Ich nahm sie mit zur Batterie.

Es kam das Abschiedsfest für mich, den Unteroffizier. Im schlauchartig langen Offiziersunterstand schrillten gleichzeitig drei Grammophone mit drei verschiedenen Liedern. Der Major sagte zu mir: »Zuerst werden Sie in uns den Europäer noch erkennen, dann aber wird der Asiat zum Vorschein kommen.« Es war eine allgemeine Betrunkenheit. Man brüllte Lieder, umarmte und küßte sich. Es war ein Höllenlärm, viele sackten schon unter den Tisch. Der Major hatte Haltung bewahrt, jetzt aber kippte er seinen primitiven Hocker etwas hintenüber, riß ihm ein Bein aus, schrie »Achtung!«, und wie ein Bumerang sauste das Holz durch den Raum, so daß wieder eine Reihe der Herren absackte. Beim zweiten Bein, das denselben Weg machte, war niemand mehr auf Tischhöhe sichtbar.

Beim Stab zurückgemeldet, erwartete mich sofort eine neue Kommandierung als Begleiter des Pionieroffiziers, der die festungsartigen vorgeschobenen Stellungen ungarischer Kavallerie zu kontrollieren hatte; es waren Sperrposten in den Urwaldtälern der Transsilvanischen Alpen, wo keine zusammenhängenden Schützengräben möglich waren. Mit dem Auto fuhren wir zu einem Gebirgsdorf, zu Pferde bis an eine Holzsägerei, dann mit einer Lore, die ein Gaul zog, ging es ins Gebirge hinauf. Einmal kamen wir an einer einsamen Baracke vorbei, wo eine Abteilung ungarischer Husaren lag. Sie standen gerade in Reih und Glied mit der Schnurrbartbinde aufgebaut. Ein groteskes Kriegsbild in dieser menschenleeren Wildnis. – Die Schleppfahrt dauerte lange, sie ging hinauf durch ungewöhnlich schöne gesunde alte Tannenwälder, die wie eine feste Nadelwand den reißenden Fluß begleiteten, so dicht, daß man weder Stamm noch Äste sehen konnte. Eine dunkelgrüne Mauer; wie ein Teppich.

Auf der Höhe öffnete sich das Tal, es wurde lichter. Die Lore hielt zwischen gut maskierten Unterständen. Alles war sehr geschickt, einschließlich der Maschinengewehrnester, unter der Grasnarbe angebracht. Der Pionierleutnant machte seine Aufzeichnungen. Es hatten hier bisher nur kleine Patrouillengefechte stattgefunden. Abends brachte eine Patrouille auf einer primitiv aus Ästen zusammengeschlagenen Tragbahre einen erschossenen rumänischen Offizier ins Lager. Am andern Tage, als der Pionierleutnant seinen Bericht zu Ende geschrieben hatte, wurden wir zum Essen gerufen. Wir saßen eben, als sich das Telefon meldete. Der Major nahm den Hörer. Sein Gesicht veränderte sich, er wandte sich uns zu: »Sofort aufbrechen, mit der Lore hinunter; Unteroffizier, Sie bedienen die Lore. Die Rumänen haben unseren Verbindungsposten auf dem Berge niedergemacht und sind durch. Unsere Abteilung muß die Stellung aufgeben, sie hat eine andere Aufgabe. Auf die Lore, Unteroffizier, Sie führen.« Ich saß an der Bremse. In rasender Fahrt, durch die Windungen geschleudert, ging es zu Tal. Wie Peitschenknall kamen die Schüsse der Rumänen, ohne ihr Ziel zu finden. Am Holzplatz bei den Sägemühlen marschierten schon deutsche Reservetruppen auf, um den Stoß der Rumänen abzufangen.

Die Propagandaaufgabe

Als der Sommer 1917 begann, kam ein Hauptmann aus der Heeresleitung Erzherzog Joseph, um unsere Nachrichtenabteilung zu kontrollieren und Richtlinien zu geben. Das Armeekommando hatte einen neuen Chef der Operationsabteilung bekommen, den General von Seeckt. Die Durcharbeitung der mitteleuropäischen Linie, Mitropa, sollte jetzt ein Schwerpunkt in der deutschen Kriegspropaganda werden. Hauptmann H. rief mich heran: »Wir werden Ihre künstlerische Arbeit für die Propaganda der Mitropa gebrauchen können; Zeichnungen vom Lauf der Donau und den angrenzenden Ländern sind die Hauptsache, die wir in künstlerischer Form für unsere Sache haben müssen.«

Kurz darauf wurde ich zur Heeresleitung Erzherzog Joseph nach Maros Bandali[?] befohlen. Der Hauptmann H. hatte alles vorbereitet. Als General von Seeckt um Mittag in das Vorzimmer des Speisesaales der Offiziere trat, wurde ich ihm von dem Hauptmann der Nachrichtenabteilung vorgestellt. Nachdem der Hauptmann den General an seinen Platz begleitet hatte, kam er zurück und sagte: »Der Stil der österreich-ungarischen Armee erlaubt es nicht, daß ein Unteroffizier mit Offizieren am gleichen Tisch zum Essen sitzt. Sie sind heute mein Gast. Ich werde Sie an einen Platz führen, an dem wir echt ungarisch zu Mittag speisen werden."

Wir verließen den ungarischen Kulturpalast, in dem die Offiziersmesse eingerichtet war, und gingen zu Fuß durch einige sonnige Straßen. Dann führte Hauptmann H. mich in einen kühlen sauberen Kellerraum, in dem einige weißgescheuerte Holztische standen. Man hatte einen Durchblick zum Küchenraum, in dem eine behende rundliche Frau mit zwei Töchtern am Herdfeuer Fleisch röstete. Alles, auch die Kleider der Frauen, zeichnete sich durch peinliche Sauberkeit aus. Im geräumigen Keller war nur einer von den hellgescheuerten Tischen von einigen ungarischen Offizieren besetzt, denen mich der Hauptmann zuführte. »Dies ist unser Künstler, der uns bei unserer Arbeit helfen soll. – Graf Bethlen.« Ich sah einen schlanken englisch aussehenden Mann, der auch die Umgangsformen eines kultivierten Engländers hatte. Der zweite war Graf Apponyi, der mir mit einem jovialen Lächeln, hinter dem sich Liebenswürdigkeit, die zu nichts verpflichtet, und die verschlagene zynische Oberflächlichkeit des Weltmannes verbarg, die Hand schüttelte. Dann wies er auf einen kräftigen Mann in der Uniform einer niederen Charge und sagte: »Dies ist Oberleutnant Husarek, unser kommender Mann.«

In diesem Restaurant gab es keine Teller. Jeder bekam statt dessen ein sauberes Holzbrett, jeder eine Flasche offenen Weißweins und ein grünes Büschel kleiner weißer Zwiebeln. Die Töchter des Hauses kamen vom Herd mit einer langen Gabel, auf die geröstetes Fleisch gespießt war. Jede Gabel hatte eine andere Sorte: Schwein, Hammel, Kalb, Rind. Man wählte nach Wunsch, man mischte auf dem Brett Wein, Paprika und weiße Zwiebel, wozu wir das außergewöhnlich wohlschmeckende Rostfleisch aßen. Gemüse oder Kartoffeln gab es hier nicht.

Über meine Aufgaben wurde nicht mehr viel geredet. Die Erfüllung wurde meiner Initiative überlassen. Ich empfing noch am selben Tag einen offenen Befehl, vom General von Seeckt unterschrieben, und nachdem ich mich bei unserem Generalkommando abgemeldet hatte, stiefelte ich los auf die »Kunstreise«. In Semendria füllte ich meinen Rucksack noch mit Zigaretten auf aus der Heeresfabrik, als Tauschmittel für die Not, als leichteste Fracht. Am gespanntesten war ich auf das Eiserne Tor, den Durchbruch der Donau durch die Transsilvanischen Alpen, das hatte ich mir als Schuljunge ganz dramatisch vorgestellt. Mein erster Standort wurde Orşova. Hier floß die Donau mit ihrem tiefgrünen durchsichtigen Wasser durch ein verengtes Felsenbett. Diesseits ging am Hochufer entlang eine moderne breite mit Maulbeerbäumen bepflanzte Heeresstraße, die sich mit einer niederen Mauer vom Steilufer des Flusses abgrenzte. Der Straße entlang wellten sich Berge hin, in denen tiefe Kalksteinhöhlen lagen. Auf der gegenüberliegenden Flußseite stiegen die Felsen aus dem Wasser fast senkrecht hoch. Wenige Meter über dem klaren grünen Wasserspiegel sah man die Reste eines schmalen in Stein gehauenen Weges, konnte man an vielen Stellen noch die Stützlöcher für Überbrückungen von kleinen Spalten und für die Auslagekonstruktionen, die einen hölzernen Weg getragen haben mußten, erkennen. Es waren die Reste der großen römischen Heerstraße, über die der Kaiser Trajan seine Truppen nach Osten in das jetzige Rumänien geführt hatte. – Der Eindruck dieser Donaulandschaft war von grandioser Schönheit. Ich wanderte nun nach Osten zum Eisernen Tor. Meine romantischen Vorstellungen wurden völlig zerstört: Das Gebirge öffnete sich breit zu beiden Seiten, um dem Fluß Platz zu machen, der hier wie ein breiter, über Steingeröll hinplätschernder Bach ins rumänische Land eilte. Seine Hauptgewässer drängten sich seitwärts durch einen künstlichen Schleusenkanal für die Schiffahrt. Meine Enttäuschung wurde durch reichlichen Genuß von Maulbeeren aufgewogen, die hier an der wenig begangenen Landstraße den Boden bedeckten.

Anderen Tages brachte mich ein Frachtschiff durch den Kanal nach Turnu-Severin. Hinter dem Eisernen Tor, in der rumänischen Ebene, weitete sich der Strom mit immer wechselnden Bildern, als sei er ein abgeschlossener großer See, in dem viele, mit üppigem Wald bestandene Inseln lagerten. Es entstand ein Bild, das sich immer wieder öffnete und schloß, als führe man über den See eines seltsamen Parkes. Wasservögel in großen Zügen tummelten sich auf den Flächen, sie wurden wohl nie von Menschen belästigt. Von der ersten rumänischen Station Turnu-Severin aus begab ich mich nach Bukarest zum Oberkommando der Armee Mackensen, um mich zu melden. Der Nachrichtenoffizier empfing mich nach Vorzeigung des offenen Befehls von General von Seeckt; dann zeigte er mir seine interessante – Schmetterlings- und Insektensammlung und gab mich für die weitere Arbeit frei auf mein Versprechen hin, den Besuch der Dobrudscha ganz zu vermeiden. »Wir stehen uns nicht gut mit den bulgarischen Verbündeten. Die Kerls haben uns vor kurzem ein paar tausend Hammel gestohlen, die wir ihnen erst mit Feldkanonen wieder abjagen mußten.«

Am nächsten Tage war ich wieder in Turnu-Severin. In einer Soldatenkantine wurde ich recht gut mit Reis und Pfirsichen verpflegt. Hier an der unteren Donau, wo ein besonders starker nächtlicher Taufall ist, entwickeln sich Pfirsiche und Aprikosen zu außerordentlich großen und wohlschmeckenden Früchten. Die Bäume brechen fast davon. – Dann saß ich am Donaustrand auf einem glatten Steinblock und wartete auf ein Transportschiff. Bleiche Pferdeknochen, Schiffstrümmer und Menschenschädel bildeten die kriegerische Zierleiste des Donauufers. – Endlich kam der Dampfer, besetzt mit bulgarischen Soldaten. Bald lagerte ich mich zwischen ihnen an Deck. Es war Abend, als die eintönigen muselmanischen Gesänge der Mannschaften mein Einschlafen begleiteten. – Um

Mittag des nächsten Tages näherte sich der Dampfer dem grauen Dobrudscha-Ufer. Eine kleine Stadt lag da, auf dem braungrauen Dobrudschagrund, wie aus einem Traum meiner Jugendzeit, als man uns in den Kinderjahren die Märchen von Tausendundeiner Nacht vorlas. Am Hügelrand flache Dächer, auf denen Menschen hockten, lang aufsteigende Minaretts und die Kuppeln der Moscheen; nur vereinzelt große Bäume. Ich vergaß alle meine Versprechungen. Die Bulgaren zogen an Land, ich mit ihnen. Der Stadtkommandant von Tutrakan, ein bulgarischer Oberleutnant, der in Berlin als Ingenieur studiert hatte und die deutsche Sprache verstand, gab einem Gendarm den Befehl, mir ein Quartier auszumachen. Der baumlange Polizist, um dessen Brust ein Riemen hing, an dem ein breiter Kavalleriesäbel baumelte, ging mit mir los, strandete aber bald mit mir bei einer Kneipe, um Wein zu trinken; man nimmt den Wein ohne Glas aus einer kleinen Karaffe, die sich nach oben trichterförmig weitet. Ich bezahlte die erste Lage. Bei der zweiten Kneipe zeigte ich meine Ungeduld, es nutzte nichts, bei der dritten wurde der Gendarm sogar der Gastgeber und bestellte mir Essen. Es war nicht schlecht, schmeckte nach Hammel, nur konnte ich nicht hinter die Anatomie dieses Fleischgewächses kommen. Endlich ging es durch enge Straßen weiter, die der Gendarm mit schwankendem Lavieren in ihrer ganzen Breite in Anspruch nahm. Schließlich das Quartier. Eine kurze Holztreppe führte hinauf in eine offene Vorhalle; der Bulgare stieß eine Glastür auf: Ein längliches Zimmer, Ruhebett, fest mit Teppichgewebe bedeckt. Auf einen Hocker an der Tür sank der Gendarm hin und machte mit seinen zusammengelegten Händen, die er an die Backe brachte, das Zeichen, daß ich jetzt schlafen könnte. Auf meine Frage nach dem Wirt zog er die Schultern hoch und machte mit der Hand das Zeichen des Gehenktwerdens. Dann erhob er sich, fand die Tür und stolperte die Holztreppe hinunter. – Über meinem Lager war ein grausiger Buntdruck an die Wand geheftet. Eine Lithographie in krassen gelben, roten und blauen Farben. In der Mitte des Bildes saß Christus, vor ihm ein Pokal, aus dem das rote Blut überfloß; die Tafelrunde der Jünger bestand aus den militärischen Vertretern der verschiedenen kriegführenden Länder. – Die Tür war nicht verschließbar. Manchmal war es mir, als ob ich durch das Glasfenster beobachtet wurde. Auf allen Wanderungen durch die Stadt nahm ich daher meinen Rucksack auf dem Rücken mit. Die kleine Stadt bestand aus wenigen Straßen. Im Zentrum gabelte sich die Hauptstraße und bildete einen kleinen dreieckigen Platz. Das war das Café. Da stand eine alte zerzauste Akazie. Einige Tische und Wiener Rohrstühle waren auf einem erhöhten hölzernen Fußboden aufgestellt. Am Baum hing ein kleiner Holzkohlenofen, nicht viel größer als ein Vogelkäfig. Ein langer weißbeturbanter Türke mit weißem gepflegtem Bart stellte sich an den Herd, fachte das Feuer an, um dem Gast, das war ich, der ich auf einem der Stühle Platz genommen hatte, einen schwarzen Kaffee zu bereiten; aber in diesem Augenblick trat hoch auf dem Minarett ein Mullah heraus, stemmte mit erhobenen Ellenbogen seine Hände gegen die Ohren und sandte einen seltsamen Sprechgesang über die Stadt. Der Kaffeetürke ließ sofort alles stehen und den Gast sitzen. Er verschwand in der Moschee. – Nach langer Wartezeit kam er zurück, um die Pflicht seinen Gästen gegenüber zu erfüllen. Es hatten nämlich noch zwei bulgarische Soldaten sich an meinen Tisch gesetzt, die mit morgenländischen Gebärden ihre Verehrung für den deutschen Kameraden auszudrücken versuchten. Als endlich der schwarze Kaffee dampfend und duftend aus den kleinen Stielkannen in die Gläser geflossen war, duldeten die Bulgaren nicht, daß der verbündete Kamerad zahlte, und machten selber die Rechnung mit dem alten Türken.

Von Tutrakan ging die Reise mit kleinen Traintransporten, manchmal auf Lastwagen, manchmal zu Pferde durch die baumlose Dobrudscha. Der Charakter der weit auseinander liegenden Dörfer wechselte. Ich kam durch Dörfer von rumänischem Charakter, dann wieder zeigten niedrige Lehmmauern, gutgepflegte Bauernhäuser mit Obstgärten einen deutschen Charakter, oder verfallene graue Lehmhütten der Tatarenbevölkerung breiteten sich an einem Bachtal hin, und das Land hatte primitive Berieselung. Endlich kamen wir in der Nähe von Babadag ans Schwarze Meer. Vor den Lagunen lag ein russisches Dorf. Lipowaner, eine aus Rußland ausgewiesene religiöse Sekte, hatten sich hier angesiedelt. Eine kleine deutsche Marinestation lag dort mit ein paar Motorböten, die in den Lagunen, die übrigens von russischen Minen, dem offenen Meere zu, ziemlich abgesperrt waren, den Flankenschutz der bulgarischen Infantrie auszuführen hatten. Die bulgarischen Schützengräben zogen sich vom Ufer aus ins Land. Ich meldete mich auf der Station. Die Offiziere halfen mir, eine Unterkunft zu finden, und traktierten mich sogar mit einer Portion Kaviar, der hier für den Stab der Heeresleitung Mackensen gewonnen wurde.

Das Quartier bei dem russischen Fischer strahlte von Sauberkeit, als sei das Zimmer mit seinen weißen Wänden, bunten Papierdekorationen, mit seinem weißen Bett und dem hochgebauten Berg von Kissen für einen besonders vornehmen Gast zubereitet. Im Türrahmen stand der bärtige Wirt und seine behende starke Frau, denen ich ansah, daß sie mit ihrem Gast zufrieden waren, da er gewiß etwas von seiner überraschten Freude an der vorübergehenden angenehmen Heimstätte merken ließ. Schüchtern neugierig, aber zielbewußt drängte sich an ihnen ein sechzehnjähriges Mädchen vorbei, das den deutschen Unteroffizier betrachtete, als sei er ein Geschenk vom Himmel. Bald war das Haus geschäftig, es wurde gekocht und gebraten, und das blonde Mädchen setzte die interessantesten Fischgerichte auf den Tisch vor den Gast. Danach interessierte sie sich für die Zeichnungen des Malers, eilte dann aber hinaus und brachte ein Bild herein, auf das die Leute offenbar sehr stolz waren, denn mit ihm erschien auch die breite Mutter im Türrahmen. Das Bild stellte einen Ritter Georg dar, der, auf einem aufbäumenden Schimmel sitzend, durch die Luft ritt. Mit der Lanze spießte er ein fischartiges Ungetüm auf, das aus einer schmalen Landschaft aufstieg, die in ihrer Bläue den Lagunencharakter des Schwarzen Meeres erkennen ließ. Die Rosafarbe der Flamingos hatte der Maler geschickt verwendet in der Aufzäumung des Schimmels. Alles war, wenn auch etwas primitiv, so doch mit einem starken künstlerischen Empfinden, ja mit einem monumentalen Gefühl in der Technik der alten Ikonenmaler auf einer Holzplatte dargestellt. Der Maler, ein eingeborener Fischer, hatte auch die Kirche ausgemalt; lebte aber nicht mehr.

Anderentags gab es eine Patrouillenfahrt durch die Lagunen mit einem schnellen kleinen Motorboot. – Der Tag war hell, silbern lag die Wasserfläche, bis sie vor einer dünnen grünen Barre in eine rosa Wolke überzugehen schien. Flamingos. Unser Boot durchschnitt, weißglänzendes Kielwasser hinterlassend, die stille Wasserfläche. Vom Lande her kamen einige Schüsse. Der Mann am Steuer fluchte: »Die Bande will wohl wieder in unserer Gösch den Zarenadler erkannt haben; diese Bundesbrüder!« Als das Boot im Heimathafen ankam und an einem notdürftigen Fischersteg anlegte, der dem Meere zu in einem Stangenwald zum Aufhängen der Netze endete, wurde mir mitgeteilt, daß ich am anderen Tag Gelegenheit hätte, nach Brăila zu kommen. Ich wanderte abends noch einmal auf die hohe Uferkante und erstieg einen der eigentümlichen, zwischen vier Stangen schwebenden Hochsitze oder vielmehr Hochlager, über denen sich noch ein Schilfdach hinflachte. Diese Gestelle boten den Frauen die Möglichkeit einer weiten Sicht über das Meer, wenn ihre Männer draußen zum Fischen waren und dann bei der Rückkunft zur Bergung des Fanges ihre Hilfe benötigten. Die Hochsitze erinnerten mich an die Gestelle in den Reisfeldern Ceylons, an jene primitiven Aussichtstürme, in denen der dunkelhäutige Wächter mit einer alten Donnerbüchse hockte, um wandernde Elefanten von den wohlgeordneten, terrassenförmig angelegten Reisfeldern zu verscheuchen.

In der folgenden Nacht hatte es geregnet, ein seltener Fall um diese Jahreszeit in jenem Lande. Der sauber abgegrenzte Vorhof der

Marinestation, der ganz aus braunem Lehm modelliert war, wie die Arbeit eines Bildhauers, mit eingebautem Herd, mit der langen Lehmbank an der niederen Mauer dem Meere zu, diese Sommerküche machte heute einen traurigen Eindruck. Die Füße wurden von der zähen Lehmmasse festgehalten und hinterließen ein aufgerissenes Loch. Die alte Mutter, die den Hof bediente und in den trockenen Tagen selbst jeden Hühnerdreck vom festen Boden zusammenfegte, stand jammernd im Türrahmen. – Vor dem Hof ratterte schon die Maschine. Die Offiziere stiegen ein. Ich nahm meinen Sitz neben dem Chauffeur. Der Regen schien nur strichweise gekommen zu sein; denn bald lief der Wagen wie auf Parkett. Wir fuhren sogar die größte Strecke über wegloses Land, über einen schwarzen steinhart getrockneten kahlen Sumpf. Einmal ging es auf eine Silhouette zu, die Vegetation zeigte, bald konnte man auch Mauerreste entdecken. Wir stiegen aus und gingen zwischen niedrigen Ruinen einer römischen Siedlung umher, die die Offiziere mir zeigen wollten. Viel mehr war nicht zu sehen als die Fußböden; sie waren zum Teil mit viereckigen Tonröhren unterbaut, die als Zentralheizung gedient haben mochten. Vielleicht war es der Baderaum. Weiter sauste das Auto über kahlen harten Boden. Kein Baum, kein Strauch, kein Tier, kein Mensch, nur in der Ferne der silberne Streifen des Schwarzen Meeres. Nach einiger Zeit erreichten wir eine Fliegerstation, wo wir freudig und gastlich aufgenommen wurden. Bald saßen wir in den bequemen Korbsesseln des Gesellschaftsraumes. Im übrigen schien das ganze Leben dieser Leute von einer gähnenden Langenweile erfüllt zu sein, in die nur der Alkohol Abwechslung brachte und heute unser Besuch.

Über das moderne Constanța mit seinem Hafen und den eleganten Villen am Strandkorso, über die große Donaubrücke, die die Balta Brăila überquerte, ging es nach Brăila. Hier bekam meine künstlerische Arbeit ein besonders fruchtbares Feld. Der Hafenkommandant war ein früherer Lloydkapitän, er kannte mich als Worpsweder Maler, war sofort im Bilde über meine Aufgabe, die ich für die Nachrichtenabteilung der Heeresleitung zu machen hatte. – »Ruhen Sie sich aus, morgen früh geht eine Patrouille in die Balta Brăila, eine Barkasse mit Post und Lebensmitteln, da können Sie mitfahren.« Der Kapitän ließ einen Feldwebel, den Leiter der Patrouille, rufen, machte uns bekannt und instruierte den Mann.

Früh, am andern Morgen, war man am Flußkai. Auf einem schwarzen flachen Kanonenboot, einem Monitor, stand die Mannschaft zum Morgenappell in weißer Matrosenuniform, in Reih und Glied angetreten. Weiter hinauf lag unsere kleine Barkasse unter Dampf, daneben war ein Kahn vertaut, unter dessen bedachte Behausung Infanteristen Postsäcke und Waren verstauten; ein zweites Boot, ein breitbäuchiges Brandungsboot, war ihm noch angetaut, das in der Mitte einen Kapitänseinbau hatte. Das Innere war bequem, auf jeder Seite eine Schlafbank, dazwischen ein Tisch. Auch war ein kleiner Raum für Lebensmittel vorhanden und ein Platz zum Kochen. Dies war unser Reich, für den Expeditionsleiter, den Feldwebel, und für den Malerunteroffizier. Nach dem dritten Pfiff zog die Barkasse an, und die beiden vertauten Böte ordneten sich von selber im Kielwasser. Der Feldwebel war ein Freund der Jagd, für meine Arbeit zeigte er großes Interesse und verstand es, mir das Charakteristischste des großen Inselkomplexes in dem mächtigen Stromgebiet der Donau zu zeigen. Die Wassermassen, die sich hier im Frühling heranwälzen, geben dem Meere zu eine Erhöhung der Flut bis zu sieben Metern, wie der Feldwebel sagte. Das ergab den Charakter der Landschaft. Der Fischreichtum ist groß. Kleine Inseln konnte man beim Ablauf des Wassers mit reusenartigen Hekken ganz umstellen, um die Fische zu fangen; bei größeren Inseln waren die Abzugsgräben tief eingerissen, in ihnen hatte man Fischfallen aus Holz eingebaut. Viele Inseln waren unbewohnt. – Doch jetzt war Sommer, Hochsommer, der Wasserstand niedrig. Wir machten an einer Waldinsel fest und stiegen an Land. Ein schwarzer festgetrockneter Sumpfboden, auf dem sich das pyramidisch aufsteigende braune Wurzelwerk uralter Pappeln hochbaute. Die Pappeln hatten den schwarzen Boden mit ihrer weißwolligen Blütensaat bestreut. In ein bis zwei Meter Höhe über dem freistehenden Wurzelwerk begann erst der Baumstamm feste Form zu bekommen, und über allem wölbte sich das dichte Laubdach, durch das die Sonne ihre Strahlen warf. Wir wanderten eine Zeit in dieser dämmerigen Wurzelwelt, als es mir war, als huschte ein leichter Wolkenschatten über die Sonnenflecken am Sumpfboden; im selben Augenblick ertönte dicht hinter mir ein Schuß, darauf in den Baumwipfeln ein kurzes Rascheln und Brechen – da fiel wenige Schritte vor mir, aufplumpsend wie ein gefüllter Sack – der mächtige Körper eines Seeadlers auf den Boden. Einige Flügelschläge, dann sackte der Körper zusammen. Ich wollte auf ihn zugehen, aber der Feldwebel packte mich: »Auf keinen Fall, wenn der sich in Ihrem Schienbein verkrallt, werden Sie ihn nicht leicht lösen können.« Die Sorge war aber unnötig, das Tier war schon verendet, und wir schleppten es ins Boot, mußten es aber später den Fluten übergeben, da wir für den herrlichen Tierkörper keine Verwendung hatten. Am selben Abend machten wir noch an einer Insel fest, die dem Anschein nach ganz mit Schilf bestanden war; nur einige kuppelförmige alte Weiden ragten über den Schilfwald hoch. Ein ortskundiger Bote, ein Heizer von der Barkasse, wurde an Land geschickt.

Am anderen Morgen stand er mit einem Bauernwagen am erhöhten Ufer. Auf dem Wagen hatte er mit dem Bauern ein Boot verstaut. Der Patrouillenkommandant nahm unter dem Klappdeckel seiner Schlafbank zwei Paar mächtige Gummistiefel hervor, zeigte mir, wie ich sie anzuziehen hatte, sie gingen nämlich wie Hosen bis über die Brust. So angekleidet, waren wir einigermaßen geschützt vor dem rieselnden Nachttau, der an den Pflanzen hing und beim Durchqueren des Schilfwaldes an uns herunterfloß. Der Wagen machte uns Spur, und wir folgten in der Richtung auf eine dichte bewegte Wolke flatternder Vögel. – Endlich öffnete sich der Schilfwald, die beiden kleinen Pferde waren durch die gelbe Blumendecke eines Sees getreten, und wir halfen, das Boot zu Wasser zu bringen. Mühselig stakten wir den Kahn durch den Wasserpflanzenteppich auf die glatte Seefläche, umtost von dem Geschrei Tausender von Vögeln. Die Uferweiden waren grau und zeigten wenig Blätter, aber Nest an Nest. Selbstverständlich wurde nicht geschossen; alles, was wir sahen, war ja auch handgreiflich. Manchmal rieselten bei der Annäherung junge Vögel zwischen den Ästen herunter, um in der Wasserfläche unterzutauchen, andere konnte man leicht in die Hand nehmen und betrachten. Da waren dunkle Kormorane, mit schlangenartig schnell beweglichem Hals, schwarze Ibisse mit stolzer Würde, wie es ihrer göttlichen Vergangenheit entsprach. Weiße kleine Seidenreiher mit langen Schöpfen waren da, rote und graue Reiher, und wie verwachsen mit den Ästen saßen stupide Nachtreiher, die mit hochgezogenen Schultern und scheinbar halslosem und spitz hochgestelltem Kopf zum Tageshimmel hinaufschauten. Ein paradiesisches Bild, zu dem wohl selten Menschen Zutritt hatten.

Auf einer anderen Insel, auf der wir Post abzugeben hatten, lebten deutsche Infanteristen wie Webervögel in den Bäumen. Die Gegend war offenbar sehr malariagefährdet. Zwischen den Ästen und Stämmen hoher Bäume spannten sich hoch oben Hängematten hin, aus Schilf und Schlinggewächsen geflochten, mit Dach und Eingangsloch. Eine Strickleiter oder Stufen am Baum führten hinauf. Unten auf dem Boden schwelte ein Rauchfeuer zur Abwehr der Moskitos. Das Fischerdorf lag auf der anderen Seite der Insel, für uns nicht erreichbar.

Nach einer langen heißen Tagesfahrt, als es schon zu dunkeln begann, sahen wir in der Ferne ein großes Feuer leuchten. »Unsere nächste Poststation«, sagte der Feldwebel. Näher gekommen, konnten wir viele Menschen um ein helloderndes Maisstrohfeuer erkennen. Schnell stiegen wir an Land. In der Dunkelheit, durch das helle Feuer geblendet, stolperte ich über eine Teppichrolle, die laut aufschrie. Eine schlafende Frau, die sich, nach Landessitte einfach in einen Teppich gewickelt, ihr Nachtlager auf der Erde gemacht hatte. Um das Feuer gruppiert, erkannte man nun eine ganz seltsam zusammengewürfelte Gesellschaft von Frauen. Da waren derbe bäuerliche Typen mit nackten Füßen und weißen Kopftüchern, frech dreinschauende Weiber in grauen Lumpen. Eine schmale schwarzgekleidete Frau mit zinnoberroten Strümpfen und Lackschuhen zeigte eine gewisse Eleganz, vor allem wie sie das schwarze Umschlagetuch trug, in dem sie ihr lachendes Gesicht halb zu verbergen suchte. – Mein Begleiter klärte mich auf. Die deutsche Stadtkommandantur hatte eines Abends in Brăila eine Razzia unternommen, um alle Prostituierten abzufangen. Dann verfrachtete man sie hier auf diese Insel, wo sie die Mais- und die Weizenernte einbringen mußten. Als wir die Gesellschaft am anderen Vormittag auf dem Felde bei ihrer Arbeit aufsuchten, verstauten sie unter der Leitung von ein paar Landsturmleuten das Korn; offenbar mit viel Witz, denn es ging sehr lustig her. Die Weiber fühlten sich scheinbar recht wohl, daß sie in der Sommerfrische waren und einige Zeit von ihren Berufspflichten entbunden.

Eben vor der Ankunft in Brăila überfiel uns auf der Donau noch ein gewaltiger Gewittersturm, der unsere Böte am Seil so tanzen ließ, daß man fürchten mußte, daß sie sich gegenseitig oder an den schwarzen Panzerplatten des Monitors zerschmettern müßten. Der lag mit seinem großen Tiefgang ruhig am alten Platz und ließ die Wellen um sich toben. Bald hatten wir festen Boden unter den Füßen.

Câmpina

Nach dem Ölgebiet bei Câmpina brauchte ich diesmal nicht mehr hinauf; ich war dort schon bei der Erledigung eines anderen Auftrages gewesen. Câmpina war ein mächtiger, ganz modern eingerichteter Naphthabetrieb. Schon an der Bahn entlang standen die Gestelle mit Zuleitungsröhren in Waggonabstand, so daß ein Eisenbahnzug in kürzester Zeit mit Benzin mechanisch gefüllt werden konnte. Ich kam damals dort durch, als das Feuer in den wichtigsten Teilen des Werkes schon gelöscht war; nur aus einzelnen der mächtigen Behälter, die unabhängig vom Bohrfeld in der Landschaft standen, schlugen noch hohe Flammen und quollen dicke Rauchwolken. Ich war damals in Ploieşti mit einem deutschen Unteroffizier bekannt geworden, der die Löscharbeiten von Câmpina geleitet hatte. Die Ölfelder waren beim Herannahen der deutschen Truppen von den Rumänen selber angesteckt worden. Der Unteroffizier war in Friedenszeiten als Naphthaarbeiter in Câmpina angestellt gewesen, war dann aber zur deutschen Armee gekommen. Die deutschen Truppen, mit denen er marschierte, kamen in eine schwarze Rauchhölle, die von den Riesenbränden des Ölfeldes ihre Schlaglichter empfing. Als die rauchgeschwärzten Infanterietruppen nach Câmpina kamen, war die Raffinerie und das Hauptlager der Leichtöle sehr gefährdet, aber noch nicht vom Feuer erfaßt. Vom Regiment kam die Aufforderung: »Wer meldet sich freiwillig, wer kennt den Betrieb, daß er eindringen kann, um noch zu retten, was zu retten ist?« Es meldete sich der Unteroffizier, ein paar mutige Leute schlossen sich an, um in die Feuerhölle vorzudringen. Gleich entdeckte der einstige Naphthaarbeiter, daß man aus der Ölabfallgrube naphthagetränkte Matten als Feuerleiter in die Richtung zur Raffinerie und zu den Benzinlagern gelegt hatte. Es gelang ihm mit seinen Leuten, die Matten auseinander zu reißen. Ein wichtiger Teil des Betriebes wurde so durch die Initiative des Unteroffiziers gerettet. – Selbstverständlich hohe Auszeichnung. Einen hohen Orden (soweit es einem Unteroffizier zukommt) lehnte er ab. Man zahlte ihm zehntausend Mark als Belohnung aus.

Das erzählte mir der Unteroffizier auf einer Tour im nahe liegenden Gebirge. Ich hatte ihn gebeten, mir etwas von dem Leben der rumänischen Bauern zu zeigen. Die Wege waren menschenleer, die grauen Berge zeigten wenig Vegetation, so daß wir, als der höchste Kamm überschritten war, eine weite Einsicht in das Gebirgsland mit seinen Schluchten und Tälern hatten. So sahen wir ganz unten in der Landschaft eine violett gekleidete Frau mit einem rötlich violetten Schleier um den Kopf erscheinen. Wie wir herunterstiegen, winkte sie und ließ sich auf einen Felsen nieder. Als wir bei ihr ankamen, erhob sie sich und ging dem Unteroffizier freudig entgegen. Dann gelangten wir drei auch bald in bebaute Felder, stiegen einen flachen Hang hinauf; an unserer Seite floß ein Bach, über dem an verschiedenen Stellen kleine Häuschen, offenbar Mühlen, gebaut waren. Dann standen wir vor dem großen Eingangstor eines großen hochummauerten Hofes. Auf der Mauer über dem Eingangstor befand sich ein kleines längliches Haus mit zwei größeren Fenstern. Im Tor begrüßte uns ein langer, zäh-elastisch erscheinender älterer Bauer; er war in weiße Wolle gekleidet und trug einen breitrandigen schwarzen Filzhut auf dem Kopfe. Bald kamen auch seine Frau und zwei Töchter über den Hofplatz und luden uns ein, ins Haus zu treten. Der hochummauerte Hof hatte eine eigentümliche Trapezform: zwei Häuser waren über Eck schräg zueinander gestellt, das Haus der Alten und das Haus der Jungen. Das kleine Häuschen über dem großen Eingangstor war offenbar das Haus der jungen Mädchen. Eine hohe Holztreppe führte hinauf. Es bestand nur aus einem länglichen Zimmer, und wenn es abends, so hoch über dem Hof, Licht hatte, wirkte es wie eine riesengroße, sehr behagliche und et-

Câmpina

was geheimnisvolle Laterne, in der sich Frauenfiguren bewegten. Unser Besuch schien von dem Unteroffizier vorbereitet zu sein, denn uns empfing nun eine reiche Abendtafel mit sehr gutem Essen und rumänischem Wein. Wir schliefen, nach landesüblicher Weise, nicht im Hause, sondern auf dem vorgebauten weitläufigen überdachten Balkonplatz mit seinen breiten, mit schönen Teppichen belegten Schlaflagern, die man im Sommer benutzt. Von Männern sahen wir niemanden, ich vermied auch zu fragen, da man vermuten mußte, daß sie vielleicht gefallen oder in Gefangenschaft geraten waren.

Anderen Morgens machten wir einen Rundgang über die Felder mit dem Alten. Am meisten interessierten mich die kleinen Häuschen am Bach. Das eine war eine Mühle. Ein anderes hatte sich der Alte gebaut, um Wolle zu walken; da waren große hölzerne Hämmer, unter denen das Wollgewebe durchging und leicht verfilzt wurde. Sehr geschickt war das alles gemacht; der Alte benutzte bei den schnellen Drehungen des Wasserrades kein Öl zum Schmieren, sondern ein fortwährend leicht zufließender Wasserstrahl verhinderte, daß das Holzrad in Brand lief. Alles war sauber aus Holz gemacht. Wir stiegen weiter den Bach hinauf. Da hatte sich der Bauer eine sehr einfache, aber praktische Einrichtung zum Waschen des Wollgewebes ausgedacht. Im tiefen Bach stand eine große Tonne, die aber keine geschlossenen Wände, sondern nebeneinanderstehende Leisten hatte, aus denen das Wasser ausfließen konnte. Die starke Strömung des Baches wurde schräg von der Seite in die Tonne eingeführt, so daß in ihr ein immerwährender reißender Rundstrudel entstand, wodurch die Wolle an den glatten Wandleisten gerieben und vom Strudel ausgewaschen wurde.

Ploiești und die Rückreise

In Ploiești lernte ich eine typisch konzentrisch gebaute Stadt kennen, typisch für die meisten größeren Städte östlicher Länder. Ich wandte meine alte Reisetechnik an, um den Charakter dieser Stadt kennenzulernen. Zuerst beschäftigte ich mich mit dem Kern, mit dem Zentrum, und verfolgte von hier aus dann einen Radius. Die Gleichmäßigkeit der Architektur und die Länge der Straße verführte mich, eine Nebenstraße zu nehmen, die Länge dieses Kreisausschnittes ödete mich wieder an, und so folgte ich noch einmal einer Radialstraße, bis ich schließlich an der Peripherie in einem schmutzigen Zigeunerviertel landete. Nie sah ich etwas Dreckigeres wie die nächste Umgebung dieser kleinen, fast fensterlosen Häuser. Die Rückkehr zum Zentrum war wieder mit großem Zeitverlust verbunden, ich liebte immer Richtwege zu finden, was in einer konzentrischen Stadt falsch ist, sowie man den Radius verläßt.

Die Rückreise zum Generalkommando ging von Ploieşti aus. Einmal war ich mit Artilleristen von der Westfront zusammengekommen, kriegsmüde Leute, voll bitterer Wut gegen den unsinnigen Krieg. Sie wurden in die groß vorbereitete Offensive bei Focşani geworfen, die später unter furchtbaren Verlusten für uns zusammenbrach. Als ich es mir in Ploieşti in einem Urlauberzug bequem gemacht hatte, holte mich eine Offizierspatrouille sehr schnell wieder heraus und befahl mir, zum Güterbahnhof zu marschieren und um die Erlaubnis zu bitten, mit einem Güterzug nach Kronstadt befördert zu werden. Es war sehr heiß, der Güterbahnhof sehr, sehr weit draußen vor der Stadt. Der Zug, der zur Abfahrt bereit stand, hatte nur zwei Ladungen: kleingeschnittene Blechreste, die einem in wenigen Stunden die Kleider vom Leib geschnitten hätten, und andere Waggons waren mit dickem Kantholz beladen; zwischen denen fand ich nach langem Suchen einen Stehplatz, in den ich mich hineinzwängte. Das wurde einer meiner schlimmsten Transporte, die ich durchzumachen hatte; todmüde, ohne Schlaf, aus der Hitze von Ploieşti über die eisige Kälte des Passes in den Transsilvanischen Alpen. Aufrecht hielt mich nur die Autosuggestion: nicht einschlafen, alle Kräfte wach halten, sonst ist die Lungenentzündung sicher. Endlich hielt der Zug auf einer Rangierstation. In weiter Ferne sah man die Bahnhofslichter von Kronstadt. Mit mir sprangen aus anderen Güterwagen noch zwei Feldgraue, denen ich mich anschloß. Irgendwo stand eine Lokomotive unter Dampf. Wir stürmten auf die Maschine los, obwohl unser Hinaufklettern und Eindringen in den kleinen Maschinenraum verzweifelt abgewehrt wurde. Einer von uns, ein langer hagerer entschlossener Kerl, nahm seine Mauser in die Faust und sagte dem Lokomotivführer leise, höflich, aber so eindringlich, daß keine Weigerung möglich war: »Jetzt fährst du uns sofort nach Kronstadt hinein.« Eine gefahrvolle, tastende Fahrt begann über Weichen, an Signalarmen und Warnungslichtern vorbei, bis die Einfahrt nahe lag, die Maschine ganz langsam fuhr und wir abspringen konnten. Schnell verschwanden wir drei Grauen in der Dunkelheit und suchten die Soldatenbaracke zum Nächtigen auf.

Anderentags fuhr ich weiter und meldete mich vormittags im Stabsquartier. Ich wurde vom Ia-Chef zur alten Exzellenz geschickt. Ich zeigte dem General von Gerok die Ergebnisse meiner Arbeit. Dann fragte er mich nach meinen menschlichen Beobachtungen. Ich sagte ihm offen, was ich für Erfahrungen mit den Truppen gemacht hatte, die vom Westen kamen: Kriegsmüdigkeit, scharfe Kritik; kein Kampfwille mehr! – »Es ist gut, daß Sie mir das ohne alle Schönfärberei sagen«, erwiderte der General. »Das bleibt aber unter uns, auch mit den Offizieren und Soldaten wird darüber nicht gesprochen.« – »Zu Befehl, Eure Exzellenz«, und ich war entlassen.

An der Ostfront nahm die politische Aufklärung immer größeren Umfang an. An der russischen Front waren die Bolschewiki propagandistisch außerordentlich tätig. Zwischen den Fronten war ein Briefkasten organisiert zum Austausch von Drucksachen, denn natürlich wurde von uns auch fieberhaft gearbeitet. Jede Partei glaubte es recht klug zu machen; aber die kommunistische Propaganda fand einen geeigneten, aufgeackerten Boden vor. Die Operationsabteilung ließ schließlich das Land zwischen den Gräben mit Artilleriegeschossen belegen aus Angst davor, daß die Leute von beiden Seiten schließlich selber Frieden machen wollten. Ich sah in den bolschewistischen Losungen über die Erfassung des Bodens der Grundbesitzer, der Häuser und der Fabriken unter Kontrolle der Arbeiter eine sehr begreifliche und vernünftige Maßnahme. Alle Texte der Bolschewiki waren so einfach und überzeugend abgefaßt. Ich dachte, das muß doch jeder verstehen, daß nicht die Arbeiter und Bauern zum Krieg trieben, und es ist das einzig richtige, daß man nun den Urhebern des Krieges alles entzog.

Erkenntnisse über meine Lage beim Stab 1917

Die außergewöhnliche Stellung im Stab des Generalkommandos, die etwa der eines Kriegsberichterstatters gleichgesetzt und mehr der äußeren Form nach der Arbeit des Nachrichtenoffiziers angegliedert war, bekam an der Ostfront im Jahre siebzehn eine hohe, eine ausschlaggebende Bedeutung für mein ganzes späteres Leben durch die bolschewistische Propaganda. Mein Leben, das gerade durch die Einbeziehung in die Interessen des Stabes mich ganz von der Masse der Soldaten isolierte, verflachte nach außen, mein Blick in den inneren Betrieb verschärfte sich. Ich sah viel Korruption. Höhere Offiziere benutzten ihre Autorität, um sich zu bereichern. Für sie war der Fiskus, das deutsche Staatsvermögen, die milchende Kuh, der man alles abnehmen mußte, um sich materiell gut zu stellen. Wenn Sendungen an Pelzen, Hemden, Socken für die Mannschaften ankamen, nahmen diese Herren von der Sendung, um ihr heimatliches Warenlager für alle Fälle zu bereichern; ein Bursche bekam Urlaub zur Beförderung des gestohlenen Gutes. Wurde befehlsgemäß der Pferdebestand der Offiziere im Felde verkleinert, so wurden die abgegebenen Pferde zum Schaden des Fiskus zu hoch eingeschätzt. Alte Sättel, die abgegeben werden mußten, brachten auch noch ein schönes Stück Geld, wie neue. – Dazu das luxuriöse

Leben, die Verpflegung beim Stab, und das in einer Zeit, wo die kämpfende Truppe schlecht verpflegt war. Ich machte mir viel Gedanken über den Sinn des Krieges, über die Sinnlosigkeit des Krieges, über die immer deutlicher zum Ausdruck kommende Profitsucht und die Beraubung anderer Völker.

Kann es keine Vereinigung aller wirklich tätigen Menschen geben, in der die Profitsucht, Übervorteilung und Ausbeutung des einen durch den anderen ausgeschlossen ist, nein, in der sogar jeder Mensch daran interessiert ist, die Gestaltungskräfte des anderen möglichst zu heben?

In diese Gedankenwelt drang die Propaganda der Bolschewisten, und alles wurde so einfach gesagt und – wahrscheinlich auch getan –: das Land den Bauern, die es bearbeiten, die Häuser wurden dem Luxusleben der reichen Familien entzogen und bildeten große Quartiere für die Familien der Arbeiter. Die Fabriken sollten von den Arbeitern selbst verwaltet werden! Da war ja an den Grundlagen der bisherigen profitsüchtigen Verhältnisse gerüttelt. Alles war so einfach und so überzeugend gesagt und rüttelte bei mir an allen den Hemmnissen, die mein Leben bedrückten. – Heimatlos fühlte ich mich plötzlich in der alten Welt, aber auch, daß ich nicht verlassen war; ich fühlte, daß Millionenmassen wirklich arbeitender Menschen gewillt waren, die Welt zu ändern.

Nach Frankreich

Im November 1917 wurde der Generalstab der Armeegruppe Gerok nach Verdun abkommandiert. Aus Siebenbürgen, aus Kézdivásárhely, nahm es in Z. [Name durchgestrichen, unleserlich] noch das Offizierskorps auf. Es war schon sehr kalt. Der Zug hatte keine Heizung. Die frierende Mannschaft machte einen Handstreich, der die Situation rettete. Die Leute wußten, daß das österreichische Materiallager der Pioniere in unmittelbarer Nähe der Eisenbahnhaltestelle lag, an der wir unser Offizierskorps aufnehmen mußten. Kurzerhand wurde die Pionierwache am Drahtverhau durch unsere Mannschaft entwaffnet, und nun wanderten kleine Grabenöfen, Spitzhacken, Beile und Brennholz von Hand zu Hand in unsere Waggons. Hier baute man die Öfen ein und führte die Schornsteinrohre durch die Lüftungsanlage. Endlich bewegte sich der Zug, die letzten Leute sprangen auf die Trittbretter, es wurde eingekachelt, und bald verbreitete sich eine angenehme Wärme in unseren Waggons. Unsere deutschen Offiziere hatten grinsend dieser Aktion zugesehen, waren sie doch immer zufrieden, wenn man den Österreichern, den Zwockels, einen Streich spielte. – Jetzt kamen die Herren jovial in die Mannschaftswagen, um sich zu wärmen. – Der Hauptmann von der Stabswache machte sich an die Chauffeure heran, um zu beraten, wie man die Offizierswaggons warm bekommen könnte. Bald bot sich eine passende Gelegenheit. Der Zug hielt außerhalb einer großen Station, hatte keine Durchfahrt. – Da entdeckte der Kennerblick der Chauffeure einen fertigen Zug mit Pullmanwagen ohne Lokomotive. Hinaus aus unseren Waggons, hinüber zwischen die Pullmans, die Heizungsschläuche ausschrauben, in unseren Zug einsetzen, all dies war in kurzer Zeit geschehen. Inzwischen bearbeitete der Hauptmann den Lokomotivführer mit einer Kiste Importzigarren und einer Flasche Sliwodski, und bald war Dampf in den Röhren, als der Zug sich in Bewegung setzte.

Die Falle

Es ging durch Ungarn und Süddeutschland. An der bayrischen Grenze erwartete uns ein Hindernis, das genommen werden mußte. Die Bayern hatten eine geniale Eisenbahnfalle gebaut, in die die Züge aus dem Osten nichtsahnend friedlich einfuhren. Die schönen Perrons waren hoch umgittert, und große Magazine standen zum Empfang von Waren und zur Aufnahme von Vieh bereit, das die bayrischen Kontrolleure aus den Zügen abzukämmen hatten. Die Erfahrung hatte die Bayern gelehrt, daß Truppenteile, die aus dem Osten kamen, stets mit Raubgut vortrefflich versorgt waren, Güter, die sie an der französischen Front in Ruhe zu verzehren gedachten. Da gab es Kühe, Schweine, Schafe, Geflügel, Feldfrüchte, Brotgetreide und Hülsenfrüchte aus Rumänien, Käse und Zwiebeln aus Siebenbürgen und vieles andere, was die Bayern brauchen konnten. – So überraschend aber auch die Einfahrt in die Falle war, so schnell waren unsere gewiegten alten Leute im Bilde. Ein geheimnisvolles Bauen mit Preßheu ging da in den Güterwagen vor sich. Geschickte Hände bauten Mauern und Räume, hinter denen das Vieh unsichtbar wurde. Viel wurde gerettet, das meiste. Als der Train des Generalkommandos in einer französischen Kleinstadt ausgeladen wurde, machte das Ganze immer noch den Eindruck einer mittelalterlichen Landsknechtskarawane, und als die langbeinigen schwarzbeborsteten Schweine aus den Rokitnosümpfen behende über die Gossen sprangen und jeden Dreck beschnüffelten, jubelten die Eingeborenen: »Les russes, les russes!« Dann kam der ganze Troß in Bewegung, zog mit seinem vielen Viehzeug am kaiserlichen Quartier vorbei. Einige behaupteten, den Landesherrn in der Ferne beim Holzhacken erkannt zu haben, neben ihm hätten Generäle gestanden, die ihm die Klötze zureichten.

Eine wichtige Aufgabe

Ein altes französisches Dorf mit schönem Herrensitz wurde das Stabsquartier der Armeegruppe. Das Generalkommando hatte aber noch keine Truppen. Für mich war die Lage nicht gut. Der Adjutant Seiner Exzellenz setzte alles daran, mich abzuschütteln, mich in ein Frontregiment zu versetzen mit der baldigen Aussicht auf den Offiziersrang. – Wir lagen also noch in Ruhe. Da bekam der Stab eines Tages Besuch von dem Major, der seinerzeit in Siebenbürgen plötzlich abkommandiert worden war. Major v. Kl. war für mich von Anfang an die interessanteste und sympathischste Persönlichkeit, ein echter Soldat, der sich sehr um die Mannschaften kümmerte, unternehmend, furchtlos und erfinderisch im Kampf. Das jagte den Offizieren des Stabes manchmal die Angst in die Knochen. Der Major betrachtete das Stabsquartier nicht als ein gemütliches Heim, das fern von der Front lag. Der Besuch wurde von unseren Offizieren ungefähr so behandelt, wie manche eine in Ungnade gefallene Primadonna betrachten würden. Ich mußte mir immer wieder sagen: Von euch allen ist doch dieser Major der ehrlichste Soldat. Ohne ihn wäre im Osten der Brussilow-Durchbruch nicht zum Stehen gekommen.

Bald darauf bekam ich Urlaub; offenbar wollte man mir die bittere Pille der Versetzung an die Front erst in der Heimat verpassen. Die Urlaubstage, in denen ich auch den Freund Marthas auf dem Barkenhoff auf Urlaub fand, endeten mit dem Telegramm: Einrükken zum XXIV. Generalkommando! In Köln erhielt ich die Nachricht über Ort und Stationierung des Stabes und fuhr weiter. Es war der alte Platz, wohin ich mußte. – Der Chauffeur eines Lastautos vom Generalkommando stoppte unterwegs seinen Wagen und nahm mich mit. Beim Gefechtsstand setzte er mich ab, damit ich mich beim Ia melden konnte. Der Gefechtsstand war ein einfaches bequemes Rentnerhaus mit Garten am Ausgange der Kleinstadt, der Front zu.

Auf der Freitreppe des Hauses stand – der Major v. Kl., die Ringerfigur, der einstmals abgesetzte Ia. Ich meldete mich zurück vom Urlaub. Der Major lächelte: »Man hat Sie wohl abhalftern wollen. Nun, von den Leuten werden Sie niemanden mehr vorfinden. Sie bleiben; ich habe eine besondere Aufgabe für Sie.« Gespannt horchte ich auf. »Sie fahren nach Tailly, kümmern sich gut um unsere Exzellenz, reiten mit ihm als Begleiter, können ihm auch in dem schönen Teich am Schloß eine Badeanstalt bauen zum Schwimmen. Es liegt mir daran, daß Seine Exzellenz sich dort wohl fühlt und nicht zu häufig auf den Gefechtsstand kommt.« – »Zu

Befehl, Herr Major.« Eine Maschine brachte mich ins Quartier des Generalkommandos. Neue Leute waren da, Typen, denen ich nie Sympathien hatte abgewinnen können, waren verschwunden, mit ihnen auch der westfälische Major, dessen Schildkrötengesicht unter dem Kürassierhelm bei offiziellen Angelegenheiten eine monumentale militärische Maske darstellte, hinter der sich Hochmut, Stumpfsinn und Zynismus verbargen. Er war ein Arbeitsloser im Kriege; Verwalter des Beerdigungswesens; da wir aber eine Armeegruppe ohne Truppenteile waren, die uns erst für verschiedene große Aufgaben zugeteilt wurden, hatte der Stab selbst keine Verluste. Es fehlte ihm also an Beschäftigung, wenn man nicht die Unterhaltung des Stabes mit zynischen Witzen, die aber aus Mangel an selbständigen Einfällen alle halbe Jahre wiederkehrten, anrechnen wollte. Der Major mit dem Schildkrötengesicht war dazu ein doppelter Gehaltsempfänger, als Major und als Landrat. Als Soldat war er nicht brauchbar, hatte er doch zu Anfang des Krieges es nicht fertiggebracht, einen Befehl, von dem das Schicksal einer Truppe abhing, mit dem Auto durchzubringen – als aus dem Walde ein paar Schüsse fielen. Als später die alte Exzellenz dem Major vor versammelter Mannschaft das EK I überreichte, ging ein dumpfes Grollen aus der Menge hervor. Ich war froh, daß endlich mit derartigen Figuren aufgeräumt war.

Letzte Etappe

Das idyllische Leben in Tailly ging zu Ende. Der Stab wurde näher zur Front gelegt, kam in die Nähe von Verdun. Der Major, der offenbar nur zur Reorganisation des Stabes vom AOK gesandt war, verschwand, um einem neuen Mann Platz zu machen. Die Frontlinie konnte man durch Fesselballons erkennen, deren Lebensdauer allerdings häufig nicht lang war, da die französischen Flieger sie leicht abschossen; dann verwandelten sie sich in kleine flatternde Rauchwolken, und die Insassen landeten mit dem Fallschirm. Vor dem Rücken eines Hügelzuges lagen unsere Stellungen. Ein charakteristischer Kirchturm als einziges Merkzeichen am Hügelkamm war schon mit Sprengstoff und Brennmaterial so ausgestattet, daß er bei der nächsten Beschießung durch die Franzosen auf deren Schuldkonto hochgehen sollte. Der kleine Ort, wo das Stabsquartier lag, war nachts verdunkelt, litt sehr unter Fliegerangriffen. Manche Häuser wurden von Bomben aufgerissen. Man sah dann die übereinandergebauten Schlafpritschen der Soldaten, die Leute hantierten aber darin schon wieder, fast wie im Freien. – Beim Stab war eine Katastrophe eingetreten, die fast an Hungersnot und Verdursten grenzte. Ein Stoßtrupp Infanterie, der aus dem Dreck da vorne vom Sturmangriff für einige Tage in Ruhestellung kommen sollte, hatte von der Ankunft des neuen Offizierskorps Wind bekommen. Entschlossene Leute waren in den Vorratskeller des Stabes eingedrungen, hatten die Wache überwältigt, die Masse der Soldaten kam nach, und in kurzer Zeit war der Vorrat gefaßt. – Wut und Entsetzen beim Verpflegungsoffizier. Er wurde sofort nach Ostende abkommandiert, um mit guten Weinen, Austern und anderen schönen Sachen das Verlorene wieder zu ersetzen.

Da wir noch in Ruhe lagen, bekam der junge Nachrichtenoffizier die Aufgabe, Ende der Woche einen politischen Bericht über die Weltlage zu erstatten. Truppen hatten wir noch nicht. – Nun standen mir alle Nachrichten zur Verfügung, die mein ganzes Interesse in Anspruch nahmen. Vor allem natürlich war ich auf die politische Situation in Rußland gespannt und studierte das Material zusammen mit meinem Leutnant. – So mag der Wochenbericht des Nachrichtenoffiziers eine gewisse revolutionäre Färbung bekommen haben. Der neue Chef war ein ruhiger, kluger Mann und fühlte manches hinter den Dingen, was andere nicht sahen. Das Quartier, in dem ich mit dem Nachrichtenoffizier, mit einigen Reserveoffizieren für den Telefondienst und mit dem Zahlmeister lag, bekam vom neuen Ia-Major einen Spitznamen: »Das Haus der Kommune«.

Es waren die Tage des Friedens von Brest-Litowsk. Da kam vom General Ludendorff aus dem AOK der Befehl: »Mir ist bis zur Abendmeldung Mitteilung zu machen über die Stimmung der Mannschaften im vordersten Schützengraben, wie die Rede von Kühlmanns in Brest-Litowsk auf sie gewirkt hat.«

Inzwischen war der Verpflegungsoffizier mit seinen Reichtümern aus Ostende zurückgekommen. Der erlittene Hunger und Durst sollte durch einen festlichen Abend im Offizierskasino gefeiert werden. Hoch ging es her. Die Gesellschaft, zu der ich auch befohlen war, zeigte sich bald sehr heiter und bewußtlos, so daß ich bei den vielen ausgebrachten Toasten die Möglichkeit hatte, nach dem Anstoßen ein leeres Trinkglas vorzutäuschen. Ich blieb nüchtern. Es wurde getanzt. – Da kam der Chef auf mich zu und forderte mich zum Tanz. Ich war noch immer ein guter Tänzer, nur eines hatte ich nicht gelernt, mich führen zu lassen; da wurde ich sehr unbeholfen. Nun hatte ich aber zum Unglück einen Partner, der eine ähnliche Charaktereigenschaft aufwies, und so wurde aus der ganzen Tanzerei offenbar ein versteckter Ringkampf, der auf die Zuschauer so komisch wirken mußte, daß verschiedene Offiziere geradezu einen Lachkrampf bekamen und einige schon unter den Tisch rollten. Mir kam die Sache äußerst ernst vor. Ich war mir aber unklar über mich selber und drückte mich aus der Gesellschaft. Auch die anderen

Mitbewohner unseres Quartiers erschienen nach kurzer Zeit. Bald lag das Haus im Schlaf. – Da schrillte auf einmal das Telefon. Der Chef! »Das Haus der Kommune hat sofort im Offizierskasino anzutreten.« Alles sprang aus den Betten. Ich half dem Leutnant beim Anziehen, veranlaßte ihn aber, seinen Nachtanzug anzubehalten und nur den Pelz überzuziehen, ein dunkelrotes seidenes Taschentuch, das ich besaß, band ich ihm um den Hals. Ich selber weigerte mich mitzugehen. So zogen die Herren nun ohne mich durch die verdunkelten Straßen, über denen in großer Höhe die Gnome-Motoren der französischen Flugzeuge leise surrten. Was nun passierte, entzieht sich meiner persönlichen Beobachtung und kenne ich nur aus Erzählungen. Es muß so gewesen sein: Gleich bei der Ankunft hob man den Nachrichtenoffizier mit großem Hallo auf einen Tisch, von dem herab er reden mußte. Er redete von dem Bolschewismus, der nun auch in Berlin eingeführt sei, ein beliebtes Thema, das er ziemlich drastisch ausmalte, war die Nationalisierung der Frau und die Einführung des Kartensystems im Verkehr der Geschlechter.

Am anderen Tage wurde ich zum Chef befohlen. Die Besprechung war kurz, einem Befehl gleich: »Unteroffizier, Sie sind ja Maler, Sie haben ein Plakat zu malen für eine neue Kriegsanleihe.« Schwer niedergedrückt verließ ich den Chef. Bald hockte ich auf meinem Bett in dem leeren Quartier. Der ganze Krieg mit seinen schauerlichen Eindrücken zog an mir vorüber bis zu jener tiefen Erschütterung, die immer wieder in mir hochkam, seitdem ich gelesen hatte, wie zu Beginn des Krieges die deutsche Jugend in Flandern singend in den Tod marschiert war. Da träumte ich wachen Auges, daß die jungen Toten sich drohend erhoben und meinen Körper unter Steinwürfen begraben wollten. Es war in den Karpaten 1915, in der Hand hielt ich das illustrierte Blatt einer Zeitung, in der aus meinem freiwilligen Eintritt in den Heeresdienst eine widerliche Kriegspropaganda gemacht war – daneben ein Bild: die Fotografie des Dragoners im Drillichanzug, mit der Mistgabel in der Hand am Pferdestall.

Das Quartier blieb zum Glück leer. Am Nachmittag begann ich endlich zu zeichnen. Auf dem Papierbogen erschien eine Bauersfrau, in Holzschuhen stehend, sie stützte ihre eine Hand auf einen Spaten. Mit der anderen blendete sie die Augen ab gegen die Sonne. Die Frau schaute in die Ferne. Es war mir unmöglich, Worte anzubringen, die von Kriegsanleihe sprachen, da schrieb ich mit steiler primitiver Bauernhandschrift beiderseits der Frau die Worte auf das Blatt: »Die Heimat – ruft«. Am anderen Morgen war ich beim Chef und breitete den Entwurf vor ihm auf den Boden aus. Der Chef sah mich forschend an und wieder auf die Zeichnung. Ich glaubte, diesen Moment packen zu müssen, und bat um vierzehn Tage Urlaub, um in Worpswede nach lebendem Modell eine künstlerisch einwandfreie Arbeit leisten zu können. Der Major sah die Notwendigkeit ein und bewilligte den Urlaub. Am anderen Tage, als der Chef gerade die innere Haustreppe des Stabsquartiers hinaufstieg, meldete ich mich bei ihm auf Urlaub ab. Der Major drehte sich von seiner Treppenstufe halb zu mir um und sagte die Worte: »Sie kommen doch wieder? Sie scheinen mir ein sehr unsicherer Kantonist zu sein.« – »Zu Befehl, Herr Major.« Wendung ab. Urlauberzug. Deutschland, Worpswede.

Die Entscheidung

Es kann nicht so weitergehen. Das Leben hat keinen Sinn mehr. Eine Abwendung von dem Vergangenen muß kommen. So ist kein Aufbau und keine Aussicht mehr. Ich wanderte durchs Haus, durch den Garten, ich fühlte mich losgelöst von allem, grenzenlos, ohne ein Gefühl von Vereinsamung, ohne ein Gefühl von Sentimentalität.

Nachts saß ich in der kleinen Bibliothek, die mit ihren bücherreichen Wänden, mit ihrer kleinen Arbeitsnische, mit ihrer engen Umrahmung des Menschen so recht zu inniger Konzentration zwang. Es war stille dunkle Nacht, da begann ich zu schreiben:

»Schon lange, als das Jahr 1917 dem Ende zuging, sah man in Deutschland überall die seltsamsten Erscheinungen am Himmel und unter den Menschen. Das merkwürdigste aber war, daß am Spätnachmittag des 24. Dezembers auf dem Potsdamer Platz in Berlin von vielen Menschen der ›liebe Gott‹ gesehen worden ist. Ein trauriger alter Mann, der Flugblätter verteilte. Oben stand: Friede auf Erden und den Menschen ein Wohlgefallen. Und darunter in lapidarer Schrift die Zehn Gebote. – Der Mann wurde von Schutzleuten aufgegriffen, vom Oberkommando der Marken wegen Landesverrat standrechtlich erschossen. Einige Aufnehmer des Flugblattes, die die Worte des Mannes verteidigten, kamen ins Irrenhaus. – Gott war tot.

Ein paar Tage darauf waren unsere großen Feldherren nach Brest-Litowsk gekommen mit der festen Absicht, durch Wort und Tat die Welt von Elend und Blut zu erlösen. So kamen sie mit den Vertretern der Friedenskonferenz zusammen. Sie kamen überein, die Welt mit dem Schwerte in der Hand vor sich in die Knie zu zwingen, erhoben sich selber zu bluttriefenden Götzen, aus deren selbstherrlicher Hand die Menschheit ihre Gesetze empfangen sollte. Da sahen sie plötzlich, wie der totgeglaubte Mann vom Potsdamer Platz mitten unter ihnen stand und stumm auf seine Zehn Gebote wies. Aber niemand wollte die ärmliche Erscheinung kennen. Da gab er sich zu erkennen und war fast seines Triumphes froh, denn er glaubte ja an die Menschheit. Der Kaiser und die Feldherren führten seinen Namen in den Telegrammen, die Krieger trugen ihn auf dem Bauche, die Feldprediger hatten die schwersten Verbrechen der Menschheit durch seinen Namen geheiligt. Da aber sah Gott, daß man ihn gar nicht kennen wollte, daß man von ihm sich nur eine prunkende Form, eine Uniform behalten hatte, und aus der glotzte das Goldene Kalb und beherrschte die Welt.

Da verließ Gott die Friedensversammlung und machte den ordengeschmückten Götzen Platz, denn Gott will nicht siegen, Gott ist.

Die Götzen aber führten das Volk immer tiefer ins Elend und erweckten Haß, Bitternis, Zerstörung, Tod; und wie sie nichts mehr hatten außer blechernen Schmucksternen und Kreuzen, verschenkten sie das gestohlene Gut ihren Völkern. Da ging Gott zu denen, die zusammengebrochen waren unter der Bürde der Leiden, unter Haß und Lüge: Es gibt über euren Götzen einen Gott, es gibt über eurem Fahneneid meine ewigen Gesetze. Es gibt über eurem Haß die Liebe.

Da gaben die Krüppel ihre blutstinkenden, grauen Kleider, ihre Orden und Ehrenzeichen zurück an den Gott des Mammon, gingen unter das Volk und entheiligten die Mordwaffen und vernichteten sie. Gott aber ging zum Kaiser: Du bist Sklave des Scheins, werde Herr des Lichtes, indem du der Wahrheit dienst und die Lüge erkennst. Vernichte die Grenzen, sei der Menschheit Führer, erkenne die Eitelkeit des Wirkens. Sei Friedensfürst, setze an Stelle des Wortes die Tat, Demut an Stelle der Siegereitelkeit, Wahrheit anstatt Lüge, Aufbau anstatt Zerstörung. In die Knie vor der Liebe Gottes, sei Erlöser, habe die Kraft des Dienens! Kaiser!«

Obgleich ich, so wie auch meine Eltern, nie Beziehungen zu außerirdischen Wesen gehabt hatte, machte ich diese Niederschrift religiösen Charakters aus einer Eingebung, die ohne eine Unterbrechung oder Änderung eines Wortes aus der Feder floß, absichtslos und doch mit dem Wunsch, in einer Sprache zu schreiben, die der Ideenwelt der offiziellen Frömmelei nahe war. – Nun schrieb ich noch eine Anrede über die Geschichte: »An den Kaiser. Protest des Unteroffiziers Vogeler gegen den Brest-Litowsker Gewaltfrieden.« Auf den Umschlag kam die Adresse des Kaisers in Charleville. Dann ging ich noch nachts ins Dorf und warf den Brief in den Postkasten. Aber schon auf dem Rückweg zum Barkenhoff bestürmten mich tausend Gedanken. Vor allem: wird der Mann meinen Brief überhaupt erhalten? Mensch, Unteroffizier, du hast ja den Instan-

Die Leiden im Kriege. Öl, 1916

zenweg nicht eingehalten. – Zurück in die Bibliothek. Das Märchen schrieb ich ab, als Begleitung schrieb ich einen Brief an das AOK, an Ludendorff. Dieser Brief beschäftigte sich aber daneben mit seiner eigenen Angelegenheit, mit jener Anfrage des Feldherrn über die Stimmung der Truppen in bezug auf die Rede von Kühlmanns in Brest-Litowsk. Nun, da war ich in der Lage, mitzuteilen, was die Mannschaft wirklich denkt, was der Feldwebel davon dem Oberst mitteilt, was für Veränderungen des Textes in der Brigade vor sich gingen, wie die Redaktion der Division ausfällt und was die Armeegruppe für nötig hält, in der Abendmeldung dem General Ludendorff auf den Tisch zu legen. Daran knüpfte ich die Aufforderung: »Exzellenz, ziehen Sie Ihre roten Hosen aus und setzen Sie sich ein paar Tage da vorne in den Dreck – nur dann werden Sie erfahren, was der Frontsoldat denkt.« Dieses Schreiben mit der Abschrift des Märchens »An den Kaiser« sandte ich noch in derselben Nacht an meinen Chef zur Weiterbeförderung an das AOK.

Von dieser Nacht an war ich ganz erfüllt von einem Glückszustand, wie ich ihn in meinem ganzen Leben nie gekannt hatte. Die Folge meiner Tat als Unteroffizier konnte nur der Tod durch Erschießen sein, das war mir natürlich klar. – Aber – der Tod konnte nur eine logische Konsequenz, der Schluß einer Erfüllung sein, die mich ganz beherrschte. Freiheit. Befreiung von allen Lasten der vergangenen Jahre! Wie ein Tänzer fühlte ich mich, der seine gelösten Glieder einer bisher nie gehörten Musik hingibt! Das Leben war so schön! und der Tod? ich finde den Unterschied nicht mehr! Die Frage Tod oder Leben war gestellt. Jede Bejahung des einen oder des anderen war wie im Gleichgewicht.

Es vergingen stille, glückliche Tage. Da erschienen eines Morgens zwei Feldgraue, ein Unteroffizier und ein Mann. Waffen trugen sie nicht. Sie suchten die Eingangstür und beschatteten für einen Moment das Stubenfenster, hinter dem ich alte Briefe ordnete und zerriß. So, da waren sie also, auf die ich wartete, ohne Ungeduld, ohne Erregung, eine konsequente Fortsetzung. – Ich ging über die Diele und öffnete die kleine Haustür. Vorsichtig, als gingen sie auf Zehen, als ob im Haus ein Toter läge, traten die beiden ein. »Ihr sucht mich«, nahm ich das Wort, »kommt mit mir.« So gingen wir in die kleine Bibliothek.

Da saßen wir drei nun. »Ich will euch etwas vorlesen«, und ich las ihnen das Märchen, den Protest gegen den Brest-Litowsker Frieden. »So, jetzt wißt ihr, warum ihr hier seid.« Still hatten die beiden Feldgrauen zugehört. – Die Leute wurden bei uns bewirtet. Da in der Kriegszeit nur noch abends ein Zug fuhr, gab Martha ihnen einige Winke, bei welchen mit uns befreundeten Bauern noch etwas für sie zu hamstern wäre, und abends, als es schon dunkelte, setzte sich der kleine Gefangenentransport in Bewegung. In der Stadt war es fast Mitternacht, als wir uns in der Kaserne meldeten. Nach Einsicht der Papiere wies uns der Feldwebel barsch ab; er gab ihnen einen neuen Befehl. Wieder eine weite Reise durch die Stadt. Es konnte ein Uhr sein, als wir das lange dunkle St.-Jürgen-Krankenhaus betraten. Wir wurden wie unsympathische, unangenehme Gäste behandelt, bis schließlich ein junger Arzt erschien, der Bewegung in die Sache brachte. Er schickte die beiden Begleiter fort. Ein anderer Wachtmeister trug die Papiere, als wir das Krankenhaus verließen und durch den unbeleuchteten nächtlichen Park einem isolierten Gebäude zugingen. Ich hatte voranzugehen. Hinter mir, neben dem Wachtmeister konnte man den weißen Überanzug des Arztes erkennen. Ich erschrak, als ich die leise ausgesprochenen Worte des Arztes erhorchte: »Dieser Mann hat in der Stadt Familie und einen großen Anhang. Wir müssen ihn morgen früh gleich nach Ellen abtransportieren.« Ellen aber war die Landesirrenanstalt. Wer da landete, der war fürs erste ein toter Mann, ohne jede Verbindung mit der Außenwelt, das wußte ich. Kein Leben mehr, ein Ende, ein Weg ohne Ziel, ein Vegetieren bis zum Tod.

Irren oder rechten?

Der Arzt öffnete die Tür eines großen, wenig beleuchteten Hauses und entließ den Wachtmeister. Wir waren jetzt in der Abteilung für Geisteskranke. Ein langer feldgrauer Wächter nahm mich in Empfang. Mir wurden die Sachen abgenommen, ich wurde gebadet und bekam einen blauen Leinenanzug an. Dann ging es in das Aufnahmezimmer zum Arzt. Das Zimmer in der Nähe des Einganges war ein langer, schmaler Schlauch, in dem zwei Schreibtische aneinander standen. Der graue Wächter horchte an der Tür. Es kam mir nun vor allem darauf an, wie ich den Abtransport verhindern konnte. Da ich in der Hansastadt die führenden Kreise der Wissenschaftler und Künstler meistens kannte, bildete ich mir ein, daß es gar nicht unmöglich wäre, daß ich auch einmal irgendwo mit dem Geheimrat Stoevesandt, dem Leiter der Anstalt, zusammengetroffen sein könnte. So sagte ich dem Doktor zuerst: »Herr Doktor, ich bitte darum, am morgigen Tage Herrn Geheimrat Stoevesandt, Ihren Anstaltsdirektor, sprechen zu können, ich bin bekannt mit ihm.« Mir schien, daß meine Situation sich ändern wollte, und als der Arzt mich fragte: »Wissen Sie, warum Sie hier sind?«, da war mir auf einmal der volle Text meines Kaiserbriefes gegenwärtig, die Geschichte vom lieben Gott, wie dieser überall erscheint, wo man unter seiner Firma die Menschen auf die Schlachtbank trieb. Ich begann den Text zu sprechen. Die Undurchsichtigkeit meiner Lage brachte mich vielleicht zu einer etwas ekstatischen Ausdrucksweise, die die Leute beeindruckte. Der graue Nachtwächter hatte die Tür nicht geschlossen, und meine Sprechweise mußte einige Kranke des Hauptsaales aus den Betten gelockt haben: Als ich den Friedensaufruf beendet hatte und aufsah, stand nicht nur der Wächter in der Tür des Zimmers – sondern in der Türsvalte neben ihm, über ihm und unter ihm waren die erstaunten, aufgerissenen Gesichter der Geisteskranken erkennbar, die ihre Betten verlassen hatten, um zu horchen.

Geisteskrank?

Die Beobachtungsabteilung für Geisteskranke hatte im Januar des Kriegsjahres 1918 einen ganz besonderen Charakter. Da lagen nicht nur Geisteskranke, auch viele Simulanten, Soldaten aus dem Felde, die alle Mittel versuchten, um nicht mehr auf das Schlachtfeld zurückgeschickt zu werden. Hier hatten sie ein schweres Leben, Aufstehen war ihnen nicht erlaubt, dagegen mußten sie allerhand Kuren über sich ergehen lassen, durch die sie mürbe gemacht werden sollten. Dann kamen renitente, chronisch Kranke, die das große Krankenhaus abgeschoben hatte, damit die ungemütlichen Patienten hier gezähmt werden sollten. – Friedliche Irre waren da, wie zum Beispiel ein kleiner Bauer, dessen Apostelkopf heute grade geschoren wurde. Er hatte den Orientierungssinn verloren, und ich brachte ihn manchmal wieder in sein Bett, wenn er in dunkle Ecken zwischen die Schränke auf dem Korridor gegangen war, getrieben von der unstillbaren Pflicht: »Ick mott de Keuh jo noch fo'ern!« Dann waren die Alten da, die man aus ganz schwierigen Lebensverhältnissen zum Sterben hierher transportierte. Der Tod erlöste sie meistens nach wenig Stunden oder Tagen. Wenn ihre Stunde herannahte, rollte man ihr Bett ins Badezimmer, benachrichtigte die Anverwandten, die dann noch von ihnen Abschied nehmen konnten. – Ich selber war in einem Isolierzimmer untergebracht, hatte es ruhig und gut. Mit dem Nachtwächter befreundete ich mich schnell, er gefiel mir besonders. Ein alter Zimmermann mit einem schmalen, festgewachsenen langen Hals. Ein Granatsplitter hatte ihm einen Teil der Muskeln abrasiert. Seine Kopfbewegungen kamen ganz aus der Schulter heraus. Er war ein Lebensphilosoph und genoß großen Respekt bei den Kranken, unter denen er Zucht und Ordnung hielt. In einem besonderen Zimmer, das durch offene Türen mit dem Hauptraum verbunden war, hatte man die chronischen Selbstmörder untergebracht. Wenn der Nachtwächter abends seinen Dienstgang machte, ging er auf die Türen zu und gab die Nachtparole: »Pulsodern upsnieen un socke Soken gift's bi mi nich, hier ward slopen!« – Bei Tage waren zur Bedienung der Kranken Bodelschwinghsche fromme Brüder da. An der Gangecke, dem Fenster zu, lag ein Gichtkranker, bei dem wohl nur noch der Kopf in Ordnung war und Leben hatte; unter sein Kinn hatte man ihm ein blechernes Brettchen gebunden, und man tat ihm einen großen Dienst, wenn man dem Kopf eine Zigarette in den Mund steckte und entzündete. Das Brett war für die Asche und für den Stummelrest bestimmt. Der Kopf ärgerte die Betbrüder, wo er konnte, und entheiligte ihre Samaritertätigkeit. »Schon wieder einer für die Abdeckerei«, rasselte der trockene Mund des Kranken, wenn die Brüder mit einem geschlossenen Tragkorb herankamen, in dem ein Alter lag, der hier sterben sollte.

Ein Junge war da, der sich frei bewegen konnte. Er war beschuldigt, die Kaserne in Bremen in Brand gesteckt zu haben. Ein renitenter, bewußter Bursche, der es weit von sich wies, diese Tat ausgeführt zu haben. Mag sein, daß er im Dämmerzustand sein Bett in Brand gesteckt hatte. Er würde diese Tat, wenn es eine Bewußtseinstat gegen das bestehende System gewesen wäre, sicher nicht leugnen. Die Ärzte konnten noch nicht mit ihm fertig werden. Er blieb stumm, verweigerte jede Antwort. – Mich interessierte das Vorleben dieses Jugendlichen, und ich kam ihm auch schnell nahe. Er eröffnete sich mir ganz. Ich bekam einen Einblick in das Gefühlsleben eines jungen Proletariers, in das Leben seiner Verwandten, sie waren Weichselfischer; und ich verstand auch das Aufkeimen des ersten Liebeslebens des Jungen, der aus dem primitiven Fischerleben in die Romantik alter Danziger Giebelhäuser versetzt wurde, in die mit einer Glastür versehene Dachwohnung zweier junger Schneiderinnen, aus deren Leben er herausgerissen wurde in den Schützengrabenkrieg, der ihn von Revolte zu Revolte gegen das System trieb. Ich veranlaßte den Jungen, zu schreiben, auch zu zeichnen und später alles den Ärzten zu übergeben. Das befreite ihn psychisch, und dann ließ man ihn auch nach einigen Monaten frei, ungefähr zu gleicher Zeit wie mich.

Der alte Geheimrat Stoevesandt kam fast jeden Tag einmal durch den Krankensaal. Als er das erstemal kam, gefiel mir seine Uniform als Generaloberarzt nicht, was ich ihm gegenüber äußerte. Von nun an kam er im weißen Überkleid. Seine ersten Fragen beschränkten sich nur auf die Worte: »Gefällt es Ihnen in diesem Heim?« – Ich begann jetzt zu zeichnen, und zwar mußte ich mir die Zerstörungen des Krieges von der Seele schreiben. Das Blatt wurde sehr mystisch. Unten sah man galizische Kirchen einstürzen, Dörfer, die Kosaken in Brand steckten, Geier kamen aus dem Gebirge und flogen über Leichenfelder, Wölfe strichen über die Erde, und alles war beleuchtet von aufsteigenden Leuchtraketen, deren Schein aber im Himmel, in den sieben Schalen mit dem Zorn Gottes endete, die von schwebenden Engeln getragen wurden. Bei der Arbeit überraschte mich der Geheimrat: »Sie dürfen hier derartige Sachen nicht machen, Sie sind hier, um sich zu zerstreuen. Ich werde Ihnen ein paar Früchte oder Blumen schicken, die können Sie abmalen.« – »Herr Geheimrat, wenn wir irren, denke ich, müssen wir uns konzentrieren!« Im geheimen setzte ich natürlich meine Arbeit fort. In einer Beobachtungsanstalt für Geisteskranke ist es ein befreiendes Gefühl, daß man nun endlich immer sagen kann, was man denkt; wenngleich die Auswirkung, selbst bei vernünftigen Gedankengängen, bei den Ärzten nur ein duldsames Lächeln ist.

Mit dem Nachtwächter saß ich immer lange Zeit des Nachts zusammen. Die Ursachen des Krieges und der Ausweg aus dem Kriege, was wohl werden wird, das waren so unsere Gedankengänge. Dann drehte er wohl mal seinen Oberkörper zum Aufstehen hoch mit den Worten: »Nu is he dod!« Darauf gingen wir beide ins Badezimmer nebenan, da lag ein Alter, der wirklich inzwischen gestorben war, und ich half dem Wächter, den Toten zurechtzumachen. Nach einiger Zeit konnte ich auch Besuche empfangen. Da kamen denn Freundinnen des Hauses, die mir allerhand trostreiche Worte sagen wollten, sie ließen durchblicken, daß sie wohl wüßten, auf welche Weise ich in diese Anstalt gekommen sei, daß das ein Werk Marthas und ihres Freundes Bäumer sei. – Was hatte der Spießbürger wohl für eine Vorstellung von meinem Leben, daß solche Gerüchte in ihm Wurzel fassen konnten!

Bei dem jungen Arzt hatte ich eine Intelligenzprüfung zu bestehen. Er hatte eine Stoppuhr in der Hand, und ich mußte schnell kombinierende Worte finden zu vorgedruckten Worten auf einer Liste. Ich glaube kaum, daß der Arzt dadurch mehr als einen oberflächlichen Intelligenzeindruck gewann; ich aber hatte einen tiefen Eindruck von Erlebnissen der letzten Zeit und des Krieges, die sich in meinen Antworten abspiegelten. Wenn ich zum Beispiel neben das Wort Brot sofort – Gift setzte, so war das für mich der Einblick in die Karpatenzeit, wo das Brot durch viele, viele schmutzige Hände ging und uns sicher manche von den Krankheiten brachte, die damals auftraten. Schließlich kam auch eine Hauptprüfung durch den Geheimrat Stoevesandt. Er beherrschte sowohl den Text des Protestes gegen den Brest-Litowsker Frieden als auch den Text des Briefes an das AOK. Nun grub er in mir nach den Quellen und holte aus mir allerhand Einblicke in meinen Geisteszustand hervor, die mit der bestehenden Gesellschaft in Widerspruch standen. Da war ein letzter, schwerer, anstrengender Kampf zweier Weltanschauungen, der meine Nerven so erschütterte, daß ich einen Weinkrampf bekam, als der Arzt mich verlassen hatte.

Nach dreiundsechzig Tagen war ich frei, sozusagen ein staatlich geprüfter Geisteskranker. – Ausschließung aus dem Heeresdienst

Die sieben Schalen des Zorns. Radierung, 1918

und Stellung unter Polizeiaufsicht waren die nächsten Folgen; das erfuhr ich auf dem Bezirkskommando. Noch nie war ich auf einem Bezirkskommando so höflich behandelt worden, sogar einen Stuhl bot man mir an. Nun, in meinem Militärpaß standen (abgedruckt wie bei jedem, der, wenn auch nur als Unteroffizier, bei einer so hohen Körperschaft, wie ich, gearbeitet hatte) alle Schlachten, die ich geschlagen haben sollte, es waren wohl sechsundfünfzig; außerdem drei Orden, EK II, Hanseatenkreuz und die österreichische Tapferkeitsmedaille, alles Auszeichnungen, für die ich in meiner ganzen militärischen Laufbahn absolut keine Beweggründe finden konnte. In der Schreibstube waren nur niedere Chargen, denen diese Papiere imponierten; außerdem war wohl das Gefühl da: den Mann nur nicht reizen, er kommt aus dem Drallkasten! Dann kam ein Gefreiter und nahm mir meinen langen Kavalleriemantel ab, dessen Abnahme ich zu quittieren hatte. Das war mein schmerzlichster Verlust. »Sie sind aus dem Heeresdienst entlassen, Herr Unteroffizier!« Alle Köpfe drehten sich dem Türrahmen zu, in dem ich schnell verschwand. Sie erschienen mir als erstaunte, von allem Schreibstubenbürokratismus befreite menschliche Gesichter.

Die Wanderung

Helle Aprilsonne des Jahres 1918 empfing mich, als ich mit der gelbumrandeten Kavalleriemütze und meiner abgetragenen, aber nicht zerlumpten grauen Uniform aus der Stadt hinausmarschierte. Ich benutzte nicht die Eisenbahn, die nur einmal am Tage fuhr. So schlenderte ich los auf die vierundzwanzig Kilometer, wie einer, der ein weites Ziel hat, den Anfang des Weges kennt, viel Zeit hat und den in vielen Etappen Unbekanntes erwartet. Durch die mit Linden eingefaßte Straße, die viel von meiner jüngsten Jugend kannte und kurz in mir aufleuchten ließ. Bis dahin war ich ohne bewußte Eindrücke durch das Gewühl der Stadt gewandert. – Wie häufig hatte ich hier am Straßenrand gewartet auf den alten Omnibus, der mich nach dem Weyerberg mitnehmen sollte. Ich eilte aber an meinem elterlichen Hause vorbei. Nur jetzt nicht diese Welt, so warm sie mich auch aufnehmen würde. Der Weg ist lang. Denken muß man, denken. Was liegt hinter der großen Strecke, die man kennt, und was wird kommen? Kilometer nach Kilometer schwand unter den Füßen wie im Traum. Hier der braune, sich windende Moorfluß; die rote Backsteinbrücke. Einstmals war eine hölzerne da: Es lebte der Vater noch, wir machten in einem großen gemieteten Kutschwagen einen Familienausflug. Auf der Holzbrücke traten grünbemützte Zollwächter an den Wagen, die die hanseatische Grenze schützten, und fragten nach Zollgut. Zwölf Jahre später stand auf der neuen roten Backsteinbrücke die schlanke, blonde Martha und sah eine kleine Einspännerdroschke heranfahren. In dem Wagen saß ich, und wir fanden uns schnell zusammen. – Jetzt kam das Dorf mit dem Amtsgericht, dann das Moor, das weite, schier endlose Moor mit den Einzelgehöften der Bauern. Eine niedere, kaum sichtbare Kette von Sandhügeln zog sich schmal durchs Moor. Nur der Weyerberg war eine große Sanderhebung, so hoch wie die fernen Linien des Geeströckens. Man erzählte, daß der Riese Hüklüt, ein Freund des Teufels, der von der Geest vor den eisernen Helden flüchten mußte und der Wesergeest zustrebte, einen Riesensack Sand mitnahm, um sich festen Grund im Teufelsmoor zu streuen, auf den er seine Füße setzen konnte; aber da, wo jetzt der Weyerberg ist, platzte ihm der Sack und bildete den Berg, auf dem jetzt die Worpsweder wohnen. – An den Sandstellen im Moor war die Vegetation anders als auf dem Torf; es kommen sogar Buchenbestände vor. – Das alles fiel mir ein, als ich an dem bekannten Bauernhof vorbeikam mit dem Buchenwald; weiße, im Frühlingswind bewegte Anemonenkissen rundeten sich unter den straffen grauen Baumstämmen. Hier könnte man in der Sonne ruhen, nur ich konnte es nicht, der immer Rastlose, Schreitende, Suchende. – Aber Paula konnte es, dies war ihr Platz. Es kam vor, wenn ich, von Bremen kommend, hier auf der Straße vorbeischritt, daß aus dem Walde ihr langgezogener Ruf erschallte, das Ku-iii, der Ruf der Ceylonfarmer, den sie die Vettern gelehrt hatten und der so weit trug. Dann erhob sie sich von ihrem Blumenlager, winkte, warf ihren Rucksack über und schloß sich meiner Wanderung an. – Ich blieb stehen und lehnte mich an das weißgestrichene Balkengeländer der Brücke des Moorkanales. Die weite Flucht der weißen Birkenreihen verschwand, ich glaubte durch den bewegten Wartesaal des Bremer Bahnhofs zu gehen. Ich kam aus Polen zurück. An einem Tisch im Bahnhofsrestaurant saßen meine Freunde. Eine steinerne Ruhe und Verstörtheit lag über dieser kleinen Gruppe, in der Herma saß, die geliebte Schwester Paulas. Meine Frage: »Paula?« erstarrte auf meinen Lippen: »Paula ist tot«, war das einzige, was gesprochen wurde. – Das war nun auch schon elf Jahre her.

Ich straffte mich auf und marschierte weiter. Daheim der Hof: Werde ich erwartet? Nein. Es ist wie immer, ich bin einmal da, das Leben beginnt seinen alten Lauf! – Kann es? – Nein, es kann nicht. – Die Frau wird mich freundlich begrüßen, wird auch für mich sorgen, ohne Wärme, mit Achtung. Vertrautheit und Wärme gehören einem anderen Mann. Aber die Kinder? Da war vieles verschüttet in ihnen durch den Kampf dreier Menschen, die litten. Manchmal brach die Wärme bei den Kindern wieder durch, bei der Arbeit gemeinsam im Garten, bei Erzählungen aus frohen Tagen und beim Tanz. – War der Freund Marthas aus dem Feld zurück, und was war sein Schicksal. – Jetzt kam ich an Westerwede vorbei. Hier begann Clara ihr Leben mit Rainer Maria Rilke; feierlich, fremd, nach einem Leben von Freiheit und natürlicher Daseinsbejahung, dann Kampf, Trennung und Resignation.

Nun war ich am eigenen Grundstück und bog die Kastanienallee hinauf zum Barkenhoff. Das Haus lag schon im Bergschatten, still mit dunklen Fenstern ohne Glanz. Alles so anders, als ich möchte. Ich möchte: etwas leuchtenden Glanz in den Fenstern oder ein heimisches Licht; irgendwo die hellen Kinder beim Spiel. – Einsam? – Die Welt bricht um. Meine Hand lag auf der Türklinke. Über mir baute sich der Giebel auf. Die Rosenranken hatten noch einige überwinterte graugrüne Blätter.

Wo bleibt die gute alte Zeit?

Am anderen Vormittag erschien der Gendarm. Ich bemerkte bald die Unsicherheit des Mannes. Er blieb zwar immer ein treuer Gendarm bei jedem Regierungswechsel, aber jetzt 1918, was war da eigentlich Regierung? Soldaten kamen von der Front, disziplinlos, meldeten sich nicht, grüßten keinen Vorgesetzten. – Überall tauchte die Frage auf: Was ist los an der Front? Sind die offiziellen Berichte Schwindel? – Der Gendarm W[ittfogel] trat nun jedoch mit jener Würde, die ihm als Vertreter der Staatsmacht den militärischen Halt gab, über die Schwelle der Hausdiele, um seinen Befehl auszuführen: »Der aus dem Heeresdienst entlassene Unteroffizier Vogeler bleibt unter Polizeiaufsicht.« Nach kurzen Feststellungen über den Aufenthalt während der letzten Zeit brach aber bald die Frage durch: »Was ist eigentlich los, das kann doch so nicht weitergehen, Herr?« Ich erzählte ihm von meinen eigenen Erfahrungen, die ich mit den Mannschaften gemacht hatte, und von deren Erfahrungen mit den Offizieren, mit den Schiebereien, mit der Verpflegung und dem Schwindel der Heeresberichte. Nein, das konnte nicht so weitergehen. Die Unsicherheit der Lage machte den Gendarm, der alle paar Tage erschien, um sich zu orientieren, schließlich aufnahmefähig für die besonderen außergewöhnlichen Verhältnisse der Zeit, was später den politischen Flüchtlingen, die auf den Hof kamen, zugute kam und die Verfolgung lähmte.

Es war nun das wichtigste, mich selber zurechtzufinden. Während der letzten Kriegsjahre hatte ich doch zu der Masse der einfachen Soldaten wenig Verbindung gehabt. Was war für mich, den politischen Analphabeten, Sozialismus? Zuerst kam ich an das Studium von Proudhon und Fourier; zu Marx und Engels hatte ich noch gar keine Beziehung, und wenn ich irgendwie zum Sprechen kam, war ich ein fanatischer Pazifist, ein sogenannter Idealist. – Mein Haus und Hof wurde an den Sonntagen der Treffpunkt der französischen, belgischen und russischen Kriegsgefangenen, die bei den Großbauern arbeiteten. – Es wurde schon kein Einspruch mehr von der Polizei erhoben. Im Sommer hatte ich einige deutsche Kriegsgefangene aus England bei mir aufgenommen. – Inzwischen war ich in Verbindung mit den Bremer Kommunisten getreten, die damals als Internationale Kommunisten Deutschlands organisiert waren. Ich suchte den Genossen Johann Knief auf, den ich an der Maschine in der Druckerei traf. Er sagte: »Du hast schon unter den Bauern gearbeitet, wie ich hörte, arbeite nur so weiter gegen den Krieg. Aber ihr scheint mir da draußen eher Anarchisten zu sein als Kommunisten. Wir werden uns noch mit dir auseinanderzusetzen haben.«

Ich studierte nun mit Eifer die Flugblätter der Kommunisten und ihre Zeitung. Machte auch einige Plakate: »Tanz um das Goldene Kalb« und »Krieg«; »Aufgaben und Notwendigkeit des Eintretens in die Gewerkschaften«. Bei diesen Arbeiten war es schon für mich wichtig, daß ich gezwungen war, mich Arbeitern und Bauern verständlich zu machen, ganz realistisch in der Darstellung zu sein. Allerdings beruhten meine Ölbilder auch im Grunde auf realistisch dargestellten Tatsachen, nur waren sie aus zu vielen Motiven zusammengesetzt, waren literarisch sozusagen vollgepfropft mit dem vielen, was auf mich einstürmte. So das Bild »Der Kriegsgott«. Inmitten des Bildes hockte drohend eine nackte Männerfigur im Typ Hindenburgs, die in der einen Hand ein Schwert, in der anderen eine brennende Fackel hält. Der Hintergrund ist eine verwüstete öde Kriegslandschaft, die aber die seltsame Form annimmt, als bildete sie die Schenkel eines Weibes, aus dem über dem Kopf Hindenburgs eine weibliche Figur, der neue Mensch, geboren wird. Die Zierden, mit denen der Kriegsgott behängt war, bestanden aus menschlichen Leichenteilen. – Ein grausiges Bild; eine amerikanische Schriftstellerin kaufte es mit guten Dollars, die uns sehr nötig waren. – Ein anderes Bild: »Das Ende der Romantik«. Da sah man einen nackten Menschen, kniend in einer einfachen Landschaft, an einem grünen Abhang, der oben am Bild nur eine schmale Horizontlinie übrigließ. Man sah den Mann ekstatisch hochgestreckt mit den Armen ringend, die letzten verschwindenden Falten eines weiblichen Gewandes ergreifend, dessen entschwebende Trägerin man schon nicht mehr sieht. In der Ferne gegen den Horizont ritt die Romantik fort in den leeren Horizont.

Der Krieg war noch nicht beendet, es war im August 1918, da kamen auf den Barkenhoff Freunde, Flüchtlinge aus Brüssel. Die

Brüssler Deutschen, wenn sie vermögende Bürger waren, mußten fliehen, hatten sie doch mit ihren Unternehmen für die deutsche Heeresleitung gearbeitet. Ihr ganzer Besitz wurde von den Belgiern beschlagnahmt; meistens waren sie selber schon nach Holland ge-

»Expressionismus der Liebe«.
Umschlagbild nach dem Gemälde »Das Ende der Romantik«, 1919

flüchtet. – Ich hatte der Familie, von der Mutter und Tochter zu uns kamen, in Brüssel ein modernes Haus gebaut, das eben fertig und bewohnt war und jetzt dem Kriege und der Beschlagnahme zum Opfer fiel. Nun waren die Leute auf der Suche nach einem neuen Lebensplatz. Materielle Mittel hatten sie genug, um neu anfangen zu können. Ihr Aufenthalt in Worpswede war nur eine Atempause und diente ihnen zur Orientierung. – Mir gab der Besuch sehr viel, da die Tochter, Lotte (Bara) nannte sie sich, Tänzerin geworden war und so von der Zeit, vom Kriege, beeindruckt, daß aus ihr ein neues künstlerisches Ausdrucksmittel sprach, das eine typische, aber vielleicht einzige Erscheinung dieser Zeit war. Ihren Körper hatte sie bei einem russischen Tänzer außerordentlich trainiert, ich selber half ihr jetzt morgens bei der Arbeit. Ihre Tanzbewegungen hatten in der Hauptsache ein ganz langsames Tempo, mit dem sie Trauer, Zusammenbruch und Tod darstellte. Sie tanzte vornehmlich nach Musiken von Bach, Debussy und Saint-Saëns. Aufbau, Zusammenbruch und Totentanz waren ihre dramatischen Tanzvorführungen. Für einen Künstler so faszinierend, da jede kleinste Bewegungsänderung im Körper zu einer geschlossenen ausdrucksvollen Plastik wurde. – Ich kam auf diese Weise zum realistischen Studium, malte auch ein Bildnis von Lotte, das eine ihrer geschlossenen Bewegungen mit auf der Brust liegenden ausdrucksvollen Händen wiedergab. Der Hintergrund war horizontlos, ein undurchdringlicher fester Wald, der um ihre Figur herum hinter einem gotisch ummauerten Garten begann, in dem sich Frauen bewegten, trauernd, flehend und verzweifelt. Mein Mäzen, der Generalkonsul Roselius in Bremen, kaufte das Bild und nannte es »Die Frau im Kriege«. Roselius ging in der Beziehung selbstherrlich mit den Titeln um, die der Künstler aufgestellt hatte. Später entdeckte ich einmal eine Broschüre seiner Hand, in der er gegen den Kommunismus wütete, mit aller Demagogie, die er der sozialdemokratischen Ideologie entnommen und mit den Schwindelmärchen über Sowjetrußland gespickt hatte. Auf dem Umschlag dieser gelben Broschüre hatte er in grüner Farbe ein Bild von mir aus dem Feldzug in Galizien reproduziert: Die charakteristischen verbrannten Dorfruinen, von denen nur noch der massive Schornstein über dem Herd aufrecht steht, umgeben von den zu Boden gesackten Blechdächern – im Vordergrunde eine Kellerruine, aus der zerlumpte, verhungerte Bauerngestalten kriechen; auf dem Boden zwischen ihnen liegt ein totes nacktes Mädchen. – Das Bild, das in seinen Besitz überging, hieß »Das Elend des Krieges«. Er hatte es für sein Pamphlet mit der Überschrift »Kommunismus?« abgedruckt, wobei das Fragezeichen das propagandistisch Erregende sein sollte.

Unter dem Eindruck des Tanzes von Lotte Bara entstand noch

ein Bild in loderndem Rot eines Brandes, durch den galizische Frauen eilten, mit abblendenden, abwehrenden, verzweifelten Bewegungen. Es brannten die hohen Kreuze eines galizischen Friedhofes; an einem der Kreuze hing eine Christusfigur, die, sich krümmend, ins Feuer sinkt. Die dunklen Farben der Gewänder der Frauen gehen vom tiefen Blau über Tiefbraun und Violett fast bis ins Schwarz über.

Charlotte Bara. Federzeichnung, 1918

Die Brüssler Frauen fuhren von hier bald nach Berlin, wo Charlotte Bara bei Reinhardt ihre Gastrolle auszuführen hatte. Später siedelten sie sich in Ascona am Lago Maggiore an, wo ich sie auch aufsuchte. Die Lage in Deutschland wurde im Herbst 1918 immer unsicherer; immer mehr Soldaten wanderten heimwärts, überall konnte man offen über die Zustände an der Front sprechen, eine Kriegsmüdigkeit hatte alle erfaßt. Nur der Malerleutnant Professor Fritz Mackensen konnte sich an den neuen Zustand nicht gewöhnen und machte in rührender Unkenntnis der Verhältnisse den Soldaten, die sich eine rote Kokarde an die Mütze gesteckt hatten, ganz naiv Vorwürfe: »Laßt doch diese Kindereien!« – Endlich konnte ich auch in einem Saal zu den Bauern öffentlich sprechen. Eine kleine Versammlung war auch auf dem Barkenhoff. Man wählte mich in den Arbeiter- und Soldaten-Rat.

Der entscheidende Tag

Die Eisenbahnzüge aus Geestemünde waren mit bewaffneten Matrosen besetzt. Jeder, der etwas über den eigentlichen Sinn der ganzen Erhebung zu sagen hatte, fand ein aufmerksames Ohr. So ging es auch mir, ich fühlte etwas Neues in mir, ein Getragensein von Menschen mit gleichem Willen. Auf dem Bahnhof in Bremen wurden den Infanteristen von den Matrosen die Waffen abgenommen, falls sie sich nicht anschließen wollten. In diesem Fall gab man ihnen den Rat, nach Hause zu gehen. Ein Maschinengewehr, das die Infanteristen am Bahnhof aufzustellen versuchten, wurde ihnen ohne Federlesen aus der Hand genommen. Den Offizieren riß man die Achselstücke ab. Jedes Privatauto nahm man in Beschlag. Ich schloß mich den Matrosen an, die zur Kaserne marschierten. Da war größter Betrieb, Ein- und Ausgang scharf kontrolliert von Matrosen. Ich nahm an einigen Besprechungen teil. Jetzt erfolgte Schlag auf Schlag. Einige Offiziere hatten sich noch in den Soldatenrat eingenistet. Die einmarschierenden Fünfundsiebziger Infanteristen wurden an einem der nächsten Tage überrumpelt. Auf dem Kasernenhof in Reih und Glied aufgebaut, bekamen sie von oben aus der Kaserne den Befehl zugerufen, die Waffen abzulegen, gleichzeitig mußten sie sehen, daß die offenen Fenster der Kaserne mit Maschinengewehren bestückt waren, die die Matrosen auf sie gerichtet hatten. Der Senat wurde abgesetzt, die Bremer Räterepublik kam mit ihren ersten Verordnungen heraus.

Freerichs Werft in unserer Kreisstadt Osterholz war während des Krieges bedeutend vergrößert worden, hatte nun mehr als zweitausend Arbeiter. Ich wurde als Referent zu einer Versammlung gerufen. Nach mir sprachen Arbeiter über die Bewaffnung des Proletariats. In der Kreisstadt kam es zu einer großen Demonstration. Man wählte acht Leute, unter denen auch ich war; sie mußten im Demonstrationszug an der Spitze marschieren und hatten den Auftrag, dem Landrat ein Ultimatum zu überreichen. Der Landrat wurde angerufen. Durch das Telefon erhielt er den Befehl, um vier Uhr in seiner Amtsstube zu sein. Bald standen wir vor ihm, er bleich vor Wut über seine Machtlosigkeit. Die Masse hatte draußen am Flaggenmast eine rote Fahne gehißt. Ein Arbeiter aus dem Gaswerk hielt die Ansprache an den Landrat, daß die Arbeiter und Bauern kein Vertrauen zu ihm hätten, zu einem Mann, der alle Schiebungen der Großbauern bei der Viehablieferung für das Heer unterstützte, die Kleinbauern aussog und die großen bereicherte. Zwei Leute aus dem Arbeiter- und Soldaten-Rat wurden gewählt. Einer mußte am Schreibtisch bleiben, einer das Telefon bedienen. Leider wählte man die größten revolutionären Schreier, Sozialdemokraten, mit denen der Landrat bald sprechen und verhandeln konnte. Er zähmte sie. Ich mußte von Worpswede zu Versammlungen des Arbeiter- und Soldaten-Rates Osterholz kommen, um die Maßnahmen des revolutionären Arbeiter- und Soldaten-Rates mit zu beraten und in meinem Bezirk durchzuführen. Die Kommunisten im Arbeiter- und Soldaten-Rat verlangten, daß jeder Abgeordnete mit dem Gewehr in der Hand zur Sitzung erscheinen müsse. Dieser sehr wichtige Beschluß wurde abgelehnt, und unter den Ablehnenden befand ich mich, der Pazifist, dem der Ernst der Lage noch nicht aufgegangen war.

Ins Dorf zurückgekehrt, mußte Kleinarbeit geleistet werden. In erster Linie Kontrolle unterschlagener Lebensmittel; vor allem handelte es sich um Korn, das der Spekulation diente. Der Gendarm Witte war jetzt mein Begleiter auf den Streifzügen; ein ganz intelligenter versoffener Schneider war der zweite AS-Rat. Größere Funde machten wir nur einmal durch die Hilfe Entelmanns, eines gewalttätigen Menschen, dem ich auf dem Barkenhoff in dem alten Atelier am Stall mit seiner Frau Wohnung gegeben hatte, da Fritz Entelmann wegen seiner Gewalttaten, die ihn häufig ins Gefängnis brachten, nirgends mehr eine Unterkunft fand. Fritz Entelmann kannte alle Schliche der Bauern. Bei einem reicheren Moorbauern in einem abgelegenen Dorfe fanden wir mit seiner Hilfe im Torfschuppen unter dem gut aufgeschichteten Brennmaterial einen großen Kleiderschrank und zwei Kisten voll Pettkuser Saatroggen, den wir beschlagnahmten. Im übrigen konzentrierte sich unsere Arbeit hauptsächlich auf die Landstraßenkontrolle, auch bei Nacht, und persönliche Fühlungnahme und Aufklärung unter den Bauern.

In dieser Zeit erkrankte Johann Knief schwer. Die sogenannte spanische Grippe, die schon längere Zeit in seinem Körper umging, warf ihn fest aufs Krankenlager. Ich erfuhr es durch Martha, die auch sofort die Initiative ergriffen hatte; sie ließ durch ihren Freund Bäumer, den Volksbeauftragten, ein Privatauto requirieren, das den Kranken auf den Barkenhoff brachte, wo wir ihm das blaue Zimmer einrichteten für sich und seine Pflegerin.

In Worpswede wurden von den Malern große revolutionäre Worte geredet, geschrieben, gedruckt und in Versammlungen vorgebracht. Der Inhalt war typisch kleinbürgerlich anarchistisch. In Bremen trat Plättner linksradikal auf und wollte, daß man nach der Ermordung Karl Liebknechts und Rosa Luxemburgs den Senat als Geiseln festsetzte; man verhandelte mit dem abgesetzten Senat und mit den Großkaufleuten wegen der aufgetauchten Schwierigkeiten in der Verpflegung der Stadt. In der Reichsbank zählte man das Gold und beschlagnahmte es nicht. Man verlor viel Zeit. Die Presse wurde von dem Maler Curt Stoermer zensiert, der politisch auch nicht reifer war als ich selber. Das ging so bis zum Februar, als Berlin das Infanterieregiment des Obersten Gerstenberg schickte.

Flucht

Februar 1919. Gegen Abend traf ich im Dorf eine bewaffnete Arbeiterpatrouille; einen vorgeschobenen Posten zur Beobachtung der Landstraßen, da die Gerstenberg-Truppen im Anzuge waren, um die Bremer Räteregierung auszuheben. Die beiden Männer im feldgrauen Mantel mit der blauen Arbeitermütze, das Gewehr auf dem Rücken mit dem Lauf nach unten, gaben mir Bescheid, und ich brachte sie nachts zum Schlafen und zur Verpflegung bei einem Bauern unter. Am anderen Morgen erschien bei mir auf dem Barkenhoff ein Bremer Genosse und überbrachte mir die Nachricht, daß Bremen sich nicht halten könne und daß die Genossen verlangten, daß ich sofort verschwände. Heute sei es noch Zeit, unbehelligt per Bahn über Verden, wo die Gerstenberger bereits lagen, fortzukommen.

Ich fuhr zu meinen Freunden nach Hamm. In dem Hause Dr. Löhnbergs in Hamm kamen am Abend einige Bergarbeiter aus Hamborn zusammen und hörten meinen Bericht über die Situation in Bremen. Dann fuhr ich ins Sauerländische Gebirge nach Willingen, wo sich das Sommerhaus meines Freundes befand, das ich ihm gebaut hatte. Mich verband eine innige Freundschaft mit dem berühmten Chirurgen, den ich damals auf der englischen Studienreise kennen- und schätzengelernt hatte.

Das Sommerhaus lag eine halbe Stunde von Willingen entfernt, am Berghang, in einer abschüssigen Rodung, durch die ein Bach floß, der in dem dunklen Tannenwald entsprang. Etwas unter dem Hause lag eine Wassermühle und die Oberförsterei. – Als ich das Haus betrat, fand ich die beiden Dienstmädchen Dr. Löhnbergs noch vor, die die Wintersachen einpackten und in der Nacht abfahren sollten. Ich bezog das obere Giebelzimmer mit der schönen Aussicht ins Tal und seitlich mit der Sicht auf den hochstämmigen Buchenwald. Löhnbergs machten dies Zimmer immer für mich frei, wenn ich kam. Gegen Abend war überraschenderweise noch ein Gast gekommen, der Freund meiner Frau, der gewesene Volksbeauftragte der Bremer Räterepublik, Ludwig Bäumer. Er war mit den anderen verantwortlichen Genossen über Geestemünde und Hamburg geflohen. Im großen Gemeinschaftsraum des Waldhauses saßen wir noch lange zusammen bei zugezogenen Vorhängen; er orientierte mich über die Lage. Nebenan in der Küche ging es hoch her. Die Mädels hatten Abschiedsbesuch von zwei feldgrauen Müllerssöhnen. Als ich einmal in unserem Zimmer durch die Vorhänge in den nächtlichen Wald schaute, war es mir, als sähe ich ein Licht aufblinken. Auch die Mädchen mit ihren Jungens hatten dort von der Küche aus Lichtschein bemerkt. Ich ging ins Freie. Es war eine stille dunkle Sternennacht. Der Wald zeigte kein Leben.

In den Händen der Bauern

Am frühen Morgen, als die Sonne hochkam, erwachte ich, erhob mich und stieß das Fenster auf. Ich mußte schärfer, genauer hinsehen, da ich zu dieser ungewohnten Zeit Bewegung im Wald gewahrte. – Da sprang doch im hohen Buchenwald ein Mann mit dem Gewehr in der Hand von Baumstamm zu Baumstamm, um sich zu decken; dort noch einer. In diesem Augenblick wurde unten an die Haustür gedonnert. Als ich aufschloß, stand ich dem Oberförster gegenüber. »Haben Sie Waffen? Machen Sie keinen Versuch der Abwehr; die Willinger Bauern haben das Haus umstellt.« Ein feldgrauer älterer Soldat, offenbar ein Hilfsgendarm, kam, der Förster verschwand. Der Gendarm nahm seinen Befehlston an: »Sie sind verhaftet!« – »Nun«, sagte ich, »zeigen Sie mir Ihren Haftbefehl.« Den hatte er schnell zur Hand, ich las eine dicke, runde, offenbar mit Anstrengung gemalte Handschrift: »Der Spartakusenführer Vogeler aus Bremen ist sofort zu verhaften.« Stempel. Nun, da war nichts zu machen. Mit Erlaubnis des Gendarms stieg ich noch einmal nach oben, um meinen Rucksack zu holen, und vor allem wollte ich den Genossen warnen. Er schloß sich ein. – Dann trat ich mit dem Gendarm ins Freie. Als wir die Freitreppe in den

Garten hinunterkamen, stand am Haus eine Gruppe Bauern, die sich verlegen an die Hauswand lehnten und ihren Schießprügel hinter den Rücken schoben. Dann stiegen wir zwei hinauf zur Haltestelle der Kleinbahn und faßten den Zug. Auf einer Zwischenstation bekam mein Begleiter von seiner Frau eine Reisetasche mit Fressalien zugereicht, ein Zeichen für mich, daß mir eine lange Reise bevorstand.

Am Endpunkt der Bahn, in der Kreisstadt Korbach, marschierten wir zum Amtsgericht. – Endloses Warten in der Schreibstube. – Eine Nebentür ging auf; ein Amtsrichter rief mich in sein Zimmer.

»Ich spreche hier mit Ihnen nicht als Richter, sondern als Privatmann. Selbstverständlich halte ich die törichten Gerüchte über Ihre Taten, daß Sie Bahnhöfe der Kleinbahn und auch Bauernhöfe in Brand gesteckt haben, für Schwindel. Aber sagen Sie mir, Herr Vogeler, wie kommen denn Sie als bekannter Künstler zum Kommunismus? Sie sind doch Kommunist?«

»Der Krieg hat aus mir einen Kommunisten gemacht, es war für mich nach meinen Kriegserlebnissen nicht mehr tragbar, einer Klasse von Menschen anzugehören, die Millionen Menschen in den Tod treiben aus Gründen, die lediglich in der Profitsucht einzelner ihre Wurzeln haben. Dem arbeitenden Volk wurden immer schwerere Lasten durch den Krieg aufgebürdet; das Volk hatte nur Verluste und Elend durch den Krieg, es war nicht mehr gewillt, sich durch die Herrschenden ausbeuten zu lassen. Die Arbeiter sagen richtig, daß Privatbesitz die Quelle der Profitsucht ist.«

»Was wollen denn die Arbeiter an die Stelle setzen, wenn sie den Privatbesitz abschaffen und damit jede Initiative, jeden Kampf um Gewinn und Wohlstand aufheben?«

»An Stelle des Privatbesitzes tritt der Gemeinbesitz, Fabriken und Land gehen in die Verwaltung der Arbeiter und Bauern über.«

»Glauben Sie denn, daß das gewöhnliche Volk reif ist, eine derartige Umwälzung durchzuführen?«

»So gut wie die Arbeiter wissen, daß der Kapitalismus die Ursache des Krieges ist und immer sein wird, so gut weiß auch die Arbeiterschaft den Weg, der aus dieser Anarchie herausführt. Durch den Krieg haben viele erkannt, daß man für die Kriegsziele der Besitzenden nicht den Heldentod sterben will.«

»Sie sind ein unverbesserlicher Idealist, Herr Vogeler, ich danke Ihnen.«

Damit war ich wieder draußen in der Schreibstube. Kurz darauf kam ein Gerichtsdiener, der mich mit dem Gendarmen nach oben zum Verhör einem Gerichtsassessor zuführte. Nach der üblichen Personen- und Vermögensstandsaufnahme wollte der Assessor Aufklärung über die Ziele der Kommunisten und über ihre Kampfmittel haben. Dann interessierte ihn besonders der Unterschied zwischen Kommunisten und Anarchisten. Ich suchte ihm klarzumachen, daß der Weg der Kommunisten ein äußerst disziplinierter sei, der keine Anarchie duldet. »Persönliche Attentate, auch solche Sachen, wie sie hier im Sauerland vorgefallen sind, die Brandstiftungen, sind für den Kommunisten völlig verwerfliche Angelegenheiten. Im Widerspruch dazu propagiert der Anarchist noch das Zerbrechen der Waffe!«

»So, und die Kommunisten? wie stehen die zum Waffengebrauch?«

»Herr Assessor, ich kam als Pazifist aus dem Weltkrieg. Als ich durch die bolschewistische Propaganda an der Front den Kommunismus kennenlernte, glaubte ich, menschliche Vernunft müsse jeden überzeugen, daß diese neue Ordnung der Beziehungen der Menschen zueinander die Rettung der großen Masse aus Elend, Not und Krieg sein würde, und ich begann den Kommunismus zu predigen. Da traten mir in den Versammlungen die Arbeiter gegenüber und sagten: ›Nie wirst du einen Besitzenden, der noch dazu die Macht hat, durch Predigen davon überzeugen, daß er seine Reichtümer der Masse zur Verfügung stellt, sei es auch zum Aufbau eines neuen Deutschlands, denn die Aufhebung der Ausbeutung des Menschen durch den Menschen würde seinen Lebensnerv treffen. Niemals wirst du, Kleinbürger‹, sagte der Arbeiter, ›einen Kapitalisten davon überzeugen, daß das Proletariat die schöpferischen Kräfte hat, die Riesenarbeit der gemeinsamen Wirtschaft eines Volkes und der gemeinsamen Politik zu organisieren.‹«

»Also, wie soll der Weg sein«, war die Frage des Assessors.

»Es bleibt vielleicht doch nur der Kampf«, war meine Antwort. So war ich auch hier gezwungen, an den eigenen Erkenntnissen des Pazifismus zu rütteln und mich an das zu halten, was ich allmählich von der Arbeiterschaft in den Diskussionen lernte.

»Was sagten denn die Bürger zu Ihren Vorträgen?«

»Sie kamen mit den bekannten Phrasen von Moral und Demokratie, die in der Praxis gar keinen Inhalt mehr haben, sowie mit der Religion, mit dem Christentum, das sich während des Krieges an die Kriegsgewinnler verkauft hatte. Eine Pazifistin trat gegen die Gewalt auf und begründete: ›Gott ist die Liebe, und die Liebe ist des Gesetzes Erfüllung!‹ – ›Ja‹, sagte ich, ›wenn wir das annehmen, so müssen wir wissen, daß es einen tiefgründigen Menschen gab, der das Gesetz im Leben der menschlichen Gesellschaft aufdeckte und dieses Gesetz auch im gesamten Leben der Menschen der Vergangenheit nachwies, das war Karl Marx – dann würde es gut sein, auch die Vorgänge unserer Zeit unter diesem Gesetz zu betrachten. Wir würden uns über die Unsinnigkeit des Krieges und über seinen

Ursprung klarwerden, über seine natürliche Geburt aus dem Schoße der kapitalistischen Gesellschaft.‹ – ›Dann können wir uns ja ruhig und friedlich dem Auswirken dieses Gesetzes hingeben‹, war der Zuruf eines anderen Pazifisten. – ›Ja – *ihr* könnt das!‹ war meine Entgegnung.«

Nachdem das protokollarisch festgelegt war, wurde ich wieder in die Schreibstube entlassen. Tausend Gedanken überfielen mich, wechselnde Bedenken. Zu wenig kannte ich von Marx. Strenges Studium wird nötig, um alle Konsequenzen ziehen zu können, die zur Tat treiben! – In diesem Augenblick schlug die Tür auf. Ein elegant gekleideter Mann stürmte herein, gleich auf den Gendarm zu: »Sie noch immer hier?« schnauzte er den Mann an, »Sie sollten längst mit dem Mann auf dem Wege nach Kassel sein!« Durch den Krach auf das Kommen des Landrates aufmerksam gemacht, öffnete sich die Tür zu dem anderen Richterzimmer, in dem zwei Personen standen, die den eleganten, aufgeregten Landrat baten, zur Besprechung zu kommen. Dem Soldaten gab der Kreisgewaltige den Befehl zu warten. – Die Tür schloß sich hinter den dreien, von denen offenbar jetzt mein Schicksal abhing. – Lange dauerte es nicht, da wurde ich hereingerufen. Mit Höflichkeit teilte mir der Landrat mit: »Sie sind frei.« Er zog die goldene Uhr aus der Westentasche und gab mir den Rat zur Eile, da der Zug nach Willingen in zehn Minuten abginge.

Als die Kleinbahn auf der hochgelegenen Station Stryk anhielt, von wo aus man das Löhnbergsche Haus schon unten liegen sah, eilte der Genosse Bäumer auf mich zu und orientierte mich schnell. »Die Bauern waren auch bei mir und wollten mich als Eichhorn aus Berlin verhaften. Da sie keinen Haftbefehl hatten, ging ich sofort zur Offensive über und zwang die Leute, mit mir zum Gemeindevorsteher zu marschieren. Dem habe ich den Marsch geblasen wegen der Belästigung.« – »Du bist also frei?« – »Nun auf Wiedersehen!« Der Zug hatte sich schon in Bewegung gesetzt, als der Genosse auf das Trittbrett sprang. Freien Schrittes stieg ich den Talweg hinab auf das kleine Haus zu. Ich liebe das Haus, als eine meiner besten Arbeiten und als einen wichtigen Faktor im Leben meines liebsten Freundes, dessen Ruf und dessen Gastfreundschaft ich es offenbar zu verdanken hatte, daß ich vor schweren Konsequenzen meiner Verhaftung bewahrt blieb. Man betrachtete diesen weltbekannten Chirurgen, der hier seine Ruhezeit verbrachte, als einen Freund des Landes, als einen Zugehörigen. Die großen Einnahmen aus seinen erfolgreichen Operationen, die ihm von wohlhabenden Bürgern, denen er das Leben rettete, gebracht wurden, verwendete er, um Unbemittelte kostenlos behandeln zu können. Viele seiner Ruhetage im Stryk waren sogar noch erfüllt von Sorge, Rat und Tat für die Kranken aus der armen Landbevölkerung, die ihn hier aufsuchten.

Nachdem ich meine Sachen ins Giebelzimmer gebracht hatte, wanderte ich nach Willingen, um mich den Willinger Bauern zu zeigen. Die Art und Weise, wie Bäumer die Sache anfaßte, hatte mir Eindruck gemacht, und deshalb entschloß ich mich, auch zum Gemeindevorsteher zu gehen und ihn zur Rede zu stellen. – Das war nun mal recht dumm und spekulativ von mir gedacht und paßte sich wohl für das anmaßende Auftreten eines Menschen, dessen breites, von Studentenschmissen zerhacktes Antlitz den Bauern Eindruck machte und für den auch tatsächlich kein Haftbefehl vorlag. So war bei meinem Besuch der Gemeindevorsteher ganz obenauf und riet mir höhnisch, so bald wie möglich die Gegend zu verlassen, denn ein zweiter Besuch der Bauern würde nicht so glimpflich ausfallen.

Johann Kniefs Tod

Vor der Auflösung der Bremer Räterepublik nötigte uns der überaus schwere und schmerzensreiche Zustand des todkranken Genossen Knief, ihn vom Barkenhoff abzutransportieren. Ein Bremer Spezialarzt hatte versprochen, sich seiner anzunehmen und noch eine Operation zu machen. Es war gut so. Die Hoffnungen auf seine Genesung stiegen noch einmal, und Johann Knief war nun in der Nähe der Partei und blieb wenigstens davon verschont, vom Reichswehrüberfallkommando aufgefunden zu werden, das mich während meiner Abwesenheit in Westfalen auf dem Barkenhoff gesucht hatte. Die Gerstenberg-Truppen hatten unter großen Verlusten die Bremer Räterepublik aufgelöst.

Am 6. April 1919 starb Johann Knief, dieser starke zielklare Kommunist, einer der Führer, die in der Leninschen revolutionären Theorie und Taktik den einzigen Weg zum Sieg der internationalen Arbeiterbewegung sahen. Ich fand ihn nicht mehr lebend vor. Ich blieb an seiner Bahre und vertiefte mich durch eine Zeichnung, die ich machte, in die Züge des ruhigen, festen Totenantlitzes; meine Gedanken flogen von ihm immer wieder dem Totenantlitz Beethovens zu, das ähnliche Züge zeigte.

Bremen bot am Tage der Einäscherung der Leiche ein ganz eigenes Bild. Kein Polizist war zu sehen. Vor der Disziplin der revolutionären Arbeiterschaft der Stadt hatte man seit den Novembertagen trotz der Februarniederlage einen gewaltigen Respekt. – Der Trauerzug schien nie enden zu wollen, die Arbeiterschaft ohne Unterschied der Partei gab dem Toten das Geleite. – Der rotausgeschlagene schwarze Leichenwagen war auf jeder Seite von vier Matrosen in dunkelblauer Galauniform begleitet. Eine mächtige alte Verbandsfahne aus der Achtundvierzigerzeit, die alle Nuancen roter Seide, vom hellen verblichenen Rosaviolett bis ins tiefe Blutrot zeigte, wurde hinter dem Sarg hergetragen; reiche Goldstickerei faltete ihr schweres Gewand. Ich marschierte mit in den vordersten Reihen. Bald war neben mir, in einem abgetragenen Militärmantel, ein feldgrauer Invalide; eine dunkle Brille verdeckte seine Augen. Beim Gehen mußte er sich auf einen Stock stützen. So, in Ordnung, sagte ich mir. Unterwegs hatte ich einen Zettel bekommen: »Ein Feldgrauer mit schwarzer Brille wird neben dir sein, versorge ihn bei dir!«

Über dem blumenverdeckten Sarg im Krematorium hielt Felix Schmidt eine tiefgründige Rede, in der er den Weg und das Ziel des Verstorbenen uns allen noch einmal als das Beispiel eines zielbewußten Revolutionärs und Kommunisten vor Augen führte. Dann versank der Sarg zur Einäscherung und mit ihm viele Hoffnungen,

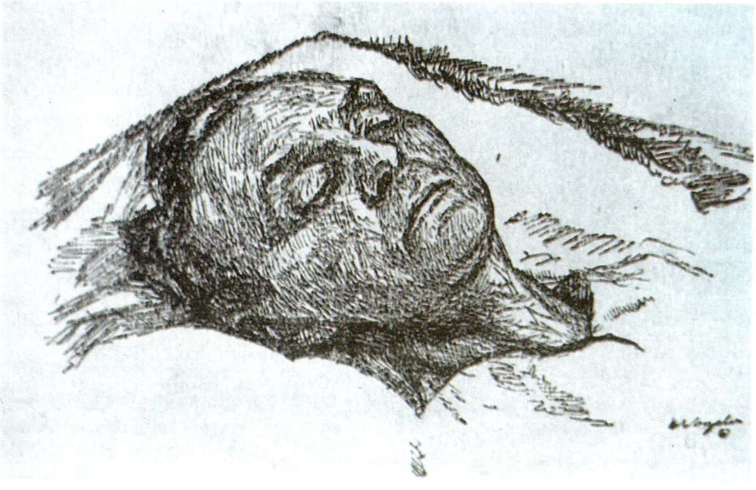

Johann Knief auf dem Totenbett.
Federzeichnung (als Postkarte), 1919

die Tausende von Arbeitern und Arbeiterinnen mit dem Leben und den Taten des Hingeschiedenen verbanden. Aber die Saat, die Johann Knief in die Seelen der Arbeiter versenkte, keimte schon, der Glaube blieb unerschütterlich, und der Wille war gestärkt zu neuen Kämpfen. Die Niederlage des Aufstandes war allen reich an Lehren für die kommende Zeit.

Auf der Landstraße zum Barkenhoff entwickelte sich der invalide Soldat zu einem gesunden und kräftig ausschreitenden Genossen;

schließlich nahm er seine Brille in die Hand, dehnte seinen krummen Körper, bis ein recht normaler Mensch zum Vorschein kam, der schnell meine Sympathie gewann. »Also, ich bin für dich und für alle auf deinem Hof Brauer, Friedrich Brauer, weiter nichts, komme aus Braunschweig und arbeite bei dir als Landarbeiter.« Zur Bekräftigung des Paktes reichten wir uns die Hände.

Auf dem Barkenhoff fiel es nicht auf, daß ich wieder jemanden mitbrachte. Friedrich Brauer war eine tüchtige Arbeitskraft. Am nächsten Tag kam auch seine Freundin zu ihm und blieb. – Dann und wann bekam er Besuch von einem Motorradfahrer, sonst hatte er keine Verbindung mit der Außenwelt.

Die Begegnung

Als ich Marie zum erstenmal sah, war es in dem kleinen Hotel in der Heerdenthorstraße, in dem die Kommunisten verkehrten. Sie war mit einigen Arbeitern aus Dresden gekommen, um an der Einäscherung der Leiche von Johann Knief teilzunehmen. Knief war in Dresden gewesen und hatte zu der Jugend gesprochen. Wo dieser Genosse während der kurzen Zeit seiner Freiheit auch hinkam, sproßte die Saat seiner Worte; nun waren sie gekommen, die Jugendlichen und die Alten, um seine Leiche auf dem letzten Wege zu begleiten. Marie machte auf mich den Eindruck eines sächsischen Fabrikmädchens, wie ich sie in Meißen nach Arbeitsschluß in Massen aus den Arbeitsstellen strömen sah. Ein einfaches weißgepunktetes blaues Kleid, der Zopf der roten Haare im Nacken aufgesteckt, der Gang schwungvoll und kraftbewußt. Als sie mir gegenübersaß, mochte sie vielleicht in mir jenen Friedensapostel, jenen geläuterten Menschen sehen, der durch die Erfahrungen des Lebens und des Krieges ein neues Wegziel bekommen hatte, ein Ziel, das er mit festem Willen verfolgte. Marie, die in Dresden in einer Munitionsfabrik gearbeitet hatte, war die Leiterin eines großen Munitionsarbeiterinnenstreiks gewesen. Ihr Temperament, ihre Liebe zum Leben, ihr Haß gegen den Krieg und seine Urheber ließen sie Worte finden, die das aussprachen, was die Masse fühlte. Wenn sie im schwarzen einfachen Kleid mit den Händen auf dem Rücken über die Bühne des Vortragsraumes schritt und ihr »sozialistisches Lied« sang, flogen ihr die Herzen der Arbeiter zu. Es lag eine verführerische Gefahr in ihrem Auftreten. Alle Empfindungen, die sie aussprach, hatten eine Quelle: »Nie wieder Krieg.« Sie, so wie ich selber noch vor kurzer Zeit, glaubte, daß menschliche Vernunft dem Irrsinn des Krieges ein Ende machen müsse und daß dann der Weg zum Sozialismus frei würde. Aus der Niederlage hatte Marie den

Schluß gezogen, daß die Menschen noch nicht reif sind, daß sie sich erst ändern müssen, bevor sie die Verhältnisse ändern könnten. Mir hatten die kommunistischen Arbeiter in den Volksversammlungen ähnliche idealistische Anschauungen schon ziemlich niedergeboxt und zerpflückt. Nach meiner Verhaftung im Sauerland wurde ich noch dazu durch die Fragestellungen der Richter von Konsequenz zu Konsequenz getrieben; zwar war das in mir ein unbewußter Vorgang, aber viel von den Schlacken der kleinbürgerlichen Weltanschauung fiel schon von mir ab. Marie arbeitete politisch weiter als Propagandistin in vielen kleinen Fabriksorten der Bremer Umgebung.

Auflösung

Auf dem Barkenhoff war kein Friede. Während meiner Abwesenheit im Sauerländischen Wald hatte mich ein Überfallkommando der Reichswehr gesucht und alles auf dem Hof durchstöbert. – Marthas Arbeit, sie machte Schmucksachen aus Edelmetallen mit guten Steinen und Perlen, war von den eindringenden Soldaten zum Teil gestohlen worden. Kein Protest hatte Erfolg. Ludwig, der Geliebte Marthas, Volksbeauftragter der Räterepublik, verlor mit dem Zusammenbrechen der Republik, die ihn hochgehoben hatte, den Glauben an den Kommunismus, gab eine Broschüre der Absage heraus, »Die Diktatur der Arbeiter besteht kraft ihrer Wirkung«, die ihn in der Arbeiterschaft verhaßt machte. Ich hatte damals eine kleine Arbeitsgemeinschaft von Intellektuellen, die aus der englischen Gefangenschaft gekommen waren, auf dem Barkenhoff. Sie ließen aber das Land verkommen, so daß die Bauern, wenn sie vorbeifuhren, mit dem Peitschenstiel auf die Flut des gelben Hederichs wiesen: »Kiek, de Kommunisten, de hebbt awer ne Freud an de Blomens.« Vom Korn war kaum was zu sehen. Unsere Leute standen spät auf. Erst um zehn Uhr waren die beiden Schimmel gefüttert und angespannt; dann fuhren drei Mann los, um frisches Grünfutter für die Kuh von der Wiese zu holen, das um zwölf Uhr glücklich eintraf. Unter den einzelnen Jungens große Gegensätze, die wohl dem Zerwürfnis zwischen mir und Marthas Freund entsprangen. Die Gegenpartei sah natürlich in einer derartigen Arbeitsgemeinschaft keine Perspektive.

Die Typen, die bis dahin auf dem Hof mit uns lebten, waren: ein baumlanger Mensch von ruhigem Temperament, den wir Goliath nannten. Er ging von uns fort, als Hoetger ein luxuriöses Fremdencafé im germanisch-expressionistischen Stil gebaut hatte, das Goliath verwaltete, nachdem er eine ganz kleine blonde Frau aus dem Dorf geheiratet hatte.

Jan Bontjes, ein auffallend schöner blonder Matrose, aus der Gefangenschaft gekommen. Ein kräftiger, naiver, ehrlicher Kerl, guter Tänzer. Er kam aus Wilhelmshaven mit einem Intellektuellen, einem spekulativen Klugscheißer, der immer die Ohren spitzte, wenn Verbindungen mit Personen auftauchten, die für sein eigenes Ich materiell ausgenutzt werden konnten. Bevor er zu uns kam, war dieser Mann mit seinem nachschleppenden Bein und dem schönen Matrosen zur Seite eine auffallende Persönlichkeit in Theatern und Konzerten Berlins gewesen. Jan Bontjes heiratete im Winter, zog fort von uns und beschäftigte sich mit Keramik.

Ein junger, mißtrauischer, etwas buckliger Mensch war noch da, der ganz zur Frau Martha hielt. Er war hoffnungslos in sie verliebt und haßte Bäumer sowohl wie mich. Hermann bediente die Schimmel. Eines Tages fehlte er. Ich fand ihn hingehockt im Vorplatz eines unbewohnten Nachbarhauses; er hatte sich erschossen.

Zwei tüchtige Frauen waren noch da gewesen, die in Bremen, als die Räterepublik von der Gerstenberg-Reichswehr sehr bedrängt wurde, unter dem Deckmantel der Sanitätshilfe guten Nachrichtendienst für die Kommunistische Partei, für die revolutionären Arbeiter machten. Sie standen mitten im Kampf, und es gelang ihnen, manchen bedrohten Genossen und viele Verwundete im Bremer Rathaus zu bergen. Sie wurden tüchtige Parteiarbeiterinnen.

Das Haus in der Tannenschonung, in dem sich der Bucklige erschossen hatte, kaufte der Gartenarchitekt Lebrecht Migge aus Hamburg. Mit Migge war ich in Hamburg bei meinen Vorträgen zusammengetroffen. Er ging sehr fanatisch in den Diskussionen vor. Migge glaubte, eine Revolution sei nicht nötig, wenn man dem Menschen die Möglichkeit gäbe, sich selber um sein Haus herum eine eigene Ernährungsbasis aufbauen zu können. So müßten alle Menschen glücklich werden. Im übrigen war er ein Erzreaktionär, hatte aber ein großes landwirtschaftlich-technisches Wissen. Die chinesische Wirtschaftsmethode war sein Steckenpferd, die intensive Ausnutzung jeder Bodenfläche an Hand einer Düngerwirtschaft, die auf der Auswertung aller Abfälle und ihrer sachlichen Kompostierung beruhte; Ausnutzung des Wassers, des Sonnenlichtes, Wert der Hackarbeit. Wir lernten viel von ihm, und er verstand es, die unbezahlte Arbeitskraft unserer Gemeinschaft gut bei dem Aufbau seiner intensiven Wirtschaft zwischen den Tannen auszubeuten. Hohe Sonnenwände wurden geflochten, mit Lehmputz überzogen, weiß gekalkt, und bald umzogen sie das Grundstück. Was der Mann da auf seinem kleinen Gartenstück schaffte, war allerdings beachtenswert. Es kamen viel Freunde zu ihm, dann stand Lebrecht Migge auf seinem Komposthaufen und hielt fanatische Reden, die durch die Tatsachen, die dem Besucher ins Auge sprangen, eine überzeugende Kraft hatten. Was wir aus den Miggeschen Erfahrungen lernten, brachte uns gute Ernten ein.

Aber das ging alles erst nach dem zweiten Überfall der Reichswehr vor sich, als die erste Arbeitskommune sich auflöste. Es war bald nach der Einäscherung Johann Kniefs. Ich schlief mit Miekelies und Bettina im blauen Zimmer. Der Arbeiter Brauer hatte das Zimmer im Hausgiebel über dem Arbeitshof inne, wo auch Rilke gewohnt hatte. Dort schlief er mit seiner Frau. Er war natürlich, wie jeder politische Flüchtling, genau über die verschiedenen Möglichkeiten der Flucht oder des Verstecks im Barkenhoff orientiert. Auf dem Hausboden schliefen die meisten Mitglieder der Arbeitskommune. Oben war alles aus Holz, auch der Mansardendachausbau mit seinen Zimmern, die von der oberen Diele aus ihren Eingang hatten. Der Umbau des kleinen primitiven Hauses in Verbindung mit dem modernen neuen Teil war sehr verzwickt. Ganz kleine Winkel, Zwischen- und Unterräume bei den Dächern und unter den Fußböden und Treppen waren unausgenutzt geblieben. Sie waren durch die verschiedenen Höhenlagen der Zimmer des alten und des neuen Hauses bestimmt. So hatte ich über der niederen Decke der kleinen Bibliothek, des früheren Schweinestalles, neben dem blauen Schlafzimmer in der oberen Etage ein Badezimmer eingebaut. Dort zwischen der Bibliothekszimmerdecke und der neuen Fußbodenhöhe des Badezimmers war Raum genug, um die Badewanne in die Fußbodenhöhe einzulassen, so daß man vom Fußboden bequem mit einer Stufe in die Wanne steigen konnte. Unter dem Fußboden war somit Platz gewonnen, so daß man in dem dunklen abgeschlossenen Raum Reparaturen an Rohrleitungen ausführen konnte. War nun keine Möglichkeit mehr, daß politische Flüchtlinge bei einer Verfolgung das Haus verlassen konnten, so blieb hier eine schwer zu entdeckende Möglichkeit des Verschwindens. Der Zugang zu dem Verlies war eine Luke auf dem dunklen Korridor vor dem Eingang zum blauen Schlafzimmer, auf der eine kleine Bastmatte lag.

Der Überfall

Es war eine stille Mainacht, als ich im ersten Dämmerlicht des Morgens das Heranrollen und Anhalten von Lastautos unten auf der Landstraße vernahm. (Die Erfahrungen der letzten Wochen hatten mein Gehör außerordentlich geschärft, so daß ich auch im Schlaf für Ungewöhnliches aufnahmefähig war.) Aus dem Bett springend, konnte ich durch das Fenster erkennen, daß Reichswehrsoldaten in Stahlhelm und mit Handgranaten umgürtet sich zwischen den Büschen und Wegen an das Haus heranpürschten. Ich ergriff meine

Kleidungsstücke, eilte in die Giebelkammer zu Brauer: »Nur noch die Möglichkeit für dich und deine Frau unter dem Badezimmerfußboden.« Sofort verschwanden beide mit ein paar Habseligkeiten und einem Nachteimer im Versteck, über dessen Lukeneingang ich die Strohmatte stieß. Meine Kleidung hatte ich auf das gebrauchte Bett in Brauers Giebelzimmer geworfen, ein Paar schwarze samtene Frauenschuhe bekamen einen Fußtritt und verschwanden unter dem Schrank, und schon donnerte es an der Haustür. Hose über, hinunter ohne Hast. Da alles in Ordnung war, hatte ich meine Ruhe wiedergewonnen. Mein Gleichgewicht wirkte offenbar etwas auf die wüsten Soldaten, die mit Handgranaten in der Faust vor der Tür standen. Ich schloß auf. Es ging schließlich fast höflich zu: »Bitte.« Der ganze Dielenraum füllte sich schnell mit Soldaten. Ein auffallend dicker Herr in Zivil, der offenbar unter seinem Regenmantel mit Handgranaten behängt war und auf dem Kopfe eine Melone, oder wie man sagt, einen Judenhelm, trug, den runden steifen Hut der Bürgersleute, schaute in die verschiedenen menschenleeren Zimmer des Parterres.

»Hier unten ist niemand«, sagte ich, »suchen Sie mich?«

»Führen Sie uns in die obere Etage!« Der Dicke gab noch einem Wachtmeister ein paar Anordnungen und stieg mit mir die winklige Treppe hinauf, gefolgt von ein paar Stahlhelmern. Es war gut so für mich und unsere Leute. Oben die hölzerne Diele, an die die Zimmer grenzen, gab eine gute Akustik für alles, was auf der Diele gesprochen wurde. Der Raum war verputzt und wirkte wie eine solide Wand. Es schien viel gewonnen, vielleicht alles, wenn das Verhör hier stattfinden würde. Der Dicke mit dem Judenhelm auf dem Kopfe nannte seinen Namen, Lindemann. »Bei Ihnen ist ein Matrose Löbel aus Cuxhaven. Zeigen Sie mir sein Zimmer, lassen Sie ihn herauskommen.«

»Herr Lindemann, hier gibt es keinen Matrosen Löbel. Hier sind einige Landarbeiter und Schriftsteller.«

»Machen Sie keine Umstände, Löbel muß herangeschafft werden, wir wissen, daß er bei Ihnen ist.«

In diesem Augenblick kamen vom Boden die Kommuneleute gestiegen, in den komischsten Kleidungsstücken kamen sie aus dem Schlaf und hatten auf meine Worte gehorcht. Jan Bontjes, der Matrose, ging plötzlich ungehemmt auf einen der Stahlhelmer los und rief ihn an: »Mensch, Wilhelm, wie kommst denn du in diesen Kriegsschmuck, wie kommst du unter die Baltikumer?« Man boxte den blonden Jungen schnell wieder in die Front der erwachten Schläfer. Nun sagte ich zum Lindemann: »Außer diesen Leuten war vor zwei Tagen noch ein Landarbeiter hier mit Namen Brauer, der bei Hamburg Arbeit gefunden hat und abgehauen ist.«

In diesem Augenblick schien dem Lindemann dieser Vorplatz doch nicht der geeignete Ort für ein Verhör. Meine Parole war ja nun auch gegeben, und ich konnte den Dicken ruhig in mein Schlafzimmer bitten, in das, wo Brauer geschlafen hatte. Ich ging vor ins Giebelzimmer und stieß das Fenster auf, um auf dem Hof sehen zu können, wie Fritz Entelmann sich benehmen würde.

Fritz Entelmann, ein gewalttätiger Mensch, sehr stark, breitschultrig, blond, mit niedriger Stirn, bewohnte das Atelier, das an den Pferdestall angebaut war. Fritz, ein aus dem Hause gejagter Kleinbauernsohn, den ich mit seiner Frau aufgenommen hatte, da er nirgends mehr Wohnung bekommen konnte, war der Schrecken der Dörfer. Da er zu Hochzeiten nicht geladen wurde, gelang es ihm manchmal, eine ganze Hochzeitsgesellschaft aus dem Festhause herauszuprügeln. Das Gefängnis war ein häufiger Aufenthalt für ihn. Entelmann hielt fest zu mir, nachdem ich ihn einmal ganz schwach gesehen hatte. Bei einer wüsten Messerstecherei in unserem Pferdestall, als er sich mit dem Sohn eines Kleinbauern schlug, der zur Reichswehr hielt, war es seiner Frau und mir gelungen, die beiden zu trennen. Ich konnte den Fritz in unsere Küche locken, und der Frau gelang es, den anderen jungen Mann zu beruhigen. Als aber der Reichswehrmann am Küchenfenster vorbeikam, wallte in Entelmann das Blut auf, er sah ein Beil liegen, ergriff es und raste auf die Tür los. Da aber stand ich. Ich hatte meine volle Ruhe, Fritz Entelmann ließ das Beil fallen, sank auf die Bank am Tisch hin, weinte wie ein Kind und vergrub seinen Kopf auf den Armen.

Jetzt sah ich ihn an seinen Türpfosten gelehnt, umgeben von Reichswehrsoldaten. Er rauchte mit Genuß eine gute Zigarre mit Bauchbinde. Die Soldaten wollten nämlich von ihm herausbekommen, wo eigentlich Brunnen auf diesem Grundstück wären. Fritz ahnte nichts Gutes und jagte die Stahlhelmer auf dem ganzen Grundstück herum, wo verdeckte Zementringe in die Erde eingelassen waren zum Abfangen von Jauche, von Küchenwässern und so weiter. Man grub leidenschaftlich und fand nur einige Zementdekkel und stinkenden Schlamm. – Ursache des Verdachtes, zu einem Brunnen Zuflucht zu nehmen, war nämlich gewesen, daß Brauer sich bei einigen Nachbarn, die befreundet waren, die Brunnen angesehen hatte; das hatte er getan, um die Tiefe des Wasserstandes zu erkunden, ob es sich lohnen würde, bei höchster Gefahr im Brunnen zu verschwinden. Dem Dienstmädchen des Nachbarn, das einen Bauernsohn, eben jenen blonden Jungen, der sich mit Entelmann einließ und jetzt bei der Reichswehr diente, zum Bräutigam hatte, war Brauers Brunneninteresse aufgefallen, und sie hatte es dem Reichswehrsoldaten mitgeteilt. Natürlich war die Kampagne, in die Fritz Entelmann die Leute schickte, resultatlos.

Inzwischen rann die Zeit. Martha hatte die Situation gut erfaßt, stand in der Küche und kochte den Kriegern Kaffee. Lindemann ging nun mit mir in die unteren Räume zurück, er hatte noch allerhand Fragen zu stellen: »Was für eine Art Leute kommen eigentlich auf Ihren Hof?«

Ich antwortete: »Der Gendarm, Bauern, Arbeiter, Bürger, Jugendliche und Ihre Spitzel.«

»Reden Sie kein dummes Zeug, wir schicken keine Spitzel!«

»Machen Sie mir doch nichts vor, Herr Lindemann«, damit griff ich in eine Schublade meines Schreibtisches und zog ein Foto heraus. »Sehen Sie hier diese drei Leute; in der Mitte steht ein Feldgrauer mit einer Matrosenmütze, der einen geöffneten Zigarrenkasten in der Hand hält; den werden Sie zum Beispiel kennen, das ist Ihr Mann; er kam zu uns, zeigte die blaue Mitgliedskarte der Partei, hielt große Terrorreden, wie man in Sebaldsbrück die Polizisten an den Bäumen aufgeknüpft habe. Er wollte Waffen von uns haben. Er spielte den treuen, revolutionären, etwas romantischen Genossen, er sitzt aber bei Ihnen in der Papestraße am Schreibtisch und kann auch anders.«

Lindemann verlor die Ruhe und begann zu schnauzen: »Gehen Sie zum Teufel mit Ihren Schwindelgeschichten.« Die Foto riß er aber mir aus der Hand und verbarg sie in der Brusttasche.

Die Zeit rann. Auf der Diele standen die Reichswehrsoldaten mit dampfenden Kaffeetassen vor dem Mund. Oben auf dem Dach kletterten die Krimis herum, machten Aufzeichnungen, um hinter den Grundriß dieses vertrackten, verbauten Hauses zu kommen. Die Grundstückspatrouillen, die Waffen und Brunnen gesucht hatten und dabei auch die unbewohnte, versteckt gelegene Spartakushütte entdeckten, die wir dazu benutzten, bei Tage Flüchtlingen Unterkunft zu bieten und sie dort ernähren zu können, hatten mit ihren Streifen Schluß gemacht. Es war nun fast schon neun Uhr morgens. Da ging ich an den Herrn Lindemann heran mit einer Bitte. Ich sollte nämlich an diesem Tage auf der Universität Münster sprechen. Ich bat also um Mitnahme in einem der Autos bis zum Bahnhof. Das war nun reichlich naiv von mir. Der Dicke lächelte schmierig. »Wir nehmen Sie schon mit.« Er war wohl längst im Besitz eines abgefangenen Telegramms von den Münsterer Studenten, das eine Absage enthielt. General Walter hatte den jungen Leuten nämlich sagen lassen: Kommt der Mann nach Münster, so lasse ich ihn schon am Bahnhof verhaften.

Als ich auf die Landstraße hinunterkam, ergriffen mich ein paar Arme der Reichswehrsoldaten und lüpften mich in den Ladekasten ihres Lastautos. Freudig erstrahlend standen einige Großbauern und Gendarmen an der Straße, als man sah, daß endlich der Neubauer und Kommunist abtransportiert wurde. Da stand aber noch eine Figur zwischen zwei Stahlhelmern, Felix Meyer, der Kurier und Motorradfahrer, der für Brauer die Verbindung zwischen Bremen, Cuxhaven und Hamburg aufrechtgehalten hatte. Stand er nun als Gefangener oder als Spitzel an der Straße? Das haben wir nie herausbekommen.

Die Offiziersautos flitzten vor. Die Reise begann. Bei näherer Betrachtung fiel mir jetzt der Typ der Menschen auf, die mich umgaben. Da kamen unter dem Stahlhelm Gesichter jener Typen in Erscheinung, die mir bekannt waren von Bremer aristokratischen Familien der Handelshäuser. Man war kultiviert. Den Kommunismus nahm man als eine interessante literarische Angelegenheit, zumal man ihn in einem Hause antraf, dessen Einrichtung und Kunstschätze von einer hohen Kultur zeugten. Da waren die Gemälde von Paula Becker-Modersohn an den Wänden und Bilder von Otto Modersohn. Überall waren wertvolle alte und auch ganz moderne Möbel, alte Kupferstiche und wertvolles Porzellan, Zinnkrüge und Silber, messinggetriebene Meisterstücke aus alter Zeit, ein Bechsteinflügel (das Geschenk Löhnbergs) und orientalische Teppiche am Boden. Das Ganze gab den Soldaten eine Stimmung bürgerlichen Wohlbefindens, so daß die Leute unter den Stahlhelmen die Ohren öffneten, um zu erfahren, wie man bei alledem ein revolutionärer Kommunist werden könne. Von denen wird dich keiner »auf der Flucht« erschießen, dachte ich bei mir. Als wir an die Endstation der Straßenbahn kamen, standen an der Straße zwei Krimis, die mit auf dem Hof gewesen waren. Sie suchten durch Pfeifen das Lastauto zum Anhalten zu zwingen. Da konnte ich schon dem Fahrer zurufen: »Mensch, fahr zu, laß die ekelhaften Leute stehen, fahr doch, fahr!« Auch die Stahlhelmer spielten diesem Gesindel gern einen Streich, und mit vermehrter Geschwindigkeit brauste der Wagen weiter und verschwand vor den Augen der Spürhunde, die offenbar den Auftrag hatten, den Verhafteten möglichst unauffällig mit der Straßenbahn in die Stadt fahren zu lassen.

Es war wohl zehn Uhr, als wir ins Zentrum der Hansestadt kamen. Die elegante Herrenwelt eilte gerade ihren Kontoren zu.

Ein neues Heim

Ia. Operationsabteilung des Stabes. Schreibstube, Lindemann war schon da, feldgrau, dünner als auf dem Barkenhoff. Er verschwand im Nebenzimmer, so hatte ich Zeit und Muße, auf den besetzten Schreibtischen mein Flugblatt zu verteilen, den Aufruf zum Frieden, das »Märchen vom lieben Gott«, das die Bremer revolutionäre Arbeiterschaft in vielen tausend Exemplaren drucken und verbreiten ließ. Die Flugblätter verschwanden, Lindemann erschien und holte mich ins Nebenzimmer zur Protokollaufnahme. Die gelang nicht gut. Außer uns war niemand da. Der Feldwebel saß an der Schreibmaschine, nahm die Personalien auf, kramte in seinen Notizbüchern und sah dann plötzlich auf. – Auf dem Tisch vor mir hatten Generalstabskarten gelegen. Dafür war mein Blick geschärft aus meiner Arbeit im Weltkriege beim Nachrichtendienst. Wie interessant, da war ja alles eingetragen: Walle: 2 Maschinengewehre, 6 Gewehre; Sebaldsbrück: 30 Mann, 2 Maschinengewehre; und so ging es weiter bis in die kleinen Nester. Ich hatte die Karten aufgeschlagen und lächelte belustigt, als ich in das entsetzte, wütende Gesicht des Feldwebels sah. Ich endete diese schweigsame Sprache der Blicke mit den Worten: »Ja, wir Kommunisten haben die Augen auf und können überall lernen.« Das Eintreten von zwei Offizieren störte dies Intermezzo. Neues Verhör. Bei der Gelegenheit kam die Spitzelfrage zur Sprache. Die beschlagnahmte Foto wurde auf den Tisch gelegt.

»Haben Sie mehr solcher Fotos?«

»Nein, im Augenblick nicht.«

»Wer fotografiert für Sie?«

»Weiß nicht. Wir bekommen die Fotos so. Sie sind einmal da – per Post gesandt. Absender unbekannt, oder irgendein Arbeiter schenkt sie mir zum Studium.«

»Wer wird denn von den Leuten fotografiert?«

»Verschieden, sehr verschieden; viele Leute werden fotografiert, die wir uns glauben merken zu müssen, wie zum Beispiel auch die Herren vom Kriegsgericht, die gestern den Genossen Sniderland[?] zu zwölf Jahren Zuchthaus verknackten. Wir denken, daß noch andere Zeiten kommen, wo wir orientiert sein müssen.« Ich glaubte jetzt die Ruhe eines staatlich geprüften Geisteskranken zu haben, um alles das vorbringen zu können. Bei den Offizieren schwankte offenbar die Stimmung zwischen höhnischem Lächeln und mitleidigem Amüsement über einen Trottel. Schließlich wurde ich einem Unteroffizier zum Abtransport übergeben. »Man bringt Sie jetzt zur zivilen Behörde, ich wünsche Ihnen, daß es Ihnen dabei so gut geht wie bei uns«, waren die letzten Worte des Verhandlungsleitenden. – Als ich durch den schmalen Korridor kam, öffnete ein Leutnant eine Tür und ließ mich eintreten mit den Worten an den Unteroffizier: »Sie erlauben doch, Herr Unteroffizier.« Dieses »Herr« war nach der Revolution eine kurze Zeit gebräuchlich, damit die Leute immer einen Unterschied zwischen sich und den Proleten vor Augen haben sollten. Der Leutnant stellte mir nun eine kurze Frage: »Sagen Sie mir bitte, Herr Vogeler, Sie teilen doch die Menschen ein in Rote und Weiße?«

»Jawohl, Herr Leutnant.«

»Denn bin ich für Sie ein Weißer?«

»Jawohl, Herr Leutnant.«

»Wie würden Sie mich nun aufnehmen, wenn ich Sie auf Ihrem Barkenhoff besuchte?«

»Sehen Sie, Herr Leutnant, wir haben grade heute einen derartigen Besuch gehabt; obgleich es viele waren, haben wir sie gut aufgenommen und, so gut es ging, bewirtet.«

Mit gekränkter Miene öffnete der Leutnant die Tür, und ich war wieder in den Händen des Transporteurs. Ich war jetzt ganz gut aufgezogen und dachte nur: Hoffentlich dauert es bei dem Untersuchungsrichter nicht zu lange.

Bei der zivilen Gerichtsbehörde kam eine lange Personenstandsaufnahme, wobei der Richter offenbar am meisten Interesse für den greifbaren Besitz des Arrestanten hatte. Also Bauernhof, Hypotheken wie hoch, sonstige Verschuldungen und so weiter. Zum Schluß winkte der Untersuchungsrichter dem Gerichtsdiener. Endlich, dachte ich. Als wir beide aber inmitten des großen steinernen Hausflures der oberen Etage waren, zweigte ein weiter vergitterter Gang ab, hier blieb der Gerichtsdiener stehen, nahm umständlich sein Schlüsselbund und sagte, indem er die Gittertür aufschloß, mit scharfer Amtsmiene: »Bitte.« Hinter uns wurde abgeschlossen. Dann kam die Aufnahme beim Gefängnisinspektor und die Abnahme aller Gegenstände aus den Anzugtaschen. Man konnte vom Kabinett des Direktors auf den Innenhof sehen. Da marschierte langsam eine Reihe von Gefangenen, mir kamen einige bekannt vor. – Meine Zelle war sauber, ein hochgelegenes kleines Fenster mit undurchsichtigem Glas. Eisernes Bett, an die Wand geklappt und angeschlossen. Bank, Tisch und ein Hängeschränkchen mit Napf und Bibel. – Es kam eine angenehme Ruhe über mich, als die eiserne Tür sich endlich schloß. Es war mir, wie es einem Seemann nach stürmischer Überfahrt sein mag, wenn er sich im heimischen Hafen auf eine Ruhebank hinstreckt. – Am anderen Tag kam der Schließer und sagte: »Ein Freund von Ihnen war da, um Sie zu besuchen, Sie dürfen keinen Besuch sprechen; aber er sendet Ihnen eine Gabe.« Damit überreichte er mir eine Blutwurst.

»Wer war der Mann, der zu mir wollte?« fragte ich.

»Den kennen wir gut«, sagte der Wärter, »der ist häufig bei uns.«

»Also der Fritz Entelmann!«

»Jawohl, der Entelmann war da!«

Um diese Zeit, nach der aufgelösten Räterepublik, waren die Sympathien der unteren Beamten durchweg bei den politischen Gefangenen. Unter den Politischen waren eine ganze Reihe Bekannter. Wurde ich die eiserne Wendeltreppe hinuntergeführt zum Spaziergang, im Gefängnishof, und kam zu gleicher Zeit ein anderer Politischer die Treppe herauf, so sprach man sich an. Der Wärter verzog sich eine Weile nach oben, und man hatte Zeit, um sich orientieren zu können, bis der Schlüssel auf dem eisernen Wendeltreppengeländer klang, das hieß, daß Gefahr im Anzuge war. – Einmal wurde sogar hastig meine Zellentür geöffnet, und zwei Politische kamen zu Besuch auf ein Viertelstündchen.

Gefängnis

Die Zeit im Gefängnis war für mich keine schwere Belastung. Nach großer Unruhe war es eine Zeit der Sammlung und Ordnung. Vor allem kam mir die Gefühlswelt immer näher, aus deren Spannungen die Kräfte geboren wurden, die dahin zielten, eine grundsätzliche Veränderung der gesellschaftlichen Verhältnisse herbeizuführen, mit der bürgerlichen Welt abzurechnen, durch den revolutionären Kampf alle materiellen Mittel zu erfassen und in den ausgebeuteten Massen das Wesentliche der menschlichen Erfüllung frei zu machen – das Schöpfertum, die gestaltende Initiative. – Die vielen Fluchtgedanken aus meinem Leben, die sich meist mit fernen nordischen Inseln beschäftigten, mit den Färöer oder Shetlandinseln, um unter einfachen Menschen zu leben, die in inniger Verbindung mit der Natur ihr arbeitsreiches Leben führten, erschienen mir jetzt auch nur noch als ein romantischer Traum, der wiederum das Wesentliche nicht traf und der an den großen sozialen Umwälzungen, die schon begonnen hatten, an den großen Wirklichkeiten vorbeiträumte. – Die Werke Gorkis griffen an die Wurzeln dieser passiven Romantik. – Alle Zweifel meines Lebens, alle Erkenntnisse, alle Fluchtversuche, auch dieser rastlose Gestaltungswille, der sich selbst äußerte in einer für mich kostspieligen gesellschaftlichen Arbeit wie die Architekturperiode meines Lebens: die künstlerische Kontrolle der Neubauten, die kostenlose Lieferung von korrigierten und ganz neuen Zeichnungen für die fremden Bauherren, für eine Gesellschaftsklasse, der die Ausbeutung der Mitmenschen und die Profitsucht Lebensinhalt war und die selbst die Träume des Künstlers in Handelsware umzusetzen verstand – das alles wurde mir so sichtbar, bewegte meine Gedanken, wenn ich in meiner von mir gut und reinlich gepflegten Gefängniszelle auf und ab wanderte.

Heimatlos in dieser Welt! an der ich selber geschaffen hatte mit der ganzen Inbrunst meiner Jugend und meines ersten Mannesalters. Also ein Bankrott! ein völliger Bankrott. Was nun weiter? – Daß Martha alles darauf anlegte, sich auch materiell ganz von mir zu trennen, war mir klar. Sie hatte ein Stück Land von ihrer Mutter im Schluh. Sie hatte auch Mittel, einiges aus ihren eignen kunstgewerblichen Arbeiten, aber auch außerdem war immer Geld genug vorhanden gewesen, das ich nie kontrollierte, nein, ich war immer froh, wenn Martha es anwendete für irgendeine gestaltende Arbeit. Wenn sie sich nun ein eigenes Leben einrichten würde, blieb ich allein, denn soviel sah ich auch, daß das Leben der drei kleinen Mädchen, der Miekelies, der Bettina und der Martha, ohne die Mutter für mich undenkbar war. Nun, Werte waren ja im Barkenhoff genug, die ich übergeben werde. Aber wie geht es dann mit mir auf dem Barkenhoff weiter? – Diese sonst ganz sympathischen Intellektuellen aus der Gefangenschaft konnten nicht bleiben, würden den Hof absichtslos, aber durch ihre Undiszipliniertheit in der Arbeit zugrunde richten; auch scheinen sie, nach diesen ersten beiden Überfällen der Reichswehr, den Boden für zu heiß und die Zukunft für recht undurchsichtig zu betrachten; sie würden schon bald von selber türmen. – Durch die milchglasige offene Lüftungsklappe des Fensters fiel der aromatische Geruch einer frisch angerauchten Zigarre in meine Zelle. Es muß ein schöner ruhiger Maientag sein, wenn der Rauch des Tabaks, den offenbar ein Wachtposten produzierte, bis in diese höhere Etage hinaufwirbelte. – Ich setzte meinen in sieben Schritte längs und vier Schritte quer aufgeteilten Zellenspaziergang fort. – Nein, um das Schicksal dieser jungen Menschen brauche ich mich nicht zu sorgen; sie werden sich leicht jeder Veränderung der Verhältnisse anpassen, aber zu der Veränderung der Verhältnisse im revolutionären Sinne werden sie nicht beitragen. – Vor kurzem hatte mich der alte Zimmermann aufgesucht, der vor vielen Jahren mein Haus umbaute und den Empiregiebel aufrichtete. Ich hatte mit ihm, einem alten Kommunisten, der in seinem kleinen Hinterhof im Innern der Stadt ein unterirdisches Waffenlager der Partei überwachte, ein langes Gespräch über die Möglichkeit, mit kommunistischen Arbeitern eine Arbeitskommune aufzubauen, die den Rahmen bilden könnte für eine moderne Kinderschule, in der alle Lehrmittel auf einem lebendigen Betrieb fußten und weiter in der Gemeinschaft, die wir erkämpfen wollen. Diese Arbeitsgemeinschaft müßte ein Beispiel werden für das, was die Werktätigen verwirklichen wollen. Die freie Entwicklung der natürlichen Anlagen der Menschen mit dem Ziel der Auswertung ihrer Kräfte für die kommunistische klassenlose Gesellschaft müßte richtunggebend sein. Also eine Kinderschule, geführt von Kommunisten, die durch ihr Leben, durch ihre Tat ein Beispiel geben.

Für mich war durch die intensive Beschäftigung mit der Zukunft die Zeit der Schutzhaft so wenig bedrückend, daß mein erster Gedanke war, als mir im Hof der grüne Entlassungszettel überreicht wurde: Aber ich habe doch noch gar nicht alles klar durchdacht, und nun kommen mir die materiellen Sorgen des Tages wieder dazwischen.

Neue Ziele

Es war ein warmer Sommertag Ende Mai, als ich auf der sonnenblendenden Straße meine Schritte zur Schleifmühle lenkte, zu meiner alten Mutter. Strahlend empfing sie mich und wies die erregten Geschwister zurecht mit den Worten: »Wenn Heinrich das tut, so ist das richtig für ihn.« – »Aber er muß doch an uns denken, der Egoist.«

Heimwärts ins Dorf. Die Reichswehr war inzwischen zum drittenmal dagewesen. Diesmal hatten sie alle Verstecke entdeckt, zwar ohne Brauer zu finden; der war nur noch einmal als alte Frau auf dem Hof gewesen, um einige Sachen zu holen. Später flüchtete er nach Holland, kam in schlechtes Wetter, mußte mit seiner Frau durch Kanäle schwimmen, wurde in dem Zustand entdeckt, gebunden in einen Viehwagen geworfen und an Deutschland ausgeliefert. Zwölf Jahre Zuchthaus; aber der Versailler Vertrag schlug die zwölf Jahre nieder, da Löbel von Geburt Elsässer war, die als Politische nicht bestraft werden durften.

Die Entdeckung der Verstecke kam so: Bald nach meiner Verhaftung waren zwei »Maler« gekommen und mieteten sich bei den Handwerkern ein, die auf dem Barkenhoff gearbeitet hatten. Ihnen gelang es bald, eine vortreffliche Orientierung über die Eigentümlichkeiten der Architektur des Hauses zu bekommen.

Neue Menschen, neues Leben

Das Ende der Bremer Räterepublik und die Überfälle der Reichswehr trugen viel dazu bei, die erste Arbeitsgemeinschaft aufzulösen. Jetzt kamen Arbeiter aus Bremen, der alte Zimmermann, der vor Jahren mit mir zusammen das alte Häuschen umgebaut und die Giebel den Maurern im Holzmodell vor das Dach gesetzt hatte, zwei Metallarbeiter, ein Tischler mit einer Büroarbeiterin aus Hamburg, und schließlich erschien auch die rote Marie. Sie hatte ihre Zöpfe abschneiden lassen, und ein glatter Pagenschnitt umrahmte das schmale, hochgebaute Gesicht.

Diese proletarischen Elemente steigerten die Gegensätze zu meiner Familie. Für mich kam die schwerste Zeit; die Familie begann sich ganz von mir loszusagen. Die Frau hatte sich ein Haus im Moor gekauft, abgerissen und auf einem Grundstück im Dorf aufgebaut, wohin sie mit unseren Kindern zog. Nichts konnte mich veranlassen, die drei Mädels zu bitten, bei mir zu bleiben. Ohne die Mutter konnte ich sie mir nicht denken. Ich verstand außerdem, wie sie mich in diesem Moment hassen mußten, wo ich mein ganzes Lebenswerk, dies einstmalig wüste, unfruchtbare Stück Erde, Heide und Lehmsumpf, das ich durch harte zwanzigjährige Arbeit in ein fruchtbares paradiesisches Gartenland verwandelt hatte, nun mit fremden Menschen teilte, die aus einer anderen Welt kamen als die bisherigen Gäste des Barkenhoffs.

»Nehmt, was ihr braucht, um ein neues Leben aufzubauen«, sagte ich. »Ein Bett, den Bechsteinflügel von Löhnberg und einen Bücherschrank laßt mir.« Sentimentalitäten, die am Besitz haften, hatte ich nicht mehr, im Gegenteil, jedes Stück, das die Frau und die Kinder nahmen, und sie nahmen alles, schien mir ein Beweis für die Liebe oder Achtung der Kinder zu alledem, was ich geschaffen hatte, zu sein. Ich fuhr während dieser Zeit fort, und die Genossen vom Barkenhoff halfen der Familie beim Umzug. Die Arbeitsgemeinschaft vergrößerte sich noch durch Klara Möller, die Frau des bei der Eroberung des »Vorwärts«-Gebäudes in Berlin ermordeten Parlamentärs; Walter Hundt, ein landwirtschaftlicher Eleve, kam hinzu, der bei einem Großbauern gelernt hatte; ein gesunder, kräftiger Mensch, der meine ganze Sympathie hatte und die Landwirtschaft sehr hoch brachte. Eine Zeitlang beschäftigten wir uns alle in der Landwirtschaft, die zu großer Intensität gebracht wurde.

Als ich zurückgekommen war und die materielle Trennung von meinen Kindern sich vollzogen hatte, wurde es mir so schwer, als könnte ich mit diesem letzten nicht fertig werden. Es gab nur eins für mich, alle Kräfte in physischer Arbeit aufzubrauchen, und so stand ich den ganzen Tag mit entblößtem Oberkörper im sonnigen Acker und schwang die sechszinkige schwere Eisenhacke, mit der ich das wuchernde Unkraut vernichtete, wie ein asketischer Fanatiker, der sich mit jedem Schlag aufkommende negative Gedanken aus der Seele reißen will. Der Wind plusterte meine langen grauen Haare auf. Gewiß kein Bild der Hoffnung und Zuversicht. Jeder mußte das Gefühl haben: Der Mann ist alt geworden und beginnt zu resignieren.

Nachdem die bisherigen Mitglieder der Arbeitsgemeinschaft, der Goliath, der blonde Matrose und die Frauen, der neuen Arbeitsgemeinschaft Platz gemacht hatten, bekam der Arbeitsrhythmus großen Schwung, auch herrschte gute Disziplin. Entelmann war auch abgezogen mit seiner Frau; auf dem Hof stand eine Feldschmiede, und in Entelmanns früherer Wohnung hämmerte Fidi Metallbuchstaben aus Messing für Bremer Firmen. Es kamen auch manche Geschenke an für die Arbeitskommune, vor allem aus dem Ruhrgebiet.

»Siedlungswesen und Arbeitsschule«. Umschlag nach einem Gemälde (dargestellt ist Friedrich Harjes), 1919

Werkzeuge aus dem Schrott, auch ein autogener Schweißapparat wurde von den Ruhrarbeitern geschenkt. Der Acker bekam sein Recht, wurde intensiv bearbeitet. Die Rothaarige hielt auf peinliche Sauberkeit bei der Unkrautvertilgung in den Gemüsebeeten, wenn sie nicht unterwegs war, um Referate zu halten. Ich selber schrieb viel und war auch zu Vorträgen unterwegs.

Eines Vormittags trafen wir uns, die rote Marie und ich, auf dem Bahndamm, der von der Kreisstadt durch das weite unbewohnte Wiesenland unserem Dorfe zu führt. Beide kamen wir von unseren Vorträgen aus verschiedenen Richtungen. Die Sonne schien hell, wir waren wie Kinder froh und schlenderten Hand in Hand die Eisenbahnschienen entlang auf dem hochliegenden Damm, umgeben von einer menschenleeren, großzügigen nordischen Landschaft. Durch die Nähe des Mädchens versanken meine vielen Bedrängnisse, und auf unserem Hof bekam ihre Arbeitsfreude ein Tempo wie Tanz.

Ich hatte bis dahin nur leichte unausgesprochene Beziehungen zur Marie. Allerdings, wenn ich unten im Keller an der Druckpumpe die Wasserversorgung des Hauses machte, erschien sie häufig und wand mir den Pumpenschwengel aus der Hand. Lächelnd umfaßte sie mit ihren sehnigen Arbeitshänden das Pumpenholz und gab ihm ihren kräftigen Rhythmus. Ich strich ihr über das rotgoldene Haar, fühlte den schmalen rassigen Kopf, der sich mit leichtem Druck in meine Hand lehnte. Maries blaue Augen leuchteten auf, als wenn sie sagen wollte: »aus Liebe!«

Eines Tages war es so: Zur Küche kam man vom Berge aus auf einem steil abfallenden Weg, der dem Besucher immer einen lustigen Schwung gab, bis er auf dem Hofe vor der Küche landete. Als ich im Begriff war, über den Hof zum Stall zu gehen, kam die rote Marie, die eine Vortragstour beendet hatte, jubelnd den Weg herabgeschossen, fiel mich an, schlang ihre kräftigen Arme um meinen Hals und küßte mich mit Leidenschaft auf Augen und auf Mund. – Die Frauen in der Küche kreischten belustigt auf, und Klara Möller rief fröhlich ihren Genossinnen zu: »Die bricht das Eis.«

Jetzt aber war das Eis gebrochen, schienen alle Tore geöffnet. In den warmen Juninächten fanden wir uns zusammen, wenn das Mondlicht auf den Gesichtern lag und neue ungekannte Schönheiten aus den menschlichen Antlitzen herausmodellierte. Aus zartem Suchen und Erkennen wechselseitiger Empfindungen bäumte sich leidenschaftliches Geben und Nehmen auf, hemmungslose Hingabe.

Eines Tages kam der Gendarm mit einem Haftbefehl für die Fabrikarbeiterin Marie Griesbach. Eine alte Sünde aus Dresden, bei Gelegenheit einer Demonstration der Munitionsarbeiterinnen, mußte noch abgebüßt werden, und bald marschierten wir, Marie, der Gendarm und ich, auf der Landstraße zum Amtsgericht und Gefängnis, das nun für vierzehn Tage der Sommeraufenthalt der roten Marie wurde. Nicht zur Freude der Spießbürger des kleinen Fleckens, denn immer wieder erschien der Kommunistische Jugendverband aus Bremen, marschierte am Gefängnis auf und brachte der Marie ein Ständchen mit Liedern, deren Texte den Einwohnern nicht angenehm klangen. Marie versorgte im Gefängnis die Kinder des Gefängniswärters gut; die Mutter der Kinder bekam dabei einen guten Einblick in das Leben der Munitionsarbeiterinnen und in ihre Kämpfe. Eines Tages stand ich am Tor des Gefängnisses und holte Marie ab. Bald nahm uns die Birkenlandschaft auf, und so marschierten wir Hand in Hand heimwärts.

Kämpfe und schwerer Verlust

Marie fühlte, daß sie Mutter werden sollte. Ein ungekanntes Empfinden tiefster stiller Seelenfreude erfüllte sie und strahlte nach außen. Marie hatte das Bedürfnis, mitzuteilen ihren Nächsten, glaubte wohl, all das Glückselige ihres Erlebens nicht allein tragen zu können. Es war ihr, als müsse sie etwas davon in das schwere proletarische Alltagsleben ihrer Mutter und Schwester tragen, daheim in Dresden. Ich brachte sie zur Bahn, und lange sah ich der winkenden lieben Hand und dem leuchtenden Haarschopf nach.

Die Fahrt war schwer; ausgefahrene Gleise. Die Waggons schwankten und schlugen gegen die Schienen. Marie fühlte sich sehr schlecht. In Dresden verlor sie die Frucht ihres Leibes. Da brach in diesem starken jungen Menschen die größte, still gehegte Hoffnung zusammen. Es war ihr, als würde plötzlich ihre ganze Zukunft undurchsichtig. Sie fuhr zurück. Ich erwartete sie in Bremen am Bahnhof. Freudig fand ich sie gleich, das schwarze Kleid, der weiße Kragen und das goldrote Haar. Aber abgemagert und ernst kam sie durch die Menge. Ich erschrak. Sie strahlte auf, als sie mich sah, aber unter diesem Lächeln lag etwas wie von einer grenzenlosen Einsamkeit. Ich nahm den schmalen Kopf zwischen die Hände und küßte sie auf die Stirn, ungeachtet des Gewoges der Menschen. Besorgt entfuhr es mir: »Wie bist du mager geworden.« Im selben Augenblick war mir meine ganze Roheit einer jungen mütterlich denkenden Frau gegenüber bewußt, dies Wort in diesem Augenblick. Das war wohl bitter für Marie. Hatte man sich doch andere Dinge zu sagen, tiefer liegende. Sicher empfand sie mich in diesem Augenblick als herzlos. Wie vieles mag wohl dadurch in sie zurückgedrängt worden sein, was notwendig gewesen wäre zu sagen. Und ich glaubte, nicht eindringen zu dürfen in die tiefen Bedrängnisse einer werdenden Frau. Auch ich blieb gehemmt. Hatte ich die größten Werte dieser lebenshungrigen Frauenseele nicht erfaßt?

In dieser ganzen Zeit gingen große Wanderungen über den Barkenhoff. Proletarische Jugend, freideutsche, linksradikale Jugend. Wir bauten Unterstände für die vielen Menschen, saßen abends am Feuer mit ihnen zusammen und diskutierten über die nächsten Fragen der Jugend. Aber auch innerhalb der Kommune war ein Ringen um Klarheit. Dabei stellte sich heraus, daß die meisten der Mitglie-

Die rote Marie (Marie Griesbach). Öl, 1919

der, obwohl sie Mitglieder der Kommunistischen Partei gewesen waren und mit dem Gewehr in der Hand ihren Mann in den Bremer Tagen gestanden hatten, fest in den syndikalistischen Anschauungen verwurzelt waren. Walter Hundt, der Landwirt, war kein Proletarier, sondern stammte aus einer Fabrikantenfamilie, er neigte ganz zur Anthroposophie, zum »dreigeteilten Sozialismus«. Auch bei ihm stand die Änderung der Menschen vor der Veränderung der Verhältnisse, der Gesellschaft. Walter hatte eine schwere Sprechweise, es rang sich alles aus ihm heraus, so daß er für einfache Menschen schwer zu verstehen war. Aber Marie hing an seinen Worten und verstand das ehrliche Ringen dieses jungen Menschen.

Die Arbeitsgemeinschaft hatte die kahlen Wände der Hausdiele mit Gips überziehen lassen, damit ich sie bemalte. Die ersten Motive waren die Untergangserscheinungen des Krieges, alles noch recht mystisch: aufsteigende Leuchtraketen, die das ganze Elend beleuchteten, verwandelten sich in die sieben Schalen mit dem Zorn Gottes, den phantastische Engelgestalten über die Erde ergießen. Berstende Kirchen, Häuser der Dörfer, von Kosaken in Brand gesteckt. An einer Stelle sah man in eine Gefängniszelle, da saß ich auf einem Hocker, und Kinder kamen zu mir. Realistische Motive, umschwebt von mystischen Einfällen. Es waren die Motive, die mich in der Irrenanstalt beschäftigt hatten. Auch die Darstellung auf einer Langwand mit dem schöpferischen Leben der Kinder trug noch ganz idealistischen Charakter. Das änderte sich erst jetzt, als ich die Verbindung mit der Bremer revolutionären Arbeiterschaft wieder stark aufnahm. Meine politische Unsicherheit in der Umgebung der Syndikalisten trieb mich dazu. Der alte August kam sogar auf die Idee, das ganze Dorf allmählich zu kommunisieren. Der Hof, den er zuerst in die Arbeitskommune einbeziehen wollte, war der verwahrloste Hof eines heruntergekommenen jüngeren Bauern, der Marktspekulant geworden war, immer vor dem Bankrott stand; er hoffte natürlich, durch die Arbeitskraft der Kommuneleute sein Land aufbessern zu können. Die Gegensätze auf dem Barkenhoff trieben so zu Entscheidungen. Bald gewöhnten sich die befreundeten Genossen von der Werft daran, an allen Sonntagen mit ihren Familien auf dem Barkenhoff zu erscheinen. Der Platz vor dem Hause eignete sich sehr gut zum Lagern, und die Zusammenkünfte wurden zur wichtigen Schulungszeit in den Diskussionen über die politische Lage und vor allem über Sowjetrußland. Inzwischen malte ich neue Bilder. Auf der Kaminwand sah man, wie die Arbeiter die Fabriken mit roten Fahnen verlassen und die Gefängnisse erstürmen. Die Erschießung der Matrosen in der Französischen Straße in Berlin bildete das Eckbild. Die alte Mystik war verschwunden.

Der Arbeitskommune gegenüber hatte ich ein beängstigendes Gefühl, als ob sich alles um mich stabilisieren wollte, daß man sich mit den gegebenen Verhältnissen im Rahmen des Alten abzufinden suchte. Dagegen bäumte sich alles in mir auf. Aber warum und wie sich ausdrücken, wenn kein Echo widerklang. Ich zog mich in den stillen Winkel des alten Ateliers am Stallgebäude zurück, wo auch die Kupferpresse stand; fand noch eine große Kupferplatte und begann zu radieren. Da war ein mächtiges nacktes Weib, das wie aus flutenden Wellen und wallenden blumigen Gewächsen zu entstehen schien über einem eben geborenen kleinen Kind. Die Augen der Frau waren leuchtende Sterne. Die Nacht hinter ihr war dunkel. Mystische Pferde und Wölfe jagten dahin zum ewigen Verschwinden, und unten rauschten die Gewässer und schossen große Fische vorbei. Bewegung, Bewegung, Fluten ins Neuwerden. Manchmal kam Marie zu mir während der Arbeit. Sanft, liebevoll schob ich sie ab, mußte für mich allein sein. Dann strich sie verständig liebkosend über meine Haare. Walter half mir beim Drucken, da eine Kraft das mächtige Schwungrad der alten Maschine mit seinem ganzen daran hängenden Gewicht nur gleichmäßig bewegen konnte, wenn ich die Platte auflegte und die Drucklappen glättete, so daß keine Falten Bruch machen konnten. Da geschah ein Unglück. Ich hatte Walter schon das Zeichen zum Dreh gegeben, wollte aber im letzten Augenblick noch eine Falte retten, da war mein Mittelfinger schon zwischen den schweren Walzen. Walter hatte sofort angehalten, tanzte aber wie ein Verzweifelter von einem Bein auf das andere, während aus meinem schwarzen Druckerfinger langsam das dicke leuchtende Blut tropfte. Ich riß mich zur Selbstdisziplin zusammen, keiner sollte meine physischen Schmerzen in meinen Zügen erkennen. Zum Arzt. Der Knochen war heil geblieben. Nach zwei Monaten war nur noch ein Schönheitsfehler zu sehen.

Auf dem Barkenhoff hatte die Arbeit während dieser Zeit unter dem Kommando des alten Zimmermanns August Freitäger gestanden. Man hatte sich entschlossen, einen Bienenstand zu bauen. Der nach Osten schauende Bergabhang über dem Gartenland mit dem Teich eignete sich besonders gut dafür; er gab ein gutes Flugfeld. Der Platz, nach vorn offen, lag ganz in dem nicht sehr hohen, ziemlich dichten Kiefernwald, hatte somit auch guten Windschutz. Die Bergrutsche, die während der Zeit der Lehmausbeutung durch die Ziegelei entstanden waren, lagen jetzt fest, waren verwachsen und bildeten an der Stelle, wo der Bienenstand angebaut werden sollte, eine natürliche breite Terrassenstufe; man brauchte nur wenig Bäume fortzuräumen. Der Bienenstand wurde so eingerichtet, daß er zwei Reihen Körbe zu zehn Stück fassen konnte.

Eines Tages kamen Walter und Marie von der Feldarbeit Hand

Werden. Federzeichnung, 1921

in Hand, mit wiegenden leichten Schritten. Über mich kam es wie Erwachen aus einem bösen Traum. »Ich liebe Walter«, war das einzige, was die rote Marie sagte; milde, ruhig, bestimmt. – Wie ein Tier, das angeschossen, vielleicht zum Tode bestimmt, sich von dem Rudel zurückzieht, so suchte ich einsame Stellen auf, wo man mich nicht finden konnte. Traf ich einmal eine unserer Frauen, so sagte sie mir: »Sie wird wiederkommen, sie kann ohne dich nicht leben!« Ich wußte, daß das nie sein würde.

Mein Leben schien verdüstert, so daß auch die Arbeitsgenossen darunter litten. Da gewann beim alten August und bei Fidi Harjes der Gedanke Gestalt, an den acht Meter langen Bienenstand, der schon zugeschnitten auf dem Rasen lag, ein kleines Häuschen anzubauen, das man für mich bestimmte.

Rekonvaleszenz an der Ostsee

Ich wurde durch die Aktivität Mariens auf eigentümliche Weise ins praktische Leben zurückgerissen. Unseren Arbeitsgenossen hatte ich mitgeteilt, daß ich für kurze Zeit allein sein möchte. Ich wollte ans Meer fahren. Als ich im Atelier, wo ich eine Ecke für mich zum Schlafen eingerichtet hatte, meine Sachen für die Reise packen wollte, kam Marie und nähte und flickte meine Sachen für die Tour, legte frische Wäsche auf den Stuhl, strich sie liebevoll mit ihren schlanken Händen glatt und sagte dabei, ohne aufzusehen, in ihrer einfachen natürlichen Art: »Du fährst nicht allein, ich fahre mit dir.« Sie blickte hoch. Es war wie ein mütterlicher Befehl, der sich in eine werbende Bitte verwandelte.

So reisten wir beiden Freunde also los. Sie trug den Rucksack auf dem Rücken. Sie litt nicht, daß ich etwas trug. Es wurde eine unsentimentale, frohe Reise. Gleich im Eisenbahnwagen, in dem sich nur Jugend befand, beherrschte die rote Marie die lustige Stimmung der Mädels und Jungens. Von der Bahn zum Meer hatten wir eine große Strecke zu Fuß zu machen auf einer von hohen Bäumen beschatteten Landstraße. In dem Fischerdorf, das unser Ziel war, fanden wir die Ilse, die Frau Curt Stoermers, vor, die sich von ihm getrennt hatte, mit ihrem Kindchen. Sie bewohnte ein Zimmer im Armenhaus (Arme gab es nämlich in dieser Gegend nicht). Die war froh und sehr gastfrei in ihren ärmlichen Verhältnissen; wir wohnten bei ihr. Die Tage verbrachten wir in der Sonne am Strand, legten die Kleider ab und stürmten Hand in Hand den Meereswellen entgegen. Vergangenheit und Zukunft spielten keine Rolle. Abends schliefen wir müde und froh auf dem Sofa Ilse Stoermers. Mariens Kopf lag in meinen Armen, ohne Verlangen, getragen von einer milden, dankbaren Güte, die die zarte Pflanze einer keimenden Freundschaft schützte. Über mich war es gekommen wie die Ruhe einer Rekonvaleszenz nach schwerer Krankheit. So zogen wir heim wie Geschwister, die sich verstanden haben.

Das Bienenhaus

Einige Jahre zuvor hatte meine alte Mutter das kleine Häuschen an der Landstraße als Sommeraufenthalt gekauft. Es lag auf dem Grundstück des Barkenhoffs und war früher einmal von einem Krämer gekauft worden. Die Mutter richtete das Haus mit meiner Hilfe sehr gemütlich ein. Ein glasbesproßter Vorbau zur Landstraße hin gab eine kleine ganz helle Vorhalle zum Eintreten. Hier hatte sie ihr Klöppelbrett und konnte sich für alles interessieren, was auf der Landstraße vor sich ging und was zum Barkenhoff Beziehung suchte. Nach einer schweren Gallensteinoperation lebte sie hier noch einmal recht auf. Seltsam war ihr Verhältnis zu mir. Mein Leben war doch wirklich voller Sturm und Drang und immerwährenden Veränderungen unterworfen. Trotzdem glaubte sie in den schwersten Lebenslagen immer wieder an neue Perspektiven, an eine konsequente Entwicklung zum Guten. Krieg, Verhaftungen, Irrenhaus, Gefängnis, Polizeiaufsicht, die Aufregung meiner Geschwister, die entsetzt verlangten, daß ich mein Leben ihrethalben ändern müsse, beantwortete sie mit ruhiger, ja mit leuchtender Wärme: »Wenn Heinrich das tut, so ist es für ihn richtig, und er wird da schon herausfinden.« Auch mein Verhältnis zu Frauen verstand sie, vor allem, als ich Martha verloren hatte. Gegen Martha war allerdings ein unauslöschlicher Haß entstanden, aber sie liebte meine drei Kinder sehr. Die rote Marie suchte meine Mutter in Bremen an ihrem Krankenbette auf. In ihrer freien Hingabe an ihre spontanen Gefühle sehe ich die Marie noch an ihrem Bette niederknien, um die mageren Hände der alten Frau mit Küssen zu bedecken.

Auf dem Barkenhoff begannen Marie und Walter sich gleich in dem Parterrewohnzimmer einzurichten. Es war das Eckzimmer zum Hof, um das die Sonne von Osten nach Süden wanderte. Zum Schlafen blieb ich vorläufig noch im Atelier, dem Schul- und Spielzimmer der Kinder. – Ich war von praktischer Arbeit eingenommen. Am Kiefernhang war der Bienenstand schon fertig, und meine kleine Wohnzelle stand in Fachwerk mit Dachstuhl schon aufgerichtet. Der Ausbau des Fachwerkes mit Steinen begann, und auf dem Langdach des Bienenstandes hockte der Dachdecker, der ein dickes Strohdach schichtete, flocht und sachverständig vernähte. Der alte August setzte Tür und Fenster ins Häuschen, und bald bekam auch die Zellenwohnung einen dicken Pelz von Stroh als Dach. Mein Zimmer wurde verputzt, das war vor allem meine Arbeit, denn ich wollte für ein paar kleine Sachen, die mir besonders lieb waren, einen Platz in die Wand einmodellieren. Der Fußboden wurde mit Lehm und Sand gestampft. Der Innenraum maß drei Meter Länge und zwei Meter Breite, war gut organisiert für mein anspruchsloses Leben. Er barg an der einen Längswand einen Diwan, mein Lager, mit einer braun, schwarz, rot und gelb breit gestreiften bulgarischen Wolldecke bedeckt; in der vorderen Schmalwand war ein größeres Fenster, darunter ein Klappbrett zum Schreiben, vor dem ein niederes Podium stand, auf dem ein schöner kleiner Buchara-Teppich lag; dort hockte ich oder saß. Da das Gelände, auf dem die Hütte stand, hier etwas abschüssig war, hatte der Wohnraum einen Fußboden, der etwas niedriger gelegen war als der des Bienenstandes. Das war auch deshalb so angeordnet, weil ich vom Schreibplatz aus, zur

Vogelers Stube im Bienenhaus. Federzeichnung, 1920

rechten Hand, ein kleines Fenster haben wollte, durch das ich immer neben mir die ganze Flucht des Bienenstandes vor Augen hatte. An dieser Wand war auch Raum für Bücher eingebaut. Zwischen Tür und Diwan war der Platz für Mantel, Arbeitszeug, Stiefel. Mein Waschgerät war unten der Teich, auf den mein Fenster blickte. In die Längswand über dem Lager hatte ich eine kleine, oben gerundete Nische in die Wand modelliert, hier stand auf dem pompejanischrot gefärbten Nischenfond ein dunkler siamesischer Buddhakopf, an dem man die Reste der Vergoldung noch sehen konnte. Die einstmalige Vergoldung hob die schmalgebogene spitze Nase und das breit hingesetzte leichte Lächeln des lippenstarken Mundes konturenhaft und ausdrucksvoll hervor. Ein sehr künstlerisch komponiertes, ganz primitiv geschnitztes rumänisches Kreuz hing an der weißen Wand. Im Kreuz war mit ganz wenig Mitteln eine figurenreiche Plastik geschnitzt, die heiligen Frauen unter dem Kreuz, an dem Christus hing. Außerdem hatte ich ein längeres ausgehöhltes Bord, eine Nische, in die Wand eingelassen mit vorgebautem sockelartigem Bord für Federhalter, Bleistifte und Tinte.

»Die Arbeitsschule als Aufbauzelle
der klassenlosen menschlichen Gesellschaft«.
Umschlag (mit dem Symbol der Arbeitsschule Barkenhoff), 1921

So bezog ich nun mein neues weißes Heim, schaute durch das große Fenster auf den Teich mit der pappelbestandenen Insel, über den Gemüsegarten und weit hinein in die Moorlandschaft. Der winzige Hausboden unter dem Strohdach, zu dem eine primitive Leiter und ein kleiner Balkon führte, war sogar so geräumig, daß dort ein Gast nächtigen konnte.

Marie sah ich jetzt nur noch im Felde bei ihrer rastlosen Arbeit mit Walter. Sie war sehr glücklich. Oder ich sah sie in der Küche bei den Betriebsberatungen. Im übrigen hatten sich die beiden jungen Menschen ziemlich isoliert und nahmen auch die Mahlzeiten in ihrem eigenen Zimmer ein. – Mir ließ man Zeit zum Schreiben. Es

»Kosmisches Werden und menschliche Erfüllung«.
Umschlag, 1921

entstanden so die Broschüren »Arbeitsschule als Aufbauzelle der klassenlosen Gesellschaft« und »Expressionismus der Liebe«. Die Schreiberei hatte schon früher auf dem Barkenhoff mit der metaphysischen Phantasterei »Kosmisches Werden und menschliche Erfüllung« begonnen.

Endlich begann ich, mich mit Marx und Engels auseinanderzusetzen. – In meinem Häuschen blieb ich nicht allein. Ich wurde von jungen Menschen aufgesucht und konnte ihnen raten; ältere bürgerliche Menschen, die meine Kunst liebten, suchten an meiner Weltanschauung zu rütteln, um den Menschen zu retten, dessen Künstlertum sie gut zu verstehen behaupteten. So kam es vor allem zu schärfsten Auseinandersetzungen mit meinem Mäzen, mit Ludwig Roselius, die mich innerlich weiterbrachten und mir den Charakter und die spekulativ bewegliche Ideologie eines Großkapitalisten klar vor Augen führten; eine geistige Einstellung, die schließlich mit aller Konsequenz im Faschismus landen mußte.

[Einweihung der Böttcherstraße]

Ludwig Roselius konnte die Inflation sowie die Deflation gut überwinden. Sein kaufmännischer Instinkt hatte ihn veranlaßt, außer seiner amerikanischen Filiale eine Bremen-Amerika-Bank zu begründen, so war er immer in der Lage, alles mit Valuta auszubalancieren. Man bewunderte seine kaufmännische Genialität, die ihm die Möglichkeit gab, ein kleines Stadtviertel im Zentrum von Bremen hinter dem altehrwürdigen »Schütting«, das aus engen Gassen mit niedrigen Häusern bestand, anzukaufen und in ein kleines Kunstviertel zu verwandeln. Der künstlerische Erbauer der Böttcherstraße war Bernhard Hoetger. Er baute sie in rotem Backstein in einem expressionistischen Stil mit allen möglichen Anklängen an Gotik, Renaissance und orientalisches Formempfinden. Verkaufsläden für modernes Kunstgewerbe waren da, Restaurants, ein interessantes Gemälde- und Skulpturenmuseum und Arbeitsräume für Künstler, außerdem Versammlungssäle; daran schloß sich dann das Gebäude der Bremen-Amerika-Bank. Das Hauptgebäude der Böttcherstraße war dem Andenken Paulas gewidmet: »Paula-Becker-Modersohn-Haus«. – Es war nun fertig und sollte feierlich eingeweiht werden.

Nach dem Verlust des Weltkrieges für Deutschland war Ludwig Roselius eine kurze Zeit der Todfeind des amerikanischen Kapitalismus gewesen, aber diese unfruchtbare Verneinung des stärksten kapitalistischen Landes durfte für ihn nicht von ausschlaggebender Bedeutung bleiben. Roselius fuhr über den »großen Teich«, sah die lockenden Reichtümer der amerikanischen Welt, befreundete sich mit Henry Ford und begann sein eigenes amerikanisches Geschäft zu forcieren.

Als er nach Bremen zurückgekehrt war, wurde schon manches mit amerikanischen Erfahrungen verbessert; vor allem hatte er eine vorzügliche Art, seine angestellten Direktoren zur persönlichen Initiative zu bringen; geschickt wußte er dieses gelockerte Freiheitsbewußtsein der von ihm abhängenden Männer unmerklich seinem starken Willen unterzuordnen.

Das »Paula-Becker-Modersohn-Haus« war jetzt bezogen und wurde durch eine große Feier eingeweiht. Roselius hatte von seinen amerikanischen Millionärsfreunden auch hier viel gelernt. Der Eingeladene bekam die Bitte zur Teilnahme an der Feier in Form eines Scheckbuches. Ein Scheckbuch in tadelloser lederner Hülle. Wenn er eines der Häuser der Böttcherstraße betrat, brauchte er in diese Schecktalons nur seine Wünsche einzutragen, die sein leibliches Wohlbefinden förderten. Für den Gast standen Speisen jeder Art, Delikatessen, Obst, Süßigkeiten, Weine, Schnäpse, Kaffee, Tee, Zigarren und Zigaretten bereit, und in wenig Minuten wurde das Gewünschte von geschickten Dienern, die die Schecks annahmen, dem Gast serviert. Aber bevor sich die Pforten dieses lukullischen Paradieses öffneten, fand noch die Eröffnungsfeier im großen Saal statt. Ich sah noch einmal den ganzen Bekanntenkreis der alten Welt wieder. Die meisten, wie der Landrat, für den ich die Kreisbahn gebaut hatte, kannten mich, den Renegaten aus dem bürgerlichen Lager, schon nicht mehr, fürchteten vielleicht sogar, daß ich sie begrüßen würde. Dann wurden die Gedächtnisreden geschwungen. Auch Paulas Bruder, der Arzt, sprach zu uns vom Podium. Kurt Becker war ein äußerst reaktionärer Mensch, mit dem sich Paula viel Mühe gegeben hatte, um ihn zu ändern, was aber nicht gelungen war. Für Paulas Kunst hatte Kurt zeit ihres Lebens nur eine mitleidige Duldung. Mit den äußeren Erfolgen nach Paulas Tode schloß er sich dem Ruhmeszuge an und konnte sich in seinem Vortrag über Paulas Leben und Kunst auch nicht enthalten, mir einen Eselsfußtritt zu geben, indem er uns erzählte, daß ich als Freund der Familie Modersohn zur Lebenszeit der Paula von der Größe ihrer Kunst keine Ahnung gehabt hätte.

Paulas Kunst, die in dieser Zeit so hoch stand, wurde später für die wildgewordenen Spießbürger, für die Faschisten, ein rotes Tuch, gegen das sie ihr kulturwidriges Kampfgeschrei ertönen ließen; es richtete sich gleichzeitig gegen Hoetgers expressionistische Ausgeburten.

Im »Völkischen Beobachter« vom 26. Oktober 1935 heißt es:

»In aller Stille hat, wie erst jetzt offiziell bekannt wird, der Eigentümer der Böttcherstraße in Bremen, Ludwig Roselius, vor etwa einem Monat die im Paula-Becker-Modersohn-Haus untergebrachte Ausstellung der Werke der Worpsweder Malerin für die Öffentlichkeit schließen lassen.

Mit diesem freiwilligen Entschluß ist der Erbauer der Böttcherstraße den Forderungen entgegengekommen, die in letzter Zeit von nationalsozialistischer Seite erhoben wurden: auf die Säuberung der Kunststätten und des architektonischen Stadtbildes von den Auswüchsen einer vergangenen Zeit.«

Tragisch, tragisch für Hoetger, der die besondere Fähigkeit hatte, in den schwankenden Zeiten stets der jeweilig herrschenden politischen Strömung gerecht zu werden; er konnte revolutionär-kommunistisch, reformierend-sozialdemokratisch, demokratisch, feudal und faschistisch denken, so wie seine Kunst allen zeitweiligen Richtungen gerecht werden konnte. Jedoch die leitenden Faschisten lehnten seine Kunst und auch seine Person, als er vom Auslande aus um Rückkehr in sein Vaterland nachsuchte, strikt ab. – Und doch kannten sie ihn nicht genug. Er hätte eine mannhafte Stütze für die Ideologie des Propagandaministers werden können. Hatte er doch einmal diese Worte gesprochen:

»Der nordische Mensch hat ganz vergessen, daß auch seine Rasse einst eine starke Kultur hervorgebracht hat, er ist beleidigt, wenn ein Künstler in sich Urzellen entdeckt, die eine erinnernde Form zeugen – er weiß nicht, daß er sich selbst bekämpft, hat vergessen, daß er einige hundert Jahre von der Kultur des Westens gelebt, hat vergessen, daß in ihm der vertikale Sinn lebt, der Sinn hinauf zur Sonne, im Gegensatz zu dem Sinn der Völker, die die Glut der Sterne fürchten, sich abdecken im horizontalen Schutz – so sich fließen lassen ins horizontale Erleben. Man kann behaupten, daß alle vertikalen Schöpfungen von nordischem Geist gezeugt wurden und alle horizontalen von morgenländischem.«

Hier erkennt man allerdings, daß diese bombastische Mystik, die die Pyramiden Ägyptens und die Minaretts des Morgenlandes als vertikale Verirrungen betrachtet, selbst den Faschisten zu geistlos war, zumal Hoetgers Architektur auch diesen unverdaulichen Salat serviert, den die Propagandaleitung der NSDAP bekämpft.

In der »Frankfurter Zeitung« vom 10. Oktober 1935 lesen wir folgende Veröffentlichung: »Hoetger und Paula Becker-Modersohn ›freiwillig‹ aus der Öffentlichkeit verschwunden. – Die Kreisleitung der NSDAP in Bremen hat eine lebhafte Propaganda gegen die Böttcherstraße (die von Ludwig Roselius, dem kunstliebenden Besitzer eines bekannten Bremischen Unternehmens, gestiftete Reihe von Backsteingebäuden mit Aufenthaltsräumen für Künstler und Räumen für Ausstellungen) eingeleitet. In einem Aufruf mit der Überschrift ›Bremer Böttcherstraße heute noch zeitgemäß?‹, der den

Namen des Kreispropagandaleiters trägt, heißt es: ›Die Bremer Bevölkerung erhebt schärfsten Protest gegen den Versuch, derartige Schandwerke mit dem künstlerischen Wollen des Nationalsozialismus in Zusammenhang zu bringen, und verlangt sofortige Entfernung dieser Ausgeburten eines kranken Hirns.‹ Der Kampf, der vor einiger Zeit mit einem Angriff des ›Schwarzen Korps‹ gegen den Bildhauer und Architekten Hoetger einsetzte, wird vor allem durch Aushänge und Mitteilungskästen der Partei geführt. Besonders bemerkenswert ist ein in diesen Kästen auf einem Plakat veröffentlichter Auszug aus der großen Rede des Führers und Reichskanzlers auf der Kulturtagung des Reichsparteitages der Freiheit in Nürnberg, der nach einer Erklärung der Reichsleitung in der Presse klar und eindeutig die nationalsozialistische Einstellung zu derartigen ›Schöpfungen‹ erkennen lasse. Die völlig unverständliche Architektur Hoetgers am Eingang der Straße fordere schärfste Ablehnung heraus, besonders da auch hier wieder versucht werde, durch Jonglieren mit den Worten ›nordisch, bodenständig, niedersächsisch‹ die gesunde Urteilskraft des unverbildeten Beschauers unsicher zu machen. Die Böttcherstraße stehe in schroffem Gegensatz zu dem schönen mittelalterlichen Marktplatz Bremens. Die verbogenen Klinkerhausfronten und Glasfenster, das Wendeltreppenturmmuseum mit den Bildern Paula Becker-Modersohns, die neuseeländische Götzengestalt am Weltenrand seien bedauerliche Zeugnisse eines krankhaften Geistes. Die Frage, ob ein Paula-Becker-Modersohn-Haus in einer öffentlichen Straße einer der größten Fremdenverkehrsstädte Deutschlands noch Berechtigung habe, sei zu verneinen.«

Zwei Welten

Die dunkle Tür meiner Zelle, dem Berge zu, öffnete sich nach kurzem Pochen (die Schritte vom Berge hatte ich schon vernommen), Ludwig Roselius, bulgarischer Generalkonsul, Ehrendoktor der Universität Münster, Besitzer der Kaffee-HAG, der Aktiengesellschaft zur Herstellung von koffeinfreiem Kaffee, betrat meine Zelle.

Hier muß ich eine kleine Charakteristik meines Verhältnisses zu diesem Kunstmäzen einfügen: Roselius besaß eine umfangreiche Sammlung meiner Gemälde und alle meine Radierungen mit den verschiedensten Entstehungszuständen. Auch hatte er das große Bild »Konzert« gekauft, das die Terrasse des Barkenhoffs zeigt, auf der die Zuhörer und Musiker sitzen, unter anderen auch Paula Bekker-Modersohn, Clara Westhoff-Rilke, Modersohn; im Vordergrund an der Steintreppe steht Martha Vogeler. – Als Heymel starb, kaufte Roselius zur Ergänzung seines Museums die ganze graphische Sammlung meiner Hand, die Heymel hinterließ.

Roselius betrat also heute zum erstenmal meine Zelle: »Nun, Asket geworden? Na, auch das wird vielleicht vorübergehen. Das letztemal, als ich auf dem Barkenhoff war, sah ich bei Ihnen das Bildnis der roten Marie. Es ist wirklich das Beste, was Sie bisher malten. Ich muß es besitzen.«

Wir wurden uns handelseinig. Ich setzte zum Preis nur noch eine Sendung Kaffee und Lebensmittel hinzu (die gewohnterweise für den Barkenhoff immer reichlich ausfiel).

»Ich sehe da wieder, daß Sie schreiben, malen Sie doch, malen Sie und überlassen Sie die Politik den Menschen, die in der Wirklichkeit stehen und Erfahrung haben! Bleiben Sie doch, lieber Freund, beim Malen. Toben Sie Ihre Gefühle in Farben aus, in Linien, Rhythmen. Schenken Sie der Welt Ihre unvergänglichen Meisterwerke. Dann tragen Sie soviel zu dem Glück der Menschheit bei, wie die Menschheit es vertragen kann! Die Ausführung sozialer Ideen aber überlassen Sie den Menschen, die praktische Arbeit im Leben gelernt haben.

Wie denken Sie übrigens in einem kommunistischen Staat die Sache mit dem Verkauf Ihrer Bilder? Sie hatten in der Oktoberausstellung zwanzig Bilder hängen, die Sie im Zeitraum von längstens einem Jahr gemalt haben dürften. Als Durchschnittspreis werden Sie fünftausend Mark fordern; das macht hunderttausend Mark im Jahr, ungeachtet der vielen kleinen graphischen Arbeiten. Anspruch haben Sie in Ihrem kommunistischen Staat aber nur auf zwanzig Mark pro Tag Entschädigung. Vielleicht erhalten Sie hierzu noch die zehnprozentige Zulage für Geistesarbeiter, macht zweiundzwanzig Mark. Zweihundertfünfzig Arbeitstage geben eine Jahreseinnahme von fünftausendfünfhundert Mark. Für Leinwand, Farben und so weiter rechne ich viertausendfünfhundert Mark. Es würde also per Bild ein Preis von fünfhundert Mark herauskommen. Auch ein solcher Preis wäre für Menschen, die das gleiche Einkommen hätten wie Sie, viel zu hoch. Bei dem Jahreseinkommen von fünftausend bis sechstausend Mark kauft sich niemand Bilder für fünfhundert Mark das Stück. Sie würden also wohl bald vor die Wahl gestellt werden, eine andere Arbeit zu suchen als das Malen!«

»Zuerst«, sagte ich, »muß ich Ihnen sagen, daß der Kommunismus sich nur entwickeln kann und wird, wenn für ihn der Mensch der wichtigste Faktor ist. Der Kommunismus ist somit aufs entschiedenste daran interessiert, der individuellen Anlage jedes einzelnen Menschen größte Entwicklungs- und Auswirkungsmöglichkeit zu geben. Da Konkurrenz und Profitmacherei wegfallen, wenn jeder daran interessiert ist, mit der Hebung der eigenen produktiven

Kräfte das Niveau, die Lebensbedingungen seiner Mitmenschen zu heben, so wird der allgemeine Wohlstand im stetigen Wachsen sein. Wenn ich hier auf dem Barkenhoff meine Bilder an die Wand male, so bezahlt mich auch kein Mensch, aber der Metallarbeiter treibt seine Messingbuchstaben für Bremer Auftraggeber, und die Landarbeiter sorgen für den Anbau von lebenswichtigen Feldfrüchten, so daß ich Zeit gewinne für künstlerische Arbeit.«

Roselius sagte nun weiter: »Wenn in Ihrem kommunistischen Staatsgebilde anstatt Zahlung in Geld die gegenseitige Leistung eingeführt wird, würde es schlimm aussehen. In einem Siebzigmillionenvolk finden Sie vielleicht einige zehntausend Menschen, die Ihre Kunst verstehen; von denen werden sich einige hundert zur Aktivität, das heißt zum Kauf, entschließen. Die Menschen wohnen nun aber über ganz Deutschland zerstreut. Wie wollen Sie mit ihnen ohne Vermittlung von Geld das Gegenseitigkeitsverhältnis anbahnen? Sie würden isoliert sein, Ihre Moorbauern würden Ihnen kaum ein Schwarzbrot für ein Bild geben.«

Ich antwortete: »Erst einmal springt der Kommunismus nicht fertig aus dem Kasten, sondern er wird durch hingebende schwere Arbeit errungen werden müssen. Geld wird noch lange Zeit als Austauschmittel nötig sein. Eine Künstlergewerkschaft, wie wir sie im Reichsverband der Künstler aufzubauen versuchen, würde im Kommunismus ganz großen organisatorischen Aufgaben gegenüberstehen; durch den Verband würde die engste Verbindung mit der Masse gewährleistet sein. Dann das Künstlerleben: Schafft der Künstler nicht aus dem Empfindungsleben der revolutionären arbeitenden Masse des Volkes heraus seine Kunstwerke mit sozialistischem Charakter – so ist seine Kunst eben überflüssig. – Kann er aber die Sehnsüchte, den Kampf und die schöpferische Tat der Masse zum Ausdruck bringen, so wird das Bedürfnis nach Kunst unvorstellbar gesteigert, Kunst wird dann das Lebensbedürfnis der Millionen werden.«

Roselius: »Also Sie werden einfach malen müssen, was die breite, ungebildete Masse Ihnen vorschreibt. Sie sehen: Im kommunistischen Staat muß eben der Schwache für den Stärkeren arbeiten. Der Pöbel hat die Macht. Sie glauben selbst bestimmen zu können, aber der Sozialismus und das Selbstbestimmungsrecht sind fundamentale Gegensätze.«

Ich: »Während der Novemberrevolution schrieben Sie plötzlich Worte, als ständen Sie dem Sozialismus nahe, sagten sogar, daß in dem sozialistischen Gedanken die einzige Möglichkeit bestände, die Ungerechtigkeit, die Unterwerfung unter die Geldmacht Amerikas und Englands zu mildern, ja sogar die Geldmacht zu beseitigen. Zwar war Ihr innerster Gedanke, durch einen besonderen Sozialismus, wie Sie ihn sich denken, die Geldmacht Deutschlands zu stärken; um es wahrscheinlich zu neuen Auseinandersetzungen, zu neuen Kriegen reif zu machen. – Einen Moment, ich habe mir da einige Punkte aus einer Ihrer November-Veröffentlichungen aufgeschrieben, in der Sie etwas von Ihrem Sozialismus zum besten geben.«

In diesem Augenblick verbeugte sich draußen vor dem Fenster ein Schattenmensch, zog sich aber schnell zurück, da die Bienen wild durcheinanderschossen und offenbar die Hochzeitsreise einer Königin vorbereiteten. Bald darauf tat sich leise die große Tür auf, und herein schlüpfte ein lächelnder, eleganter Japaner. Ich nötigte ihn, neben Roselius auf dem Kanapee Platz zu nehmen. Der Japaner sprach die wenigen Begrüßungsworte englisch, vermied jedes deutsche Wort, wenngleich ich das Gefühl hatte, daß er einer jener japanischen Großhändler war, die Deutschland überschwemmten, um aus dem großen Bankrott billigst Maschinen und Schrott aufzukaufen. Man würde sich wohl täuschen, wenn man annähme, daß diese gewiegten Leute ihre Schiebergeschäfte ohne Kenntnis der deutschen Sprache machten. Ich hatte inzwischen meine Notizen gefunden und las eine Epistel aus dem Roseliusschen Sozialismus vor. Das klang so:

»›1. Das Geld: Um die Macht des Geldeinflusses entbrannte der Krieg. Die Macht dieses Geldeinflusses konnte während des Krieges nur gebrochen werden durch den Sieg des Bismarckschen Prinzips: Geldrecht plus Menschenrecht! Diesen Krieg haben wir aufgegeben. Wir haben zunächst das Geldrecht als siegreich und wirksam anerkannt.

2. Die Religion: Unsere Religion ist in dem Maße Besitzteil der vermögenden Klassen geworden, wie die Kirche sich von dem Grundprinzip der Ausschaltung jeder Macht des Geldes und der Einführung des reinen Sozialismus getrennt hat. Solange aber noch materielle Sorgen die Völker betreffen, so lange wird nur eine Kirche Macht besitzen, die sich ohne Vorbehalt, wie die christliche Kirche, für die Beseitigung dieser Sorge einsetzt.

3. Sozialismus: Sozialismus bedeutet in des Wortes letzter praktischer Bedeutung „Beseitigung der Zinse und der Macht des Geldes"; oder mit anderen Worten: alle Leistungen, die ein Mensch vollbringt, stellt er unentgeltlich der Gemeinschaft der Menschen zum Nutzen aller zur Verfügung. Der soziale Gedanke ist zweifellos der wundervollste und schönste, der die Menschheit bewegt hat. Es ist ganz natürlich, daß er eine Grundlage des Christentums gebildet hat, denn in einer Welt, in der jede Übervorteilung des anderen, jede Selbstsucht aufhört, ist der Boden bereitet für die wirklich große Güte der Menschheit, für die christliche Nächstenliebe.‹

Das schrieben Sie im Oktober 1918 mit gutem Instinkt dafür, wohin die Reise geht. In derselben Veröffentlichung sieht Ihr Sozialismus, Sie nennen ihn Staatssozialismus, so aus: Es ist eine eigenartige Mischung von Monarchie, allerdings nur noch als beratender Faktor, Demokratie (das ist übrigens für Sie die freie Erwerbsmöglichkeit, die nicht behindert werden darf) und Sozialismus, der als ›Geist‹ das Ganze durchtränkt. Um noch einen Schlag gegen die im Krieg so bitter notwendige Zwangswirtschaft zu führen, heben Sie die Glaubhaftigkeit Ihrer Erkenntnisse wieder auf mit den Worten: Die durch die Kriegswirtschaft hervorgerufene Korruption, infolge des Zusammenspannens sozialen und demokratischen Gedankens, muß unverzüglich beseitigt werden.«

Roselius fiel mir schnell ins Wort: »Ich mache aber einen grundlegenden Unterschied zwischen Sozialismus und Kommunismus. Mir fehlt jede Beziehung zum kommunistischen Gedanken. Ehrlichen, wahren Kommunismus gibt es überhaupt nicht, nicht einmal bei einer Schafherde. Sie selbst haben sich dem Gedanken nur genähert, um einen innerlichen Ausgleich für Ihre Seelenzerrissenheit zu finden. – Ihre Bilder drücken das entsetzlichste Elend aus, das die Menschheit befallen hat. Der Mensch Vogeler ist nun aber nicht mit dem Künstler Vogeler gleichwertig.«

Der Japaner blieb während der ganzen Zeit stumm; ein eigentümliches Lächeln umspielte ständig seinen Mund, wie bei einer Maske. Ich hatte aufgesehen, er rieb sich die kleinen Hände und richtete sie so hoch, daß man den unteren Teil seines Gesichtes nicht beurteilen konnte, man wußte nicht, sagen die schlauen Schlitzaugen Spott oder strahlen sie eine gewisse Wärme aus? Roselius hatte sich während dieser Zeit erhoben: »Ihre abseits liegende Lebensbetätigung ist weiter nichts als ein Spiegelbild Ihrer Selbstsucht.«

»Ludwig Roselius«, sagte ich, »Sie lassen sich hinreißen zu seltsamen intellektuellen Konstruktionen. Ich verstehe es. Wenn einem Wirklichkeitsmenschen, wie Sie es sind, durch die Veränderung gesellschaftlicher Verhältnisse die Felle wegschwimmen, wenn Ihr ›friedliebender Kaiser‹ Deserteur wird, wenn jeder nüchtern denkende Mensch den Kopf schütteln muß, daß Sie Bismarck, den größten Feind des Sozialismus, der nur durch das überraschende Auftreten einer mächtigen Arbeiterbewegung nach Aufhebung seines brutalen Sozialistengesetzes gezwungen war, soziale Zugeständnisse zu machen, in den Vordergrund rücken wollen, und wenn Sie private Unternehmerinitiative in den Sozialismus herüberretten wollen, so kann uns das nur ein charakteristisches Bild dafür geben, wie schnell, aber wie chaotisch sich die Gedankenwelt eines Großkapitalisten ändert infolge tiefgreifender Veränderungen im gesellschaftlichen Sein der Menschen. – Der wirkliche Glaube an die

Macht des Geldes ist bei Ihnen unerschütterlich. Ihre bisherigen Lebenserfahrungen haben diesen Glauben unerschütterlich gemacht. Jedem Wunschtraum, jeder Vorstellung konnten Sie zu einer wirklichen materiellen Existenz verhelfen, ja Sie konnten die geistige Einstellung vieler Menschen durch die Macht Ihres Geldes verändern, Sie sagten mir sogar: ›Glauben Sie denn, daß ich mir den Kommunismus nicht kaufen kann!‹ In der kapitalistischen Welt geht ein unmenschlicher Vorgang vor sich. Marx nennt es: die Entfremdung des menschlichen Wesens durch Geld, die Entäußerung seiner menschlichen Wesenskraft. Ich sehe darin die unheilbare Todeskrankheit der alten Gesellschaft. Der Arbeiter hat keine schöpferische Freiheit, seine eigene Tätigkeit steht unter dem Zwang eines fremden Willens. Er wird restlos ausgebeutet. Zu dem, was er schafft, hat er keine Beziehung mehr, wenn er seine Arbeit vollendet hat. Das Produkt seiner Arbeit gehört dem Arbeitgeber und verwandelt sich in Geld. So wie jede Maschine, jedes Instrument im Kapitalismus sich verzinsen muß nach Abrechnung der Instandhaltungskosten, geradeso nur ist der Kapitalist auch nur am Menschen als Arbeiter interessiert; er gibt ihm so viel Arbeitslohn, daß er seinen Unterhalt decken kann, um seine Arbeitskraft zu erhalten und wieder Ware produzieren zu können. Das ist auch eine verkappte Zinswirtschaft, von der die Proleten sich befreien wollen. – Unsere Unterredung hat vieles in mir geklärt. So leicht wird mich kein kommendes Ereignis überraschen. Ich bin davon überzeugt, daß die zum Bewußtsein erwachte Arbeiterschaft uns einer großen, freiheitsliebenden und schöpferischen Zeit entgegenführen wird.«

»Auf Wiedersehen, lieber Freund«, sagte Roselius, »an diese Behauptung werde ich Sie eines Tages erinnern.«

Auch der Japaner erhob sich, er legte ein kleines japanisches Buch auf mein Schreibbrett und sagte auf englisch: »Dies ist ein Buch und ein Dank von unseren japanischen Schriftstellern, die in dem Verband ›Die Birke‹ vereint sind. Sie haben Ihre Ausstellung Radierungen in Tokio gesehen und grüßen Sie.«

Die Tür schloß sich hinter den beiden Männern. Ich schlug das kleine Buch auf, es war angefüllt mit Holzschnitten, die japanische Gartenkunst darstellten und auch die technischen Mittel der intensiven und der künstlerischen Landbearbeitung. – In diesem Augenblick kam Gottlieb aus dem Gemüsegarten herauf und trug einen Bienenkorb, in dem er einen Schwarm gefangen hatte. »Ich fand ihn diesmal nach langem Suchen unten in einem Johannisbeerstrauch.«

»Gottlieb, ich habe ein schlechtes Gewissen, daß ich so lange mit den Leuten geredet habe. Ein Glück, daß der Schwarm sich nicht wieder hoch in die Bäume gehängt hat. So konntest du ohne meine

Hilfe fertig werden. Hier steht noch meine Heugabel mit dem aufgespießten Bienenkorb für den Fall, daß du hochklettern müßtest, um den Schwarm in den Korb zu streichen.«

Hoetger

Professor Bernhard Hoetger hatte sich um diese Zeit sehr mit Ludwig Roselius befreundet. Er war vom Krieg verschont geblieben, desto stärker waren seine schöpferischen Kräfte angeregt. Er besann sich auf sein Germanentum, er entdeckte seine Urzelle, hatte das Gefühl, als habe er schon einmal gelebt, vor Hunderten von Jahren, als Träger einer nordischen Kultur im tiefen Gegensatz zur westlichen. Der nordische Mensch stieg in ihm auf. Er wurde sich seiner großen Verantwortung bewußt, sah im Deutschtum jene Kraft, die die Welt durchdringen und beherrschen wird. Diese große Idee trug ihn durch den ganzen Krieg. Dieser Idee opferte er jede Stunde, und so entstand das deutsche Siegesdenkmal auf der Bergnase des Weyerbergs. Aus gebrannter deutscher Erde baute es sich auf, aus rotem Backstein, und es wuchs auch in die Breite. Trotz seiner geheimnisvollen, nur dem Eingeweihten verständlichen expressionistischen Form wollten manche in der riesigen Silhouette mit einiger Phantasie den deutschen Reichsadler erkennen, der mit ausgebreiteten Flügeln auf einem Sockel saß und in die weite Welt schaute. Das Gebilde war so groß im Format, daß es einen ganz anständigen Raum in sich barg, der zur Einrichtung eines Restaurants geeignet war. – Erfüllt von den neuen Erkenntnissen, verlor Hoetger auch jedes Verhältnis zu seiner bisherigen schloßartigen Wohnung, die zwischen Landstraße und Torfmoor lag. Zuviel westliche Tradition lebte in ihr. Unerträglich wurde es dem Künstler, in dieser Umgebung zu leben: Man muß heraus aus dem schwarzen Torfsumpf, hinaufsteigen in lichtere Höhen, der Sonne entgegen. Nordisch-germanisch muß man leben. Der vertikale Sinn des nordischen Geistes erfüllte ihn im Gegensatz zu dem Geist der Völker, die den horizontalen Schutz suchen, um sich abzudecken gegen die Glut der Gestirne.

So entstand eine neue Philosophie und ein neues Haus am sonnigen Hang des Weyerbergs. Diese Ideen, die so stürmisch in ihm geboren wurden, machten Hoetger allerdings große Kopfschmerzen; er fühlte sich krank, wie eine Gebärende. Da fand er einen Magnetiseur, der ihn von der Krankheit befreite. Wie einen Lebensretter betrachtete der Professor den neuen Menschenfreund und übergab ihm die alte Wohnung.

Im Tannenabhang des Weyerbergs waren inzwischen die steil

aufsteigenden Giebel des nordischen Heimes hochgewachsen. Faustdicke Eichentüren mit Eisenbeschlag wurden in die rote Backsteinmauer eingesetzt. Die Türen waren vom Künstler mit dem Beil plastisch bearbeitet. Man konnte bei den expressionistischen Formen an Embryonen denken oder auch an Polypen. Zaghaft tastete sich der Besucher an den schmiedeeisernen Türgriff heran, als ob er es mit einem gefährlichen vorsündflutlichen Tier zu tun habe, doch war er überrascht, wie normal das Biest funktionierte und die Tür sich leicht öffnete. Innen war das Haus höhlenartig gewunden, führte dann aber wieder durch enge in weite Räume mit schwerer geschnitzter Balkendecke. Mächtige und winzige Kamine waren da, traumhafte Gebilde quallender Formen, beängstigend, wenn nicht der Blick auf ein paar herrlich realistische Bilder von Paula Becker-Modersohn gefallen wäre, die in die Wirklichkeit zurückführten wie das Lächeln eines Kindes über die unverständlichen Taten eines Erwachsenen.

Das horizontale Schloß an der Landstraße stellte der Professor also dem Lebensretter zur Verfügung. Aber dessen magnetische Kräfte reichten nicht, hatten in diesem Moorlande keine Anziehungskraft, konnten dem Manne keine materielle Basis schaffen. Ein unternehmender Gastwirt aus der Hansastadt mietete den Besitz und machte ihn zum Sammelpunkt eleganter Ausflügler und zur gastlichen Unterkunft zeitweilig Liebender.

Ein paar Tage übernachtete hier einige Zeit zuvor auch Julek Marchlewski, der seine Tochter besuchte, die mit ihrer Freundin Liselotte Dehmel in Worpswede zu Besuch war. Marchlewski, der in Deutschland bei der Arbeiterschaft vor allem durch seine revolutionären Broschüren unter dem Namen Karski sehr bekannt war, kam damals aus Bielefeld, wo er die Verhandlungen für die revolutionäre Arbeiterschaft des Ruhrgebietes geführt hatte.

Eines Tages war auch ich zu einem Fest in diesem Hause durch die jungen Maler geladen. Ich ging natürlich nicht hin. Im Dorf verbreitete sich die Nachricht, daß die Kommunisten die Organisatoren des Festes seien, um neue Putschvorbereitungen zu beraten. Das Haus war festlich beleuchtet und sehr gut besucht. Da, in der Nacht, hatte der Landrat mit seinen sämtlichen Kreisgendarmen das Haus umstellen lassen. Er selber drang nun in die tanzende und lärmende Gesellschaft ein und gebot Ruhe. Erstaunt ließen sich die Paare los. Aus der Menge erscholl ein Ruf: »Hut ab vor dem Landvogt«, bald darauf: »Landvogt werde hart.« Die Gesellschaft, die sich über den Ernst der Lage nicht klar war, amüsierte sich köstlich. Der Landrat wurde scharf, redete sich in Wut und ergriff eine besonders laut hervortretende Dame beim Arm. Das war eine handgreifliche Beleidigung, zumal der Gatte dieser Dame ein höherer

Offizier aus Bremen war, der hier allerdings in Zivil auftrat. Kurz, der Zusammenstoß der beiden Herren wurde ernst, so daß sich beide zusammen in ein leeres Zimmer zurückzogen. Nach diesem unverhofften Zwischenspiel gab der Landrat einem Gendarmen den Befehl, eine Personenstandsaufnahme zu machen. Kommunisten wurden jedoch nicht gefunden. In dieser Gesellschaft befanden sich natürlich keine. Was drinnen zwischen den Herren abgemacht wurde, entzog sich der Beobachtung. In strenger Haltung trat der Landrat wieder auf und befahl: »In diesen Räumen wird nicht mehr getanzt.« Dann haute er ab. Es blieben die beiden Dorfgendarmen. Otto Tügel, der witzige Rufer aus der Menge, bewaffnete sich mit zwei Sektflaschen und einer Kiste Importen, schritt auf den Tisch los, an dem die Gendarmen saßen, und plazierte seine Gaben auf die Tischplatte, indem er den Befehl des Landrats wiederholte: In diesen Räumen wird nicht mehr getanzt, und hinzufügte: »Wir tanzen oben.« Von oben erklangen schon anregende Foxtrottrhythmen, und alle Gäste fluteten lärmend über die Treppe in die oberen Räume.

Mit Bernhard Hoetger kam ich nur noch zusammen, wenn ich ihn bei Roselius traf, die paar Male, als wir uns zufällig auf der Straße in Worpswede trafen, nicht gerechnet, da sie stets von Hoetgers Frau abgebrochen wurden. – Sie hatte eine gräßliche Angst, daß ihr Bernhard noch mal von den gefährlichen kommunistischen Ideen beeinflußt werden könnte wie 1918. »Bernhard, du weißt, du hast Kopfschmerzen, gehen wir nach Hause, leg dich etwas hin.« Das war für Bernhard so gut wie ein Befehl, und unsere Unterhaltung war zu Ende. Hoetger hatte 1918 viel Verständnis für soziale Probleme gehabt, war beinahe Kommunist gewesen. Jetzt sprach er zu mir in diesen Worten: »Die heutigen kommunistischen Experimente sind nicht reine Werke, sondern von tausend Nebeninteressen geleitet. Ihnen werden Enttäuschungen nicht erspart bleiben.«

»Hoetger, Sie haben jede Gemeinschaft mit der Masse des Volkes verloren, aus der Sie stammen, jeden Glauben an die Menschen, die allein fähig sind, die Menschheit aus dem Verfall herauszuführen zu einer höheren Stufe der menschlichen Entwicklung. Aber die werktätigen Massen sind sich ihrer Kraft bewußt geworden, es kommt jetzt darauf an, ihre schöpferischen Kräfte zu wecken und auszuwerten zum Wohl der bisher Ausgebeuteten und vom kulturellen Leben Ausgeschlossenen.«

»Das könnte aber auch der kommunistische Staat nicht«, sagte der Bildhauer, »denn Sache des Staates ist nur das, was er kann, nämlich der Staat muß Gerechtes an Gerechtes reihen nach menschlichem Ermessen.«

»Aber das menschliche Ermessen eines profithungrigen Kapitalisten ist doch ein anderes als das des ausgebeuteten, verelendeten

Menschen? Und Gerechtes? Das Gerechte ändert sich mit der Macht seines Trägers.«

»Ich bin gegen jede extreme Regierung«, antwortete Hoetger, »jede extreme Regierung läuft die Gefahr der Übersättigung irgendeiner Überzeugung, die als fetter Kadaver die anständige Lebendigkeit verpesten wird.«

Das war eines der letzten Gespräche, als wir uns an der Weggabelung der Dorfstraße trennten. Hoetger stieg den Berg hinauf, an dessen Hang das neue Heim von ihm stand, mit seiner spukhaften germanischen Giebelsilhouette. Ich ging an unserem Teich entlang, stieg die Kiefernschonung hoch und legte mich ins Bienenhaus zur Ruhe.

Das Feuer

Eines Nachts, ich hatte kaum einige Stunden geschlafen, da erscholl draußen vor dem Fenster des Bienenhauses der ängstlich stöhnende Ruf Walters: »Feuer, Feuer! Der Brunnenhof brennt!« Mein kleiner Raum am Bienenhaus war ganz von rotem Schein erhellt, der sich an der Zimmerdecke fing. Hoetgers früheres Haus, das schloßartige Gebäude an der Landstraße, brannte. Wir beiden Männer eilten mit Feuerhaken und Eimern hinunter über die Landstraße zur Feuerstelle. Die Dorffeuerwehr kam, und wir halfen, die Schlauchleitung bis in unseren Teich zu führen. Doch das ganze Haus stand schon voll in Flammen. Auf der Grenze des Nachbargrundstückes, wo früher Paulas bescheidener Arbeitsraum gewesen war, dessen Haus aber in den Besitz des Malerschriftstellers Uphoff übergegangen war, stand Martha Vogeler, die mit Hilfe unserer Leute vom Barkenhoff Wertgegenstände, Bilder, Teppiche rettete, mit denen sie das Zimmer ihres Geliebten, dessen Unterkunft hier war, ausgestattet hatte. Der Wirt des Brunnenhofes rettete seine Weine und die guten französischen Cognacs und versteckte sie unter Büschen; sie fielen jetzt in die Hände der jungen Bauern, in die Hände der freiwilligen Feuerwehr. Zu retten war bald nichts mehr. Der Mittelbau war ausgebrannt. Die Ecktürme drohten einzustürzen. Schon fielen die brennenden Fußbodenbalkenlagen in die Glut, die den Boden bedeckte; und da kam der verkohlte Körper eines Menschen herunter, der kleine, etwas bucklige Gärtner hatte sich nicht mehr retten können.

Für die Bauern war der Brand eine rechte oder gerechte Augenweide. Das Haus galt in letzter Zeit als Inbegriff der Unsittlichkeit und Protzerei. Es war der Treffpunkt ausländischer und inländischer Spekulanten geworden, die dort mit lustigen Frauen zusammenkamen. Eine Untersuchung auf Brandstiftung blieb erfolglos.

Zersetzungserscheinungen

Zersetzungserscheinungen in der Barkenhoffkommune traten schon etwa ein Jahr vor dem Brand des Brunnenhofes hervor. – Während der Zeit nahmen die Diskussionen innerhalb der Arbeitskommune verschärfte Formen an. Die Syndikalisten traten immer wieder gegen die Diktatur des Proletariats auf: »Was man in Rußland macht, ist Staatskapitalismus und führt zu einer neuen Art von Unterdrükkung und Ausbeutung der Arbeiterschaft.«

»Das könnte nur kommen«, entgegnete ich, »wenn die Arbeiter ihre gewonnenen Rechte, die Wahl der Besten aus ihrer Mitte in die Sowjets und die bestehende Möglichkeit, die Abgeordneten beim Nichtfunktionieren wieder abzurufen, nicht auszuüben verständen.«

Fidi Harjes antwortete: »Wo sind denn die aufgeklärten Arbeiter, die so weit entwickelt sind, daß sie die Rechte in jedem Falle in Anspruch nehmen? Ich stehe auf dem Standpunkt«, sagte der Syndikalist, »daß zuerst der Mensch geändert werden muß, erst dann werden sich die Verhältnisse ändern. Nur so wird die Revolution siegen!«

»Also zurück in das kapitalistische System! Wo hat denn der Arbeiter die Entwicklungsmöglichkeit in der bürgerlichen Welt?«

»Hat er sie denn vielleicht unter der Diktatur des Proletariats? Die Diktatur verschüttet doch jede Möglichkeit der Entwicklung der persönlichen Veranlagung!«

»Unsinn, die Diktatur ergreift und verwaltet alle Mittel, mit denen sie die individuellen Anlagen der Arbeiter und Bauern zur Entfaltung bringen kann. Der rechte Mann am rechten Platz ist eine der wichtigsten Aufgaben im Kommunismus. Ihr glaubt aber, daß nach der gewonnenen Revolution die herrschaftslose, klassenlose Gesellschaft beginnen muß. Viele von uns möchten auch dann sofort die Waffen vergraben!«

»Ich habe doch«, sagte der Metallarbeiter, »mit der Waffe in der Hand in den Bremer Straßen gegen die Bourgeoisie gekämpft. Was wurde da alles von den Kommunisten falsch gemacht! Nein, unsere Arbeiter sind noch nicht reif, den Umbau der Gesellschaft in die Hand zu nehmen.«

»Und die Bourgeoisie, wird sie ihre Mittel zum Aufbau des Sozialismus auf friedliche Weise hergeben?« warf ich ein. »Als ihr mit dem Gewehr kämpftet in den Bremer Straßen, wart ihr weiter als ich. Ich glaubte noch durch pazifistische Predigten mit Vernunftsgründen an die Bourgeoisie herankommen zu können – aber grade eure Kämpfe und auch die drei Überfälle der Reichswehr auf den Barkenhoff haben mich belehrt, daß der Kampf langwierig und erbittert sein wird; die Arbeiter haben mir bewiesen, daß keine herrschende Klasse freiwillig ihre Macht abtritt. Jetzt habe ich gelernt, und die Bremer bewußten Arbeiter haben mir den Idealismus ausgeboxt und mich mit den Füßen wieder auf den Boden der Wirklichkeit gestellt. Nun sage mir nur noch, Fidi, wozu sind wir hier auf dem Barkenhoff zusammengekommen? Ich glaube, um uns selber an gemeinsamer Arbeit zu erziehen und den Kindern ein Beispiel zu geben. – Da kannst du ja zeigen, wie der neue Mensch aussieht, wie er denkt und was er tut.«

»Aber alles ohne Diktatur, du hast nämlich selber große Anlage zum Diktator.«

»Das trifft mich nicht, ich habe das schon mal gehört. Wenn ich morgens um sechs Uhr die Tomaten anhacke, so komme ich dem Bedürfnis der Pflanze nach und tue das nicht, um auf euch einen Druck auszuüben; denn ich weiß, daß wir uns auf dich verlassen können, daß du deine Messingbuchstaben für die Bremer Auftraggeber stets zur rechten Zeit fertig hast und sogar noch Zeit erübrigst, im Acker zu arbeiten. – Ich selber konnte mich nie beklagen, daß ihr mir nicht die Zeit gönntet, in meiner Zelle propagandistisch schriftstellerisch zu arbeiten. Ja, als meine Produktion als Maler keinen materiellen Erfolg mehr hatte, wart ihr es, die Gipser aus Bremen holten und die Dielenwände vorbereiten ließen für eine Malerei, die unserem revolutionären Leben entspricht.«

Zur Zeit dieser Diskussionen war die große Jugendbewegung, die in den Jahren 1919, 1920, 1921 über den Barkenhoff ging, schon abgeebbt. Damals hatten wir vieles für die Wandernden eingerichtet. August, der alte Zimmermann, hatte eine alte Rumpelkammer am Stall aufgeräumt und in drei Reihen Holzpritschen übereinander Nachtlager für die jungen wandernden Menschen eingerichtet; auch das genügte damals nicht. Ein Teil der Jugend baute sich am Hang im Garten einen Unterstand. Abends prasselte dort ein großes Feuer vor dem Eingang, und alle versammelten sich im Kreis; man berichtete, man sang, man diskutierte, um Wege in die nächste Zukunft zu finden. – Nie fielen die Jungens und Mädels der Arbeitskommune zur Last, immer wußten sie eine Arbeit zu finden, die den Hof weiterbrachte. Die Vertiefung des Teiches war eine dieser selbstgestellten Aufgaben. Andere Jungens wanderten über Nacht zum Hoetgerschen Denkmal und holten das überflüssig gewordene Gerüstholz, um das Stallgebäude am Barkenhoff durch den Bau einer Waschküche zu ergänzen.

Im Jahre 1922 hatte sich die Situation auf dem Hof durch die enge Verbindung mit der Bremer Arbeiterschaft in der Beziehung sehr geändert. Die Ruhrarbeiter sandten Werkzeuge, die sie aus dem Schrott sammelten. Sogar ein Apparat zum autogenen Schweißen kam eines Tages an. Vor allem waren es die revolutionären Bremer Werftarbeiter, die durch ihren kollektiven Besuch in Begleitung ihrer Familien dem Barkenhoff einen neuen Charakter gaben. Die Arbeiter kamen an den Sonntagen zu großen Gruppen und lagerten auf dem grasbewachsenen Hausplatz vor dem Naturtheater. Die kleine halbrunde mit alten Birkenbäumen bestandene Erdinsel auf dem Platz, um die sich die Auffahrt rundete, eignete sich, da sie Sitzhöhe hatte, ausgezeichnet zum Lagern und Diskutieren. Themen der Erörterungen waren vor allem Sowjetrußland und die Erziehungsprobleme für die Arbeiter- und Bauernjugend. – Die Jugend, die auf den Hof kam, tummelte sich im Teich, und einige der Arbeiterfrauen nahmen die Versorgung der großen Gesellschaft in der Küche in die Hand. Durch die Genossen aus der Praxis des Kampfes lernte ich viel; die Syndikalisten verhielten sich recht schweigsam. Ich verlor die letzten Reste meiner kleinbürgerlichen Einstellung, und das wirkte sich in dieser Zeit auch auf meine künstlerischen Ausdrucksmittel, auf die Wandmalerei aus, die die Hausdiele bedecken sollte. Dort verflochten sich jetzt bei meiner Arbeit Kriegserkenntnisse mit der revolutionären Bewegung der Arbeiterschaft. Von den Karpaten nach Galizien, Einblick in ein Bergwerk, dann das ukrainische Kornland. Ukrainische Bauern übergeben einem deutschen Feldgrauen zum Abschied die rote Fahne, die er in sein Land tragen soll. Ein anderes Langbild zeigt die Arbeit der Kinder im Gemüsegarten unter Gottliebs Leitung. Meine Erinnerungen aus Ceylon hielt ich fest in einem besonderen Bilde, das von der revolutionären Befreiung der farbigen Völker und von der Roten Hilfe spricht.

Um diese Zeit kam ich auch mit den beiden neuen Menschen zusammen, die nach Worpswede gekommen waren: Liselotte Dehmel und Sonja Marchlewska. Wir quartierten sie in dem Hause meiner Mutter unten an der Landstraße ein. Es war die Zeit, als auch der Vater Sonjas, Julek Marchlewski, auf ein paar Tage zu Besuch kam. Er wohnte in einem Zimmer vom Brunnenhof.

Im Herbst fuhren die meisten Mitglieder der Arbeitskommune zu meinem Bruder Edu nach der Geflügelfarm Adiek, um dort die Kartoffeln auszumachen und für ihre Arbeit den Wintervorrat an Kartoffeln für den Barkenhoff zu empfangen. Anfang Winters war dann der Brand des Brunnenhofes.

Die Geburt

Im Frühling lag Marie in schweren Geburtswehen. Walter war mit der Hebamme bei ihr im Zimmer. Da rief Marie laut, als sei es der Stoßschrei einer Untergehenden: »Mining, holt Mining!« Ich hatte auf der Diele gesessen, hatte gefühlt, daß ich irgendwie noch nötig sein könnte. Jetzt kniete ich an ihrem Bett nieder. Marie umklammerte meine Hände und preßte ihren Kopf dagegen. Dann war ein Schrei da, und alles lockerte sich in ihr. Die helfende Frau hatte ein winziges krebsrotes Menschlein in den Händen. »Ein Junge«, rief sie. »Mining«, flüsterte leise die Mutter, »so soll er heißen.«

Marie und Walter führten nun ein sehr arbeitsames Leben, privat zu Hause isolierten sie sich aber. Ich sah sie nur auf dem Felde oder auf den Betriebsversammlungen, die in der gemeinsamen Küche stattfanden.

Mein Leben spielte sich im Bienenhaus ab. Ich schrieb wieder viel, las, lernte und hatte persönliche grundsätzliche Auseinandersetzungen mit Leuten aus verschiedenen Ständen, die zu mir kamen. Darunter waren nur noch selten alte Bekannte aus dem bürgerlichen Lager. Die Trennung wurde scharf. Mit der Bremer Arbeiterschaft festigte sich das Verhältnis. Eine natürliche Patenschaft entstand, und das gab mir meine Sicherheit in den inneren Kämpfen mit den Kommunemitgliedern; ich fühlte immer mehr, daß die Utopie einer kommunistischen Zelle im Rahmen der kapitalistischen Gesellschaft alle niedergehaltenen Keime kleinbürgerlicher Privatwirtschaft wieder zur Entwicklung bringen mußte.

Meine letzte Schrift, die der Verlag der »Silbergäule« in Hannover herausgab, hieß »Expressionismus der Liebe«. Sie stellt das Verhältnis der Geschlechter zueinander dar – gesehen vom Standpunkt des schöpferischen Gestaltens, und die sich daraus ergebende Trennung der Geschlechter, wenn die Schöpferkraft des einen oder anderen erlahmt und somit zu einer Befruchtung von anderer Seite treibt, als sittliche Forderung für den neuen Menschen. Bisher waren eine Reihe von Broschüren herausgekommen. Eine mit der metaphysischen Aufschrift »Kosmisches Werden und menschliche Erfüllung«. In der Schrift kam zum Ausdruck, daß die Erfüllung aller menschlichen Sehnsüchte der schöpferische Prozeß ist, das gemeinschaftliche Gestalten an allen Erfordernissen der menschlichen Gesellschaft, in der die Klassengegensätze, die Ausbeutung des Menschen durch den Menschen, vernichtet sind. Dann kam das Buch »Frieden«, was Aussichten auf eine neue Weltordnung gab, aber als pazifistische Phantasie schon im Entstehen keinen festen Boden mehr hatte. »Arbeitsschule als Aufbauzelle der klassenlosen Gesellschaft« enthielt aber schon viele Gedanken, die eine reale Auswirkung hatten. Bei allen fortgeschrittenen Menschen und besonders bei der Jugend selbst standen nach der Novemberrevolution in Deutschland die Probleme der Jugenderziehung im Vordergrund des Interesses, die Erziehung zur Selbstdisziplin und der Drang zum Gestalten. Das gab nun allerdings zuerst ein fürchterliches Chaos in den Schulen vor allem unter den Kindern. Ich wurde in verschiedene norddeutsche Städte gerufen, vor allem nach Hamburg, um in Schulen mit den Lehrern und Kindern zu sprechen. – Dann war in Berlin, im Landtagssaal, eine Konferenz der Schulmänner. Hier traf ich auch mit Erich Mühsam und seiner Frau, der Zenzi, zusammen. Erich Mühsam war ein aufrechter und mutiger revolutionärer Mensch, er hegte auch eine tiefe Verehrung für Lenin, aber er war nie ein überzeugter Kommunist. Er fand einen grausigen Tod nach unbeschreiblichen sadistischen Foltern durch die Faschisten.

[Übergabe des Barkenhoffs]

Eines Tages kamen die abgewanderten Anarchisten* auf den Barkenhoff angefahren mit einem einspännigen Ackerwagen und handfesten Leuten. Fidi, der Metallarbeiter, verwickelte mich in endlose Diskussionen. Während dieser Zeit luden die übrigen vor allem sämtliche Werkzeuge, die hauptsächlich die Ruhrarbeiter der Kommune geschenkt hatten, aber auch manches Stück, das gemeinsam angekauft war, wie moderne praktische Bienenkästen, auf ihren Wagen und zogen mit dem geraubten Gut ab, um sich eine private Werkstätte in einem ferneren Ort aufzubauen. Natürlich dachte ich nicht daran, gerichtlich gegen diese Gesellschaft vorzugehen und den Bremer Bürgern das ergötzliche Bild zu liefern, wie eine utopische kommunistische Phantasterei als Zelle für das Werden einer neuen Gesellschaftsform durch ihre Verankerung in der kapitalistischen Gesellschaft zusammenbrechen mußte und die einzelnen Arbeitsgenossen ihr Eigentumsverhältnis wiederherstellten. Ich beriet mich nun mit meinen paar Genossen, die geblieben waren, mit dem alten August, dem Zimmermann, mit Klara Möller und mit Walter und Marie, die letzten beiden hatten längst beschlossen, sich ein eigenes Grundstück in der Heide zu kaufen und sich ihr Leben dort

[* In einem Entwurf von Vogeler zu diesem Text heißt es: »Die wirtschaftlichen Verhältnisse der Arbeitskommune standen schlecht. Bilder entstanden außer den Wandbildern in der Barkenhoffdiele nicht. Das Verhältnis zu den Anarchisten war unhaltbar geworden. Endlich zogen sie mit Frauen und Kindern ab.« Ihre Familien brachten sie »in dem Ort Lesum, zirka vierzig Kilometer vom Weyerberg« entfernt, unter. (An anderer Stelle heißt es: Sie »hatten sich mit Unterstützung eines anarchistischen Millionärssohns aus Rheinland-Westfalen ein Eigenheim gegründet«.)]

aufzubauen. Ich machte den Vorschlag, den ganzen Besitz an die Arbeiterschaft zu verschenken, aus dem Barkenhoff ein Erholungsheim für die Kinder der politischen Gefangenen zu machen. Alle waren einverstanden. Klara Möller in ihrem klaren proletarischen Denken hielt diese Lösung der Frage für die einzig mögliche, August paßte sich an, und am nächsten Sonntag kamen etwa fünfzig Arbeiter aus der Stadt, unsere alten befreundeten revolutionären Genossen. Auf dem Platz vor dem Hause empfingen wir sie, und ich übergab mit einer kleinen Ansprache den Besitz Barkenhoff mit allen Wünschen für das Glück der Kinder unserer politisch verfolgten Genossen. Ich gab eine kurze Übersicht über die für mich so lehrreiche Geschichte der Arbeitskommune, über den Zusammenbruch einer derartigen Utopie im Rahmen der kapitalistischen Gesellschaft, wies auf die großen Opfer der revolutionären Arbeiterschaft hin, auf die im Kampf gefallenen und die in den Gefängnissen schmachtenden Revolutionäre. Ich sprach der Arbeiterschaft meinen Dank dafür aus, daß sie mich erst zu einem wirklichen Kommunisten gemacht habe, indem sie den Barkenhoff durch ihre Zusammenkünfte auf dem Hof zu einem revolutionären Lehrmittel gestaltet habe, das vom heutigen Tage an als Zeichen der Solidarität der revolutionären Arbeiterschaft einen politischen Faktor im Leben der Kommunistischen Partei bilden und den Kindern einige sonnige Wochen Erholung geben möge. Ab heute sei der Besitz in die Hände der Roten Hilfe übergegangen.

[AUS DEN ENTWÜRFEN ZUM ZWEITEN BUCH]

[Ehekrise]

Um diese Zeit kam ein junger Student ins Dorf, ein kräftiger Mensch mit einem etwas dicklichen Gesicht, durch das sich Mensurschmisse zogen. Martha hatte ihn im Dorf kennengelernt und brachte ihn mit auf den Hof. Der junge Mann war stark dem Alkohol verfallen. Offenbar befand er sich in einer tiefen Lebenskrise. Er hatte ein Duell ausgeschlagen, war also, um einen studentischen Ausdruck zu gebrauchen, nicht mehr satisfaktionsfähig. Dabei war er eitel, erschrak dann wieder vor der eigenen Renommisterei, wurde wieder ganz klein und wankend, ein Mann vor dem Zusammenbruch, der sich auf irgendeine unbekannte Insel zu retten suchte. – Die junge Frau nahm ihn sehr scharf vor, schlug ihm, sozusagen, alle künstlichen Verzierungen ab und bekam das Bild von einem Menschenkind, was wohl wert war, es neu aufzubauen.

Es verging einige Zeit, da fand Johannes seine Frau einmal bei Einbruch der Nacht auf dem Bettrand sitzend. Die schwarze Silhouette des geliebten Menschen machte im Dämmer einen erschütternd verzweifelten Eindruck auf ihn; so hatte er sie noch nie gesehen. Johannes ging leise auf sie zu, stand neben ihr, ohne sie anzurühren. – Sie hob ihren Kopf, und in dem fahlen Licht vom Fenster her glaubte er ein unbekanntes, verstörtes, hartes Gesicht vor sich zu sehen.

»Ludwig wird diese Nacht nicht überleben. Er ist am Ende seiner Kraft.« Eine Stille baute sich zwischen den beiden Menschen auf wie über einem Abgrund. Dann rangen sich in Johannes die Worte los: »Geh zu ihm – du mußt!« Wie Steine aus einer morschen Wand bröckelten diese Worte hin. Zögernd, fast müde, warf Martha ihr Kleid über. Als die Tür sich hinter ihr schloß, hörte Johannes noch die eilenden Schritte auf der Treppe, gleich darauf das Zuklappen der Haustür. – In dieser Nacht verlor Johannes seine Frau, die Mutter seiner drei Kinder, auf immer. Ein Traum zerbarst, wie eine schillernde Seifenblase, von der man keine Spur mehr zurückbringen kann.

Leise trug Johannes sein Bettzeug in das Schlafzimmer der Kinder und bettete sich auf den Fußboden hin. Er wollte sein Leben stärker und stärker mit dem Leben der Kinder verknüpfen. Er war in der Nähe ihrer Spiele und begann wieder zu malen. Abends, wenn die kleinen Mädchen im Bett lagen, saß er bei ihnen und las Geschichten vor. Die Bilder, die 1913, 1914 entstanden, zeigen das Baden im Teich, die kleinen nackten Körper der Kinder beim Pflücken von Obst in den Johannisbeersträuchern; da war der Einblick in ein kleines Sonnenzelt, das sich die Kinder am Teich gebaut hatten, Blumen, Früchte waren da und der weiße Pudel. Das Sonnenlicht über dem weißen Zelt hüllte das Innere in einen goldenen Dämmer. Eines der schönsten Bilder waren die beiden ältesten Mädchen nebeneinander im Bett beim Zuhören. Es war ganz auf Weiß und Blau gestellt. Das eigentümliche Blau der Schlafzimmerwand stimmte das Kinderbild wie eine nächtliche Dämmerstunde. Ein Bildnis mit der Katze kam hinzu. Diese realistisch gemalten Bilder trugen einen neuen Weg in sich, den Weg zur monumentalen Malerei. Es entstand auch eine Radierung, in der zum ersten Mal das Geburtsmotiv auftritt. Vor einer schlanken jungen, in den Knien hoch aufgerichteten Frau liegt ein kleines Kind. Ihre Hände ruhen im Schoß, als hätten sie gegeben und wollten empfangen. Ihr Kopf lehnt sich hingebungsvoll in eine mächtige Hand, die aus den Wolken kommt. In der Ferne schreitet ein Mann fort, aus einer verödeten abstrakten Landschaft in das Nichts, über dem Wolken hängen. Der Mann trägt schwer auf dem Rücken ein Kreuz, das mit seinem verschwindenden Fußende auf das Herz der jungen Mutter zielt, wie ein Dolch. Vom Herzen der Mutter aus gehen belebende Strahlen, die ihr Licht in die Ferne tragen. Das Blatt ist ganz zart, innig im Empfinden. Die große Hand aus den Wolken und die Figur sogar von einer realistischen Körperlichkeit, aber die Umwelt ist so abstrakt wie möglich, erweckt Gefühle einer traumhaften gefährlichen Mystik.

Das letzte Ölbild dieser Zeit ist überaus leidenschaftlich gemalt. Eine einfache flächig-grüne Landschaft ohne Bäume; oben ein schmales Stückchen ferner Himmel, inmitten des Bildes ein nackter knieender Mensch, dessen Unterschenkel, voneinander abliegend, sich ins Grün des Rasens stemmen, als wollten die Füße sich in dem Erdboden festkrallen, Halt suchen. Der nackte Mensch ist ganz ekstatisch nach oben gestreckt, die Arme verlängern und überhöhen diese Streckung, sie endet in den sehnigen Händen, die sich in die letzten, noch sichtbaren Falten des Kleides einer Frau (eines Engels?) verkrallen, deren Körper schon nicht mehr sichtbar ist. Der hintenübergefallene, nach oben blickende Kopf des Mannes zeigt eine leidenschaftliche Verzweiflung. Im Hintergrunde, gegen die helle Luft, reitet die Romantik fort, sieht sich noch einmal nach sich selber um.

Da war ein Abend gewesen, als der Mann und die Frau sich im Garten trafen. Es war schon in der Dämmerstunde. Stumm stiegen sie zur Terrasse vor dem Hause hinauf; das Paar saß zum erstenmal,

Kind mit Katze (Tochter Martha). Öl, 1914

nach langer Zeit, sich gegenüber. »Eines wird mir nicht klar, was mir mein Leben so schwer macht; warum konnte ich das Leben gestalten, konnte Träume zu Wirklichkeiten machen, das war der Frühling unseres Lebens, und als die Zeit kam, daß die Früchte reiften, kamen Fremde und nahmen sie? – Wenn ich Feste bereitete, versank ich am Tage der Vollendung in tiefste Einsamkeit, mußte fliehen vor mir selber. – Dein Wachstum stützte ich, wie ich jedem Baum und jeder Pflanze in unserem Garten Hilfe gab; und da ich dich am stärksten nötig hatte – gingst du von mir.« Eine Stille lag über dem nächtlich duftenden Garten. Kein Arbeitsgeräusch drang mehr aus dem Moor zu ihnen hinauf, kein Hund bellte. Es war, als ob der Garten horchte. Die Frau: »Aber deine Liebe zu mir starb. Du hattest ja immer deine Kunst, deine Arbeit machte dich zum Asketen, und ich sah doch, wie du dich wohl fühltest, als ein Märtyrer der Kunst.« Eine Stille klaffte auf. Johannes' Gedanken wurden gefesselt von bitteren Erkenntnissen. Martha war aufgestanden, es schimmerte nur noch ihr weißes Kleid im nächtlichen Dämmer. Sie fühlte sich stark, hart und doch ihm menschlich nahe, als sie ohne Bitterkeit und ohne Haß und ohne Wärme sagte: »Wenn deine Liebe zu mir so stark wäre, wie du glaubst, so würdest du Ludwig niederschießen.« Dann wandte sie sich ab und ging ins Haus. Das war unmenschlich. Sie warf sich auf ihr Bett und schluchzte verzweifelt auf. Die starken natürlichen Instinkte dieser Frau hatten sie zur Konsequenz getrieben, stießen den Mann vorwärts zum Tod oder zum Leben. – Endlich wurde sie ruhig. Still baute sich in ihr die Hoffnung auf, daß die Liebe in ihm sterben werde und Freundschaft aus ihren Trümmern aufkeimen müßte. Dann sank sie in Schlaf. – Johannes erhob sich von der Steinbrüstung der Terrasse, auf der er gesessen hatte, und schlenderte durch den dunklen Garten. Dann wanderte er und wanderte durch die Nacht. In ihm wuchs eine lichte Klarheit. Das gefahrvoll lockende Kleid einer romantischen Weltanschauung, das er bis dahin durch sein Leben trug, hatten die Dornen der Wirklichkeiten an allen Ecken und Enden aufgerissen. Das Ausflicken mit neuen träumerischen Hoffnungen war zu Ende. Das Kleid fiel vor ihm in den Staub. Er fühlte, wie Kälte in ihm hochkroch. Etwas baute an ihm. Leben, leben. Die Welt ist so weit und mein Leben so eng, so ummauert.

Typen vom Sommer 1918 bis Mai 1919

Aus der englischen Gefangenschaft Goliva, genannt Goliath. Ein sehr Langer, mit großen Händen, etwas gekräuseltes Haar, offenes Gesicht. Ruhiges Temperament. (Heiratet später eine ganz kleine Frau. Bewirtschaftet das von Hoetger erbaute Café am Berge.)

Jan Bontjes, Matrose aus der Gefangenschaft. Auffallend schöner, kräftiger, sehr naiver, blonder Jüngling. Tanzt gut. Kam aus Wilhelmshaven mit einem etwas lahmen Intellektuellen, einem spekulativen Klugscheißer, der jede Lage spekulativ (für sein eigenes Ich Wichtiges) ansieht. Fiel in Berliner Theatern und Konzerten nur durch seine wirkungsvolle Begleitung auf, den schönen Matrosen Jan Bontjes. Dann waren noch vorübergehend zwei junge Mädchen auf dem Barkenhoff, Klara Möller, eine sehr aktive Kommunistin, Genossin, und [Sibyl Pietzsch], die jetzige Frau (sehr guter Fotograf) von dem abstrakten Maler Moholy Nagy. Alle verschwanden bald einige Monate nach dem Zusammenbruch der Bremer Räterepublik, das heißt, die beiden jungen Mädchen waren, als Bremen von der Reichswehr bedrängt war, dorthin abgewandert und taten unter dem Deckmantel der Sanitätshilfe gute Nachrichten- und Aufklärungsdienste für die Arbeiter, die im Kampf standen, und trugen die Verwundeten in die Häuser.

Dann kamen viele politisch Verfolgte. Der letzte dieser Gruppe Matrose Lieby aus Cuxhaven, militärischer Leiter der aufständischen Matrosen in Cuxhaven, später Bremen.

1919–1921 die Jugendwanderungen.

Studienzeit Sommer 1918

»Mein ganzes Leben faßt sich in einem Gedanken zusammen: allen Menschen die freieste Entwicklung ihrer natürlichen Anlagen zu sichern«, das waren Saint-Simons letzte Worte. – Ich hatte noch keine Verbindung mit revolutionären Arbeitern, studierte mit dem Freunde Curt [Stoermer?] Fourier und Proudhon. Doch schien mir das der Jetztzeit nicht angemessen. Von Marx–Engels hatte ich noch nichts gelesen. Ein unbewußter Drang brachte mich nach Bremen, wo ich die Verbindung mit den Kommunisten aufnahm. Der Genosse Knief sagte mir, ich solle weiter unter den Bauern gegen den Krieg arbeiten; »im übrigen scheint ihr da draußen Anarchisten zu sein, und wir werden uns mit euch noch auseinandersetzen«. Die Zusammenkunft mit dem Genossen Knief, den ich in der Druckerei an der Maschine aufsuchen mußte, war für mich als einen politischen Analphabeten, als suchenden Maler ein starker Eindruck, der mich festigte und vorwärtstrieb. Diese ruhige, kraftvolle, klare Persönlichkeit mußte mir einmal den rechten Weg weisen, das war mein heißer Wunsch, als ich heimmarschierte. [Folgt Besuch Charlotte Bara. Belgische und russische Kriegsgefangene. Entmachtung des Osterholzer Landrats. Vgl. S. 215–220. Darauf folgt:]

[Revolution in Bremen]

Der Arbeiter- und Soldatenrat hielt öffentliche Versammlungen ab, hatte überall die Aufklärung zu übernehmen und durch praktische Eingriffe das Spekulationswesen zu unterdrücken. Zum Arbeiterrat in seinem Dorf gehörte außer Johannes noch ein ganz intelligenter Schneider, der sich aber manchmal betrank, und ein phrasengefüllter Maler, Carl Emil Uphoff, ein »Klookschieter«. [Folgt Charakteristik Fritz Entelmanns und die Beschlagnahme des Pettkuser Saatroggens, vgl. S. 220.] Die Sitzungen des Arbeiter- und Soldatenrats fanden in der Kreisstadt Osterholz statt, wo die Tätigkeitsberichte abgegeben werden mußten und die politische Lage im ganzen besprochen wurde. [Folgt Vogelers pazifistische Ablehnung der Rätesitzungen unter Gewehr, S. 220.] In Bremen waren die [später korrigiert: »unsere«] Sitzungen im Börsengebäude. Überall spielten die bewaffneten Matrosen die Hauptrolle. Ihre einfache Art, die Maschinengewehre am Bahnhof den Infanteristen aus der Hand zu nehmen und die Leute nach Hause zu schicken, machte wenig Aufsehen und kein Blutvergießen. Alle ankommenden Soldaten wurden gefragt: Machst du mit? Wenn nicht, gib dein Gewehr und geh nach Haus. Über die Endziele der Revolution waren sich die Matrosen absolut nicht klar, ich ging mit ihnen in die Infanteriekaserne [folgt die Entwaffnung der Fünfundsiebziger, vgl. S. 219].

Dann übernahmen die gewählten Volksbeauftragten die Macht in Bremen, Kommunisten, Unabhängige und Sozialdemokraten. Die aus den Gefängnissen zurückkehrenden Politischen wurden mit großen Summen Geldes entschädigt. Auf den Versammlungen in der Börse ging es hoch her [folgt Plättners Auftreten, vgl. S. 221].

Die Kräfte reichen nicht?

Das Unternehmertum machte große Schwierigkeiten bei der Versorgung der Großstadt. Von den Arbeitern wurde die Weserwerft befestigt. Geschütze wurden zur eventuellen Beschießung des Parkviertels aufgestellt, wo die Reichen wohnten. Ein Torpedoboot lag auf der Weser bei der Werft und hielt die Verbindung mit den Unterweser-Fabrikorten aufrecht. Währenddessen setzte sich von Berlin aus der Oberst Gerstenberg, ein alter Haudegen, mit einer Truppe und dem Auftrag in Bewegung, die Räteregierung Bremen auszuheben und zu vernichten.

[Folgt Kniefs Erkrankung, vgl. S. 220f. und 226.]

Da der Freund Marthas einer der Bremer Volksbeauftragten wurde und der Maler Curt Stoermer die Pressezensur ausübte, so tagten die anderen Räte auch manchmal auf dem Barkenhoff. Johannes bemühte sich weiter in der Arbeit unter den Bauern. Der Freund und seine Martha fuhren nun nach Berlin, um die ganze politische Lage kennenzulernen. Es war in der Zeit, als auf der Konferenz alle kommunistischen Gruppen sich unter einem gemeinsamen Programm zur Kommunistischen Partei Deutschlands zusammenschlossen. Dann kamen die beiden zurück, und der Volksbeauftragte Bäumer nahm seine Arbeit mit den Bremer Genossen wieder auf.

Notizen

Bremen. Zu Buch II Besonderes

Kampf der Arbeiter vom Hause von Kapp[?] über die Weserbrücke. Betrieb A. G. W.[eser] gut bewaffnet, schoß aber nicht mit Artillerie, die auf das Parkviertel gerichtet war. Die rückwärtige Linie war von der Weser aus durch ein Torpedoboot gesichert. – Endlich war die Stellung der revolutionären Arbeiter, die die Weserbrücke noch hielt, durch Minenwerfer zerstört, unter großen Verlusten für die gegenrevolutionären Kräfte. Ein Schiff brachte viele der verantwortlichen Genossen über das Wattenmeer nach Hamburg; strandete aber unter schlechter Führung, die Passagiere warteten die Ebbe ab und gingen dann zu Fuß über die Watten an Land.

Die bewaffnete Hilfe der Arbeiter aus Hamburg konnte durch Verrat und gefälschte Telefongespräche von ihrem Zug nach Bremen abgehalten werden. Sie kamen schon in Hamburg nicht mehr zum Abtransport.

Hamburg, an anderer Stelle des II. Buches

In Hamburg hatten die neuen Erziehungsprobleme einen Boden geschaffen für viele Experimente. Ich hatte vor allem zu den Lehrern zu sprechen (Lamszus). Das Erziehungsproblem der Jugend zur sozialistisch-kommunistischen Gestaltung des Lebens war der Kernpunkt. Ich schrieb auch einige Male für die Hamburger K[ommunistische] A[rbeiter-] Z[eitung], machte dabei große linksradikale Fehler in der Gewerkschaftsfrage. Ich glaubte, daß die Kommunisten eigene Gewerkschaften haben müßten. In meiner bürgerlichen Unerfahrenheit unterschätzte ich die Wichtigkeit des Kampfes auf dem Boden der freien Gewerkschaften.

Jugendkongresse
Lauenburg. Prolet[arische] Jugend, linksradikale bürgerliche J., Wandervögel

II. Buch
Abzug. Nehmt, was ihr braucht, um euer neues Leben aufzubauen. Ich verschwand für eine Zeit. Die Kommunemitglieder halfen Martha und den Kindern beim Umzug.
Wohltat der Armut
Walter Geisteswissenschaft

[Jugendbewegung und Anfänge der Arbeitskommune]

Johannes war viel unterwegs. Vor allem in Hamburg hatten die Erziehungsideen unter der Lehrerschaft breiten Anklang. Das häufige Auftreten in Arbeiterversammlungen untergrub auch sehr bald seine pazifistische Einstellung. Er wurde von der Jugend an vielen Orten aufgefordert, zu kommen, und nahm an ihren Konferenzen teil. Hier waren die ersten Auseinandersetzungen zwischen der linksgerichteten bürgerlichen Jugend aus dem »Wandervogel« und der proletarischen Jugend, die die Bürgerlichen immer weiter zur Konsequenz trieben. – Auf der großen Hausdiele des Barkenhoffs fanden eingehende Diskussionen über Erziehung statt, die von Mitgliedern der Bremer Kommunistischen Partei zur Schulung und zur Klärung benutzt wurden. Immer mehr reifte in Johannes der Gedanke, aus dem Hof eine Schule für proletarische Kinder zu machen. Daß das mit den Intellektuellen, die noch auf dem Hof waren und nur einen beispiellos schlechten Arbeitsbetrieb notdürftig aufrechterhielten, nicht ging, stand dem als großes Hindernis entgegen. – Aber da waren nach dem Zusammenbruch der Bremer Räterepublik kommunistische Arbeiter aus Bremen, Metallarbeiter, ein Tischler, ein Zimmermann, und dazu hatte sich ein landwirtschaftlicher Eleve gefunden, der bisher bei den Großbauern gelernt hatte. Bei der Beerdigung Jan Kniefs traf Johannes in dem Gasthof, in dem die Bremer Kommunisten verkehrten, eine sächsische Fabrikarbeiterin an, die zu dieser Beerdigung gekommen war. Knief war bei ihnen in Dresden gewesen. Die Bremer Kommunisten hatten gegen Ende des Krieges einen guten Namen beim deutschen Proletariat; sie standen auch der Lehre Lenins am nächsten; und diese junge Arbeiterin, die in den großen Munitionsarbeiterstreiks eine bedeutende Rolle gespielt hatte, war gekommen, um mehr von dem zu hören, was sich in Bremen zutrug. Auch sie kam mit auf den Hof. Die ganze Gesellschaft überfüllte das Haus. Dazu setzte eine unaufhaltsame Jugendwanderung und Wanderung politischer Flüchtlinge ein, so daß auf Strohlagern, schnell gezimmerten Holzpritschen, von den jungen wandernden Arbeitern selbst ausgeworfenen und ausgebauten Unterständen oft zehn bis zwanzig neue Menschen Unterkunft finden mußten. Niemand von den Jugendlichen wollte der Arbeitskommune zur Last fallen, jeder sorgte für eigene Verpflegung und machte Landarbeit und Erdarbeit. Ein großer Fischteich wurde in der Zeit von ihnen ausgehoben, und abends auf der Diele am Kamin oder am offenen Feuer vor dem Unterstand suchten die verschiedenen Geister eine gemeinsame Basis zu finden. [Bei späterer Durchsicht zwischengeschoben: »Aber die Kämpfe, die von mir mit der eigenen Familie und mit den Intellektuellen ausgefochten werden mußten, brachten«] Johannes wurde von einer schöpferischen Unrast getrieben, sich auszusprechen in den Zusammenkünften, auf Arbeiterversammlungen zu reden, in bürgerlichen Versammlungen eine Kampfstimmung hervorzurufen. Das, was er an menschlicher Wärme neben der geliebten Frau seit Jahren verloren hatte, suchte er instinktiv auf diese Weise ins Gleichgewicht zu bringen. In dem Verhältnis zu seiner Frau hatte er sich zur Achtung ohne Bitterkeit durchgerungen, aber nun waren die drei Mädels da, die ihm zu entgleiten drohten, da sie das neue Leben auf dem Barkenhoff nicht verstanden und immer mehr fühlten, daß hier neue Menschen die Harmonie eines gutbürgerlichen, sorgenfreien Lebens zerstörten; zumal die Mutter der Kinder und der Freund in starker Gegnerschaft zu dem neuen Geschehen standen.

[Roselius]

Roselius, dessen sicherer Unternehmerinstinkt eine bewegliche und zielbewußte »Parteilosigkeit« erkennen ließ, wurde nun in der Weimarer Republik ein Freund der Sozialdemokraten. Er stellte sich mit Hänisch gut, nahm sozialistische Losungen auf, schrieb sozialistisch angehauchte Zeitungsartikel und spendete außerordentliche Gelder zur Gründung einer besonderen Abteilung der Universität Münster. Hier sprach er selber auch ein paarmal und hatte im übrigen dort ein Werkzeug in dem Professor [Raum für Namen freigelassen; vermutlich: Plenge. Vgl. die »Chronik«, Januar 1916], der den

Roseliusschen Sozialismus predigte. Er selber erhielt für seine aufopfernde Tätigkeit den Titel eines Ehrendoktors, hatte er doch selbst seine bisherige Weltauffassung geopfert und in der mit Hilfe von Hänisch eingerichteten Universitätsfiliale ein Unternehmen gegründet, in dem die jungen Studenten für eine sozialdemokratische Weltanschauung zugerichtet wurden.

Er selber hielt sich für einen Sozialisten. Das geht aus allen seinen Äußerungen hervor. Er zählte auf, was ihn zur Einsicht trieb: Kastengeist, Verknöcherung des Beamtentums, Buddenbrooksche Bürger, Soldatenmißhandlungen, doppelte Moral, das Unrecht gegen die Unehelichen, die Heuchelei der Gesellschaft, das Elend des Proletariats, Absperrung der Unbemittelten von der höheren Schule und Ausbildung, fehlende Fürsorge für Arme, Kranke und Alte.

·Das jüdische Gesetz der Zinse war für ihn die alleinige Ursache des Krieges.

Trotz aller Mängel in den Organen der Gesellschaftsordnung hielt er das Hohenzollern- und Bismarckreich für eine organisatorisch gänzlich neue Schöpfung einer großzügigen sozialen Volkswirtschaft. Für ihn war »der deutsche Staat Kapitalismus plus Sozialismus«; er hielt das bisherige Deutschland nicht nur für ein Dorado der arbeitenden Bevölkerung, es habe sich auch im Wirtschaftskampf allen Ländern als überlegen erwiesen. Nach Roselius bewertete die Bismarcksche Konstitution »Menschenrecht ebenso hoch wie Geldrecht«.

1914 steht er auf dem Standpunkt: Wir Deutsche müssen unser Prinzip offen verkünden und propagieren: »Menschenrecht anstatt Geldrecht«; der energetische Imperativ bildet die Vorbereitung für unseren Sieg im Kampf für Menschenrechte. Damit kommt er zu dem von ihm vertretenen Grundsatz: »Beherrschung der Massen durch Umklammerung.« Seine außerordentlichen und erfolgreichen Erfahrungen in der Propaganda legt er mit folgenden Worten fest, die, vom Standpunkt aller imperialistischen Länder während des Krieges betrachtet, grotesk unwahrscheinlich wirken; er sagt: Im kaufmännischen Leben sind diejenigen Propagandaorganisationen am stärksten, die niemals lügen, niemals die Hand zur Unwahrhaftigkeit bieten und deren Vertreter moralische Qualitäten aufweisen. Weder im religiösen noch im politischen Leben ist das anders.

1915 hält Roselius (wahrscheinlich zu Kriegspropagandazwecken) den Kaiser für das Kennzeichen der Macht. »Niemand kennt wie er den Flügelschlag der Zeit. Seine Haltung war fast übermenschlich, sein Wort prophetisch.«

1916 glaubt Roselius den freien Handel bedroht durch das Lebensmittelkartensystem. Er glaubt, daß durch Hunger das Volk von selber gezwungen werde, die Produktion zu steigern. Ausschaltung des Zwischenhandels ist für ihn Untergang des Mittelstandes.

1918 im Februar ist seine Hauptsorge, daß sich aus der behördlichen Rationierung für das Volk ein Staatsmonopol im Angriff auf die Privatwirtschaft entwickeln könne. Er zählt alle Nachteile der organisierten Kriegswirtschaft auf. Er stellt fest:

1. Jedes Staatsmonopol, das sich mit der Erzeugung oder dem Vertrieb von Werten befaßt, die der Veränderung unterliegen, ist als schädlich für das deutsche Volk zu verwerfen.

2. Staatsmonopole können und dürfen nur errichtet werden für Betriebe oder Geschäfte, deren Wertsteigerung durch Weiterentwicklung nicht mehr möglich ist.

3. Besteht aber die Gefahr, daß ein solches Staatsmonopol in Konkurrenz mit Persönlichkeiten zu treten hat, die nicht der Macht des eigenen Staates unterstehen, so ist es zu verwerfen (z. B. Inlandeisenbahnen im Gegensatz zur Überseeschiffahrt).

Juli 1918: Gegen Mengeneinteilung nach Kopfzahl der Bevölkerung, Zwangswirtschaft, Höchstpreise anstatt Vermehrung der Produktion; gegen das bequeme Schlagwort: gleiche Ration, gleiches Recht für alle. Er war für die freie Wirtschaft und stärkere Ausbeutung der Landwirtschaft, natürlich bei schärfster Strafe für Preiswucher und Kettenhandel. Es soll nur drei Stufen geben: Erzeuger, Grossist, Detaillist. Kartensystem für Brot, Fleisch, Kartoffeln.

Er gibt ein Beispiel der Zwangswirtschaft durch die Pariser Kommune. Als das französische Volk verhungerte, wurde die freie Wirtschaft ganz von selbst wiederhergestellt.

September 1918: Roselius sagt, daß gerade Deutschland durch Schaffung sozialer Einrichtungen sich die höchste Kraft geschaffen hatte, der Käuflichkeit des Geldes zu widerstehen:

Friedrich Wilhelm I. von Preußen unkäuflicher Militarismus. Freiher vom Stein auf der sozialen Linie. Deutschland war für ihn vor dem Kriege eines der wenigen Länder der Welt, die gerechte Richter, unbestechliche Gelehrte und Beamte sowie Staatseinrichtungen hatten, die ausschließlich der Allgemeinheit dienten.

Oktober 1918: Der soziale deutsche Gedanke von Roselius.

Der Parteikampf, der sich die Propagandamittel unserer Feinde zu eigen machte, beseitigte den Siegeswillen, der Kampf zwischen den Ressorts erschütterte die Moral und Disziplin. Wenn wir den bewährten Grundsätzen des alten Kaisers und Bismarcks nur treu geblieben wären! sagen die deutsch denkenden Parteien. Da aber die Mehrheit des deutschen Volkes an dies Programm nicht mehr glaubt, müssen wir ein Programm geben; da verlangen wir das freie Wort und das Recht, an diesem neuen Regierungsprogramm mitzuarbeiten, für alle deutschen Bürger, ganz gleich, welcher Partei und

Richtung sie angehören. Im selben Gespräch bekämpft er den Parlamentarismus. »In parlamentaristisch regierten Staaten werden die Volksrechte dauernd und unaufhörlich durch den brutalen Kapitalismus vergewaltigt«, sagt der Großkapitalist Roselius. Unbewußt, aber mit wahrem kapitalistischen Instinkt beginnt er nun Stufen zu bauen für den Faschismus. Im Vordergrund ein nationales Programm, um alle Kräfte des Volkes hinter sich zu vereinigen.

Weiter von ihm: Um die Macht des Geldeinflusses entbrannte der Krieg. Die Macht des Geldeinflusses konnte während des Krieges nur gebrochen werden durch den Sieg des Bismarckschen Prinzips: Geldrecht plus Menschenrecht. Dann von der Religion: sie war in dem Maße Besitzteil der vermögenden Klasse geworden, wie die Kirche sich von dem christlichen Grundprinzip der Ausschaltung jeder Macht des Geldes und der Einführung des reinen Sozialismus getrennt hat. Der Sozialismus bedeutet: Beseitigung der Zinse und der Macht des Geldes. Der soziale Gedanke ist zweifellos der wundervollste und schönste, der die Menschheit bewegt hat. Er bildete die Grundlage des Christentums. Ich erkenne an, sagt Roselius, daß in dem sozialen Gedanken die einzige Möglichkeit liegt, die Ungerechtigkeit, die unsere jetzige Unterwerfung unter die Geldmacht Amerika – England (!?) mit sich bringt, zu lindern oder sogar die Geldmacht zu beseitigen. Die Mischung von Monarchie, Demokratie und Sozialismus hat dem deutschen Volke bisher unendlich große Leistungen verschafft. Deutsches Prinzip beruht auf Staatssozialismus!!

Die Schwäche unserer Regierung hat zwei Ursachen: Die Durchdringung der deutschen Demokratie durch die Geld- und Propagandamacht des Feindes und der große Fehler unserer Sozialisten, die notwendige internationale Ausbreitung des Sozialismus als unvereinbar mit dem eigenen Nationalismus anzusehen. Die Konservativen müssen erkennen, daß der soziale Gedanke die Führerschaft der einzelnen zum Besten des Ganzen nicht ausschließt, sie müssen aber auch erkennen, daß die Rechte des Volkes die Rechte Gottes sind.

Offenbar ein Demagoge, der sich von Gott geschaffen fühlt für diese besondere Aufgabe.

November 1918: Der Kaiser konnte keinen Sieg erringen, weil er sich vorwiegend auf die kapitalistischen Kreise des Volkes stützte, anstatt den energetischen Imperativ auf sozialer Grundlage ins Leben zu rufen. Mögen die Reichen die Kosten des Krieges bezahlen. Nicht die Völker hatten Feindschaft gegeneinander, sondern das Kapital kämpfte für seine Interessen und trat die Völkerrechte mit Füßen (wie gewandt diese neue Windung des Großkapitalisten). Dann kommt die Angst vor der verhängnisvollen Eigenschaft der Deutschen, ein Prinzip zu sehr zu vertiefen (die soziale Bewegung, wie er sagt). Die praktische Anwendung des reinen Sozialismus, des Kommunismus, vernichtete nach seiner Ansicht das Selbstbestimmungsrecht des Menschen. Nachdem nun das deutsche Volk durch die Niederlage völlig machtlos geworden ist, geht die Erkenntnis dieses Menschen, der sich immer auf den jeweiligen Tatbestand stellte, so: Dem deutschen Gedanken können wir nicht mehr durch Imperialismus, sondern nur noch durch Sozialismus zum Siege verhelfen. Jetzt läßt er auch den Kaiser fallen, der sich auf die kapitalistisch orientierte Demokratie stützte; hierdurch (!?) verlor der Kaiser das durch Wilhelm I. und Bismarck geschaffene sichere soziale Fundament. Selbst der Offiziers- und Beamtenstand, welcher doch eine soziale Reinkultur (!!!) darstellt, wurde der Zersetzung durch den Kapitalismus preisgegeben.

In den öffentlichen Versammlungen in Bremen erschien auch manchmal Ludwig Roselius. Er trat nicht aufs Podium, suchte aber durch Zurufe der Diskussion seine Richtung zu geben. Ich sprach im Gewerbehaus am 18. November 1918, malte den Kommunismus in den rosigsten Farben aus, ohne den Weg zur Veränderung der menschlichen Gesellschaft zeigen zu können:

»Ihr sagt, Gott ist die Liebe, und die Liebe ist des Gesetzes Erfüllung. So wird die ganze Bewegung der Entwicklung der Menschheit doch das Suchen nach diesem Gesetz gewesen sein, und die großen Volksbewegungen und Kämpfe müssen wir auf diesem Gebiete suchen. Schließlich kam ein Mensch, der auf wissenschaftlichem Wege das Entwicklungsgesetz der menschlichen Bewegung anhand der Wirklichkeiten nachwies. Er wies nach, daß das Raffen von Besitz, die Profitgier, immer eng verbunden ist mit der Niederdrükkung und Ausbeutung des Menschen durch den Menschen, der die Mittel besitzt, und daß es der Ausgangspunkt aller Kriege ist.« (Zuruf von einer Frau: »Denn können wir uns doch ruhig und hoffnungsvoll diesem Gedanken der Entwicklung hingeben, wenn alles gesetzmäßig vor sich geht.«) – »Das könnt ihr, aber es kommt darauf an, daß die Besitzenden ihre Mittel zur Verfügung stellen, um eine neue Gesellschaft, eine sozialistische Gesellschaft aufzubauen.«

Auf das Podium eilt ein Arbeiter und spricht stark und entschieden: »Es ist nicht die Zeit jetzt, kleinbürgerliche Friedensschalmeien zu blasen. Nie wird eine herrschende Klasse ohne Kampf von der Bildfläche abtreten. Vieles, was der Kunstmaler da hererzählte, hat einen richtigen Kern. Er ist aber ein weltferner Träumer, der sich ein Paradies ausmalt, aber nicht den Weg weiß, dorthin zu kommen. Er glaubt, die Besitzenden überreden zu können, Sozialisten zu werden. Nur Kampf und Sieg über die besitzende Klasse und die Aufrichtung der Diktatur der Arbeiterschaft kann die Mittel der bisher herrschenden Klasse erobern und sie der Allgemeinheit dienstbar machen.« (Zuruf: »Das ist der Untergang der deutschen Nation, die Knechtung der Erwerbsfreiheit. Wo bleibt die Demokratie?«) Der Arbeiter: »Der Weg zur Demokratie im Sozialismus geht nur über die gewaltsame Erfassung des Eigentums, aller Mittel der Produktion und des Bodens, und über die Befreiung und damit Entfaltung der schöpferischen Kräfte der Arbeiterschaft. Die Demokratie in einem von den Kapitalisten beherrschten Staate ist eine verlogene Maske, hinter der die rücksichtsloseste Parteidiktatur sich versteckt. Das kapitalistische Unternehmertum hat keinen Glauben an die Schöpferkraft des von ihm unterdrückten und ausgebeuteten Arbeitertums. Für sie ist schöpferisch im Leben der Menschen die Geldmacht, die alles bewegt und weitertreibt. Kommunismus ist für sie nur zermalmende, zerstörende Kraft.« (Zuruf: »Im Kommunismus muß der Schwache für den Stärkeren arbeiten. Erbärmliche Sklaverei wird herrschen, geführt von einigen Starken!«)

[Vorträge in Münster und Göttingen]

Gegen die Mißgeburt des Roseliusschen Sozialismus hatte ich allerdings eine instinktiv ablehnende Haltung. Wie schnell die Arbeiter den Großkaufmann durchschauten und ihn an den Widersprüchen, auf denen seine Demagogie basierte, analysierten, das war eine rechte Freude. Jedoch die Allmacht des Geldes gab dem Konsul ein derart überlegenes Gefühl, daß er es ruhig mir gegenüber aussprach: »Glauben Sie denn nicht, daß ich mir den Kommunismus kaufen kann?« Das gab dem Maler einen tiefen Einblick in die ganze korrumpierte, unveränderlich spekulative Einstellung der Bourgeoisie. »Kaufen Sie sich die sozialdemokratischen Bonzen, die sind für Sie zu haben. Ein Kommunist hat eine festgefügte Weltanschauung, für die er im Kampf alles hingibt, auch das Leben.«

Aber der sozialistische Großkaufmann hatte längst seine Partner in den sozialdemokratischen Kreisen gefunden. Auf der Universität Münster wurde ein besonderer Lehrstuhl mit den Geldern des Konsuls eingerichtet, auf dem jene jungen Menschen sozialistisch geschult wurden, die den Apparat einer sozialdemokratischen Regierung stellen sollten, die dem Großkapital genehm war. Der Großunternehmer und bulgarische Konsul bekam mit dieser Gründung den Titel »Ehrendoktor der Universität Münster«. Ein eigener großer alter Palast wurde für diese Abteilung der Universität eingerichtet.

Als ich auf Forderung der Jugend in dem Auditorium maximum der Universität einen Vortrag zu halten hatte, artete die Besprechung in einen akademischen Disput aus, der unter den Professoren in den unfruchtbaren Formen akademischer Rededuelle ausgetragen wurde. In späterer Zeit, als unter der studierenden Jugend das Bedürfnis stürmisch gewachsen war, über alle politischen Parteien ein klares Bild zu bekommen, verlangte die Jugend von der Universitätsleitung, daß ich über Kommunismus sprechen sollte. Das ging dann in einem kleineren Raum des Hauptgebäudes der Universität vor sich. Der Leiter der Versammlung war ein Professor in schwarzer Soutane, und die Diskussion, die von diesem Manne geleitet wurde, bewegte sich auf einer ungemein höheren geistigen Basis als an jenem ersten Abend, bei dem es den Sozialdemokraten gelang, durch einen akademischen Disput die aktiven Kräfte zu paralysieren. Überhaupt hatte die Soutane in kurzer Zeit innerhalb der alten Räume der U[niversität] M[ünster] wieder Wurzel geschlagen.

Ein drittes Mal wurde ich noch auf die Universität berufen. Aber das war an dem Tage, als die Reichswehr mich auf meinem Hof verhaftete. Ein Telegramm der Studenten mit der Absage des Vortrags (der General Walter hatte den Studenten mitteilen lassen: Wenn der Mann kommt, lasse ich ihn am Bahnhof gleich verhaften) war offenbar von der Reichswehr abgefangen worden.

Ich hatte auch Gelegenheit, auf der Göttinger Universität über Kommunismus zu sprechen. Das kann auch einen kleinen Einblick in die Zeit geben, da die Jugend aufgewühlt war und Wege suchte, in dem Chaos der gegeneinander sich aufbäumenden Weltanschauungen eine klare Richtung zu finden. Auf der Reise nach Göttingen kaufte ich in Hannover die »Hannoverschen Nachrichten« und las: Sun Yat-sen ist tot. Dann las ich das politische Programm dieses großen Revolutionärs, das in derselben Zeitung abgedruckt war. – Der Vortrag abends war von zwei kommunistischen Studenten organisiert worden. Sie waren am Bahnhof, zeigten die neuen Göttinger Tageszeitungen, in denen eine Notiz stand: »Der Vortrag des Herrn [gestrichen: »Johannes«] wird nicht stattfinden.« Aber die Studenten sagten: »Wir werden die Sache doch machen. Wir haben eine Reihe von Erwerbslosen gewonnen, die wandern um Mittag mit Plakaten durch alle Straßen der Stadt mit dem Text: Heute abend findet der angesetzte Vortrag von Joh. ... im großen Saal des Universitätsstudentenheims statt trotz der Absage durch die Presse.«

»Wir waren nämlich«, sagten die Studenten, »auch bei der Polizei. Das Verbot ging vom Universitätsdirektor aus, einem Erzreaktionär, dem die Polizei gern eins auswischte. ›Also‹, sagte der Polizeigewaltige, ›seien Sie zu rechter Zeit an der Saaltür, bringen Sie einen Schlosser mit, der Saal ist für den Vortrag geöffnet.‹«

Natürlich hatte die Reaktion alle Kräfte mobilisiert, um den Vortrag von innen heraus zu sprengen. An der Rückwand hatte die Polizeidirektion acht Polizisten aufgebaut. Der Saal war überfüllt. Chinesische und japanische Gesichter fielen auf. Ich stand auf dem

Podium und sagte einfach: »Ich beginne.« Wartete, bis sich der Saal beruhigte, dann nahm ich das politische Programm Sun Yat-sens und las es langsam und ausdrucksvoll vor. »Dies ist das Programm des großen chinesischen Revolutionärs Sun Yat-sen, dessen Tod wir heute betrauern, und ich bitte die Versammlung, sich zur Ehrung des Abgeschiedenen zu erheben.« Kein Mensch blieb sitzen, eine feierliche Stille lag über dem Saal. – An diesem Abend hatte ich es nicht allzu schwer, an alle Probleme heranzugehen, die den Weg zur Änderung der gesellschaftlichen Struktur aufzeigen. Versuche der Reaktion, die Diskussion auf abwegige Gleise zu schieben, wurden von der Masse der Jugend gleich erkannt und niedergekämpft.

Bildnisse von Personen

Carl Emil [Uphoff], Worpsweder Maler, stammte aus proletarischen Verhältnissen. Eitelkeit ein Hauptzug seines Wesens; hat sich eine Lebensphilosophie zusammengeschustert, die man für jeden Fall gebrauchen kann. Alles wird im Augenblick wichtig genommen, man ist ganz drin in den Erfordernissen der Zeit. Widerspruchsvolle Dinge sind geschickt und aalglatt nebeneinander montiert und geben die Möglichkeit, sie beim Wechsel der Verhältnisse schnell als ein Sprungbrett bemühen zu können. Der Dünkel von der Größe seiner eigenen Persönlichkeit macht ihn blind gegenüber der Arbeiterbewegung. In der Revolution sieht er anfangs eine neue Möglichkeit der Wirkung seiner Person, dann nur Chaos. Leere Pathetik; eigentlich wohl Verlogenheit ist der Hauptcharakter seiner Kunst. Gern hört er sich reden; während der Revolution stellt er sich ganz auf die Seite der Bauern und Arbeiter; doch in all seinem Getue steckt die Möglichkeit zu einer faschistischen Weltanschauung; wird später Pg.

August [Freitäger]. Alter Zimmermann, zünftiger. In allen alten Zunftgebräuchen und in der Zunftsprache der Zimmerleute bewandert. Arbeitete zuerst beim Umbau des Barkenhoffs mit Johannes zusammen, und zwar mit einem direkt künstlerischen Verständnis für Architektur. Er baute zum Beispiel die Hausgiebel, die gemauert werden sollten, in der Originalgröße aus Brettern auf, die wurden auf dem Dache aufgerichtet, und so konnten die Maurer dahinter die Form einfach aus Stein gleich aufbauen. Im Kriege arbeitete er als Zimmermann in der Etappe. War ein guter Kommunist und verwaltete ein Waffenlager in seinem kleinen Garten in der Stadt an seinem Hause unter der Erde. War einer der ersten, die nach dem Zusammenbruch der Bremer Räterepublik auf den Barkenhoff kamen, um die Arbeitskommune aufzurichten. Leistete viel gute Arbeit, neigte aber zum Syndikalismus. Wollte allmählich das ganze Dorf in die Kommune einbeziehen. Einverstanden damit waren aber nur ein paar faule Höfe des Dorfes, deren Besitzer Marktspekulanten waren, deren Land durch die eigene Faulheit völlig verkommen war und die durch die aufopfernden Arbeitskräfte der Kommune wieder auf die Höhe zu kommen hofften. Johannes durchschaute das schnell, und es gab schwere Zusammenstöße mit August. Auch unter der Auflösung der Kommune, ihrer Übergabe an die Rote Hilfe, litt August sehr; ja er haßte schließlich den Johannes tief, als er als Flurwärter und Fremdenführer von der Gemeinde verbraucht wurde. Er kam auch wieder an den Suff, der ihn früher schon einmal beherrscht hatte. – Einmal sah ihn Johannes noch wieder, den alten Freund. Tiefste Feindschaft sprach aus allen seinen Worten. Als Johannes auf einem schmalen Weg vor ihm her ging und sich aus irgendeinem Grunde umdrehete, sah er fast über sich die hocherhobene geballte Faust von August, der im Begriff war, ihn niederzuschmettern. Johannes drehte sich völlig ihm zu und sah ihm scharf ins Gesicht; verbissen mit gesenktem Kopf wendete sich der Alte und trollte ab, indem er sich noch einige Male, mit der Faust drohend, umsah. Johannes sah den alten Freund und Genossen nicht wieder. Bald starb August, der Zimmermann.

Fidi [Harjes]. Seit dem achten November war an einem Hause der Langenstraße die legale Aufschrift »Internationale Kommunisten. Gruppe Deutschland« angebracht, was nach der Berliner Tagung umgeändert wurde in »Kommunistische Partei Deutschlands«. Der Zustrom von Arbeitern war außerordentlich und die schnelle Aufnahme recht wahllos. Hinter der Barriere stand Fidi Harjes mit strahlendem Gesicht, notierte die neuen Mitglieder und verteilte die blauen Mitgliedskarten. Nach der Niederschlagung der Bremer Räterepublik im Frühsommer 1919 kamen einige kommunistische Arbeiter auf den Barkenhoff, sie blieben zum Teil und begründeten auf Anraten von Johannes eine Arbeitskommune. Den paar Intellektuellen, Heimkehrern aus feindlichen Gefangenenlagern, war der Boden dort auf dem Hofe nach dreimaligen Überfällen der Reichswehr zu heiß geworden, sie hatten sich selbständig gemacht, waren vom Hofe verschwunden. Johannes fühlte sich dadurch entlastet. Das späte Aufstehen der Arbeitsgäste, der riesige Aufwand, drei Mann auf dem Ackerwagen, den die beiden Schimmel ziehen mußten, um das bißchen Grünfutter für die Kuh zu holen, das nahm den ganzen Morgen hin; die Verwilderung des Ackers, die gelbstrahlende Blütenmasse des Hederichs, der anstatt des Roggens das Feld schmückte, hatte Johannes zur Verzweiflung gebracht. Eine bedauerliche Propaganda: die vorüberfahrenden Bauern wiesen grienend mit der Peitsche auf das Feld neben der Landstraße: »Kiek de Kommunisten, de hebbt ober ne Freud an de Blomens.« Jetzt wurde es anders. Es kamen nur Arbeiter, einige vorübergehend, andere blieben. Fidi war einer der fleißigsten. [Folgt die Jugendwanderung zum Barkenhoff und die Trennung von der Familie (vgl. S.268 und 240). Anschließend:] Fidis Stellung zur Familie war unerträglich gewesen, jetzt nach ihrem Abzug strahlte er, als habe er einen Sieg des

Fidi Harjes. Öl, 1921

Proletariats über die Bourgeoisie besiegelt. [Folgt die Anarchismus-Diskussion (vgl. S. 267f.). Anschließend:]

Fidi ging in die Werkstätte an seine Messingbuchstaben, die er mit großer Meisterschaft und Akkuratesse aus dem Metall trieb. Durch seine Belieferung der Bremer Firmen half er die Wirtschaft der Kommune in Gang zu halten. In allen Freistunden und wenn keine Metallarbeit da war, half er in der Gartenarbeit. – Um die heiße Mittagszeit gingen die meisten in den Teich oder lagen wie die Seehunde auf dem Bauch am sandigen Ufer, bis die Glocke zum Essen rief. – Fidi hatte Frau und zwei Kinder auf dem Hof; außerdem war noch ein zweiter Metallarbeiter da, sein Schwager mit Frau, ohne Kinder.

Walter Hundt. Eine der wichtigsten Persönlichkeiten in der Kommune war Walter. Er hatte als Volontär bei einem der Worpsweder Großbauern gelernt. Nicht sehr lange, denn er kam aus dem Kriege und hatte noch an einigen Verwundungen gelitten. Daß er im Felde zum Offizier befördert war, merkte man ihm nicht an. Außerordentlicher Fleiß, sein Interesse, das Land so intensiv wie möglich zu bestellen, unterschied ihn von keinem guten Landarbeiter. Im praktischen Leben war er sehr brauchbar, aber wenn er redete, war er für die meisten schwer verständlich, seine anthroposophische Weltanschauung war ein Ballast, der wenigen nötig war. Seine geheilten Verwundungen störten ihn selten, er war ein kraftvoller blonder Typ, stammte aus einer Fabrikantenfamilie im Siegerland. Er machte sich bald viele Erfahrungen des Gartenarchitekten Lebrecht Migge zu eigen [folgt der Absatz über Migge, S. 230f.].

Klara Möller. Eine handfeste ernste Neuköllner Proletarierfrau. Ihr Mann war als Parlamentär aus dem von der Reichswehr belagerten »Vorwärts«-Gebäude erschlagen worden. Organisatorisch stark im Führen der Wirtschaft; außerordentlich verläßlicher proletarischer Charakter.

Hermann, ein etwas verwachsener mißtrauischer Landarbeiter, der sich hauptsächlich mit den beiden Schimmeln beschäftigte. War leidenschaftlich verliebt in Martha. Als er das unumstößliche Liebesverhältnis Marthas zu Bäumer entdeckte, erschoß er sich in einem leerstehenden Nachbarhause, das später der Migge für seine Familie kaufte.

Eine Zeit war noch ein junger Tischler da mit seiner Freundin, einer Büroarbeiterin, die bei der Landarbeit half, und ein anthroposophischer Landarbeiter und die rote Marie.

Dies sind die Mitglieder der Arbeitskommune *nach* dem letzten Überfall der Reichswehr im Mai 1919. Johannes' Familie ertrug diesen Zustand nur noch wenige Wochen nach dem letzten Überfall.

[Trennung von Martha Vogeler]

Wenige Tage darauf erschien die rote Marie auf dem Barkenhoff und sagte strahlend, nachdem sie überall herumgestreift war: »Hier bleibe ich.« Für ein Mädchen, das nur das beschwerliche Leben in dumpfen Proletarierwohnungen gekannt hatte, mußte dieses Haus, in dem jeder Raum seinen eigenen Charakter hatte, gleich den Wunsch hervorlocken: Hier möchtest du bleiben. Jedes Möbelstück ließ erkennen, daß eine feine künstlerische Hand den Entwurf gegeben und den Bau zur Ausführung gebracht hatte; dann die Bilder, viele von Paula Becker-Modersohn; die Stilleben, die alte Bäuerin, die ihren Kopf auf die gichtige Arbeitshand stützt, und vieles andere. Das alte schöne Steingut aus Delft, hohe Zinnkrüge und schöngeformte silberne Armleuchter; dann aber, dies alles vergessen lassend, die Bibliothek mit den herrlichen Büchern. Diese ganze Herrlichkeit, eine Sammlung von Kunst und künstlerisch gestalteter Arbeit, war ja noch da, denn die Familie von Johannes war ja noch im Hause, wenngleich das Mädchen schnell erfaßt hatte, daß unüberbrückbare Gegensätze zwischen den Familienmitgliedern in jedem noch so wohlwollend angefangenen Gespräch sehr schnell zum Ausdruck kamen. Vor allem der Geliebte der Frau, der Geliebte von der Martha, der als Volksbeauftragter in der Bremer Räterepublik gearbeitet hatte, nach der Niederschlagung der revolutionären Regierung jedoch den Glauben an die Kräfte des Proletariats ganz verlor, betrachtete die Arbeiter und Arbeiterinnen der Arbeitsgemeinschaft als eingedrungenes räuberisches Gesindel.

Er sah in dem ganzen Unternehmen keine Perspektive. Es kam zum völligen Bruch. Die drei Kinder hielten ganz zur Mutter, und selbst Johannes konnte sich ihr Leben ohne diese Mutter gar nicht vorstellen. Das war so eine feste und fruchtbare Lebensgemeinschaft, diese Erkenntnis wurzelte tief, tief in Johannes' Seele. Sie sollten alles vom Barkenhoff mitnehmen, was sie an den Vater und an seine Arbeit erinnerte. Daß sie mit der Mutter einfach alles nahmen, empfand Johannes nicht als Verlust, sondern als Äußerung einer großen stillen Liebe zu dem, was seine Hände in zwanzig Jahren schufen. Es war sein Trost, denn innerlich brach er fast zusammen, als die Kinder gingen. Dann gab es Arbeit, als die Schritte in dem leeren Hause hallten.

Wenn der Schmerz die aussichtsloseste, tiefste Stufe bei ihm erreicht hatte, verlor er jede Mitteilsamkeit, und mit aller Energie ergriff er dann eine möglichst schwere praktische Arbeit; natürlich konnte nicht geistige Arbeit ihm diese Entlastung geben, sondern die körperliche Anstrengung im Ackerbau oder an den Bauten, die noch zu machen waren. Johannes verstand es in diesem Zustande nicht, sich irgend jemandem gegenüber auszusprechen.

Bäumte sich seine Erregung so auf, daß er vor sich selber Angst bekam, daß seine letzten Gefühle zum Vorschein kommen könnten, die doch vom Augenblick bestimmt sind – spontan, für seinen Charakter verantwortungslos, so ging er in sein Zimmer, zog sein Rasiermesser über den Riemen und rasierte sich mit aller Vorsicht; das war ihm eines seiner Beruhigungsmittel, wenn anderes Handeln nicht an der Zeit war.

[Notiz dazu: »Hier anschließend Johannes auf dem Felde mit der Hacke.« Vgl. S. 241.]

[Die Barkenhoff-Wandbilder]

Jetzt hatte Johannes begonnen, die große Diele auszumalen. Im Anfang war er noch symbolisch und auch mystisch. Da lag das ganze zerstörte Galizien, mit brennenden Häusern und toten Soldaten. Schützengräben, aus denen Leuchtraketen hochstiegen, aber wenn man näher hinschaute, so waren die Raketen die sieben Schalen Gottes, jenes Märchen aus der Offenbarung Johannes, Schalen, von Engeln getragen, die den Zorn Gottes über die Menschen ausgossen. Dann aber kam ein Frühlingsbild mit nackten Kindern, die über Bäche sprangen, an den Ufern spielten und sich aus Laubwerk Hütten bauten. Die dünnen Birken bogen sich unter dem Frühlingswind. Diese Teile der Hallenausmalung waren schon vor der Bremer Räterepublik entstanden; was Johannes jetzt fortsetzte, hatte ganz anderen Charakter. Dies waren nun realistische Darstellungen in monumentaler Form: Um den großen Steinkamin gruppierten sich die Bilder: die Arbeiter verlassen die Fabriken, marschieren in Demonstrationen mit roten Fahnen zu den Gefängnissen, deren Tore sie aufbrechen. Gewitterschwüle Stimmung. Andere Seite des Kamins: heller Sonnenaufgang. Die politischen Gefangenen kommen aus den Gefängnistoren und werden von ihren Nächsten und von der Arbeiterschaft begrüßt.

Monate, Monate waren vergangen.

[Folgt Abschnitt: »Die Geburt«; vgl. S. 270.]

Inzwischen waren diese Bilder entstanden: über den Rote-Hilfe-Bildern ein Fries, der die Kriegserinnerungen barg auf dem Wege zum Frieden, Karpaten-Ukraine. Verbrüderung der feldgrauen

Ansicht der Barkenhoff-Diele mit den Wandgemälden
(Ölgemälde auf Gips, 1920–1926; zerstört 1939)

deutschen Soldaten mit ukrainischen Bauern, die dem Feldgrauen die rote Fahne übergeben, damit er sie in sein Land trägt.

Dann ein Langbild vorn beim Eingang, wo Johannes den internationalen Charakter der Roten Hilfe darstellt dadurch, daß er seine Erinnerungen aus Ceylon für ein großes Meeting der farbigen Völker zusammenfaßt.

Darunter sein immer wiederkehrender Traum, der früchtetragende Garten des Barkenhoffs mit proletarischen Kindern, die mit dem Lehrer und Landwirt darin arbeiten und die Früchte ihrer Arbeit genießen.

Fern über die von der Frühsonne beschienenen Äcker galoppiert eine Truppe bewaffneter Arbeiter; unbestimmter Nation, vielleicht Russen, denn in der Ecke des großen Raumes sehen wir die verschiedenen Völkertypen, und höher an der Wand haben wir einen Einblick in eine kirgisische Jurte, in der der Sowjet des Auls arbeitet. Aber auf der gegenüberliegenden Ecke die Erschießung der Matrosen in der Französischen Straße in Berlin.

Jetzt stand Johannes ganz unter der Arbeiterbewegung; die vielen Genossen, die an Sonntagen auf den Hof kamen, machten ihn unentwegt schöpferisch. Nichts brauchte er zu probieren, zu experi-

Rechte Seite der Barkenhoff-Diele: Das schöpferische Leben der Kinder in der kommunistischen Gesellschaft

Linke Ecke der Barkenhoff-Diele: Erschießung, Gefängnissturm

Linke Seite der Barkenhoff-Diele (hinten) Leben der unterdrückten Völker (Balkanszene) Leben und Kampf der politischen Gefangenen (Rote Hilfe, Gefängnishof, Todesurteil, Klassenjustiz)

mentieren. Der Pinsel und die Farbe glitt, als ob er einen Brief schrieb an eine ferne Heißgeliebte. Die bedrückende Einsamkeit war nicht mehr.

[Folgt freigestellte Zwischenbemerkung: »Besuche im Bienenhaus. Ludwig Roselius«; vgl. S. 257ff.]

Johannes schritt von seinem Bienenhaus hinüber zum Barkenhoff; packte seine Malsachen aus und malte eine Wand – die Arbeit der Roten Hilfe in den verschiedensten Phasen. Personelle Hilfe der Hinterbliebenen, Kinderhilfe für jene Kinder, deren Eltern im Gefängnis saßen. Der Arm der Roten Hilfe reichte auch in die Gefängniszelle; das Schlußbild gab die Klassenjustiz wieder, wo der Angeklagte zum Ankläger und die Justitia von hinten durch einen Kapitalisten mit Tausendmarkscheinen gefüllt wird.

Aber jetzt drangen andere Dinge in ihm zum Ausdruck. Die Liebe der Geschlechter, der Jugend; wie Jüngling und Jungfrau zueinander finden, war gemalt über dem Türeingang, der zur Küche führte, unter einer Laube in der Form eines gotischen Spitzbogens. Dann ganz groß: die Mutterschaft. Unter zusammen sich neigenden

Linke Seite der Barkenhoff-Diele (vorn) Erwachen der farbigen Völker (Schlafender)
Arbeit der Kinder auf den Gemüseterrassen des Barkenhoffs
(Mitte hinten: das Bienenhaus)

Barkenhoff-Diele:
Mutter und Kind

goldgelben Kornährengarben sitzt die rote Marie mit dem Kinde. In diesem Stück des Zyklus jauchzt die Farbe auf in Rosarot bis ins Zinnober und vereint sich mit den goldenen Klängen der gelben Töne. Der ganze Hintergrund ist hier tief ultramarinblau, steigt hoch, und über der Eingangstür zur kleinen Bibliothek schält sich aus ihm heraus das Meeting der Pioniere, und vom großen Dielentor aus kommen sie alle über eine Landschaft von Wellenbergen angezogen mit ihren Fähnchen. Johannes hatte den Einfall, diese starken Blaus der Hintergründe durch bogenförmige Modellierungen aufzuteilen; diese Lösung gab dem Raum, der ziemlich niedrig ist, eine große, große Tiefe, als sei er gewölbt. Den Kamin hatten die Metallarbeiter der Kommune mit einem sehr schön in Messing getriebenen Feuerhelm ausgestattet. Leider kam es nicht mehr dazu, das von Johannes über dem Kaminsims gemalte Symbol in Metall zu treiben. Da stand nämlich eine große aufrechte Hand, in deren Mitte ein kleines Kind sitzend ruhte, wie im Schutz.

Hoetgers Ideologie

Hoetger spricht: »Die heutigen kommunistischen Experimente sind nicht ›reine‹ Werke, sondern von tausend Nebeninteressen geleitet. Ihnen werden die Enttäuschungen nicht erspart bleiben, aus denen Sie sich nur retten können, wenn Sie das buddhistische Nirwana erleben; dann werden Sie reif werden, um den geklärten Strom weiterzugeben, unberührt, grausam und unmenschlich göttlich.«

»Mensch«, sagte Johannes, »Sie leben ja in den Sternen! Bernhard Hoetger, einst lagen wir zusammen am Rande eines Moorgrabens; ich konnte keinen Sinn in mein Leben bringen und erzählte Ihnen vielleicht von meiner großen Vereinsamung. Da sprachen Sie einen Gedanken aus, der immer wieder in mir hochstieg. Sie sagten fast wegwerfend zu mir, fast wie ein höhnischer Zuruf war es: ›Melden Sie sich kriegsfreiwillig, wenn Sie glauben, so nicht weiterleben zu können!‹ Da war das ausgesprochen, was in mir wühlte und mich zur Tat treiben sollte, und ich ging.

Die vier Jahre da draußen war ich nicht mehr einsam. Ich lernte in dem alles gleichmachenden Feldgrau den arbeitenden deutschen Menschen kennen und auch den russischen, ich erkannte, daß eine Klasse, die mich verzog und verhätschelte, nicht das war, was ich von ihr dachte. Die Ereignisse und die Wirklichkeiten, die sie selber geschaffen hatte, begannen sie zu demaskieren. Sie aber saßen fern von allem diesem und spannen sich ein, träumten von einem Führertum. So machten Sie sich eine Philosophie über die Einsamkeit zurecht und haßten die Masse, die Sie als schöpferisch unfähig einschätzten.«

Hoetger: »Auch ich habe vom Leben gelernt. Das Führerproblem ist das wichtigste. Es gibt nur den ›Einzigen‹, der alle Verantwortung an sich reißt, alle Fehler in sich sucht, sich entwickelt als Einsamer. Gerade die größte Einsamkeit gibt die ungebundenste Gemeinschaft der Einsamen.«

»Das scheint mir der letzte verzweifelte Rettungsversuch einer untergehenden Gesellschaft zu sein. Dem gegenüber steht die gebundene Gemeinschaft mit der Masse, die Erweckung aller schöpferischen Kräfte der bisher ausgebeuteten und von dem kulturellen Leben ausgeschlossenen werktätigen Menschen.«

»Das könnte aber auch der kommunistische Staat nicht schaffen«, erwiderte Hoetger, »denn Sache des Staates ist nur das, was er kann, nämlich der Staat muß Gerechtes an Gerechtes reihen nach menschlichem Ermessen.«

»Aber Hoetger, das menschliche Ermessen eines profithungrigen kapitalistischen Unternehmers ist doch ein anderes menschliches Ermessen als das des ausgebeuteten, verelendeten Menschen. Und Gerechtes? – In dem, was Sie eben ausdrückten, offenbart sich die ganze Hohlheit und Verlogenheit der dem Untergang geweihten bürgerlichen Gesellschaft.«

Hoetger: »Damit hat es lange Wege, jede extreme Regierung läuft die Gefahr der Übersättigung irgendeiner Überzeugung, die als fetter Kadaver die anständige Lebendigkeit verpesten wird.«

Die beiden Diskutierenden standen an der Weggabelung des Dorfes. Der Bildhauer stieg auf den einsamen Berg, an dessen Hang das neue, von ihm gebaute Haus stand in seiner ganzen spukhaften Silhouette. Der Maler sagte freudig: »Hier trennen sich nun unsere Wege«, und wanderte rüstig durch das Dorf zum Barkenhoff. Es war spät geworden. Licht brannte nicht mehr. Am Teich entlang stieg er die Kiefernschonung am Hang hoch und legte sich im Bienenhaus zur Ruhe.

Blick aus Vogelers Moskauer Wohnung in den Universitätshof.
Zeichnung, 1923

DRITTES BUCH
SOWJETRUSSLAND

[Entwürfe]

Kapitel 1

In einer engen Moskauer Droschke, die mit Koffern bepackt war, über denen ein zusammengeklappter Kinderwagen balancierte, fuhren wir, die Sonja und ich, vom Oktoberbahnhof durch das große alte Moskau mit seinem holperigen Dorfpflaster aus Feldsteinen, entlang an der weißen massiven chinesischen Mauer mit ihren Wehrgängen, Schießscharten und rundbogigen mächtigen Durchgängen für Menschen und Gefährte. Vom Bahnhof aus hatte Sonja der Mutter, die im Kreml wohnte, schon telefoniert. Die Kremlwache gab daher am Eingangstor den Erlaubnisschein zur Einfahrt. Eine kleine hochgelegene Stadt von Palästen, Kasernen, Kirchen und Straßen. Im Torbogen, durch den die innere Hauptstraße führte, stand die Mutter Sonjas und erwartete die Tochter mit ihrem Mann. Wir gingen nun durch ein dämmeriges, steinernes Treppenhaus die breiten bequemen Sandsteinstufen hinauf. Der schwarzgekleidete Wächter der Innenräume half beim Verstauen des Gepäcks. Die Eltern Sonjas hatten in der zweiten Etage des Palastes ihre Wohnung. Ein sehr großer tonnengewölbter alter Raum, der, in der Mitte durchteilt von einer aufgerichteten Wand, immer noch zwei große Räume barg zum Wohnen und zum Schlafen. Ein kleineres Vorzimmer war noch vorhanden, in dem der Platz für die Wanne und für Haushaltungsgegenstände abgeschlagen war. Alles war wohlgepflegt; wertvolle Möbel, eine kleine Bibliothek, einige Kunstgegenstände aus China, die der Vater mitgebracht hatte, als er die Verhandlungen mit Japan in Dairen beendet hatte, machten das Heim sehr behaglich. Julek Marchlewski, der außer der Leitung der Universität der nationalen Minderheiten des Westens als Begründer der Internationalen Roten Hilfe diese Organisation, die MOPR, führte, war tagsüber sehr beschäftigt. Im Kreml hatte er wenig Verkehr außer mit dem Genossen Felix Dzierzynski, der häufig abends zwischen elf und zwölf zu ihm heraufkam. Dzierzynski wohnte eine Etage unter Marchlewskis Quartier.

In der von Marchlewski gegründeten Kommunistischen Universität der nationalen Minderheiten des Westens bekam ich eine Anstellung als Leiter der Iso-Abteilung. Hier hatte ich künstlerischen Unterricht im Zeichnen zu geben, mußte die Ausstattung der Aufführung des Dramatischen Zirkels übernehmen und mit den Studenten die Museen der Hauptstadt besuchen.

Im Herbst wurde in der Soljanka im Mütterheim an der Moskwa unser Sohn Jan geboren. Wir siedelten vom Kreml in die Universität über, wo wir einen größeren Raum erhielten, den wir in zwei Kammern aufteilen konnten, denn Sonjas beste Freundin, Liselotte, war aus Berlin zu Besuch gekommen, um die Pflege unseres kleinen Sohnes zu übernehmen und Sowjetrußland kennenzulernen.

Meine Tätigkeit für die Dramzirkel war deshalb sehr lehrreich, weil ich mich den Ausdrucksmitteln der verschiedensten Nationen anzupassen hatte, um wiederum ihrem nationalen Empfinden nahezukommen. Die Inszenierungen Meyerholds waren damals das Anregendste im Moskauer Theaterleben und übten auch auf das studentische Leben ihren Einfluß aus. Es war besonders das Zurücktreten der Persönlichkeit hinter der Massenbewegung, die die Szenen beherrschte, mit maskenhaften Übertreibungen der rhythmischen Bewegung der Masse bis zum reinen Formalismus. So spiegelte sich bei den Aufführungen der jüdischen Sektion der Universität die Bewegung des sprechenden Schauspielers in einem leichten Widerklang der Bewegung bei den Massen ab. Die Klein- (Weiß-) Russen liebten wiederum eine naturalistische Ausstattung ihrer Stücke, die manchmal an Sentimentalität grenzte. Die Deutschen waren durch ihre realen Begebnisse im mitteldeutschen Aufstande so an die Wirklichkeit gebunden, daß diese realen Erlebnisse der Aufführung ein festes Gerüst gaben, um das sich in sehr sarkastischer Form die Massenbewegung der schläfrigen sozialdemokratischen Arbeiterschaft wand.

Eines Morgens kam zu ungewohnter Zeit die Lisa zu uns in unser Schlafquartier, schlang ihren Arm um Sonjas Nacken, mit erschütterter Stimme rangen sich in ihr die Worte los: »Iljitsch ist tot.« Als wir auf die Straße kamen, war es uns, als wäre das Leben unserer Hauptstadt erstarrt. Der Rhythmus der drängenden, geschäftig eilenden Menschenmassen war gehemmt, aufgeteilt in erschreckte Pausen, in stille Gruppen, die sich langsam lösten. Abends sprach Julek Marchlewski in der Universitätsaula zu den Studenten. Der Tod Lenins, der unersetzliche Verlust des großen, klaren, einfachen Denkers und Führers, des revolutionären Aufklärers und Wegweisers zur Gestaltung einer neuen klassenlosen menschlichen Gesellschaft, gab dem alten Genossen Julek Marchlewski Worte, die uns widerklangen zu allen Zeiten der Nöte wie zu den Zeiten des grandiosen schnellen Aufstiegs der sozialistischen Staaten-Union unter der Führung Stalins.

Gründung der MOPR (Internationale Rote Hilfe). Öl, 1924 (in der Mitte, stehend: Julian Marchlewski)

Fontana Martina bei Ascona

Fritz war nach Worpswede zum Barkenhoff gekommen, um das Leben auf der jungen Arbeitskommune anzusehen; es trieb ihn dazu als Revolutionär, der einen Ausweg suchte, als in Deutschland alle Versuche, eine Räterepublik aufzurichten, blutig niedergeschlagen waren. In Sowjetrußland war er mit einer Gewerkschaftsdelegation aus der Schweiz gewesen. Fritz Jordi war Drucker wie seine Brüder; er hatte sich aber vom Parteileben sehr zurückgezogen, hatte eine Summe gesparten Geldes dazu angelegt, in der italienischen Schweiz die Ruinen eines verlassenen Dorfes am Lago Maggiore zu kaufen. Die Dorfbevölkerung war schon vorzeiten ausgewandert nach Amerika. Einige Häuser waren noch ganz standfest; aus Bruchsteinen gebaut mit festen Dächern, die mit flachen großen Steinen eingedeckt waren, konnten die Gebäude noch lange stehen. Mit großen Kellern waren sie unterbaut, die dem See zu, der Mittagssonne entgegen sich öffneten; denn das ganze Dorf baute sich am Steilhang über dem Lago Maggiore so auf, daß die zwei bis drei Etagen hohen Häuser ihre Eingänge von der hinteren, dem Berge zugekehrten Seite hatten. Kühn geschwungene schmale Brücken vom Hang aus, unter denen die enge Fahrstraße lag mit ihren aufsteigenden Felsentreppen, führten in die einzelnen Etagen der Häuser am Hang. Durch das ganze Ruinengewirr stürzte ein klarer Bach, dessen felsige Uferhänge mit Efeu überzogen waren. Jedes der kleinen und großen Häuser hatte einen besonderen Charakter und verlockte zum Erforschen seiner inneren Struktur; denn die räumlichen Verhältnisse im Innern, aber auch die organische Verbindung der Häuser mit den Zuwegungen waren von einem hohen künstlerischen Reiz.

Das verlassene Dorf am Lago Maggiore mit seinen Weinbergterrassen und Pfirsichbäumen war seinerzeit ausgestorben wegen des aussichtslosen Kampfes gegen Ungeziefer; die Reblaus und die Schädlinge an den Ostbäumen entmutigten die Einwohner, und sie fanden in den Vereinigten Staaten Nordamerikas eine neue Heimat. Fontana Martina verdankte die räumliche Schönheit seiner einfachen Architektur den Vorfahren dieser Bergsiedler; die Leute waren Bauarbeiter gewesen und durch ihre Arbeit an den Schloßbauten der Aristokraten in der italienischen Poebene geschult; ihre Erfahrungen hatten sie hier für den Bau ihres eigenen Lebens angewandt.

So übernahm Fritz Jordi seinen Dorfbesitz. Mit seinem jungen Sohne Peter begann nun die Aufräumungsarbeit und vor allem auch die Wiederherstellung der Fruchtterrassen, für die er die fruchtbare Erde aus dem Walde heranschaffte. Nach langer schwerer Arbeit waren alle Voraussetzungen für eine gute Ernte geschaffen, da traf den rastlos Arbeitenden ein schwerer Schlag, ein Wetterschlag. Über Ascona und seine Umgebung tobte sich ein Wettersturz aus mit strömendem Regen, Windhosen und Steingeröll von den Hängen und fesselte die beiden Menschen für Tage und Nächte in den Schutz der alten Mauern und steinernen Dächer Fontana Martinas. Dann war die Sonne wieder da. Aber als Vater und Sohn aus ihrem unfreiwilligen Gefängnis heraustraten, mußten sie sich durch einen Trümmerhaufen von Schlamm und Steinen arbeiten. Kein Terrassenaufbau war mehr zu erkennen, alles war von den brausenden Gewässern untergraben und weggerissen, die fruchtbare Erde abgeschwemmt. Vom Gotthard kommend, war die starke Wetterströmung bei Ascona mit den gewaltigen Strömungen aus der Maloja-Ebene zusammengestoßen und hatte sich mit vernichtender Kraft ausgetobt. Das war zuviel für eine einzelne Menschenkraft. Verzweifelnd an der Möglichkeit, alles wiederaufbauen zu können, wanderte Fritz Jordi ab und arbeitete ein Jahr wieder als Drucker. Dann begann er von neuem in Fontana Martina mit der Arbeit, immer mit dem Gedanken, wie bekomme ich hier proletarische Arbeitskräfte her, um mit ihnen alles wieder aufzurichten, damit Genossen, die nach angestrengter politischer Arbeit eine Zeit der Erholung brauchten, hier im Rahmen dieser grandiosen Natur untergebracht und verpflegt werden könnten.

Diese Gedanken brachten Jordi auf den Barkenhoff nach Worpswede. Eines Tages erschien hier also dieser hagere, kragenlose Prolet und war von der jungen utopischen Arbeitskommune, die damals ihre Blütezeit hatte, sehr angetan. Anstatt zuerst für sich zu sorgen, bewegten ihn die Gedanken, dem Barkenhoff auf die Beine zu helfen und eine dauernde Verbindung mit seinem Fontana Martina aufzubauen.

Fritz war um diese Zeit unverhoffterweise ein Besitz an Holzbearbeitungsmaschinen aus einem Bankrott zugefallen. Er beschloß, diese Maschinen dem Barkenhoff dienstbar zu machen. Ein Ingenieur, ein bekannter Kommunist, glaubte, auf diese Weise, wenn er bei dem Heranschaffen der Maschinen aus Konstanz am Bodensee seine Hilfe zur Verfügung stellte, Aussicht zu haben, den Barkenhoff in ein industrielles Unternehmen zu verwandeln. Die Maschinen waren ein Sägegatter und eine Hobelmaschine. Mit größter Unruhe sah ich ihrer Ankunft entgegen. Die Arbeitsgenossen, natürlich der alte Zimmermann, waren vor allem von dem Sägegatter sehr entzückt. Mich beunruhigte, daß wir beim Aufstellen der Maschinen unbedingt mit einem Bauernnachbarn, mit dem Holzhändler Grimm, zusammengehen mußten, der derartige Maschinen bedienen konnte und an der Landstraße einen guten Anfahrtplatz für die Maschine und für Holz hatte. Die Aufnahme der Hobelmaschine verweigerte ich, zumal der Ingenieur schon begonnen hatte, die Lager für die Maschinen an dem Atelierraum am Pferdestall aufzumauern. Alles sträubte sich in mir, denn ich fühlte, daß er uns zu Unternehmern machen wollte, um sich dann selber festzusetzen. Wir beschlossen, die Hobelmaschine sofort zu verkaufen, um Gelder für den Ankauf einer alten Lokomobile aufbringen zu können.

Das Verhältnis zu dem Ingenieur Disch wurde auf diese Weise ein absolut feindliches, nachdem die Maschinen nicht bei uns, sondern bei dem Holzhändler aufgestellt worden waren, dem wir August, den Zimmermann, zur Hilfe und Kontrolle beigegeben hatten. – Der Ingenieur entpuppte sich auch bald als ein klassenfeindliches, spekulatives Element. Eine Lokomobile hatte ich für einige Millionen Inflationsgeld herangeschafft. Sie mußte gut behandelt werden, da sie nicht mehr von langer Lebensdauer zu sein schien. Die Maschine hatte gut zu tun, da kein Sägegatter in der ganzen Umgebung arbeitete und da wir in dem alten August einen sehr geschickten Handwerker zum Schränken der Sägeblätter hatten.

Jan war jetzt zwei Jahre alt, als wir, Sonja und ich, mit ihm Fritz Jordi im Kanton Tessin besuchten. Fontana Martina war für mich einer der schönsten Plätze, die ich je sah. Da gab es Arbeit, um aus diesem alten Dorfrest eine Anlage zu machen, die für erholungsbedürftige Genossen ein außergewöhnlich stilles, abgeschiedenes Heim werden konnte mit dem weiten Blick über den Lago Maggiore bis tief ins Schweizer Gebirge und über die italienische Grenze.

Es liegt wohl auch daran, daß Unfertiges oder Verfallendes mit sichtbaren gesunden Grundlagen in mir sofort schöpferische Gedanken erweckt und zur Tat treibt. So ging es mir auch gleich mit diesem verlassenen Dorf, zu dem man abseits vom Wege zwischen Terrassenanlagen und steilen Wiesenhängen hinaufsteigen muß. Wenn man oben im Dorf ist, so kann man bequem auf den dicken massiven steinernen Dächern der Häuser vom Treppenweg aus gehen, sieht unten die blaue Fläche des Sees, sieht Ascona, und abends leuchten in der Ferne die blinkenden Lichter von Locarno.

Mit Fritz Jordi begann sofort die Arbeit, das Einebnen des Schuttes bei verfallenen Häusern, das Bepflanzen des gewonnenen Raumes mit Feigenbäumen, Reinigen der Gemüseanlagen von Ungeziefer, und abends saß man auf der Terrasse des obersten Hauses unter verschlungenen Rebstöcken, die sich in einem alten Pfirsichbaum heraufrankten, und beobachtete die schattenhaften Sprünge und Klettereien der Siebenschläfer.

In Ascona besuchten wir die Brüssler Bekannten, die sich hier angesiedelt hatten. Ein altes schloßartiges, mit hohen Mauern umgebenes Gebäude am Taleingang war ihr Heim geworden; am gegenüberliegenden Wiesenhang hatten Bachrachs von dem Worpsweder Maler-Architekten Weidemeyer sehr moderne Wohnbauten ausführen lassen, in denen alles zur Selbstbedienung elektrisch eingerichtet war. Der Stil der Häuser war kastenförmig, mit guter, natürlicher Beleuchtung, und erinnerte an die Achitekturen von Corbusier. Außerdem hatten Bachrachs ein kleines Theater für Lotte Bara aufgebaut. Lotte Bara war jetzt verheiratet mit einem jungen Arzt.

Auch der alte Anarchist Meyer, der Pelzhändler aus Brüssel, hatte sich hier in Ascona während des Weltkrieges Unterkunft in einem kleinen Häuschen geschaffen. Das lag direkt hoch über dem See. Von hier aus hatte der alte rüstige Pelzhändler zwischen den Felsen einen romantischen Zugang zum See, den er für seine großen Schwimmtouren in dem dunkelgrünen Wasser des Lago Maggiore brauchte. Trotz der Beschlagnahme ihrer Kapitalien durch die belgische Regierung – sie hatten für die deutsche Heeresleitung gearbeitet – hatten sich die beiden Familien nach dem Kriege schon wieder erholt. Bachrach arbeitete mit einer italienischen Seidenfirma zusammen, und Meyer wurde wieder eine bekannte Persönlichkeit auf dem Leningrader Pelzmarkt.

[Berlin]

Nach der Rückkunft in Berlin lebten wir in der Vorstadt Britz in einem der kleinen Häuser der [Bruno-Taut-]Siedlung. Das Zusammenleben in dem behaglichen kleinen Häuschen war nicht glücklich. Der Jahresunterschied zwischen uns war zu groß, die Rastlosigkeit, die mein Leben erfüllte, die Selbstsucht, die darin lag, der Gestaltung immer neue Formen abzugewinnen, brachte Sonja zu einem abenteuerlichen Leben aus der Furcht zu vereinsamen. – Eines Tages erschien ein junger Mensch bei uns, zeigte sehr interessante Linoleumschnitte aus dem Leben eines Fürsorgezöglings. Der junge Maler hatte mit mir eine besondere Aussprache. Es stellte sich heraus, daß er ein sehr haltloser dekadenter Charakter war, seinem besten Freund (er war aus dem Rheinlande) hatte er eine große Summe Geldes gestohlen, das gestand er mir und wollte Rat wissen, was er tun sollte in dieser Angelegenheit. Ich riet ihm, auf die Post zu gehen, sich still mit der Sache zu beschäftigen und dem Freund offen zu schreiben, daß dieser Notgriff in seine Tasche aus dem lodernden Wunsch entstanden sei, in der Hauptstadt Berlin eine Zeit für seine künstlerische Arbeit leben zu können, und die Hoffnung auszusprechen, daß er das Geld in Raten zurückzahlen könne.

Am nächsten Tage kamen zwei Kriminalbeamte zu mir und fragten nach dem jungen Maler aus dem Rheinlande, ob er bei uns verkehre. Ich bejahte und wollte hören, was mit ihm ist und was man für ihn tun könne. »Gehen Sie ins Zentrale Krankenhaus«, sagte einer der Beamten, »da werden Sie ihn finden. Er war in einem kleinen Hotel am Anhalter Bahnhof abgestiegen und hat sich eine Kugel in die Brust geschossen; Lebensgefahr besteht kaum.« Ich fand ihn auf seinem Krankenbett auch ganz lebensfroh vor. Von nun ab besuchte Sonja ihn täglich, und ein leidenschaftliches Liebesverhältnis wuchs aus dieser Verbindung, mit allen Höhen und Tiefen bis zum Selbstmord, der sich aber nicht vollendete. Zudem war der junge Mensch ganz abhängig vom Morphium, das er sich immer wieder zu verschaffen wußte durch Schwindel, Einbruch und Diebstahl von Rezeptblankos bei bekannten Ärzten.

Das Verhältnis zwischen mir und meiner Frau änderte sich nicht mehr zum Besseren. Im Sommer waren wir in einem Ostseebad; dort war auch Jan mit einer Reihe von Kindern untergebracht. In diesem Ort lebte eine der vorübergehenden Frauen Tetje Tügels. Dem kurzen Verhältnis dieser beiden Menschen war ein Sohn entsprossen, ungefähr im Alter von Jan. Die Mutter... [Gertrud Badenheuer?] war auf der Wanderung mit Freundinnen durch Worpswede gekommen, war dageblieben, hatte sich mit dem genial veranlagten Otto Tügel verbunden. Beim Brand des Brunnenhofes in dessen altem strohbedachten Anbau lebte ... [Gertrud?] mit ihrem Jungen hier und konnte sich in dieser Nacht mit ihrem Kinde retten. Tetje Tügel wandte sich bald anderen Frauen zu. Sie als Medizinstudentin entschloß sich schnell, ihr Leben selber aufzubauen,

Groteskköpfe. Aquarell, 1925 (aus einem »Bilderbuch für Janek«)

sie wurde Hebamme in diesem einsamen Fischerdorf an der Ostsee. Wir halfen ihr, sich von dort zu trennen, in die Krankenhauspraxis zu gehen und ihre Doktorwürde zu erwerben.

Im Sommer 1926 fuhren wir, Sonja und ich, wieder nach Sowjetrußland. Ich immer noch voller heißer Erwartung, daß ich die Frau zurückgewinnen könne. Wir wohnten im Kreml und blieben innerlich getrennt auf immer. Ich arbeitete für die MOPR, und gegen Herbst machten wir noch eine sehr schöne Tour zu Fuß durch Usbekistan – Tadshikistan.

Zentralasien 1926

Auf dem Steinfußboden eines zentralasiatischen Bahnhofsgebäudes lag unter den farbig gekleideten Usbeken und Tadshiken eine kleine Reisegesellschaft aus Moskau auf ihrem Gepäck und schlief. Zwei Studenten, eine Frau und ein Maler. Zu den Füßen des einen Studenten lagerte ein weiß-schwarz gesprenkelter Jagdhund, ein Setter. Vor Sonnenaufgang erhoben sich die Studenten und erkundeten eine Fahrgelegenheit durch die Steppe nach Ura-Tjube. Anderen Morgens fuhren die vier mit dem Hund in einem dichtbesetzten Ford-Personenwagen durch die triste, wüstenähnliche Ebene, die nur an wenigen Stellen fruchtbare Berieselung und einige Lehmhäuser zeigte. Nach einiger Zeit rückten die völlig kahlen, sandgelben, hohen Wellen des Vorgebirges näher, hinter denen sich in der Ferne das waldige Hochgebirge aufbaute. Durch die kahlen Sandberge führte der Weg. Die Hitze und die Eintönigkeit der Landschaft machte die Reisenden stumpf, nur hingegeben der Zeit, den schläfrigen, erwartungsvollen Gedanken. – Das Stoppen der Maschine riß alle aus dem Halbschlaf; das Auto stand, umringt von dem lauten und farbigen Leben eines orientalischen Basars.

Ura-Tjube ist eine große Landstadt, umgeben von niedrigen, kahlen Vorbergen. Auf ihrem Rücken sieht man alte Befestigungswerke und Verteidigungstürme. Unter diesen schachtelt sich die Stadt mit ihren flachen Dächern hin. Die Straßen sind eng, manchmal hügelig. Die Häuser zeigen der Straße zu kein Gesicht, nur eine Tür, ganz selten einen kleinen Balkon hoch oben über der Straße. Ura-Tjube zeichnete sich durch einen intensiven Weinbau aus. Eine ganz vorzügliche Traube wächst hier hinter den hohen Mauern der Bauerngrundstücke. Als wir einen Bauern aufsuchten, belud er uns mit den ausgesuchtesten Trauben, nahm nichts bezahlt. Es war Sitte, daß das, was der Bauer innerhalb seiner Mauern gibt, auch nicht bezahlt werden kann. Und die Bauern waren sehr freigebig.

Wir hatten uns mit einigen Einwohnern angefreundet. Ein Hufschmied führte uns, öffnete die Straßentür seines Hauses und ließ uns eintreten. Der Raum, in den wir kamen, war nicht hell. Man konnte den Stand eines schönen grauen Hengstes erkennen; dann waren da eine Büffelkuh und Schafe. Bevor wir ins Freie, in den Innenhof, kamen, gab der Schmied seinem Schwiegersohn den Auftrag, den Hund zu verwahren, der den Treppenaufgang zu der höheren Etage bewachte. Der Usbeke drückte das schwere Tier nieder und hockte auf ihm. Der Hof war bestanden mit einigen Pfirsich- und Aprikosenbäumen, viele Blumen waren da und ein Wasserbecken. Wir durchschritten den Hof, erkletterten die steile Holztreppe zu den oberen Räumen, die zum Hof gerichtete Glaswände hatten und sehr hell und sympathisch waren. Sympathisch durch ihre ausgeglichene zarte Schönheit. Die Wände waren aus hell weiß-grün lackiertem Holz mit Nischen unterschiedlichen Formates für die verschiedenen Gegenstände, die sie sichtbar und unsichtbar bargen. Unten die großen Öffnungen waren für Teppiche und Kissen eingerichtet, von denen unser Gastgeber einige herauszog und für uns auf dem gepflegten Boden zum Sitzen und Hinlagern ausbreitete. Aus einer der Nischen nahm er einen tiefen großen Messingteller, füllte ihn mit Trauben und anderen Früchten. Einige Plätze der Wände waren für Porzellan oder für eine Messingkanne. Zierliche maurische Hufeisenbogen faßten die kleineren Nischen ein; Flächen mit feinen Blumenstücken, Tulpen, Baumwollblüten, bemalt wie persische Miniaturen. – Der Schmied wurde unser Ratgeber beim Eselkauf für die Gebirgstour zum Serawschan-Fluß. Er übergab unsere Wünsche dem »langen Ohr«, einem bestimmten Mann am Basareingang, und in kürzester Frist war unser Wunsch allen Bewohnern der Stadt bekannt, und wo wir uns auch bewegten, erschienen Esel zum Verkauf mit ihren Bauernbesitzern oder mit Agenten. Vor allem ein aufdringlicher Vermittler trennte sich nicht mehr von uns. Wir flüchteten schließlich in eine abgelegene Straße vor all den Eseln. Aber auch hier kam der Agent bald mit zwei Eseln angezogen. Die waren zu schwach. Ich, der Maler, als Tierliebhaber, lehnte ab. Der Agent, ein Witzbold, ritt das Tier noch einmal vor, zog aber mit seinem Bein eines der vorderen Eselbeine hoch, daß das arme Biest auf drei Beinen humpeln mußte. Dies nur, um die »große« Eselkenntnis des Malers zu bekräftigen und zu würdigen. Da kam aber ein Bauer die steile Straße vom Basar heraufgeritten auf einem flinken Esel. Ehe der Mann zur Besinnung kam, war er durch die Freunde des Agenten von seinem Esel abgesetzt auf eine Trottoirmauer. Hier wurde er von den Freunden freundschaftlich bearbeitet. Der Agent nahm den Esel und handelte mit uns. Wir wurden uns auf siebzig Rubel einig mit der Bedingung, daß unser Freund, der Schmied, den Kauf gutheiße.

»Das ist der richtige Esel, nicht zu jung, nicht zu alt, der kann euer Gepäck gut über den Paß tragen«, war sein Urteil.

So begann die Wanderung. Zuerst durch reiche Weingärten, von denen uns hohe Mauern trennten. Dann kamen Getreidefelder, eine sonnige fruchtbare Hochebene. Je näher wir dem Abend kamen, desto trister wurde die Bergluft. Am Anfang des Tages, als die viere mit ihrem Packesel aus Ura-Tjube aufgebrochen waren, hatte die Sonne hell geschienen. Gegen Mittag, während der Rast, hatte Sascha, der eine Student, mit dem Gewehr und mit Hilfe des schwarzgesprenkelten weißen Setters noch einige Tauben geschossen, die an seinem Gürtel baumelten. Die Straße der Hochebene war noch belebt. Vor allem wanderten riesige Getreidehaufen hintereinanderher, unter denen man beim Näherkommen das trippelnde Gebein der kleinen Esel erkennen konnte. Farbig gekleidete Reiter, die auf ihrem Pferd den primitiven Holzpflug mitschleppten, kamen vorüber. Auf dem Felde selbst schleppten die Büffel den breiten schweren Holzstamm, auf dem der lenkende Bauer stand, über den klumpigen Boden, der unter der Last zerkrümelte. Kam ein Bewässerungsgraben in die Nähe der staubgrauen Landstraße, so eilte sein Gewässer zwischen den blumenübersäten Grashängen seiner Uferwände hin. Das Gras war dicht und kurz, wie ein Teppich, durchsetzt mit kleinen weißen und roten Kleeblumen. – Dann kamen kalte Winde von den schneeigen Bergen. Die Luft wurde grau. Ein mit Lehmmauern umschlossenes, in Hausquadraten hingeschachteltes Dorf war da; ein breiter wüster Platz. Die Hunde sprangen von Mauern und Dächern. Heiseres und wütendes Gebell begleitete die Wanderer, die sofort umtost waren von den kurzhaarigen Biestern, die aussahen, als wären sie von den Dächern einer gotischen Kirche entsprungen. Viele Dorfleute kamen auf den Platz und dirigierten die Tiere mit Steinwürfen auf ihre Plätze zurück.

Die Reisenden wurden in der Kibitka des Dorfes einquartiert, einem langen schmalen Lehmhaus, das an einem Ende einen großen Kamin zum Kochen hat. Die Bauern brachten Filze und Felle zum Lagern auf dem Lehmfußboden. Die nischenartigen Wände nahmen das Gepäck auf. Bald flackerte das Feuer auf, und zwei Bauern bereiteten in einem riesigen halbkugelförmigen eisernen Topf den Plow, das übliche Reisgericht, zu dem die Tauben, die wir inzwischen gerupft hatten, eine gute Zuspeise abgaben. Der Esel, der unter unserem Raum einen Stall hatte, bekam frischen Klee.

Nach dem Essen, an dem die beiden Köche teilnahmen, verstopften wir noch die offenen Holzgitter über den beiden Türen (Fenster gibt es nicht) mit unserem Eselsack und Mänteln. Dann kam der Schlaf. Es war uns kalt, und als wir am anderen Morgen das vergitterte Oberlicht der Türen von den Abdichtungen befreiten, sah man vom Innenraum aus nur die kahlen, verschneiten, hohen Berge.

Die Sonne kam hoch. Der Esel war gepackt. Vorwärts ging es aus der Hochebene in das Gebirge. Ein großer Fluß kam uns entgegen, tief eingerissen in den schwarzen Erdboden mit senkrecht abfallenden Ufern. In einer gewissen Höhe des abfallenden Uferrandes lief eine alte Wasserleitung, ein anderthalb Meter breiter Graben, außerordentlich kunstvoll eingebaut, an einigen Stellen unterirdisch verschwindend und dann wieder auftauchend. Warm schien die Sonne, als uns die hohen Berge näher umschlossen. Immer enger wurde das Tal. Eine Ölpflanze wurde hier viel angebaut. Die Ölmühlen waren in einigen Dörfern, tiefe überdachte Erdlöcher im Lehmboden, dort unten lief ein Pferd im Kreis wie am Göpel bei den norddeutschen Bauern; nur gab es hier keine Zahnradübertragung zur Maschine, sondern ganz primitiv lief der hölzerne Preßschwengel in einem hölzernen butterfaßähnlichen engen Bottich und zerdrückte das Ölkorn.

Ganz selten traf man in den Dörfern einen Russen. Wenn man jemanden traf, der kein Eingeborener war, so stellte sich meistens heraus, daß er im Forstwesen beschäftigt war. Zwar sah man nirgends Wald in diesen kahlen Gebirgen, aber einige Nebentäler sollen noch ziemlich viel Zedernholz haben, das gegen Raubbau durch die Anwohner geschützt werden mußte; außerdem birgt die Flora Zentralasiens so viel interessante, für die Medizin wertvolle Kräuter, daß einige Forstbeamten hier ein reiches Forschungsfeld hatten. Im letzten Dorf vor dem Aufstieg zum Obordonpaß kam ein Forstinspektor angeritten, ein langer sehniger Russe, gut bewaffnet, der einen größeren Bezirk zu kontrollieren hatte. Unser Jägerstudent schloß sich ihm an, und in der Nacht ging eine kleine Gruppe Jäger, alle dunkel in braune Wollmäntel gekleidet, ins Feld, um Wildschweine aufzuspüren, die die Felder verwüsteten. Erfolglos war die Jagd, vielleicht war der Mondschein zu hell. Von diesem Dorf aus nahmen wir einen zweiten Esel und einen Jungen mit, da der nun folgende steile Weg mit Gepäck für einen Esel zu schwer war.

Der Aufstieg am anderen Tage begann schon schwierig, ging an einem Bach entlang, über Felsenhänge wie über eine wirre Treppe, die für ein Riesengeschlecht gebaut schien. Am Fuße des letzten Aufstiegs zum Obordonpaß liegt eine Höhle, das sollte unser Übernachtungsplatz sein; aber der vielhundertjährige Dünger, der den ganzen Boden der Höhle bedeckte, stieß uns ab. Der Mond schien hell. Der Jäger war schon vorgegangen, da er einer frischen Bärenspur nachgehen wollte, und nun stieg auch der Rest der kleinen Karawane die Serpentinen des Hanges hinauf. Oben lag Schnee. Der Maler bekam einen Anfall von Bergkrankheit, Magendruck, Kopfschmerz und Schwindel, und wurde am Arm des Studenten und der Frau durch den Schieferschotter jenseits des Passes langsam hinabbugsiert, bis er im niederen engen Tal seine normalen Kräfte wieder bekam. Der Mondschein erreichte die Taltiefe nicht mehr, es war dunkel, man tastete sich an einem rauschenden Berieselungsgraben entlang ins Dorf. Endlich gelang es, einen Dorfbewohner zu wekken, der uns in ein ruinenhaftes Haus führte. Der Raum, in dem wir es uns bequem machten, lag an einer hochgelegenen Lehmterrasse, zu der eine ganz schmale geländerlose Treppe hinaufführte. Wüst war der Raum. Viel Inschriften in russischer Sprache, wie »Verflucht dies Land, wo wir unsere besten Freunde durch den Tod verloren«. Es sah aus, als sei er eben von Soldaten verlassen worden. – Der alte Mann, der uns in diese Wohnung verwies und uns von nun ab bediente, war seiner weißen Kleidung und dem weißen Käppi nach ein Mullah. Er kochte für uns und unterhielt sich. Offenbar war er ein gewesener Großkaufmann, der hier an dieser Stelle einen lebhaften, sehr vorteilhaften Tauschhandel mit den entfernteren Bergbewohnern betrieben hatte, die noch in natürlichem Warenaustausch lebten. Andererseits reichten seine Beziehungen sehr weit – er kannte den Westen, kannte sogar Berlin und Wien; im übrigen spielte er den mit der Sowjetregierung sympathisierenden Biedermann und brachte uns zum Essen einen Eimer voll ausgezeichneter Milchsuppe, in der allerhand Kräuter und Gemüse schwammen. Unsere Mitgenossin konnte sogar die Frau des Alten besuchen. Wenn man Frauen sah, unverschleiert bei der Landarbeit, verschwanden sie sofort, als seien sie im Erdboden versunken.

Die Wege, die von hier aus talabwärts führten, waren ganz schmal aus dem Felsenhang herausgehauen, an vielen Stellen nur Überbrückungen über Felsenspalten. Tief unten an der senkrecht abfallenden Bergwand strömte der Serawschan, ein grauer Gletscherfluß aus dem Pamir. Der Weg war so schmal, daß man hinter zurückspringenden Felsen mit dem Esel warten mußte, wenn es nötig war, einer entgegenkommenden Eselkarawane Raum zu geben. Doch war der Verkehr nicht groß. Das Ziel der begonnenen Tagesreise, ein Dorf mit einer dunklen Kugelulme, wurde bald in der Ferne sichtbar, aber weit, weit war der Weg, da er in vielen Windungen allen kleinen Nebentälern nachgehen mußte. Das Tal des Serawschan ist zwischen hohen, felsigen, ganz waldlosen Bergen gelegen. Die Sohle des Tales ist an vielen Stellen eine ganz flache Ebene, durch die sich in großer Tiefe der Fluß sein eingeengtes Bett gegraben hat. Zu diesem grauen eilenden Gewässer dort unten haben die Menschen fast gar keine Beziehung, auch sind Brücken eine ganz große Seltenheit. Solche Brücke, zu der von oben ein steiler Weg in Windungen hinunterführt, ist ein sehr kunstvolles Bauwerk.

Faschinen aus Zweigen, mit schweren Steinen belastet, bauen, sich verjüngend, ihre frei schwebende Last von beiden Seiten weit über das Flußufer hinaus, und nur die letzte Bindung ist ein schmaler, geländerloser Steg von zirka zehn Metern. Die Brücke ist elastisch, schwankend, und selbst der Esel geht erst hinüber, wenn die Menschen es ihm vorgemacht haben.

Der Charakter der tadshikischen Dörfer ist insofern unterschiedlich, als in einigen der hochgelegenen Dörfer die Bewohner jeweils verschieden gekleidet waren, und zwar machte es den Eindruck, als trügen sie angestammte Familienfarben. Einer kommt ganz in Grün gekleidet mit einem gelben Leibtuch, ein anderer liebt Schwarz und Rot, ein dritter ist ganz auf Blau und Weiß gestellt. Man hockt sich auf der Terrasse am Tempel hin zum Tee. Hinzukommende begrüßen sich mit einer Feierlichkeit der Umarmung, als erschiene der Kommende aus fernsten Ländern nach langen Jahren großer Erlebnisse. Auch unsere kleine Karawane ließ unten den Esel stehen und setzte sich zu der Gruppe auf den Teppich. Mit einigen Brocken Persisch konnte der eine Student sich etwas verständigen. Das Dorf machte einen zurückgebliebenen Eindruck. In einem anderen Dorf fanden wir die Bewohnerschaft eifrig tätig, für eine alte verkommene Obstbaumanlage unter der Leitung eines jüngeren Mannes ein Berieselungssystem anzulegen. Der Mann unterbrach seine Arbeit, um sich um unser Wohl zu kümmern, führte uns in seinen Garten, wo unter Pfirsichbäumen auf einem ausgebreiteten Teppich seine unverschleierte Frau saß mit einem reizenden sechsjährigen Mädchen. Der Mann war Kommunist. Der alte verkommene Besitz eines reichen Kulaken, der aus dem Dorf geflohen war, wurde nun unter seiner Leitung für die Armbauern fruchtbar gemacht.

Die Zuführung des Wassers geschieht durch Anlagen, die noch aus der Zeit Tamerlans stammen und mit einer staunenswerten Technik angelegt sind. So bleibt manchmal der Blick, wenn er über die kahlen Felsenberge schweift, plötzlich an einer kaum sichtbaren, schmalen grünen Linie hängen, ja, da fällt sogar ein kleiner Weidenbaum auf; dann verschwindet die Farbe wieder, und einige bogenförmige dunkle Höhlungen lassen vermuten, daß an dieser Stelle das Wasser durch das Innere des Berges geführt werden mußte. Zentralstellen der alten Wasserleitung außerhalb der Dörfer, wo das überflüssige Wasser in Strahlen herausfloß, benutzten wir, uns in natürlichen Duschbädern zu erholen. Je mehr das Tal sich senkte und breiter wurde, desto stärker wirkte sich die Sonnenwärme aus. Am kahlen steinigen Wege des Berghanges, den wir nun passierten, lagen äußerst interessante Basaltsteine mit Runenzeichen und ein größerer Stein mit langer muselmanischer Inschrift. Diese flach geritzten Inschriften im Basalt waren nicht im geringsten verwittert.

Zentralasien. Öl, 1927 (Komplexbild, dargestellt ist Michail W. Frunse)

In einem Dorf war ein bedeutender Tempel und daneben ein Badehaus, das heute wohl kaum noch benutzt wurde, aber uns sehr zur Erfrischung diente. Es war sehr sinnreich mit der einfachsten Technik ausgestattet, die man sich denken kann: Ein langes, langes Lehmhaus von geringer Tiefe und kaum über Manneshöhe. Das Innere bestand nur aus einem langen Gang, hinter dem sich offene, durch eine Lehmwand voneinander getrennte Zellen aneinanderreihten. Zu Füßen der Zelle floß ein Bach, in den man sich stellte, und etwas zurückliegend in Gesichtshöhe floß ein anderer Bach, der dem Badenden durch eine Holzröhre das Wasser für die Körperwaschung entgegenschleuderte.

Im Jahre 1926 sah man natürlich nicht überall in diesen abgelegenen Plätzen die Hand eines führenden Kommunisten. So empfing uns in einem Dorf das vornehm gekleidete Dorfkomitee in einem reich ausgestatteten Privathause recht mißtrauisch. Später fand am Tempelteich eine öffentliche Versammlung statt. Man saß am Rande des Teiches auf schönen Teppichen unter uralten Bäumen. Die Versammlung war nicht gut besucht, aber es fiel uns auf, daß sich in den Nebenstraßen allerhand ärmliches Volk herumtrieb, um die Versammlung von dort aus zu beobachten. Bevor jedoch die Versammlung eröffnet wurde, erschienen zwei Reiter aus Samarkand, ein schwarzgekleideter und einer in rotgeblümtem Gewand. Sie stiegen von den Pferden. Der Schwarze schaute sich forschend um und gab dem Roten einen Befehl, worauf sich dieser mit seiner Knute in die benachbarten Gassen begab und das neugierige Volk in die Versammlung trieb. Nun hockten sich alle nieder, verhielten sich aber dem gesprochenen Wort gegenüber ganz passiv, bis es dem Schwarzen, der nun mit bei dem Versammlungsleiter auf dem Teppich saß, durch Fragen an die Masse gelang, einen mächtigen alten Berghirten zum Reden zu bringen, und bald wurde der Alte warm, erhob sich drohend in seinem wollbraunen Chalat und schmetterte Anklagen über Anklagen gegen das Dorfkomitee, vor allem in der Frage der Holzversorgung. Die Reichen nehmen das Holz für sich, weil sie es bezahlen können, den Armen bleibt nichts. Auf irgendeinen Zuruf hin stellte der Schwarze noch eine Frage an die Versammlung: »Ist es wahr, daß man bei der letzten Wahl ins Dorfkomitee diesen Hirten verprügelt hat, weil er Leute aus der Dorfarmut für die Wahl vorschlug?« Erregt bejahte die große Gruppe der Dorfarmen die Tatsache. Der Schwarze teilte uns den ganzen Gang der Verhandlung mit. Die Partei hatte ihn geschickt, um die noch von den Kulaken unterdrückten Dorfbewohner aufzuklären, ihre Rechte zu vertreten und sie aktiv und bewußt zu machen für den Kampf um ihre eigene Befreiung von den Resten der traditionellen alten Machtverhältnisse.

Hier unten im Tal des Serawschan war es warm, auch die Nächte waren sehr schön, so daß wir auf dem flachen Dach eines Hauses unser Nachtlager zurechtmachten. Es war September, die Pfirsiche waren reif und boten uns eine gute Ernährungsbasis. Hier trat auch der ernste Charakter der baumlosen, monumentalen Landschaft etwas zurück, und je mehr wir uns der Wüste näherten, desto weniger gastfrei waren die Eingeborenen. Alles wurde hoch berechnet und mußte schwer bezahlt werden. Der letzte Platz vor der Wüste war Pendshikent. Von hier aus nahmen wir eine Arba, einen hochrädrigen Wagen, mit dem wir durch die Wüste nach Samarkand fuhren. Der Wagen hat zwei Räder. Ein Pferd zieht ihn durch den Sand. Der Pferdeführer hockt auf dem Pferde und stützt seine hochgezogenen Beine auf die Deichsel. Der nächtliche Mond schien sehr hell, und warm waren die Farben, die er in der kahlen Landschaft erweckte. Nie habe ich Ähnliches erlebt wie diesen farbigen Mondschein in der Wüste vor Samarkand.

Arbafahrt durch die Wüste (Mondnacht).
Aquarell, 1926 (aus der Mappe »Zentralasien ... Aserbaidshan 1939«)

Bevor wir nach Samarkand kamen, ging die Fahrt durch eine Oase. Hier gab es viele Verkaufsstände für Früchte, hauptsächlich Arbusen. Das Zentrum der Oase bildete ein großer, von einer haushohen Mauer umschlossener Platz für Karawanen, die Schutz vor Sandstürmen suchten. Ein großer Verkehr von Kamelkarawanen, meistens von Mongolen geleitet, ging ununterbrochen durch den Platz.

Endlich kamen wir nach Samarkand. Der Pferdeführer mußte lange überredet werden, ehe er es wagte, seinen Wagen in das Europäerviertel zu lenken. In zaristischer Zeit hätte es ihm den Kopf gekostet, wenn er das Europäerviertel betreten hätte. Der Eindruck von Samarkand war das Bild einer hohen Kultur mit unvergeßlichen Bauten. Die Mauern der Moscheen und Minarette sind mit farbigen Majolikakacheln belegt und so vor dem Verfall geschützt, wenn auch schon viele Platten ausgebrochen, gestohlen und in die Museen der verschiedensten Völker gewandert waren. Im Hauptkomplex der Gebäude im Zentrum stand das Priesterseminar mit seinen gut eingerichteten Wohnzellen. Die Gräber der Chans sind von kobaltblauen Kuppeln überdacht, die sich von dem ultramarinblauen asiatischen Himmel hell abhoben. Das schwärzlich wirkende, dunkle Grün der Ulmen bettete das Ganze in eine kraftvoll wirkende Festigkeit. Vor einem der Grabpaläste lag ein mächtiger Stein, zugehauen, um einen Koran-Pergamentband riesigen Formates zu tragen, von dem noch einige Blätter in den Grabmoscheen existieren. In Samarkand war der Basar mit vielen guten Sachen gefüllt, auch hockten dort Metallhandwerker, die schöngeformte Gefäße aus Messing schlugen. Die Kooperative hatte sich hier auch reich eingerichtet. Alle Teestuben waren gefüllt mit den farbig gekleideten Usbeken. Rote Teestuben mit ihrer Sowjetpropaganda, wo man auch die Möglichkeit hatte, Zeitungen und Journale zu lesen, waren leicht zu finden, und von der Höhe des alten Seminars ertönte das Radio und sprach zu den auf Kamelen und Eseln hockenden Bauern über die neuesten Einrichtungen der Bewässerung für die Baumwollfelder.

Von Samarkand aus fuhren die anderen Reisegenossen nach Moskau. Mich brachte die Eisenbahn durch die Wüste über Aschchabad ans Kaspische Meer, da ich noch Baku aufsuchen wollte, die großen Ölfelder Aserbaidshans.

Zuerst ging die Fahrt durch eine Steppengegend, in der noch viel niedriges Gebüsch wuchs und viele Kamele weideten, dann aber kam Sand ohne jegliche Vegetation, tagelang. Es war sehr heiß. Die Hauptstadt Aschchabad war erfüllt von Sandstaub, den die durchziehenden Karawanen verursachten. Ich machte auch einen kurzen Ausflug ins Gebirge zu einem Luftkurort, dem einzigen, der in der

Nähe der Hauptstadt liegt. Er war primitiv eingerichtet, zeichnete sich aber dadurch aus, daß es Bäume und Büsche gab und daß dort die Rosen das ganze Jahr über blühten. Weiter ging es nun durch die kahle Wüste bis nach Krasno[wodsk].

In dem trostlosen, sonnendurchbrannten Sandgrau der Wüste erschienen beim Halten des Zuges eine Anzahl hell gekleideter Frauen, die in reinlichen weißen Tüchern rotgesottene Krebse anboten. Eine erfrischende Farbenfreude für das Auge des Malers. – Am Hafen sah ich auch zum ersten Mal wieder einige verwahrloste Jungens, die im Sande lagen und ihre erbettelten Kopeken verspielten. Zwei von den Jungens sah ich auf dem Dampfer wieder, sie hatten sich als Schwarzfahrer eingeschmuggelt und verschwanden im Hafen zu Baku geradeso unauffällig, wie die verlumpten Gestalten an Bord des Dampfers gekommen waren.

Baku – eine moderne Stadt mit herrlichen Parkanlagen am Meer. Die Oleandergebüsche blühten. Ein alter mohammedanischer Friedhof im Zentrum der Stadt am Berghang wurde gerade liquidiert, und ein weitläufiger Park kam an seine Stelle. Eine elektrische Personenbahn verband die verschiedenen Ölfelder miteinander und mit der Zentralstelle der Leitung. Ein Wald schwarzer Bohrtürme umgab die Stadt. Neue Viertel für die Arbeiter entstanden überall, und die Wasserzuführung durch Leitungen verwandelte den Wüstenboden in fruchtbares Land, so daß die Neubauten der Arbeitersiedlung schon von Grün umgeben waren. Im »Haus der Frau« waren Werkstätten eingerichtet, wo die entschleierten mohammedanischen Frauen Wandteppiche stickten, im »Haus der Bauern« trafen sich die Männer und hatten Gelegenheit, technische Neuheiten für ihre Betriebe zu studieren. Die Pioniere waren eifrig mit ihrer politischen Aufklärung beschäftigt. Ein reges Leben war überall zu fühlen. Kosakenpatrouillen galoppierten dann und wann durch die langen Straßen am Meerufer entlang.

Von Baku ging es dann heimwärts unserer Hauptstadt zu.

[Auf der Reise nach Baku]

Heimat? Wo war er denn? Kannte er dieses Gefühl noch? Gewiß kam es ihm manchmal in den Sinn, aber in ganz anderer Form, wie er es sonst nicht gekannt hatte; nicht verbunden mit seinem früheren Besitz, in dem fünfundzwanzig Jahre intensiver Arbeit steckten, als er den Heideboden hinter dem Pflug aus seinem Urzustand geweckt und fruchtbar gemacht hatte. Jetzt, seitdem er in der Sowjetunion war, kam ihm plötzlich dieses Heimatgefühl in irgendeinem kleinen Nest seltsamer Lehmbauten in Zentralasien an. Heimat, ja,

Baku. Öl, 1927 (Komplexbild)

erobern: an diesem Platz bleiben, erleben, wie diese Menschen hier ihr Leben änderten, wie sie sich befreiten von der Sklaverei unter den Begs und Emirs, und wie sie es anfingen, am Neubau der Gesellschaft zu gestalten. Erfahren, was die Frau unternimmt, die bis dahin abgeschlossen vom öffentlichen Leben war und den Schleier trug, einen dichten schwarzen Vorhang aus Pferdehaar wie ein Gitter, das sie vom Leben trennte.

Johannes schaute zum Fenster hinaus. Die Steppe mit den dunkelgrünen niederen Buschpflanzen, zwischen denen Hunderte von Kamelen weideten, war verschwunden. Sandwüste, Einsamkeit. Vegetationslos. Kein Mensch, kein Tier. Einige Raubvögel kreisen. So – ein Tag und ein weiterer. Sandwüste. Ein einsames Eisenbahnerhaus im Sand. Ein Schwein. Wie kann es hier leben? Vorbei. Sand, grau. Hitze. Endlich steht der Zug. Wenig hat sich verändert, alles grau. Nur auf den Bahnsteig kommen Frauen, Bauersfrauen in Weiß mit hellen Kopftüchern, sonst alles sandfarben, aber die Frauen tragen in ihren kleinen Körben und auf Schüsseln rote Früchte, nein, Krebse sind es, rotgekochte Krebse. Das ist neben dem Weiß der Frauen eine lustige Erholung für das Auge und für den Magen schmackhaft. In Krasnowodsk wartet man auf den Dampfer nach Baku. Zwei verwahrloste Jungen, Besprisorni, haben sich irgendwie Kopeken erbettelt, liegen jetzt im Sand und spielen Hasard.

Auf dem Dampfer nachher waren sie wieder, wurden gejagt übers Deck, verschwanden irgendwo. Vielleicht trieb sie eine Sehnsucht nach Moskau. Nun, dort würden sie bald verschwinden. Moskau räumte gerade mit ihnen auf. Das war nicht leicht. Da kamen immer neue, elternlose, aus den Gegenden, wo Hunger war. Vielen waren Vater und Mutter durch den Bürgerkrieg verlorengegangen. Nun aber waren in Moskau und in einigen anderen zentralen Plätzen Heime für sie da. Feliks Dzierzynski hatte sie einrichten lassen mit Schule, Badeeinrichtungen, Klub und Kino. In den Werkstätten dieser Heime lernten die Jungen mit Maschinen umzugehen. Das war alles gut, wenn auch einige heimlich wieder abhauten in die Romantik der Wanderschaft. Aber manches änderte sich inzwischen. Die Menschen schauten nicht mehr belustigt und sympathisierend der Romantik dieser von der Revolution auf die Straße geworfenen Jugend zu. Die Gelegenheitsverbrechen dieser kleinen Banden, die Diebstähle auf den Bahnen und in den Straßen störten die Ordnung der gesellschaftlichen Einrichtungen der Großstadt. Man ging schärfer vor. Die Pioniere und die Komsomolzen machten ihre aufklärende Arbeit, hockten unter ihnen in Kellern der Neubauten, in Höhlen an Schuttabladeplätzen und propagierten den Weg in die Heime. Bald verschwanden die Verwahrlosten im

Großstadtbild. Aus den Heimen aber gingen Menschen hervor, neue Menschen, die im Arbeitsleben geschult waren. Die meisten waren begabt; die Pädagogen verstanden es, ihre individuellen Veranlagungen zu entwickeln. Später gab es manche führenden Leute unter ihnen, viele, die aus Betrieben als Deputierte zum Obersten Sowjet nach Moskau fuhren.

Das Kaspische Meer war ziemlich bewegt. Das Schiff sehr besetzt. In der Nacht lag man auf Bänken und dem Boden der Kajüte.

Baku. Als erste sprangen die Besprisorni über das Heck auf den Landungskai und verschwanden schnell in ihren flatternden Lumpen unter der Menge. Baku hatte alle Anlagen zu einer schönen modernen Großstadt. Viel wurde gebaut. Im Herzen der Stadt am Bergrand lag ein alter mohammedanischer Friedhof, den man gerade in einen prächtigen Park verwandelte. Er war umgeben von dem alten Viertel mit seinen engen Straßen, in denen die Kinder ein besonderes Hasardspiel mit menschlichen Wirbelknochen erfunden hatten. Die ganze Stadt baute sich [Anschlußseite fehlt].

[Angebot von Ludwig Roselius]

Der Konsul ließ aber nicht locker, um den Maler zu gewinnen; überschüttete ihn mit tiefer Verachtung seiner Weltanschauung; trennte den schlechten, alle »Schwachen« vergiftenden Johannes von dem großen Künstler, der nur malen sollte und die Welt weiter mit seinen Werken beglücken. – Inzwischen war der Maler nach Sowjetrußland gereist und sofort von der hinreißenden Stimmung der an allen Stellen erwachenden Kräfte des Volkes hochgehoben, trotz des vielen Verfalls durch Krieg und Revolution. Er bekam Gelegenheit, eines der nördlichsten Länder, Karelien, zu bereisen, und wanderte später durch Zentralasien. In Bremen hatte sich ein falsches Gerücht über sein Leben breitgemacht. Es erreichte ihn in Moskau ein Brief vom Generalkonsul mit dem großen Bedauern, daß es ihm so schlecht doch ginge und daß er so große Enttäuschungen habe. Dazu teilte er dem Maler mit: »Auf der Botschaft liegen 400 Mark für Sie von mir, fahren Sie mit dem Gelde zurück nach Deutschland, hier wird für Sie gesorgt, in meinem kleinen Künstlerviertel hinter dem Schütting in der Böttcherstraße bekommen Sie ein Atelier, und wirtschaftliche Sorgen brauchen Sie sich nicht mehr zu machen.« Selbstverständlich ging Johannes nicht zur Gesandtschaft und fuhr nicht mit fremdem Gelde nach Deutschland zurück, um in einem goldenen Käfig Kunst zu machen. Die Verhältnisse in Moskau, vor allem die Wohnverhältnisse, waren noch sehr primitiv, auch die Ernährung schwer, aber was wog das auf: Mittendrin stand man in dem Werden einer neuen Welt. Die Sehnsüchte aller geistig höher organisierten Menschen vergangener Jahrhunderte begannen sich zu erfüllen, ihre Kämpfe, ihr Opfer hatten den Weg vorbereitet. Alle Erkenntnisse aus diesen Kämpfen hatten Marx und Engels benützt für das Gestalten einer Wissenschaft, die die Entwicklung der menschlichen Gesellschaft gesetzmäßig analysierte und der Klasse der Zukunft, dem Proletariat, die Waffen schmiedete, unter der Führung von Lenin das verfaulende alte System zu vernichten und weiter unter Stalins Leitung den Aufbau der sozialistischen Wirtschaft und Kultur zu beginnen und zu vollführen. Dankbar hingerissen stand Johannes in dieser Bewegung und erkannte überall die Keime des Werdens. Auch seine Kunst bekam eine ganz neue Perspektive; vielleicht war es gar nicht mehr Kunst, sondern nur Agitation und Propaganda. Er dachte, wie teile ich alle meine Eindrücke den deutschen Arbeitern mit. Es entstanden jene Komplexbilder mit der rhythmischen Anhäufung von realen Vorgängen des Werdens, die Johannes erlebte. Das war seine neue agitatorisch-propagandistische Arbeit, die nachher in Deutschland so große Wirkung unter der Arbeiterschaft hatte. – Daherein kommt nun in Moskau dieser Brief und die Aufforderung heimzukommen, mit der ihr innewohnenden Konsequenz, den alten romantischen kleinbürgerlichen Weg wiederaufzunehmen, der von den Wirklichkeiten des Lebens ablenkt. Denn anders können sich seine früheren Verehrer aus dem Bürgertum doch das Leben und die Kunst dieses einstmals geliebten, jetzt Abtrünnigen nicht vorstellen. – Wie aus dunkler Vergangenheit erscheint ihm dieser Brief; eine ferne, ferne Welt, die dem Untergange geweiht ist und in der der Glaube an die Macht des Geldes alles beherrscht, streckte ihm ihre versöhnlerische Hand entgegen wie aus dem Grabe der Verwesung.

Moskau 1926

Im Oktober 1926 war ich aus Zentralasien und Baku zurückgekommen. Am 16. November erhielt ich vom Zentralkomitee der Roten Hilfe folgenden Brief (als Kopie), den das Komitee von dem Landrat Becker aus Osterholz empfangen hatte:

»Das von der Roten Hilfe in Ostendorf-Worpswede eingerichtete Kindererholungsheim Barkenhoff hat bereits im Februar 1925 Anlaß zu polizeilichem Einschreiten gegeben. Die damals verfügte Schließung konnte rückgängig gemacht werden, weil ein Wechsel in der Heimleitung vorgenommen wurde und weil sowohl von den Herren Abgeordneten Menzel und Gäbel mir gegenüber als von dem Herrn Abgeordneten Pieck dem Verein ›Landaufenthalt für Stadtkinder‹ gegenüber die Erklärung abgegeben wurde, daß das Heim künftig nur nach fürsorgerischen Gesichtspunkten und unter Ausschluß politisch-propagandistischer Beeinflussung der Kinder betrieben werden solle. Diese Zusagen sind in doppelter Hinsicht nicht erfüllt worden. Einmal hat im Juli im Barkenhoff eine von mehreren hundert Personen und zahlreichen kommunistischen Organisationen besuchte sogenannte Einweihungsfeier des neu instandgesetzten Heimes stattgefunden, bei der die Heimkinder nicht nur passiv bei politischer Betätigung Erwachsener zugelassen, sondern zu aktiver Mitwirkung durch Vortrag eines politische Dinge berührenden Sprechchors ›Wir klagen an‹ herangezogen wurden. Ferner hat der Kunstmaler Vogeler in diesem Sommer in dem Speiseraum des Kinderheimes eine Reihe von Malereien angebracht, die revolutionäre Gewalttätigkeiten verherrlichen, staatliche Einrichtungen, wie die Rechtspflege und den Strafvollzug, verächtlich machen und damit auf die Kinder aufreizend und als Propaganda wirken müssen. Auch sind an den Bildern eine Reihe von Bandaufschriften angebracht, die die gleiche Wirkung ausüben.

Da mich im Februar 1925 die beiden oben zuerst genannten Herren Abgeordneten gebeten haben, bei neu auftretenden Schwierigkeiten im Barkenhoff mich an die oberste Leitung des Barkenhoffs zu wenden, richte ich vor der Entscheidung, ob eine erneute Schließung des Barkenhoffs zu erfolgen hat, das Ersuchen an den Zentralvorstand, sich binnen zwei Wochen darüber zu erklären, ob er bereit ist, die Gewähr dafür zu übernehmen, daß politische Veranstaltungen nicht wieder stattfinden, und die Vogelerschen Bilder, soweit sie beanstandet werden müssen, binnen angemessener Frist zu entfernen. Zu beanstanden sind die beiden Bilder seitlich des Kamins (Gefängnisturm und Gefangenenbefreiung), die Erschießungsszene, ferner an der von der Haupteingangstür linken Längswand das Bild, auf dem die Gerichtsverhandlung, die Gefängniszelle und der Gefängnishof dargestellt sind, ferner die auf diesen Bildern angebrachten Bandaufschriften.

gez. Becker«

Als ich diesen Brief in Moskau empfangen hatte, schrieb ich sofort am 20. November 1926:

»An das Landratsamt Osterholz

Im Kinderheim Barkenhoff sollen die Wandmalereien von H. Vogeler, die das Leben der politischen Gefangenen darstellen, auf Verlangen des Landrates Becker entfernt, da es Wandmalereien sind, also vernichtet werden. Nach Anschauung des Herrn Landrates sollen diese Bilder ›revolutionäre Gewalttaten‹ verherrlichen, staatliche

Einrichtungen, wie Rechtspflege und Strafvollzug, verächtlich machen und damit auf die Kinder aufreizend und als Propaganda wirken müssen.

Gegen diese schiefe Ausdeutung, die den Zweck hat, die Kunstwerke zu vernichten, protestiere ich als freischaffender Künstler, indem ich mich auf die Reichsverfassung stütze. Der tatsächliche Inhalt der Bilder ist der: Sie veranschaulichen das Leben der Väter und Angehörigen jener Kinder, die in dem Heim zeitweilig untergebracht sind, und sie sollen die Gedanken der Kinder zu ihren leidenden allernächsten Menschen, die sie jahrelang, vielleicht zeitlebens nicht wiedersehen, tragen.

Beanstandet sind die Bilder:

1. Gefängnisturm und Gefangenenbefreiung (zu beiden Seiten des Kamins). Diese historischen Bilder aus der russischen Gefangenenbefreiung treffen die Sehnsüchte aller Kinder, die an ihre leidenden Eltern denken. – Der Empfang des frei gewordenen Vaters durch Mutter und Kinder ist eine so einfache menschliche Szene, in der das roheste Gemüt schwerlich eine Verächtlichmachung oder aufreizende Propaganda nachweisen kann.

2. Die Erschießung der Matrosen, eine historische Begebenheit aus Berlin 1919. Hier soll den Kindern das Andenken an die ermordeten Väter erhalten und erinnert werden, eine tief menschliche Angelegenheit. Nur die Gefühle der Mitschuld können die Angst diesen traurigen historischen Tatsachen gegenüber erklärlich machen.

3. Das Bild von der Gerichtsverhandlung. Gerade mit diesem Bilde ist im besonderen die Macht des Kapitals und das Einsetzen der Richterschaft für die kapitalistische Ordnung verherrlicht. Ich protestiere gegen Vernichtung dieses Bildes, da es ein historisches Bild ist aus der Jetztzeit.

4. und 5. Die Gefängniszelle und der Gefängnishof. Eine Gefängniszelle, in die der Tod als Erlöser eintritt, soll eine Staatseinrichtung verächtlich machen, soll aufreizend propagandistisch wirken!!

Dann der Gefängnishof! – Jahre – vielleicht das ganze Leben sind diese Staatseinrichtungen das Heim der Väter der Barkenhoffkinder! – Es gehört schon eine Gemütsroheit sondergleichen dazu, den Kindern diese Gedankenwelt vernichten zu wollen. Gerade diese Bilder eignen sich als erste in einem Heim, das jene Kinder beherbergt, deren Ernährer in den Gefängnissen schmachten.

Als Künstler und Urheber muß ich auf das entschiedenste protestieren, daß die beanstandeten Bilder entfernt werden. Die Bilder zeigen mit ihren Bandaufschriften das Antlitz unserer Zeit.

Der Zweck der Vernichtung ist der Vorstoß gegen jene Kunst und jene Künstler, die sich nicht in das groteske Lügengewebe der Diktatur des Kapitals verstricken lassen wollen. Der Beamte weiß, daß die Entfernung der auf die Mauer gemalten Bilder – Vernichtung der Bilder bedeutet, aber das ist der wahre Sinn der Forderung, Künstler, die in den Reihen des Proletariats stehen, Künstler, die ihr Schaffen in den Dienst der Enterbten stellen, jeder Lebens- und Schaffensmöglichkeit zu berauben. Diesem brutalen Mißbrauch der Machtmittel gilt mein Protest.

H. Vogeler«

Jetzt galt es, diesen begonnenen Kampf in die Breite zu tragen. Wohl bekam ich in Moskau Nachricht, daß die Erledigung dieser Angelegenheit bis zu meiner Rückkehr nach Deutschland verschoben war, aber alles dies drängte mich, schnellstens abzureisen.

[Folgt gestrichene Notiz: »Aus der Zeit, da wir im Kreml wohnten, muß bearbeitet werden das kleine Klavierkonzert, das Egon Petri in der Wohnung von Dzierzynski gab. Dann der Tod Dzierzynskis. Der starke Eindruck der Persönlichkeit Stalins, den ich manchmal auf der Straße im Kreml sah, aber nie gesprochen habe.«]

Die Bildergeschichte wirbelte nun in Deutschland schon viel Staub auf, denn die Rote Hilfe verstand es vortrefflich, diese Sache als Aufklärungs- und Propagandamittel auszunutzen. Sehr zustatten

Feliks Dzierżyński auf dem Totenbett. Zeichnung, 1926

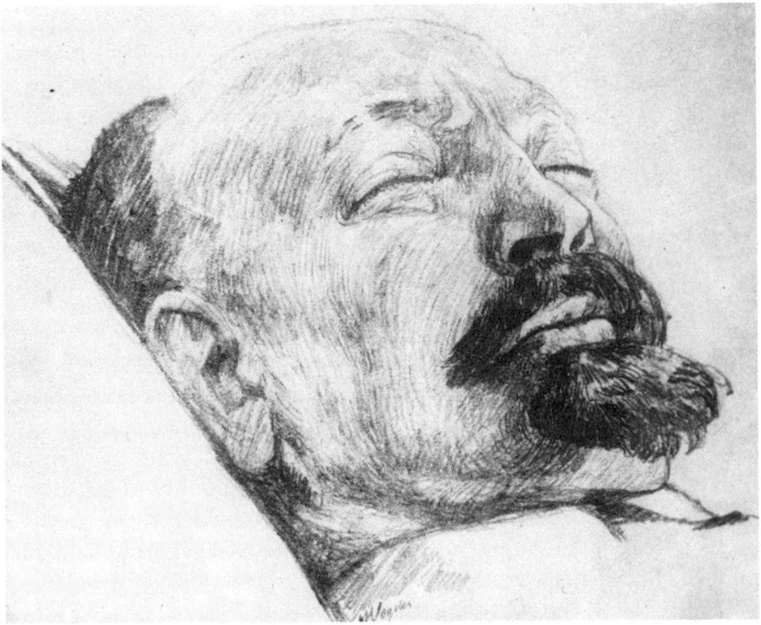

kam es ihr, daß es einem Genossen gelungen war, den Bericht eines Geheimagenten, der den Barkenhoff behandelte, aus dem Büro der Kriminalpolizei zu entwenden. Unter den vielen Besuchern, die auf den Barkenhoff kamen, war uns der Mann nicht aufgefallen. Sein Bericht überraschte uns, war er doch so sachlich und von einer gewissen Sympathie getragen, daß die Propaganda-Abteilung der Roten Hilfe ihn kurz entschlossen als Einleitung für die Broschüre »Polizeiterror gegen Kind und Kunst« nahm, für deren Umschlag ich als Karikatur den Landrat verewigte, der seinem Gendarm den Befehl zur Attacke gibt, und dieser dringt nun als Bilderstürmer mit gezogenem Säbel auf das Bild los.

Für die Rettung der Bilder setzte sich vor allem Eduard Fuchs ein. Fuchs war als Kunstgelehrter weltbekannt; seine Bücher mit historischen Bildern aus dem Leben der Frau waren es nicht nur, sondern die Regierungen behandelten den Kunstgelehrten trotz seiner kommunistischen Sympathien gut, da er einer der kultiviertesten Kunstsammler war. Bilder von Daumier, Slevogt, Liebermann, die Sammlung chinesischer alter Majoliken und tibetanischer Malerei füllten die Räume seiner großen Villa. In Regierungskreisen war dieser kinderlose Kunstgelehrte (oder vielmehr sein Besitz) sehr geschätzt, da sie den Inhaber als guten Erbonkel betrachteten. Kurz und gut, es gelang durch ihn, bis zum Staatssekretär Abegg vorzudringen. Wir, Fuchs und ich, fanden ihn zur festgesetzten Stunde in der Gesellschaft seiner Armbrustspanner: Polizei, Kirche, Justiz. Es wurde natürlich ausschließlich über den Inhalt der Bilder gesprochen. Der Vertreter der Polizei trat in erster Linie *für* die *Erhaltung* der Bilder, die die Befreiung aus den Gefängnissen darstellten, ein. Für ihn, sagte er, seien diese Motive rein menschliche Angelegenheiten, die alle Menschen immer bewegen werden, welcher politischen Richtung sie auch angehören. Fuchs verteidigte den Standpunkt des Kunstgelehrten mit aller Schärfe: »Die Bilder haben historischen Wert. Man darf sie auf keinen Fall vernichten. Es mag sein, daß sie der jetzigen Regierung nicht passen, aber die Bilder haben gerade aus historischen Gründen ihren Wert und müssen erhalten bleiben.« Schließlich kam eine Einigung zustande. Der Staatssekretär resümierte: »Es bleibt nur der Weg, die Bilder zu erhalten – wenn man sie verdeckt. ich bitte Sie, damit einverstanden zu sein, daß die beanstandeten Bilder mit verschließbaren Vorhängen versehen und so den Blicken der Kinder entzogen werden. Im Falle Ihres Einverständnisses werden wir das Kinderheim nicht schließen lassen.« Wir gaben unser Einverständnis. Die Bilder wurden verdeckt, und das Kinderheim empfing bald einen neuen Kindertransport.

1927 [Komplexbilder]

Aus Moskau zurück, bewohnten wir in einem Vorort Berlins ein Atelier mit kleinem Wohnraum. Ich war damit beschäftigt, die Eindrücke aus Sowjetrußland wiederzugeben. Dabei kam es mir darauf an, die beste agitatorisch-propagandistische Form zu finden, die un-

Karelien. Öl, 1926 (Komplexbild)

Der weiße Terror geht über die ganze Welt. Öl, 1926 (Komplexbild, verschollen; dargestellt ist Karl Liebknecht)

Hamburger Werftarbeiter. Öl, 1928 (Komplexbild)

serer Arbeiterschaft einen möglichst umfassenden Einblick in das Werden der sozialistischen Gesellschaft nach der großen Oktoberrevolution geben sollte. Ich fand eine Möglichkeit, die charakteristischen Teile des Werdens auf einem Bilde darzustellen, indem ich die vielen erlebten realistischen Szenen durch eine großzügige dekorative Form zusammenfaßte. In Moskau hatte ich das Leben der Studenten auf diese Art schon dargestellt, als ich 1924 ganz unter dem Eindruck der Entwicklung neuer Lehrmittel und neuer Aufgaben, die eng mit dem sozialistischen Leben verbunden waren, meine Lehrtätigkeit (für künstlerische Erziehung) an der Kommunistischen Universität der nationalen Minderheiten des Westens ausgeübt hatte. Im Jahre 1926, während meiner Arbeit für die MOPR, malte ich den Komplex des weißen Terrors. Inmitten des Bildes steht der Totenkopf Karl Liebknechts, groß, drohend über einem Café, in dem Hakenkreuzler und Stahlhelmleute am Tisch sitzen

Studie zum »Hamburger Werftarbeiter«. Öl, um 1928

und auf eine von der Polizei zusammengehauene Demonstration herabblicken. Dann geht der Terror über Bulgarien, Rumänien, Polen, Frankreich, Indien, Amerika und schließt mit einer Szene im deutschen Klassengericht. Das Ganze ist so komponiert, daß man unten in eine Gefängniszelle sieht, in der ein politischer Gefangener steht, der in Gedanken an den Kampf und die Leiden seiner Genossen auf der ganzen Welt Kraft sammelt zu neuer revolutionärer Tat.

Jetzt kam hinzu der sozialistische Aufbau in Karelien, das Baku-Bild und das Bild über die zentralasiatischen Sowjetrepubliken. Alle Bilder wurden nun zuerst im Karl-Liebknecht-Haus ausgestellt, dann erhielt ich durch die Partei die Aufgabe, im Ruhrgebiet und in Thüringen anhand der Bilder Vorträge über Sowjetrußland zu halten. Mit Hilfe und durch die Handfestigkeit der Arbeiterschaft gelang es immer, diese Ausstellungsvorträge am Tage meiner Ankunft vom Stapel zu lassen, wenngleich manchmal, wie zum Beispiel in Recklinghausen, die große Bilderkiste viele Kilometer auf den Schultern von vier Arbeitern, die mich von der Bahn abholten, getragen werden mußte.

Als ich nach Berlin zurückkam, sollte ich noch die Wasserkante bereisen. Um diese Zeit besuchte mich ein junger, sehr bekannter Architekt, der in den Jahren 1920/21 unter den vielen jugendlichen wegsuchenden Wanderern über den Barkenhoff gekommen war. Er machte mir einen neuen technischen Vorschlag für meine Sowjetpropaganda, sagte, er hielte es für besser, die Bilder farbig ganz groß, zirka zwei bis drei Meter hoch auf den Ekran zu projizieren, und stellte mir einen Projektionsapparat zur Verfügung. Herbert [Richter], der Architekt, hatte große Arbeiten für die Ausstellungshallen am Hohenzollernplatz auszuführen. Er war bei dieser Arbeit immer in enger geschäftlicher Verbindung mit der größten Firma für Installation elektrischer Beleuchtungseinrichtungen. Die Leute hatten einen Probiersaal. Der Architekt fuhr mit mir gleich hin, wir nahmen die Negativplatten von den Bildern mit und machten Versuche. Überraschend gut fielen sie aus. – Ich malte nun auf die Negative nach den Bildern mit der Lupe die Farben. Den Projektionsapparat stellte mir die Firma für einen Monat kostenlos zur Verfügung, da die Proben bei der Firma von großer Wirkung waren, und dann ging es bald auf Reisen: Hannover, Emden, Bremen und die Fabrikvororte an der Unterweser, Geestemünde und so weiter. Da in Geestemünde grade Alfons Goldschmidt war, der meinen Vortrag noch mit interessantem sachlichem Material aus Sowjetrußland ausbaute, war dies ein besonders guter Abend. Danach stellten die Berliner Künstler mir auf der Jahresausstellung im Glaspalast am Lehrter Bahnhof eine Wandfläche für diese expressionistisch wirkenden Bilder zur Verfügung. Durch eine wichtigere Angelegen-

Entwurf zum Komplexbild »Das III. Reich«. Um 1933?

heit bekam die damalige Berliner Ausstellung noch einen besonderen Charakter: In Moskau war ich im Jahre 26 mit dem Genossen Adoradski bekannt geworden. Dieser alte Bolschewist verwaltete das Moskauer Archiv, das in einer alten Kirche in der Nähe der Komintern untergebracht war, dort, wo heute die neue Lenin-Bibliothek steht. Genosse Adoradski hatte mir unter anderem die Sammlung von schablonierten Plakaten aus der Bürgerkriegszeit gezeigt. So etwas Zwingendes einer kraftvollen künstlerischen Ausdrucksweise, sofort verständlich für den einfachsten Menschen, hatte es für mich bisher in der Plakatkunst noch nicht gegeben. Da es zur Zeit der Entstehung dieser Kunst an Papier mangelte, Maschinen zum Drucken nicht vorhanden waren, fertigten die Künstler die Plakate als Schablonen an, die man auf diese Weise auch auf Hauswände, Holzplanken, Eisenbahnwaggons malen konnte. Majakowski, Tscheremnych, Maljutin und Lewin waren vor allem die Künstler, die wichtige politische Situationen der Masse des russischen Volkes verständlich gemacht hatten: den Kampf der Arbeiter gegen die Weißen, gegen die ausländische Invasion, den Kampf um das Brot, den Kampf gegen die Kulakenwirtschaft, gegen Ungeziefer und ge-

Lernende Arbeiter. Zeichnung, 1924

gen Infektionskrankheiten. Die Plakate gaben dadurch einen tiefen Einblick in alle schweren Sorgen und in die befreiende Tat, in die ganze Gedankenwelt der Arbeiter und Bauern, die ihre Fesseln sprengten. Ich machte den Vorschlag, diese wertvolle Sammlung im Glaspalast am Lehrter Bahnhof zur Ausstellung zu bringen, und versprach, die nötigen Verhandlungen mit der Ausstellungsleitung in Berlin zu führen. Im Sommer 1927 fand nun die Ausstellung statt und machte einen sensationellen Eindruck auf die Besucher, besonders auf die deutschen Künstler. In demselben Sommer hatte ich auch für meine Komplexbilder aus Sowjetrußland den eigenen kleinen Saal in derselben Ausstellung bekommen.

1927–1928. U[rsula]

Eines Tages kam ein junger Maler, der uns seinerzeit mit seiner Frau in dem Atelier in Dahlem besucht hatte, er zeigte uns seine neuen, ganz hervorragenden Linoleumschnitte, die in der ausdrucksvollsten, einfachsten künstlerischen Form das Leben eines Fürsorgezöglings darstellten. Eine erschütternde Kunst. [Folgt der Selbstmordversuch Carl Mefferts, vgl. S. 307f.] Ich fand ihn in der Anstalt in seinem Bett. Der Eindruck war nicht sehr niederdrükkend, im Gegenteil, ich hatte das Gefühl, als wäre er ruhig, entspannt, ja er hatte wieder dies eigentümlich strahlende frohe Lächeln. Seine Heilung ging sehr schnell vonstatten. S[onja] besuchte und versorgte ihn fast täglich, da ich selber große Arbeiten für das Ausstellungsgelände in Berlin W zu machen hatte. Zwischen S[onja] und C[arl] M[effert] entfaltete sich nun allmählich ein leidenschaftliches Liebesverhältnis. Von mir zog sich S. ganz zurück, und als C. M. wiederhergestellt war, füllte sich die Atmosphäre unseres Hauses mit einem schwülen, manchmal wilden Liebesleben des jungen Paares. Meine freien künstlerischen Kräfte waren um diese Zeit ganz gebrochen durch diese neue psychische Belastung. Nur die Arbeit, die Arbeit außer dem Hause, die Arbeitsatmosphäre in den Ateliers des Architekten H[erbert] R[ichter] packte mich, ich fand im engen Zusammenarbeiten mit dem begabten Künstler R. neue Quellen künstlerischer Möglichkeiten in mir. Es entstand damals unter anderm das dreißig Meter lange Klein-Panorama für die Firma »Kaisers Kaffee«, das den Produktionsprozeß des Kaffees darstellte, von der Aussaat bis zur Kaffeetasse. Im Atelier war ein sehr sympathisches kameradschaftliches Zusammenarbeiten. Außer R., der das ganze Unternehmen organisierte und alle Mitarbeiter gut bezahlte, war noch ein hochbegabter junger Architekt beschäftigt, dann der alte Vater des Architekten R., ein weniger begabter

Maler, aber ein Mann mit guten Erfahrungen im Aufbau von Maketten, von dem man viel lernen konnte, weiter ein Buchbinder, der die praktischen Arbeiten des Ausschneidens und Versteifens der Details der Panorama-Arbeit ausführte. Außerdem arbeitete noch eine Frau dort, die Ursula [Dehmel]. Sie hatte ich einmal mit S. besucht, als sie mit ihren drei Kindern in einem einsamen Fischerdorf an der Ostsee lebte. Sie war damals auffallend schön, eine weiche sehnsüchtige[?] Schönheit. Ihr Mann lebte meistens in Berlin; er war krank aus dem Krieg gekommen und lag lange Zeit im Krankenhaus. Nachdem Ursula mit den Kindern zu ihm in eine schöne neue Wohnung im Grunewald gezogen war, trennten sich die Eheleute bald, und wieder lebte Ursula ein ziemlich einsames Leben wie in dem Fischerdorf, das nur von ein paar kurzen Liebesabenteuern einige Wärme bekam. Ihr Gesicht hatte sich stark verändert, war großzügig geworden und gut gebaut. Das früher so charakteristische warme Strahlen des Auges war seltener; die Bewegungen des schlanken Körpers ausdrucksvoller, sie erinnerten leicht an die Bewegungen jener dunkelfarbigen Völker, die, innig mit der Natur verbunden, Früchte heimtragen, auf der flachen Hand ausgewogen, deren Balance sich im ganzen Körper abspielt. Auch alle hockenden Bewegungen dieser Frau waren beherrscht von jener natürlichen Grazie, die wir bei Naturvölkern bewundern. Ursula war eine starke Künstlerin. Sie hatte eine besonders ausgezeichnete Arbeit für das Völkerkundemuseum in Berlin beendet, die Übertragung einer Sammlung von Wandgemälden aus den Tempeln der Halbinsel Yucatán in Mexiko von der nüchternen farblosen Formpause in jenes herrliche Kolorit, das mit seinen scharfen Hellgrüns, dem Türkis und Purpur uns eine reiche Vorstellung von dieser hohen Kunst der Azteken gibt.

Die Zeit, in der ich Ursula nun hier bei der Arbeit im Atelier wiedersah, war die Zeit eines großen Niederbruches, der [folgen zwei oder drei unleserliche Wörter] Verlust der Mutter meines Sohnes; außerdem: ich hatte mich mit der Partei überworfen. Die Ultralinken richteten großes Chaos an. Es war immerhin die Zeit, in der der Faschismus begann, sich organisiert und uniformiert in Demonstrationen öffentlich zu zeigen. Die Losungen »Schlagt die Faschisten, wo ihr sie trefft« und die Pionierlosung in den Schulen: »Haut die kleinen Zörgiebel« erregten mich, ich hielt sie für absolut nicht geeignet, die jungen Proleten, die der Faschismus zu werben suchte, zu gewinnen und an die Kommunistische Partei zu fesseln. Während des großen Rohrlegerstreiks, der von den Sozialdemokraten abgedreht werden sollte, galt es als eine revolutionäre Tat, sich aus den freien Gewerkschaften herauswerfen zu lassen, anstatt unter diesen Umständen in der Gewerkschaft Zersetzungsarbeit zu leisten. Ich

Fünf Jahre Internationale Rote Hilfe (MOPR). Plakat, 1928

orientierte mich jetzt bei der rechten Opposition. Da wurde mir das Parteibillett entzogen. Aus dem Präsidium der Roten Hilfe und aus der Roten Hilfe wurde ich gestrichen. Dann kam eine Konferenz

1. Mai. Postkarte im Vertrieb der Internationalen Hilfsvereinigung (IHV), 1929

der Rechten, auf der der Gegensatz zur Sowjetpolitik grell zum Ausdruck kam. Bei der Abstimmung stimmte ich *gegen* diese Verblendung der Rechten. Ich sah zur rechten Zeit einen Abgrund vor mir, der mir Halt gebot, Umkehr. Der Ausschluß aus der Partei; die untragbaren Verhältnisse im Hause; schwere Gedanken um das Schicksal des Kinderheimes auf dem Barkenhoff; dann die undurchsichtige Lage, in die ich dadurch geraten war, daß ich eine ganz großzügig angelegte Rote-Hilfe-Propaganda in den Rheinlanden mit meinen Sowjetbildern unterstützen und zu den Bildern über Sowjetrußland sprechen sollte; das wurde als ein Schlag gegen die Rote Hilfe dargestellt, ich selber aber kannte die Hintergründe dieser Aktion der Rechten nicht. Die Folge war gewesen, daß ich in entehrender Form aus dem Präsidium und aus der Organisation der Roten Hilfe gejagt worden war. Hatte ich doch in dieser Organisation viel Arbeit geleistet und ihr mein ganzes Vertrauen entgegengebracht.

In mir fraß es, als seien alle meine Gedanken krebskrank. Aussichtsloses, planloses Bohren erfüllte mich. Ich stürzte mich in meine Arbeit. Dann versank das Grübeln für eine Zeit; wenn ich an meine Arbeit kam, meine Kaffeefarm aufbaute, wenn ich die fruchtüberladenen Büsche und die erntenden brasilianischen Plantagenarbeiter darstellte und ausschnitt, fiel die Bedrängnis für die Zeit von mir ab. Saßen wir dann aber im Atelier, während der Arbeitspausen, in den bequemen vernickelten Stahlrohrsesseln um den runden schwarzen Tisch, auf dem unser Chefarchitekt uns in väterlicher Weise ein herrliches Frühstück mit Tee aufgebaut hatte, da sackte ich manchmal wieder ganz ab in die verwachsene Wildnis meiner Gedanken, ohne Weg zu finden. Abends zogen die Mitarbeiter ab. Ich setzte mich in einen der Sessel. Dachte an mein Parteileben, an die Zustände zu Hause, alle Kraft ging von mir. Ich kann nicht mehr, ich kann das alles allein nicht mehr tragen, fühlte ich; dies Leben ohne Ziel. Ursula war noch geblieben. Sie stand unter dem hohen Atelierfenster und beobachtete mich; da sagte sie einfach: »Ich weiß alles.« Sie kam auf mich zu, nahm mein Gesicht zwischen ihre flachen Hände und drückte ihren Mund auf den meinen. In ihren Augen war kein Werben, sondern Fordern. Dann wurde sie heiter, schob ihren Arm in den meinen: »Du gehst mit mir.« Die schwere Last unklarer, zielloser Gedanken wich langsam von mir, wie wenn die Morgensonnenwärme die nächtlichen Nebelschwaden, die auf dem Moore lagerten, aufsaugt, verzehrt. – Stilles nächtliches Berlin; nur unsere Schritte hallten auf den Steinplatten des Trottoirs. Wortloses Wandern. Ursula beugt sich manchmal vor, sieht mir ins Gesicht, lächelt, und ihr Arm preßt sich fest in den meinen, wie ein Kettenglied. – Dann gingen wir in das stille Haus. Ursula bereitete mir eine Schlafstelle im kleinen Spielzimmer der Kinder. Dann kam sie zu mir.

Der beklemmende Mantel der Melancholie war von mir abgefallen, die gespenstisch flackernde Gedankenwelt erloschen. Dabei wurde über meine Sache selbst gar nicht gesprochen. Am nächsten Tage sagte sie einfach das Not-Wendende: »Nimm die Flugblätter, wir müssen einen Häuserblock belegen. Ich übernehme die eine Seite, du die andere. Morgen haben wir an der Autozentrale zu verteilen.« Eines Abends in der Dämmerung holten wir von einem Genossen aus einer Schrebergartenbude einen Druckapparat, dichteten bei uns die Fenster vom großen Wohnzimmer ab, schrieben Text, machten einige Karikaturen von den Vorgängen im Elektrizitätswerk und dann die Abzüge der Betriebszeitung für das Werk. Ursula war sehr aktiv, fast jeden Tag hatte sie irgendeine Parteiarbeit. Ihre Straßenzelle nahm mich als »Sympathisierenden« auf. Ich beteiligte mich an den Lehrkursen und sicherte die Klebekolonnen gegen Überraschungen von Überfallwägen. Bald bekam ich die Aufgabe, an einem Kursusabend über die Bauernfrage in Rußland zu sprechen. Ein erzieherischer Prüfstein. Ich hatte auf diese Weise Gelegenheit, meine Auffassung stark abzugrenzen gegen Bucharin; denn die Gefährlichkeit seiner Losung »Bereichert euch« bewies mir, daß Bucharin sich von Lenin in grundsätzlichen Dingen schon entfernt hatte und bereit war, dem Großbauerntum wieder Tür und Tor zu öffnen.

Ursula hatte drei Töchter. Die erste war etwas oberflächlich, aber temperamentvoll und auf materielle Dinge sehr erpicht, ein Charakter, der sicher gut durchs Leben kommt. Die zweite, ein sehr feingliedriges, aber ein recht selbstsüchtiges Mädchen, reizvoll gebaut, erinnerte in den Bewegungen an die Mutter. Dann war noch eine Kleine da, derb, fest auf den Beinen und weise, überraschend weise, ohne die Spur von Altklugheit, nicht bloß im Wort, sondern vor allem im Tun. Eine sympathische junge geschiedene Frau aus einer märkischen Kleinstadt betreute die Kinder, so daß wir beiden, Ursula und ich, ohne Sorge auf ein paar Tage nach Worpswede fahren konnten, wo wir bei Martha Vogeler wohnten.

Wenn ich dann und wann in das Haus der Martha kam, so war ich sozusagen bei mir zu Besuch, bei dem einstigen jungen Romantiker mit dem Biedermeierkragen, bei dem zufriedenen Kleinbürger, der sich dachte, wenn man Besitz hatte, ein Stück Land, sein Gemüse bauen konnte und Träume in Kunstwerke umsetzen, so hatte man die große Freiheit und Unabhängigkeit gefunden; man sieht den Himmel voller Geigen und macht sich um die Zukunft keine Sorgen. Jedes Stück, was mich hier umgab, die Bücher, die von mir gebauten Möbel, das Porzellan, Silber und Zinngeräte, die vielen

Geschenke von Freunden. Da stand die kleine verschlossene Mahagonischatulle, in der ich einst die Briefe von meinem verstorbenen Vater aufbewahrte, im Glasschrank fiel mein Blick auf eine Kaffeetasse, deren Malerei von Bettina von Arnim stammte, eine dichtende Enkelin von ihr schenkte sie meiner kleinen Tochter Bettina zum Geburtstag. Alle Dinge wollten vielleicht etwas erzählen von vergangener Zeit und von ihren Menschen. Aber neue Wirklichkeiten mit dem Ausblick auf unendliche Perspektiven ließen in dem einstigen Romantiker diese Sprache nicht mehr aufkommen. Ganz einfach, ohne Sentimentalität, werden verlorene Dinge im Leben unserer Mitmenschen vielleicht noch fruchtbar. Jetzt trugen sie eine Atmosphäre, die dem Hause Wärme gab, uns sympathisch verband und umhüllte; getragen von den Personen, von der Mutter, von den Kindern und Kindeskindern; fundiert durch Arbeit, an der alle teilnahmen, Arbeit an den Webstühlen, die den Hausanbau füllten. Noch immer war die im Alter etwas schwerer gewordene Mutter Martha der organisierende Geist und die Praktikerin im Hause; alles faßte sie selber an. Sie gab auch der Gastfreundschaft jene Wärme, die den Gast das Gastsein vergessen ließ.

Mit Ursula wanderte ich über den Berg zum Barkenhoff. Unten am Hang kamen wir auch am Bienenhaus vorbei, wir stiegen herunter. Aber die Kinder hatten die Hütte zugerichtet wie eine wüste Räuberhöhle, über die die völlig zerzauste Perücke eines verfallenden Strohdaches gestülpt war. Das Heim der Roten Hilfe war, wie immer, sehr gut gehalten und von einer frohen Kinderschar belebt. Die Genossinnen kamen mit allerhand Anliegen und Wünschen, die ich nicht mehr vertreten konnte, da ich ja kein Amt und kein Recht mehr innerhalb unserer großen, wichtigen Hilfsorganisation hatte. Ich freute mich aber, daß ich die Lebensmittelversorgung, die in dieser Zeit ziemlich knapp war, erheblich aufbessern konnte; fuhr am nächsten Tage nach Bremen zu Roselius, dem bulgarischen Generalkonsul und Ehrendoktor der Universität Münster, der gleich auf meinen Wunsch um Hilfe für den Barkenhoff den Hörer vom Telefon abhob und seinen Angestellten befahl, eine reichliche Sendung von Kaffee, Zucker, Kakao und Reis zu organisieren, auch die Absendung der Waren mit dem Lastauto nach Worpswede festlegte.

Das Haus des Kaffeehändlers und Kunstmäzens war einfach und großzügig in Form und Raumgestaltung, aber mit einem phantastischen Materialluxus ausgestattet. Gleich beim Eingang durch die schwere schmiedeeiserne Glastür und nach dem Durchschreiten der leichten Mahagoniwindfangtür weitete sich der Raum zu einer großen hellen Marmorhalle mit einem anliegenden Garderobenraum, der alle Wunder der Technik beim Waschen, Putzen, Bürsten und bei sonstigen Verrichtungen barg. Bevor man die festen, breiten marmornen, teppichbelegten Stufen hinaufschritt – lächelte aus einem einfachen goldenen Rahmen die rote Marie auf den Ankömmling, das Bildnis, das ich im Jahre 1923 gemalt hatte. Oben das Wohn- und Arbeitszimmer des Generalkonsuls war in dunkelrotem, etwas violett gefärbtem Mahagoni gehalten. Wir sprachen nun über die Maler in Worpswede, und ich drückte meine Verwunderung darüber aus, daß Roselius kein Bild von Fritz Overbeck besitze. Es gelang mir auch, ein sehr monumentales und eindrucksvolles Landschaftsbild dieses verstorbenen sympathischen Künstlers zu schildern: Ganz früher Morgen im Moor; die abziehende Nacht, im Kampf mit der aufgehenden Sonne, begrünt den Himmel über einem rot unter den ersten Strahlen aufflammenden Bauernhof; die Türen des Hauses sind offen, und im Vordergrunde des Bildes ist eine breite weiße Gattertür halb ausgerissen aus den Angeln. Seltsam erregender Eindruck, wie nach einem ausgetobten Fest gähnt diese Landschaft! Roselius zog die Uhr: »Haben Sie ein paar Stunden Zeit für mich?« – »Ja, ich habe.« – »Fahren wir mit der Maschine nach Vegesack.« Er drückte auf den Schreibtischknopf. »Oder ziehen Sie es vor, auf dem Wasser mit mir zu fahren; dort in Vegesack wohnt die Witwe Overbecks, und ich muß mir die Bilder ansehen.« Ich schlug die Fahrt auf der Weser vor; in diesem Augenblick war der Chauffeur eingetreten. »Gerken, in fünfzehn Minuten fahren wir mit dem Motorboot nach Vegesack.« Übrigens muß ich bei dieser Gelegenheit bemerken, daß die Dienerschaft des Hauses Roselius einen guten und zufriedenen, dabei sehr gepflegten Eindruck machte. Der »Sozialist«!! Roselius, der mit den schönen Phrasen von »Geldrecht und Menschenrecht« um sich warf, konnte wohl schlechterdings nicht anders, als in seiner nächsten Umgebung das Geldrecht nicht so fühlbar zu machen. Hier scheint er mir seine Geldmacht in einige Dosen Menschenrecht umgesetzt zu haben. Das waren so meine Gedanken. »Setzen Sie sich, Sie haben es gut getroffen, ich komme eben erst aus Berlin, wo ich geschäftlich zu tun hatte. Ich habe da ja im Grunewald noch ein Haus, na Sie wissen, Sie waren ja einmal bei uns dort, als meine Frau noch lebte. Die Hilde, meine Tochter, wohnt dort jetzt und studiert Medizin.« (Die Tochter Hilde war ein ganz reaktionäres, rechtspatriotisches Wesen, in den Ferienzeiten vollauf damit beschäftigt, auf einer der Nordseeinseln die reaktionäre Jugend, Schüler, Kinder reicher Leute zu organisieren und für reaktionäre politische Ziele knetbar zu machen.) »Übrigens«, fuhr Roselius fort, »hatte ich mit meiner Tochter ein seltsames Erlebnis, das auch in Beziehung zu Ihnen steht.« Da horchte ich nun wirklich auf. »Eines Morgens«, fuhr er fort, »kommt die Hilde ganz aufgeregt zu mir: ›Papa, ich bin verloren, hilf mir; ich verstehe das alles gar nicht. Ich stehe vor dem Examen.

Ich muß ein Leumundszeugnis von der Polizei haben. Ich bekomme es auch. Ich kann das gar nicht verstehen, was da hineingeschrieben ist. Mein ganzes Studium ist sinnlos, nie werde ich meinen Doktor bekommen.‹ Ich beruhige sie, damit sie endlich an die Hauptsache kommt. ›Was steht denn in dem Wisch?‹ Unter Schluchzen erzählt sie mir, im Leumundszeugnis steht, daß sie dringend anarchistisch-kommunistischer Umtriebe verdächtig sei. Ich ging gleich ans Telefon und rief im Polizeipräsidium an, meldete mich zu einer Besprechung an, dann warf ich mich in die Maschine. In wenig Minuten betrat ich das Präsidium. ›Was verschafft mir die Ehre Ihres Besuches, Herr Generalkonsul‹, begann Weismann sehr höflich, und ich erzählte ihm den Fall meiner Tochter. Weismann machte ein schlaues Gesicht und drückte auf den Schreibtischknopf. Ein Polizeibeamter erschien. ›Bringen Sie mir die Akte Barkenhoff‹, hörte der. Bald lag ein ansehnliches Aktenstück auf dem Schreibtisch, und nach kurzem Durchblättern las der Polizeipräsident mir vor: ›Im Jahre 1919 schenkten die Damen der Familie des Generalkonsuls Roselius, die Frau und die beiden Töchter, der Kommunistensiedlung Barkenhoff in W[orpswede] jede ein Bett mit aller Ausstattung.‹ Ein belustigtes Lächeln ging über das Gesicht des Polizeigewaltigen. Natürlich brachte ich die Sache schnell in Ordnung. Hilde wird ihren Doktor bekommen.«

Inzwischen setzten wir uns in Bewegung, spazierten durch den Garten hinunter an den Weserstrand, wo am privaten Landungssteg das Motorboot fertig zur Abfahrt lag. Bald rauschte das behaglich eingerichtete Fahrzeug den Strom hinab. – In Vegesack bei Frau Overbeck verlebten wir unter dem Eindruck vieler guter Arbeiten des verstorbenen Mannes eine anregende Stunde. Roselius bat sich einige Bilder zur Auswahl aus. Spät in der Nacht erreichte ich Worpswede, und in den nächsten Tagen fuhr ich mit Ursula wieder nach Berlin, um unsere Arbeiten für die Ausstellung am Hohenzollerndamm zu beenden.

Unser Verdienst war gut, und als der Sommer dem Ende zu ging, reisten Ursula und die Kinder mit mir in die italienische Schweiz, nach Fontana Martina, zu meinem alten Freund Fritz.

[Folgt Beschreibung der Ortslage und Geschichte, vgl. S. 304.]

Alle Häuser sind aus schweren Bruchsteinen aufgeführt und auch mit großen flachen Bruchsteinen eingedeckt, die einen starken Dachstuhl benötigen. Meistens sind es Etagenhäuser, die am Steilhang hochschießen; Treppen gibt es aber in den Häusern nicht, dafür hatten die Bauleute kühn geschwungene Brücken vom höher gelegenen Felsenhang aus Bruchsteinen geschlagen, die direkt auf die Eingangstüren des ersten oder zweiten Stockes mündeten; darunter läuft dann die Straße an den Eingängen der Parterrewohnungen durch. Von dem Gewirr der Steintreppen, die im Gelände hinaufführen, ließ man sich gern verleiten, an einzelnen Stellen eins der massiven Steindächer zu betreten (sie wirkten unter unseren Füßen wie ein Stück Berg); von hier hatte man den freien Blick über den See mit seiner Insel. Alle Räume der Etagenhäuser haben ihre wenigen, aber großen Fenster nach Süden, dem See zu. Stets war der Bewohner verbunden mit der Landschaft. In den Parterreräumen gab es allerdings manchmal ganz geheimnisvolle Treppen, zu denen niedrige Eingangslöcher hinter den Kaminen führten; jeder mußte das dunkle Loch für eine leere Brennholznische halten. Betrat man aber gebückt die erste Platte, so drehte sich eine schmale Steintreppe nach unten. Diese lief überraschenderweise plötzlich in einen ganz hellen gewölbten Kellerraum aus, durch dessen rundbogige Türöffnung die Sonne schien, und der Blick fiel auf efeuüberwuchertes altes Terrassengemäuer. In einem Hause führte die Treppe in dunkle Nacht; nur an einer Stelle, die an den Bach grenzte, ließ die morsche, halb abgesunkene Ausgangstür etwas Licht durch dichte Efeuranken dringen. Wir stießen die Tür auf und waren umflattert von Fledermäusen. Man konnte jetzt erkennen, daß wir uns in einem Stall befanden. Das wirkte alles so, als habe das alte Dorf auch eine Periode hinter sich, in der diese romantischen Einrichtungen Grenzschmugglern einen passenden Unterschlupf boten. In der höheren Dorflage gab es auch ganz kleine Einzimmerhäuser, eine Etage hoch mit angebauter Treppe, denn parterre unter dem Zimmer befand sich der Eselstall in gleicher Größe wie die Wohnung.

Das ganze Grundstück mit dem Dorf war für mich ein starkes Erlebnis und trieb mich leidenschaftlich zum Gestalten mit den vorhandenen Resten. Wunschträume stiegen hoch: Man mußte das alte verlassene Dorf zu neuem Leben erwachen lassen. Es mußte eine Stätte der Ruhe werden für Menschen, die im politischen Kampf standen, verfolgt wurden und für eine kurze Zeit Ruhe in diesem abgeschiedenen Erdenwinkel zu gewinnen suchten; vielleicht treffen sich hier Gesinnungsgenossen aus anderen Ländern, Erfahrungen werden ausgetauscht, sie werden Kraft schöpfen aus lebendigen Gemeinsamkeiten, dem Streben nach gleichen Zielen. Schriftsteller könnten hier Distanz gewinnen; Klärung; künstlerische Ausdrucksformen finden für die großen Erlebnisse aus den Kämpfen der Arbeiterschaft. Das waren die Gedanken, die mich bewegten und zum Gestalten trieben, zum Gestalten für Zukünftiges.

Mein Freund und Besitzer dieses Stückchens Erde war ein Drukker aus einer alten Schweizer Druckerfamilie. Er sah im Kommunismus die einzige Lösung aller sozialen Fragen, war als Gewerkschaftsdelegierter einmal in Moskau gewesen, lebte aber jetzt, wie ein isolierter Sonderling, mit seinem vierzehnjährigen Sohn in Fontana Martina, seine Frau lebte nicht mehr. Vor zehn Jahren hatte Fritz das ganze Dorf für elftausend Franken gekauft. Die Dorfruinen waren äußerst verkommen. Fanatisch arbeitsam war der Mensch, aber ängstlich um jede Geldausgabe, sparsam bis zum Geiz. Die verschütteten und verwilderten Terrassen wurden von ihm neu aufgerichtet und bepflanzt. Das am höchsten gelegene Haus, dicht am Bach, mit der breiten plattenbelegten Terrasse, die eine gute Übersicht über das Ganze gab, richtete er sich als Wohnung ein. Der Junge hatte längst alle Winkel der Häuser durchstöbert und richtete sich ein kleines Zimmer in einem der unteren Häuser mit Balkon und einer herrlichen Aussicht ein. Er begann auch zu malen. Vor etwa fünf Jahren, als die Trümmer schon ziemlich geordnet waren, Feldfrüchte reiften, einige Weinstöcke und Feigenbäume gut gekommen waren und nachdem Fritz alles mühselig gereinigt, die Terrassen mit Walderde angefüllt hatte und alles einer vielversprechenden Zukunft entgegenwuchs – da kam einer jener furchtbaren Wetterstürze [folgt die Beschreibung der Naturkatastrophe, vgl. S. 304 f.].

Fritz arbeitete wieder als Drucker. Ein Jahr lang hatte er nicht den Mut, die Trümmerstätte wieder aufzusuchen. Dann kam er und begann den Aufbau von neuem. Die meisten Fenster und Türen hatte man während seiner Abwesenheit geraubt.

Als ich mit Ursula, ihren Kindern und mit Jan in Fontana Martina angekommen war, bekamen wir die besten Räume im Hause, jene Zimmer, die bisher Fritz bewohnte. Von dem Unheil, das das große Unwetter angerichtet hatte, war nicht mehr viel zu sehen; aber manches war noch zu tun, um Schuttstellen eingestürzter Häuser einzuebnen und mit Feigenbäumen zu bepflanzen. Mich packte gleich die alte Arbeitswut. Dazwischen machte ich mit Ursula große Gebirgswanderungen. Auch fand ich in Ascona einige Bekannte, die wir aufsuchten. Die mit mir befreundete Familie, für die ich in Brüssel ein Haus gebaut hatte, Mutter und Tochter, dieselben, die mich Ende des Krieges in Worpswede besucht hatten, lebten dort; die Tochter Lotte Bara war jene Tänzerin, die damals mit eigentümlichen neuen tänzerischen Ausdrucksmitteln heraustrat, durch die sie den Schmerz, die Trauer der Zeit und etwas von den Hoffnungen, die jene Zeit gebar, offenbarte. Die Familie hatte als Deutsche aus Belgien flüchten müssen und sich hier in Ascona ein altes schloßartiges Gebäude gekauft. Ein kleiner Park umgab das Haus. Ein nebenliegendes Gelände, das zum Besitz gehörte, war für die Tänzerin mit einem modernen Theater bebaut, außerdem wurde auf dem Platz ein Haus für Pensionäre errichtet. Der Architekt, der diese Gebäude entworfen hatte, war Weidemeyer, ein früherer

Worpsweder Maler. Er lebte seinerzeit dem Barkenhoff benachbart, in einem schönen kleinen strohbedachten Haus, das er sich erbaut hatte. Inzwischen hatte er wohl viel gelernt, offenbar waren die modernen französischen Baumeister wie Corbusier seine Lehrmeister geworden. Alles war im Stil der »Neuen Sachlichkeit« gebaut und mit allen Techniken der neuen Zeit sehr praktisch zu bewohnen, so auch mit elektrischen Einrichtungen für die Selbstversorgung der Gäste ausgestattet. – Lotte Bara tanzte. Aber mir schien, sie stehe in den Entwicklungskämpfen, die alten Ausdrucksmittel zu überwinden und neue Formen der künstlerischen Gestaltung zu gewinnen.

Dann suchte ich hier noch einen ausgewanderten Brüssler in seiner Villa am See auf; einen alten Mann von ganz seltener Rüstigkeit, mit einem stattlichen Gebiß gesunder Zähne. Ein Mann, der mit seinen sechzig Jahren noch täglich im See schwamm. Ein kleines Stück Felsenufer gehörte zu seiner Besitzung, und manchmal konnte man den Alten wie einen Seehund sich in dem grünschwarzen durchsichtigen Wasser des Lago Maggiore tummeln sehen. Von Beruf war der Mann Pelzhändler, und zwar einer der bekanntesten auf diesem Gebiete. Er war ein Freund Kropotkins gewesen und hatte für ihn stets eine offene Hand, wenn es galt, Gelder zur Befreiung von politischen Gefangenen aus den Gefängnissen Sibiriens zu geben. Fast niemand von den Asconesen kannte aber die abgelegenen Schönheiten des verlassenen Dorfes Fontana Martina. Auf meine Erzählungen hin erschien eines Tages der Alte bei uns und war ganz überrascht von der Lage des scheinbar so entlegenen Platzes. Wir führten ihn herum, und ich entwickelte ihm meine Pläne; als Grundlage für alles waren Wasserleitung und Elektrizität notwendig. Es ist doch nicht sehr hygienisch, wenn sich da oben im Bach eine Familie wäscht, und unten nimmt eine andere Familie dasselbe Wasser zum Zähnereinigen.

Es wurde Abend, der Mond ging auf, die Lichter von Locarno glitzerten und blinkten, als sei eine Schar Sterne auf die Erde gefallen, wir standen auf einem der Hausdächer, als sich der Pelzhändler von uns verabschiedete. – Am anderen Vormittag kam ein Bote von ihm, überreichte mir ein Kuvert, in dem fünfhundert Franken lagen, zur Verwirklichung meiner Träume, wie er schrieb. Fritz und ich begannen sofort alles auszumessen, wie wir die Wasserversorgung einrichten könnten.

Alles dies kam aber zur Unzeit. Ursula wollte durchaus mit den Kindern nach Berlin zurück. Ich in meinem Schaffenstaumel merkte mal wieder gar nicht, wie unerhört schwer es für Ursula wurde, wenn ich hierblieb. Erst als wir die Kinder im Coupé verpackt hatten und der Zug abfahren sollte, kam die ganze tiefe Trauer der geliebten Frau über mich, dieses schmerzerfüllte Antlitz bleibt mir unvergeßlich. – Der Zug fuhr ab mit winkenden Kindern.

Gleich begann die Arbeit in Locarno. Einkauf der Röhren, Muffen, Kräne, Werkzeuge, das Mieten eines Lastautos, und schon nachmittags schleppten wir die schweren verzinkten Eisenröhren von der Seestraße unterhalb unseres Dorfes die steilen Weinbergterrassen hinauf. Mir war es nicht möglich, mehr als eine Röhre auf einmal hinaufzubugsieren. Der zähe Fritz bewältigte zwei. Als wir nach einigen Stunden alles oben hatten, fühlten wir, daß unsere Kräfte am Ende waren, und gingen bald schlafen. Meine Gedanken waren bei Ursula, eigentlich hätte ich das längst merken müssen, daß sie bei mir diese Sucht zur praktischen handwerklichen und landwirtschaftlichen Arbeit haßte. Vor allem würde sie wie die meisten Frauen auch nie verstehen, daß ich eine Arbeit mache, deren Früchte ich gar nicht die Absicht hatte zu genießen, zu der mich nur ein allgemeines Ziel, der Glaube an die baldige revolutionäre Veränderung der menschlichen Gesellschaft, als ein unstillbarer Schaffensdrang trieb. Darum erscheinen die Männer solchen Frauen gegenüber als selbstsüchtige kalte Geschöpfe. Als ich in späteren Jahren weite Reisen, einsame Wanderungen und anstrengende Gebirgsritte in den südlichen und nördlichen Sowjetrepubliken machte, mußte ich häufig wieder an Ursula denken. Sie schien mir die einzige Frau, die mit allen Verhältnissen fertig werden könne und die bei keiner oft abenteuerlich überraschenden Situation die Nerven verlöre, ein richtiger guter Kamerad, eine Weg- und Arbeitsgenossin. Dann aber mußte ich mir wieder sagen: Dein Leben mit alle diesen Trennungsschmerzen ist schon richtig so. Deine tiefen Einsamkeiten hast du verdient, weil du, wie Ursula sagt, zu viel von den Frauen verlangst. So oder anders. Du hast es verdient, sagte ich mir, daß dich die besten Frauen verließen. (Außerdem sind sie alle glücklich geworden.) Es muß so sein. Nicht nur meine gestaltende Arbeit erregte negative Gefühle, sondern bei Ursula erregte auch meine Liebe zu meinem kleinen Sohn, zu dem Geschöpf meiner letzten Frauenliebe, offenbar ein für beide Teile auf die Dauer negatives Gefühl und entfachte bei ihr eine eisige Kälte diesem kleinen Sprößling gegenüber. Wenn ich an diesen Punkt meiner Sehnsüchte kam, verschwand das Traumbild schnell aus meinen abwegigen Phantastereien.

Jetzt wurden die Röhren gelegt, die das Wasser des Baches über das Grundstück verteilen sollten. Die Terrassenanlagen bekamen ihren Teil zur Berieselung, die unteren Häuser erhielten an der Durchgangsstraße einen immer laufenden Brunnen, und ganz unten die sonnigen Keller bekamen Duschen. Fritz hatte eine geschickte Hand in der Montierung der ganzen Anlage, und ich war der Handlanger. Endlich war die Arbeit beendet. Einen Ruhetag nahm ich mir noch. In der Abenddämmerung saßen wir mit Fritz zusammen auf der steingepflasterten Terrasse vor dem obersten Hause, in dem ich mit der Ursula und den Kindern gewohnt hatte. In den Weinreben, die in das Geäst der Bäume hinaufrankten, huschten die Siebenschläfer wie dunkle Schatten, und über den Häuserdächern begannen in der Ferne die Lichter Locarnos zu blinken. Anderen Tages trug mich der Zug unserer Heimstätte zu.

Heimstätte? Konnte ich jemals noch eine Heimstätte haben? Zwanzig Jahre hatte ich an einer Heimstätte gebaut. Alles bekam Gestalt in innigster Beziehung zu einer Frau und zu den Kindern. Das Haus, die Zimmer, der Garten. Aus Wildnis wurde ein kleines früchtetragendes Paradies. Mein Pflug warf den unberührten Heideboden um, meine Hände versenkten die Saat zum Keimen, mit den Kindern pflanzte ich Bäume für schattige Plätze. Freunde kamen und nahmen teil an unserem Leben. Feste bereitete ich ihnen, konnte sie selber aber nicht feiern. Dann: Die Frau, sie ging von mir, die Kinder gingen von mir. Kriegsgefangene, Russen und Belgier, kamen von ihren Arbeitsstätten bei den Großbauern und fühlten etwas wie Heimstätte. Proleten kamen, glaubten die Fesseln der Ausbeutung von sich werfen zu können, glaubten mit mir ein neues, ein freies Leben, ein freies Schaffen in gemeinsamer Arbeit, aufrichten zu können, eine Heimstätte. Dann kam manchmal auch die Armut und die Not zu Gast. Gemeinsam wurde das Ringen, diese Gäste loszuwerden. Dann kamen die Massen, Arbeiter von der Werft, Jugend, Mütter, Kinder. Eine Heimstätte für Arbeiter wurde der Hof für wenig freie Stunden, für Sonntage. Von selber bildete sich eine Heimstätte der Schulung; am stärksten war die Schulung für mich. Ich wurde frei von meinem kleinbürgerlichen Gepäck, bekam Grund in meine Gedankengänge, löste mich aber auch von meinen Arbeitsgenossen in der Kommune immer mehr, von Menschen, die keinen Glauben mehr an die Revolution hatten und vor allem keinen Glauben an Sowjetrußland. Doch in mir wurde alles Festigkeit und Aufbau. Endlich zogen die Kommunarden ab, gründeten eigene Privatwirtschaften, und erwachte die Heimstätte zu neuem Leben, die Kinder jener proletarischen Kämpfer, die gefallen waren oder in den Gefängnissen der Ebert-Regierung schmachteten, zogen mit ihren Pflegerinnen ein. Das Kinderheim Barkenhoff der Roten Hilfe erwartete sie.

Als ich das Berliner Haus im Grunewald wieder betrat und Ursula begrüßte, fühlte ich gleich, daß da etwas zerbrochen war. Unser Zusammentreffen mit dem Jugendgenossen, der uns beim Drucken der Betriebszeitung behilflich war, zeigte mir, daß Ursula sich ganz von mir abgewendet hatte. Wir gingen zusammen an die Arbeit im

Atelier des Architekten, wie zwei fremde Menschen. In der Tischlerwerkstätte des Jugendgenossen wurde dessen Geburtstag vorbereitet, unsere Ateliergenossen, zu denen noch Harry [Rothsiegel?] gekommen war, zeichneten und malten witzige Karikaturen und Dekorationen. Ein Fest. Der Abend war zu schwer für mich. Um zwölf Uhr ging ich fort. Ich stieg ins Richtersche Atelier hinauf und arbeitete an Ursulas Sachen, die fertig werden mußten. Um zwei Uhr in der Nacht ging die Tür auf: Ursula. Es war eine warme Sommernacht. Wir saßen auf der hohen Fensterbank im offenen Atelierfenster. Wir konnten beide so wenig sagen. Was sollte man auch? Veränderte Wirklichkeiten – neue Wirklichkeiten. Nichts wird wiederkommen. Schauerlich nah war die Versuchung, sich in die Nacht hinunterzustürzen, um mit dieser Kälte, dieser Einsamkeit Schluß zu machen. »Wir Kommunisten sind Tote auf Urlaub«, sagte Leviné, als er dem gewaltsamen Tod durch die Henker der Bourgeoisie gegenüberstand. Das berechtigt keinen Kommunisten, sich selber den Tod zu geben, solange die Partei lebt und du dein Leben ihren Zielen gewidmet hast; es gehört nicht mehr dir. – Das waren meine Gedanken, die jeden Fluchtversuch niederzwangen und mein Leben in den neuen Anfang vorwärtsrissen. Langsam stiegen wir die Treppe hinab. Ursula rief eine Taxe an, die uns heimbrachte; anderen Morgen, ehe das Haus erwachte, packte ich meine Habseligkeiten zusammen und fuhr nach Britz zurück. S[onja] nahm mich freundschaftlich auf, menschlich verstehend. Das Leben, das sie führte, hatte schon mehr als einmal auf ähnliche Weise schwere Erschütterungen erlitten.

Am anderen Tage kam der Jugendgenosse zu mir nach Britz. »Ich will nicht, daß durch mich deine tiefe Freundschaft zu Ursula zerstört wird.«

»Lieber Genosse«, sagte ich ihm, »versagen die schöpferischen Kräfte in einem Verhältnis zwischen Mensch und Mensch, so müssen sich beide freiringen, verlorene Liebe ist ohne Wiederkehr. Dies ungeschriebene Sittengesetz wirkt sich ohne Sentimentalitäten bei mir aus. Die Verwandlung von Liebe zur Freundschaft muß erst erkämpft werden, die Keime dazu sind und bleiben in jeder starken Liebe. Aber erst muß der Körper wieder so gesund sein, daß er das Leben der Keime in sich wieder fühlt, damit er sie heranziehen kann.«

Später kam auch Ursula. Wir trennten uns, und Ursula ging mit mir einen langen Weg. Es war das Ringen um einen Menschen, ein verzweifeltes Ringen um mich, der Versuch, irgendwelche Hindernisse fortzuräumen, aber ich verstand ihr Gefühl doch. »Da gibt es doch nichts fortzuräumen, nichts aufzuklären. Man muß wissen und verstehen. Die Härte der Wirklichkeit ist das Maß der Gegenwart, man muß warten, was auf diesem erkalteten Boden wächst. Ich weiß, daß du glücklich bist, und das sei mir genug.«

[Danach folgt (für die geplante Maschinenabschrift gestrichen): »Hieran muß schließen der Besuch Lengniks. Die Architekturausstellung. Die Berufung nach Moskau als Konsultant der W. K. S.«]

Bildnisse. Johannes

Das Leben hatte ihn zu praktischer Arbeit erzogen. Er kannte auf seinem vierzehn Morgen großen Land jeden Acker, jeden Baum und Strauch und regelte alles zu einem Ganzen, Geschlossenen. Es war eine kleine Welt phantastischer Einfälle, die überraschten, wenn man durch den Garten ging. Für Kinder, zuerst für seine eigenen, dann für die Kinder der politischen Gefangenen, eine Märchenwelt. Das war der Garten. Dann kam der Bau, wo er sich mit architektonischen Konstruktionen auseinandersetzen mußte; und er lernte viel vom alten August, dem Zimmermann, der später nach zehn Jahren während der Revolution in der Arbeitskommune Barkenhoff landete. Die Beschäftigung mit der Radierung brachte ihn an die Kupferpresse. Er erwarb eine Maschine mit Handbedienung und druckte seine Platten selber.

Schließlich hatte er einen Blick für jegliches Material, das irgendwo zugrunde gehen wollte, das er an einen Platz brachte oder einbaute. Es war, als hätte es nur auf ihn gewartet. In bezug auf Menschen ging es ihm manchmal ähnlich. Im Anfang, in München, wo er sich in der Atmosphäre seiner Freunde gar nicht wohl fühlte, immer gehemmt war, auch noch mißtrauisch, hatte er Sympathien und ausgesprochene Antipathien zu Menschen, die er einfach nicht erkannte; hatte keine Lebenserfahrung. Später war es ihm ganz fremd geworden, die Menschen in sympathische und unsympathische einzuteilen. Anstatt dessen suchte er die Menschen zu erfassen, sich näher mit ihnen zu beschäftigen, und was ihn dabei interessierte, war immer die Frage: ist der Mensch an seinem richtigen Platze, sind alle Möglichkeiten seiner Anlagen entwickelt. Wo ist er am schöpferischsten. Langsam ging er an Menschen und Dinge heran, von allen Seiten kam er, ehe er sich entschloß, tiefer einzudringen, enge Verbindungen zu knüpfen. So ging es ihm auch mit seiner ersten Liebe. Eine langsame, schrittweise Eroberung, mit Rückzügen und Siegen. Als allerdings diese Ehe brach, leer wurde, wurde sein Verhältnis zu Frauen offenbar von veränderten Gefühlen bestimmt. Die Frauen, die dann kamen, hatten offenbar einen rechten Instinkt für die Verdrängungen, die schwer auf Johannes lasteten, wenn er Frauen nähertrat, ohne um sie zu ringen. Alle die

Frauen, die nun wichtig waren für seine Entwicklung und für die Stabilisierung seiner Lebensfreude, wollten nicht erobert sein, sie nahmen sich einfach den Johannes, überfielen ihn, und es war gut so. – Gingen sie später von ihm zu neuen Bindungen, so war die Trennung von beiden Seiten eine äußerst schmerzhafte, aber kurze Operation – aber es blieb – eine tiefe Lebensfreundschaft, während der alle Bitternisse verflogen.

[Bildnisse. Sonja]

Klein, schmal, sehr lebendig, leicht entzündbar, revolutionär, oft sehr verlegen, viel Minderwertigkeitsgefühle und das Gegenteil. Klug, weiß manche Sache sehr genial sofort anzupacken, sieht die Konsequenzen ihrer Handlungen (alles spontan) nicht und ist noch weniger gewillt, die Konsequenzen zu tragen, wechselt dann sofort hinüber zu einer neuen Sache, die sie wieder mit Leidenschaft und gut anpackt. Durch diese Veranlagung macht sie das Leben sehr kompliziert, verfällt in verzweifelte Situationen, in Selbstmordversuche, Minderwertigkeitskomplexe; Wechsel der Männer. Neue Einfälle. Das Leben wird schwer kompliziert; manchmal voll Angstpsychosen. Außerordentliche Reinlichkeit, fast fanatisch, wechselt mit Tagen verdeckten Schmutzes, angegessenes Essen, angebissene gute Früchte usw. Erziehung des Sohnes scharfe Befehlsdespotie abwechselnd mit rührender sentimentaler Liebesbezeugung. Sehr schädlich für den Jungen während der Entwicklungsphase 14–17. Charakteränderungen, Eigenschaften, die auf die Veranlagung zum Zielbewußten, Stetigen hinweisen, verwandeln sich in Eigenschaften, die dem Zufall unterworfen sind und wankelmütig, gar spekulativ machen.

Gedanken über Kunst. Eine Seite aus Johannes' Notizbuch

Das, was Johannes in Sowjetrußland am meisten beunruhigte und was auch seine künstlerische Entwicklung hemmte, das war die geringe Verbundenheit des Lebens der Künstler mit der Masse. Verdankte er doch den ganzen Umbruch seiner Entwicklung der engen Verbindung mit der revolutionären Arbeiterschaft Bremens. – Unendlich viele Abende wurden in Moskau in Versammlungen verbracht mit Diskussionen über Formalismus, Naturalismus und sozialistischen Realismus. Fruchtlos waren diese Diskussionen, da die Begriffe über diese Formulierungen ganz verschieden erfaßt wurden. Schließlich war man dann in zwei Jahren beim dekorativen Impressionismus angelangt, den man als Entwicklungsstufe zum sozialistischen Realismus betrachtet. Gewiß ist das richtig. Denn, wo soll jene große, sagen wir mal, monumentale, Kunst herkommen, wenn dem Maler nur Gelegenheit gegeben wird, ein oder zwei Monate in einem Betrieb oder auf einem Kolchos zu verbringen. Dann lebt er bestenfalls (nur eine kleine Gruppe von Malern hat dies Glück) in einem guten Atelier in dem Stadtviertel der Künstler, auch wieder isoliert – sogar vom Leben der Großstadt Moskau isoliert – unter Künstlern. Doch die meisten Künstler sind mit diesem Leben sehr zufrieden und bilden eine feste Phalanx gegen Künstler, die den Problemen des sozialistischen Realismus über die gebundene Form mit einem festen rhythmischen Bildaufbau nahekommen wollen.

Natürlich wird dieser Zweig der sowjetischen Kultur erst wachsen, wenn die Künstler fest verbunden sind mit der Masse. Das zeigt die bildende Kunst aller anderen Kulturepochen der vergangenen Zeit. Das Leben dieser großen Maler und Bildhauer der Vergangenheit zeigt auch, wie häufig diese Künstler wichtige politische Arbeit machten, was eine enge Verbindung mit der Masse voraussetzt; zeigt weiter, welche Kämpfe, welche Qualen diese Menschen vermöge ihrer revolutionären politischen Einstellung selbst in der Folter zu ertragen hatten. – Somit müßten auch wir mit einer Zeit rechnen, da der Sowjetkünstler seine künstlerische Arbeit in engster Verbundenheit mit den schöpferischen Kräften der Masse macht. Erst dann gehen jene unbewußten starken Gefühle für den unsichtbaren Charakter der neuen Menschen in die Ausdrucksmittel der Kunst über. Der Künstler verliert sich selber im Schaffen, geht ganz auf in dem Vorwurf, den er sich gesetzt hat. Es bleibt das Typische, das der Stalinschen Epoche den Charakter gibt.

So notierte sich Johannes seine Gedanken in ein kleines Notizbuch. Dann ging er ans Bücherbord und holte sich Trost bei Marx. Er erkannte, wie die Kunst immer wie ein Spiegel den jeweiligen ideologischen Überbau der menschlichen Gesellschaft gezeigt hat. Und jetzt in der Zeit der Verwesung, des Untergangs der bürgerlichen Gesellschaft zeigt die Kunst die Krankheitserscheinungen des Zerfalls. Die Entäußerung des Menschen von seiner Wesenheit als Gattungswesen, die Entmenschung, mußte also in der Kunst ihren Niederschlag haben, und man sieht, daß nach der großen Blüte des französischen Impressionismus während der Blütezeit des jungen Kapitalismus schon die ersten Verfallserscheinungen auftreten. Eine Gruppe von Künstlern beginnt Form und Farbe aufzulösen durch die punktierten Farben der Spektralanalyse; dann kommt eine andere Gruppe, die sucht die verfallende Form wiederaufzubauen, indem sie jede Form zurückführt auf den Kubus, auf die Urform des Werdens. Auch die Darstellung des Menschen wird in diese Form gezwängt, verliert alle Realität, ein künstlich konstruierter Mensch ist da. Manche Künstler wie Picasso schwanken zwischen diesen Zersetzungserscheinungen hin und her, er konstruiert sich einen Menschen, dann wieder malt er ein Bildnis von einem

Die Schauspielerin Lotte Loebinger. Öl, 1938

Mann, der ganz aus Splittern und Scherben besteht, und der Schluß der ganzen Bewegung ist die Abstraktion aller Wirklichkeit, der abstrakte Formalismus in der Kunst. So erkannte Johannes in der modernen bürgerlichen Kunst den Spiegel der naturgeschichtlichen Entwicklung des Menschen bis zur Untragbarkeit der Entmenschlichung, bis zur Abstraktion von der gegenständlichen Welt. Marx bezeichnet dieses ungegenständliche Wesen als ein Unwesen. Denn: »So wie der Mensch sich im gegenständlichen Werk, im Gegenstand seiner Arbeit verwirklicht hat – so ist der wirkliche Mensch

Vogeler auf der Brücke zum Kreml.
Aquarell, 1925 (»Mining für Janek, 25. Dezember«)

das Resultat seiner Arbeit«, und Marx sagt weiter: »Eben in der Bearbeitung der gegenständlichen (von Johannes unterstrichen) Welt bewährt sich der Mensch daher wirklich als ein Gattungswesen. Die Produktion ist sein werktätiges Gestaltungsleben. Durch sie erscheint die Natur als sein Werk und seine Wirklichkeit.«

[Am Rand:] Lenin und Stalin verkörpern jenen Menschentyp, von dem Marx sagt: »Die Universalität des Menschen erscheint praktisch eben in der Universalität, die die ganze Natur zu seinem unorganischen Körper macht, sowohl insofern sie 1) ein unmittelbares Lebensmittel, als inwiefern 2) die Materie der Gegenstand und das Werk seiner Lebenstätigkeit ist.«

Vorfrühling Moskau. 1941

April. Der Schnee ist fort von den reinlichen trockenen Straßen Moskaus; aus den Hinterhöfen strömt noch blinkendes Wasser aus rußschwarzen Schneehaufen auf die Straßen. Die Umgebung Moskaus ist noch weiß bis auf die breiten glatt asphaltierten Landstraßen, die der Schneepflug immer schneefrei hielt und die der Wind trocknete.

Die Kremlkrähen, die sich im März durch eine sonnenwarme Woche täuschen ließen und schon auf die fernen Kolchosfelder abgeflogen waren, die schwarze Sanitätspolizei unserer Hauptstadt, wurden aber durch eiskalte windige Tage auf die Kremldächer und in den Alexanderpark zurückgetrieben. Jetzt aber sind sie hoffentlich endgültig fort. Das gelbe Wasser des Moskwa steigt, lautlos treiben die Eisschollen, und weiße Möwen streichen über das Wasser zwischen den steinernen Hochufern des Flusses.

Die Parks sind geschlossen. Der Boden wird umgegraben. Die Bänke sind lichtblau gestrichen und neu geordnet. Durch die Straßen der Stadt fahren Lastautos mit frühlingsgrauen Pflanzen und Bäumen. Laut hört man die Kinder in den Straßen und Höfen. Frühlingsblumen aus dem Süden füllen die Kioske auf den Plätzen. Abends ertönt auf den Höfen die Handharmonika und das Gejuche der Mädchen.

Der erste Mai war ein klarer, trockener sonniger Tag, umrahmt von kalten regnerischen April- und Maitagen.

Moskau [Fliegerangriffe]

Im Monat September wurden die faschistischen Fliegerangriffe auf unsere Hauptstadt immer stärker, trotz der großen Verluste an Flugzeugen, die die Deutschen hatten. Besonders wichtige Gebäude waren noch nicht getroffen. Allerdings war manches Menschenleben vernichtet. Die bombensicheren Kellerunterstände in dem großen Mietshause der Regierung waren weitläufig und bequem zum Übernachten eingerichtet. Auf der großen Moskwa-Brücke schlug eine

Bombe glatt durch bis in den Fluß, ohne außer dem Durchschlagsloch großen Sprengschaden anzurichten. Die Scheinwerfer leisteten gute Arbeit für unsere Abwehrbatterien. Kreuzten sich ihre Lichtkegel von verschiedenen Seiten und faßten sie in ihrem Schnittpunkt ein feindliches Flugzeug, daß dies aussah wie eine weiße Sommermotte, so begleitete der Schein es bis in die Peripherie der Stadt, und dort fiel es den Abwehrbatterien zum Opfer. Einige Male war ich draußen auf dem Datschenlande zum Deponieren mit der Genossin M[archlewska] zusammen. Kleine Unterstände bei den Datschen in der Erde schützten die Einwohner vor den Granatsplittern der Abwehrgeschütze. Vor dem Eingang des Regierungshauses in Moskau, in dem wir wohnten, kam eine Bombe herunter, riß die Straße metertief auf und verwandelte die seitlich darüberliegende Glasfront der Fenster und Türen in Schutt von ganz kleinen Glassplittern.

Notizen zum III. Band Sowjetrußland [Evakuierung]

In den letzten Tagen kam eine große Freude über mich, eine große Genugtuung; ich bekam die Möglichkeit, meine ganzen Empfindungen von Haß gegen das Hitlerregime, gegen den faschistischen Imperialismus, in Flugblättern zum Ausdruck zu bringen und so an der Zersetzung der Front der faschistischen Eroberer teilzunehmen. Ich arbeitete mit den antifaschistischen Freunden zusammen, mit Weinert und Wangenheim; hatte auch noch das Glück, zu sehen, wie das Flugblatt »Winterfeldzug« in größter Auflage gedruckt war und nun herausgehen sollte. – Da kam der Befehl zur Evakuierung aus Moskau. – Noch einmal änderte sich mein Leben. Ich stand vor dem Beginn des siebenzigsten Jahres. Den Rest meines Lebens hatte ich geglaubt einsetzen zu können, um alle die Hemmungen im antifaschistischen Kampf, die uns die politische Lage vorschrieb – jetzt durch höchste Aktivität wiedergutmachen zu können. Es war mir auch schon möglich gewesen, ein paarmal durch das Radio zu den deutschen Bauern und den deutschen Künstlern unter meinem Namen sprechen zu können.

Als der Befehl zur Evakuierung kam, fühlte ich mich, als seien mir die Glieder abgeschlagen und mein Leben sei von nun an zu einem unschöpferischen Vegetieren verdammt. Sonja Marchlewska war schon seit einigen Tagen fort zur Arbeit an der Front, um als Übersetzerin mit ihren polnischen, russischen und deutschen Sprachkenntnissen Dienst zu tun. Jan sollte am 15. September in der zehnten Schulklasse wieder anfangen. Der Evakuierungsbefehl traf auch ihn, die Evakuierung hätte sein zukünftiges Leben außerordentlich erschwert, vielleicht in ganz andere Bahnen gedrängt. Die Genossin Dzierzynskaja im Kreml setzte sich aber für ihn ein, und am Bahnhof empfing er vom Vorsteher der Miliz die Nachricht, daß er von der Evakuierung befreit sei. Das war für mich wie ein strahlender Sonnenschein an einem grauen Herbsttag. Auch bei meinem Abtransport zeigten sich [seine] organisatorischen Fähigkeiten. Er teilte mir auch mit, daß die Komintern sich für mich eingesetzt und an die NKWD die Bitte gerichtet habe, mich von der Evakuierung zu befreien, damit ich an meine verantwortliche Arbeit zurückkehren könne. Das war am 13. September um ½ 1 Uhr. Immer blieb Jan mit der NKWD in Verbindung und war dann wieder draußen am Verladungsplatz, um mir Nachricht geben zu können. Die Antwort von der NKWD kam aber nicht. Es wurde zum Einsteigen aufgefordert. Im letzten Augenblick warf ich meine Sachen in den Waggon. Meine Evakuierungsreise nach Kasachstan begann. So lange, wie der Perron sich hinstreckte, lief Jan noch nebenher, dann verschwand er im Gewühl der anderen Moskauer Rayons, die den nächsten Zug füllen sollten.

Die Verladestelle lag an der Peripherie von Moskau. Die Menschen waren nach Rayons geordnet. Eiserne Bettstellen, kleine Tische, Stühle, große Ballen Matratzen und Kisten mit Haushaltungsgegenständen standen und lagen auf dem Perron. Viele Menschen hockten auf ihren Gepäckstücken. Auch bei unserem Transport waren nicht genug Bagagewagen für die großen Stücke eingestellt. Die Folge davon war die völlige Überladung des großen Güterwagens, so daß die Menschen sich nicht bewegen konnten. In der Mitte waren die Stückgüter aufgestapelt. In beiden Enden des Waggons war ein großes Schlafbord eingebaut, das für Eltern mit Kindern zu besetzen war. Diese Passagiere hatten es unverhältnismäßig gut, lagen ziemlich bequem und hatten auch seitliches Licht durch die Klappen, die man öffnen konnte. Unter diesem Schlafbord befand sich ein ganz niedriges zweites Bord, unter dem noch Gepäckstücke untergebracht werden konnten. Wegen der geringen Höhe war dies Lager sehr unbequem zu beziehen, außerdem genügte es nicht für achtunddreißig Personen, wenngleich ja am anderen Ende dieselbe Einrichtung war. So mußten also einige auf dem unteren Bordrand sitzend oder auch im Stehen die Nacht zubringen. Lichtlosigkeit auch bei Tage durch die sitzenden oder stehenden Personen machte den unteren Schlafraum, der nun natürlich auch abwechselnd bei Tage besetzt wurde, sehr ungemütlich. Katastrophal schien aber die Lage zu werden, als wir durch das mächtige Schlenkern des Waggons bald merkten, daß unser Wagen der zweitletzte des Transportes war, in dem sich ungefähr zweitausendfünfhundert Menschen befanden. Der Zug war etwa 1 km lang. Die Lokomotive (wenn sie nicht auf freiem Felde hielt, was manchmal einen halben Tag lang geschah) hielt an der Station, wir immer im freien Felde. Die schwersten Gepäckstücke waren immer durch das Rütteln in Bewegung, fielen auch einigen auf den Kopf, jedenfalls mußte am Morgen der ganze Aufbau der Stückgüter wieder neu organisiert werden. Schlimm war es mit den Kleinigkeiten, die man im unteren dunklen Schlafbord bei sich hatte zum Waschen und zur Ernährung, die man aber immer wieder für den nächsten Schlafbedürftigen wegräumen mußte.

Als wir durch die südlichen Ausläufer vom Ural fuhren, hatten wir scharfe Schneegestöber. Da alle Passagiere der hinteren Waggons ihre körperlichen Bedürfnisse in dem eiskalten Sturm auf dem Bahndamm erledigen mußten, bekam ich einen schweren Bronchialkatarrh, dazu einen so schmerzhaften Blasenkatarrh, daß ich nachts nur mit hochgezogenen Knien in dem niederen Schlafbord liegen konnte. – Da entdeckte ich zu meinem Schrecken, daß an irgendeinem dieser Tage meine gute Doppelbrille für Nah- und Fernsicht aus meiner Tasche gerutscht sein mußte, mit ihrem Futteral wahrscheinlich zertreten wurde und schließlich aus dem offenen Schiebetor des Wagens, gestoßen und getreten in der Dunkelheit, herausgehüpft war. Der Maler ohne Brille! Alles Suchen vergebens. Ich fand in meinem Gepäck noch eine Nahsichtbrille, konnte also wenigstens lesen und schreiben. Als ich bei dieser Gelegenheit mein Gepäck kontrollierte, gab es noch einige peinliche Entdeckungen. Vor allem hatte ich beim eiligen Aufbruch in der Dunkelheit unserer Wohnung wichtige zurechtgelegte Sachen vergessen in den Bettsack zu schieben: Ich hatte keine Schlafdecke mitgenommen, mußte mich also für die Zeit meines neuen Lebens mit dem Pelz begnügen, der meiner Länge nicht ganz genügte. (Außerdem zog ich ihn zur Arbeit nicht an, auch nicht bei feuchtem Wetter und Schnee, da ich unter dem feuchten Mantel nicht schlafen kann. Ich gewöhnte meinen Körper notgedrungen, in der bittersten Kälte ohne Mantel zur Arbeit zu gehen.) Dann fehlten meine Gummischuhe, dann mein kleiner sorgfältig mit den besten Aquarellpinseln gepackter Blechkasten; es fehlten Bronkas Adresse und viele andere wichtige Kleinigkeiten.

Als wir nach zehn Tagen Fahrt in die kasachischen Steppen kamen, besserte sich mein Gesundheitszustand, meine Freiübungen draußen während der großen Fahrpausen hatte ich schon wieder aufgenommen, im übrigen marschierte ich am Zuge auf und ab, traf auch einige mir bekannte Frauen. In einem Waggon mit Studenten fuhr auch der junge Lammert mit. Die jungen Leute wurden später in eine große Zementfabrik abkommandiert. In meinem Waggon waren alte Lehrerinnen, meist pensionierte. Alles waren Deutsche, darunter einige, die die deutsche Sprache gar nicht mehr kannten, die seit Generationen schon Russen waren, aber deutsche Namen trugen. Eine sehr sympathisch aussehende Studentin aus der Wolgarepublik fuhr mit und ein junger Ingenieurstudent. Dieser hatte schon in Smolensk gegen die Faschisten mitgekämpft, wurde mit allen jenen Studenten aus der Front genommen, die vor dem Examen standen. Das Unglück war nur, daß er wegen seines deutschen Namens unter die Evakuierten fiel. – Unsere Regierung hatte dafür gesorgt, daß wir einmal am Tage kostenlos gut warmverpflegt wurden, meist um Mitternacht bei den Stationen.

Die große menschenleere Steppe Kasachstans nach der Überwindung milder Höhenzüge des Urals begann mit weiten Flächen, auf denen sich aber zuerst noch Wälder hinzogen. Sie waren dicht, aber ganz dürftig in ihrem Höhenwuchs; Birken und Kiefern. Immer wieder ragten über dem Wald ganz vereinzelte alte Kiefern hoch, von denen offenbar die Versamung ausging. Die herbstgelben Birken waren auch dünnstämmig. Es gab ganze Birkenwälder, die Manneshöhe nicht überschritten. Die Bahndammränder zeigten hier überall Salzablagerungen in den Farben vom tiefdunklen Purpurrot heller werdend bis zum Weiß. Dann kam die graue vegetationsarme asiatische Steppe. Nach vierzehntägiger Fahrt wurden wir ausgeladen. Noch einmal suchte ich den leeren Wagen ab nach meiner Brille. – Nichts. Neben dem Bahnkörper breitete sich ein riesiges Lager von Menschen hin mit ihren Gepäckstücken. Das Wetter war gut, sonnig. Am selben Tage wurden wir auf verschiedene Kolchosen verteilt. Einige, wie die jungen Studenten, kamen auch nach Karaganda, andere wurden für eine mächtige, im Werden begriffene Zementfabrik angeworben. Bei unserem Lenrai fuhren die Ochsenwagen des Kolchos »Erster Mai« vor, das lag 90 km von der Station; drei bis vier Tage Fahrt. Gepäck verladen, darauf die Menschen. Das Wetter blieb ziemlich gut, nur nachts kalt und windig.

Ich ging bei Tage fast die ganze Strecke zu Fuß; hatte dann mehr Beziehung zur Landschaft. Wir fuhren immer wieder durch riesige flache Mulden, die von niederen Höhenzügen begrenzt waren. Die Höhenzüge zeigten vielfach einen ausgeprägten vulkanischen Charakter, manchmal von einer so eleganten, schönen Form, wie wir sie von den Holzschnitten der Japaner kennen, wenn sie den Fudschijama darstellen. Nur waren die Berge der kasachischen Steppe winzig, wohl kaum höher als 100 m. Fuhren wir über einen Muldenrand hinaus, so kam eine neue breite Mulde mit ganz ähnlichem Charakter. Armselig die Pflanzen der Steppe, ganz klein, ganz hart, ins Okker und ins Purpurrot spielend. Die Formen manchmal korallenartig. Dazu kommt dann die perückenartige kopfrunde »Perekatipole«, die »Über den Boden Rollende«. Die ist nun im Herbst ganz blätterlos, leicht, mit dünnen, dünnen Verzweigungen. Der Morgenwind löst sie vom Boden, und dann rollen die Pflanzen vermöge ihrer runden Form neben unserm Ochsenkarren her über die Steppe. Nachts wurde gehalten, die Ochsen wurden frei gemacht und wanderten in die Steppe, um an den spärlichen Pflanzen ihren Hunger zu stillen. Feuer wurde angezündet, man wärmte sich und wanderte um die Wagenburg, da man seine frierenden Glieder in Gang halten wollte. Bei Tage wurde einmal abgekocht. Die Steppe zeigte um diese Zeit eine große Öde. Kaum ein Vogel geht hoch. Andere Tiere sieht man nie.

Endlich das Rayonzentrum Woroschilow. Paßkontrolle, Eintragung. Gab zwei Telegramme nach Moskau auf an Jan und an meine Arbeitsstelle mit der Bitte um Zurückberufung an meine Arbeit; setzte aber in den Text der Telegramme nicht meine Adresse, so daß meine Dummheit sich rächte und ich ohne Antwort blieb. Ich ließ Briefe, Karten folgen, auch an meine Schriftstellerfreunde; auch offiziell an die Inokommissio des sowjetischen Schriftstellerverbandes. Ich empfing bis zum 15. November keine Nachricht, was darauf hindeutet, daß alle Bekannten und auch Jan aus Moskau evakuiert worden sind.

Am nächsten Tag ging die Ochsenfahrt weiter, und abends am 30. September waren wir in dem Dorf Kornejewka p./otd. im Kolchos »Erster Mai«. Im neugebauten Klubhaus übernachteten wir, und am andern Morgen wurden wir bei den verschiedenen Bauern einquartiert. Das Wetter war schlecht geworden, auch schon Schneefälle. Ich wurde bei einer ganz sympathischen Familie einquartiert, die aus sieben Personen und einem Säugling bestand. Küche und zwei Zimmer. In dem einen Zimmer, in dem zwei Jungens schliefen und eine junge Frau mit ihrem Säugling, bekam ich eine Ecke; zwei Holzbänke wurden zusammengeschoben, meinen Schlafsack füllte ich mit Stroh, meine Sachen mußte ich auf dem Fußboden unter dem Lager placieren. Zwei Bettlaken hatte ich und zum Zudecken meinen Pelz. Ich hatte nämlich unterwegs einen schweren Verlust gehabt. Auf der Fahrt hierher, einige zehn Kilometer vom Dorf in der Dunkelheit der Nacht, als wir durch eine tiefe sumpfige Stelle der Steppe fuhren, so daß der Ochsenwagen umzustürzen drohte, fiel, ohne daß ich es bemerkte, mein kleiner brauner Paletot, den ich auch als Winterjacke brauchte, aus dem Wagen. Der kleine Mantel wurde von einem Kolchosnik später gefunden zusammen mit einem Bündel Wollstrümpfe von einer Frau, die mit auf meinem Wagen saß. Wenngleich im Kolchos bekannt war, daß die Sachen gefunden wurden, und ich im Selsowjet nachfragte, war der Finder nicht zu ermitteln, und ich blieb ohne eine Jacke für die kalte Zeit. Ein bitterer Verlust.

Bei dem schlechten Wetter in der Kartoffelernte zu arbeiten, konnte ich mich nicht entschließen, da mir mein Blasenleiden große Schmerzen machte. Erst Mitte Oktober, als plötzlich windstilles Sonnenwetter eintrat, meldete ich mich zur Erdarbeit am Staudamm, der in der Steppe errichtet wurde, um die Frühlingsgewässer aufzuhalten, damit man dort Kohlfelder anlegen konnte. Die Arbeit war sehr anstrengend. Anfang November hatte sich das Wetter sehr geändert, Sturm und Kälte. Noch längere Zeit, bis zum 14. November, als der Boden schon festgefroren war und wir uns morgens erst mit der Brechstange durch die gefrorene Schicht an die weicheren Erdlagerungen heranarbeiten mußten, blieben wir diszipliniert bei der Arbeit. Es war für uns alte Leute eine sehr, sehr schwere Arbeit. Um Punkt zehn Uhr begannen wir und arbeiteten bis zwei Uhr. In den letzten zwei Tagen hörten wir um zwei Uhr auf und gingen nach dem Brotempfang heim, da der Westwind so kalt und scharf war mit seinem spitzen Eishagel, daß an ein Weiterarbeiten nicht zu denken war.

Mit den Kolchosbauern war diese wichtige Arbeit schlecht organisiert. Es wurden Versammlungen abgehalten und gewettert, mit dem Sud gedroht wegen der Disziplinlosigkeit in der Arbeit. So kamen am 13. November endlich, nachdem die Moskowiter, die alten Leute, schon von zehn Uhr an gearbeitet hatten, zwischen elf und halb zwölf die mobilisierten Kolchosfrauen auf Ochsenwagen heraus in die Steppe. Sie machten ein großes Feuer an, verbrauchten dabei Stroh von unserem Schutzzelt, das aus mit Stroh belegten Knüppeln bestand, so daß der kalte Wind jetzt hindurchfegte. Dann wurde trockener Kuhdünger draufgelegt. Man wärmte sich und redete bis zwölf Uhr, dann ging es mit Schaufeln in den Acker an die Arbeit, um Erde für den Damm auf die Ochsenwagen zu verladen. Um fünf Minuten nach zwölf begann ein scharfes Schneegestöber. Wir sahen von unserer Arbeit auf, beschlossen aber weiterzuarbeiten, doch sahen wir schon, wie in der Steppe zwei Kolchosbäuerinnen mit dem Spaten auf der Schulter dem Dorf zueilten, dann wieder zwei, dann acht, und schließlich um 12¼ setzten sich die mit Menschen beladenen Ochsenkarren in Bewegung, und in wenigen Minuten war der ganze Spuk der Kolchosmobilisierung hinter einer Bodenwelle dem Dorf zu verschwunden. – Die Moskowiter arbeiteten diszipliniert weiter bis ½ auf 3 Uhr. Dann war Brotempfang, und nach dem eilte alles fort, da die Kräfte der Alten nun auch zu Ende waren und die Schmerzen in Händen und Füßen die Gefahr des Erfrierens signalisierten.

Selbstverständlich gelang es selten, die Arbeitsnorm, die nach der Leistungskraft von arbeitsgewohnten Männern besten Alters aufgestellt war, zu erfüllen. Außerdem waren die Wegstrecken für das

Schleppen der Erde zu verschiedenen Tagen verschieden lang. Kam Frost hinzu, werden wir etwa die Hälfte der Norm erfüllt haben. Zumal, wenn auch die Arbeit mit sinkenden Temperaturen immer schwerer wurde, unsere Brotration um die Mittagszeit nie mit dem versprochenen Kilogramm erfüllt wurde. Einige Male erhielten wir allerdings 800 g, dann aber waren es einmal nur 600, einige Male 500, und es kamen auch Tage mit 300 g vor. Wir haben bestimmt mit aller Kraft unsere Schuldigkeit getan in dem Gedanken, in dieser schweren Kriegszeit alles zu geben, was in unserer Macht steht. Kaum wird die geleistete Arbeit dem Druck der Frühlingsgewässer standhalten können; geringe Hilfe durch die Kolchosfrauen hätte alles retten können.

Die Moskowiter sind auch nicht sehr beliebt bei den Bauern. Die Armut der meisten, das Nichtauszahlen der Pensionen hat viele in eine sehr unsichere Lage gebracht. Dann kam ein Transport mit Frauen und Kindern von Kommandeuren der Roten Armee aus Tula hinzu, die hier sehr gut mit allem, Butter, Eier, Milch, Brot, Kohl etc., verpflegt werden. Die Frauen arbeiten nicht. Den Moskauer arbeitenden Frauen wurde die Brotration in der Steppe immer stärker verkürzt und die Belieferung an Kartoffeln überhaupt gestrichen, Ja, zwei Personen mußten ihr Quartier verlassen, weil der Raum einer der Frauen aus Tula gefiel. Mit größter Besorgnis sehen alle dem Winter entgegen, zumal die Arbeitsmöglichkeit bei der täglich strenger werdenden Kälte aufhört! Die Gründe der Disziplinlosigkeit im Leben dieses Kolchos sind nicht nur bei den Kolchosbauern zu suchen. Nicht nur die Ausnutzung der Arbeitskraft der Moskowiter ist ein Grund, daß sich die Frauen von der Steppenarbeit drücken, sondern vor allem, daß es Waren, getrockneten Fisch, Seife, Stoff, in der Kooperative nur selten gibt; sie fallen dann aber nicht den Arbeitenden zu, sondern den Nichtarbeitenden, die im Dorf sind und sich zu rechter Zeit versorgen können. So bleiben die Kolchosbäuerinnen lieber im Dorf.

Für einen Kommunisten ist im Kolchos »Erster Mai« viel zu lernen. Man sieht, daß durch »Einpeitschen«, Drohen nicht viel zu bessern ist, sondern daß das organisatorische Beispiel, die Vertretung der menschlichen Bedürfnisse für die Arbeitenden der Weg sein muß, Selbstdisziplin zu erwecken. Da ich über aserbaidshanische, armenische, kurdische, deutsche Kolchosen und über die Arbeit der Waldarbeiter im Norden schon manches in der »Internationalen Literatur« geschrieben hatte, war mir dieser Einblick sehr wichtig.

Seitdem ich mitarbeite, habe ich bei den Moskauer Evakuierten diese Disziplinierung erlebt. Ich erlebte aber auch, daß in den ersten Tagen der Vorsitzende vom Selsowjet am Staudamm war und nicht die Disziplinlosigkeit der Kolchosbauern festnagelte, deren Arbeitszeit er mit zehn Stunden als mustergiltig festlegte – sondern er schob die ganze Disziplinlosigkeit den Moskowitern zu. Er sagt: »Ihr versteht nichts von sozialistischer Arbeitsweise. Ihr arbeitet kapitalistisch, da kommt einer um zehn, einer um elf, einer um zwölf.« Nun hat natürlich jeder Moskauer schon in der Schule viel gelernt über die brutale Ausbeutung der Arbeitskraft im Kapitalismus durch das Taylorsystem, durch das laufende Band, durch die Stoppuhr und daß die Lohntüte mit ihren Strafabzügen jede Abweichung schmerzlich erkenntlich macht. – So wie also die Moskauer nicht richtig beurteilt wurden, so rief das falsche Bild von der kapitalistischen Arbeitsweise natürlich nur ein Lächeln hervor, und ein bewußter Arbeiter bekommt wieder einmal eine Warnung, wie gefährlich es ist, aus demagogischen Gründen seine Feinde falsch einzuschätzen. Daß die Moskowiter um vier Uhr mit der Arbeit enden, liegt an den Lebensbedingungen im Kolchos. Bis vier Uhr haben die Frauen noch nichts Warmes in den Magen bekommen. Eine Stunde brauchen sie für den Weg zum Staudamm; um sechs Uhr ist es dunkel, sie müssen aber noch kochen.

Der Staudamm, den wir bauen, liegt eine halbe Stunde vom letzten Haus des Dorfes Kornejewka entfernt in der Steppe. Der Damm soll die Gewässer aus der ganzen Mulde, in der das Dorf liegt, aufhalten. Der Wasserlauf geht durch die Mitte des Dorfes mit vielen Verzweigungen, die um Kohlfelder gelegt sind. Die Kohlfelder können also leicht im Frühling mit dem Wasser begossen werden. Sie sind mit Weidengeflecht gegen das Vieh gesichert. Das Dorf ist sehr weitläufig langgestreckt. Die Hauptstraße ist breit wie einer der großen Moskauer Boulevards und ca. 3 km lang. Die einstöckigen niederen Häuser stehen weit auseinander. Sie sind solid aus Lehm, gemischt mit Strohhäcksel, gebaut; haben 1 m dicke Wände und kleine Fenster, die mit Vorliebe nach Süden gelegt sind. Unter demselben Dach liegen auch, in der Länge, die Viehställe für Kälber, Ochsen, für eine große Sau mit Ferkeln (Yorkshirerasse), für Gänse und Hühner. Für die Hühner sind in der Lehmwand kleine Löcher zum Durchfliegen. Hunde werden gehalten, sehr kleine, sehr wachsame. Jedes Haus hat mehrere Öfen. Ein großer russischer Backofen im Küchenraum, ein Ofen in geschlossener Form zwischen den beiden Zimmern, dessen Feuerloch aber so groß ist, daß man mit der Gabel hier auch die Töpfe ins Feuer stellen kann. Dann ist manchmal noch im Vorplatz eine kleine Feuerstelle, wahrscheinlich für den Sommer oder zum Kochen von Viehfutter. Der Fußboden ist überall aus Lehm. Alles wird in ukrainischer Manier mit weißem Kalk gestrichen, auch die Außenwände.

Die Arbeitsbedingungen werden nicht leicht sein, da die guten

Ackerstücke zum Anbau von Weizen und Kartoffeln sehr vereinzelt und fern in der Steppe liegen. Der Abtransport des Korns per Ochsenkarren erfordert immerhin drei bis vier Tage. Korn und Weizen, auch Kohl sind von guter Qualität. Roggen soll nicht gut kommen, mir scheint aber, es liegt daran, daß man für seinen Anbau dasselbe Land wie beim Weizen nimmt, schwarze Erde, wogegen es auch sandigen Lehm gibt, der viel Kalk enthält.

Der Maschinenpark ist reich an Kombines und Traktoren. Es gab ziemlich viel leerstehende Häuser. Eine Anzahl Ukrainer, denen die Arbeit unter diesen schweren Bedingungen nicht gefiel, soll das Dorf im vergangenen Jahre verlassen haben. Einige der Moskowiter haben sich zusammengetan und bewohnen derartige Häuser. Das Leben ohne Wirt ist aber nicht leicht. Die Holzbeschaffung für Brennmaterial kostet viel. Petroleum gibt es nicht, wenngleich die meisten Kolchosbauern welches haben. Die Lebensmittelpreise grenzen an Wucherpreise. In der Kooperative ist selten etwas zu haben außer Kohl. Die Stolowaja für die MTS soll gut sein und nicht teuer, aber nicht für die Evakuierten zugänglich. Ich selber habe es, was die Verpflegung betrifft, nicht schlecht getroffen, esse, was die Familie ißt: Kartoffeln, Kohl, mal Hirsebrei in Milch und morgens häufig Piroschki aus Weizenmehl. Abgerahmte Milch zum Trinken bekomme ich auch täglich. Für meine Schreibarbeit haben sie mir einen Tisch eingeräumt; so konnte ich schon viel an meinem großen Manuskript arbeiten. Wie wird es aber, wenn meine Pension nicht kommt? Ich muß hier 150 Rubel zahlen, was sehr billig ist, denn ich werde reichlich versorgt. Es wurde aber November, und noch immer hören wir nichts über die Auszahlung unserer Pensionen. Somit kam ich in eine Lage, die völlig undurchsichtig ist und mich meinen Wirten gegenüber in Not gebracht hat.

III. B[uch] K[ornejewka]

Am 13. September 1942 wurde ich aus Moskau evakuiert nach Sibirien in die Kasachstanische Sowjetrepublik. Das Dorf Kornejewka, das Kolchos »1. Mai«, wurde nun für viele Monate mein Aufenthalt. Das Kolchos liegt ungefähr 90 km von der Eisenbahnstation Nurinks entfernt und 100 km von Karaganda. Der Verkehr geht mit Ochsenwagen oder Schlitten in äußerst langsamem Tempo von 4 Tagereisen. Im Winter manchmal tagelang unmöglich durch Schneestürme (Buran). Wir kamen im Herbst. Das Übernachten auf unseren Ochsenwagen, die Ochsen zum Weiden ausgespannt, war sehr angenehm. Bei Tage ging ich meistens zu Fuß neben dem Transport. Die Steppe ist menschenleer, drei, vier Dörfer, russische und kasachische, wurden ohne Aufenthalt passiert. Auffallend geringes Tierleben in der Steppe. Selten Vögel. Die Landschaft besteht aus großen flachen Mulden, umrahmt von niederen langgezogenen Hügeln, die manchmal gewellt waren wie ein versteinertes bewegtes Meer, manchmal spitzkegeligen Charakter trugen wie Vulkane. Unsere Ochsengespanne waren kräftig, zogen große Lasten. Die Ochsen sind nicht groß, sehr gut gebaut. Geduldig unter viel Prügelschlägen. Eine Milchfarm gehört zum Kolchos, die Kühe gaben jetzt, dem Winter zu, sehr wenig Milch, ca. 3–5 Liter. Außerdem sind noch Pferde da, kleine Kasachenpferde. Kamele, die von den Kasachenkolchosen gebraucht werden, kamen nur auf den Transporten mit Heu, Korn oder Schnaps durchs Dorf. Die Post kommt durch einen kasachischen Reiter oder auf einem kleinen vierrädrigen Wagen, den ein Kamel zieht, das einem manchmal in der Steppe durch einen melancholischen Gesang auffällt, der sich zu einem hohen Gekreische steigern kann wie bei einem hysterischen Weibe. Kamelmütter vor dem Wagen, neben denen das Kamelkalb neugierig umherkreist, lassen eine tiefe, rollende sympathische Stimme hören, als spräche ein alter Bauer mit geklärter ruhiger Stimme aus Lebenserfahrung beruhigend und erzählend mit seinem Sprößling. Menschen und Tiere sind durch den eisigen Winter und durch die ewigen Winde, die am Tage mehrmals ihre Richtung wechseln, sehr abgehärtet. Die Ochsen sehen im Winter ganz rund aus, da ihr ganzes strähniges Fell zum Schutz gegen die Kälte mit einem flaumigen Pelz unterwächst. Die Yorkshireschweine, die in England den rosigen Eindruck machen, als seien sie immer frisch rasiert, tragen hier im Winter einen langhaarigen blonden Pelz. Die Ställe sind sehr kalt, aber das Federvieh, Hühner und Gänse, scheinen die Kälte gut vertragen zu können.

Wir aus Moskau hierher Evakuierten litten außerordentlich unter der Kälte, denn das Holz zum Heizen ist äußerst knapp. Weit abgelegene kleine Birkenwälder in geschützten Tälern werden als Brennholz geschlagen, der Baumschlag wird von einem kasachischen Förster kontrolliert. Die mit Weizen oder mit Kartoffeln bestellten Felder liegen zerstreut, manchmal sehr weit ab vom Dorf. Der Boden ist fruchtbar und bedarf keiner Düngung. Mitten durch das Dorf geht ein Fluß, eine Wasserrinne, die man nur im Frühling während der Schneeschmelze als Fluß ansprechen kann. Diese Dorfmitte ist von Hütten unbebaut. Hier befinden sich zwischen den vielen Windungen des Gewässers die Kohlgärten der Kolchosbauern. Sie sind durch Hecken von trockenem Zweiggeflecht vor dem Vieh geschützt. Um die Feuchtigkeit auch im Sommer für das Gemüse zu erhalten, wurde ein Staudamm eingerichtet. Diese Arbeit scheint wenig gut geführt zu sein, denn die Frühlingsgewässer haben den

Damm bald zerrissen. Auch wir Evakuierten aus Moskau arbeiteten in den warmen Herbsttagen am Staudamm in der Steppe. Jedoch war wieder die Zeit zu kurz, und der Frost und Buran vertrieb uns von der Arbeitsstelle zu frühzeitig. Die letzten Tage war es nur möglich, mit dem Spaten weiterzukommen, wenn man den festgefrorenen Boden vorher mit der Brechstange lockerte. Eine Erfüllung der Normen war ganz ausgeschlossen.

Die Evakuierten waren über das ganze Dorf verteilt. Einige hatten einen Raum in der Wirtschaft eines Kolchosmitgliedes, andererseits waren leere Hütten vorhanden, da die männlichen Arbeitskräfte zur Roten Armee eingezogen waren und die Frauen und Kinder sich mit Verwandten oder Bekannten zu gemeinsamer Wirtschaftsführung zusammengeschlossen hatten. Die Aufnahme der Moskauer war zu Anfang nicht schlecht und mit vielen Versprechungen hoffnungsvoll gemacht. Im ersten Monat wurden auch vom Kolchos zu Staatspreisen Kartoffeln und Weizen geliefert, und bei der Arbeit am Staudamm gab es ein Mittagessen, manchmal 200 g, einmal sogar 800 g Brot. Das änderte sich, als weitere Evakuierte aus Tula kamen, Frauen von Kommandeuren. Die Faschisten standen vor Tula.

Die Lage der evakuierten Deutschen war sehr, sehr schwer geworden. Die Ablieferungen für die Rote Armee vergrößerten sich. Das Kolchos gab an die Deutschen aus Moskau nichts mehr ab. Die Evakuierten, vielfach alte Frauen mit ganz niedriger Pension, waren gezwungen, die fortwährend steigenden Spekulationspreise der Kolchosbauern zu zahlen. Aber die meisten von ihnen waren arm, bitter arm. Da das Pud Weizen 120 Rubel kostete, Kartoffeln gar nicht mehr zu haben waren und die Feuerung für diese Leute unerschwinglich war, wurde ihre Lage trostlos. Seltsamerweise richtete sich dies hauptsächlich gegen die Moskauer Deutschen. Darunter waren Frauen, deren Söhne und Brüder in der Roten Armee gegen die faschistischen Banditen kämpften. Manche von diesen deutschen Russen kannten nicht einmal die deutsche Sprache mehr. – Ich hatte insofern Glück, daß ich in eine Kolchosfamilie einquartiert wurde und mich um die Organisation meiner Ernährung nicht zu kümmern hatte, war also bei den Leuten Pensionär; und doch kam ich in eine ganz verzweifelte Lage, da die Auszahlung meiner Pension sich auf unaufgeklärte Weise verzögerte. Mein letztes Geld war Anfang November zu Ende. Dann reichte ich Gesuche über Gesuche ein. Schließlich im März verlangte die hiesige Sparkasse die Einsendung meines Pensionsbuches nach Moskau an meine frühere Auszahlungsstelle. In diesen sechs Monaten erlebte ich nun das Niederdrückendste, Demoralisierendste, was ein Mensch ertragen kann. Die Gespräche mit meinem Kolchoswirt, der das Geld für meine Ernährung nötig hatte, denn er mußte doch auch hohe Kriegsabgaben machen; mein eigenes Leben wie ein Bettler, der bei anderen Evakuierten zu pumpen versuchte; vor allem auch meine Krankheit, die Blasenkrankheit, die sehr schmerzhaft war, vor allem nachts. Ein altes Leiden, das aber in dieser Heftigkeit durch die Erdarbeit am Stauwehr bei schlechtem eiskaltem windigem Wetter zur vollen Entwicklung gekommen war. Mittel zur Behandlung, vor allem regelmäßige 10-Minuten-Wannenbäder jeden Tag, waren im Dorf nicht zu haben, auch existierten in der Apotheke keine Medikamente gegen diese Krankheit. Dabei litt ich außerordentlich unter Kälte. Der Raum, in dem ich mit zwei Jungens und einer Frau mit einem Säugling schlief, wurde erst abends um vier Uhr geheizt. Die höchste Steigerung, die andauert, lag aber in dem Verlust meiner dickgefütterten braunen Jacke und dem Verlust meines Jägerschen Unterzeuges, das von meinen Wirtsleuten mit Birkenasche gewaschen wurde, sich bei diesem Prozeß in eine schleimige Masse verwandelte und beim Trocknen in sich selber zerfiel. Hinzu kam der unaufhörliche Kampf gegen die Körperläuse, das Schlafen auf einer Holzbank ohne Matratze mit zehnmaligen Unterbrechungen des Nachts, da ich die Blase entleeren mußte.

In der ersten Zeit, bis Ende November, hatten wir noch gutes, sonniges Wetter, so hatte ich wenigstens bei Tage eine ungebrochene Arbeitsinitiative. Ich schrieb einige hundert Seiten an meinem Buch »Werden« und zeichnete Zersetzungsflugblätter für die Politische Verwaltung [in] der Akademie »Frunse« und bat den Vertreter der NKWD, die Sendung nach Moskau zu besorgen. In dem Kolchos »1. Mai« lebte ich wohl als einziger Kommunist (ohne Parteibillett) unter den bürgerlichen Damen und Herren.

Für meinen Kolchoswirt war die Lage schwierig mir gegenüber: ein Mann, der gefüttert werden muß, ohne daß er bezahlt. So kamen sehr unangenehme Aussprachen über die Geldfrage. Den Glauben an eine endliche positive Lösung hatte er anscheinend verloren, betrachtete mich anscheinend als ein betrügerisches Element. Die Verpflegung schränkte er allerdings nicht ein: Milchtee und trocknes Brot, Kascha, Kartoffelsuppe. Die Kohlsuppe mußte ich ablehnen, da mein Magen sie wieder von sich gab oder da sie sonst mit Schmerzen im Magen liegenblieb.

Der Klein- oder Weißrusse, den man nach Sibirien umsiedelte, ist unter dem harten Klima ein äußerst harter Mensch geworden. Der Boden der Steppe ist allerdings außerordentlich fruchtbar. Düngemittel braucht man nicht. Das Großvieh ist verhältnismäßig klein und gibt wenig Milch. Die Ochsen sind stark, obwohl auch sie nicht großwüchsig sind. Schafe gibt es nur 4–5 Fettschwänze im Dorf, Kamele sind hier nicht vorhanden. Der überall weidende

Viehbestand läßt die volle Ausnutzung des herrlichen schwarzen Bodens bis ans Haus nicht zu, da alles umzäunt werden müßte und in der baumlosen Steppe das Material zum Flechten der Zäune

Flugblattentwurf. Tinte und Tusche, 1941/42

fehlt. Auch fehlt es im Sommer an Wasser. Der Versuch, einen Staudamm zu errichten, um die Frühlingsgewässer aufzuhalten, wurde schlecht organisiert, muß jetzt zum zweiten Frühling als mißlungen angesehen werden. [Es folgt die Darstellung der Arbeiten am Staudamm, wie S. 361ff.]

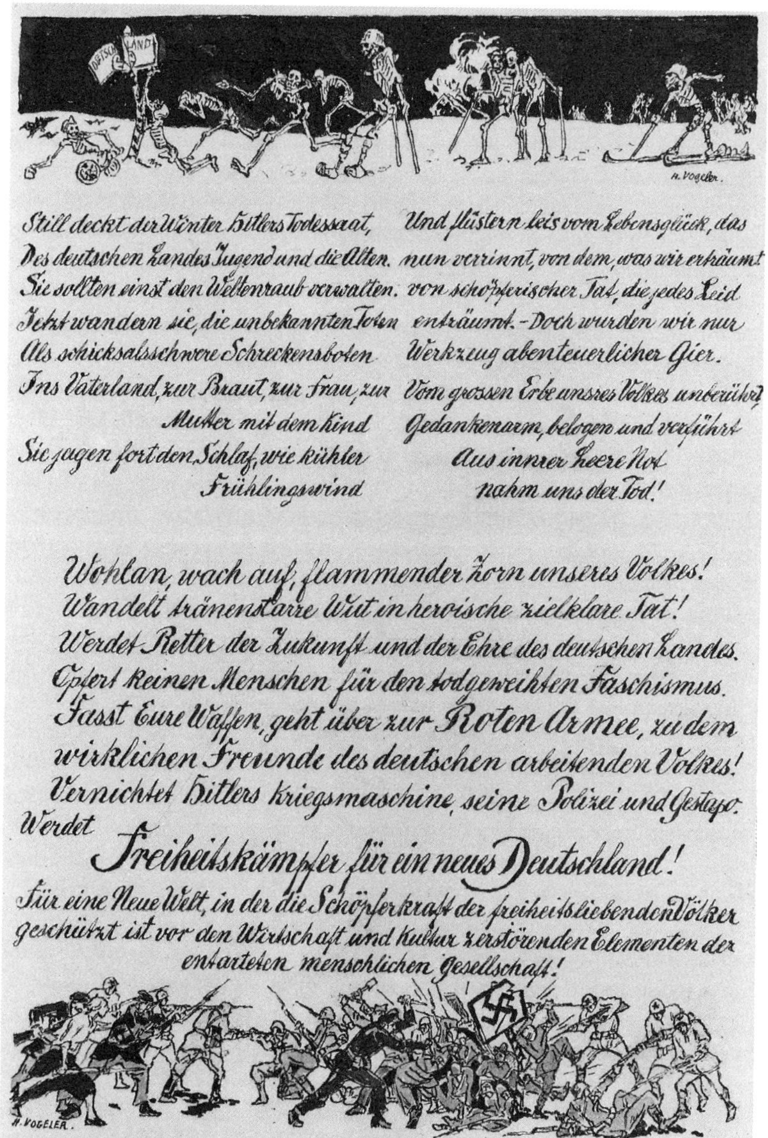

H. Vogeler.

Still deckt der Winter Hitlers Todessaat,
Des deutschen Landes Jugend und die Alten.
Sie sollten einst den Weltenraub verwalten.
Jetzt wandern sie, die unbekannten Toten
Als schicksalsschwere Schreckensboten
Ins Vaterland, zur Braut, zur Frau, zur
Mutter mit dem Kind
Sie jagen fort den Schlaf, wie kühler
Frühlingswind

Und flüstern leis vom Lebensglück, das
nun verrinnt, von dem, was wir erträumt
von schöpferischer Tat, die jedes Leid
enträumt. – Doch wurden wir nur
Werkzeug abenteuerlicher Gier.
Vom grossen Erbe unsres Volkes unberührt,
Gedankenarm, belogen und verführt
Aus innrer Leere Not
nahm uns der Tod!

Wohlan, wach auf, flammender Zorn unseres Volkes!
Wandelt tränenstarre Wut in heroische zielklare Tat!
Werdet Retter der Zukunft und der Ehre des deutschen Landes.
Opfert keinen Menschen für den todgeweihten Faschismus.
Fasst Eure Waffen, geht über zur Roten Armee, zu dem wirklichen Freunde des deutschen arbeitenden Volkes!
Vernichtet Hitlers Kriegsmaschine, seine Polizei und Gestapo.
Werdet
Freiheitskämpfer für ein neues Deutschland!
Für eine Neue Welt, in der die Schöpferkraft der freiheitsliebenden Völker geschützt ist vor den Wirtschaft und Kultur zerstörenden Elementen der entarteten menschlichen Gesellschaft!

H. Vogeler.

Flugblattentwurf. Tinte und Tusche, 1941/42

Groß war das Kolchos im Festefeiern; die alten und die neuen Feste wurden unter Verbrauch von viel Sprit mit wilden Tänzen gefeiert. In überwiegender Mehrzahl Frauen. Mandoline und Balalaika waren die Begleitinstrumente. Der Schnapsverbrauch, Sprit mit Wasser verdünnt, war sehr groß, und wurde er im April vor Beginn des Ackerns von der Partei aufgehoben, durfte nicht mehr verkauft werden. Die Evakuierten hatten bis dahin noch die Möglichkeit, etwas von ihren Sachen, Hemden oder Stoff, gegen Lebensmittel einzutauschen, da der Schnaps ein teures Getränk ist, das bezahlt werden muß. Nun änderte sich die Lage alles gegen Tausch. Das Kolchos gab zu Staatspreisen nichts, trotz der Verfügung, daß die arbeitenden Evakuierten mit Lebensmitteln versorgt werden sollten. Sofort stiegen die Lebensmittel, Weizen auf 150 Rubel, Kartoffeln auf 50 Rubel das Pud. Unbezahlbar für den ausgepowerten Evakuierten. So wanderte bei manchen das letzte Hemd gegen Lebensmittel aus den Koffern. Außerdem raffte der Tod schon einige der Alten weg. Da man kein Holz hat, nähte man sie in Tücher ein und versenkte sie vor dem Dorf auf einem weiten Platz. Einige ganz kleine Holzkreuze, meistens nur ein Pflock, bezeichneten den Ort, wo eine Leiche eingescharrt war. Das Beerdigen machten wir Evakuierten selber.

Es ist jetzt wirklich, als sollte ich in meinen letzten Lebensjahren noch einen schweren Läuterungsprozeß durchmachen. Alles wurde schwerer durch die völlige Mittellosigkeit, hervorgerufen durch die Nichtauszahlung meiner Pension sieben Monate lang, durch die mangelhafte Winterausstattung für das sibirische Klima, durch das Ausbleiben der Nachrichten von meinem Sohn Jan und durch den Charakter des Ortes, in dem ich zu leben habe.

Nach der physischen Arbeit am Staudamm, die an sich für meinen Gesundheitszustand gut war, aber durch das beginnende Winterwetter mit eisigem Sturm an der Arbeitsstätte mein schmerzhaftes Blasenleiden zu einem chronischen Zustand machte, erlebte ich wohl keine Stunde mehr, in der ich sagen konnte: Heute fühle ich mich normal. In der Arbeit für Flugblätter und Bearbeitung der Korrespondenz in dieser Angelegenheit und in der Angelegenheit der ausbleibenden Pension wurden die Gedanken an den krankhaften Zustand verdrängt. Die schweren Auseinandersetzungen wegen der Verschuldung an meinen Kolchoswirt belasteten mich sehr. Schließlich, im April, war die Sache so weit, daß mir die Verpflegung entzogen wurde. Meine Bretter, auf denen ich schlief, konnten mir nicht genommen werden, da ich vom Selsowjet als Evakuierter einquartiert war und dafür nicht zu zahlen brauchte. Unter den bisherigen Umständen auf dem Kolchos war an Erhalt von Lebensmitteln durch das Kolchos für deutsche Moskowiter nicht zu denken, trotz der Verfügungen der Regierung. So waren die Evakuierten vollkommen abhängig von den Spekulationspreisen der Kolchosbauern. Da aber der größte Teil der deutschen Evakuierten arm war, wurde es ihnen unmöglich, die Mittel für Ernährung und Bekleidung aufzutreiben. Am 15. und 16. April war ich völlig ohne Ernährung. (Die wenigen Zahlungen, die ich dem Wirt machen konnte, waren durch Leihhilfen von Evakuierten und durch mein letztes Pensionsgeld vom Monat September 1941 möglich gewesen.) Am 17. April waren vor allem meine Nerven so heruntergekommen, daß jedes Geräusch mir physische Schmerzen machte, als ginge das alles in meinem Gehirn vor sich. Zudem waren die Geräusche besonders stark, da der Säugling immer schrie, wahrscheinlich weil die Zähne durchbrechen wollten. Das Wetter war schlecht, die Wege unergründlich. Unter dem Schnee stand Wasser. Geld, um meine Schuhe reparieren zu lassen, hatte ich nicht; immer mit kalten nassen Füßen zu leben erhöhte meine Qualen. Ich fror, fror und fror.

Jetzt ging ich betteln bei Evakuierten. In einer der Hütten, die ich aufsuchte, teilte eine Frau ihre Suppe mit mir. Als ich abends noch eine andere Hütte aufsuchte, in der ein altes evakuiertes Ehepaar lebte, bekam ich noch eine Grütze und einen Milchtee. Selten hat mir ein Essen so gut geschmeckt. Aber was nun weiter? Unmöglich kann ich an diese Leute, die selber nichts haben (mit Ausnahme des letzteren, der mich auch sonst unterstützte), wieder herangehen. Ich beriet mich aber mit dem alten Manne, der sich für mich einsetzte. Ich ging zur Leitung der MTS, um einen Entwurf für die Wandzeitung vorzulegen in der Hoffnung, auf diese Weise das Recht zu bekommen, in der Stolowaja der Traktoristen Essen empfangen zu können; die jugendlichen Angestellten hatten mir den Vorschlag für die Wandzeitung gemacht. Die Leitung war mit den Motiven Kreml und Haus der MTS mit Traktoren nicht einverstanden und beauftragte mich mit einem neuen Entwurf. In diesen Tagen mußte ich mich häufig hinlegen, da ein bösartiges Geschwür am Bauch mich beim Gehen belästigte. Ich ging aber am 18. früh ins Ambulatorium, um einen Ichthyolverband legen zu lassen. Dann wanderte ich zur Kolchosverwaltung, die einen neuen Vorsitzenden bekommen hatte, den früheren Brigadier, unter dem ich am Staudamm gearbeitet hatte. Jedenfalls ein Mann, der sich die Zeit nahm, zuzuhören, damit ich ihn in die verwickelte Frage der Auszahlung meiner Pension einweihen konnte.

Ich war mit meinen Nerven allerdings nicht mehr stark genug und hatte einen Zusammenbruch. Der Gedanke in den letzten Tagen, wie ein räudiger Hund an den Türen der Hütten zu betteln, hatte mich doch sehr heruntergebracht, denn daneben richtete sich doch immer die Wirklichkeit auf, daß ich nun zehn Jahre antifaschistische Arbeit gemacht hatte, beginnend 1932 mit der Arbeit für die Komintern: das Büchlein »Das III. Reich«, wozu Becher die Verse gemacht hatte; dann kamen die Arbeiten für das zentrale antireligiöse Museum, »Die Religion des III. Reiches« und »Weihnachten der Faschisten«; für die MOPR hatte ich das Bild »Weißer Terror«

gemalt; dann hatte ich im Park der Kultur und Erholung die antifaschistische Ausstellung der MOPR einzurichten. Ich malte dazu fünf große Bilder, »Verbrechen der Hitlerregierung«, und baute Maketten: »E. Thälmann im Gefängnis«, »Revolutionärer Kampf der spanischen Arbeiter«, »Im Folterkeller der Gestapo«, »Lynchjustiz an einem amerikanischen Neger«. Auch in meinen Arbeiten für die »Internationale Literatur« ist die antifaschistische Linie sichtbar. Während des Krieges der Faschisten gegen unser Sowjetland sprach ich durch den Moskauer Radiosender zu den [folgt unleserliches Wort] deutschen Künstlern und den deutschen Bauern. Dann arbeitete ich für die Zersetzung der faschistischen Front und ihres Hinterlandes durch Flugblätter mit Texten und Zeichnungen. Dann kam die Evakuierung. Die Komintern setzte sich für den Verbleib meiner Arbeitskraft auf der antifaschistischen Linie ein (vergeblich, wahrscheinlich zu spät). Durch die Hilfe der Genossin Dzierzynski gelang es, Jan von der Evakuierung zu befreien. Während des Aufenthaltes in Sibirien arbeitete ich nach der Beendigung der physischen Arbeit, nahm das Entwerfen von Zersetzungsmaterial wieder auf und sandte über die UNKWD in Karaganda (resp. Woroschilowsk) zwölf Flugblätter mit Zeichnungen an die Kriegsakademie ab. An meinem Buch »Werden« wurden in der Zeit die ganzen Grundlagen für eine künstlerische Durcharbeitung geschaffen, die unter den schweren Lebensverhältnissen hier nicht zur Vertiefung und freien Entfaltung kommen können wegen des ungewöhnlichen Lärmes, der in einer derartigen Hütte herrscht, in der ich meine Schlafstelle habe. Es ist für einen Sowjetmenschen, der gewohnt war, in einer Großstadt wie Moskau zu leben, nicht vorstellbar, wie in der Hütte eines Sowjetkolchosbauern täglich Bauersfrauen zusammenkommen, die unentwegt, manchmal sechs Personen zu gleicher Zeit, sprechen; darunter sind Frauen, die immer sprechen, den ganzen Tag. Auch ist es mir unerklärlich, wie das mit der Arbeitsdisziplin in Einklang zu bringen ist. Auch wurden um die Jahreswende die Feste, die alten russischen und die neuen, mit dem Verbrauch von vielen Flaschen Schnaps und mit Tanz und Gesang verbracht.

Sibirien, die Menschen

Je größer die Sippe und ihr Anhang, desto geräuschvoller das Haus, das sich immer wieder mit Frauen füllte. Daß vier bis fünf Frauen zu gleicher Zeit sprechen, ist nichts Ungewöhnliches, bis es einer Frau gelingt, durch die Härte ihrer Stimme und durch das, was sie zu sagen hat, die Frauen zum Schweigen zu bringen. – Stets gelingt dies der Bäuerin, der Wirtin der Hütte, in der ich wohne. – Ich habe übrigens bisher nie einen Volksstamm kennengelernt wie diese Weißrussen und Kleinrussen, bei denen die Modulierfähigkeit der Stimme eine derartige Skala von Empfindungen ausdrücken kann: und zwar geschieht diese Steigerung, von weicher liebevoller Anpassung an den Menschen, mit dem sie grade zu tun hat, bis zur härtesten, lautesten Betonung, manchmal ganz plötzlich. Die ganze Hütte hat dann ausgesprochenen Respekt vor der Frau; alles horcht auf.

Für Menschen, die hier als Evakuierte zu wohnen haben, sind die Geräusche fast untragbar. Hinzu kommt eine Schwiegertochter mit einem Säugling und mit dem ewigen Schnupfen; diese Frau hat die Fähigkeit, immer zu sprechen. Die Wirtin ist ein hauswirtschaftliches Genie und unendlich arbeitsam. Um sechs Uhr beginnt ihr Tag. Dann wird Wasser geholt und gekocht und gebraten oder Butter gemacht und Brot gebacken. Kochen kann sie nicht schlecht. Vor allem macht sie gut Piroschki. Zwischendurch wird gesponnen, Flachs und Kamelhaar. Zudem müssen die Kühe verpflegt und gemolken werden, die Schweine versorgt und Hühner und Gänse ihr Recht bekommen. Die Lage der Hütte an dem Platz, an dem auch das Getreidelager steht, das Korn verfrachtet wird und die vielen Ochsengefährte halten und die Säcke aufnehmen, nachdem das Korn von fremder Saat gereinigt ist, bietet für die Hühnerzucht schon einen günstigen Platz, und der Hofwächter hat viel zu tun, daß das Geflügel und die Schweine nicht an den reinen Weizen gehen.

Im Winter, wenn die Hauptzeit zum Abtransport der Getreidesäcke ist, füllt sich bei schlechtem Wetter die Hütte mit Kasachen. Der Buran hält sie sogar manchmal tagelang fest. Sie bekommen ihren Tee und schlafen in ihren schweren Pelzen auf dem Lehmfußboden, wofür bezahlt wird.

Die Wirtin weiß sehr gut mit diesen Nachkommen Tschinggis-Chans fertig zu werden, verliert nie die Laune, und dazu gehört etwas, wenn die Fuhrleute aus anderen Kolchosen mitten in der Nacht kommen; meistens hat sie sogar noch heißen Tee im russischen Ofen. Auch mit der Rechnung wird sie gut fertig; glaubt einer der Kasachen, übervorteilt zu sein, so wird sie nicht böse, sondern hat eine witzige Art zu antworten, so daß alles beim alten bleibt und der Kasache ohne Widerstreben zahlt. – Von diesen Leuten erhält sie auch Kamelwolle zum Spinnen. Einen großen Fehler hat die Frau, das ist der Schmutz ihres Kleides und die Gewohnheit, bei den Gefäßen, die sie zum Essen braucht, nicht das Gefäß am Henkel zu greifen, sondern immer mit dem Daumen ins Innere.

Zu den Haustieren gehört besonders ein Hund. Meistens sind es kleine bissige sehr wachsame Viecher. Unserer hieß Shil bas, er zeichnete sich Fremden gegenüber durch außergewöhnliche Frechheit aus. Schwarz, ganz klein, aber lang, weiße Brust wie ein Vorhemd und weiße Füße. Gleich sitzt er Fremden am Hacken mit einem wütenden quietschenden Geschrei. Es ist ein Weibchen, wirft alle paar Monate eine neue Brut in die Welt, die Brut wird vernichtet. Zwei, drei windhundähnliche Geschöpfe sind im Kolchos; ein schwarzer mit gelbgrünen Augen, auch sind einige größere langhaarige Köter auf der Straße.

Im Dorf leben wenig Kasachen. Die Nachbarkolchosen, ca. 20 bis 40 km entfernt, sind kasachische Dörfer. Täglich kommen auf ihren kleinen mageren Pferden Kasachen durchs Dorf. Kasachen handeln gern, meistens haben sie Butter und Hammelfleisch. Sie wiegen nie richtig ab, immer fehlen mehr als 100 g am Kilo. Geld nehmen sie nicht gern, lieber Stoff und vor allem Tee. Jeder Kasache fragt zuerst um Tee. Von den Evakuierten haben sie die Vorstellung, als wären die Moskowiten mit ganzen Warenlagern von Stoffen und fertigen Hemden in die sibirische Steppe gekommen. Dabei sind die meisten arm, sehr arm, sammeln sich auf der Dorfstraße etwas Zweige, um eine spärliche Wassersuppe kochen zu können. Wenige Ausnahmen: Hochpensioniert, Sparkassenbuch mit Summen für gemachte Erfindungen an Maschinen, zweischläfriger großer Diwan, Kiste Kochgeschirr und Porzellan. Regulatoruhr, Barometer, gestickte Wandrolle für Zeitungen, gestickter Bürstenhalter an der Wand. Im übrigen hilfsbereit; aber pessimistisch, alte Leute mit vielen Rückblicken in die vergangene »herrliche« Zeit. Haben ein gutes spekulatives Einsehen in die Lage. Decken sich zu rechter Zeit gut ein. Waren auf dem Transport mit ihrem Riesengepäck das Ärgernis des Waggons; haben jetzt hier ein einzelnes Zimmer und kommen recht gut aus. Außerdem sind noch evakuierte Frauen von Armeekommandeuren aus Tula da, Leute[?] vom Donbass und deutsche Siedler aus dem Kuibyschew-Rayon. Bei den letzteren konnte man beobachten (wie auch bei den Transporten aus der Wolgarepublik), mit welcher mutigen Unsentimentalität diese Leute ihr verlorenes Hab und Gut ansehen und mit welchen optimistischen Hoffnungen sie hier in der sibirischen Steppe neu anfangen. Hier ist Land, erstklassiges Land in Hülle und Fülle, und Hütten werden gebaut!

Wie sind die Bauern? Es ist Krieg, bitterer, alles zerstörender Krieg. Man wundert sich, wie gering der Einfluß des Krieges auf diese Kolchosbauern ist. Vor allem im Winter. Geredet wird, oder vielmehr geschwatzt, einen vollen Tag, immer besuchen sich die Frauen. Das Gespräch dreht sich fast nur um die Preise des wucherischen Handels mit Weizen und Kartoffeln; im Frühling kommen Eier (2 Rubel das Stück) und Milch (4–5 Rubel) dazu. Am liebsten nehmen sie Kleidungsstücke als Bezahlung. Das Pud Weizen ... Rubel, das Pud Kartoffeln ... Rubel [Ziffern sind nicht eingesetzt].

Eine Folge von den Ernährungsschwierigkeiten ist ein Zugrundegehen der Arbeitskraft. Viele der evakuierten Frauen haben sich völlig verändert, kein Fleisch mehr auf den Knochen. Die Herbstarbeit am Stauwehr ist ihnen noch nicht einmal ausbezahlt. Jetzt im Frühling ist wenigstens die Verteilung von Brot (600 g) per Arbeitstag geregelt. Das Wohlergehen des Kolchos steht sehr zurück gegen die Selbstversorgung der Kolchosbauersfrauen, die Männer sind viel disziplinierter, aber es ist für das allgemeine Urteil schon erregend genug, daß sich überall, an der Dorfstraße, im Acker und im Fluß (der nur im Frühling Wasser hat), zerbrochene Maschinenteile, Schrauben, Schraubenmuttern und Bleche herumtreiben; auch ein großer Windmotor ist darunter.

Der sibirische Kolchosbauer ist bei großer Härte seines Charakters großzügig, allerdings auch in erster Linie ein Selbstversorger. Die Erde ist sehr fruchtbar, der Sommer sehr kurz und der Winter mit seinem Buran, dem kein Baum, kein Strauch Widerstand bietet, verweht die Hütten in Schneewehen, so daß man nur noch die Schornsteine sieht und zur Haustür hinuntersteigen muß wie in eine dunkle Höhle. Die Hütten sind innen geweißt, an den Wänden hängen Rahmen mit Familienfotos und in den Ecken Bildnisse von Lenin, Molotow hinter Gardinenbaldachinen; auch sind an den meisten Rahmen Stickereien als Dekoration angebracht. Der Fußboden ist aus Lehm mit Mist versetzt. Für die Aufbewahrung von Kleidern und Wäsche stehen große Kisten an der Wand. Die Fenster sind klein und liegen in fast 1 m tiefen Lehmwänden. Alles macht auf den ersten Blick einen sauberen Eindruck. Näher betrachtet, bleibt unter den Betten viel Dreck liegen. Die jungen Kälber werden einige Tage mit in die Stuben genommen, auch die Gänse brüten hier; denn die Ställe sind außerordentlich kalt, schlecht gehalten, mit undichten flachen Dächern. Das Vieh bekommt von der harten Natur einen flaumigen Unterpelz, bleibt aber ziemlich klein, gibt nicht viel Milch, dabei sind die Zugochsen stark in bezug auf ihre Kraft im Gespann.

Der Bauer ist sehr kinderreich, die ganze Familie vom Säugling an sehr abgehärtet gegen das Klima. Er hat aber auch eine erstklassige Ausstattung, vor allem Schuhwerk für jedes Wetter: Walenki, hohe Schaftstiefel, niedere Schuhe, Gummischuhe und sowohl schwere wie leichte Pelze. Ein paar Häuser haben Dampfbäder, kleine gut gehaltene Badstuben, aber der Vorraum zum Aus- und Ankleiden ist dunkel und außerordentlich kalt, der Fußboden immer naß und schlammig. Die Dunkelheit, der große Andrang zum Baden, das Hinlegen der gebrauchten Wäsche übereinander trägt nicht zur Verminderung der Läuseplage bei.

Die hygienischen Verhältnisse im Dorf stehen auf niederster Stufe. Die Häuser haben keinen Lokus und sind umringt von menschlichen Exkrementen. Im Winter erhöht sich diese Schicht mit Eis und Schnee weit über die Türschwelle und verwandelt im Frühling die Umgebung der Hütten in ein Jauchemeer, das bis ins Innere der Hütten vordringt. Da viele Häuser ihren Brunnen der Kälte wegen im Hause haben, besteht natürlich auch immer die Gefahr der Verseuchung. Außerdem ist der Gebrauch von Taschentüchern unbekannt, aller Auswurf wird auf den Boden gespritzt, gespuckt und geschnauft. Wochenlang, monatelang ist das Kleid der Bauersfrauen der Platz, an den die Hände den Rest der Erkältungskrankheiten schmieren. Da die Frauen das Essen zurechtmachen, das Trinkwasser im Eimer holen, den Säugling bedienen, so verbreiten sich die Erkältungskrankheiten, wie die Läuse, über die ganze Familie.

Die weibliche Jugend gibt viel auf elegante Kleidung. Sie hat auch einen guten Geschmack für Farbe. Warum sie aber oft dreimal am Tage ein anderes Kleid anzieht, ein andersfarbiges Kopftuch umknotet, ist mir noch nicht klar. – Jedenfalls, der Spiegel an der Wand scheint die wichtigste Einrichtung im Hause zu sein. Einmal am Tage kommen die Freundinnen und benutzen ihn mit. Schminke, Puder und Eau de Cologne spielen dann die Hauptrolle. Das Parfüm saugt ein Mädel aus der Flasche auf und bläst es den Freundinnen ins Gesicht. Die Mädels gehen zum Teil noch in die Schule, die hier neun Klassen umfaßt.

Der eisige Winter mit seinen Schneestürmen ist offenbar Schlafens- und Unterhaltungszeit. Trotz der schweren Kriegsnot in unserem Lande sank die Disziplin der Arbeit bis zum ewig wiederkehrenden Geschwätz über die eigenen Vorteile, die man von dem Kolchos bekommen will. Die Frauen besuchen sich, reden nicht nur stunden-, sondern tagelang. Da manchmal fünf bis sechs Frauen gleichzeitig reden, so entwickelt sich dann ein ohrenbetäubendes Geräusch. Die Feste, die alten russischen sowie die sowjetischen, werden mit Essen, Trinken und Tanzen gefeiert. Vor allem ist der Konsum von reinem Spiritus, den man mit etwas Wasser verdünnt, außerordentlich hoch, und der Zustand der Männer wird dann ein fast besinnungsloser, schlafbedürftiger. Betrunkene Männer sind dann immer ein lustiges Erlebnis für die Frauen, die jetzt im Kriege gegen den Faschismus die Übermacht im Dorfe haben. So eine Hütte mit der spärlichen Beleuchtung wegen des Kerosinmangels, die grotesken Tänze selbst ganz alter Frauen, die ihre Hände wie die Flossen von Seetieren bewegen, das in den Tanzkreis Hineinhuschen irgendeiner niedergeduckten dunklen Gestalt, am russischen Ofen vielleicht noch eine weibliche Gestalt mit den langen Feuerungsgabeln, durch ein feuriges Schlaglicht aus dem Ofen einseitig flackernd konturiert, hatte etwas Hexenhaftes. Meine Gedanken mußten immer zu den Söhnen und Anverwandten dieser Gesellschaft fliehen, die irgendwo auf dem Schlachtfelde liegen im Kampf mit der faschistischen Bestie. Als im April die Kontrollen und letzten Vorbereitungen zur Saat eingerichtet wurden und neue Geldhilfsmittel von den Bauern genommen werden mußten, wurde die Zufuhr von Schnaps gesperrt. Pflanzkartoffeln sind offenbar wichtiger als Schnapsbrennerei aus Kartoffeln! Überhaupt begann jetzt eine intensive Parteiarbeit von Leuten aus der Oblast- und Rayonzentrale, um die gesunkene Disziplin zu heben.

So war die Situation im April 1942. Mein Krankheitszustand hatte sich sehr verschlimmert, die Körperschwäche hatte so zugenommen, daß mein Gang sehr unsicher war von Schwindel, so daß die Menschen mich für betrunken halten mußten, wenn ich durch das Dorf langsam dahinwankte. Ernährung bekam ich nicht mehr, nachdem das Kolchos mir einmal ein Brot als Unterstützung verkauft hatte. Dann und wann gab die Wirtin mir etwas Tee. Abends und morgens. Meinen Platz, die Holzbank, auf der ich schlief, konnten sie mir nicht nehmen, da ich vom Selsowjet hier als Evakuierter einquartiert war. Meine Nächte waren nun schon seit sechs Monaten – grausig. Zehnmaliges Entleeren der Blase ließ kaum den Schlaf zu – so daß ich manchmal bei Tage umsackte und fest einschlief. Die ersten Tage Hunger, an denen ich gar nichts hatte, weder Brot noch Tee, taten mir eigentlich ganz gut, dann aber war plötzlich meine Nervenkraft zu Ende, so daß jedes Geräusch in mir aufging, als geschähe es in meinem Gehirn, und das Schwindelgefühl war so stark, daß ich die kleinste Bewegung nur äußerst langsam ausführen konnte, aber meistens liegen mußte. Schließlich ging ich aber doch noch betteln und bekam von einer evakuierten Lehrerin einen Teller Suppe. Da ich nachts nicht schlief, wurde das Schlafbedürfnis bei Tage unüberwindlich. Wahrscheinlich aus Angst, daß ich die Unbequemlichkeit des Sterbens bei ihnen machen müßte, gaben mir meine Wirtsleute dann und wann heißen Tee. Einmal erhielt ich sogar einen Teller Kartoffelsuppe. – Doch das ist schnell vergessen, wenn das Brot zu Ende geht, das mir vom Kolchos verkauft war mit dem ausdrücklichen Bemerken, daß ich weiter nichts vom Kolchos empfangen würde. Da ich gar kein Fett bekomme und Tag für Tag der Hunger sich steigert und nicht befriedigt wird, bekam ich auf dem Bauch ein typisches Hungergeschwür, einen Furunkel, der mich sehr quält. Ich lasse ihn durch Ichthyol behandeln. Die Behandlung des Blasenleidens durch gewisse Pulver, die mir vom Feldscher verschrieben worden war, hatte leider eine Verschlimmerung des Zustandes zur Folge. Da ich kein Streptocid erhalten kann und da warme Wannenbäder hier nicht zu machen sind, ist mein Zustand ohne Hoffnung. Meine Schuhe sind völlig verfallen, so daß ich nur auf besseres Wetter warten kann, um das Zimmer verlassen zu können. Aber kalte Schneestürme, kalter stürmischer Frühlingsregen, rauschende Frühlingshochwasser verhindern den Verkehr im Dorf, und so wird man – lebensmüde – da jede Aussicht auf Besserung verbaut ist und die Initiative erlahmt. Hinzu kommt, daß mein alter Körper, der alle Fettpolster verloren hat, derartig schmerzt an allen Stellen, auf denen man liegen kann, daß ich mit Grauen jeder anbrechenden Nacht entgegensehe. – Dann kommen wieder Momente, wo eine Hoffnung aufblüht; eine Hoffnung, daß ich noch wieder gesund werde, daß ich Jan noch einmal sehe und Sonja und Bronka. Momente, wo ich glaube, daß ich meine große Arbeit, die Erzählung vom »Werden«, noch fertig machen kann und daß ich noch erlebe, wie unser sowjetisches Vaterland vom Faschismus befreit wird und die ganze fortschrittliche Welt die sadistischen Parasiten bis zum letzten Mann vernichtet.

[ENTWÜRFE, VERMUTLICH ZUM NACHWORT]

Waren es nur abenteuerliche Gefühle, heimatlos, war es ein phantastisches Herumstreifen in fremden Wildnissen, die mich, ziellos, spontan, zufällig, irgendwo erwarten würden, damit ich weiterleben könnte? Hoffnungslose Verlassenheit? Verlasse so ich mich, verlasse ich alles, was ich bisher schuf? Ich glaubte mich berufen, den Rahmen zu ändern, die Grenzen zu weiten, in denen wir Menschen leben. Das erfüllte meine brennende Seele. Da lag meine Erlösung, mein Eigennutz, die Überwindung aller Qualen, die Gesundung meines Geistes. Leiden überwindende Selbstsucht. Ja so mußte mich der nächste Mensch sehen, denn grade die Frau in der ganzen Kraft und Sehnsucht – war ihr Eigenleben, ihr erweckter Schöpferdrang nicht gehemmt, fast erstickt von dem Hauen, Säen, Wachsen, Blühen und Fruchttragen meines Lebens, das Frucht auf Frucht aus sich herausstieß.

aber die Dinge änderten mich

Ich schrieb dies Buch im Kriegswinter des begonnenen siebenzigsten Jahres meines Lebens, in der Lehmhütte einer Kolchosbauernfamilie, die vor dreißig Jahren mit vielen anderen Bauern aus Weißrußland in der menschenarmen sibirischen baumlosen Steppe angesiedelt worden waren. Vielleicht kommt dies Buch an Menschen, die Wege suchen zum neuen Leben und an meiner Erzählung jene Irrwege erkennen, die sie selber nicht mehr zu begehen brauchen. Vielleicht gelangt dies Buch in die Hände von Frauen, die in mir den selbstsüchtigen Menschen sehen, der es noch nicht verstand, in den Frauen, die auf kurze oder längere Zeit meinen Lebensweg begleiteten, das Ringen der weiblichen Seele nach schöpferischer Erfüllung durch gestaltende Arbeit zu achten. Hart strafte mich das Leben, als ihr von mir ginget. Aber wurdet ihr nicht glücklicher, als ihr mich und mein rastloses Leben verließet? Wohl kamt ihr selber zur Erkenntnis, daß es im Leben keine Schuld gibt, deren Quellen nicht in uns selber liegen und deren Erkenntnis uns wiederum zu uns selber treibt, Vergehendes[?] zu überwinden und die gewonnenen frei gewordenen schaffenden Kräfte immer stärker dem Werden der neuen Welt zuzuwenden.

LEBENSZEUGNISSE VOGELERS

1923–1942

Zofia Marchlewska. Öl, um 1925

BRIEFE

Eine Auswahl

An Julian Marchlewski

[Moskau, etwa Anfang Juli 1923]

Lieber Julius, durch Bronka haben wir viel von Dir erfahren und ist uns eine Last vom Herzen genommen, daß es mit Dir jetzt gut bergauf geht. Ich habe hier schon ein recht heimatliches Gefühl gewonnen, schreibe und zeichne viel. Sonja ist hier so zu sich selber gekommen, daß ich sie immer mehr bewundere, wie durch ihre Kraft und Hingabe unsere gemeinsame Arbeit wächst. Ich bin sehr froh. Froh bin ich auch, daß Sonja viel gesunder und besser, froher aussieht wie je. Bei uns wurde sie durch vielen Kleinkram zu sehr verbraucht. Mir ist dies heilige Rußland sehr, sehr sympathisch. So eine Quelle von Gesundheit nach all der westlichen Resignation und dem richtungslosen Chaos, das tut so wohl. Ich habe viel schon gesehen, was Aufbau ist.

Gern helfe ich auf der Universität diesen Winter. Ich habe nur Sorgen um den Barkenhoff, ob das alles ohne mich gehen wird. Die Rote Hilfe hat die Sache ja nun übernommen und wird hoffentlich auch die Genossen nicht in Stich lassen, die in jahrelanger *schwerster* Arbeit und Entbehrung den Unterbau für die Schule gemacht haben. Aber ich denke, da wirst Du später durch den richtigen Wink an geeigneter Stelle schon einen Weg finden. Meine mexikanische Sache werde ich jetzt natürlich vorläufig ganz aufgeben. Ich möchte im Herbst noch einmal zum Barkenhoff, werde aber mit allen Mitteln versuchen, alles von hier aus zu erledigen. Die deutsche Lehrerbewegung erhofft von mir diesen Winter sehr viel für den Weg zum Kommunismus. Aber auch das muß nun ruhen, nur möchte ich soviel schreiben wie möglich von hier aus; denn es ist sehr nötig; nach all der Vorarbeit, die auch von mir gemacht, muß das Eisen weiter geschmiedet werden. Ich sehe auch hier in Rußland, wie schwer es ist, die Lehrer für die neue Schule zu erziehen.

Heute galt unser Tag der alten russischen Kunst, und ich bin so reich und erfüllt von den Eindrücken, daß mein ganzes Künstlerblut in Wallungen geraten ist und daß ich fühle, daß ein Moskauer Winter mit Sonja zusammen auch reiche künstlerische Früchte zeitigen wird.

Ich hoffe, daß Du froh bist und mir später einmal schreibst, wie Du Dir meine Arbeit denkst.

Von ganzem Herzen

Mining
Dein Heinrich Vogeler

An Julian Marchlewski

[Moskau, Sommer 1923]

Lieber Julius, wir waren in der Universität. Da gibt es viel zu tun, und bin ich froh, wenn ich ein Stück mit weiterhelfen kann und bei der Gelegenheit viel lerne. Ich würde auch die Praxis der Malerei mit übernehmen. Wir leben hier im Kreml so ein schönes ruhiges Leben zur Vorbereitung auf große Arbeit, und kann ich da meiner Kunst auch nachgehen, die mir neue Wege zeigt. Ich sende Dir etwas von meinen Eindrücken mit. Gern wäre ich zu Dir heruntergefahren, um vieles mit Dir zu besprechen, doch Sonja laß ich jetzt nicht allein, und meine Arbeit erfordert meine Kräfte hier. Vor allem kann ich auch den Kreml künstlerisch »ausbeuten« während dieser Zeit.

Herzliche Grüße
und viele Wünsche für Deine Genesung
Dein Heinrich Vogeler

An Martha Vogeler

Moskau – Kreml
Quartier Marchlewski
[nach 9. Oktober 1923]

Liebe Martha,

am 9. Oktober, an Deinem Geburtstag, wurde mir von Sonja ein Sohn geboren, der Jan Jürgen heißt. Er ist gesund und hat große Ähnlichkeit mit der Mutter. Ich nehme das Datum der Geburt als ein gutes Zeichen der Fortsetzung meines Lebens. Dich bitte ich, mit unserer Trennung auch im bürgerlich rechtlichen Sinne einverstanden zu sein, da ich gern möchte, daß der Junge meinen Familiennamen tragen kann, was für die hiesige Registrierung notwendig ist, sonst muß er den Namen Marchlewski tragen. Doch dies ist ein Dienst von Dir an meinem Leben, der Dir leicht sein wird, da unsere Bindungen seit zehn Jahren keine ehelichen mehr waren. Hier sind die Ehen ja sofort lösbar und gelöst, wenn *ein* Teil der Ehe mit diesem Bund nicht mehr einverstanden ist. Das Verhältnis mit den Kindern wird mit aller Einverständnis gelöst in der Art, wie wir es ja

Die Geburt des neuen Menschen. Öl, 1923

instinktiv schon gemacht haben. Daß für mich *das* das Schwerste war, was in mein Leben hereinkam, als die Kinder sich von dem Aufbau des Barkenhoffs trennten, weißt Du, und die Kinder wissen auch, wie hart meine Lebensrichtung dadurch geworden ist und durch welche Wege der Armut und Entbehrung er ging und weiter gehen wird. Aber das Werk steht da, ohne ihre Mithilfe, und wird einen Rahmen, eine Auswirkung bekommen, die auch einmal die Mitwirkung der Kinder wieder benötigt. Jetzt hast Du nur dafür zu sorgen, daß alle Hemmungen und Hindernisse verschwinden und der Horizont sich weitet für große Zukunftsziele. Hier in Rußland ist unser Werk bekannt; getragen von Millionen, wird es sich vollenden können. Den Kindern der Ausgestoßenen ein Heim zu sein, den Waisenkindern der Revolution eine Erziehung zukommen lassen zu können, wie jedem Arbeiterkind sie hier in Rußland zukommt, falls der Vater, die Mutter am Ganzen des Volkswohles beschäftigt ist. Die Aufgaben der Roten Hilfe erstrecken sich jetzt schon über die ganze Erde, und so habe ich Übersicht in den ganzen Betrieb und werde neben meiner Universitätsarbeit ganz in der Arbeit für die Rote Hilfe aufgehen. Rußland werde ich dadurch ganz kennenlernen, und auch das Ausland wird mein Wirkungskreis.

Was macht Ihr inzwischen, es muß nicht rosig sein, in diesem Lande zu leben, das mit aller Macht dem Untergange zutreibt? Hier ist alles Kraft, froher Optimismus und Aufbau. Ganz langsam krabbeln sich die wirtschaftlichen Verhältnisse herauf, und für die unterdrückte deutsche Arbeiterschaft ist ein wahres Freundschaftsverhältnis entstanden, das auch sich offenbart in großen Sammlungen für die Hungernden in Deutschland. Schreib mir bitte über die Kinder.

Herzlichen Gruß
Mining

An Marie Louise Vogeler

[Moskau, nach Mitte Dezember 1923]

Meine liebe Mutter. Zu Weihnachten sollst Du doch wenigstens ein paar Zeilen von uns haben. Ich erhielt Deine Karte, aber keine Nachricht, ob Du meinen Brief und eine kleine Sendung bekommen hast.

Wir leben hier in sehr primitiver Form, zwei Zimmer, sie sind gut und haben Sonne (die ist zwar seit langer Zeit nicht mehr da). Möbeln haben wir nur ein paar Tische und Stühle, ein Schlafsofa und ein Bett. Sonst Koffer, das alles ist aber für hiesige Verhältnisse *sehr* gut, und fühle ich mich wohl. Unser Junge, der Jan Jürgen heißt, ist gesund, wird von Sonja jeden Tag an die Luft getragen, manchmal fahren wir auch mit dem Universitätsschlitten in den Kreml zu den Schwiegereltern, die das Kindlein sehr, sehr liebhaben. Ein kleines Mädchen hilft uns ein paar Stunden, aber Sonja hat viel mit dem Kinde zu tun, und ich selber bin sehr in Arbeit, so daß wir vor 12–1 Uhr nie zu Bett kommen. Aber all die Arbeit hier macht Freude, vor allem da sie zum Schluß dem Barkenhoff zugute kommt, und aus dieser Sache wird einmal etwas recht Schönes werden, da alle Bauern und Arbeiter in Rußland von der Schule wissen und ihr helfen. – Für mich gibt es auf der Universität viel künstlerische Arbeit, mit den Studenten dramatische Aufführungen einrichten, für mich vor allem die Bühnenbilder, da machen wir ganz neue Sachen, dann habe ich meinen Zeichen- und Malunterricht und Einrichtungen, Dekorierungen von Räumen, Bibliothek usw., außerdem arbeite ich für die Rote Hilfe, zeichne für die Zeitung derselben und arbeite mich immer mehr daherein, wo ich für die verlassenen Kinder Gutes tun kann. Mein Leben macht eigentlich eine ganz eigentümliche Bewegung durch; da meine Kinder mich und meine Arbeit verließen, treibt mich das Leben zu den Verlassensten, und alles das wird zu einer großen, tiefen Glückserfüllung. Und immer mehr Menschen haben ein Verstehen für das, was ich schaffe. Liebe Mutter, es ist schön zu leben in dieser bewegten Zeit, die so voller Hoffnung ist, daß die Menschheit einmal einer großen Einheit, einer großen menschlichen Freiheit und Freundschaft entgegenmarschiert. Es ist ja wahr, es regt sich nur bei den wenigen, aber hier in Rußland merkt man doch, daß es schon Millionen sind, die den Willen haben, mit allen Völkern eine wirtschaftliche Einheit zu bilden. Liebe Mutter, überraschend und schön war es, daß Egon Petri hier vor einigen Wochen erschien und Konzert auf Konzert gab. Er wird *sehr* gefeiert! Seine Technik ist glänzend, aber bei vielen Sachen werde ich nicht warm. Desto netter war aber unser freundschaftlicher Verkehr. Beim ersten Konzert saß ich in vorderster Reihe mit Sonja, und da hättest Du die Augen sehen sollen, er schlug die Hände zusammen vor Erstaunen! Diese Art Leute können hier viel Geld verdienen. Mit mir geht es sehr, sehr bescheiden voran, aber man hat das Gefühl, es wird einmal. Eben bekam ich Deinen Brief und freue mich, daß alles angekommen ist. Marie, Henny, Tante Henny und Curt [Paarmann] viele Grüße. Und Dir meine alte Liebe Dein

Heinrich

An Martha Vogeler

[Moskau,] 16. XII. [1923]

Liebe Martha,

eben wie ich Deinen Brief zur Post geben will, erhalte ich den Brief von Dir.

Unser Junge sieht genau aus wie Sonja, bisher war er pessimistisch, nun aber wird er endlich seines Lebens froh. Unser Leben ist natürlich sehr primitiv, umgeben von unseren Koffern und Körben anstatt Möbeln, haben wir zwei sonnige Zimmer. Wir wohnen nicht mehr im Kreml, sondern in der Wohnung der Universität.

Wenn Bettina und Walter [Müller] erst in ihrem Häuschen sitzen, wirst Du dort im Schluh auch eher einmal herausgehen können. Marthas Gesundheit hat mir eigentlich immer mehr Sorge gemacht wie Miekelies, desto mehr bin ich bestürzt, daß Miekelies so schlecht ist. Der Stryk wird ihr schon guttun, das Haus im Stryk erweckt selbst hier manchmal Sehnsucht in mir. Ich bekomme jetzt so unendlich viel Briefe von Menschen, die so schnell wie möglich Deutschland verlassen möchten und in Rußland neu anfangen. Aber hier heißt es ganz arm sein, ganz primitiv anfangen, nicht verzweifeln an der unglaublich vielen Zeit, die die Menschen hier haben. Hoffentlich kommst Du im Winter von Worpswede fort. Hier ist Dreckwetter, was man sonst nie um diese Zeit in Moskau kennt.

Herzlichen Gruß den Kindern und Dir
Mining

An die Kinder der Arbeiterschule Barkenhoff
(Fragmentarisch überlieferter Rollbrief, illustriert)

An die Arbeitsschule Barkenhoff E. V. (gemeinnütziger Verein), Kinderheim der MOPR/Roten Hilfe

Moskau, Dezember 1923

Liebe Kinder des Barkenhoffs,

da jetzt zur Weihnachtszeit unsere ganzen Gedanken zu Euch auf dem Barkenhoff eilen, wollen wir Euch etwas aus dem Lande des Sowjetsternes schreiben. Lieber wären wir mitten unter Euch und erzählten Euch von den Dingen, die wir gesehen und erlebt haben. Erst mal müßt Ihr wissen, daß hier in Rußland viele Bauern und Arbeiter an Euch denken und daß sie für Euch dort oben sorgen und für alle die vielen, die um unsere Idee der gegenseitigen Hilfe und

An die Arbeitsschule Barkenhoff, Kinderheim der MOПР Roten Hilfe.
E.V. (Gemeinnütziger Verein)

Liebe Kinder des Barkenhoffs,

Da jetzt zur Weihnachtszeit unsere ganzen Gedan-
ken zu euch auf den Barkenhoff eilen, wollen wir
euch etwas aus dem Lande des Sowjetsternes schreiben.
Lieber wären wir mitten unter euch und erzählten
euch von den Dingen, die wir gesehen und erlebt haben.
Erst mal müsst ihr wissen, dass hier in Russland vie-
le Bauern und Arbeiter an euch denken und dass sie
für euch dort oben sorgen und für alle die vielen, die
unserer Idee der gegenseitigen Hilfe und der Ar-

Schäden geworden, ...
bedecken den Boden. Alles kann auf die Kamele geladen werden und man zieht weiter. Pferde Kamele und Schafe sind der Reichtum dieser mongolischen Hirtenvölker.

Wir treffen sie als Händler mit Kamel- und Schafwolle auf dem Moskauer Markt auf der Sucharewka wieder, wo sie einen ganz russischen Eindruck machen. Die Kirgisenrepublik, ein ungeheuer großes ausgedehntes Steppenflachland in dem sich auch Petroleumquellen finden und weite unfruchtbare Salzwüsten grenzen an das Wolgagebiet der deutschen Kolonisten. Hier ist guter Boden, aber durch das starke Abholzen der Wälder an den Ufern der Wolga in der Kapitalistischen

Zeiten hat sich das Klima sehr verändert das Grundwasser ist zurückgetreten und die grossen Winde der Steppenfelder dörren den Boden aus. Dazu kamen die Bürgerkriege und die Folge war die furchtbare Hungersnot und der Tod von vielen Tausenden. Durch diese Gegend fliesst die Wolga, der grösste europäische Strom, der eine ausserordentliche Breite hat und bis hoch in den Norden schiffbar ist.

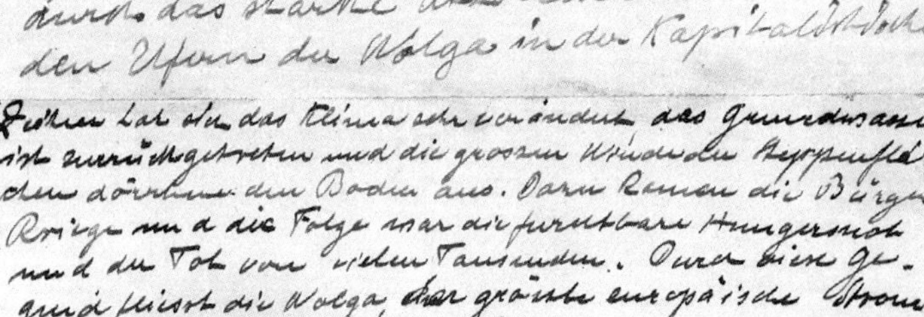

Ich war nur einige Eisenbahnstunden nördlich von Moskau in Jarislau. Einer Stadt die von den Weissgardisten sehr zerstört worden ist. In Jarislau habe ich sehr schöne Gemälde in den zerstörten Kirchen gefunden und die Sowjetregierung ist eifrig bemüht, trotz ihrer Kirchenfeindlichkeit diese Kunstschätze zu retten und wiederherzustellen.

Das schwarze Meer im Süden das nach der Türkei zu liegt hat sehr schöne Ufer die Krim, da fällt die hoh-

der Arbeit aller für alle leiden müssen, in den Gefängnissen sitzen oder schon für die größte Menschheitsidee starben.

Tief unten unter der Erde klopfen die russischen Bergarbeiter das harte Gestein, um Kohle und Eisen heraufzubringen. Die russische Erde birgt ganz außerordentlich große Schätze. Wenn einmal die deutschen Arbeiter die Produkte ihrer Arbeit, die Maschinen und Werkzeuge nach Rußland bringen können, alles das, was sie nun bauen müssen, um den kapitalistischen Staaten Frankreich, England und Amerika ihre Profite zu sichern, dann kann aus Rußland und Deutschland eine Macht entstehen, die auch den übrigen Millionen von ausgebeuteten Arbeitern und Bauern zur Freiheit hilft. Zu Rußland gehören schon 29 Republiken, die sich in einen Bund zusammengeschlossen haben. Da gibt es ganz kalte Gegenden. Zerzauste Wälder, in denen Bären, Wölfe leben und der Sommer ganz kurz ist. Die Häuser sind aus dicken Tannenstämmen gezimmert mit ganz kleinen Fenstern, damit die Kälte nicht herein kann, denn Licht bei den kurzen Tagen bringt der Schnee, sonst aber sind die Nächte im Winter hier ja so lang, da sitzt man bei einem brennenden Kienspan. Da werden dann von den Bauern gute Holzarbeiten gemacht, und die Frauen spinnen.

Unsere Universität hat auch zwei Güter, die mehr im Norden liegen, da werde ich wohl nach Weihnachten einmal hinkommen. Da sollen auch Bären sein. Vielleicht werden wir im Sommer auch einmal das südliche Rußland sehen, da ist es nun im Dezember noch ganz warm. Es ist am Schwarzen Meer. Da kommen auch die vielen guten Früchte her, die hier in Moskau verkauft werden. In Moskau liegt Schnee. Wagen sieht man gar nicht mehr, alles fährt in kleinen leichten Schlitten. Bis an die Nase hüllen sich die Menschen in Pelze ein. Viele arme Kinder gibt es hier auch noch auf den Straßen, da noch nicht genügend Schulen da sind. Es sind auch vielfach Kinder, die aus den Gegenden angewandert kamen, wo die furchtbare Hungersnot war in den letzten zwei Jahren. Es ist so schwer, für alle zu sorgen; aber da in Rußland noch lange nicht alle Menschen den Kommunisten mithelfen, eine gemeinsame Wirtschaft aufzubauen, so ist da noch so vieles, was man anders wünschte. Deshalb geht es den Arbeitern hier auch noch gar nicht gut, desto mehr ist es zu bewundern, daß sie an Euch denken und das Heim mit allem versorgen, was Ihr nötig habt. Auch die Bauern in Rußland haben jetzt ganze Strecken Land bebaut nur für die Rote Hilfe, um den Angehörigen der politischen Gefangenen zu helfen. Sehr viele Gefangene gibt es in Bulgarien jetzt wieder, und überall reicht die Rote Hilfe hin.

Seite 389f. Illustrationen zum Rollbrief an die Barkenhoffkinder. Aquarell, 1923

Nach Moskau kommen dann und wann Abordnungen von Bauern und Arbeitern, die persönlich die Sammlungen aus ihren Dörfern an die Rote Hilfe abgeben. Häufig bringen sie auch schön gestickte Fahnen mit für die deutschen Arbeiter. Ganz Rußland denkt jetzt immer an Deutschland und an die schwere Knechtung, Unterdrückung, Verfolgung, die den Arbeitern auferlegt ist.

Zu den Russen gehören nun die verschiedensten Völker. Im Norden ganz oben, wo keine Wälder mehr sind, sondern nur große moosige, vertorfte Flächen, da haben über die Sümpfe die Lappländer, Tungusen usw. ihre Rentierwege. Diese Völker ziehen mit ihren Rentierherden weite Strecken, sie bringen Felle heran und machen für sich selber sehr schöne Pelzanzüge. Ihre Zelte, die sie auf ihren Schlitten mitführen, sind aus großen zusammengenähten Birkenrinden oder aus Pelzen. Sie alle sind geschickte Fischer und Jäger. Südlich von diesen Sümpfen kommen die großen Wälder, teils in Gebirgen mit Seen und Wasserfällen, was für die Holzindustrie an der Bahn, die nach Murmansk im höchsten Norden führt, sehr wichtig ist. Im höchsten Norden, in Murmansk, ist ein sehr großer Fischreichtum, das hat wohl seinen Ursprung in der warmen Meeresströmung, dem Golfstrom, der hier heraufführt und eine Schiffahrt selbst im Winter ermöglicht. Weiter im Süden, am Weißen Meer in Archangelsk, ist das Meer schon bald am Winteranfang völlig vereist. Darum hat die Sowjetregierung auch ihre Hauptschiffahrt nach Murmansk gelegt, von wo ihr regelmäßiger Verkehr nach London geht und auch Bremen und Hamburg berührt, wenn genügend Frachten vorhanden sind. Natürlich leidet die weite Eisenbahnstrecke nach Murmansk sehr unter den großen Schneewehen im Winter.

Im Süden Rußlands, am Kaspischen Meer, das wohl so groß ist wie ganz Deutschland, leben die Kirgisen und die Kalmücken, ein anderes Nomadenvolk, das in den großen Steppen wandert und in geräumigen runden Zelten aus dicken Filzdecken [wohnt]. Da ist man geschützt gegen die Sandstürme, und innen sind die Zelte sehr schön. Rund an den Wänden bauen sich bunte Koffer auf aus eingelegtem Leder und aus Metall; Lager mit schönen Geweben, Teppichen und Filzapplikationen bedecken den Boden. Alles kann auf die Kamele geladen werden, und man zieht weiter. Pferde, Kamele und Schafe sind der Reichtum dieser mongolischen Hirtenvölker. Wir treffen sie als Händler mit Kamel- und Schafwolle auf dem Moskauer Markt auf der Sucharewska wieder, wo sie einen ganz russischen Eindruck machen. Die Kirgisenrepublik, ein ungeheuer großes ausgedehntes Steppenflachland, in dem sich auch Petroleumquellen finden und weite unfruchtbare Salzwüsten, grenzt an das Wolgagebiet der deutschen Kolonisten. Hier ist guter Boden, aber durch das starke Abholzen der Wälder an den Ufern der Wolga in den kapitalistischen Zeiten hat sich das Klima sehr verändert, das Grundwasser ist zurückgetreten, und die großen Winde der Steppenflächen dörrten den Boden aus. Dazu kamen die Bürgerkriege, und die Folge war die furchtbare Hungersnot und der Tod von vielen Tausenden. Durch diese Gegend fließt die Wolga, der größte europäische Strom, der eine außerordentliche Breite hat und bis hoch in den Norden schiffbar ist. Ich war nur einige Eisenbahnstunden nördlich von Moskau in Jarislau [Jaroslawl]. Einer Stadt, die von den Weißgardisten sehr zerstört worden ist. In Jarislau habe ich sehr schöne Gemälde in den zerstörten Kirchen gefunden, und die Sowjetregierung ist eifrig bemüht, trotz ihrer Kirchenfeindlichkeit, diese Kunstschätze zu retten und wiederherzustellen.

Das Schwarze Meer im Süden, das nach der Türkei zu liegt, hat sehr schöne Ufer, die Krim; da fällt die hochgelegene Steppe steil und gebirgig zum blauen Meeresspiegel herunter. Hier waren die Zarenschlösser und üppiges Badeleben, da die Luft sehr gesund und das Klima auch im Winter warm ist. Jetzt werden Tausende von schwindsüchtigen Arbeitern und Arbeiterinnen dahin gesandt von der Sowjetregierung. Ein noch stärkeres Heilklima mit sehr wichtigen, einzig vorkommenden Heilquellen hat der Kaukasus. Da sind viel heiße Quellen und ganz hohe Berge mit Schnee. Heute ist es in diesen Bergen noch immer unsicher, da sich hier Räuberbanden zurückgezogen haben, die zum Teil von den alten weißgardistischen Offizieren geführt werden. Auf der anderen Seite kommt der Kaukasus bis ans Kaspische Meer, und an dieser Stelle sind nun die großen Petroleumquellen, die von den Engländern und von den weißgardistischen Truppen sehr zerstört wurden. Jetzt ist aber alles in Betrieb, und die Arbeiterschaft von Baku, die diese Quellen verwaltet und ausbeutet, ist eine starke revolutionäre Macht im Süden. Da liegen nun die verschiedensten Sowjetrepubliken. Auch das im Weltkriege von allen Seiten so fürchterlich gequälte Armenien ist nun mit Hilfe der russischen Sowjetregierung ein freier Staat, der den Schutz des Bundes genießt und sich langsam aus seinem Elend erholt. Hier wird viel Wein gebaut.

Ganz im Osten nach China und nach Persien zu liegt dann noch Turkestan, ein reiches mohammedanisches Land, das auch zum Bunde der Sowjetrepubliken gehört. Turkestan hat Baumwollkulturen, sehr viel Seidenraupenzucht und Seidenspinnereien. Dazu werden viel Südfrüchte gebaut. Es gibt sehr intensiv wirtschaftende gärtnerische Betriebe mit Berieselungsvorrichtungen aus den Bächen der hohen Gebirge. Ganz vorzügliche edle Pferde werden gezüchtet, viele Esel sind da, und als Zugtier wird hier schon der schwarze zottige Jakbüffel gebraucht. Neben dem zweihöckrigen asiatischen Kamel wird das afrikanische einhöckrige viel gebraucht, überhaupt fühlt man überall die Tradition der alten Araber. Schöne Fayencen (Tongeschirre), Metallarbeiten und vor allem Seide und Teppiche gibt es in märchenhaften Farben.

Auch dies reiche Land hatte sehr zu leiden unter einem starken Banditenwesen. Banden bis 7000 Mann, mit modernsten Gewehren, Geschützen und Munition von den Engländern und von den weißgardistischen Generälen ausgestattet, brandschatzten die Gegend und lebten von der Arbeit der fleißigen turkestanischen Bauern, bis die Rote Armee radikal mit dem Gesindel aufräumte. Aber es war keine leichte Arbeit. Die Räuber kamen aus dem Hochplateau von Pamir, auf den besten Pferden beritten, und wenn sie in den Eisgletschern des Gebirges verschwanden, konnte niemand folgen, vor allem wenn der Winter das Gebirge völlig unwegsam machte. Dann aber machte die Rote Armee hoch im Gebirge eine von Flugzeugen versorgte Militärstation auf und konnte nun die Banden unter fortwährender Beobachtung stellen. Diese Sicherung des wirtschaftlichen Lebens ist für den Bund der Sowjetrepubliken natürlich ein festes vertrauensvolles gegenseitiges Schutzverhältnis geworden. Die Wirtschaft ist untereinander zentralistisch verbunden, und überall auch in Turkestan wäre ein breiter Absatz deutscher Maschinen und deutscher Technik möglich, wenn wir erst zum gegenseitigen gemeinwirtschaftlichen Austausch kommen.

Nördlicher in Sibirien gibt es dann noch eine ganze Reihe mongolischer Völker, auch die Rentiernomaden ganz im Norden sind mongolisch. Teilweise wohnen sie schon in festen Blockhäusern aus Baumstämmen, die aber die Form der Filzzelte beibehalten haben, also ohne Fenster, nur das Licht von oben durch das Rauchloch. [Fortsetzung ist abgerissen.]

An Walter Hundt

Moskau, Kreml,
Quartier Marchlewski
1. Januar 1924

Mein lieber Walter

Schon gestern abend drängte es mich, Dir zu schreiben, aber wir waren im Kreml beim Vater Marchlewski, der seit langer Zeit krank ist.

Seitdem Du mir schreibst, daß Du nun doch vom Barkenhoff fortgehst, bin ich gefüllt mit Besorgnissen, da Du doch die gestaltende Kraft des Hofes gewesen bist und alles in das Zukünftige bautest. Wer wird das weitermachen, denn eine einfach verwaltete Sache darf es nicht sein, sondern sie muß wachsen, sich intensivieren und immer in lebendiger Bewegung sein. Wer soll da weitermachen, hast Du denn jemanden in Vorschlag? Bernhard Sievers, wenn er es nur auf ein Jahr übernehmen würde, den inneren Ausbau zu intensivieren. – Kommunistische Siedlung, kommunistische Schule ist heute noch eine Personenfrage. Gewiß, man kann der Jugend den Boden so bereiten in einer Arbeitsschule, daß Kommunismus für diese ein natürlicher Zustand höchster schöpferischer Spannung ist und bleibt. Aber die Alten? aber die Frauen. Die Frauenfrage des Barkenhoffs ist sehr voller Gegensätze. Wie wird das die Pädagogik beeinflussen? In Rußland hat man ja sicher dieselben Krankheiten, die das nahe Zusammenleben in Gemeinschaften mit sich bringt, da gerade durch die Neue Ökonomische Politik Rußlands das wirklich rein kommunistische Leben vollkommen ausgeschlossen ist, denn auf Schritt und Tritt ist man von der Ideologie und der Wirtschaft, dieser Zwischenstufe des Privathandels, abhängig.

Das wirtschaftliche Sein bestimmt das Bewußtsein, diese Erfahrung des historischen Materialisten macht Rußland jetzt durch. Man hatte sich den Prozeß doch etwas zu mechanisch vorgestellt, und erst wenn die jungen Menschen durch furchtbare Kämpfe, wenn die russische Arbeiterschaft und Bauernschaft durch Erziehung, Schule und Aufklärung sich nicht mehr mit dieser einen Hälfte des kosmischen Gesetzes begnügt, sondern mutig, hingebend und voller Kraft das kommunistische Bewußtsein einsetzt, um das wirtschaftliche Sein zu bestimmen, dann werden die Wucherungen durch gesundes Blut abgestoßen werden können. – Ich glaube, daß dieser Prozeß in Deutschland gesunder und schneller vor sich gehen würde. – Vorträge von mir über kosmische ethische Fragen, ja gar über religiöse Urkräfte, wie sie im Ruhrgebiet und Thüringen so große Arbeitermassen zusammenbrachten, sind hier völlig unmöglich; ethische Kräfte innerhalb des Wirtschaftlichen will man nicht anerkennen, und die Wirklichkeit zeigt, daß selbst kommunistische Kreise ganz unmerklich in die Ideologie des Profits hereingezogen werden. Es gibt große ernste Warner, die immer wieder auftreten und den Kern herausschälen, wie vor allem Trotzki ein solcher Sucher und Warner ist. – Aber viele, viele haben sich innerlich von den tiefen Sorgen der Masse schon getrennt und glauben wieder mehr an die Leitung von oben wie an die wachsenden Kräfte von unten. – Das gesamte innenpolitische Leben Rußlands ist augenblicklich durch diese Fragen aufgewühlt und so, daß mancher Reaktionär seine helle Freude hat. Aber ich sehe es als eine gute Gesundung an, als eine Sehnsucht, sich von Dogmen und Bürokratismus zu befreien, den gefährlichsten Feinden des organisch wachsenden Kommunismus.

Wie Du Dich einrichten willst, auf dem unbebauten Lande, kann ich mir noch nicht recht vorstellen, Du mußt doch Kräfte haben, die Dir zur Seite stehen? Es muß eine zähe Kraft dazu gehören, jetzt in Deutschland bei dem Schwersten anzufangen. Selbst hier in Rußland sind derartige Dinge nur möglich mit ungeheuer großen Mitteln. Dann allerdings ist in Sibirien und auch im Süden noch viel zu machen. Doch vorderhand, bei der großen Menge von Arbeitslosen vor allem auch aus den intellektuellen Kreisen, will man keine Einwanderer haben.

Mein nächster Lebensplan könnte so aussehen: Auf den Barkenhoff zur Arbeit könnte ich wohl erst im Herbst 1924 kommen. Bis dahin bin ich bis Juni für die Universität verpflichtet, würde dann aber für die Rote Hilfe umfangreiche Arbeiten in Rußland in verschiedenen Gouvernements zu machen haben. Diese Arbeiten würden mich wohl dahin bringen, daß ich im Herbst mit größeren Mitteln von der IRH zum Ausbau und zur Intensivierung des Barkenhoffbetriebes kommen könnte. Wenn möglich, würde ich russisches Rohmaterial usw. mitbringen und manches andere, was für dort von Wichtigkeit wäre, auch eine große Reihe Bilder, denn ich werde mich wohl immer mehr auf das Malen konzentrieren.

Ich hätte mich ja so sehr gefreut, wenn Marie mit Dir, nach meiner Abreise vom Barkenhoff, die ganze Sache mit Klara [Möller] und den andern zusammengefaßt und durchgestaltet hätte. Was sind dort auf dem Barkenhoff noch für außerordentlich große Aufgaben zu erfüllen! Wer wird es tun? Wer kennt das Wesen dieses kleinen Stückchens Erde besser wie Du? – Walter, Du siehst, daß mich der Barkenhoff täglich beschäftigt, und Euer Schicksal scheint mir untrennbar damit verbunden. Sonja und unserem Jan Jürgen geht es gut, wir leben sehr eingeschränkt, und wenn unsere Sommertour beginnt, werden wir uns noch kleiner machen müssen. In Moskau scheint jeder Tag zu kurz, so füllen sich die Stunden. Liselotte Dehmel (Blankenese) wird nun bald zu uns kommen. Es wäre mir viel geholfen, wenn Du ihr eine meiner Radiernadeln und, falls noch einige Weimarfarben (neue) sich auf dem Barkenhoff finden und kleine Platten, diese ihr zusenden könntest zur Mitnahme. In einigen Wochen soll hier für das Kinderheim Barkenhoff mit meinen künstlerischen Arbeiten eine Propagandaausstellung gemacht werden. Ich habe schon Bettina wegen Radierungen geschrieben. Würdest Du wohl noch Zeichnungen finden, die hierfür passen. Fotos wären sehr, sehr, sehr erwünscht. Wenn ich nur Geld erübrigen könnte, so würde ich für diesen Zweck etwas senden. Würde sich Roselius nicht noch mal erbarmen, oder sprich mal mit Hermann Böse. Schade, daß ich nicht ein gemaltes Bild vom Barkenhoff besitze.

Dann möchte ich von der gesamten Arbeit des Barkenhoffs, seitdem es Kinderheim ist, einen Auszug haben, eine Beschreibung des Betriebes usw. Wie war denn die Kleinobsternte, wie haben sich die Neuanpflanzungen gemacht?

Dann noch eine Sache: Hier soll eine russische Monographie heraus, die den alten und den neueren H. V. oder vielmehr seine Arbeit beschreibt, und der Beauftragte muß Material haben, und zwar:

Monographie Velhagen & Klasing von Rilke. – H. V., »Expressionismus der Liebe«, »Wesen des Kommunismus«, »Proletkult«, »Arbeitsschule«, Kaiserbrief, »Kosmisches Werden«, »Friede«.

Wie kann ich nur an diese Sachen herankommen, und wenn es auch nur leihweise ist. Es müßte über die RH besorgt werden hierher. Könntet Ihr da nicht noch irgend etwas von mir an Zeichnungen usw. finden, die Ihr zum Ankauf dieser Broschüren und Bücher verkloppen könnt?

Also denke an Ausstellung in Moskau und an Buchveröffentlichung. Sonst denke ich mit Freundschaft an Dich, an Marie und die beiden Kinderchen, die ich so gerne einmal sehen möchte. Grüße Deine Eltern und Brüder.

Herzlichst
Dein Mining

Grüße alle auf dem Barkenhoff, wir haben dieser Tage beide sehr intensiv dorthin gedacht und uns mit jedem einzelnen mit viel Liebe beschäftigt. Ich würde mich sehr freuen, wäre Martin noch dort.

Bitte den Brief an Schultess rüberbefördern, da ich seine Adresse nicht mehr habe und er nicht mehr in Leipzig ist.

An Fritz Jordi

[Moskau, etwa Februar–März 1924]

Mein lieber Fritz Jordi. Dank für Deinen Brief. Je mehr wir unser ganzes Gewicht auf das pädagogische Problem der kommunistischen Gesellschaft und der Schulung im Arbeitsbetrieb legen, desto weniger können wir zur Resignation kommen. Also: wir zusammen Hand in Hand. Auf dem Barkenhoff sieht es nicht gut aus. Grade dieses Obenerwähnte, was im Werden war, ist ziemlich dahin. Gut – zuerst mußte die RH das Ganze den vielen, vielen Kindern der Gefangenen zugute kommen lassen – aber der Gedanke, anstatt wechselnder Kindergruppen die dauernde Erziehungsanstalt für die Waisenkinder der Revolution endgültig einzurichten, darf nicht außer acht gelassen werden. – Dann der intensive Gartenbetrieb darf nicht abbauen und – Walter Hundt geht fort, um selber eine

Siedlung aufzubauen. – Immer und immer denke ich an Dich, könntest Du nicht im Frühjahr einmal nach Worpswede fahren und von dort nach Berlin zur RH? Da ein Teil der Arbeiterinnen vom Barkenhoff durch die »Verwaltung als Erholungsheim« an der Grundlage, am Betrieb wenig interessiert sind, ja verknöchern in dogmatischer Einstellung, so muß unbedingt ein freier, undogmatischer Mensch wie Du wieder einmal frische Luft hereinbringen. Aus Unsicherheit hat man dort eine solche Angst vor »neuen« Menschen. – Die Kraft, jeden, der im Barkenhoff arbeitet, an allen Beratungen teilnehmen zu lassen, haben die Leutchen gar nicht mehr. Sie verkriechen sich ängstlich hinter der »Mitgliedschaft«. Das muß alles mehr Schwung haben, muß frei und offen sein. Nur keine Enge, nur keine Personenfragen im Vordergrund; alles auf Wille und Entschluß für das Gemeinschaftliche gestellt. Lieber Fritz, Du siehst, daß meine Sorgen um den Barkenhoff sehr groß sind. In Berlin würdest Du am besten den Genossen Pieck und vor allem Schönhaar finden, um mit ihm zu sprechen über alles. Auch mit ihm über Ebringen sprechen. Ich würde von hier aus auch schreiben. Die Tessiner Mittel mußt Du schon für Betriebseinrichtung brauchen. Bei uns auf dem Barkenhoff liegt alles brach an Werkstätten. Du mußt hin und nochmals Bewegung hereinbringen, denn käme ich im Herbst heim, so hätte ich zu wenig Arbeitsmaterial für uns. – Was Du von Rußland schreibst, so sehe ich eigentlich hier, daß auch hier die *»gestaltenden Kräfte«* von unten fehlen. Erst die neue Erziehung (die auch nur in wenigen Musterbeispielen besteht) wird nach zehn bis zwanzig Jahren die Menschen dieser schöpferischen kommunistischen Arbeit bringen. Der NEP hat die Ideologien auch der Kommunisten leider stark angekratzt. Mein ganzer Aufenthalt hier zeigt mir, daß Wille und Initiative, sich am praktischen Leben kommunistisch zu schulen, den meisten fehlt. Literarische Politik geht auch hier vor allem den richtenden Weg. Zuviel Versammlungen, zuviel Kommissionen und zuviel Journalismus. Aber die großen Linien der Partei sind mustergültig. – Hier beginnt eine Ausstellung meiner Bilder. Herzlichst Dein Mining.

Heinrich Vogeler

An Marie Louise Vogeler

[Moskau, etwa März 1924]

Meine liebe Mutter

Das war eine große Freude, als Dein Brief ankam. Sehen wir doch, daß die Keuchhustenaffäre langsam schwindet, und mit dem Frühling kommt dann auch die Erholung. Hier bleibt ja gewöhnlich der Schnee, der den ganzen Winter über, von November ab, liegt, im März noch liegen, trotzdem merkt man die Kraft der Sonne schon sehr stark. Der Kleine kommt immer eine Stunde im Schlitten heraus. Er ist sehr temperamentvoll, und das Wickeln, was ich häufig besorge, ist eine Schwierigkeit, da er sich wie eine Schlange herumwirft. Unsere beiden Zimmer haben Sonne. Es ist für Moskauer Verhältnisse eine sehr gute Wohnung. Mehr als *ein* Zimmer hat eine Familie sonst nicht, da der Wohnungsmangel sehr groß in Moskau ist, seitdem Moskau wieder Haupstadt geworden ist und alle zentralen Verwaltungsbehörden hier untergebracht werden mußten. Sonst ist in dem Haus auf jedem Korridor eine Gemeinschaftsküche mit Gas, und das Haus wird mit Zentralheizung gewärmt und mit elektrischem Licht beleuchtet. In der Nähe hat die Universität einen Garten, wo man mit dem Kind hingehen kann. Die Verpflegung ist hier ganz gut. Alles wird nach Goldrubel bezahlt, und Silbergeld ist eingeführt. Die Arbeit an der Universität erstreckt sich hauptsächlich auf Unterricht im Zeichnen und Exkursionen in die Museen mit Vorträgen. – Dabei arbeite ich weiter, um das Los der Kinder der politischen Gefangenen, die in größter Not sind, zu lindern. In nächster Zeit habe ich hier eine kleine Ausstellung. Finanzieller Erfolg wird wohl unbedeutend sein. Ich hoffe nur, daß ich vielleicht auf diese Weise eine Versendungsmöglichkeit der Bilder für Deutschland, Worpswede, Philine, bekommen kann. Mit Ungeduld erwarte ich den Frühling, wo ich mit aufs Land mit den Studenten fahre. Die Universität hat zwei große Güter in schöner Gegend; da werde ich auch etwas auf dem Lande arbeiten können, was mir hier so außerordentlich gefehlt hat, so daß mein Körper darunter leidet. Ich werde wohl erst Ende Sommer heimkommen können auf den Barkenhoff. Viel, viel Arbeit werde ich dort haben, da manches anders gemacht werden muß. Ich freue mich, daß Ihr einigermaßen durchkommt. Was macht Henny? Ich schreibe Dir bald wieder, für heute nur diese Zeilen. Hoffentlich erholst Du Dich gut.

Herzlichen Gruß von uns dreien

Dein Heinrich

Achte genau auf den Namen:
Quartier Marchlewski, Kreml.

An Marie Louise Vogeler

[Moskau, etwa März–April 1924]

Mein liebes Mütterchen. Der Brief ist ein paar Tage liegengeblieben, ich möchte noch ein paar Worte zufügen. Wir haben jetzt Liselotte Dehmel zu Besuch aus Hamburg bei uns, die Sonja helfen will, denn sie ist recht heruntergekommen in der Nährzeit unter den primitiven Verhältnissen, in denen wir leben. In deinem nächsten Brief schreib mir mal, was ich Dir schulde für dieses Jahr, damit ich Dir das senden kann, was du haben mußt. Ich möchte jetzt gern einmal bei Dir sein und vieles erzählen, da man hier einen weiten Blick bekommt und alles so in die Zukunft reicht. Ich bekomme so sehr, sehr viele Briefe von Deutschen, Gelehrten und Technikern, die um alles in der Welt aus Deutschland heraus wollen nach Rußland, über die Schwierigkeiten und Entbehrungen hier machen sie sich alle keine rechten Vorstellungen. Ich bin sehr im Malen und komme zu ganz neuen Ausdrucksmitteln, hoffentlich kannst Du im Sommer bei Philine etwas von den Arbeiten sehen.

Nun leb recht wohl, und hoffentlich legt sich endlich der quälende Husten. Hier in unserem Universitätsviertel hört man nicht viel von Krankheit. Der scharfe Frost von 20 Grad ist eigentlich nicht unsympathisch. Vor allem wenn die Sonne scheint.

In aller Liebe grüßt Dich Dein

Heinrich

An Marie Louise Vogeler

[Moskau, 22. Mai 1924]

Meine liebe liebe Mutter. So lange haben wir gar nichts von Dir gehört. Wie mag es Dir gehen. Hat der Frühling Dir sonnige Tage und etwas Freude gebracht? Wir können Dir endlich eine kleine Fotografie senden von unserem Jan Jürgen. Durch die sorgsame Pflege von Liselotte Dehmel, die aus Hamburg zu Sonja kam, um zu helfen, da es Sonja immer schlecht ging, ist das Kindchen außerordentlich gut gediehen. Und so zufrieden, allerdings bei außergewöhnlichem Temperament in allen Bewegungen und dem strahlenden Lachen. Er ist immer guter Laune und kann heute schon unsere kleine Wohnung mit seinen lauten Jauchzern erfüllen. – Ich entbehre ihn jetzt sehr. Denn ich bin für einen Monat allein. Meine Arbeit ist auf dem Gute der Universität, wohin ich Sonntag fahre. Sehr schöne Gegend an einem großen See; aber nicht gut für kleine Kinder, vor allem auch wegen des schwierigen Transportes, Sonja mit unserem Kleinen ist mit dem kranken Vater und der Mutter nach dem Sü-

Rote Metropole. Öl, 1923

den gefahren, heute Donnerstag am 22. Mai. – Sonja hat es sehr nötig, sie ist blutarm, und ihre Nerven sind sehr herunter, da sie seit vielen Monaten täglich 5 bis 6 Stunden bei dem kranken Vater sein mußte, den wir alle sehr lieben und der sehr litt. Er hat Arterienverkalkung, und wir glaubten nicht, daß er sich noch einmal erholen könnte. Nun wurde es aber in letzter Zeit etwas besser durch Liegekuren im Freien und durch sorgsamste Pflege, aber die Ärzte wollten ihn auf jeden Fall so schnell wie möglich in ein warmes Klima haben. Heute brachte ich die ganze Karawane zur Bahn. – Da der Vater hier sehr hochgeschätzt wird, er ist eine stille sehr feine und kluge Gelehrtennatur, waren ihm alle Reisebequemlichkeiten und Transporte von der Staatsverwaltung aus vorbereitet, und so konnte unser kleines Kindlein mit Hilfe dieser Vorbereitung so schnell und glatt diese erste große Reise (sie dauert ca. 40 Stunden) unternehmen. Ein paar Freunde, der Innenminister, der Volksbeauftragte für die gesamte Wirtschaft, ein sehr tüchtiger Mann, war selber mit an der Bahn, und für das Kind hatte Liselotte Dehmel, die seit vielen Jahren Schwester war, bei Kindern und auch bei Erwachsenen, alles gut organisiert, so daß ich hoffe, in drei bis vier Tagen Nachricht zu bekommen. – Am liebsten wäre ich mit ihm auf den Barkenhoff; aber das kann noch einige Monate dauern, da es uns hier wirtschaftlich *sehr* schlecht geht, und wenngleich die Eltern von Sonja sehr gut für uns sorgen, so ist das für mich trotz allem ein sehr peinliches Gefühl. Mit Kunst ist hier sehr wenig zu erreichen, und mein Gehalt ist bedeutend weniger, wie ein Arbeiter erhält. Ich habe allerdings viel freie Zeit und daher auch viel malen können; die Bilder werden jetzt nach Worpswede geschickt.

Nun schreib bald einmal von Dir und der ganzen Familie. Eduards Brief war sehr niederdrückend.

In inniger Liebe
Dein Heinrich

An Marie Louise Vogeler

[etwa Juni 1924]

Meine liebe, liebe Mutter, mir ist es unbegreiflich, daß ich so lange Zeit nichts von Euch hörte. Auch von vielen Freunden, von denen ich wichtige Nachrichten erwarten mußte – kein Wort. Mir ist es, als wenn die Post, und zwar diesmal die deutsche (denn mit der russischen habe ich sehr gute Erfahrungen gehabt, direkt geniale Findigkeit), nicht funktioniert, spioniert, Briefe öffnet, vielleicht gar nicht weiter befördert usw., nach allem, was man aus Deutschland hört, müssen die Rechtsverhältnisse ja ganz willkürlich von den regierenden Parteien verbogen und gebrochen werden. Augenblicklich bin ich bis 1. Juli auf einem großen Sowjetgut, das der Universität gehört, und habe viel Arbeit mit den Studenten. Es ist die Gegend der großen Seen, nördlich von Moskau nach Petersburg zu. Wunderschöne Gegend, Klima sehr regnerisch und gewitterreich, Hügellandschaft, mit vielen riesigen Seen durchsetzt, aus denen die Wolga entspringt. Habe auch viel gemalt. Meine anderen Bilder sind schon unterwegs nach Deutschland. Mit Kunst ist in Rußland

Julian Marchlewski im Sanatorium Muchalatka/Krim.
Zeichnung, 1924

nichts jetzt zu machen. Mir geht es wirtschaftlich auch sehr, sehr schlecht, und werde ich sehen, so viel baldigst zu verdienen, um wenigstens die Rückreise für uns bestreiten zu können. Sonjas Eltern haben immer sehr geholfen, aber der Vater ist sehr schwer krank (Arterienverkalkung). Sonja war bei ihm, und nun ist sie seit drei Wochen mit dem Kindchen und dem alten Vater nach dem Süden gefahren in eine herrliche Gegend am Schwarzen Meer und kann sich bei guter Pflege erholen. Denn sie ist sehr, sehr mit den Nerven herunter. Die Moskauer Verhältnisse waren sehr schwer für uns. Dies Land muß sich noch sehr erholen von den Kriegen und von der Ausplünderung und Vernichtung, die die Nationalisten hier bis zur tiefsten Grausamkeit im eigenen Lande ausgeführt haben. Am besten hat es hier die Jugend – alles ist für die Jugend eingerichtet, jeder Parteikram ist hier auch schon vollkommen unwichtig, weil alle verantwortlich am Aufbau sind, und so ist die Zukunft ganz Sache der Jugend. Das Gegenteil, was ich jetzt immer wieder von Deutschland höre.

Ich möchte gern im August auf den Barkenhoff kommen und würde mich so innig freuen, wieder bei Dir zu sitzen und von allem zu erzählen. Viel habe ich erlebt. Dem Vater Marchlewski geht es nicht gut unten in der Krim.

Alles Beste in inniger Liebe
Dein Heinrich

Schreib immer noch die alte Adresse, da das am besten nachgeschickt wird: Marchlewski, Kreml, Moskau.

An Zofia Marchlewska (Postkarte)

[Poststempel: Bremen, 29. November 1924]

Meine liebe Sonja.

Gestern abend um 8 starb Mutter. Der Nachmittag war ruhig und friedlich ohne Besinnung. Jetzt liegt sie so friedlich lächelnd da. Morgen früh möchte ich sie gerne zeichnen. Ich komme dann nachmittags. Die Beerdigung, Einäscherung findet voraussichtlich Mittwoch statt.

Herzlichst
Mining

An Bronislawa Marchlewska

Gelsenkirchen, Bahnhof
25. III. 25

Meine liebe, liebe Mutter Bronka!

Eben durch Genossen erfahre ich, daß unser lieber Julek erlöst ist von seinem langen, schweren, schweren Leiden. Grade bringt mich das Schicksal in eine Gegend, wo der Mann Karski noch lebt in allen Herzen der Bergarbeiter! Was hätte alles werden können, wie ging dieser gute umfassende Geist zugrunde durch die Jahre des Kampfes gegen die verrottete Gesellschaft. Liebe Bronka, Du hast ihm wenigstens die schwere Krankheit tragen helfen, konntest bei ihm sein in seinen schwersten Stunden. Und Sonja verliert soviel, soviel. Sie muß nun stark werden, daß sie fähig wird, das Werk des Vaters, was auch unser Streben ist, mit zu vollenden.

Ich drücke Dir Deine Hände,
liebe Bronkan, sei stark,
jede Kraft ist vonnöten.
Dein Heinrich Vogeler
Mining

An Martha Vogeler

Berlin-Wilmersdorf, Parckerstr. 4
bei Frau Meta Kraus-Fessel
[vor 8. Mai 1925]

Liebe Martha

Ich möchte Dich bitten, jetzt möglichst reibungslos auf die Ehescheidung einzugehen; da wir beide besitzlos sind, ist es in beider Interesse, diese Formsache auf schlichteste Weise zu erledigen. Ich bin wegen meiner Arbeit fürs erste ganz nach Berlin übergesiedelt. Komme aber in den nächsten Tagen noch mal nach Worpswede.

Mit bestem Gruß
Mining

Vogeler und Bronislawa Marchlewska auf einer Moskauer Straße.
Aquarell und Feder, um 1925

An das Zentralkomitee der MOPR

Leningrad, Emigrantenheim, d. 1. Juli 1925
Nächste Adresse Petrosawodsk, Genosse Rantjor

An das Zentralkomitee der MOPR, Moskau
Werter Genosse Tomkin,

heute trete ich meine Reise nach Karelien an, und ist alles in weitsichtigster Weise von dem Genossen Bleys vorbereitet, nur herrscht betreffs meiner Gehaltsfrage eine Unklarheit.

1. Ist mein Gehalt von M 300 vom Zentralkomitee der Roten Hilfe, Berlin, an mich oder vielmehr an das Zentralkomitee der MOPR in Moskau überwiesen? (Ich habe von meinem Zweimonatsgehalt, das ich in Deutschland empfing, nicht mehr viel Mittel.)

Wenn dies nicht der Fall ist, so bitte ich einliegenden Brief mit nach Berlin zu senden, und zwar so schnell wie möglich.

2. Nach den Erfahrungen der jetzigen Lebenshaltung in Rußland reicht dies Gehalt auf einer so bewegten Reise nicht aus und möchte ich den Antrag stellen, das Gehalt in der für Rußland üblichen Weise zu erhöhen.

Mit Rote-Hilfe-Gruß
Heinrich Vogeler

An das Zentralkomitee der MOPR

Petrosawodsk, 3. Juli 1925

An das Zentralkomitee der MOPR
Werter Genosse Tomkin.

Ich befinde mich für ca. 5 Tage in Petrosawodsk. Die Bahnverwaltung hat mir Freifahrt von Leningrad nach Murmansk, von dort per Schiff nach Archangelsk und von dort per Bahn nach Moskau auf Euer Mandat hin gegeben. Nach der bisherigen Erfahrung wird 1½ Monat darauf hingehen bis Moskau.

Die Berichte, die ich sende, soll Sonja Kröber Marchlewska (meine Frau) mit Maschine abschreiben und an die Presseabteilung der Roten Hilfe (Genossen Tittel) weitergeben zu verschiedener Verwertung. Ich bitte daher, den einliegenden Briefbericht nach Worpswede mit der Parteipost zu befördern.

Mit Rote-Hilfe-Gruß
Heinrich Vogeler

An Henny Förster

Murmansk, d. 29. VII. 25

Liebe Tante Henny. Damit Du weißt, daß mich die Eis-, Brumm-, Bromm- und Bick-Bären noch nicht gefressen haben, sende ich Dir diesen Brief vom Nördlichen Eismeer. Die Zeit der Mitternachtssonne ist leider schon vorbei, wenngleich es über Nacht vollkommen hell bleibt. Das ist hier eine wilde Gegend, Urwälder und rauschende Flüsse mit riesigen Wasserfällen. Menschen mit großer Gastfreundschaft. Die Reise ist sehr anstrengend. Zu Fuß kann man wegen der Sümpfe wenig gehen. Viel wird mit Böten gemacht, da ungeheure Seen das Land durchsetzen. Es strengt sehr an, da man zwischen Tag und Nacht keinen Unterschied macht, man mißachtet die Uhr, und Tageslicht ist immer da, die Menschen sind auf der Straße, es wird gehandelt, man spaziert zum Bahnhof, um den durchkommenden Zug anzusehen. Die Ernährung ist hier nicht leicht, manchmal großer Überfluß – manchmal nichts. – Aber hier oben gibt es Lachs – immer Lachs, Lachssuppe, Lachs geröstet mit Reis, und das ist natürlich eine herrliche Speise. Die Bevölkerung in Murmansk ist aus allen möglichen Typen zusammengewürfelt. Überall stehen Chinesen und verkaufen Seife, Bonbons, Brot und Zigaretten. Die Stadt ist 12 Jahre alt, besteht ganz aus Holzbuden, alten Eisenbahnwagen, wellblechbedeckten Unterständen und einigen großen Blockhäusern. Der Hafen ist groß und wunderschön, ein tiefer, von Bergen eingeschlossener Fjord, in dem jeder größte Seedampfer landen kann. Augenblicklich gießt es vom Himmel. Ich fahre am 31. Juli nach Archangelsk durchs Nördliche Eismeer und durch das Weiße Meer.

Warst Du mal in Worpswede? Ich habe Sehnsucht nach meinem kleinen Sohn, aber vor Oktober werde ich nicht zurück sein. Ich habe viel gesehen, vor allem ein enormes Aufwärtsstreben, überall wird gebaut, ein riesiger Eisenbahnverkehr von Güterzügen ist auf dieser Bahn. Die Lokomotiven heizen natürlich nur Holz.

Grüße Marie, Henny und Curt [Paarmann].

Herzlichst
Euer Heinrich

An Martha Vogeler

Moskwa, Kreml, Qu[artier] Marchlewski
27. Nov. 1925

Liebe Martha,

als Dein Brief ankam, bin ich sofort zur Gesandtschaft gegangen und habe meine Unterschrift bestätigen lassen, dann zur Post eingeschrieben an die Sparkasse. Ich bin in Deutschland diesmal so in der Hetze weitergekommen, daß ich vieles unausgeführt ließ. Ich hatte gerade die Möglichkeit, noch einige Wochen in Berlin zu arbeiten, da kam die Nachricht: Sogleich zurück, und fuhr schon am 10. nach hier. Hier steckt man ungeheuer gleich in der Arbeit. Es ist sehr kalt. Sonst aber alles besser wie in Deutschland, und die Arbeit ist ein Lebensplan für lange Zeit. Hoffentlich wirkt sie etwas Gutes aus. Es ist jetzt schwer, finanziell durchzukommen, ehe Sonja nicht eine feste Anstellung hat, was nun auch wohl werden wird, bis dahin aber heißt es sparen, sparen, sparen. Vor 3 Monaten werde ich nicht nach Deutschland zurückkommen, da die Arbeit für den Kongreß alle Energien in Anspruch nimmt.

Ich schreibe bald einmal an Mieke.

Herzl. Gruß
Euch allen
Mining

An den Insel Verlag Leipzig

Worpswede, den 5. Juni 1926
Kinderheim Barkenhoff

Sehr geehrter Herr Professor Kippenberg

Was macht eigentlich mein Buch »Dir«? Ist das ganz aus dem Handel verschwunden? Da meine wirtschaftliche Lage momentan sehr schlecht ist, würde mir eine Abrechnung sehr genehm kommen. Ich habe so sehr lange nichts mehr gehört von der Auflage.

Mit verbindlichem Gruß
Heinrich Vogeler
Worpswede

An das Mitteleuropäische Büro (Berlin)
der Internationalen Roten Hilfe

Moskau, Kreml, Quartier Marchlewski
20. Juli 1926

M. E. B.

Lieber Genosse Franz

Die »Rote Fahne« muß ich unbedingt hierher haben. Willst Du das für mich mit besorgen. Ich habe 10 Mark beigelegt. – Mein Reisegeld habe ich also nicht mehr empfangen, das muß nun auf andere Weise mit Moskau verrechnet werden. – Sonst war alles glatt verlaufen. In Leningrad war ich in den Putilow-Werken, um das Patenwesen etwas aufzufrischen. – Wenn ihr von den Vergrößerungen für die Montage der Ausstellung Material über die Kinderheime übrig habt – und das habt ihr, so sendet es an mich in der MOPR, damit ich das Chefwesen[?] damit bemustern kann. Das ist doch eine lebendige Verbindung.

Mit Rote-Hilfe-Gruß
Heinrich Vogeler

Einliegend M 10.

An das Berliner Büro
der Internationalen Roten Hilfe

Moskau, Kreml, Quartier Marchlewski
31. Juli 1926

Liebe Genossin Gertrud.

Dank für die 28 Fotos, die ich sehr gut verwerten kann. Mit Zusendung der »R[oten] F[ahne]« einverstanden, wir sind sehr hungrig auf deutsche Nachrichten. Gehen diese Zeitungen über die MOPR oder direkt?

Jetzt braucht ihr vorderhand keine weiteren Fotos zu senden, ich muß erst das Feld sondieren, ob die Fotos auch wirklich propagandistisch angebracht werden.

Eine Sache, die ich zu erledigen bitte:

Ein französischer hierhergesandter Genosse (Maler) Grand-Jouan bittet darum, an die Secours Rouge, Paris, an den Genossen Cordier, folgendes Illustrationsmaterial von der RHD über den Barkenhoff zu senden. Fotos:

1. Gesamtansicht der Speisediele.
2. Kaminansicht in der ganzen Breite.
3. Ecke.
4. Wand mit dem Leben der Gefangenen und Klassenjustiz; oben: »Proletarier und Unterdrückte aller Länder, vereinigt euch«.
5. Mutterschaft und Pioniere.

Dazu müßte ausgesucht werden literarisches Material über den Barkenhoff, vor allem der Brief vom kleinen Kurt Michel. Der Genosse Grand-Jouan (auf den man sich berufen soll in Bezug auf den Genossen Cordier) sagt, daß diese künstlerische Bildpropaganda für Paris wichtig wäre, und beauftragte mich, dieses Verlangen an euch weiterzugeben. Es ist für die dortige Ausgabe der »Secours Rouge«. Ein paar Kinderfotos, vielleicht zwei aus dem Lehrbetrieb (die Gruppe am Birkenbaum und die »Druckerei der Proletarierschule«) wären als Ergänzungen gut.

Euch allen beste Grüße
Heinrich Vogeler

An die Rote Hilfe, Deutschland

Moskau, den 20. November 1926

An die Rote Hilfe, Deutschland
Lieber Genosse Jakob Sch[lör?]!

Schreiben an Landrat gelesen. Einliegend:
1. Aufrufschreiben an Wirtschaftsverband Deutscher Künstler,
2. ein Zeitungsaufruf an deutsche Künstler aller Richtungen,
3. ein Schreiben an Lehrergenossenschaft,
4. ein Schreiben an die Regierungsstelle,
5. an Reichskunstwart Redslob.

Bitte alles gleich an die betreffenden Stellen weiterzugeben. Alle Verantwortung der Behörde gegenüber ist mir zuzuschieben. – Der Behörde ist mitzuteilen, daß ich Ende Dezember dieses Jahres in Berlin zurück bin. Jede Veränderung an den Wandmalereien muß nur ich selbst vornehmen.

Allen Briefen sind gute Abzüge (die letzthin erhaltenen waren unklar) *der Bilder* Kaminwand, Ecke mit Erschießung, Gesamtansicht und beanstandetes Seitenbild beizugeben.

Mit revolutionärem Gruß
H. Vogeler

Anlagen
Vo/La/4.

An Martha Vogeler

[Moskau,] 10. Dezember 1926

Liebe Martha

Ich komme in einiger Zeit nach Deutschland, auf längere Zeit will ich mich dann einrichten und mir die letzten Möbelreste vom Barkenhoff kommen lassen. Dann würde ich auch den großen Arbeitstisch haben müssen. Wir haben leider noch immer keine Wohnung, da das Aufbringen der Mittel, um eine ständige Wohnung in Berlin zu bekommen, sehr schwierig ist, aber ich möchte mit allen Mitteln endlich mal einen Hafen haben, vor allem auch für unseren Jan. Wie seid Ihr denn nun in den Winter hereingekommen? Sonja war die Tour in Zentralasien im hohen Gebirge doch etwas viel geworden, aber jetzt geht es ihr gut. Einliegend zwei Briefe. Vielleicht könnt Ihr irgend etwas damit machen.

Herzliche Grüße auch an Miekelies, Bettina und Martha

von
Mining

An Martha Vogeler

Berlin O., Hausburgstr. 21^{II}
bei Klose
24. I. 27[?]

Liebe Martha

Wir haben eben endlich eine Wohnung gefunden zum ersten Februar, und da habe ich gleich Gottlieb geschrieben, daß er unsere Sachen vom Barkenhoff absendet. Bitte lege den Tisch dazu, auch wollen wir den Sessel lieber in Berlin überziehen lassen, da Stoffe hier billiger sind und wir mit jeder Mark rechnen müssen.

Vorige Woche bin ich nur Stunden in Bremen gewesen, habe Ludwig Ros[elius] noch mal geschrieben über das Stilleben von Paula und hoffe, daß er es gekauft hat. Die Adresse unserer neuen Wohnung hat Gottlieb. Sag ihm noch, daß die Möbel möglichst nicht vor dem 1. Februar in Berlin eintreffen, da ich doch schon in der neuen Wohnung sein muß, um sie in Empfang zu nehmen.

Mit herzlichem Gruß an Dich
und die Kinder
Mining

Sonja läßt vielmals grüßen.

An Franz Edwin Gehrig-Targis

Gr. Lichterfelde
Elisabethstr. 33
3. März 1927

Werter Genosse!

Ich werde mich erst eingliedern, falls Du mit dem Genossen [Otto] Nagel gesprochen hast und ich von Euch den Rat habe, was in unserer Sache am zweckdienlichsten ist.

Mit kommunistischem Gruß
Heinrich Vogeler

F. E. Gehrig
Nikolassee
Barnholmstr. 4

An Marieluise Vogeler

Berlin, Lichterfelde
Elisabethstraße 33 (in der Nähe der Wannseestation: Botanischer Garten)
25. III. 27

Meine liebe Miekelies.

Ich komme heute mit einer Frage und Bitte zu Dir: Sonja muß vom 31. März ab in Sachsen einen Lernkurs durchmachen, der wahrscheinlich zwei Monate dauert. – In der ganzen Zeit bin ich mit dem lüttjen Jan und einer Hilfe, einer jungen Genossin, hier ganz allein in einer geräumigen, aber ziemlich primitiven Wohnung. (Am 1. Mai bekommen wir ein ganz winziges Siedlungshaus in Britz.) – Nun möchte ich Dich fragen, ob Du Lust hättest, hier in Lichterfelde mit mir zusammen zu hausen, damit wir unsere Zeit gut einteilen können – daß Du Deine Arbeiten (künstlerischen) hier machen kannst und nur nebenher auf Janek mit achtest. Dann müßtest Du allerdings recht bald schon kommen.

Schreib mir gleich, wie du darüber denkst.

Sonja läßt Dich vielmals grüßen,

Mit herzl. Gruß an Bettina, Martha
und Mutter und auch an Walter [Müller]
Dein Vater Mining

An Marieluise Vogeler

Lichterfelde, Elisabethstr. 33
Gartenhaus
[etwa Ende März – Anfang April 1927]

Liebe Miekelies.

Besten Dank für Deinen Brief. Ich verstehe gut, daß Du nun nicht kommen kannst. Ich freue mich, mit Dir hier einmal zusammen arbeiten zu können. Wenn Du am 22. April ca. kommen könntest, so wäre das sehr schön für uns. Zum ersten Mai ziehen wir aus dieser primitiven Notwohnung aus und bekommen in der Vorstadt Britz ein ganz kleines winziges Häuschen. Dann wollen wir beide diesen Umzug und Einrichtung recht nett machen, damit Sonja eine häusliche Behaglichkeit vorfindet. Sie macht einen interessanten wichtigen Lernkursus durch. Hoffentlich kann ich in diesem Monat etwas mehr verdienen, damit uns der Umzug nicht in Sorge bringt, bisher konnten wir immer um ein Haar durchkommen. Über den Janek wirst Du dich freuen, der ist sehr schön in der Entwicklung.

An alle im Hause und an die Müllerei herzliche Grüße,
Vater Mining

An Marieluise Vogeler

Lichterfelde, Elisabethstr. 33
Gartenhaus
15. April 1927

Liebe Mieke!

Könnt Ihr mit einliegender Karte was machen? Ich freue mich, daß Du am 22. zu uns kommst. Nur hab ich Angst, daß es jetzt diese paar Tage bis 1. Mai Dir zu primitiv ist. Uns ging es wirtschaftlich so schlecht, daß ich einen Teil der Wohnung, das untere Atelier, abvermieten mußte und wir nun nur zwei Zimmer und eine winzige Küche haben. Aber das hintere Zimmer, in dem Jan Jürgen und die kleine Genossin Anni schlafen, ist sehr groß, da müßtest Du dann auch mit untergebracht werden. Möbel haben wir fast gar nicht. Unsere Kleider hängen an Nägeln, das ist alles hier so enorm teuer. Aber deshalb wird der Umzug hoffentlich nicht sehr umständlich und teuer. Im nächsten Monat habe ich Aussicht, daß es mir finanziell besser geht. Wenn Du ein paar Kakteenableger übrig hast, so bringe sie uns mit.

Noch ein wichtiges. Janek, dessen Name in Rußland auf Vogeler eingetragen war, wurde hier nicht auf Vogeler anerkannt, da Sonja ja noch der Form nach mit Kröber verheiratet war. Das soll nun geändert werden, und dazu braucht der Rechtsanwalt Eure Einwilligungen. Vielleicht schreibt Ihr das mit Maschine ab und sendet es unterschrieben baldigst an mich.

Euch allen herzlichste Grüße
Vater Mining

[Beilage]

Worpswede, d.   April 1927

Wir unterzeichneten Töchter von Heinrich Vogeler aus erster Ehe mit Martha Vogeler geb. Schröder geben ihre [von fremder Hand korrigiert zu: unsere] Einwilligung, daß das Kind Jan-Jürgen Kröber, dessen gesetzlicher Vertreter Ludwig Kröber ist, seinen Familiennamen Kröber mit dem Namen Vogeler, also auf Jan-Jürgen Vogeler austauscht, damit das Kind den Namen seines natürlichen Vaters trägt.

An Martha Vogeler

Berlin Britz
Onkel-Bräsigstr. 138
19. V. 27

Liebe Martha,

Ich bin mit der Veröffentlichung und Verwertung der Briefe für die Kinder einverstanden unter der Bedingung, daß Du mir vorher das gesamte Briefmaterial eingeschrieben zur Einsicht hierher sendest. Ich werde es dann sofort zurücksenden.

Mieke scheint sich in Schwerin bis jetzt noch nicht sehr heimisch zu fühlen.

Euch allen herzlichste Grüße
auch von Sonja

Mining

An Martha Vogeler

[Berlin, vermutlich Mitte 1927]

Liebe Martha.

Hier gehen die Radierungen zurück. Auch eine Karte liegt bei für Möbel. Janek geht es recht gut. Sonja ist etwas herunter. Ich sehr in Arbeit. Auch ich, jeder ist bis auf die Minute eingespannt. Da läßt sich nun nichts machen, eingespannt für die große Sache, die Opfer über Opfer kostet. Bezahlt wird sicherlich nichts von dieser Arbeit, und so sitzen wir und hoffen, einmal soviel zusammenschrappen zu können, daß wir 10 Tage an die See fahren können. – Ich freue mich für Miekelies doch, daß die sich einigermaßen wohl fühlt. Denn die Zeiten sind doch verflucht ernst, und man muß doch mitten im Leben drinstehen.

Euch allen herzliche Grüße
Mining

An Franz Edwin Gehrig-Targis

[Berlin, etwa Mitte 1927]

Werter Genosse Targis!

War eben in den Räumen Alexanderstraße bei Horst Fröhlich, Zimmer 45, und höre, daß die Montagssitzung unseren Organisationsplan nicht zentral besprochen hat. Es ist von ausschlaggebender Wichtigkeit, daß die ganze Linie der Arbeit von der Partei aus gegeben wird. Ich habe es für die Zentrale übernommen, Dich zu bitten, möglichst morgen vormittag ins Karl-Liebknecht-Haus zu kommen, Bez[irk] Berlin-Brandenburg, Horst Fröhlich, Agitprop.

Am Montag war auch eine Schriftstellersitzung angesagt; also wird der Besuch für den Verband auch sehr klein gewesen sein.

Mit kommunistischem Gruß
H. Vogeler

Ein Brief noch unterwegs.
Bin eben aus Westfalen zurück und beantworte Deinen vorgefundenen Brief.

An Franz Edwin Gehrig-Targis

Berlin-Britz
Onkel-Bräsig-Str. 138
27. VI. 27

Werter Genosse Gehrig-Targis!

Das sind ja allerdings wieder einmal Eröffnungen, die einen zum Zweifeln an der Möglichkeit bringen, ob diese anarchistischen Elemente disziplinarisch, organisatorisch überhaupt zu fassen sind. – Ich selber komme persönlich mit niemandem von den »Künstler«-Genossen zusammen, da ich auch praktische Arbeit für Zelle und KJ leiste.

Auch ich bin zu einem Instruktionsabend für bildende Künstler nicht geladen gewesen.

Es ist eben für Künstler (das habe ich auch in Moskau empfunden) eine mühselige Kleinarbeit in der Partei nötig, die immer wieder durch *eigene* Initiative neue Wege zeigt und beschreitet. Menschenskind, wie häufig kommt man da an den Rand der Verzweiflung. – Nutzt nichts, zäh seinen Weg gehen, bei Kampagnen und Demonstrationen anhand der Parolen künstlerische Dinge gestalten, bis man unter den *Arbeitern* und *Jugendlichen* Stütze und Mitarbeit hat. Und die paar Menschen, die sich als Genossen innerlich diszipliniert und verpflichtet genug fühlen, müssen, sei es auch nur alle zwei Monate, zusammenkommen – die Praxis besprechen und laufende Arbeit erledigen.

Beim Verband müßtest Du wohl anfragen, oder hast Du das bereits? Kannst Du wenigstens mit Otto Nagel und einigen, die Dir als verantwortliche »Genossen« erscheinen, die Verbindung aufnehmen?

Mit kommunistischem Gruß
Heinrich Vogeler

An Martha Vogeler

Berlin-Britz
Onkel-Bräsig-Str. 138
28. 6. 27

Liebe Martha

Besten Dank für die Briefe, die ich Dir hiermit zurücksende. – Viel interessanten Inhalt haben diese Briefe ja nicht. – Doch der gute Kurt Becker hat auf der Roseliusfeier öffentlich so dummes Geschwätz gemacht, daß ich zu Lebzeiten Paulas keine Beziehungen zu ihrer Kunst gehabt hätte – Nun geht wohl aus den Briefen hervor, daß ich außer Hoetger wohl der einzige war, der Beziehungen zu ihrer Arbeit gehabt hat. So etwas könnte auch ruhig im Vorwort erwähnt werden, falls es in den Rahmen der Veröffentlichung paßt. Die *gezeichnete* Karte ist nicht von ihr, sie ist von Otto Modersohn.

Müller-Brauel will für einen Tischler, der früher in Tarmstedt war, nach meinen Mustern arbeiten. Ich übergebe diese Sache an Dich für die Kinder, seht, was Ihr damit machen könnt. Ich bin ja die ganzen Jahre von dem Unternehmen um jede Lizenz betrogen. Jetzt soll es ja nicht mehr existieren.

An Müller schreibe ich in diesem Sinne.

Herzliche Grüße
an die Kinder
Mining

An Martha Vogeler

Berlin-Britz
Onkel-Bräsig-Str. 138
[vor 10. September 1927]

Liebe Martha

Einliegend die Drucke unterschrieben zurück. Die Sache mit Jan ist noch immer nicht erledigt. Bitte schreibe doch gleich an Euren Rechtsanwalt, daß das zu Ende kommt, wir haben hier deshalb eine unangenehme Geschichte.

Bitte firnisse die beiden Bilder bei Philine. Das große Bild würde ich so gern anständig rahmen lassen – aber wir sind in einer *sehr* bedrängten wirtschaftlichen Lage, so daß ich keine Mark entbehren konnte. Wir waren zehn Tage mit Jan an der See und mußten wieder abbrechen, da ich erst Geld machen muß.

Herzlichen Gruß
den Kindern und Dir
auch von Sonja.
Euer Mining

An Martha Vogeler

Britz
31.[?] Dez[ember 1927?]

Liebe Martha

Ich habe mich sehr über Miekes Entschluß gefreut, und wie gerne würde ich mit beiden nach Paris fahren. Aber unmöglich. Unsere wirtschaftlichen Verhältnisse waren seit den letzten Jahren sehr, sehr schlecht, und habe ich eine Stelle in einem Architekturbüro angenommen, die mir allerdings die Möglichkeit [bietet], auch einmal[?] wirtschaftlich ganz fest zu stehen. Nur wahnsinnige Arbeit gibt es: Morgens 8 Uhr aus dem Haus. – 10–12 Uhr abends zurück – Nun schon Monate. Dabei vorderhand durch große technische Vorarbeiten – Geldschwierigkeiten bei großen Aufträgen. Das müssen wir nun mit tragen, und dafür sind wir fest gebunden. – An Mieke denke ich viel und glaube, wenn einmal die Frau in ihr ganz erwacht und sie von dieser Seite Wärme in ihr Leben bekommt – dann wird sie auch gesunden. Alles Gute Euch. Ich werde bald kommen, da ich vielleicht in Bremen zu tun habe.

Herzlichst
Mining

Sonja und Jan lassen vielmals grüßen. Tügels Gertrud B[adenheuer] lebt bei uns.

An Franz Edwin Gehrig-Targis

Berlin-Britz
Onkel-Bräsig-Str. 138
10. 1. 1928

Lieber Genosse Targis!

Dein letzter Brief ist lange liegengeblieben, da ich in Norddeutschland und Mitteldeutschland auf Vortragsreise war.

Deine Gedanken sind in der Antwortform sehr richtig, vor allem müssen wir als Fraktion versuchen, die Masse der Mitglieder zu aktivieren. Ich arbeite ja lange aktiv im SDS in der kommunistischen Fraktion und habe da die Beobachtung gemacht, daß man mit den »Brüdern« sehr taktisch lavieren muß. Die Reaktion braucht in jeder Generalversammlung ein sehr einfaches Mittel, um eine aufkommende Linksstimmung zu erdrücken. In dem Moment, wo sie sieht, daß ein großer Teil der linkssympathisierenden Versammlungsteilnehmer (Parteilose, Mehrheitssozialisten etc.) sich zur Opposition schlagen will – provoziert sie die Kommunisten, und – leider fallen unsere Genossen meist pünktlich darauf herein, entgleisen, beantworten Brutalität mit Brutalität, und schnell ist die wankende Stimmung wieder in eine feste Phalanx der Gegner zurückgeschlagen. Da kann uns nur eine vorherige Aussprache schützen und unsere planmäßige Vorbereitung.

Unsere SDS-Fraktion tagt auch stets im Nollendorf-Casino, und ich denke, daß der Platz für uns geeignet ist. Wenn eben möglich, schon am Dienstag, also heute in acht Tagen. Die Becher-Sache müßte vor allem gleich erledigt werden. Einliegend ein roher Entwurf für eine Protestresolution.

An Kleinarbeit für unsere Parteibezirke fehlt es ja allerdings heute nicht, es lastet auf dem einzelnen außerordentlich viel, das wird Dir so gehen wie mir.

Deinen alten Brief sende ich wieder mit, damit Du alles Material zur Hand hast.

Mit proletarischem Gruß
Heinrich Vogeler

An Martha Vogeler

Berlin-Britz
Onkel-Bräsig-Str. 138
28. Juli 1928

Liebe Martha,

ich sende an Miekelies eine Kiste mit alten Büchern, alles das, was für Euch dort in Betracht kommen könnte.

Ich hätte die Bitte, daß Ihr bei Gelegenheit für Sonja einen Kleiderstoff mitwebt. Nicht bunt, aber farbig. Könntet Ihr nicht den roten gewebten Kleiderstoff mit der Kante auf ein paar Tage hersenden, daß sie daran die Art des Kleides sehen kann, wir senden es dann sofort zurück und geben unsere Angaben. Braun ist auch sehr günstig für sie.

Noch eins, ich brauche bis zum 8. August ein paar Radierungen für eine Tombola; wollt Ihr mir die zu Selbstkostenpreis drucken lassen: 1. »Frühling«, 2. »Im Mai«, und zwei von den kleinen, möglichst mit dem Barkenhoff, und zwei Barkenhoff, das Querformat.

Mit herzlichem Gruß
Mining

[Von fremder Hand, vermutlich Martha Vogeler:]
Frühling
Im Mai
Frühlingsbl. u. Abend
Barkenhoff

Zofia Marchlewska und Heinrich Vogeler an Martha Vogeler

[Berlin] 8. VIII. 28

Liebe Martha Vogeler

Sie haben mir mit dem blauen Schal eine große Freude bereitet, und ich danke Ihnen herzlich dafür!

Wie ich von Mining hörte, entwickelt sich Ihre Webewerkstatt sehr gut, und die Arbeit bereitet Ihnen Freude. Ich wünsche Ihnen auch weiterhin viel Erfolg und sende herzliche Grüße an Sie und die Ihrigen!

Sonja

Euch allen herzliche Grüße

Mining

An Martha Vogeler

[Berlin, 1928 oder 1929]

Liebe Martha

ich war dieser Tage kaum zu Hause, da blieb das Paket liegen, das heute an Euch abgeht.

Nun eine Bitte: Ein Verleger will eine kleine Mappe von Reproduktionen von Ölgemälden vom Barkenhoff speziell herausgeben. Nun habe ich fast gar kein Fotografienmaterial nach Bildern. Seht doch mal bei Euch nach, was Ihr nach derartigen Bildern finden könnt. Ihr bekommt das Material in einigen Monaten zurück.

Jan hat sich über das Steckenpferd ganz riesig gefreut und ist sofort damit losgezogen. Er will mir noch einen Brief diktieren. Er läßt auch Freitägers vielmals danken und grüßen.

Herzlichst
Mining

An Martha Vogeler

[1928 oder 1929]

Liebe Martha.

Nach W[orpswede] können wir so leicht nicht kommen. Es ist ein derartiges Ringen, die allerknappsten Lebensnotwendigkeiten zu verdienen, daß wir völlig aufgebraucht werden und auch an keine Erholung denken können.

Herzliche Grüße
Euer Mining

Wir freuen uns, wenn Mieke wieder hier ist. Ich kann hier vielleicht eine Radierarbeit bekommen. Grüße Walter herzlichst und frag ihn, ob er mir auf ein paar Wochen Radiernadel, Polierstahl und Asphaltwalze leihen kann?

An Martha Vogeler jun.

Berlin-Britz
Onkel-Bräsig-Str. 138
13. Februar 1929

Liebe Martha

Besten Dank für Deinen Brief, aus dem ich sehe, daß es leider dort bei Euch auch nicht gut aussieht. Hier haben wir Grippe und maßlose Kälte. Mieke wohnt jetzt schon in ihrer Wohnung bei Käthe Hyan. Als sie bei uns war, hatte ich große Sorge um ihren Gesundheitszustand. Sie kommt häufiger, und es scheint ihr besser zu gehen. Wenn man nur eine Arbeitsmöglichkeit und einen kleinen Verdienst schaffen könnte. Aber in der Großstadt ist das sehr sehr schwer. Sehr gefreut habe ich mich darüber, daß Du einen Lebensgefährten gefunden hast. Hoffentlich kommt er nicht mit zu großen Enttäuschungen aus Rio zurück – denn dies Brasilien hat schon manche Hoffnung und manche Existenz vernichtet. – Ich wünsche vor allem, daß Mutter bald wieder gesund ist und besseres Wetter einzieht.

Herzlichen Gruß
Euch beiden
Vater

An Fritz Jordi

[Berlin, vermutlich Frühjahr 1929]

Lieber Fritz.

Ich bin eben aus Worpswede zurück, um das Haus für Sonja und Jan etwas wohnlich zu machen. Ich konnte Dir nicht zur Last fallen in Fontana Martina – da [ich] augenblicklich keine gute vollwertige Arbeitskraft bin und zur Erholung die Verhältnisse dort (ohne Geld) noch nicht reif sind. In kurzer Zeit bekomme ich wohl wieder Anstellungsarbeit, das geht dann zum ersten Mai oder Mitte April. *Jedenfalls* bin ich nach Ablauf dieser Arbeit bei Dir.

Die Erwerbslosenzeit habe ich dazu genutzt, eine marxistische[?] Arbeit über Kunstgeschichte anzufangen, sehr viel Material zusammenzusammeln. Was ich mir in Fontana Martina einrichten möchte – ist immer noch das ganz kleine Haus der Kirche zu, wo ich still schreiben kann. Mit den Kunstschülern im Sommer, das können wir machen. Für mich ist die Hauptsache, daß ich meinen heruntergearbeiteten Körper ganz noch mal wieder aufbaue. Ich fühle, sonst geht es rapide dem Ende zu. Wir werden dann schon eine Atmosphäre schaffen, in der sich leben läßt.

Aber Fritz, wenn Du die ganze Verpflegungsgeschichte nicht einmal organisatorisch fest auf die Beine stellst[?], daß Deine alte Mutter nicht die ganze Last und Verantwortung trägt – dann ist das alles für die Katz und geht sicher zugrunde.

Saluti
Mining

An Fritz Jordi

[Berlin-Grunewald, vermutlich Sommer 1929]

Lieber Fritz. Daß Du die Druckerei da rauf bekommen hast, ist allerdings eine phantastische Angelegenheit. Du wirst Dich freuen, Dein bestes Werkzeug wieder in Hand zu haben. Nun fehlt nur Telefon und elektrische Kraft und Licht. – Aber an die Verbindung mit Friedrich können wir nicht denken, da niemals Geld von ihm zu haben ist. Augenblicklich hab ich Berta Lask noch nicht fassen können, aber da sie den Vorschlag machte, die Gedichte mit Zeichnungen in der »AIZ« drucken zu lassen, muß sie beides jetzt wohl endlich in der Hand [haben]. Sowie sie zurück ist, habe ich eine Besprechung mit ihr. Das Bauernblatt sende ich mit, gut, daß Du Dich Deiner Haut wehren willst und wieder aktiv in die Arbeit gehst.

Wir sind jetzt sehr, sehr in Arbeit, um das Lichtpatent zu lancieren; das erfordert aber Zurückstellung aller momentanen wirtschaftlichen Ansprüche bis auf niederste Lebensansprüche und erfinden, konstruieren, ausprobieren, also schuften, schuften, schuften. Herbert [Richter] ist noch immer nicht fort gewesen, weil ein Keil[?] den anderen treibt. Er ist sehr herunter mit den Nerven. Hier ist es manchmal schon etwas kalt herbstlich. Sonja und Jan sind in Moskau verzweifelt über die blöde Hitze. Jan war sehr krank dort, Angina und gleichzeitig Darmkatarrh. Nun ist er durch damit, aber schwach. Ich höre wenig. Vielleicht will Sonja dort bleiben. Das letzte Abenteuer von ihr endete wieder mit einer ganz verzweifelten Enttäuschung; sie ist sehr herunter gesundheitlich, aber die Moskauer Freunde haben sie mit großer Freude aufgenommen, und nun wird sie hoffentlich dadurch in positive Arbeit kommen. Mit der Mutter geht es scheinbar gar nicht. – Ursula [Dehmel] ist leidlich mit ihrer Gesundheit. Immer noch alt stehengebliebene wirtschaftliche Sorgen, ich muß da langsam helfen, aber momentan geht es nicht recht, wir müssen jetzt erst zuviel für unsere eigene Reklame tun, und das kostet Geld. Viktoria hat sehr begeistert von Fontana

Martina erzählt. Das blaue Zimmer scheint ja sehr gut geworden zu sein. – Wann werde ich den Herbert nun wohl endlich in Fahrt nach Fontana Martina bringen können – ich glaube, erst wenn die Lichtsache finanziell fest gegründet ist; am 6. Sept. ist große Vorführung vor den Propagandachefs der Truste und großen Firmen, und dann muß die Gründung erfolgen, denn uns ist die Sache über den Kopf gewachsen.

Ich habe Sehnsucht nach Euch, nach Dir und Peter, nach dem Geissi[?], ich möchte sehen, welche Früchte dort reifen! Interessant, daß die Polizei so kulturhungrig ist; der war wohl begeistert? und die Roncoer Gauner wollen Dir die Taschen umkippen?

Hat Meyer mal was von sich hören lassen? Ich schreibe bald wieder, wenn ich Berta Lask gesprochen habe. Heute sende ich Fotos vom Winter. Vielleicht gehe ich bald ein paar Tage nach Worpswede, die blatterkranken Wandbilder renovieren.

Grüße Peter und Deine Mutter.

Ursula läßt auch herzlich grüßen.

Euer Mining

An Fritz und Peter Jordi

Berlin-Grunewald, Reinerzstr. 12
bei Dehmel
[vermutlich zweite Hälfte Oktober 1929]

Mein lieber Fritz und Peter.

Endlich. Ihr lebt noch. Habt trotz aller Einsamkeit und Not den Humor nicht verloren. Immer obenauf, so ist es recht. Bei uns: Pleite. – Insofern, daß wir seit Wochen all unsere Arbeit in den Lichtbaustoff gesteckt haben und niemand irgendeine Einnahme hatte, jeder durch kleinsten Nebenverdienst und durch Pump sich über Wasser hielt. Dann kam endlich unsere Ausstellung in einem Bildhaueratelier. Sie sah gut aus. Sie erregte viel Interesse. Der Umsatz dieses Interesses in eine materielle Basis, auf der wir Fabrikation aufbauen können, ist im Werden. Vorderhand haben wir Aufträge, aber nicht das Geld, sie ausführen zu können. Alles das muß durchgeboxt werden, und gerade diese Seite ist wiederum Herberts [Richter] Angelegenheit, der trotz der Fehlschläge und der kriechenden Langsamkeit der Entwicklung der finanziellen Beweglichkeit nach außen die Haltung bewahrt, wenngleich ein Blick in sein Inneres und manchmal auch sein gesundheitlicher Zustand etwas anderes sagen. Na wenn Ihr tüchtig mit hofft, dann wird es schon werden.

Gern hätte ich von Euch mehr gehört. Vor allem, was macht die

Druckerei? Meine Zeichnungen von Fontana Martina gefallen sehr gut, und niemand kauft sie. Soll ich sie Euch senden, damit Ihr für Fontana Martina da etwas herausschlagt oder einen Raum damit ausstattet? Sind Euch viele Ziegen zugelaufen oder anderes? War Meyer mal da? Den Schweizer Vertreter der RH traf ich auf dem Reichskongreß der RHD. Leider zu recht ungünstiger Situation. Pieck, der Vorsitzende, infamierte meine kritische Stellung zu den Maßnahmen des Vorstandes dadurch, daß er meine Stellungnahme als verbrecherisch und mich als »Feind der RH« vor dem dreimal gesiebten Paradekongreß hinstellte. Bis zur letzten Stunde hatte ich positive künstlerische Arbeit geleistet. Es werden andere Zeiten kommen. Vorerst werde ich mit Dreckkübeln beworfen. – Und sonst: Durch die blöde Taktik der Zentrale marschiert die links sich orientierende Arbeiterschaft Deutschlands mit klingendem Spiel ins Lager des Faschismus! Zum Heulen.

Schreibt bald mal, was so da oben vor sich geht. Bis Frühjahr werden wir uns sehr, sehr unbeweglich halten müssen, um durchzukommen durch die wirtschaftliche Pleite. Jeder hat gepumpt rund um sich selber.

Herzlichst Euer Mining

Du, wer ist denn mit unbezahlter Zeche abgerückt?

An Fritz Jordi

[Berlin-Grunewald? etwa Mai 1930]

Mein lieber Fritz.

Einen Brief über das Schicksal unserer gemeinsamen Arbeit von den toten Dörfern hab ich Dir bestimmt geschrieben. Na also nochmals – mit all meinen Zeichnungs- und Artikelangeboten habe ich nichts als Ablehnung erfahren. Selbst die Turkestansachen sind nicht unterzubringen bei der systematischen Hetze.

Also wir haben auch so fünf Monate hinter uns, wo alles zusammenbrechen zu schien, was bisher aufgebaut war, der Schluß war die eigene Propaganda mit dem Cetstoff, eine eigene Ausstellung, die viel Arbeit und Geld fraß und trotz ihrer starken Wirkung auf die Beschauer keinen *finanziellen* Erfolg brachte. Auf diesem Wege weiterzugehen, dem war somit aus Mangel an Mitteln keine Möglichkeit mehr gegeben. Das Material wird nur von einer Fabrik angefertigt. Die täglich wachsende Not brachte uns auch dazu, den Verpflichtungen Dir gegenüber nicht nachzukommen; wir konnten keine Auslagen mehr machen. Nun beginnt es wieder aufzubauen; wenngleich die uns wie Wölfe umheulenden Schulden das einkommende Geld vorderhand immer sofort wieder aus den Händen reißen, so haben wir uns doch durch hingebendste intensivste Arbeitsaufträge gesichert, die uns wohl ein ganzes Jahr beschäftigen können. – Wozu sollte man schreiben, wenn es so schlecht geht, das sehe ich nicht ein.

Unsere Gedanken waren sehr viel bei Euch, wie habt Ihr das Land vorbereiten können, und vor allem: wie ist die fällige Hypothek ausbezahlt und neue aufgenommen? Ihr hattet auch Besuch von Carl Meffert? Das war für Peter [Jordi] doch wohl eine feine Sache, denn der Carl ist ein äußerst begabter proletarischer Künstler! Wer war sonst da? Vor einem Jahr sah es mit uns so gut aus, wir denken viel an die Zeit. Auch für Jan war es ganz besonders gut. Er war ja nun lange in Moskau, er hat so manches angenommen, was er wieder abstoßen muß; ihm wäre so eine Arbeit im Freien mit uns allen zusammen in Fontana Martina von großem Nutzen! Aber wer weiß, wann wir einmal wieder kommen können. Ich hoffe *sehr* auf den Herbst. Sonja macht sich nun ja langsam, aber mit größerer Energie ein selbständiges Leben. Hoffentlich gelingt es so, wie sie denkt. Sie fotografiert und hat auch zwei Tage in der Woche organisatorische und schriftliche Arbeit [folgt unleserliches Wort]. Ursula arbeitet nach wie vor in unserem Betrieb, hat dabei noch einen sehr interessanten Auftrag für das Völkerkundemuseum, alte mexikanische Tempelmalereien aus dem 12. Jahrhundert in Originalgröße nach kleinen Reproduktionen zu vergrößern und zu malen. Den Kindern geht es gut.

Da ich für meine neue Arbeit viele Studien in Norddeutschland vor allem machen muß, werde ich viel unterwegs sein, um das Material zu sammeln. Gustav [Regler] und Mieke sind in Worpswede und wollen den Sommer in Südfrankreich durchbringen. Für sein neues Buch ist noch kein Verleger da. Das Kinderbuch, für das ich so lange und intensiv gearbeitet hatte, ist auch zu Wasser gegangen – auch da nichts. Gertrud [Badenheuer] hat noch immer ihre alte Stellung im Britzer Krankenhaus, wo sie auch wohnt. Lotte Bara war mit ihrem Mann im Winter hier. Ihr Mann lernte bei unserem Freund Holter aus der Arbeitsgemeinschaft [folgt Unleserliches].

[Einschub von Ursula Dehmel:] Ehe der Brief losgeht, möchte ich auch noch schnell ein paar Worte schreiben. Ich liege mit einem Husten im Bett, darum kann ich nur kritzeln.

Es wäre sehr schön, wenn wir im Herbst mal ohne Kinder ein bißchen kommen könnten. Aber man kann hier nur von heut auf morgen denken. Pläne kann man gar nicht machen. – Der 1. Mai war ein sehr schöner erhebender Tag. Wir sind sechs Stunden durch Berlin marschiert, verschiedene gewaltige Züge, und in den Straßen, wo voriges Jahr die Opfer der Maikämpfe waren, in Neukölln u. Wedding, waren die Straßen alle mit Kampfparolen geschmückt, die Bevölkerung war alle auf der Straße und begrüßte uns stürmisch, als wir durchzogen. In diese Gegenden kam diesmal die Polizei nicht mit hinein. Mining will gehn, herzliche Grüße

Ursula

[Fortsetzung von Heinrich Vogeler:] Mit der Arbeiterbewegung sieht es schlimm aus. Die Arbeit in den Gewerkschaften ist zerschlagen, und in allen Großbetrieben, wo rote Betriebsräte waren, haben die Nazis sich unsere Jahre [fehlt Text] mächtige Stellungen erobert, und der Einfluß der KP ist völlig zurückgegangen. Die SPD-Arbeiter sind reif zum Abfall von den Führern; nur durch die blöde Taktik kann niemand mehr an sie heran, sie werden völlig indifferent oder – Nazis. Schwere hingebende Arbeit ist notwendig, um das nur zurückzugewinnen, was die letzten zwei Jahre heruntergewirtschaftet ist, und zwar in einer Situation, wo alles gegeben war, die Massen im Klassenkampf zu klären. – Die Wendung, die nun gemacht ist – ist rein äußerliche Phrase, doch der Druck von unten von den Zellen wird allerdings stärker, und in den Betrieben geht es mit Sonderläden nicht mehr weiter. Lenin hat ja in den »Kinderkrankheiten« den Weg, den diese Leute gehen, schon mit schärfsten Warnungstafeln bepflastert, aber genützt hat es nichts.

Was macht die Druckerei?

Euch Brüdern Einsiedlern
herzliche Grüße
Euer Mining

Hat Brubbacher eigentlich mal wieder was von sich hören lassen?

An Martha Vogeler (Postkarte)

Berlin-Britz
Onkel-Bräsig-Str. 138
[Poststempel: 22. 2. 31]

Liebe Martha.

Ich war krank und fahre jetzt zur Erholung zu Selma L[öhnberg], die mich eingeladen hat. (Von Mittwoch an dort in Willingen, Stryk.)

Könntest Du mir wohl je einen Druck von Exlibris

Martha Vogeler
Eduard Vogeler
Marie Vogeler
Franz Vogeler

und noch eines von der Familie [senden]? Sendung in den Stryk.

Ich wäre Dir sehr dankbar und sende dann eine Zeichnung für Dich. Miekelies geht es gut, ich bin heute wieder bei ihr. Jan ist in St. Peter Nordsee.

Herzliche Grüße
Mining

An Fritz Jordi

z. Zt. Willingen (Waldeck)
bei Dr. Löhnberg
[vermutlich Ende Februar–Anfang März 1931]

Lieber Fritz! Ich hatte sehr überlegt, ob ich zu Euch herunter kommen sollte oder nicht. – Aber nach einer anhaltenden Grippe, dazu Jans Krankheit, und auch Sonja war eine Zeit krank, waren meine Schulden so gewachsen und mein körperlicher Zustand so miserabel, daß ich unbedingt wieder aufbauen wollte. Ich nahm die Einladung alter Freunde hier auf, die mich, wenn es sein muß, monatelang pflegen werden. Als Krüppel da unten zwischen Euch Schwerarbeitern, mit allen möglichen Schwierigkeiten der Pflege – das wäre eine Niete gewesen. Ich will gesund werden, denn ich habe diesen Sommer große Absichten auf Rußland. Ob es gelingen wird, ist fraglich wegen meiner Stellung zur P[artei]. Aber meine Enquête über meine Arbeit ist drüben schon eingereicht. – Sag mal, Peter [Jordi] muß aber noch lernen, ehe er herüber geht. Intensive Gartenbautechnik ist unbedingt nötig und die Bedienung von Kleinmaschinen (Mayenbachgrubber[?]). Sonst kommt er da doch nicht weiter.

Das nur nebenbei!

Was habt Ihr für Ziegen-Pech, das ist ja zum Verzweifeln. Jan hatte mir erzählt, daß es so hervorragende Tiere gewesen sind.

Hier ist 1 m fester Schnee und sehr viele Schiläufer. Ich hab auch ein paar große Touren gemacht, dann einmal auf dem Übungshang eine falsche Bewegung, und plötzlich meldet sich mein Ischiasnerv, daß ich wie ein Hampelmann nach Hause komme! Ja man wird alt.

Also Du willst drucken? Von Deutschland ist nichts zu hoffen. Die paar Pfennige für die Tageszeitung hereinzubekommen, ist immer bitter genug, und dann die Magazine! – Ich werde Dir ein Manuskript senden von der zentralasiatischen Reise; wenn Du es brauchen kannst, mache ich Federzeichnungen dazu. Später kommen einige Kunstforschungen auf historisch materialistischer Grundlage. Schick mir nur nichts zum Vertreiben – da ich keine Verbindung mehr habe und so wie Sonja *sehr* talentlos in geschäftlichen Dingen bin. – Im übrigen will ich tun, was ich kann. Wenn nur die

Notlage nicht so drängend wäre und in[?] Berlin die P[artei]arbeit, die alle übrigen Kräfte beansprucht.

Du mußt nun sehr in *einer* Richtung arbeiten. Wenn Du drucken willst, mußt Du schon Fontana Martina behalten und schreiben und drucken, und ich muß auch von R[ußland] aus senden. Also dann aushalten.

Grüß Peter und Dein altes Mütterlein,

bald mehr
Dein Mining

An Martha Vogeler

Willingen, im Stryk
15. III. 31

Liebe Martha.

Ich habe hier leider einen starken Gripperückfall bekommen und liege im Bett. Umliegend ein Brief. Scheint mir mit Vorsicht zu behandeln! Herzlichen Dank für Deinen Brief und für die Exlibris. Wegen Mutters Platte werde ich an Henny schreiben. Ich habe es hier außerordentlich gut und hoffe, daß ich unter dieser Pflege meinen Körper mal werde in Gang bringen können! Janek schreibt jede Woche (Diktat natürlich), und scheint es recht gut zu gehen! Der Schnee liegt hier ums Haus noch 1 Meter, aber in den Tannen harft heulend der Frühlingswind.

Da ist noch eine Angelegenheit: Einer von Selmas Gästen, ein Herr Fritz Siewers, *Herford* i. W., Jahnstr. 3ª, möchte gern eine Radierungs*auswahl* haben. Vielleicht von den Blättern »An den Frühling« und[?] »Im Mai«, »Frühling« etc. Er wird sicher etwas kaufen. Ich lege einen Brief bei.

Euch allen herzliche Grüße und Dank.

Euer Mining

Wenn Du mir von dem Verkauf etwas % bewilligen kannst? So schreibe sie Gustav gut, dem ich immer noch schulde.

An Fritz Jordi

Willingen (Waldeck)
Haus im Stryk, 16. III. 31

Lieber Fritz, in Eile, liege im Bett, Gripperückfall, verfluchte Sache. Denke aber viel an Deine Sache, deshalb notgedrungen ein paar Worte.

Also: Ehe Du anfängst, mußt du literarisches Material für ein Vierteljahr im Hause haben! Ich werde auch noch schreiben unter einem anderen Namen (sagen wir H. Kreuzer); so pädagogische, ethische Artikel auf dialektische Methode mit materialistischer Grundlage. Deine Anfangsrechnung sieht ja dürftig aus und kann auch noch Unverhofftes in sich bergen.

Hoffentlich hält Peters [Jordi] Ausflug in die kunstgewerbliche Romantik nicht allzulange stand, denn die Zeit für diese Sachen ist nun wohl endgiltig vorbei! Selbst Martha V[ogeler] mit ihrer guten, sehr bekannten Weberei kommt jetzt, wo sie auf alles Kunstgewerbliche verzichtet und nur solide Qualitätsstoffe webt, einigermaßen durch. – Aber jeder muß noch seine Erfahrung selber machen, das ist zwar teuer.

Daß die Mutti krank ist, geht mir sehr nahe. – Noch eins, die phantastischen Pläne zu Rußland über einzelne Menschen, die doch ganz andere Erlebnisse [hatten] und in ganz andern Bahnen sind und kaum eine Möglichkeit der Umstellung in sich tragen, würde ich ganz nüchtern (in Deiner Stelle) streichen. Ich würde mir in Ruhe jetzt die Zeit nehmen, ein Brissagoer Fabrikmädel kennenzulernen, würde mich um die ganze Sippschaft dort unten etwas kümmern und abwarten, was wird. Schluß, das ist in dieser Angelegenheit mein Rat.

Betreffs Deines Rates in der O[pposition]: die Gewerkschaftstaktik Lenins werde ich weiter verteidigen.

Die RGO hat in Deutschland einen solchen Unsinn angerichtet, daß bereits die eigenen RGO-Mitglieder bei den Betriebsratswahlen streiken.

Als Drucker mußt Du doch gerade diese Schlangenlinie verfolgt haben?

Den innerrussischen Verhältnissen steht die O[pposition] positiver, klarer, weil dialektischer gegenüber wie die RF, daher befürchte ich da nichts trotz aller Warnungen. Vor allem ist mir die Hauptsache, daß ich gesunde Knochen habe, um auch standzuhalten, wenn man mit mir in fernsten Gegenden operieren will. Aber immer werde ich Deiner Arbeit nützen können.

Herzlichst
Mining

An Fritz Jordi

Willingen (Waldeck)
bei Dr. Löhnberg
25. III. 31

Lieber Fritz. Es geht langsam besser. Ich sende Dir einen Artikel von »Bonifazius Kreuzer« über: der heutige Staat und das Christentum. Den kannst Du nun umarbeiten, marxistisch vertiefen, wie Du willst. Ich werde einen Artikel über Ehe und päpstliche Enzyklika folgen lassen.

Wie geht's, der Schnee verschwindet hier jetzt schnell. Mein Bukkel ist immer noch nicht ganz in Ordnung. Was macht Peter?

In Eile
Euer Mining

An Martha Vogeler

[Willingen, im Stryk
nach 25. März 1931]

Liebe Martha

Eben[?] die Drucke, die ich zurücksende. Selma [Löhnberg] kommt eben aus Paris zurück, ich fahre Sonntag, Jan zu holen. Was aus mir in der nächsten Zeit wird, weiß ich noch nicht, da ich viel drangesetzt habe, nach Rußland zu kommen. Wenn das nichts wird, was naheliegt, komme ich dann gern etwas zur Arbeit zu Euch.

Herzliche Grüße
Euch allen
Euer Mining

An Walter und Marie Hundt

Rußland, Dneprstroi
10. September 1931

Lieber Walter, liebe Marie!

Ich mußte viel an Euch denken, als ich die nordkaukasische Steppe bereiste und sah, wie die Arbeiter aus diesem Lande, dessen Wildgrasmeer den Kosakenpferden zugute kam, eine unermeßliche Kornkammer gemacht haben. (Die guten, zusammenhängenden Weizenflächen und etwas Mais und Sonnenblumen sind zirka 200000 ha groß.) Da stehen nun schon die neuen Städte mit ihren agrartechnischen Hochschulen und den mächtigen Maschinenwerkstätten, den Klubs mit Theater, Leseräumen, Bibliothek und vielen

Räumen für Kurse! Aber weit über die Riesenflächen erheben sich die mächtigen Elevatoren an den Bahnen. – Doch das schönste Erlebnis ist dort ein Arbeitstaumel, dieser ungeheure Frohsinn, der Gesang zur Arbeit und beim Heimkehren und bis tief in die Nacht – – –. Und noch eins, die unendliche Vermehrung eines Volkes. Fast jede dritte Frau sieht man schwanger gehen. Alle fühlen, wie durch ihre Schaffenskraft das äußere Leben innere bessere Verhältnisse schafft, und das macht sie so stark und lebensbejahend. Könnte unsere Arbeiterschaft immer an Ort und Stelle sehen, was für Kräfte in der Masse ruhen, damit sie die eigenen Kräfte weckt, um sich zu befreien. Ich bin sehr froh über alles, was ich sehe. Geist ist die Erkenntnis der organischen Kräfte der Natur. Hier fühlt man, daß die Masse die Trägerin des neuen Geistigen ist.

Herzlichst Mining

An den Insel Verlag Leipzig

Moskwa (Moskau)
Warwarka 12
W. K. S.
Heinrich Vogeler
26. Januar 1932

Sehr geehrte Herren

Habe ich nicht unter Ihnen irgendeinen guten Freund aus vergangenen Zeiten, der mir für eine hiesige Ausstellung ein paar Bücher stiftet (Oscar Wilde etc.), in denen meine beste Arbeit für Ihren Verlag zum Ausdruck kommt? Ich brauche sie dringend für eine Ausstellung in der Galerie für moderne Kunst des Westens! Es wäre eine sehr gute Sache für die deutsche Kunst, hier so vertreten zu sein. Die Ausstellung ist eine spezielle meiner Kunst und wird am *18. Februar* eröffnet.

In alter Hochachtung Ihrer Arbeit
Heinrich Vogeler, Worpswede

An den Insel Verlag Leipzig

Moskwa, Warwarka 12
W. K. S.
24. Februar 1932

Lieber Dr. Kippenberg!

Tausend Dank, das war eine gute Sendung, um hier nur einigermaßen einen Einblick in meine frühere Tätigkeit zu geben! – Ich habe hier eine interessante Arbeit mitten im Aufbau der riesenhaften Landwirtschaften, die hier errichtet werden. Ich sah die südrussischen Steppen wieder, die noch vor vier Jahren nur einigen Kosakenpferdeherden zugute kamen. Heute werden sie beherrscht vom Getreideelevator, und Tag und Nacht brummten die Mähdrescher im September, als ich unten war, über die Flächen. Es ist nicht zu beschreiben, welches Arbeitstempo und welch zielsichere Planungsarbeit dieses Volk erfaßt hat. Mit ihm wird man noch einmal jung – nach einer Periode völliger Erwerbslosigkeit und Not in Deutschland.

Herzlichst
Ihr Heinrich Vogeler

An Henny Walther

[Kislowodsk,
Poststempel: 12. 7. 32]

Liebe Henny. Ich hörte gern einmal etwas von Euch; wie Ihr so durchkommt. Nach allem, was man hört, wird das Leben dort ja immer schwerer. Ich arbeite nun bald ein Jahr in S[owjet]-R[ußland] und stehe mitten in der Aufbauarbeit, sehe, was geleistet wird. Für viele ist die Lage noch schwer, da hier doch nicht nur der industrielle Aufbau gemacht werden muß, sondern die ganze Lebenslage der Arbeiter vollkommen neu gestaltet werden muß und eine Kulturarbeit geleistet wird, von der man sich drüben keine Vorstellung machen kann, da dort die Entwicklung zur industriellen Technik und zu neuen Kulturaufgaben vor 80 Jahren begann, was hier in ca. 10 Jahren geleistet werden muß, und das ist die große Freude und Genugtuung, an diesem Aufbau seine ganze Kraft abzugeben. Augenblicklich habe ich eine Prämie – einen vierwöchentlichen Aufenthalt, Pflege, Ärzte, Bäder, im Kaukasus, habe es sehr gut. Hier sind jeden Monat ca. 40000 Arbeiter zur Pflege und Erholung, und derartige Stätten gibt es Hunderte, sowohl im Süden wie auch bei allen großen Städten S.S.R.s. Morgen reise ich nach Moskau zurück an die Arbeit. Euch allen herzliche Grüße,

Heinrich

Briefe erreichen mich: H. Vogeler, Moskau, Warwarka 12, W. K. S.

An B. N. Ternowez

Moskwa, 18. O[ktober] 32

Werter Genosse Ternowez,
ich bitte, mein Gemälde »Hamburger Arbeiter« gegen den einliegenden Zettel (für den Genossen Uspenski) im Museum der Revolution abholen zu lassen für die Ausstellung der Revolutionsfeier. Das Bild steht zum Verkauf zur Verfügung. Heute trete ich meine Kommandierung nach Taschkent und Fergana an. Meine Frau, die in der Wohnung ihrer Mutter (also telef. B 14297) ist, kann Ihnen auf alle Fragen Antwort geben.

Mit kommunistischem Gruß
Heinr. Vogeler

An Gustav Regler (Entwurf; Abschrift)

[etwa Ende 1932]

Lieber Gustav, Du wirst Dich vielleicht gewundert haben, daß ich aus meiner alten Stellung fort bin. Aber man hat die ganze Gruppe aufgelöst, da die Material-, klimatischen und Bodenverhältnisse in SSSR so ungeheuer verschieden sind, daß man zu einem Standard in der Landwirtschaft nicht fürs erste kommen wird. Es wird eine Typisierung geben, und deren Durchführung bleibt den einzelnen Volkskommissaren überlassen. – Nun, als freier Künstler in SSSR zu leben, paßt mir nicht, und da ich die Gelegenheit fand, wieder in einen Betrieb mitten in die praktische Arbeit (teils landwirtschaftliche) zu kommen, nahm ich gerne die Stellung an. Das war September. Ich arbeitete mich sehr schnell in die wissenschaftliche Technik des Laboratoriums für Biontisierung der Saat ein und fand die künstlerische Form für die Propaganda. Schon Ende Oktober nahm mich der Direktor, ein genialer, völlig unbürokratischer Genosse, mit nach Zentralasien in die Baumwollernte, wo sich für mich ein ganz neues Gebiet eröffnete, in das ich mich mit meiner alten Liebe zur Erde und ihrem Wachstum tief hineinkniete, so daß, als der Direktor seine Unruhe betreffs des Moskauer Betriebes bekam und dort Schwierigkeiten auftauchten, er zurück mußte, da übergab er mir die weitere Verantwortung bei einer sehr wichtigen Aufgabe als Bevollmächtigter des Laboratoriums. – Die Sache ist die: aus ganz kleinen Anfängen in steten Kämpfen gegen konservative Wissenschaftler entwickelte sich diese Arbeit der Stimulierung der Saat, einer neueren Wissenschaft von größter Bedeutung für SSSR. Der Leiter des Lab. richtete überall in Rußland kleine Versuchsstationen ein (eine davon zu besuchen und zu kontrollieren und neue wissenschaftliche Aufgaben zu geben war unsere jetzige Aufgabe dieser Reise). Die Aufgaben wurden größer, große Produktionsflächen mußten biontisiert und kontrolliert werden, völlig neue Pflanzentypen wurden durch die wissenschaftlichen Operationen herausgebracht (dies alles in Bezug auf Baumwolle). Als der Direktor mich in Taschkent verließ, begann eine nicht ganz leichte und sehr verantwortliche Arbeit: ein Sowjetgut auszusuchen, das neuen Versuchen auf breiter Basis die Unterlage geben sollte. Mit mir reist der russische Leiter der Versuchsstation, die 36 km von Taschkent liegt. Was eine derartige Reise durch Zentralasien um diese Jahreszeit bedeutet, kann ich Dir nicht beschreiben, muß ich Dir mal mündlich wiedergeben, jedenfalls habe ich sie trotz allem auftragsgemäß beendet, und ich bin gesund geblieben. Allerdings dies bis in die letzten Ansprüche an körperliche Leistungsfähigkeit gehende Unternehmen konnte ich auch ausführen, ohne dauernden Schaden zu nehmen, da ich im Herbst in meiner alten Stellung als »Udarnik« eine große Prämie bekommen hatte: 4 Wochen unbezahlte Pflege in einem erstklassigen Sanatorium in Kislowodsk unter strenger ärztlicher Kontrolle. (Hier hat auch dann, d.h. in einem anderen Sanatorium, [Name fehlt] seinen durch den Typhus bis zum Vergehen heruntergekommenen kleinen Körper wieder in beste zähe Form gebracht.) Also ein Leben mit großen Märschen und Fahrten, alles mit viel Gepäck, da man seine Ernährung und Schlafstelle mitschleppen muß; unter eisiger Kälte manchmal, zwei Tage sogar unter dem rasenden asiatischen Sturm des Buria aus den Gebirgen. Nachts in den kalten Tscheichanás unter Usbeken auf den Teppichen frierend, durch unbeschreibliche Sümpfe lehmigen Wassers, einen unangenehmen nächtlichen Raubüberfall auf mich beim Wechseln der völlig dunklen Eisenbahnwaggons (meine gute Schweizer (Zenith-) Uhr, die ich damals bei Fritz Jordi bekam, ist damit hops gegangen unter anderem) und so manchen anderen Dingen, die einem Pionier dort unten zustoßen können. Na, es ist alles gut überwunden, die Aufgaben sind so interessant und wichtig, daß ich sofort, wenn mein Körper wieder ganz im Stand ist, eine neue Kommandierung ausführen würde. Es ist mir immer, als wenn ich sofort ein festes Heimatgefühl an dem weltentlegensten Platz bekomme, wenn ich durch Arbeit mit den großen wichtigen Aufgaben des sozialistischen Aufbaues verbunden werde. Der Teil, den wir in Usbekistan aufzusuchen hatten, liegt unter dem Pamir, durchflossen vom Syrdarja, der chinesischen Grenze zu, und im Süden Tadshikistan, das seine Hauptgrenze nach Afghanistan hat. Die Bevölkerung ist hier rein usbekisch. Gut geschnittene Gesichter eines uralten Kulturvolkes; schmale Schläfen, gute Kopflinien, schöne unverbrauchte Körper. Meistens beritten, auch zu zweien auf einem Pferd. Vertrauensvolle Leute; Boten etc. alles bewaffnet, das Volk unbewaffnet bis auf das gezogene Messer, das manchmal die Größe eines sog. Seitengewehres hat. Zu Pferde räuberhaft aussehende Gestalten. Lange Kamelkarawanen mit Baumwollsäcken. Unwirtliche Salzsteppen mit vegetationslosen, von der Buria zusammengefegten, mächtigen Dünen aus graugrünem feinsten Gletschersand. Salzsümpfe. Dann arbeitet sich langsam in die Wüste das Kulturland mit künstlicher Berieselung vor. Weithinziehende berieselte Obstfarmen, unabsehbar in ihrer Ausdehnung, wo dieser kleine Pfirsich (zum Trocknen) gezogen wird, eine sehr schöne Frucht, und dann kommt die Baumwolle. Das Gut, was wir schließlich auswählten (zur Wahl gestellt von Usbek-Sowchos) grenzt an den Syrdarjafluß, dessen Ufer, wie bei allen zentralasiatischen Flüssen, in ihrer unglaublichen Zerrissenheit und steilem Abfall wie groteske Burgen oder Städte von einem Riesenvolk aussehen. Die Sonne modelliert mit ihrem Licht auf weiteste Entfernung dieses groteske Bild durch – darüber erheben sich schroffe waldlose Schneegebirge im mächtigsten Format, so daß alles unten, wie auf eine lange Linie gezeichnet, dasteht. Und doch liegt der Wasserspiegel des Flusses tief und die Baumwollfelder hoch, so daß die Berieselung nicht einfach ist und von weither kommt. Die Erde ist für diese Pflanze sehr gut, nur wiederum Bodensalze, die jede Vegetation vernichten – aber das Wichtigste: die biontisierten Felder (hier waren schon Versuche gemacht) standen in bester Frucht. Das neue Gut, die neue Versuchsstation liegt bei Kokand, nach Namangan zu. Ein Gut lag bei Margilan – Fergana zu und eines 20 km von Kokand. Das Gut, was wir wählten, ist schon gut mechanisiert, hat großen Pferdebestand und guten Baumwollagerplatz, auch gute Wohnhäuser. Die umliegenden Kolchosbauern kommen zur Erntearbeit, haben ein Gemeinschaftsunterkommen. Vielfach reiten sie zur Arbeit, da die Strecken weit sind und die Wege um diese Jahreszeit im tiefen Sumpf. Die Kollektivisierung ist hier schon gut vorgeschritten, nur die Produktion ist noch sehr zurück. Die sanitäre Kultur ist auf dem Nullpunkt, da ist noch viel Arbeit zu leisten, denn alle asiatischen Krankheiten haben hier ihr Einfallstor. Malaria natürlich in erster Linie. Was hier angefaßt wird an Baumwollkulturen, ist alles in großzügigster, planmäßiger Form. Die großen Schwierigkeiten liegen beim Transport, bei der Mechanisierung der Ernte und wohl auch bei den usbekischen Bauern, die auch etwas faul mir vorkamen. Allerdings hat die kleine Versuchsstation bei Taschkent wohl besonders gute Arbeiter. Dort bei Taschkent waren es fast alles Kasachen*frauen* neben wenigen russischen Arbeiterinnen, Arbeitsdisziplin war dort sehr gut. Nun hat ja allerdings so eine Versuchsstation durchgebildetere Kontrolle durch Agronomen und Spezialisten. Die Kasachen sind ein sehr offenes fleißiges Volk (scheint mir). Es gibt[?] Mongolen, und es ist sehr interessant, wie in einer Großstadt wie Taschkent der usbekische Typ vollkommen mongolisch durchsetzt ist; in den angrenzenden Salzwüsten wohnen die Kasachen (in Inseln). Später – nach Kokand wie auch in Tadshikistan, hat man reine alttürkische und iranische Typen, dort ist dann der mongolisch reine Typ des Kirgisen ganz in die eisigen Hochflächen des Pamir zurückgedrängt, er mischt sich nicht mit den Usbeken. – Das, was das Reisen, die Sicherheit und manches andere sehr erschwert, das scheint mir in diesem Lande das völlige Fehlen von Telefon [Fortsetzung fehlt]

Clara Zetkin auf dem Totenbett.
Zeichnung (dritte Ausführung), 1933?

An die Familie in Moskau

Petrosawodsk, 2. Sept. 1933

Ihr Lieben, ich rüste zur Abfahrt. Heute fahre ich noch in den Wald zu einer Waldarbeiterkolonie; bleibe dort ca. 4 Tage, dann 2 Tage in Petrosawodsk, um alles zu erledigen, dann 2 Tage Dampferfahrt nach Leningrad, dort habe ich 2 Tage zu arbeiten, dann komme ich nach Moskau. Gearbeitet habe ich sehr viel, kann wenigstens 5 Bilder malen, Komplexbilder. Diese Art der Lösung der künstlerischen

Aufgaben im sozialistischen Aufbau hat hier großen Anklang, ich habe die schlechte Foto vom Baumwollenbild mit.

Im Winter muß ich hier auch ein paar Wochen im Walde und in der Fischerei arbeiten und im Sommeranfang in der Flößerei. Es kommt nun darauf an, daß die Finanzierung dieser Sache bewilligt wird. Der Präsident G., mit dem ich alle diese Angelegenheiten nur verhandelte, ist sehr interessiert, offenbar. Die Studienarbeit würde in das Museum eingereiht[?].

Die Waldarbeiter gefallen mir besonders gut. Es sind sozusagen die Pioniere des Landes. Die Riesenstrecken des Urwaldes liegen vor ihnen, sie kommen aus Kanada und den Vereinigten Staaten; sind praktische Leute, die überall weiteste Initiative in ihrem Beruf entfalten. Fangen unter den schwierigsten Ernährungs- und Wohnverhältnissen im Innern des Waldes an, und wenn man jetzt nach drei Jahren so eine Kolonie sieht, mit Weiden und Kartoffel-, Kohl- und Wurzelfeldern, mit reiner Insualernährung, tadellosen Straßen und der beweglichen Technik der Waldarbeit, so muß man sagen, daß die Proleten dies Land erst zum Leben erweckten und daß sichtbar die Lebenslage immer vollendeter wird. Es sind nur finnische und karelische Arbeiter und ihre Frauen, die in langen Hosen bei der Arbeit sind. Die Frauen machen vielfach die Arbeit mit den Pferden und dem Vieh. Sie sehen alle so aus, daß sie jederzeit die Waffe in die Hand nehmen werden, um das proletarische Vaterland zu verteidigen. Schade, daß man diese schwierige Sprache nicht versteht. Die älteren Leute, die Erwachsenen, sprechen nur Finnisch, die Jugend Englisch. Die Kinder machen einen sehr elastischen, lebendigen Eindruck, sind schmal und beweglich. Alles ist sehr froh und strahlend.

Ich bin heute nicht fortgekommen in den Wald, da es durchdringend und unaufhörlich regnet. So mache ich einen Ruhetag, den ersten seit der ganzen Zeit. Ich muß immer denken, daß es doch sehr gut war, daß Ihr nicht in die betreffs der Verpflegung und Unterkunft sehr unsicheren Verhältnisse an der Wolga gefahren seid. Was man in Sowjetrußland nicht über den Organisationsweg macht, ist immer eine Sache, die überall auf Schwierigkeiten stößt, und das ist doch auch das einzig Richtige, denn die sozialistischen Formen sind die Organisationsformen des gesamten Lebens der Sowjetmenschen. Das merke ich auch so recht auf meiner Reise und in den großen Möglichkeiten meiner jetzigen Arbeit.

Also alles Gute

Euer Mining

An Henny Walther

12. III. 1934

Liebe Henny. Besten Dank für Deinen Brief und die Aussicht auf Stabilostifte. Ich bin hier nun im hohen Norden zu künstlerischer Arbeit. Die Landschaft ist außerordentlich großartig, aber es ist sehr kalt, wenn auch still und sonnig. Ich war hier im Jahr 1925. Da war das ein ganz armseliges Fischerdorf, umgeben von steinigen Sümpfen und Urwäldern. Ich konnte mich zuerst gar nicht mehr zurechtfinden, denn an den Stellen, wo ich gewesen war (man mußte zum Dorf einen hochgelegenen Sumpf mit Krüppeltannen überqueren), war eine große Stadt entstanden, und nun sind große chemische Fabriken im Bau. Der Ort, wo ich bin, liegt oben am Weißen Meer. – Ich bin sehr erstaunt (nach dem Inhalt Eurer letzten Briefe [zu] schätzen), daß Ihr, auch Marie, meine Briefe nicht erhalten habt. – Alle Briefe nach Rußland bekomme ich, die Post funktioniert hier ganz exakt. Jan ist in einer sehr schönen Waldschule untergebracht für den Winter. Die Ärzte, die ihn so häufig erkältet fanden, haben dazu geraten, und er ist vorzüglich dort aufgehoben und wird ein kräftiger kleiner Kerl. Dies ist das erste Mal, daß ich eine große Winterarbeit mache, und wundere mich, daß das von Malern nicht mehr gemacht wird; es gehört allerdings ein sehr zäher Körper dazu, [in] allen diesen Wechselfällen, Reisen mit allen Mitteln, an Quartieren, verschiedenster Ernährung und Kälte durchzuhalten. Ich habe sehr interessante Sachen malen können und viel erfahren von Land und Leuten. Vielleicht bleibe ich auch den Sommer über hier oben, dann wird Jan zu mir kommen in das Land der vielen Seen. Die weißen Nächte sind von außerordentlicher Schönheit, und überall, selbst in der Hauptstadt, ist man so nah mit der Natur verbunden. Das einzige, was mich hemmt, ist der Mangel an gutem Malmaterial, vor allem den Stabilostiften. Ich bin sonst sehr gut ausgestattet mit großem Pelz, hohen Filzstiefeln bis weit über die Knie, Schlafsack usw., und von den Behörden wird sehr gut gesorgt, was Ernährung und Schlafen anbetrifft mit warmem Ofen. Schreibe mir doch bald ein paar Worte an Sonja, die alles gleich weitergibt, ob Du diesen Brief empfangen hast, dann schreibe ich Genaueres.

Euch allen herzliche Grüße
Euer Heinrich

An Henny Walther

[Poststempel: Moskau, 23.12.1934]

Liebe Henny. Herzlichen Dank für Euren Brief und alle Nachrichten von unserer Familie. Mir geht es sehr gut. Auch Jan wird ein kräftiger und kluger Bursche; ist auf einer sehr guten Schule mitten im Walde. Ich bin sehr froh, daß er sein junges Leben unter dem rapid wachsenden Aufbau eines reichen Landes führen kann. Ich war im vorigen *Winter* im hohen Norden unter dem Polarkreis, hatte sehr interessante künstlerische Aufgaben. Daß ich diese schwerste winterliche Kälte da oben gut vertragen konnte und draußen arbeitete, zeigt Euch vor allem, daß ich körperlich sehr zäh bin, zeigt aber auch, daß die kulturellen Einrichtungen in den von Menschen bewohnten Gegenden außerordentlich gut durchgearbeitet sind! Gute große Badeanstalten, Klubs, Gasthäuser usw. Miekelies ist seit einigen Monaten wieder hier. Mein Urlaub ist im nächsten Monat, wo ich zum Ausruhen auf vier Wochen nach dem Süden gesandt werde. Ich freue mich sehr darauf. Schreibt mir gleich eine Karte, daß Ihr dieses Schreiben empfangen habt. Die Post funktioniert *hier* sehr exakt. Euch allen herzliche Grüße.

Mining

An Henny Walther

[Poststempel: Kislowodsk, 25.1.35]

Liebe Henny. Deine Karte erreichte mich im Januar in einem wunderschönen Kurort im Nordkaukasus. Hohes Gebirge, täglich Sonne, kein Schnee, heiße Kohlensäurebäder. Jahraus, jahrein fahren hier in diese südliche Kurortgegend täglich die Züge, die Hunderttausende von Arbeitern in die Kurorte bringen. Außerordentlich gute Verpflegung, strenge ärztliche Kontrolle, Baden, Essen, Ruhen, gute Musik, Vorträge, Kino und Spaziergänge in der warmen Bergsonne, das sind so die Tagesaufgaben für vier Wochen. – Die Riesenarbeit, die die russischen Arbeiter leisteten, um neben dem Aufbau dieser riesigen Industrie noch diese Kurorte mit ihren musterhaften modernen Sanatorien aufzubauen, ist eine heroische Tat. Die Folge davon ist jetzt schon, daß die Preise von Jahr zu Jahr sinken, Arzt und Arznei sind kostenlos, und der Gesundheitszustand der Arbeitermassen ist prachtvoll. Aber auch die wachsende Wohlhabenheit der Bauern und der Arbeiter bringt es mit sich, daß sie in ihren Klubs Bilder sammeln, die den Aufbau und das neue Leben wiedergeben. Zudem erfordern die mächtigen öffentlichen

Gebäude eine Entwicklung der Wandmalerei. Ich bin so froh, daß Jan diesen ganzen Aufschwung als Erlebnis seiner Jugend hat.

Herzlichst Euer M.

Bin sehr froh, von den Adiekern gehört zu haben.

An Jan Vogeler

[Sotschi-Mazesta,] X. 1935

Mein lieber Jan, guten Morgen! Zu Deinem Geburtstag sende ich Dir meine herzlichsten Wünsche. Vor allem wünsche ich, daß Du ein guter tapferer Kommunist werden wirst und alle Furcht überwindest. Das Leben sieht immer anders aus, wie wir es erträumen – aber wir müssen es grade deshalb bei den Wirklichkeiten packen, uns nicht unterkriegen lassen, sondern es so verändern, wie wir können zum Nutzen aller Arbeitenden. Oben habe ich Dir ein Bild gemacht, wie ich mir das Leben hier vorgestellt habe; aber es kam auch anders: Die mächtige, schöne Oberärztin Dora Isakowa sprach ihr Wort und teilte mein Leben ein in schlafen, essen, baden, elektrisiert werden, spazierengehen, Luftbaden und Arbeitsverbot. Na,

Jan Vogeler, skilaufend. Öl, um 1935

nun habe ich den Meerritt ganz aufgegeben, habe auch noch keinen von den Delphinen zu Gesicht bekommen und halte strenge Disziplin. Du wirst einen runden, aber beweglichen Mining wiedersehen am 27. Oktober. – Hier gibt es viel Obst, ich esse täglich. Bronka hat Euch wohl auch Obst gesandt? – Denke dran, der Alten alles etwas zu ordnen, daß die Bücher hinkommen, daß Du einige Blumen aus Tscheljuskin einpflanzt usw. Nun feiert Euren Geburtstag froh. Was macht Rex? Schreib mal eine Karte.

Euer Mining

Skizze zum Porträt Nikolai Ostrowskis (Zeichnung, 1936)

An Nikolai Ostrowski

Moskau, 7. März 1936

Lieber Genosse Ostrowski,

es war mir ein großes künstlerisches Erlebnis, Sie malen zu können. Ich hoffe, daß das kleine Werk von mir vielen etwas vermitteln kann von Ihrem starken Charakter und von Ihrer schöpferischen Kraft, die uns den schweren Kampf mit unseren Feinden in so lebendiger Form darstellt.

Heinrich Vogeler

An Henny Walther

[Poststempel: Moskau, 10.4. (1936?)]

Liebe Henny, keine Sorge, bin wieder gesund und stehe schon wieder in großer Arbeit. Hatte sehr gute Ärzte und vorzügliche Pflege. Werde nur dieses Jahr nicht nach dem Süden fahren dürfen, aber für Künstler gibt es ja hier so unendlich viel Arbeit, daß man sich sowieso mit seinen Kräften sehr einteilen muß. Jan geht es auch jetzt sehr gut. Im Sommer werden wir auf einem kleinen Sommerhäuschen wohnen, das in 40 Minuten mit der elektrischen Eisenbahn zu erreichen ist. Jetzt, wo hier die Wirtschaft so grandios im Aufblühen ist, wird die Aufmerksamkeit sehr auf die Kulturarbeit gelenkt. Grüße alle herzlichst, und macht Euch keine Sorge um meine Gesundheit.

Herzlichst Heinrich

An Jan Vogeler

Petrosawodsk, 27. VI. 36

Lieber Jan, eben in Petrosawodsk empfange ich Deinen Brief. Vielen Dank. Wie heißt eigentlich Sepps Hotel am Roten Platz. Ich möchte ihm schreiben. Auch Dunckers Adresse ist mir nötig. Ich freue mich sehr, daß es mit der Datsche immer weiter kommt. Wenn ich bei meiner Rückkehr, Ende September, kein Atelier vorfinde, werde ich mich dort einrichten; hoffentlich ist alles so eingerichtet, daß unser Zimmer, in dem wir beiden schlafen sollen, auch breit und hell ist, so wie es nach alten Besprechungen auch aufgezeichnet wurde. Dann würdest Du doch richtig immer eine zweite Heimat fertig vorfinden. Es fehlt dann nur noch, wie wir Dir dann eine Werkstätte einrichten. Darüber sprechen wir nicht – das machen wir einfach. Nur wenn im Bodengiebel ein kleines Fenster noch angebracht werden könnte, das wäre schon ein richtiger Schritt, und Du hättest einen Platz noch, wo Du Dich vor allem zurückziehen könntest und basteln.

Ich mußte nach Petrosawodsk, da manches zu tun war, was alle meine Pläne änderte. Ich bleibe jetzt bis Anfang August auf der Insel, da ich dort ein zweites Bild male, und das Werk, das an der finnischen Grenze liegt, arbeitet erst im August wieder. Das Arbeiten auf der Insel ist nicht bequem, da ich keinen eigenen festen Raum habe und lange Strecken meine großen Sachen, Staffelei, großes Bild und Malkasten, schleppen muß und am Ort alles mit Stricken gegen den Wind verankern muß. Jetzt erst kommen ausländische Schiffe, jetzt erst kann ich den Hauptteil des Bildes, den Export, darstellen, wie es mein Vertrag mir vorschreibt.

Von 7 Uhr abends an die ganze Nacht durch ist die Umgebung der Insel, das große Wasser mit den unzähligen kleinen Inseln – alle aus Granit, viele kahl, einige mit Fischerhäusern und Bäumen – unbeschreiblich schön. So etwas von Farbe gibt es nur im Norden. Hoffentlich können meine Bilder davon erzählen. Wenn die Sowjetmenschen so weiter, mit ihren zufließenden Reichtümern, beweglich werden – so wirst Du eine Zeit erleben, wo man seinen Urlaub auf einer Segeljacht mit Hund und Gewehr an diesen wundersamen Küsten im Sommer verleben kann; das muß ich immer denken, wenn der Abend alle Farben entwickelt und ferne Berge wie Wunderländer wirken, die man nahe sehen möchte, um den Sinn all dieser eigentümlichen Formen und Farben kennenlernen zu können. An anderen Teilen der Küste geht tiefer wilder Wald über die Granitfelsen bis ans Meer.

Hoffentlich gelingt Dir der Film gut. Und dann muß ich immer daran denken, ob Du der alten Bronka [Marchlewska] das Leben nicht schwer machst. Sie sorgt in jeder Weise für uns, und man muß schon ihre Eigentümlichkeiten ertragen lernen und – ihr helfen.

Jetzt wird Mutti bald kommen. Ich hatte hier einen Brief von ihr, und sowie ich übermorgen in Kem-Ostrow zurück bin, sende ich einen längeren Brief ab, der dort bis auf wenige Zeilen fertig liegt.

Herzliche Grüße
Dein Mining

An Zofia Marchlewska und Jan Vogeler

29. VI. 36
Kem-Ostrow
I. Lessosawod
do wostrebowanija

Liebe Sonja, lieber Jan,

ich habe insofern großes Pech, daß hier, wo ich die ganze Mechanisierung des Exportes darzustellen habe, in den ganzen drei Wochen meiner Arbeit die ausländischen Transportschiffe wegblieben. Ich malte das Bild mit den Transportmaschinen in der (sehr festlichen) Farbstimmung um Mitternacht, um die Zeit, wo Abend und Morgen eine Synthese eingehen. Ich glaube, daß es gelingt, wenn mir die erwarteten ausländischen Schiffe die Stimmung nicht umwerfen.

Es ist auffallend, eine wie festliche Stimmung diese Insel hat. Der wirkliche Frohsinn der Bevölkerung, der Arbeitsenthusiasmus, den man in dem Tempo der Arbeit fühlt; die Freude, sich nach der Arbeit festlich anzuziehen, zu singen und zu tanzen unter dem freien

Himmel. Heute saß in der Stolowaja eine ganze Schule Kinder. Ich saß lange dort und sah mir Tisch für Tisch an. Auffallend: die Disziplin bei aller Lebendigkeit, die Gesundheit und Reinlichkeit und die Intelligenz, die aus diesen aufgeweckten Gesichtern (Kinder bis 10 Jahren) sprach. Eine wirkliche Freude, zu sehen – wie der neue Mensch in der ganzen Masse der Jugend heranwächst.

Die Umgebung dieser Insel, dem Meere zu, mit ihren vorgelagerten vielen Inseln, ist sehr schön; gegen Abend unvergleichlich. – Eben ertönt wieder die langanhaltende elektrische Glocke des Werkes: »Feueralarm.« Jeden Tag (und Nacht) zu irgendeiner Stunde wird alarmiert. Wenngleich jedes Haus vor der Front seine, stets kontrollierte, Wassertonne stehen hat und kein Raucher sich zeigen darf (an der Straße sind Verschläge mit Wassertonnen gebaut, wo die Raucher ihre Zigarette genießen können), bleibt die Riesengefahr immer, daß die ganze Insel, die ja in ihrer Oberfläche mit allen Lagern und Aufbauten und durch die Straßenverbindung mit dem Festlande – ganz aus Holz besteht [, in Brand gerät]. Hier würde (bei dem Wind, der stets vorhanden ist) kaum ein Mensch lebend herauskommen, wenn Feuer ausbricht. Daher ist der Feuerschutz eine der wichtigsten Angelegenheiten aller.

Kandalakscha (in Karelien, »zwei Uhr nachts«). Öl, um 1938

In dem »Obstscheshitije« ist alles auf Holz eingestellt. Da sind die Studenten aus Moskau und aus Leningrad, deren Tage und Nächte ein ewiger Wechsel von Studieren in Büchern, Schlafen, praktischer Arbeit im Sawod oder bei den Flößern und Elevatoren sind; Schlafen, dann wieder an eine andere Praxis gerufen, Schlafen, und so weiter. Dann sind Spezialisten da, die die Kadres anlernen; dann kommen Ingenieure mit ihren Albums und Werkzeichnungen neuester Maschinen; dazwischen kommen Leute, die die Versorgung der Insel zu bearbeiten haben, und ich.

Eine aufmerksame Frau versorgt uns alle mit dem Samowar, den sie viermal am Tag anfeuert; das letztemal um 11 Uhr nachts. Hell ist es jetzt Tag und Nacht; aber an Tagen, wo die weiße Sonne durch Regenwolken, die der Wind treibt, verdeckt ist, da friert man wie im Winter. Manchmal wechselt das Wetter am Tage sehr schnell. Strahlender ruhiger Sonnenschein, plötzlich zeigt die schwarze Rauchfahne vom Sawod, daß der Wind vom Lande kommt. Ich merke das erst hier draußen beim Baden im kalten Fluß, zu dessen offenen Stellen man auf langen schmalen schwimmenden Floßbrücken balancieren muß. Da baden Kinder und Erwachsene; auf einmal kommen im Eilschritt Flößer von der hochgelegenen Straße herunter, erteilen hastige Anordnungen, geben den Badenden Anordnungen, andere Brücken zu beziehen. Sie haben diese von uns in Anspruch genommenen für ihre Arbeit nötig, denn Wind und Strömung (Flut und Ebbe) setzten die großen Floßmassen in Bewegung; man sieht, wie sie sich lösen und ins Treiben kommen. Da heißt es, alles mobilisieren, sie neu zu verankern. Diese schmalen Schwimmbrücken sind miteinander verkettet und bilden einen schmalen Ring, hinter dem die Floßstämme gefangengehalten werden.

Das Balancieren über die einzelnen Floßstämme lerne ich nicht mehr, das kann nur einer mit großer Übung; er muß nämlich den unter ihm wegtauchenden Stamm in dem Augenblick verlassen, wie er den Fuß auf den anderen Stamm setzt. Aber ich sah bei den Geschicktesten, daß sie doch manchmal ins Wasser fielen, wenn dazwischen ein leichterer Stamm lag oder ein aalglattes bemoostes Holz. – Das Heraufkommen auf das Holz ist dann das schwerste und gelingt meist erst nach einer ganzen Reihe von Bädern. – Die Kinder haben natürlich eine große Freude, wenn wieder ein Arbeiter wegsinkt, und alles schreit »kupaetsa!«. Kinder können nämlich wie die Bachstelzen über die Stämme laufen, da sie selber kein Gewicht haben.

Dieser Brief wurde nicht beendet, da [ich] inzwischen nach Kem und von da aus nach Petrosawodsk [mußte], um eine Paßangelegenheit (Verlängerung) [zu erledigen] und von NKWD noch besondere

Karelischer Flößer. Öl, 1937

rasryshenije zu erhalten. Das alles war umständlich, aber sehr notwendig, zur Orientierung, sonst wäre ich z. B. an meinen nächsten (allerdings entferntesten) Platz gefahren und hätte erlebt, daß auch der Betrieb im Augenblick für einige Zeit stilliegt. Also das Resultat ist jetzt so: ich male hier zwei Bilder und bleibe wohl bis Mitte August an diesem Platz: Kem-Ostrow, Lessosawod 1 (do wostrebowanija). An der Post komme ich immer vorbei. Reglers Adresse ist: Montrouge (Seine), 107 route de Chatillon. (»Paris« braucht man nicht, wenngleich ich es im russischen Text meist schreibe.) Ich las in der »Prawda« Gustavs [Regler] Rede auf dem Londoner Schriftstellerkongreß. Ich glaube sicher, daß er bald nach Moskau kommt, und denke eigentlich täglich dran, wie fatal es wäre, wenn Du in Bezug auf die 350 unangenehme Komplikationen haben würdest. Ich lebe hier aufs allersparsamste, um noch einen Monat hinkommen zu können. An MBRCh schrieb ich auch, sie sollten doch die Wseko-Kontraktierung in Gang bringen, ich weiß sonst gar nicht, was tun. Die Alte bekommt 640! Ich gehe jeden Tag an der guten Milch vorbei, die an der Straße mir die Frauen anbieten, und muß mir immer sagen, für zwei Tage Milch, das ist für einen Monat Tee; und da muß ich schon beim Tee bleiben.

Übrigens, in Petrosawodsk traf ich einen älteren karelischen Genossen (verantwortlichen), der sich freute, mich zu sehen. Nach dem anderen zu fragen aus dem Verlag hatte eine sehr verneinende Wirkung. Sie haben da ganz energisch aufgeräumt. Der hat 6 Jahre Gefängnis. Ich kenne die Gründe nicht, scheinen nationalistische schwere Abweichungen gewesen zu sein. Unter den Umständen ist es verständlich, daß auch G. verschwinden mußte, denn es muß an Klassenwachsamkeit gefehlt haben.

Im weiteren sieht man in Petrosawodsk, daß das Stadtbild sich sehr kultiviert ändert, immer schöner wird; und eine Probe zum Sportfest brachte eine so große, sehr diszipliniert marschierende Masse von Jugend auf die Beine, wie ich es in dieser Stadt nicht für möglich hielt.

Bald mehr,
alles Gute
Mining

In Petros. erhielt ich Deinen Brief, freute mich *sehr*, daß Du eine so gute Behandlung hattest.

An Jan Vogeler

[Kirowabad, etwa Mai–Juni 1939]

Mein lieber Jan. Kirowabad ist die zweite große Industriestadt dieses Landes; breit angelegte Straßen mit belebten engen Nebenstraßen, die mit ihren Handwerkerwerkstätten einen orientalischen Charakter haben. Nach der langen Steppenfahrt eine Stadt mit uralten Bäumen; eine sympathische Stadt. Große Plätze. Am Ende des Hauptplatzes liegt die alte Moschee. Zwei hohe Minaretts ragen kaum über die alten Bäume hoch. Sie flankieren einen hohen spitzbogigen Eingang in einer Mauer. Unter diesem maurischen Spitzbogen befindet sich das hölzerne Eingangstor. Wir klopfen mit dem eisernen Türklopfer dreimal. Bald hören wir den eisernen Riegel zurückgeschoben, ein vierzehnjähriges Mädchen mit einem eirunden schönen kasachischen Gesicht öffnet uns. Wieder ein kleinerer Spitzbogen, dann ein größerer Spitzbogen, alles in der dicken Mauer, die dadurch in kleine Vorräume aufgeteilt ist. Wir hören das sprudelnde und klatschende Wasser in einem runden Bassin, sind in einem kleinen Vorgarten bei der Moschee. Zwei mächtige alte Bäume, die keine sechs Menschen umspannen können, beherrschen diesen kleinen Garten.

Die Bäume tragen volles Laub, haben aber die Eigentümlichkeit, daß sie innen vollkommen hohl sind. – Ja in dem einen befindet sich eine Glasscheibe, und beim Nähertreten sehen wir dort drinnen ein kleines Museum: Eine Sumpflandschaft mit natürlichen Steinen; da schwimmt eine ausgestopfte Ente, im Vordergrund schleicht sich ein fuchsartiges Wesen heran, auf dem Gebüsch sitzt eine Krähe, und oben schwebt noch ein ausgestopfter Bussard.

Wir hatten die erste Nacht, als wir so spät ankamen, in dem Obstscheshitije eines besetzten Hotels im Kampf mit Ungeziefer zugebracht, nun wurde die Wächterfamilie der Moschee (ein Museum) unser Gastgeber. Eine Kasachenfamilie. Unter den haushohen offenen Spitzbogenvorraum der Moschee, in dem sich die kleine eisenbeschlagene Eingangstür zur Moschee befindet, wurden für die Nacht zwei hölzerne Bänke aufgestellt, und da kampierten wir beide, der Expeditionsleiter und ich mit meinem Bettsack. An die harte Unterlage bin ich nun schon gewöhnt. Es ist sehr schön – die Baumriesen, das Geräusch des unentwegt sprudelnden Wassers, das durch die Mauern gedämpfte Geräusch der Stadt mit seiner eintönigen Musik und die Familie der Kasachen, mit der wir uns so schnell angefreundet haben. Da das Essen in der Stadt nicht gut ist, kocht die breitknochige, lebenserfahrene Kasachenmutter für uns auch und finden wir nach der Arbeit in der Sonnenhitze den kühlen

Garten und einen brodelnden Samowar vor. Die mit breiter Kuppel bedeckte Moschee ist ein Museum und enthält alles mögliche, was das Land hervorbringt. – Hier gibt es auch deutsche Kolonien. Reiche Weinkolchosen. Ich habe mir eine der besten angesehen. Wenn ich wählen sollte, dort zu arbeiten, so würde ich es nicht machen, denn auf mich macht das große Dorf (jetzt eine Stadt) keinen angenehmen Eindruck. Das müssen recht reiche Leute sein mit einem abgegrenzten Leben, große endlose Straßen, schwäbische Häuser (die Leute kamen vor 120 Jahren nach dem Napoleonischen Krieg, als Deutschland sehr verarmt war, die Bauern durch Requisitionen sehr schwer zu leben hatten). Jedes Haus mit Mauern und schwerem Holztor nach der Straße abgeschlossen. Alte Birnbäume sind die Straßeneinfassungen. Die Fenster der Häuser sind alle von innen mit Läden verschlossen, das Leben scheint sich isoliert, dem Hofraum zu, abzuspielen. Die Menschen müssen ähnlich sein. Überraschend in dem Ort war ein in primitiven engen Räumen untergebrachtes Museum mit einem außerordentlichen Reichtum an prähistorischen Funden, sehr interessante besondere Totenvasen, Waffen, Bronzeschmuck. Die Gegend (liegt am Gebirgsrand, die Schneeberge sind sichtbar) muß in vorgeschichtlicher Zeit sehr belebt gewesen sein, sowohl die Bronze- als auch die Steinzeit ist reich vertreten.

Hier in Kirowabad sind die modernen Fabrikbauten von ganz großer sachlicher Schönheit. Ich arbeite für das Museum in einer Baumwollspinnerei, zeichne und male eine ganz junge berühmte Stachanowarbeiterin an ihren Maschinen, die mit einer bewundeungswerten Geschicklichkeit und Schnelligkeit drei große Maschinen bedient. In diesem begeisterten Rhythmus der Arbeit drinzustehen ist ein Vollgefühl; man macht mir alle Bequemlichkeiten, um in den betäubenden Geräuschen gut arbeiten zu können.

Lieber Jan, bewahre die Briefe auf, da dadrin einiges Material für Artikel in der »Internationalen Literatur« ist. Wir fahren jetzt auf ein Baumwollkolchos zur Arbeit von fünf Tagen, dann geht es weiter ins Land.

An Gustav Regler und Marieluise Vogeler (Entwurf)

[Aserbaidshan, etwa Juli–August 1939]

Mein lieber Gustav, liebe Mieke.

Seit Anfang des Jahres änderte sich mein Leben sehr. Die Isoliertheit des Datschenlebens wurde abgebrochen, da ich für Odessa das antifaschistische Stück »Friedensstörer« (Gustav Wangenheim) für das deutsche Kolchostheater der Ukraine einrichten mußte und einen Shakespeare, »Was ihr wollt«. Das Zusammensein mit der Schauspielerjugend aus den Kolchosen, die als Bauern, Pferdepfleger und Melkerinnen ihre vorherige Arbeit hatten, hat mich sehr, sehr erfüllt. Die ganze Zusammensetzung des Theaterkollektivs, der unermüdliche Eifer und die Kraft, die in diesen Charakteren von neuen Menschen steckt, war mir ein großes Erlebnis. Leider konnte ich nicht mit auf die Kolchose fahren, da meine Arbeit kaum zu bewältigen war in der kurzen Zeit, die mir zur Verfügung stand, denn eine noch größere und interessantere erwartete mich: Ich hatte einen Kontrakt vom Moskauer Museum der Völker der UdSSR in der Tasche und mußte im Mai mit einer kleinen Expedition nach Aserbaidshan fahren (Hauptstadt Baku). Südwestlich am Kaspischen Meer. Nun müßte ich Euch so vieles schreiben von Einzelheiten großartiger Eindrücke, daß das Papier nicht reichen würde. Nur meine stärksten Eindrücke gebe ich wieder. Der stärkste Eindruck ist der neue Mensch, die neue Sowjetintelligenz der Stachanowarbeiter und der führenden Menschen. Die mir gestellte künstlerische Aufgabe brachte mich in erster Linie mit diesen Menschen zusammen. Vor allem jene Menschen in den Kolchosen, die in ihrem früheren Leben kein Dach über sich hatten, sondern in Erdhöhlen wohnten und ein Nomadenleben führten, ausgebeutet von den Emirs und Begs, Geburt, Heirat, Tod, alles kostete viel Geld an die Herren und wurde mit Hieben auf die Fußsohlen eingetrieben. Als ihnen nach der Großen Oktoberrevolution ein großes Stück Baumwollenland eines Großgrundbesitzers, eines Armeniers, zugeteilt wurde, begannen diese Leute eine ganz intensive Bebauungskultur, schulten sich technisch und politisch, brachten die Bewässerungsanlagen auf eine ganz hohe technische Stufe. Noch lebten sie in fensterlosen Lehmhütten, aber allmählich wirkte sich die intime Hingabe an das Wohl der Baumwollpflanze aus. Diese Menschen wurden reich, und im Jahre 1935 waren sie in der Lage, daß sich jeder ein großes, geräumiges Haus mit Hofgebäude für einen Büffel, eine Kuh und für zehn Schafe bauen lassen konnte. Sie bauten asiatische Lehmziegelhäuser mit breiter, offener Vorhalle, auf der sich ja das Leben zumeist abspielt, zwei großen Zimmern und einer Küche. Der neue aserbaidshanische Mensch ist naiv, ist so frei und aufgeschlossen und hat so eine herrliche, sichtbare Freude, alles das zu zeigen und auch andere Menschen an alledem teilnehmen zu lassen. Dann zeigt er seine modernen großen Betten, die er dem Gast zur Verfügung stellt, Betten, belegt mit schönfarbigen gesteppten Dekken. Er zeigt seine schönen Teppiche, auf denen er mit seiner Familie sitzt und wo die Kinder spielen. Er selber sitzt allerdings lieber auf einem Stuhl. Radio, Patophon, eine Nähmaschine, herrliche messinggetriebene Kanne in einer Messingschale; mit der Kanne gießt er seinem Gast Wasser zum Waschen über die Hände, wenn der Gast nach Schaschlyk (am Spieß geröstete Hammelfleischstücke, die mit der Hand gegessen werden) die Hände [reinigt]. Ein gutes Stalinbildnis gehört dazu. Das sind also die ersten Wunscherfüllungen neuer Stachanowkolchosbauern. Dann haben diese Menschen untereinander (sie müssen sich so sehr auf eine natürliche Disziplin verlassen) ein eigenes Verhältnis, man kann es wohl als eine neue Art von Freundschaft ansehen. Für den fremden Gast haben sie jene Sorge, die überall das Fehlende empfindet, es abändert, erfüllt, wie bei Menschen einer traditionellen alten hohen Kultur. Hier ist es sozusagen eine Kultur des Herzens.

Studie zum Gemälde »Versammlung kurdischer Hirten«. Öl, um 1939

Aber das sind nur kurze Eindrücke aus der heißen Tiefebene des aserbaidshanischen Landes; nach vielen Zwischenstufen, deren Beschreibung sich auch lohnte, sitze ich [nun] im Hochgebirge, umgeben von baumlosen, mächtigen Wiesenbergen, deren Hochgebirgssilhouette durch die Einfachheit des grünen Wiesenteppichs nur noch monumentaler wirkt. Ein Vieh-Sowjetgut in einer weiten, menschenarmen Einsamkeit. Früher vielleicht, wie es ein paar alte Teile ahnen lassen, eine Poststation, Ausspann an der großen Heerstraße, die von Persien nach Rußland führte.

Am Ende des Gebirges, bevor man in die heiße Baumwollebene mit ihren Fiebersümpfen kommt, liegt wie eine harte unbezwingliche Festung ein großer Felsenberg quer, wie ein Riegel. Auf diesem Berg liegt die alte, große reiche Stadt Schuscha. Der Umschlageplatz für den Handel mit Persien. Nur armenische Großkaufleute bewohnten die Stadt. Diese große Stadt ist noch da – aber – tot. Haus für Haus, vor allem auch die großen Kirchen, völlig zerstört, und die armenische Bevölkerung ausgeraubt und hingeschlachtet. – Das war in den neunziger Jahren des vorigen Jahrhunderts durch die eingedrungenen Türken (mit den Muselmanen hatten die Armenier dasselbe gemacht). Ich erinnere mich an meine Jugend, an die entsetzliche Empörung gegen die Mohammedaner, die hier die armenischen Christen im Blut ertränkten. Ja, Gustav, ich habe kein [so] schauerliches Denkmal für die gemeinsame Raubgier von Kirche und Kapitalismus erlebt, wie diese große Stadt mit ihren Resten von Palästen, Kirchen und gut gepflasterten Straßen.

Der mohammedanische Teil der Stadt an einem Abhang des Berges mit seinen fünf bis sechs Minaretts blieb erhalten. Nur sieht man auch da einzelne völlig zerstörte Häuser, die armenische Bewohner hatten. Dieser Teil ist eine Gartenstadt mit vielen Maulbeerbäumen und hat einen bedeutenden Basar. Hier war der Ausgangspunkt meiner Reise ins Gebirge. Ich bin jetzt in einem autonomen Gebiet mit armenischer Bevölkerung. Diesen schwierigen Teil der Reise mache ich allein, was mir sehr angenehm ist, da ich mit den Menschen unter allen Verhältnissen immer gut auskomme. Aber ich komme auch mit den Hunden in diesem Lande gut aus, was bei der Größe und Wildheit dieser wachsamen Biester wichtig ist. Ja nach dem ersten Tag gab es eine dicke, unzertrennbare Freundschaft mit den Biestern zur allgemeinen Verwunderung der Leute, die, selbst nachdem sie vier Jahre hier arbeiten, den knurrenden Tieren im weiten Bogen aus dem Wege gehen. Aber dieser Platz ist ein Wetterwinkel, jeden Abend ein mächtiges Gewitter und rauschenden Regen. Das Wetter hat mir meine Planarbeit völlig zerstört, ich hänge hier fest, da ich noch ins hohe Gebirge muß, aber da oben augenblicklich Nebel herrscht.

Hier ist es nicht warm. Von den klimatischen Verhältnissen könnt Ihr Euch nur eine Vorstellung machen, wenn Ihr wißt, daß die großen Baumwollebenen eine mächtige Hitze entwickeln und das Hochgebirge gleich daneben liegt. Der tägliche Versuch des Wetterausgleiches gibt dann ganz elementare Erscheinungen. Hier merken wir kaum etwas von Wind. Mit einer rasenden Geschwindigkeit kommen aber aus den Nebentälern und über die Vorberge die weißen Wolkenfetzen angesaust. Gewitter. Gewitter sind bei uns nicht schwach, sondern heiß[?]. Wir sitzen drin, und jede Sekunde ein Blitz, ohne allzugroße Donnerwirkung. Wir waren einige Zeit in einer großen Industriestadt dicht am Bergesrand, aber schon in der Ebene. Wir schliefen in der offenen Vorhalle einer sehr schönen Moschee fast im Freien; der Expeditionsleiter auf einer Totenbahre, ich auf einer Holzbank. Im Hof plätscherte ein herrlicher Brunnen, umstanden von zwei mächtigen Bäumen, deren Stämme keine fünf Mann umspannen können. In die zerfetzten Baumkronen dieser Bäume fiel manchmal in der Nacht der Sturm aus dem Gebirge und brauste wie schwerste Meeresbrandung. Nach einer Sekunde – völlige Ruhe. Oder plötzlich sind alle Straßen in Staub gehüllt, und Äste brechen von den Bäumen am Nachmittag. Fünfzehn Kilometer davon entfernt auf einem Baumwollkolchos ist nur ein leichter Wind, aber wir sehen, wie ein schweres dunkles Gewitter auf uns zukommt mit großer Schnelligkeit. – Aber es kommt nicht, es wird von der heißen Strömung einfach aufgerollt und hängt nun wie senkrecht gestellte graue Papierrollen über uns, ohne einen Tropfen fallen zu lassen.

Das war da unten in der warmen Zone. Hier ballen sich die Regenmassen zusammen. In allen Nebentälern rauschen die Gießbäche. An den Wiesenblumen aller Art, ihrer Kraft, Üppigkeit und intensiven Farbe, würde Mieke ihre Freude haben und an den Felsen, wie in jeder kleinen Ritze sich irgendein kleines Gewächs festgeklammert hat. Das Vieh ist auch schön. Reinrassige graue und weißgelbe Simmentaler und braunschwarze Schweizer[?]. Die Hunde ganz groß; weiß, einige blond, spitzartig, aber mit breiter Schnauze, wild, scharf. Werden von den Leuten leider nur mit Steinwürfen behandelt. Wenn man zu ihnen menschlich ist, so [folgt unleserliches Wort] sie sich und sind dankbar und nicht mehr böse [Text bricht auf Seitenmitte ab].

An die Familie in Worpswede (Postkarte)

27. XI. 39

Liebe Martha, liebe Kinder und liebe Enkels!

Wir sind gesund. Ich habe viel sehr interessante künstlerische Aufgaben. Sonja arbeitet auf dem Gebiete der Literatur und Sprache. Jan geht noch zur Schule, die er sehr liebt; sein Hauptinteresse ist Literatur. Er ist fast so groß wie ich. Wir wohnen noch im selben

Hause, nur im Quartier 480, Eingang 24; haben also um uns alle modernen Einrichtungen eines hochkultivierten Lebens.

Euch alles Gute
Euer Mining

Dank für die Karte.
Ich[?] hatte Grippe, und die Karte blieb bis heute liegen. Mir geht es nun wieder gut.
Ich wurde 66 Jahre.

Mg.

An Gustav Regler

[Moskau, etwa Frühjahr 1940]

Gustav! Mit der Tat, mit dem Einsatz Deines Lebens bist Du für die revolutionäre Bewegung des Weltproletariats eingetreten. Zu der Zeit dieser inneren und äußeren Kämpfe, in schweren Lebenstagen, durch Erlebnisse, die Dich ganz erfüllten – blieb Dir keine Zeit und keine Gelegenheit, Dein Tun mit jener alles befestigenden Ideologie zu unterbauen, die dem revolutionären Menschen der wissenschaftliche Sozialismus gibt. Die Theorie und Praxis Marx–Engels' und Lenin–Stalins. Diese Deine Umstände verschlossen Dir jenen politischen Fernblick, der Dir die Möglichkeit geben konnte, analysierend aus jedem Ereignis das zu erkennen, was innerhalb der bürgerlichen Demokratie inzwischen vor sich ging. – Jene völlige Versklavung, völlige Entrechtung, Entmenschung der Arbeiterschaft in Verbindung mit einer gewissen Verbesserung ihrer sozialen Lage. Du sahest nicht, daß *alle* imperialistischen Länder gezwungen sind, den gleichen Weg zu gehen, den sie bei den konkurrierenden kapitalistischen Ländern mit Tanks, Flugzeugen und Kriegsschiffen unter der Maske der Demokratie vernichten wollen. Von Deinem idealistischen Standpunkt aus mußtest Du vielleicht annehmen, daß die Vereinigten Staaten von Amerika eine Ausnahme machen. Ein unabänderlicher gesetzmäßiger Vorgang innerhalb aller kapitalistischen Staaten entzog sich Deiner Beobachtung. Du begannst Teilstücke zu sehen, machtest daraus Deine Schlußfolgerungen bis zur – Parteinahme – für! Von hier aus ist es nur ein ganz kleiner, unmerkbarer Schritt mit ungeahnten, aber allerschwersten Konsequenzen – der schließlich unweigerlich ins andere Lager führt. Dafür gibt es Hunderte von Beispielen aus der Wirklichkeit.

Gewiß, Gustav, haben wir es leicht, mit klarem politischem Sinn der Gegenwart mit ihren unendlichen Perspektiven für die Zukunft ins Gesicht zu sehen, da uns hier jeder Tag, jede Stunde beweist, wie weltumfassend, wie weit die Perspektiven gehen, die durch die klare Politik der Sowjetunion (in der es niemals sentimentale Bedenken geben kann und geben wird) reichen. Ja, Gustav, wir haben es leicht, Festigkeit, Zielbewußtheit und ein unerschütterliches Vertrauen in uns zu bewahren, da die positiven Resultate, die neuen Wirklichkeiten, die durch die Führung der Partei geschaffen wurden – uns umstehen. – Ich fühle auch, wie schwer es für politische Emigranten in kapitalistischen Ländern manchmal gewesen sein muß, die politischen Beweggründe zu erkennen, die uns hier sehr schnell durch neu entstandene Wirklichkeiten auf dem Wege zur Weltrevolution klar wurden.

Gustav, da ich in meinem Leben doch auch manche Fehler der Partei gegenüber gemacht habe, muß ich Dir (zu dem in der heutigen Zeit meine *schwersten Gedanken* fast täglich fliegen) die Bedingungen beschreiben, unter denen *ich* immer wieder festen Boden unter die Füße bekam:

Mein großes Glück war, daß ich, bei allen meinen Bedrängnissen, die innige freundschaftliche Verbindung mit der Arbeitermasse nie verlor. Der Prolet mit seinen natürlichen klassenbewußten Instinkten wurde mir immer wieder der Lehrmeister, der mich von Konsequenz zu Konsequenz trieb. Das zwang mich zu rechter Zeit zur Umkehr, und ich begann immer intensiver das Studium des Marxismus; auch dabei mußte ich häufig an Dich denken, Gustav, welche ungeheure, alles aufschließende Bereicherung erfährt *der Künstler* durch Marx, wenn er diese alles durchdringende und alle menschlich-schöpferischen Kräfte erweckende Wissenschaft in sich aufnimmt.

Gustav, sieh Dir genau Deine Freunde an, die Dich umgeben. Sie gaben Dir eine großzügige menschliche Hilfe, daß Du der Hölle entrinnen konntest. Jetzt mußt Du aber prüfen, wollten sie nicht auch den bekannten Schriftsteller, der wie manche Emigranten ins Wanken gekommen war, gewinnen für die hohl gewordene bürgerlich-demokratische Ideologie, ja vielleicht sogar für die Presse? – Gustav, ich fühle es, wie schwer Dein Leben ist, wie Du jeden Tag, jede Stunde vor Entscheidungen gestellt bist, die entweder Stein für Stein aus Deiner revolutionären Vergangenheit abbröckeln und Dich selber auf einen dunklen Lebensweg treiben, der ohne schöpferische Perspektive ist – oder die Dich den Kern, das Wesen der revolutionären Bewegung erkennen lassen, Dein klares Klassenbewußtsein wieder erwecken und Dich zurückführen in die Reihen der Kämpfer für das höchste Ziel der menschlichen Gesellschaft.

Mg.

Notizen und Entwurf zu einem Brief an Alexej Tolstoi

[Moskau, vor September 1940]

Ich strebe danach, den Menschen, den neuen sozialistischen Menschen, ganz zu erfassen, in dem Milieu, in dem seine Stachanowarbeit wurzelt. Speziell auf der Linie der Landwirtschaft.

Anstatt dessen entwickelte ich mich durch die gegebenen ungünstigen räumlichen Arbeitsbedingungen zum Miniaturmaler.

Das Positive meiner Arbeit waren längere Kommandierungen zur Darstellung des sozialistischen Aufbaues und der neuen Menschen in Karelien (7 Monate), in Aserbaidshan (3 Monate). Doch konnte in dieser kurzen Zeit und dem Wandern von Ort zu Ort nur eine Art von Reportertätigkeit entwickelt werden, wenngleich die Ausbeute sehr reich und die Planerfüllung über 150% war.

Die Anerkennung der künstlerischen Arbeit von seiten der Auftraggebenden blieb nicht aus. Als Zeichen dessen erwähne ich nur, daß beide Male die Kontraktsumme durch die Museumsleitung auf das Doppelte erhöht wurde.

Zurück nach Moskau, beginnt wieder die Lähmung durch die Ablehnung meiner Arbeiten, wenn ich sie dem Bolschoi Sowjet vorlege, und [ich] muß unter Arbeitsbedingungen schaffen, die die Ausdehnung eines Schreibtischplatzes kaum überschreiten.

Zudem:

Bei MOSSCh fanden zwei Besprechungen zu meinen Arbeiten statt. Die Maler sagten, daß es gut wäre, wenn ich den Weg zur Monumentalmalerei einschlüge.

Da die Arbeitsbedingungen am Schreibtisch dem Künstler ohne jeglichen Abstand von seiner Arbeit nicht den Weg öffnen zu einer Monumentalmalerei, suchte ich den Weg über das Porträt.

Nun, der Maler bedarf auch, um im schöpferischen Schwung zu bleiben, einer Anerkennung seiner Leistungen, und die wurde ihm durch die warme Aufnahme, Hilfsbereitschaft und Dankbarkeit bei den Kolchosbauern und Berghirten in vollem Maße zuteil.

Der Gegensatz stellte sich dann wieder in Moskau heraus. Der Bolschoi Sowjet der Künstler lehnte das Resultat nach den Studien aus Aserbaidshan ab. Wsekochud kaufte das Bild allerdings an. Auch dies Resultat (was Sie hier ausgestellt sehen) wurde abgelehnt.

Daneben zwangen mich die Raumverhältnisse zu einer Miniaturmalerei, aus der ich mich nur befreien kann durch ein intensives Studium in einem Kolchosbetrieb, wo ich die enge Verbindung habe mit den schöpferischen Kräften der Masse.

Der Charakter meiner Arbeiten auf den Kommandierungen in

Usbekistan, Aserbaidshan und in Karelien konnte wohl als Reportage seinen Zweck erfüllen, aber während der ganzen Arbeitszeit wurde der Wunsch, tiefer in das Sowjetleben einzudringen, eng verbunden zu sein mit den Massen, immer stärker.

Wenn dazu die Gedanken lebendig sind, einmal zu einer Monumentalmalerei, zum Fresko kommen zu können, richtet sich auch sofort die ungeheure Verantwortung vor dem Künstler auf, die mit einem außerordentlichen Studium der sowjetischen Realitäten unterlegt sein muß, um diese Technik ausführen zu können, ohne etwas von der künstlerischen Leidenschaft zu verlieren, die in uns atmet, wenn wir innerhalb der Massen stehen und deren Empfindungen in uns befruchtend übergehen.

Den ganzen Umbruch in meiner Weltanschauung und damit den Umbruch in meiner Kunst, das Überbordwerfen meiner kleinbürgerlichen pazifistischen Anschauungen, meiner utopischen Ideen und Praxis – verdanke ich lediglich den revolutionären Werftarbeitern meiner Vaterstadt, mit denen ich eng verbunden war.

Der Austausch der Erfahrungen, die Enthüllung der Wirklichkeiten, die zum Kampf des Proletariats führen, rissen mich ab von meinem bisherigen Leben.

Diese enge Verbindung mit den Kräften der schöpferischen Masse unseres Sowjetlandes fehlt mir. – Wohl hatte ich große Aufgaben als künstlerischer Reporter in Karelien, Aserbaidshan und in der Verwertung meiner künstlerischen Kräfte für wissenschaftliche Arbeit auf einer Baumwoll-Versuchsstation in Usbekistan.

Auf dieser Linie hatte ich große Anerkennung, so daß man nach Ablieferung meiner planmäßigen Arbeiten die kontraktlichen Honorare fast um das Doppelte zur Auszahlung brachte.

Aber immer blieb bei mir die quälende Besorgnis: dies alles ist kein Weg zur großen Kunst, die der Stalinschen Epoche ein dauerndes Denkmal hinterläßt.

Dazu gehört eine Lebensverbundenheit mit den Massen, ein Wurzelschlagen und ein Erkenntnisreichtum, der einen erschütternden, überzeugenden, leidenschaftlichen Widerklang findet in der Kunst des sozialistischen Realismus – und damit eine lange Zeit intensivster Studienarbeit.

Nun aber noch ein wichtiger Punkt: Da meine Kunst offenbar in sich ein speziell deutsches kulturelles Erbe trägt, jenes sachliche Eindringen in die Psyche des Menschen, das den russischen Malern, denen die oberflächliche Impression von Menschen genügt, so unsympathisch ist, daß sie es als unkünstlerisch völlig ablehnen – so glaube ich doch, daß in Sowjetrußland, das in der Pflege und Befruchtung nationaler Kultur so einzigartige Erfolge schon erzielte, die Möglichkeit besteht, auf einem *deutschen* Kolchos die Entfaltung meiner am Schreibtisch gefesselten und gehemmten Kräfte zu fördern, meiner Kunst jene Möglichkeit der Verwurzelung zu geben, die im Rahmen der Sowjetkunst von Bedeutung werden kann.

[Briefentwurf]

Verehrter Genosse Alexander Tolstoi,

Ihre wegweisenden Äußerungen über die sowjetischen Ausdrucksformen einer realistischen Kunst sozialistischen Charakters drängen mich dahin, Ihnen einige Fragen in bezug auf die bildende Kunst vorzulegen.

1. Sind Sie mit unserer Sowjetmalerei zufrieden? Sehen Sie in ihren Resultaten einen Weg zum sozialistischen Realismus?

Wenn ja, so werfen Sie diesen Brief beiseite, ohne weitere Zeit für das folgende Schreiben zu verlieren.

Wenn Sie die Frage mit nein beantworten – so unterwerfen Sie folgende Äußerung von Erfahrungen aus der Praxis eines leidenschaftlichen Malers einer schöpferischen Kritik.

Der Maler, von dem ich spreche, war ein im Westen sehr bekannter, besonders gutsituierter Künstler, dessen kleinbürgerliche, von der harten Wirklichkeit abführende Romantik, [gestrichen: »von der Bourgeoisie hoch geschätzt wurde«] daher liebte ihn die Bourgeoisie.

Der Weltkrieg, die bolschewistische Propaganda an der Front, das Irrenhaus, Ausstoßung aus dem Heere, Polizeiaufsicht, Gefängnis, aber vor allem die engste Verbindung mit dem revolutionären Proletariat, schlugen ihm das Tor auf, durch das er das wirkliche Leben erkannte, zu dem er vermöge der Lehre von Marx, Engels, Lenin und Stalin durchdrang. – In der ersten Nummer der Zeitschrift »Das Wort« finden Sie eine Selbstkritik des Malers, die den Weg und die Veränderungen in seinen künstlerischen Ausdrucksmitteln zeigt.

Der Maler, der kein Atelier besitzt, dessen Arbeitsplatz nicht viel größer ist wie ein Schreibtisch, hatte das große Glück, auf einer Baumwollversuchsstation bei Taschkent zu arbeiten, dann sieben Herbst-, Winter- und Frühlingsmonate in Karelien unter kanadisch-finnischen Waldarbeitern, in Bergwerken, unter Fischern, Kolchosbauern und in der Holzindustrie für das Museum in Petrosawodsk; er konnte drei Monate in Aserbaidshan arbeiten in der Naphtha- und Baumwollindustrie, auf Kolchosen und unter den armenischen und kurdischen Berghirten (Mus[eum] Nar[odow] SSSR).

Aber alles das gab ihm nicht die Möglichkeit, mehr zu geben als eine Reportage aus dem sozialistischen Aufbau und über den neuen

Puppenwerkstatt (Vogelers Arbeitsplatz). Öl, 1940
(mit Kopf des Königs Franz zu Schillers Ballade »Der Handschuh« und darunter dem Kopf des Zauberlehrlings zu Goethes gleichnamiger Ballade)

Menschen und über die neuen sozialistischen Lebensbedingungen. – Die Anerkennung der Qualität und des zahlenmäßigen Umfangs an Arbeit war groß, was sich dadurch auswirkte, daß die karelischen Auftraggeber sowohl wie das Museum der Völker der SSSR die Vertragssumme doppelt auszahlten.

Aber bei dem Künstler blieb eine Leere. Alle diese schnell wechselnden Eindrücke und ihre Wiedergabe genügten in keiner Weise für die Gestaltung einer großen monumentalen sowjetischen Kunst, genügen nicht, um die sozialistischen Realitäten so zu erfassen und zu gestalten, daß die künstlerische Wiedergabe des Neuen unseres Lebens erschüttert und überzeugt. – Glauben Sie nicht, Genosse Tolstoi, daß nur engste Verbundenheit mit den schöpferischen Kräften der Masse, das Aufgehen des Malers in den Sorgen und Freuden der sozialistischen Realitäten jene künstlerische Leidenschaft und – Liebe, bezeugt, hinter der die Geburtsstunde einer großen monumentalen Kunst steht, einer Kunst, die der Stalinschen Epoche gerecht wird?

Ich komme zum Schluß. Vor uns steht die Ausstellung Nascha Rodina.

Die enge Lebensverbindung mit der Masse, wie der Maler sie mit der revolutionären Arbeiterschaft in Deutschland hatte, fehlt ihm in Sowjetrußland. Sein Leben [ist] daher kein richtiges Sowjetleben, und seine künstlerischen Produktivkräfte kommen nicht zur Entwicklung. Das belastet ihn als »verdrängten« Kommunisten. Wo ist der Weg der Befreiung aus diesem quälenden Zustand?

Ein oder zwei Jahre auf einem vorwärtsstrebenden deutschen Kolchos im Süden, und seine Arbeit wird den Beweis bringen, daß nur die engste Verbindung mit den Massen der Weg ist zum sozialistischen Realismus.

An Bronislawa Marchlewska

[Kabardino-Balkarische ASSR, September 1940]

Liebe Bronka, ich bin entgegen meiner anderen Absicht auf dringenden Rat [von] Narkomsem auf dem Kolchos »Karl Marx« gelandet, das für K[abardino] B[alkarien] offenbar ein wichtiger Faktor ist. Allerdings das Hinkommen war nicht leicht. Zumal ich nie eine Hilfe bei meinem schweren Gepäck fand und vielfach umsteigen mußte. Die Hitze hier im breiten *Terek-Tal (Ebene)* ist nicht zu beschreiben. Auf der Hintour habe ich einmal in der Steppe übernachtet. So unter dem großen Sternhimmel, zu dem man als Stadtmensch wenig Beziehungen hat, zu schlafen ist so schön, daß man alle Schwierigkeiten des Weges und die Hitze des Tages vergißt.

Da der Rat und die Unterstützung mit Telefongesprächen nur mündlich war, läßt mich die NKWD noch nicht an meine Arbeit heran, bis alles telefonisch nachgefragt ist. Da ich auf allen meinen Reisen durch die NKWD immer die größte Unterstützung und die beste Beratung gehabt habe, wird die hiesige Abteilung auch unbürokratische Wege finden, diesen Fehler (teils von mir, teils von den führenden Organisationen) gutzumachen und mich baldigst an meine Arbeit heranzulassen, da alles mitten in der Ernte ist und der Verlust eines Tages für mich schon viel bedeutet. Im übrigen geht es mir gut. Verpflegung gut. Meine erste Arbeit verlangt von mir, daß ich nachts auf der Steppe bei der Erntearbeit bleibe, was für mich eine sehr schöne Zeit bedeutet, endlich wieder unter den Menschen der praktischen Arbeit meinen Beruf und meine mir vom Komitet po delam iskustw gestellte Aufgabe erfüllen zu können. Bald mehr.

Herzl. Gruß Mining
der dankbar ist für die gute Versorgung
vor meiner Abreise.

Für Sonja die inliegende Abrechnung.

An Erich Weinert (Postkarte)

27. Sept. 1940

Lieber Erich Weinert.
Dies Land zu verlassen, ohne dem alten weißköpfigen Elbrus meine Reverenz erwiesen zu haben, ging natürlich nicht, und so hockte ich meinen Rucksack auf mit Mantel und Schlafsack, hängte die bekannte Malertasche um und schob los in der Hoffnung, während der 110 km manches Gefährt zu finden, das mich eine Strecke mitnimmt. Diese Hoffnung war trügerisch, der Rat der Eingeborenen: ich brauche nur in der Richtung auf den Elbrus zuzugehen und die Hand zu heben, wenn eine Maschine kommt. Aber es kam keine, nur zweimal auf kurze Strecken von 10 km. Der Rat der Eingeborenen stammt nämlich wohl aus der Zeit der Saison. Jetzt sind alle Unterkünfte geschlossen, Verbindungen eingestellt, Quartier und Ernährung schwierig. Die letzte Bergstrecke, die ich tippeln mußte mit schwerem Rucksack, war 45 km. Einerlei, man sieht was, und das Höhenklima bekommt mir gut. Ich habe auch in keiner Höhle übernachten müssen und bin, wie Du an diesen Zeilen siehst, nicht verhungert. Wenn man auch nichts Warmes bekommt, so liegt vor mir doch eine 5-Kilo-Arbuse, ein prächtiges Brot, Honig und Käse, dazu schmeckte das Alfomwasser gut. Kahle Berge, sehr interessante

Erich Weinert.
Zeichnung (zu seinem 50. Geburtstag am 4. August 1940)

ganz neue Industriestadt im Hochtal, und um den Elbrus hohen Kiefernwald. Euch beiden meine herzlichen Grüße. Einen besonderen Gruß an den Genossen Becher, durch dessen Initiative mir diese Reise und Arbeit möglich wurde.

Euer HV

Abs. Kabardinisch-Balkarische ASSR, Kurpskoi Rayon, Kolchos »Karl Marx«, Gnadenburg, Vogeler G. E.

An Gregor Gog? (Entwurf)

[Kabardino-Balkarische ASSR, etwa Oktober 1940]

Lieber Gregor,

nun gebe ich Dir noch eine kleine Skizze von den kabardinischen Wirklichkeiten, die nicht in die »IL« gehören. Die verschiedenen Stämme in diesem Lande waren recht wilde Völker, und unter ihnen einige, die überhaupt nur von Raub und etwas Viehzucht lebten. Dazu sind noch unter den alten Kosakensiedlungen manche Elemente, die sich der Kolchosbewegung nicht anschlossen, als Gelegenheitsarbeiter, Bauarbeiter, landwirtschaftliche Hilfen ihre Existenz suchten, unter denen auch arbeitsscheues Volk lebt. Bei den wilden Bergstämmen gilt der Pferderaub offenbar noch als Heldentat. Die Leute sind gut bewaffnet und wie auf dem Rücken ihrer leichten, gewandten Pferde geboren; so daß die Hirten vom Kolchos, wenn sie nachts erscheinen, machtlos sind. Auf diese Weise gingen vor acht Tagen wieder einmal sechs Pferde auf Nimmerwiedersehen in die Hände der Tjungusen über.

Die andere Seite kann ich Dir durch eigene Erfahrung etwas nahebringen. Ich kam aus dem Gebirge am Elbrus zurück. Um ½6 abends stieg ich aus dem Zug an der Steppenstation, die neun Kilometer vom Terek entfernt liegt. Da die Sonne am Untergehen war, eilte ich mich, über die Steppe zu kommen, und betrachtete eine kleine Gruppe, zwei Männer und eine weiß gekleidete Frau, als Schrittmacher, verlor sie aber schließlich beim fernen Dorf aus den Augen, zumal es schon dämmrig wurde.

Ich hatte mir vorgenommen, unbedingt noch den Sumpfwald, der zwischen Dorf und dem Flusse Terek liegt, zu durchqueren und die Fähre zu benutzen, denn gleich drüben liegt das Dorf und Kolchos. Ich hatte in meinem ganzen Leben immer sehr sympathische Beziehungen zum Wald gehabt, aber diese großen wilden Terekwälder wollten mir gar nicht gefallen. Sie bestehen nicht aus starken hochaufgeschossenen graden Stämmen. Alles ist krumm gebogen, hat vielleicht schon in der Jugend Kampf mit einem ihm zu dicht auf den Leib rückenden Nachbarn gehabt, außerdem ist das Unterholz aus Eichen, Holunder, Haselnuß und Schilf, mit Brombeeren und Tollkirschen durchsetzt, sehr stark, und der wilde Hopfen klettert hoch in die Bäume. Ein paar alte krumme dicke Pappeln überragen (von fern gesehen) die Wildnis. Alles das könnte sympathisch, ja schön sein, wenn diese Wildnis nicht immer wieder aufgerissen wäre. Ein paar verwachsene und versumpfte Fahrwege führen durch und ein schmal sich windender Fußweg. Aber immer wieder zu den Seiten (wie frisch aufgebrochen) diese Schleichwege, dieses aufgerissene Brombeergestrüpp, und wenn man es verfolgt, scheint sich das ganze nach ein paar Schritten wieder zu schließen. Diese angerissene Wildnis war es, was mir nicht behagte.

Als ich ins Dorf kam, war die Dämmerung hier schon stärker als auf der Steppe. Auf dem Dorfplatz standen einige Bäuerinnen, bei denen ich mich nach dem Weg durch den Wald erkundigte. Eine der Frauen begann mir Auskunft zu geben, eine andere wies sie mit einem vielsagenden, aber mir unerklärlichen Blick zurück. Sie sagte mir im fast befehlenden Ton: »Sie werden in der Dunkelheit nicht gehen. Die Wege sind viele und verzweigen sich; Sie müssen hier übernachten«; ging auf einen Mann zu, der offenbar zum Selsowjet gehörte, und sprach mit ihm. Der sah mich von oben bis unten an und gab mir die Richtung zum Haus der Zugereisten und den Namen des Hausverwalters. Hier fand ich nun ein altes Bauernhaus mit einem großen Zimmer mit 5 Betten, zu dem mich die Frau des Hauses führte. In dem Halbdunkel erkannte ich zwei Männer. Die Frau steckte eine Petroleumlampe an. Ich saß auf meinem harten Bett, und drüben lag einer, und der andere, ein bärenhafter Hüne, saß auf seiner Bettkante. Gleich begann das übliche Ausfragen, woher, wohin, welche Nation, welche Arbeit, diese Dinge, die ich immer gewissenhaft beantworte, da man dadurch selber seine Stellung in der betreffenden Gegend fixiert und außerdem durch die Fragestellung, Antwort und darauffolgende neue Frage die Menschen am schnellsten kennenlernt, die die Fragen stellten. Als ich dann was von meinen Aquarellen zeigte und der Frau meinen Paß abgegeben hatte, schloß sich offenbar das Bild bei meinen Nachbarn[?], sie zogen ab, und bald schlief ich. Die Fensterklappen waren geschlossen. Noch einmal wachte ich durch ein Gespräch im Hof auf, in dem mein Name mit dem Vorwort »Towaristsch« genannt wurde und das mit dem Worte »ladno« schloß. Offenbar war dies das mündlich ausgesprochene Visum eines Milizionärs, der meine Anwesenheit und Arbeit im Kolchos der Nachbarschaft kannte.

Anderen Morgens ganz früh machte ich mich auf die Beine. Wo die Dorfsteppe in den Wald übergeht, fand ich bald im trockenen Lehmstaub frische menschliche Spuren, zwei nackte Füße und eine vom Rad; konnte also nicht fehlen und genoß im Marsch den Morgen, wenngleich die Enge und Unübersichtlichkeit des Weges etwas Bedrückendes hat. Nur einmal weitete sich der Blick. Es ging über einen verschlammten Terek-Arm. Die Baumkronen traten zurück, man sah den Morgenhimmel, die Sonne und den grauen Lehmschlamm des alten Flußbettes, über das eine wippende, aus Weiden geflochtene schmale Fußgängerbrücke führte. Dann wieder schloß sich um mich der Wald, und schließlich war ich an der Fähre, die mich mit anderen Leuten rauschend ans andere Ufer trug.

Mir spukten einige Gedanken im Kopf herum: hatte man gegen mich irgendeinen Verdacht, oder was bedeutete das ganze eigentümliche Verhalten dort im Dorf am Walde.

Jetzt erfuhr ich den Grund. Ein oder zwei Tage vorher war ein junger Flieger, noch fünf Jahre bei der Armee, auf dem Heimweg zu seinem Dorf im Walde von zwei Menschen, die sich ihm angeschlossen hatten, überfallen worden, beraubt und die Gurgel durchschnitten; er war am Tage vorher im Nachbardorf beerdigt worden. Vierzehn Tage darauf wurde im Walde der Chauffeur des NKWD, der zu Fuß vom Dorf kam, überfallen, mußte sich völlig nackt ausziehen, alles wurde ihm genommen, und es gelang dem Raubgesindel dadurch, daß sie ein Boot gefunden hatten, das sie in rasender Fahrt stromabwärts irgendwohin trug, die Spur unauffindbar zu machen. Dies für Dich zur Plastik der Erlebnisse, die guten Seiten der sowjetisch arbeitenden kraftvollen und auch fleißigen Bevölkerung gebe ich in der »Intern[ationalen] Literatur«.

Euer HV

An Ilse Berend-Groa (Postkarte)

Naltschik, 27.10.40

Liebe Genossin Ilse!

Komme eben von einem Kolchos in Naltschik an u. finde die Sendung von unseren Freundinnen vor. Der Inhalt dieser Karte ist also im wesentlichen für Bastinellers. Ich kann nicht beschreiben, wie fantastisch es ist, wenn man so in dem[?] letzten D. gelebt hat u. sehr anstrengende Fußwege gemacht hat bei strömendem Regen durch die schwarze Erde Kabardinos. Kälte war ganz unerträglich. Meine Reiseausstattung, Staffelei und zuletzt sogar meine Schere habe ich gegen Essen eingetauscht u. lebte von Tag zu Tag in der Angst, mein Billet, das [ich] für den 31. bestellt habe, aufzufressen, wenn mein Magen rebellierte. Und auf einmal liegt auf der Post die Lösung des Problems: Man wird plötzl. in eine andere Welt voller Möglichkeiten versetzt – Bad, Obst, Frühstück, Mittagessen (richtiges), u. selbst ins Kino kann man gehn. Und das verdanke ich den guten Freundin[nen], die eine alte Schuld eingetrieben u. mir zu diesen neuen Lebensbedingungen verhalfen. Ich bin einerseits froh, heimzukommen, da ich in jeder Beziehung reparaturbedürftig bin. Herzliche Grüße an Trudi u. Mutter B[ronka?] u. an Euch beide

Heinrich

An die Familie in Worpswede

Moskau 72, Uliza Serafimowa 2
22. III. 1941

Liebe Martha, liebe Kinder und Kindeskinder!

Ich beantworte Euren langen Brief so spät, da es mir nicht gut ging. Der Moskauer Winter ist immer schwer für mich. Aber alles ist gut jetzt. Außerdem habe ich bald vier Wochen Erholungsurlaub im Süden (ohne Bezahlung). Ich freue mich sehr auf die ruhige Zeit am Schwarzen Meer. In den letzten Jahren arbeitete ich im Kaukasus und in Transkaukasien für das Völkermuseum in Moskau. Äußerst interessante Arbeit bei den verschiedenen Völkern des Südens. Und jetzt habe ich gerade wieder einen großen Auftrag bekommen für die Jubiläumsausstellung im kommenden Jahr. Eine Weinernte im Süden, auf der ich die Arbeit der Frauen und den Reichtum der Weinernte darzustellen habe. Im Monat Mai wird hier eine persönliche Ausstellung meiner Arbeiten vom Verband organisiert. Sie wollen auch vor allem die alten Radierungen ausstellen. Deshalb bitte ich Euch, die Sendung von Radierungen, die Ihr mir senden wolltet, um eine Kollektion zu vergrößern für die Ausstellung. Das Staatsmuseum (nach Puschkin benannt) besitzt zwar fast alle meine Radierungen, aber öffentlich ausgestellt waren sie noch nicht. Vor allem fehlte mir auch die vollständige Kollektion »An den Frühling«. Die Blätter »Krieg«, »Geburt« und »Werden« habe ich noch. Dank für alle Eure Grüße. Es macht mich froh, daß Ihr an mich denkt.

Herzlichst Mining

An Johannes R. Becher

Lieber verehrter Hans Becher

Ich wünsche Dir zu der Vollendung Deiner fünfzig Jahre, daß die Kraft Deiner großen Kunst baldigst dem deutschen arbeitenden Volk zugute kommen möge, Erkenntnisse erweckend und den revolutionären Menschen Weg und Ziel weisend.

Heinrich Vogeler

Zum 22. Mai 1941

An Bronislawa Marchlewska

[Tarussa?] 17. 6. 41

Liebe Bronka, nach den Erfahrungen mit Jans Brief, der vom 5. Juni bis zum 17. Juni brauchte, um in meine Hände zu kommen, schicke ich Dir heute schon meine herzlichsten Wünsche zum 26. Juni. Mögest Du weiter so zäh und lebenstüchtig Deinen Weg weitergehen. Vor allem wünsche ich Dir die Erhaltung Deiner Gesundheit und daß Du jetzt viel Freude hast an Deiner Sommerdatsche, die doch außer uns Dein Sorgenkind ist. – Dann wünsche ich auch Dir zu Deinem Geburtstag, daß unser Land nicht in diesen irrsinnigen Krieg hereingezogen wird und Jans Anlagen auf andere Weise unserem Lande zugute kommen – als durch das Kriegshandwerk; wenngleich gerade er auch auf der Erfüllung dieser schweren und großen Pflicht seinen Mann stehen wird.

Das Erholungsheim des Großen Theaters füllt sich jetzt allmählich. Zuerst waren nur 35 da. Es müssen 250 werden. Ich habe mir nie vorgestellt, daß das Zentrale Rußland so schön, so anmutig sein kann. Jetzt scheint ja auch das Wetter gut zu werden. – Wenn ich jetzt zurückkomme, muß ich gleich an das Porträt von Wilhelm Pieck gehen, das ich in Kunzewo malen werde. Hier kommen die Nachrichten immer ziemlich spät.

Radium geht nur zu Eßzeiten, und da gibt's grade keine Nachrichten im Programm. – Ich bin neugierig, ob irgendwo etwas über meine Ausstellung geschrieben ist. Am 29. bin ich in Moskau.

Auf Wiedersehen und alles Gute für Deinen Geburtstag und für die kommende Zeit.

Mining

An Erich und Li Weinert (Postkarte)

Kasachische SSR,
Oblast Karaganda,
Rayon Woroschilow
Kolchos »1. Mai«
[Kornejewka]
3. Okt. 1941

Lieber Erich, liebe Li! 90 km von der Bahn per Ochse. Breites asiatisches Dorf, russische Kolchosbauern. Hier ließe sich einfach leben. Aber schon auf der 18-Tage-Bahn rauschte mir jede Radumdrehung zu: »Deserteur« aus der antifaschistischen Front! Womit habe ich mir das verdient? Unendlich schwer ist so ein Leben eines Kommunisten in dieser schweren Zeit, die die Kraft eines jeden nötig hat, und der nun außerhalb zu leben gezwungen ist in einem Dorfidyll.
Herzlichen Gruß

Heinrich Vogeler

An Theodor Plievier (Postkarte)

[Kolchos »1. Mai«]
20. X. 41

Mein lieber Theodor Plievier!

Wie Menschen durch den Krieg auseinanderkommen können, und ich hatte Dich als Freund und Berater in meiner Arbeit so nötig. Mehr noch beunruhigt mich Euer eigenes Schicksal. Nachrichten haben wir ganz spärlich und in sehr kurzer Form. Wir sind weit weg von der Bahn. Steppe ohne Baum und Strauch. Wind, Wind, Sturm. Sehr schlecht für meine verknöcherte Brust. Draußen seid Ihr ja sicher nicht mehr? Wenn man geht, so verändert sich die Landschaft nicht mehr. Auf den nächsten kleinen Hügel und wieder menschenleere graue Herbststeppe bis an den Horizont.

Ich hatte mir das Ende meines Lebens anders gedacht, hatte gedacht, man könnte aktiv sein bis an das Ende. Nun sitz ich auf einem toten Gleis und denke an Euch beide mit dem heißen Wunsch, daß Ihr es gut habt.

Euer Heinrich Vogeler

An Gustav von Wangenheim (Entwurf)

[Kolchos »1. Mai«, etwa Oktober–November 1941]

Lieber Gustav! Kannst Du einliegenden Entwurf an die deutsche Redaktion vom Radio weitergeben. Ich habe immer meine Hoffnung noch nicht aufgegeben, daß man mich an die Arbeit zurückruft und daß ich im Radio selbst sprechen kann. Ich bin hier ganz gut versorgt. Habe aber nicht genügend Geld. Gesundheitlich geht es mir nicht gut, da meine verkalkte Brust den riesigen Winddruck, der über die Steppe kommt, nicht vertragen kann und die Schmerzen, wie eiserne Klammern, jede Bewegung draußen hindern.

Eingabenentwurf

[Kolchos »1. Mai«, etwa Januar 1942?]

An die polit[ische] Uprawl[enie] RKKA, Akad[emie] »Frunse«,
ot Vogeler, Heinrich Eduardowitsch

Tow[aristsch] Braginski
Sajawlenie

In der Voraussetzung, daß 6 Entwürfe für Flugblätter zur Zersetzung der Hitlerfront in Ihre Hände gelangt sind, die ich durch Vermittlung des Nar[odny] NKWD des Woroschilow[sker] Ray[ons], Karagandaer Oblast, Gen. Takerew, an die Adresse der Pol[itischen] Uprawlenie RKKA der Akademie »Frunse« zugehen ließ – bitte ich um Antwort, ob die Entwürfe angenommen sind.

Ich lebe evakuiert aus Moskau im Kar[agandaer] Obl[ast], Wor[oschilower] Ray[on], p[otschtowoe] otd[elenie] Kornejewka, unter sehr schweren Umständen sowohl in technischer Hinsicht, betreffs tadelloser Ausführung der Arbeit, als auch in Bezug auf Aktualität der ideologischen Einstellung. Außerdem wäre es wichtig, nach realistischem Material von Situationen (Fotos) zu arbeiten.

Hier bin ich ohne Telegraf, ohne Telefon, ohne Radio vier Ochsentagereisen von der Bahn entfernt.

Mein Gesuch geht dahin, nach Moskau zurückkommandiert zu werden, um meine Arbeit und revolutionäre Pflicht: Zersetzung der Hitlerfront durch Flugblätter mit Zeichnungen, erfüllen zu können.

Chudoshnik Vogeler H. E.

Eingabenentwurf

[Kolchos »1. Mai«, Januar 1942]

An den Genossen Braginski
polit. Verwaltung der RKKA, Akad[emie] »Frunse«
von Chudoshnik Vogeler, Heinrich Eduardowitsch

Charakteristik meiner Lage:

Am 13. IX. 41 aus Moskau evakuiert,

lebe im Karagand[aer] Obl[ast] / Woroschilowsk[er] Ray[on], p[otschtowoe] otd[elenie] Kornejewka.

Auf diese Weise wurde ich von der antifaschistischen praktischen

Arbeit, die ich von der pol[itischen] Uprawl[enie] RKKA erhielt, ausgeschlossen.

Andere Arbeit für einen Menschen, der im 70. Lebensjahre steht, dessen Kräfte und dessen Bekleidung für die Arbeit in diesem Klima des eisigen Burans nicht genügen, gibt es für mich nicht. Außerdem wäre die antifaschistische Arbeit die logische Konsequenz und die moralische Verpflichtung für mich.

Ich bitte bei Beurteilung meiner Lage in Betracht zu ziehen, daß ich in einem Kolchos lebe, in dem die hygienischen Verhältnisse so schlecht sind (kein Haus hat ein Ubornaja), daß bei dem eisigen Buran mein Blasenleiden sich katastrophal und schmerzhaft verschlechterte. Eine hoffnungslose Aussicht ist dies für die Bekämpfung der Läuseplage. Es besteht hier nur eine primitive Apotheke, ärztliche Behandlung durch eine junge Studentin und durch ein kleines Dampfbad mit unbeleuchtetem eiskaltem Stallvorraum zum An- und Auskleiden (das letzte bedeutet nur Vermehrung der Läuseplage). – Kurz, ich bin krank, krank bei einer Krankheit, die in Moskau im Laufe von 10 Tagen mit Medizinalbädern vollkommen abgestellt wäre und an der ich hier hoffnungslos unter größten Qualen zugrund gehe.

Zudem bin ich seit Oktober hier völlig mittellos. Bis heute (I 42) ist mir meine akademische Pension (200 Rubel im Monat) noch nicht ausbezahlt. Verschuldet, bei immer schlechter werdender Ernährung, ist mein Leben ohne Ziel, ohne Aktivität geworden. Helfen Sie mit einer Kommandierung zurück nach Moskau. Es ist die größte kommunistische Ehrensache für mich, in der Kampffront zu stehen bis zu meines Lebens Ende.

An Bronislawa Marchlewska (Postkarte)

[Kolchos »1. Mai«] 19. V. 42

Liebe Bronka. Gestern am 18. erhielt ich aus der Moskauer Sparkasse 1160 Rb. und einen kurzen Brief von Sonja, den ich gleich beantwortete. Jetzt kann ich endlich meine großen Schulden bezahlen und eine menschliche Ernährung und Behandlung erfahren. Hier haben wir hier noch immer wieder scharfe kalte Winde. Wie das mit meiner Pension verrechnet ist – weiß ich nicht. Wenn ich irgend etwas von meinen Freunden Weinert, Becher hören könnte, wäre ich Dir sehr dankbar. Ich war die ganzen letzten 6 Monate sehr krank und ganz ganz schwach durch die Entziehung meiner Ernährung bis zum völligen Hunger, saß und lag den ganzen Tag müde herum und war des Nachts wegen meiner Blase ohne Schlaf. Ob ich in meinem

Alter noch wieder hochkommen kann, ist sehr die Frage. – Manche Steppenflächen mit den vielen kleinen verschiedenfarbigen Blumen sind sehr schön. – Aber mein ganzes Material ist längst verbraucht, und wie ich Dir schon schrieb, so ist meine gute, unentbehrliche Doppelbrille schon auf dem Hertransport zertreten und aus dem Waggon gefallen. Zu lesen habe ich nichts. Dann und wann einmal eine »Prawda« von Dir ist ein großes Ereignis. Grüße auch den Genossen Dange von mir, dankbar denke ich an Dich.

Mining

An Erich Weinert (Postkarte)

[Kolchos »Budjonny«, Juni 1942]

I

Meine besten Freunde, Ihr Dichter und Schriftsteller.

Eure Karte erschien wie ein leuchtender Stern in dunkler hoffnungsloser Sternennacht. Mein Krankheitszustand war schon in vollständige Hilflosigkeit verwandelt. Man fuhr mich so weitere 18 km ins Land in ein ganz primitives Krankenhaus. Ich bin abgemagert wie ein Gespenst, friere bei jedem Wetter, die Eigentemperatur übersteigt nicht mehr 36°. Da ich keine 20 Schritte mehr gehen konnte, hatte ich mit diesem letzten einsamen Depressweg abgeschlossen ge- [fehlt Text]. Eine große durch euch angeregte schriftstellerische Arbeit hatte ich in der ersten[?] Zeit meiner Mittellosigkeit mit vielen Seiten schon begonnen, immer in der Hoffnung, sie in aller Ruhe auf Bronkas Datsche künstlerisch durchführen zu können, wozu Bronka mir doch schon ein Zimmer zu Verfü- [zwei Buchstaben unleserlich] H. V.

AUTOBIOGRAPHISCHE TEXTE

[Nachbemerkung zu »Reise durch Rußland«]

Aus einer Bremer Kaufmannsfamilie entstammend, geboren am 12. Dezember 1872, ging ich nach Düsseldorf auf die Akademie. Das akademische Getriebe sagte mir wenig zu, so daß ich mich immer mehr frei arbeitete in Holland, Italien, Paris. Dann landete ich in Worpswede und lernte viel unter den älteren Worpsweder Malern. Ein träumerisches, etwas weltfernes, romantisches Dasein wurde durch innere Familienschicksale plötzlich, nach zwölf Jahre langer Ehe, jeder Basis beraubt, auf der dies arbeitsreiche, aber doch genießerische Künstlerleben gewachsen war. – Kein Ausweg, irgendwie beim Alten anzuknüpfen. Vielleicht letzte Romantik, vielleicht Todessehnsucht führte mich, als Kriegsfreiwilligen, mit 42 Jahren in den Krieg – ich fand das Leben, wie es wirklich war. Ich erkannte bald, daß es sich nicht um einen Volkskrieg, sondern um das Werk einer rücksichtslosen Ausbeuterklasse handelte, die die politische Dummheit der Werktätigen benutzte, um aus ihrer Überproduktion heraus neue Märkte und neue menschliche Ausbeutekräfte zu erobern. Immer klarer wurde das Bild bis zum Brest-Litowsker Gewaltfrieden. Dafür konnte ich nicht ins Feld gezogen sein! – Völlig unpolitisch, wie ich gewesen war, protestierte ich gegen den Brest-Litowsker Frieden durch ein religiöses Märchen vom »Lieben Gott«, der, mit Flugblättern auf dem Arm, die Zehn Gebote verteilte und nun alle Konsequenzen der Militärdiktatur zu fühlen bekam. – Die Folge für mich war die Unterbringung in die Beobachtungsabteilung für Geisteskranke in Bremen. – Dann entlassen. Polizeiaufsicht. Revolution immer an Seite des Proletariats. Dann vier Jahre eines utopischen kommunistischen Siedelungsversuches. – Es folgt die marxistische Erkenntnis der Unmöglichkeit derartiger Experimente innerhalb der kapitalistischen Ordnung – vor allem der Unmöglichkeit mit Elementen aus intellektuellen Kreisen, die bei jeder neuen Konjunktur die Gesinnung wechselten und zu keiner restlosen Hingabe fähig waren. Die letzten Jahre größte Entbehrungen in einem großen leeren Hause – und in den Großstädten hungerten und darbten die Kinder der politischen Gefangenen, jener Kämpfer, die um die Errichtung der klassenlosen Gesellschaft alles hingegeben hatten. Der nächste Schritt: Übergabe des Hofes, der errichteten Arbeitsschule an die Kinder des Proletariats. Lebendiges frohes neues Leben. Ich selber ging nach Rußland, um an Hand der Wirklichkeit meinen Blick für das Neuwerden zu schulen. Mein Buch »Reise durch Rußland« bedeutet die Festlegung meiner Arbeit und meiner Erfahrungen in Rußland.

[Künstlerischer Entwicklungsgang]

Heinrich Vogeler

Die Entwicklungsperioden der künstlerischen Arbeit kennzeichnen einen fortwährend wiederkehrenden Kampf zwischen phantastischen romantischen und dekorativen Perioden – und streng naturalistischen Entwicklungsperioden. Die Synthese beider erfolgt erst in der Sowjetunion.

1894–1896	primitive romantische Periode: Naive unbeholfene Radiertechnik. Märchen, Minnesänger.
1897–1902	ähnliche Motive, aber auf der Grundlage eines intimen Naturstudiums.
1903–1910	strenges Naturstudium: Bildnisse.
1911	dekorative Periode.
1912	Bildnisse. Natur.
1913	Natur, aber Suchen nach neuen Ausdrucksmitteln: ekstatische Bilder. Es tritt zuerst das Motiv der Geburt auf.
1914	Kindermotive.
1918	Motive von mystischen Geburten und Chaos.
1919–1923	revolutionäre Motive: Wandmalereien im Kinderheim Barkenhoff.
1923, 24, 25, 26, 27	Sowjetbilder.
1928, 29, 30	tätig im Ausstellungswesen, Darstellung von plastischen, farbigen Dioramen für die Industrie (Kaffee, Schokolade, Stiefel usw.).

[Lebensabriß]

Heinrich Vogeler, geb. 12. Dez. 1871 in Bremen. Der Vater war Kaufmann; er starb früh, die Kinder mußten sich selbständig machen. Ich besuchte die Akademie in Düsseldorf 1890–1894, kaufte mir dann einen Kleinbauernhof 1895, den ich selber bewirtschaftete neben meinem Beruf als Künstler. Mein Studium hat mich noch nach Belgien 1891, Holland 1891, Italien 1898 und nach Paris 1900 geführt.

Bis zum Weltkrieg 1914 war mein Leben das eines bürgerlichen Romantikers, eine vorgetäuschte Freiheit auf einem eigenen Besitz. Die landwirtschaftliche Arbeit verband mich mit der Wirklichkeit, mit der Natur und mit den Kleinbauern. – Die künstlerische Arbeit war eine Flucht aus der Wirklichkeit in die Welt der deutschen Sagen und Märchen der Vergangenheit. Vor allem die damals entstandenen Radierungen gaben diese äußere Verkleidung wieder, hinter denen aus dem Unterbewußtsein das persönliche Leben sprach; aber auch nur das *persönliche* Leben eines Weltfremden. Politische Orientierung war nicht da, irgendeine religiöse Anschauung in Schule oder Haus war ebenfalls nicht vorhanden gewesen. – Diese scheinbare Unabhängigkeit und Freiheit war im tiefsten Sinne die Abhängigkeit von jener bürgerlichen Ideologie, welche eine romantische Verkleidung nötig hatte, und eine gedankliche Flucht, um die Gedanken an die verantwortungsreichen Verpflichtungen vom Tage niederkämpfen zu können. – Die Früchte dieser künstlerischen Arbeitszeit waren große materielle Einkünfte 1902–1914, die ich in den Bauernhof steckte, sein Land vergrößerte, wildes Land umpflügte und urbar machte und das Haus ausbaute. – Der Kunstwert der damaligen Bilder war ihr strenges Naturstudium und ihre erdgebundene Kraft. – Persönliche Schicksalsschläge zerstörten den romantischen Glauben an die vergehenden Trugbilder 1913.

Einen völligen Umschwung brachte der Krieg mit sich. Zuerst an der Karpatenfront als Schneeschuhläufer 1914, dann als Unteroffizier in der Nachrichtenabteilung eines Armeekorps in Galizien 1915, Rumänien 1916/17 und bei Verdun 1917/18. Diese Erlebnisse brachten mir die Enthüllung des wahren Gesichtes des Krieges und seiner Ursachen. Die Stellung im Nachrichtendienst an der Ostfront gab mir Gelegenheit, 1917 alle Nachrichten von der russischen revolutionären Bewegung zu Gesicht zu bekommen, und die wurden zu einer festen Grundlage all meiner Erkenntnisse und Handlungen der kommenden Zeit. Die russischen Arbeiter und Bauern hatten unter der Führung Lenins das Joch des Zarismus 1917 abgeworfen und durch die Tat dem Weltproletariat den einzigen Weg gezeigt, wie man die »ewige Kriege« gebärende kapitalistische Ordnung niederschlägt. – Doch ohne Bindung mit den Massen der proletarischen Soldaten mußte ich meinen Weg selber suchen, der deshalb auch durch viele Irrungen führte. – Schon der Brest-Litowsker Friede 1917 zwang mich, Farbe zu bekennen. Ein Protest gegen diesen Gewaltstreich des Generals von Hoffmann war der offene Brief des Unteroffiziers Vogeler an den Kaiser und ein anderer an die Oberste Heeresleitung. Man brachte mich Anfang Februar 1918 in eine Irrenanstalt nach Bremen. – Hier half kein vernünftiges Verteidigen der errungenen festen Weltanschauung – man lächelte: »eben verrückt«. Nach zwei Monaten wurde ich nach Worpswede entlassen und unter scharfe Polizeiaufsicht gestellt. Einige Radierungen dieser Zeit zeigen die Erkenntnisse 1918. – Das Jahr vor Ausbruch des Krieges 1913/14 klammerte sich mein Leben an das Leben meiner Kinder; was die Kunst dieser Periode zum Ausdruck bringt. – Die Periode vor Ende des Krieges 1918 bringt aber schon das Ringen um neue Ausdrucksmittel: hart, kantig, aber noch voll mystischer Deutungen (Sammlung in der Bremer Galerie des Paula-Modersohn-Hauses).

Da ich nun ganz zum Agitator unter den Kriegsgefangenen und unter den Kleinbauern wurde, trat 1918 die künstlerische Arbeit mehr und mehr zurück. Dazu kam das Studium der politischen Strömungen. Die Bremer Kommunisten, vor allem der Genosse Knief, trieben mich immer weiter zur revolutionären Konsequenz. Der Barkenhoff war der Treffpunkt der russischen und französischen Kriegsgefangenen geworden. Der November 1918 brachte mich in den Arbeiter- und Soldatenrat und damit in die Praxis der revolutionären Arbeit. Dann kam die kurze Zeit der Bremer Räterepublik. Der Genosse Knief, der weitsichtige kommunistische Führer, lag sterbenskrank auf dem Barkenhoff in Pflege. Die internen Beratungen und Zusammenkünfte der Räte hatten auf dem Barkenhoff ihre Unterkunft. – Nach dem Zusammenbruch der Rätemacht wurde der Hof Durchgang und Zuflucht aller politisch verfolgten Kämpfer. – Dreimal überfiel die Reichswehr 1919 in der Morgendämmerung das Haus. Doch gelang es nie, einen der im Hause Versteckten zu fassen – außer mich selber.

Auf dem Barkenhoff verband sich nun die Bremer Arbeiterschaft 1919–1924 mit den Flüchtlingen aus allen Gegenden. – Einige aktive Kämpfer machten mit mir aus dem Hof 1919 eine Arbeitskommune: zwei Metallarbeiter, ein Matrose, ein Zimmermann, ein Tischler, zwei Landarbeiter und zwei Fabrikarbeiterinnen. Sie waren zum größten Teil KPD-Mitglieder – entwickelten sich aber zurück zu ihrem Ursprung, zum Syndikalismus. Die inneren Kämpfe waren sehr hart; denn mein fester Glaube an die Richtigkeit des Weges der *russischen* Arbeiter blieb unumstößlich fest. Der Zwiespalt mußte den Untergang der Kommune zur Folge haben. Eine gesunde Lehre für mich, die mir die letzten utopischen Gedanken von derartigen Kommunegebilden im Rahmen der kapitalistischen Gesellschaft gründlich austrieb. – Auch in anderer Beziehung waren diese Jahre Lehrjahre für mich; der Kern der Arbeitskommune war ein Schulversuch, eine Arbeitsschule von Proletarierkindern anhand des Arbeitsprozesses. Die Probleme der russischen Pädagogik hatten mich ganz erfaßt, was in meiner Broschüre »Die Arbeitsschule als Aufbauzelle der klassenlosen Gesellschaft« festgelegt ist. Mit den Wirklichkeiten dieser Erziehungsprobleme war auch eine neue Schaffensperiode der künstlerischen Arbeit angebrochen: die Ausmalung der Wände des Barkenhoffs 1922–1924: das von allem Zwang befreite Kinderleben, das sich selber eine schöpferische Erfüllung sucht, war das erste Motiv dieser Wandmalerei 1922.

Mit der Zerstörung der utopischen Kommune durch die Syndikalisten (meine Familie hatte mich schon 1920 unter der Schwere der Erlebnisse mit den politischen Verfolgungen und der Kampfesatmosphäre in der Arbeitskommune verlassen) – da hatte der Barkenhoff als individueller Besitz keinen Zweck mehr für mich zu erfüllen. Ich schenkte Land- und Hausbesitz der Roten Hilfe für die Kinder der politischen Gefangenen 1924. Ich selber fuhr nach Sowjetrußland, um zu lernen und meine künstlerische Kraft dort zur Verfügung zu stellen. Die Leitung der Isoabteilung in der Kommuniversität des Westens in Moskau wurde mir übertragen 1923/24.

Eine vollkommen neue Welt ging in mir auf und fand vollkommen neue künstlerische Ausdrucksmittel, mit denen ich den Komplex der politischen, der wirtschaftlichen und kulturellen Arbeit erfassen wollte; die Eindrücke aus der Zeit der deutschen revolutionären Bewegung und meine Arbeit für die Rote Hilfe und für die MOPR komprimierten sich in erster Linie in dem Bilde »Weißer Terror«. Dann entstanden auch die MOPR-Bilder. Vor der Abreise nach Sowjetrußland habe ich noch den großen Speiseraum des Kinderheimes Barkenhoff mit den Motiven aus dem revolutionären Leben der politischen Gefangenen ausgemalt, was einen Polizeiterror gegen das Kinderheim entfachte. Heute noch sind ein großer Teil der Bilder mit Vorhang und Schloß unsichtbar gemacht und wird dieser Zustand in kurzen Zeitabständen von der Polizei kontrolliert. Weiter entstanden in Rußland Entwürfe für Klubwände: 1923 ein »Winterkulturkommando der Studenten auf ein Sowjetgut« und 1924 ein »Sommerkommando«. Das waren die ersten Bilder dieser Art. 1925 wurde mir Gelegenheit gegeben, Karelien und Murmansk zu bereisen. Damit entstand das Bild »Karelien und Murmansk«, das dieses Gebiet und den ersten Werdezustand des sozialistischen Aufbaues wiedergeben soll. Dann machte ich eine Reise durch Usbekistan-Tadshikistan und Baku. Diese Bilder 1926/27 sind die jetzt hier ausgestellten. Alles dies sind Versuche, einen Weg zu finden, um das dynamische Werden des Aufbauprozesses, die Umwandlung der Lebensformen darzustellen und die noch nicht aktivierten Kräfte der arbeitenden Massen für die politischen, wirtschaftlichen und kulturellen Fragen des sozialistischen Aufbaues zu erwecken.

Eine der Hauptarbeiten der alten Zeit war eine große Anzahl von Radierungen und Buchausstattungen. – Die alten romantischen Bilder befinden sich in den deutschen Galerien und in Privatbesitz. Die umfassendste Sammlung der besten Bilder, Zeichnungen und Radierungen ist in einem dafür eingerichteten Vogeler-Raum in der Gemäldegalerie des Paula-Modersohn-Hauses in Bremen zusammengebracht. Hier kann man auch auf den ersten Blick den Beginn der psychologischen Umstellung durch die Erlebnisse des Weltkrieges erkennen. Selbstredend fehlen in der bürgerlichen Sammlung die Bilder von dem Sowjetaufbau. – Diese wurden in Berlin im Karl-Liebknecht-Haus ausgestellt, in der Ausstellung der russischen Handelsvertretung und auf der großen Kunstausstellung am Lehrter Bahnhof 1928 (Novembergruppe). Die Bilder reisten als Propagandamaterial in verschiedene Städte Deutschlands und zogen im Sommer viele Arbeiter nach Worpswede, wo das Kinderheim der Roten Hilfe eine Sommerausstellung hat.

In Sowjetrußland war ein Teil der Bilder zuerst in dem Hause der Politkartoschan, dann in einem Pavillon auf dem Ausstellungsgelände von dem Moskauer Komitee der MOPR ausgestellt. Studien zu den Bildern waren auf demselben Gelände bei der AChR. Dann waren die Bilder zu einer Plenarsitzung der RKP(B) im Kreml in dem Wandelgang am Großen Sitzungssaal aufgehängt. Die Bilder »Baku« und »Zentralasiatische Sowjetrepubliken« sind hier bisher unbekannt.

ANHANG

NACHWORT

»Ich gehe einen mir noch unbekannten Weg ...«

Wer einem Stern folgt,
kehrt nicht um.
Leonardo da Vinci

»Werden« – dieser Titel, den Heinrich Vogeler seinen Erinnerungen hatte geben wollen, ist das Schlüsselwort zum besseren Verständnis seines vom 12. Dezember 1872 bis zum 14. Juni 1942 gespannten Lebens. Welch ein Angebot an Möglichkeiten zwischen beiden Tagen und wieviel Versuchung, sie anzunehmen oder auszuschlagen!

Eine noch so flüchtige Durchsicht der Lebenszeugnisse läßt bereits ahnen, wieviel Entscheidungen getroffen, welch einzigartiger Weg da zurückgelegt wurde: Die Bilder »Melusinenmärchen« *und* »Hamburger Aufstand« – weltferne Verzauberung also und Klassenkampf; der frühe Gedichtband »Dir« (»so einfache kleine Sachen, die einem Mädchen gewidmet sind«) *und* die »Reise durch Rußland« als Bericht von der »Geburt des neuen Menschen«; oder die Neugestaltung der Güldenkammer im Bremer Rathaus (»ein Wunder aus Licht und goldenem Widerschein auf sanften Rosatönen«) *und* Vorschläge für die Standardisierung russischer Viehzuchtanlagen; Jugendstil-Graphik für die elitäre Zeitschrift »Die Insel« *und* Bildberichte aus der Sowjetunion in einem langen Rollbrief an die Kinder von politischen Gefangenen; Ex Libris für den Freund und Millionär Alfred Walter Heymel *und* die Barkenhoff-Wandgemälde, über die Thomas Mann, als Förderer der Roten Hilfe, schrieb: »Diese Bilder versinnbildlichen mit großer Inbrunst, welche sogar durch die unzulänglichen Reproduktionen fühlbar wird, einen Mythos, dem man aus eigenem Glauben nicht anzuhängen braucht, um ihn religiös zu respektieren und ihm das Recht auf seinen Platz im heutigen Geistes- und Glaubensleben anzuerkennen, den Mythos von der Erlösung der Welt ›der unterdrückten Klassen und Völker‹ durch die proletarische Revolution ...«. – Miniaturen also *und* Monumentalbildentwürfe; oder Illustrationen zu

Rilke-Gedichten *und* Zeichnungen zu Flugblättern gegen den Faschismus. Schließlich auch sein bekanntes Selbstporträt von 1900, im Ausdruck einer unbenennbaren schmerzhaften Sehnsucht, *und* Persönlichkeitsstudien sowjetrussischer Bauern und Arbeiter: karelischer Holzfäller, usbekischer Baumwollpflücker, kurdischer Hirten.

Diese Beispiele provozieren die Frage, wie es zu einem so eigenartigen Lebenswerk hat kommen können und welche Motive Heinrich Vogeler bewegten; sie sollen den Wunsch wecken, ein Werk, das sich schon auf den ersten Blick als widersprüchlich darstellt, mit Hilfe von autobiographischen Texten und Lebensdaten durchschaubar zu machen, was um so notwendiger ist, als Heinrich Vogeler tatsächlich in zweierlei Person existiert zu haben scheint.

Eine Landkarte unseres Kontinents, versehen mit Verbindungslinien zwischen den Stationen seines Daseins, würde schon äußerlich das dichte, verwirrende Netz aus Überschneidungen und Verknüpfungen eines weiten und doch sehr bewußt zurückgelegten Weges erkennen lassen.

Heinrich Vogeler hat manche Frage in seinen Erinnerungen selbst beantwortet. So sollen hier nur die wichtigsten Entwicklungslinien nachgezeichnet werden, um die Wendepunkte zu verdeutlichen.

1 Frühe Erfolge und der Weg zur Krisis

Da wird einer in glückliche Verhältnisse geboren. Das kleine Vermögen des Vaters verhilft ihm zu einem unbesorgten Lebensstil – akademische Studien, Auslandreisen, Erwerb eines Grundstücks in der Nähe Bremens am Worpsweder Weyerberg. Gauguin verläßt Frankreich und geht, zivilisationsmüde, nach Tahiti. In Deutschland geht man zum Beispiel nach Worpswede, in die weltstadtferne Künstlerkolonie.

Heinrich Vogelers Worpsweder Malerkollegin Paula Modersohn-Becker schreibt im Sommer 1897 in ihr Tagebuch: »... der zweite im Reigen ist der kleine Vogeler, ein reizender Kerl, ein Glückspilz ... er lebt in einer Welt für sich. Er führt bei sich in der Tasche Walther von der Vogelweide und ›Des Knaben Wunderhorn‹. Darin liest er fast täglich. Er liest jedes Werk so intensiv, den Sinn des Wortes so träumend, daß er das Wort selbst vergißt. So kommt es, daß er trotz vielen Lesens keins der Gedichte auswendig weiß. Im Atelier in der Ecke steht seine Gitarre. Auf ihr spielt er verliebte alte Weisen. Dann ist er gar hübsch anzusehen, dann träumt er mit seinen großen Augen Musik. Seine Bilder haben für mich etwas Rührendes. Er hat sich die altdeutschen Meister zum Vorbild genommen. Er ist ganz streng, steif streng in der Form. Sein Frühlingsbild, Birken, zarte, junge Birken mit einem Mädchen dazwischen, die Frühling träumt. Sie ist sehr steif ...«

Die da inmitten einer Frühlingslandschaft dargestellt wird, ist Martha Schröder, eine Worpsweder Lehrerstochter, die Vogeler bald heiratet. Nach dem Willen des träumerischen jungen Mannes beginnt so etwas wie ein Märchen, ein Leben als Kunstwerk. Alles, was Vogeler unternimmt, gelingt ihm. Er besitzt bald, was er sich wünscht: einen Landsitz im Park, den Birken- oder Barkenhoff, von Rosen umwuchert, darin eine Frau, die er über alles liebt; er lebt mit kostbaren Büchern, Bildern und Teppichen; Stift, Radiernadel und Pinsel zaubern Träume, den Traum von der Verwobenheit der Dinge und Empfindungen. Das Interieur seines Heimes – mit Blütenornamenten umrankte Bilder, die flüsternde Sprache märchengesponnener Teppiche, die Würde der Stühle – ist bereit zum Empfang erlesener Freunde. Maler, Dichter, Musiker verkehren hier, zum Beispiel Carl und Gerhart Hauptmann, Richard Dehmel, Otto Julius Bierbaum, Max Reinhardt, die Modersohns, Georg Kulenkampff, Clara Rilke-Westhoff. Rainer Maria Rilke, Freund des Hauses, widmet seiner bei Martha und Heinrich Vogeler verbrachten Zeit das Gedicht »In und nach Worpswede«. Die letzten Zeilen: »Wir wollen uns nach aller Ganzheit sehnen / Wir wollen Klang ...«, scheinen eine allgemeine Empfindung jener miteinander verbundenen Künstler auszusprechen. Neben dem bildkünstlerischen Schaffen betätigt sich Heinrich Vogeler auch als Architekt, Gärtner, Formgestalter einer kostbaren Welt – für sich. Darein gefügt, als Krönung des Versuchs, sein Leben in Liebe zu befestigen, Martha – bald Mutter von drei Mädchen, umsichtig-praktische Haushälterin und mitunter abends Empfangsdame, nach einem von Heinrich Vogeler entwickelten Bildungsprogramm mit Fremdsprachenkenntnissen, Kunst- und Musikverständnis versehen, Herrin des Barkenhoffs, Muse und immer wieder erwähltes und bemühtes Modell noch dazu: Inbegriff all der kaum ausgesprochenen Sehnsüchte ihres Mannes.

Nach seiner Übersiedlung in die Sowjetunion heißt es zu Vogelers sechzigstem Geburtstag 1932 in einem Artikel der »Bremer Nachrichten«: »Heinrich Vogeler und Worpswede, das war eine selbstverständliche Zusammengehörigkeit, so wie es selbstverständlich war, daß man ihm an schönen Sommertagen begegnete, wenn er allein den Weg über den Weyerberg ging: Das Märchen Worpswede und sein Märchenprinz! Er gab sich auch so, wie ein Märchenprinz sich geben mußte, der sein Heim mitten im Moor mit Rosen umhegt und neben die alten schweren Fachwerkhöfe ein Haus baut mit weißen Mauern und hellen Fenstern. Heinrich Vogeler schuf sich seinen eigenen Stil; und zu diesem Stil gehörte er selbst als Erscheinung; gehörte alles, was um ihn und in seiner nächsten Nähe war. Auch die Weste aus Scharmbecker Tuch gehörte dazu, die außen blau war und innen purpurrot, so daß es ordentlich leuchtete, wenn er den für gewöhnlich hochgeschlossenen Kragen und die Ärmelstulpen zurückschlug. Und der Morgenritt gehörte dazu und die Reitgerte und der bemalte Wagen und der Kutscher im farbigen Mantel. Es war ein eigenartiger Nimbus um ihn ...«

Der »Simplicissimus«-Zeichner Thomas Theodor Heine schreibt über den Münchener »Insel«-Kreis in seinen »Randbemerkungen zu meinem Leben« ironisch: »Ich erinnere mich an einen Abend in diesem Kreis. Der Abend endete lustig und alkoholisch. Nur Vogeler-Worpswede stand streng-stilistisch abseits, im Biedermeierrock, eine Lilie in der Hand. Wer hätte damals geahnt, daß er als Bolschewist enden würde?«

Nein, kaum einer, der ihn so sah, ahnte etwas von den Zweifeln, welche die Träume dessen störten, der inmitten der Barkenhoffkulisse heile Welt und Harmonie inszenierte. Anfangs gibt es tatsächlich Liebhaberaufführungen im Barkenhoff. Vogeler und Martha wirken mit – ein romantisches Paar, wie man findet.

Doch Heinrich Vogeler ist nicht fähig zu genießen, was er sich zubereitet hat, wohl auch deshalb, weil er die Unzulänglichkeit der Bemühung spürt, unentwegt Harmonie zu behaupten. Eine uneingestandene Ahnung um die Künstlichkeit seiner Welt wird ihn gehindert haben. Manchem von den Gästen mag der Zwiespalt, der selbst mitten durch die von ihm gestaltete Welt seiner Häuslichkeit geht, eher bewußt geworden sein als ihm selbst. Er hat sich ein Haus entworfen, dessen dem Garten zugewandte Fassade mit der herrschaftlichen Freitreppe auf Repräsentation hin gebaut wurde, während im anderen Teil des Hauses eine bäuerliche Diele seine Neigung zu einfachen Dingen bekundet. Phantasie und Realität sind noch nicht in den ihnen gemäßen Werten begriffen worden.

Einige Briefzeilen des im Barkenhoff zu Gast weilenden Rilke signalisieren schon 1903 besorgt den Beginn einer künstlerischen Krise und benennen die Ursache: »... es wird immer kleiner um Heinrich Vogeler, sein Haus zieht sich um ihn zusammen und füllt sich mit Alltag aus, mit Konventionen und mit Trägheiten, so daß nichts Unerwartetes mehr geschieht ... Und Heinrich Vogelers Kunst wird unsicher, verliert immer mehr an Anschauung und Sicherheit und ist ganz auf den Zufall einer spielerischen Erfindung gestellt, die sich von den Dingen entfernt ... Und es kann keine Kunst kommen daraus, denn Kunst kann sich nicht wiederholen. Und mir, der ich wieder aus der Fremde kam, bangt bei dieses Lebens leichter Bescheidenheit ... Heinrich Vogeler brauchte ein festes, stetes Haus; aber jetzt, wo es voll und fertig ist, wächst es weiter in den Alltag hinein; und er empfindet nicht, daß es schwer wird ...«

Zwischen diesem Urteil und einem Brief Vogelers an Heymel liegen sieben Jahre, in denen die Unsicherheit Vogelers wächst und er sich nun seiner Situation zunehmend bewußt geworden ist, zumal er soeben eine Kollektion Federzeichnungen aus Bremen ohne Echo zurückerhalten hat: »Ich wollte gerade mit dieser Kollektion noch einmal versuchen, ob nicht an irgendeiner Stelle noch etwas Gefühl für mein Streben sitzt ... Nichts, keine Empfängnis für diese Saat. So arbeite ich nun schon einige Jahre, und je weiter man innerlich kommt, desto tiefer die Enttäuschungen, desto weniger wird man unterstützt oder gar getragen von entgegenkommenden Gefühlen. Glauben Sie mir, es ist heute verdammt schwer, dies Leben auf dem Lande. Ich bin völlig vergessen. Heutzutage kann der Talentloseste leben und bequem durchkommen, zieht er nur abends einen Frack an, geht in Tees oder hat er auch einen Kaffeehauskreis. Aber sich so über Wasser halten? Ist es überhaupt möglich? Fast verzweifle ich daran. – Daß die Stunden des Schaffens, des Entstehens voll reinen Glücks sind, das läßt mich immer wieder leben. Daß ich meinen persönlichsten Ausdruck noch nicht gefunden habe, weiß ich; daß ich maßlos ringe um den Ausdruck, weiß niemand besser als ich; heute hat niemand Zeit für den anderen ... Einmal frei müßte man sein, ein Jahr arbeiten können, horchen können auf die innere Stimme, nicht dies entsetzliche ›erledigen‹ um bares Geld ...«

Was war geschehen? Und wo steht Heinrich Vogeler in dieser Zeit mit seinem Werk?

Als durch wechselnden Bürgergeschmack der Jugendstil mehr und mehr verdrängt wurde, hatte sich die besonders von dem englischen Graphiker Beardsley angeregte und von Vogeler so exzellent weiterentwickelte Jugendstil-Ornamentik an nahezu allen dafür erdenklichen Gegenständen versucht und verbraucht. Mitbewirkt wurde Vogelers Situation auch durch schärfer werdende Klassengegensätze, die unter anderem bis in die Wertungen der Kunstkritik, Vorgänge des Kunstmarkts und unumwundene Empfehlungen bürgerlicher Mäzene reichten, also Eingenommenheiten und Voreingenommenheiten hervorriefen und beeinflußten. Die Verunsicherung war nicht nur von den – Vogeler gut bekannten – neuen Stilrichtungen der damaligen modernen Kunst hervorgerufen, sondern auch von der Frage nach Inhalt und Aufgabe der Kunst.

Während der Jugendstil-Graphiker, Naturnähe poetisch verinnerlichend oder symbolistisch überhöhend, in seinen Zeichnungen und Radierungen zum Beispiel Mädchen und junge Frauen zumeist grübeln, sinnen, träumen läßt, will Käthe Kollwitz mit ihrem hart zupackenden Realismus – »Weberzyklus« – »Zertretene« – »Bilder vom Elend« – proletarische Wirklichkeit kunstwürdig in den Blick ihrer Zeitgenossen rücken und damit auf Fragen lenken, für die ein soziales Gewissen nach Antwort sucht. Vogeler ist weit davon entfernt, etwa solch einem Anspruch zu genügen. Mehr als ein Anstoß wird nötig sein, ihn zu einer anderen Wegrichtung zu bestimmen. Solch ein Wegweiser wird für ihn Maxim Gorki mit seinen realistischen Werken, die Vogeler nach eigenem Zeugnis nachhaltig beeindrucken.

Heinrich Vogeler ist verunsichert und weiß kein Mittel dagegen. Noch sieht er sich nicht in der Lage, etwas Neues in die Kunst einzubringen, weder durch soziales Engagement noch im Erfüllen von Erwartungen, die zum Beispiel Alfred Walter Heymel mit Witterung für bürgerlichen Publikumsgeschmack ausdrückt, wenn er ihm schreibt: »Denn schließlich mit einem wirklich gelungenen Bild ist doch mehr geschehen als mit tausend noch so reizenden kunstgewerblichen Entwürfen.« – Das bedeutet bei allem Kunstverständnis Heymels auch: Der reiche Bürger will sein Geld nicht mehr *verleppern*, sondern doch mehr im Sinne einer handfesten Wertanlage repräsentativ sichtbar werden lassen.

Hier wäre nun eine Gelegenheit für den mittlerweile routinierten Graphiker, der sich von Anfang an so sehr zur Malerei hingezogen fühlte, diesen Bereich sich weiter zu erschließen. Doch beherrscht er die modernen malerischen Gestaltungsmittel nicht souverän genug, als daß er gewiß sein könnte, er werde Gültiges darin leisten und ein so anders geartetes Metier werde seinen Mann ernähren. Vogelers Lebensführung, Ausbauten am Haus und eine längere Krankheit Marthas kosten Geld. Einerseits also die Notwendigkeit, graphischen Auftragsarbeiten gegenüber aufgeschlossen zu bleiben, um den Lebensunterhalt zu sichern, zum anderen die Sorge, dadurch vom Eigentlichen ferngehalten zu werden – »der Kunst eine neue Sprache zu geben, wo alles ein zusammenhängender Klang ist«.

Das Bemühen um Harmonie mißrät schließlich zur Lebenslüge. Immer angestrengter sind die Versuche, den Schein von heiler Welt zu wahren. Nur noch im Bild gelingt die Behauptung von Gleichklang: »Melusinenmärchen« – »Träume« – »Wintermärchen«. – Auch Martha ist mit den Jahren fügsam nur noch in seinen Zeichnungen und Gemälden als zur gefälligen Form gefrorene Gestalt. Dabei hätte sie ihm mehr sein wollen als schließlich Vignette im Buch, Modell zum Bild. Zwei Menschen leben aneinander vorbei. Es war, als habe er jahrelang einen Bernstein zum Diamanten zu schleifen versucht. Er verliert ihre Liebe.

Das endgültige Bewußtwerden der ganz anders beschaffenen Empfindungs- und Gedankenwelt seines von ihm erzauberten Idols bewirkt wohl die tiefste und folgenreichste Erschütterung in Vogelers Leben. Zwischen den Notizen, in denen er seine letzten Lebensmonate beschreibt, unter den Versen darin, die ihm etwas bedeutet haben müssen, finden sich aus Heinrich Heines »Buch der Lieder« noch die Strophen:

Es fällt ein Stern herunter
Aus seiner funkelnden Höh!
Es ist der Stern der Liebe,
Den ich dort fallen seh.

Verzweiflung, Ausweglosigkeit führen ihn mit Ausbruch des ersten Weltkrieges dazu, sich dem Zufall anzuvertrauen: Er geht als Kriegsfrei-tod-williger an die Front.

2 Mut zum Wandel

Vereinfachung führt bisweilen dazu, weltanschauliche Wendepunkte in einer Biographie unter dem unmittelbaren Einfluß bewegender historischer Vorgänge oder Ereignisse zu sehen.

Für Vogeler begann die Lebens- und Schaffenskrise lange vor dem Fanal der Oktoberrevolution »An alle!«, und lange vor den Erschütterungen des ersten Weltkrieges brach der um seine Märchenwelt kunstvoll gefügte Deich aus Selbsttäuschung und Ornamentik.

Dem, der da von sich sagt, daß er langsam an Menschen und Dinge heranging, »ehe er sich entschloß, tiefer einzudringen, enge Verbindung zu knüpfen«, war von den bürgerlichen Eltern kein Text von Karl Marx an der Wiege gesungen worden. Für Heinrich Vogeler entsteht aus diesem grüblerischen und tätigen Suchen, das Umwege weder ausschließt noch scheut, aus Enttäuschungen, schmerzhaft erworbenen Einsichten eine kommunistische Haltung zu Kunst und Leben – ein langer, komplizierter und mühevoller Prozeß, der keinen Abschluß kennt. Das ist an seinen Schriften ablesbar von dem Artikel »Warum bin ich Kommunist?« in der »Vossischen Zeitung« (4. April 1919) bis hin zu Zitaten in Notizbüchern aus der letzten Lebenszeit. Keine unmittelbare Begegnung oder geistige Erfahrung krempelte ihn von einem Tag zum anderen um. Die vielen Ortswechsel während jener unentschiedenen Jahre zwischen 1905 und 1914 – z. B. Salzburg, Wien, München, Würzburg, Berlin, dazwischen immer wieder Worpswede – und seine Hinwendung zu verschiedenen Tätigkeiten und Auftragsarbeiten sind weniger Beweis dynamischer Entschlossenheit als vielmehr ein Versuch, Zeit zu gewinnen für Klärung: unruhige Suche nach einem Punkt, von dem aus die eigene Position endlich benannt werden kann.

Immerhin hatte Vogeler bei allem träumerischen Enthusiasmus die ausgeprägte Fähigkeit zu wertender Distanz. Hierzu fügt sich eine Porträtstudie seines Freundes Emil Löhnberg, am 12. November 1911 in der »Kölnischen Zeitung« veröffentlicht: »Wir bewunderten einst die Schönheit eines alten münsterländischen Schlosses, das aus tiefen Parkgründen mit Wall und Graben wie ein Traum emporragte. ›Aber wohnen sollte man hier nicht‹, sagte Heinrich Vogeler. ›Bemerken Sie, daß die Abwässer des Grundstücks in ebendiesen Graben münden, dessen Spiegel Sie so entzückt?‹«

Distanz – er besaß sie in schon früh geübter kritischer Haltung, die anfangs in Karikaturen verachteter oder verhaßter Lehrer nach Ausdruck suchte und später durch eine Reihe von Selbstkarikaturen Abstand zur eigenen Person bezeugt. Er notiert kritisch den verschwenderischen Verschleiß von Luxusgegenständen und die Behandlung der Diener bei Festen seines Bohème-Freundes Heymel in München. Kennzeichnend ebenso die Szene im Hotel von Colombo, als ein Engländer sein Glas mit Eiswasser über die Schulter einem Farbigen ins Gesicht schüttet: Vogeler verzichtet danach auf die Vorteile seiner vielen Empfehlungsschreiben an Regierungsvertreter und Chefs großer Kaufhäuser. Was er da gesehen hat, das genügte ihm »als Probe europäischer Kultur«.

Zahlreiche Beispiele belegen seine Teilnahme am Schicksal der auf der Schattenseite vegetierenden Menschen. Als er 1909 in England soziale Mustersiedlungen für Arbeiter besuchte, sah er sich in Glasgow mit einigen der Reisebegleiter auch die Elendsviertel an. »So etwas Erschütterndes hatte ich noch nicht gesehen. Verkommene Mietskasernen ... Menschen mit bösem, vertiertem Ausdruck lagerten auf schmutzigen Lumpen ...« Alle diese Eindrücke drängten ihn zu der (erst aus der späten Rückschau so eindeutig formulierten) Frage: »Kann es eine Gemeinschaft der Menschen geben, in der die Ausbeutung des einen durch den anderen erlaubt ist?«

Fähigkeit zu kritischer Distanz *und* soziales Gewissen: Wie leicht sonst hätte sein Leben erstarren und er in die Rolle des neutralen oder zynischen Betrachters geraten können.

Als sich später der Unteroffizier Vogeler entschließt – überzeugt auch von der Logik der revolutionären russischen Oktoberdekrete, in denen »alles so einfach gesagt war« –, jenen aufsehenerregenden, vom 20. Januar 1918 datierten Protestbrief gegen den Brest-Litowsker Gewaltfrieden an den deutschen Kaiser zu richten, da ist diese Entscheidung die Konsequenz seines Gerechtigkeitssinns. Vogeler beweist hier Mut und Risikobereitschaft; denn immerhin riskierte er mit dem Brief ein kriegsgerichtliches Todesurteil. Dies ist seine bis dahin entschiedenste Wendung bei der Suche nach neuem Lebensinhalt.

Am Ende des ersten Weltkriegs wuchsen in Deutschland mit der revolutionären Bewegung auch visionär-utopische Hoffnungen auf gesellschaftliche Erneuerung. Vogeler verbindet beides auf ganz eigene Weise. Er tritt nicht nur mit Reden und Flugschriften an die Öffentlichkeit, er handelt auch; – unter völliger Hingabe seiner Person, seines Ansehens und seines Besitzes: Er gründet auf seinem Anwesen die Arbeitskommune und die damit verbundene Arbeitsschule – noch mit utopischer Zielsetzung als »Aufbauzelle der klassenlosen menschlichen Gesellschaft« gedacht. Die Barkenhoff-Kommune entsteht mit dem Anspruch, »die Phrase durch die Tat« zu ersetzen, wie Friedrich Wolf als zeitweiliges Mitglied der Gemeinschaft 1921 in Stefan Großmanns Zeitschrift »Das Tage-Buch« formulierte.

Bildhafter Ausdruck jener Gesinnungswandlung ist der »Szenenwechsel« auf dem Barkenhoff, den Hans Jungnickel am 13. Januar 1923 in der »Bremer Volkszeitung« beschreibt: »Wo ist Heinrich Vogeler? Er ist nicht mehr. Er fährt im Lande herum und hält Vorträge über seine Arbeitsschule. Er ist es, der als erster den Kommunismus in die Tat umsetzte, der sein Haus, sein weites Land, seine Tulpen, seine Märchen … verschenkte – sogar sein Herz. Ein Dutzend Menschen wohnen im Barkenhoff. Sie graben, roden, tischlern und drucken und unterrichten und erträumen sich ein Menschheitsparadies, gebaut aus lauter warmer Liebe. Barkenhoff: Alles verschwindet langsam, was einst Glück und Genießen und Falterruhe und Schnörkelfreudigkeit war. Die seidenen Zimmertapeten sind heruntergerissen. Kahle, getünchte Wände sind geblieben. Große, eiserne Öfen mit langen Rohren sind ins Zimmer gesetzt und zerreißen mit aufdringlicher Plumpheit die Heimeligkeit und Zartheit der Räume. Die Kuschelecken wollen nicht mehr traulich sein. Die Elegantheit hochbeiniger Stühle wirkt wie Verlegenheit. Zierliche Tischchen zerschrammt, mit Tinte begossen, kommen sich so überflüssig vor. Alles, was einst Glück war: Bilder, Plastik, Vasen, alles steht nun wie geduldet da. Die Scheiben im Bibliothekzimmer, einst vom Mittelalter angehaucht, sind eingedrückt. Der Musiksaal ist kalt, der Flügel verhängt. Die weite Diele, von einem neuen Vogeler mit Fresken bemalt, fröstelt. Im Schreibzimmer steht der seltsam große Schreibtisch noch, darüber hängt die Totenmaske eines Bremer Revolutionärs. In der Küche, an einem langen Tisch, sitzen sie, teils mit wunderschönen Löffeln aus Silber. Das Atelier ist Trockenboden geworden. Der Pferdestall, in dem einst die Gäule des vergangenen Vogeler stampften, ist eine Tischlerwerkstatt. Die Tulpen aus dem Vorgarten sind herausgerissen, Kartoffeln sind dafür gepflanzt worden. Die Rosen sind dahin. Sonnenblumen sollen kommen. Am Teich unten, wo der Kahn liegt, ist eine Hütte gebaut, daran steht: Spartakusbude ... Ja, Vogeler hat getan, was kaum einer tat von denen, die an fetten Tischen Weltbeglückung machen. Vogeler hat Ernst gemacht.«

Der Reformpädagoge Wilhelm Lamszus schrieb 1921 im »Tage-Buch«: »Den schöpferischen Menschen wollte Heinrich Vogeler, als er das neue Leben suchte, und fand – das Kind. Es gehörte die ganze Erkenntnis unserer auf Draht gezogenen Kultur, es gehört Zusammenbruch und Katastrophe dazu, um so den Weg zu Ende zu denken und, was mehr ist, zu gehen, wie Heinrich Vogeler es tat, als er den neuen Menschen suchen ging. Der schöpferische Mensch: das ist mitnichten der Künstler, der Versemacher, der Bildermaler, der Liedersänger. Sondern es ist der Aufrechtstehende, der sein Haupt an die Gestirne hebt, der im Einklang mit dem großen Rhythmus seines Lebens ist, der, in den Gesetzen seines Seins tief ruhend, jeder Situation gewachsen ist, es ist der aus Eigenem sich immer neu schaffende und sich den Brüdern hingebende, sich selbst verschenkende Mensch, der unserm Zeitalter so ganz verlorenging.«

Heinrich Vogeler hat sein Reich des schönen Scheins verlassen. Er ist unterwegs; auf der Suche nach Verbündeten, nach einer neuen, mehr erahnten Heimat, mit einer Hoffnung, die er am Ende des ersten Weltkrieges und unter dem Eindruck der Oktoberrevolution – noch visionär-emphatisch – in den Satz faßte: »Ein nie gekannter menschlicher Zustand ist im Werden: Frieden.«

Diese Zuversicht führte ihn an die Seite der revolutionären Werftarbeiter seiner Vaterstadt. Ein Brief gibt Auskunft über sein gewonnenes Selbstverständnis. Als er 1919 während der Razzia auf den im Barkenhoff versteckten Cuxhavener Revolutionär Eugen Lieby (Brauer) verhaftet wird, schreibt Vogeler aus dem Bremer Untersuchungsgefängnis an die Arbeitsgenossen der Barkenhoff-Kommune: »Viel muß ich an unsere Freunde, an Euch denken, aber besonders an Brauer. Dieser Brauer, ein Mensch ohne jegliche persönliche Bedürfnisse, der sich unserem Barkenhoff mit seiner ganzen Arbeitskraft zur Verfügung gestellt hat wie die anderen Arbeitslosen, soll identisch sein mit Lieby ... Hoffentlich hat er am Mittwoch sein Ziel erreicht. Ich muß mit meinen stärksten Wünschen an ihn denken, das Proletariat hat diese Männer notwendiger als mich, und dafür sitze ich gern meine Wochen, und seien es Monate, ab ... Wenn man hier in den vier Wänden über alle diese Dinge nachdenkt, scheint mir doch der geistige Kampf recht unwichtig; gegen diese brutale nüchterne Gewaltmoral ist wohl nur Gewalt am Platze.«

Die Begegnung mit ganz anderen Persönlichkeiten als denen, die zu den ersten Gästen des Barkenhoffs zählten, hat von nun an Vogelers Haltung beeinflußt, bestätigt, mitbestimmt: zunächst der Bremer Kommunist Johann Knief, die Dresdener Arbeiterin Marie Griesbach, der polnische Revolutionär Julian Marchlewski, dann besonders dessen Tochter Zofia – Vogelers zweite Frau –, später auch Clara Zetkin, Felix Dzierzýnski, Wilhelm Pieck, Friedrich Wolf, Gustav von Wangenheim, Johannes R. Becher, Theodor Plievier, Erwin Piscator, nicht zuletzt Erich Weinert ... Wilhelm Pieck ist es übrigens, der sich im Herbst 1947 zum 75. Geburtstag von Heinrich Vogeler – wie ein Briefwechsel zwischen Pieck und Weinert bezeugt – für eine Würdigung des Künstlers einsetzt und später dann Weinert auch um die erste Herausgabe der Erinnerungen bittet.

Aus den Erfahrungen in der Kommune erwächst für Heinrich Vogeler die ungewohnt verantwortungsvolle Einsicht eines Kunstschaffenden gegenüber anderen Werktätigen. In seiner Schrift »Siedlungswesen und Arbeitsschule« definiert er – 1919 – die Stellung des Künstlers in einer künftigen Gesellschaft: »Ein Arbeiter, der in Gesellschaft einem Künstler die körperliche Arbeit abnimmt, ist in Wirklichkeit Mitschaffender an dem Kunstwerk, das vermittels seiner Arbeitsübernahme von Künstlerhand entsteht.« Das ist eine Überlegung, die (gerade indem sie die reale Ware-Geld-Beziehung nicht berücksichtigt) jeden Kunstschaffenden ehrt, der sie sich wirklich zu eigen macht. Eine Kunstauffassung, die im Dienste bürgerlicher Auftraggeber zuletzt immer blutleerer, dekorativer und unverbindlicher wurde, wird damit abgelöst von einem Kunstverständnis, das auf eine fruchtbare Wechselwirkung zwischen Künstler und Werktätigem gerichtet ist.

3 Umbruch und Kontinuität

Die Konflikte auf dem Lebensweg dieses aufrichtig Suchenden und das jeweils errungene Niveau machen Vogelers Leben und Werk so beispielhaft wie bequem benutzbar: bequem benutzbar für bürgerliches Kunstverständnis, worin fast alles von dem, was er *nach* 1918 an Leistung erbrachte, als doch recht fragwürdige, irgendwie politisch mißbrauchte Agitationstätigkeit eines Irregeleiteten abgewertet wird; nutzbar aber auch für den, der in Heinrich Vogelers Gemälden »Hamburger Werftarbeiter«, »Hamburger Aufstand« oder in dem Porträt des deutschen Stachanow-Arbeiters in Sotschi selbstredend den sozial engagierten Realismus schätzt, aber von der Verzauberung seiner Märchen, der ahnungsschweren Stimmung nördlicher Landschaften und den bildgewordenen Empfindungen der frühen Radierungen wenig oder nichts wissen will. Beide urteilen, als habe sich der eine Heinrich Vogeler des anderen zu schämen, als könne man sie gar gegeneinander ausspielen, statt zu akzeptieren, daß da Überwundenes sich von ihm löste, Neues aufgenommen und Eigenes in einem noch unbekannten Terrain erprobt wurde. Es fehlt in der Nachwelt nicht an vorurteilsvollen Mutmaßungen und Mißverständnissen zu Vogelers Leben und Werk. In David Erlays Monographie »Worpswede – Bremen – Moskau« (Bremen 1972) gibt es zum Beispiel die Behauptung, bestimmte bekenntnishafte Äußerungen in den Erinnerungen »können allerdings nach Meinung einer in den zwanziger Jahren mit Heinrich Vogeler gut bekannten Person sowohl vom Inhalt als auch vom Stil her unmöglich von Heinrich Vogeler stammen«. Dies wird durch Vogelers Handschrift eindeutig widerlegt.

So bleibt allein der Verdacht, daß das seit anderthalb Jahrhunderten gefürchtete »Gespenst des Kommunismus« vor dem armen, für unmündig erklärten Heinrich Vogeler nicht haltgemacht hat, der »ein politischer Analphabet bis zuletzt« gewesen sei – wie Heinrich Wiegand Petzet in seiner sonst verdienstvollen Monographie »Von Worpswede nach Moskau« (Köln 1972) urteilt. Logischerweise kann dann auch, was in den späteren Schaffensjahren entsteht, »im strengsten Sinne zumeist keine Kunst mehr« sein, »sondern Dokumentation mit künstlerischen Mitteln«. »Der Künstler, das schöpferische Ingenium war verstümmelt, verschüttet, abgestorben ...« Eine künstlerische Lebensleistung, wegen ihres sozialen Engagements für den Kunstbetrieb uninteressant geworden, bleibt unverstanden oder wird diffamiert.

Darin allerdings hat Vogeler als politischer Künstler schon selbst schlimme Erfahrungen gemacht. Den Kampf um die Wandgemälde auf der Barkenhoff-Diele schildert er in seinen Erinnerungen. Auch anderweitig blieb Vogeler danach sehr vielfältig in der politischen Öffentlichkeit aktiv. Es ist nur folgerichtig, daß man ihn auch zur Zeit der Weimarer Republik in der Reihe von 87 Namen einer 1928 vom Reichskommissar für Überwachung der öffentlichen Ordnung zusammengestellten schwarzen Liste »Propagandisten der intellektuellen Kreise« findet, denen Propaganda in Intellektuellenkreisen zugunsten kommunistischer Abgeordneter vorgeworfen wird. In der Liste begegnen wir unter anderen den Namen Kurt Tucholsky, Erich Weinert, Heinrich Zille, Otto Nagel, Egon Erwin Kisch, Käthe Kollwitz, Arthur Holitscher, Johannes R. Becher ...

Als dann 1941 die Sowjetunion überfallen worden war und der Moskauer Emigrant Vogeler in Rundfunkreden nach Deutschland gesprochen hatte, kam auch er auf die Sonderfahndungsliste UdSSR des Reichssicherheitshauptamtes.

Gegenüber allen Fehldeutungen, Mißverständnissen oder Verurteilungen soll hier festgestellt werden: Vom Anfang bis zum Ende ist in Vogeler eine vom Wesen seiner Persönlichkeit bestimmte Kontinuität spürbar und wirksam.

Vor allem beeindruckt seine über alle Schwierigkeiten hinweg und alle Lebensjahrzehnte hindurch bewiesene Vielseitigkeit. Das so vielen Dingen schöpferisch zugewendete Interesse – für Buchgestaltung, eigenständige Graphik, Malerei, Gedichte, Kunstgeschichte, für Schmuck-, Porzellan-, Besteck-, Glas-, Möbel- und Architekturentwürfe, für die Inszenierung von Festlichkeiten auf dem Barkenhoff oder für Garten- und Landschaftsgestaltung, für Erziehung junger Menschen – all das bleibt unter anderen Vorzeichen, mit anderen Zielen in ihm lebendig: in seiner Arbeit als gewähltes Mitglied des revolutionären Arbeiter-und-Soldaten-Rates von Osterholz, als Mitbegründer der Assoziation revolutionärer bildender Künstler Deutschlands, als Mitbegründer und Propagandist der weltweiten Roten-Hilfe-Organisation, in den Berliner Bühnenbildentwürfen für Friedrich Wolfs »Kolonne Hund« (1929 unter Gustav von Wangenheim vom »Arbeiter-Theater-Bund« aufgeführt), in den Bühnenbildern und Figurinen für das deutschsprachige Odessaer Marionettentheater zu »Was ihr wollt«, zu »Wilhelm Tell«, zu »Faust«, in den ethnologisch bestimmten Menschen- und Landschaftsbeschreibungen für das Museum der Völker der UdSSR, in Berliner und Moskauer Ausstellungsgestaltungen. Während der Jahre, die er in der Sowjetunion verbrachte, unterbreitete er auch neben den Vorschlägen zur Verbesserung von Viehzuchtanlagen Pläne für den Wohnungsbau, er malte seine Komplexbilder, die ursprünglich gedacht waren als Vorarbeiten zu monumentaler Freskenmalerei und dann als Agitationsbilder verwendet wurden. Er wirkte pädagogisch, nicht nur an der Moskauer Kommunistischen Universität der nationalen Minderheiten des Westens. Wladimir Bondarenko berichtete 1973 in der Moskauer Zeitschrift »Sewer«, Heinrich Vogeler habe während seiner Aufenthalte im Norden von April 1934 bis in den Herbst 1936 im Haus der Volkskunst von Petrosawodsk eine ganze Generation von Malern erzogen. Sein malerisches Werk umfaßt weiterhin, und im letzten Lebensjahrzehnt wohl am überzeugendsten, Landschaft und Porträt. Noch zuletzt im Krieg schrieb und zeichnete er antifaschistische Flugblätter, formulierte Rundfunkreden an die deutsche Bevölkerung.

Heinrich Vogelers Leben bietet eine Vielseitigkeit, die den Überblick erschwert, Entdeckerfreude reizt, professionelle Einordner irritiert, eine Vielseitigkeit, die zusammengehalten wird von der Lauterkeit seiner Absichten, von selbstloser Hingabe und von der ihm selbstverständlichen Solidität seines Schaffens.

Kontinuität bewies er also auch im pädagogischen Impetus: Am Anfang steht, so sei erinnert, ein Erziehungsprogramm für Martha, Selbsterziehung ist eingeschlossen. Später, nach dem Ende des ersten Weltkrieges, folgen Gespräche mit ehemaligen Kriegsgefangenen, mit Studenten, Kriegsinvaliden, Arbeitslosen, mit Werftarbeitern und deren Familien, auf die er nach bestem Wissen und Gewissen einwirken will. Zunächst sind es die philanthropisch-pazifistischen Weyerberg-»Predigten«, dann folgt die Gründung der Arbeitsschule, für die er über Jahre hinweg und in Kontakt mit der damaligen Reformpädagogik in Vorträgen und Broschüren Vorschläge formuliert.

Er wird ein lehrend Lernender, denn: »Erst einmal springt der Kommunismus nicht fertig aus dem Kasten, sondern wird durch hingebende schwere Arbeit errungen werden müssen.« Wie Vogeler über den von ihm selbst im weitesten Sinne ausgeübten Beruf eines Erziehers dachte, hat er in »Das Wesen des Kommunismus – Der Weltfriede« 1919 ausgesagt: »Ein hoher Beruf, auf den jeder Kommunist seine ganze Zukunftshoffnung setzt ...«, auszuüben mit dem Ziel, »alle Kräfte der menschlichen Seele zu erkennen und zur Entfaltung zu bringen ...«

Für Heinrich Vogeler gehörte zu diesen Kräften eine Sensibilität, die undenkbar ist ohne eine tiefe Erfahrung der Natur. Der in Italien südliches Europa und in Ceylon südliches Asien kennengelernt hat, betont seine Vorliebe für die Herbheit nördlicher Landschaft. Der Norden Deutschlands und mehrere längere Aufenthalte in Karelien und deren Widerspiegelung in seinem Schaffen bestätigen, daß jene Landschaften seinem Wesen besonders entsprachen. Dabei ist er in all seiner Zuwendung niemals nur naturbesessener oder weltvergessener Schwärmer, sondern Bewahrender, Gestaltender. Davon sprechen seine Graphiken, seine Gemälde und Gedichte, davon spricht schon sein vorausdenkendes Engagement in Worpswede, als es um Entscheidungen für den Eisenbahnbau zwischen Osterholz und Tarmstedt geht, davon sprechen seine Vorschläge für Brücken und Bahnhöfe, Überlegungen für einen freundlichen Kompromiß mit dem Blick auf eine durch Eisenbahnbau bedrohte Landschaft.

Durch alle Kämpfe, durch alle Neuanfänge und Niederlagen hindurch bewahrte Heinrich Vogeler diese Sensibilität. Die Zartheit früher Radierungen blüht auf in vielen seiner späteren Aquarelle. Nuancenreich bleibt die Behandlung von Licht und Schatten und die Wiedergabe differenzierter Strukturen. Stärker noch wird sein Spätwerk beim Erfassen von Wesentlichem in der Porträtgestaltung. Und in allem regiert wie immer ein sicheres Gefühl für Komposition. Erhalten bleiben eine vom Epischen her mitgetragene Grundstimmung und Poesie, nun fortgeführt in der Poetisierung neuer Bewußtseinsinhalte, besonders deutlich in dem Gemälde »Die Geburt des neuen Menschen«.

Noch in Kornejewka, im letzten Jahr seines Lebens, ist er trotz Entbehrungen und Krankheit empfänglich für Natureindrücke und beschreibt die besondere Schönheit eines Wintertages. Dort auch erinnert er sich, wie eine Notiz vom 12. Dezember 1941 bezeugt, jener Zeit, die er in Tscheljuskinskaja bei Moskau auf der Datsche seiner Schwiegermutter Bronka Marchlewska leben durfte, »in dem schönsten Teil des alten Kiefernwaldes, ein sonniges Waldstück, umrahmt von alten, dicken Bäumen«, einem Stückchen Erde, das wieder Gegenstand seiner tätigen Sorge um Gartengestaltung und höhere Erträge war und gleichzeitig auch »Atelier« (nur wenige Maler hatten damals in Moskau schon die Möglichkeit, ein *richtiges* Atelier zu besitzen).

Merkwürdig für Vogelers lebenslang enges Verhältnis zur Musik ist die Wiederbegegnung mit dem Violinvirtuosen Georg Kulenkampff, der während der ersten Barkenhoffjahre als Vogelers Gast Mozartsonaten zu Gehör gebracht hatte. Ihn erlebt er gut zwanzig Jahre später »von der Empore des Moskauer Konservatoriums, still und hingegeben an die neue Zeit, die die große Kunst allen arbeitenden Menschen zugänglich machte, wie das Radio die Töne den Millionen von Arbeitern und Bauern Sowjetrußlands zutrug«.

Die Kontinuität in Vogelers Wesen erweist sich auch später wieder in Beispielen seiner Risikobereitschaft. Oder war es ebensosehr Experimentierfreude, die sich im Selbstversuch einbringt?

Wir erinnern uns: Erst einunddreißigjährig, hatte er gegen allerlei Widerstände den honorigen Auftrag zur Neugestaltung der Güldenkammer des Bremer Rathauses übernommen. Sein Gestaltungswille zu Eigenem, Unverwechselbarem verwirklichte sich originell gegenüber sklavischer Wiederholung gewohnter Formen. Das hat neben künstlerischer Potenz mit Charakter zu tun. Und umgekehrt.

Auf andere Weise riskant wie der bereits erwähnte Brief an den Kaiser oder die Gründung jener Kommune sind seine weiteren Lebensentscheidungen: 1923, als sich der Versuch, ein Gesellschaftsmodell auf dem Barkenhoff aufzubauen, als Utopie erwiesen hat, schenkt Vogeler sein Anwesen der Roten Hilfe und geht mit seiner neuen Lebensgefährtin Zofia Marchlewska nach Rußland; nicht als neutraler Beobachter machte er dort seine Reisen oder etwa wie Kalif Harun ar-Raschid, der das Volk im Gewand des einfachen Mannes belauscht, sondern als Mitschaffender.

Unmittelbare Erfahrung – selbst um den Preis physischer Erschöpfung – galt ihm mehr als behutsam dosierte Lebenszuteilung und Existenzsicherheit. Sein Erkenntnishunger führte ihn immer weiter über die Grenzen umzirkelter Lebensbereiche hinaus. So wird verständlich, was er denen, die ihn als opfermütig bewunderten, entgegnete: »Ich bin nicht opferbereit. Ich bin nur konsequent.«

Heinz Dodenhoff, ein Malerfreund, hat im Erinnern an einen Abschied Heinrich Vogelers von Worpswede ein kurzes Gespräch mitgeteilt, darin Vogeler am Schluß sagt: »Ich gehe einen mir noch unbekannten Weg, aber ich weiß, daß er mitten im Menschen endet.«

Er ging den unbekannten Weg künstlerisch in der Bewahrung fortwirkender Traditionslinien. So sind die Wandbilder in der Diele des Barkenhoffs und die als Wandbildentwürfe gedachten Komplexbilder unvorstellbar ohne Vogelers frühe Studien zur Gotik in England, Frankreich, Deutschland; sein anschaulicher Essay darüber macht die Wirkung der Gotik auf ihn nacherlebbar. In gerade jenen Bildern hat er den gewissen Votivcharakter, das formelhaft konzentrierte Bekenntnis mittelalterlicher »Agitation« von Altarbildern unter Einbeziehung expressiver Elemente und avantgardistischer Experimente zu neuer, ganz eigener Bildsprache geführt.

Vogeler arbeitet bei den Komplexbildern mit einer Fülle von Einzelbildern, in denen er detailfreudig gesellschaftliche Vorgänge berichtet, deren kristalline Aufsplitterung er so ordnet, daß sie trotz aller Vielschichtigkeit noch überschaubar werden. Diese Kompositionseigenart korrespondiert auffallend mit oft wiederholten Metaphern aus Schriften der zwanziger Jahre, in denen er unter anderem auf das in einer werktätigen Gemeinschaft aufgehende schöpferische Einzelwesen Mensch hinweist: »Schon der Kristall, der uns die Eigenbewegung ganz nüchtern offenbart, zeigt den gestaltenden Willen zur Gemeinschaft, er zeigt uns eine ganz organische Arbeitsteilung. Wir haben eine Druse vor uns, sehen Kristall neben Kristall in den verschiedensten Größen, breit hervorschießende, halb liegende, große und kleine, niedere und hohe; alle vereint zu einem gesellschaftlichen Prozeß der gegenseitigen Hilfe und Stütze, zu einem statischen Aufbau.«

Die kristalline Struktur seiner Komplexbilder entschlüsselt sich also als Teil einer Sinngebung und ist zugleich die unterlegte *rhythmisierende Folie* einer neuen Gegenständlichkeit. Die ist selbst dem Leseunkundigen verständlich. Die Aktualität ihres Inhalts rückt sie ihm nah: an Stelle des Kindes in der Krippe – die Geburt des neuen Menschen; an Stelle des Märtyrers – der für seine Überzeugung vom weißen Terror verfolgte, gefolterte, ermordete und einer Idee zum Sieg verhelfende Mensch; an Stelle andächtigen, demütig-geduldigen Verharrens – die lebensverändernde, ungeduldig drängende Tätigkeit. Darin geht Vogeler übrigens einen anderen, weiteren Weg als der sich hier in Erinnerung bringende prismenkundige Lyonel Feininger.

Berta Lask hatte 1927 in der »Roten Fahne« über die Berliner Ausstellung der Komplexbilder geschrieben: »Was hier geboten wird, ist das Leben des Proletariats, in einfacher, verständlicher, inniger, rührender, phantasievoller Weise dargestellt und überall von kämpferischem Geist erfüllt ...« Die Komplexbilder, in denen vor allem die ersten sichtbaren Veränderungen der Sowjetwirklichkeit festgehalten sind und die von Vogeler auch bei Vorträgen ergänzend als Bildberichte benutzt wurden, fanden in Deutschland also Beachtung und Anerkennung.

Macht Vogelers Vorleistung ahnbar, was sie für die weitere Entwicklung der Monumentalmalerei hätte bedeuten können? Die Ausweitung seines Verantwortungsgefühls, der Wille, eine so änderungsbedürftige Welt mitzugestalten, drängte ihn zu innerem wie äußerem Format, das den Betrachter überzeugen und überwältigen sollte. Vogeler ging es um das künstlerische Bild von Menschen, die, so lange duldend durch Leid gegangen, sich nun zu ihrer Befreiung aus Gleichgültigkeit und Fatalismus bekennen und sich vor solchen Bildern in ihren Heimatlandschaften, ihren gesellschaftlichen Bindungen und ihren schöpferischen Tätigkeiten wiedererkennen. Hier wurde die Gleichzeitigkeit all dessen gestaltet, was die sozialistische Gesellschaft von nun an bewegen sollte.

Auch im Schaffen Dürers und »der Erregtheit des begonnenen 16. Jahrhunderts« findet er gewisse Entsprechungen, wie ein fragmentarischer Aufsatz über Dürer bezeugt. Und noch 1940 bekennt er: »Ich hatte mich geschult an Kopien Tizians und Dürers Bildnismalerei, Hand wie Kopf wie Bewegung.«

Notizen im Nachlaß, vielleicht zur Vorbereitung auf eine Führung durch seine Moskauer Ausstellung von 1941 und wiederholt in einem Briefentwurf an Alexej Tolstoi, geben eine Analyse seiner Stellung zu den in einer ganz anderen künstlerischen Tradition stehenden russischen Malern und den Hinweis darauf, daß in seiner Kunst ein »speziell deutsches kulturelles Erbe« liege, »jenes sachliche Eindringen in die Psyche des Menschen«. Diese künstlerische Haltung muß auch Erich Weinert gemeint haben, als er über die Porträts aus Vogelers letzten Jahren urteilte: »Wenn sie auch noch nicht ganz frei sind von einer gewissen Kälte, so zeichnen sie sich doch durch psychische Schärfe aus.« Was Weinert als jene »gewisse Kälte« ansah, ist aus heutiger Sicht eine in Jahrzehnten errungene, auf Nebensächlichkeiten und leicht zu erzielende Effekte verzichtende Bildsprache, die sich bewußt gegen hohles Pathos und neoimpressionistische Oberflächlichkeit stellt, sowohl in Form wie in Farbe und Duktus. Sie ist ganz auf Wesentliches konzentriert, ungefällig streng, einzig dem geheimen Gesetz des jeweiligen Werkes verpflichtet wie zum Beispiel in dem unter Einsatz sparsamer Mittel entstandenen Porträt der Schauspielerin Lotte Loebinger, gemalt 1939, in das etwas von Dürers diszipliniertem Realismus eingeflossen sein mag: Nichts laut, nichts aufdringlich, nichts unmotiviert – es kommt aus der Lauterkeit seines Wesens.

Immer sicherer handhabt er den Einsatz malerischer Ausdrucksmittel. Er überwindet das in seiner Malerei einmal vorherrschende Zeichnerische und die aus dem Duktus mancher Bilder ablesbare überdeutliche Van-Gogh-Aneignung. Damit einher geht nach wie vor die Bereitschaft, sich immer neue Wirklichkeitsbereiche zu erschließen.

Die Bilder »Flößer. Studie« (1936), »Mittagspause der Drescher« (1940) und »Industrieanlagen in Kabardino-Balkarien« (1940), um nur einige zu nennen, beweisen das. Zäh und vital und souverän, in bewußter Distanz zu naturalistischer Alltagsreportage oder gefälliger Wirklichkeitsverklärung findet er in seinen größeren Arbeiten zu ihm gemäßen Ausdrucksmöglichkeiten. Es entsteht – nun in einem neuen Gesellschafts- und Kunst- und Selbstverständnis – wiederum Eigenes, Eigentliches.

4 Schmerzhaftes Werden

Ein Mensch im Selbstversuch. Da bringt jemand seinen Besitz, seine Neigungen und Fähigkeiten, seine Neugier und Phantasie in ein ganz neues Werden menschlicher Beziehungen ein. Da ist nichts in den Tag hineingelebt. Da handelt jemand nicht nach alten Verhaltensmustern. Die Fähigkeit, sich selbst in Frage stellen zu können, führt immer wieder zum Erkunden unbekannter Wege. Darin liegt Bescheidenheit und Anspruch zugleich, Sensibilität und Verletzlichkeit ohne Egozentrik, Aufgeschlossenheit und produktives Überwinden von Enttäuschungen. »Auch die Niederlage war reich an Lehren für die kommende Zeit«, heißt es in den Erinnerungen. Und so steht Heinrich Vogeler nicht wehleidig, zukunftspessimistisch oder konfliktverängstigt zwischen den Klassenfronten – seine Liebe zum Menschen, sein Sehnen nach Klang, »Gleichklang mit den Ewigkeitsgesetzen der Natur«, bringt ihn in Einklang mit allem, was Menschenwürde bewirkt und bewahrt. Von dem mit ungekanntem Lebensgefühl erfüllten Zweiundfünfzigjährigen schreibt die sechsundzwanzig Jahre jüngere Zofia Marchlewska 1960 in einem Artikel für die Zeitschrift »Junge Kunst«: »Der Maler aber, der im Jahre 1923 vor der Staffelei in der Kremler Wohnung meiner Eltern stand – das war ein neuer, ein verjüngter, ein aufhorchender und hellwacher Vogeler ... ›Weißt du, wie dieses neue Bild heißen wird?‹ fragte er. Ich blickte zur Staffelei. Die ersten vagen, noch chaotisch wirkenden Umrisse des Bildentwurfs waren erkennbar. Doch ohne mein Rätselraten abzuwarten, verkündete er feierlich: ›Die Geburt des neuen Menschen!‹ Lachende Lebenslust strahlte aus seinen großen kristallklaren Augen. Und die Schaffensfreude vibrierte so stark in ihm, daß er – ohne den Blick von der Staffelei zu wenden – die Palette in der einen, den Pinsel in der anderen Hand, zu tanzen begann. Ich ging leise hinaus. Im Nebenzimmer stand die Wiege unseres Sohnes. Er war gerade einen Monat alt. Doch das Gemälde, das im Ergebnis eines Wirbels beglückender Ereignisse entstand, bezog sich auf eine andere Geburt. Es sollte das Werden einer neuen Welt verkünden ...«

Es wäre leicht denkbar, dieser Art Momentaufnahme weitere gefällige Wirklichkeitsausschnitte zuzufügen und den Weg Heinrich Vogelers zu verklären, anstatt ihn zu erklären, einen Weg, der voller Gefährdungen war.

Generalkonsul Ludwig Roselius, der Bremer Großkaufmann, Vogelers langjähriger Mäzen und Freund, hatte ihn immer wieder unterstützt, ihn auch wie einen Exoten zu halten versucht, den er mit Goldkörnchen fütterte, solange Hoffnung war, daß das Gefieder des roten Vogels doch noch die Farbe des Käfigs annahm. Roselius kam damals mit Vorschlägen und Angeboten. Geradezu exemplarisch für die von bürgerlichen Kreisen betriebene Entmündigung Kunstschaffender ist seine besserwisserische Haltung gegenüber dem von Vogeler durch Wort und Schrift beanspruchten Recht auf politische mitwirkende Verantwortung: »Malen Sie und überlassen Sie die Politik den Menschen, die in der Wirklichkeit stehen und Erfahrung haben! Bleiben Sie doch, lieber Freund, beim Malen! Toben Sie Ihre Gefühle in Farben aus, in Linien, Rhythmen! Schenken Sie der Welt Ihre unvergänglichen Meisterwerke, dann tragen Sie viel zum Glück der Menschheit bei, wie die Menschheit es vertragen kann. Die Ausführung sozialistischer Ideen aber überlassen Sie den Menschen, die praktische Arbeit im Leben gelernt haben.«

Als Vogeler sich dann entschloß, seine gefühlsgetragene Auffassung von einem Idealkommunismus durch die Mitwirkung an einem Realkommunismus zu korrigieren, da riet Roselius wiederum ab. In einem Brief vom 2. April 1922 heißt es unter anderem: »Komm doch zu mir, lieber Freund, laß uns besprechen, wie wir Dein neues Leben aufbauen. Willst Du ein Atelier in Bremen haben, eine Wohnung noch dazu, ich richte es Dir ein, Material und Farbe kannst Du bekommen, soviel Du brauchst. Irgendwelche Verpflichtungen mir gegenüber hast Du nicht ... Willst Du den Barkenhoff mit Hilfe Deiner Familie aufbauen, so stehe ich auch dafür zur Verfügung ...« Heinrich Vogeler lehnte ab. (Die Ehe mit Martha war längst zerbrochen.)

Gefährdungen war seine Haltung auch und ganz anders ausgesetzt, als er sich 1929 aus Protest gegen linkssektiererische Tendenzen innerhalb der Kommunistischen Partei einer rechtsopportunistischen Fraktion um Heinrich Brandler und August Thalheimer zugewandt hatte und aus der KPD ausgeschlossen wurde. Enttäuschung – sicher. Resignation – keineswegs. In Heinrich Vogeler hat späterhin ungeachtet der aufgehobenen Parteizugehörigkeit eine innere Bindung an die Kommunistische Partei fortbestanden. Darin mag auch begründet sein, daß er in den dreißiger Jahren der Einladung seines Schwiegersohnes Gustav Regler und seiner Tochter Mieke, zu ihnen nach Mexiko zu kommen, nicht folgte. In einem Brief an ihn aus dem Zeitraum Oktober–Dezember 1932 erklärt er *seinen* Heimatbegriff: »Es ist mir immer, als wenn ich sofort ein festes Heimatgefühl an dem weltentlegensten Platz bekomme, wenn ich durch Arbeit mit den großen wichtigen Aufgaben des sozialistischen Aufbaus verbunden werde.«

Gefährdungen gab es auch für seine künstlerischen Auffassungen: Unbestechlich ist er in der Selbsteinschätzung seiner während längerer Reisen in der Sowjetunion entstandenen Zeichen- und Aquarellstudien. Sie finden den Beifall der Flößer, Holzfäller, Fabrikarbeiter, Kolchosbauern, Hirten ... Dennoch, sein Briefentwurf an Alexej Tolstoi macht – absichtsvoll – deutlich, daß er damit nicht mehr habe geben können »als eine Reportage aus dem sozialistischen Aufbau und über den neuen Menschen und über die neuen sozialistischen Lebensbedingungen«. Vogeler strebte – wie im Ansatz der Barkenhoff-Wandgemälde und der Komplexbilder sichtbar wurde – zur Monumentalmalerei. »Der Maler, der kein Atelier besitzt, dessen Arbeitsplatz nicht viel größer ist wie ein Schreibtisch«, der sich durch die gegebenen ungünstigen räumlichen Arbeitsbedingungen »zum Miniaturmaler« entwickelt, wie er seine Situation pointiert analysiert, schreibt in dem genannten Brief von der Anerkennung seiner bisherigen Arbeit und fügt hinzu: »Aber bei dem Künstler blieb eine Leere. Alle diese schnell wechselnden Eindrücke und ihre Wiedergabe genügten in keiner Weise für die Gestaltung einer großen monumentalen sowjetischen Kunst ...« Vogeler rechnete mit einer Zeit, »da der Sowjetkünstler seine künstlerische Arbeit in engster Verbundenheit mit den schöpferischen Kräften der Masse macht. *Erst dann gehen jene unbewußten starken Gefühle für den unsichtbaren Charakter der neuen Menschen in die Ausdrucksmittel der Künstler über. Der Künstler verliert sich selber im Schaffen, geht ganz auf in dem Vorwurf, den er sich gesetzt hat* ...« (Hervorhebung J. P.) – ein bemerkenswert früher kunsttheoretischer Hinweis, daß die *Verinnerlichung* gesellschaftspolitischer Absichten die erste Voraussetzung erfühlten und erfüllten künstlerischen Schaffens in den Kämpfen unserer Zeit ist.

Über Heinrich Vogelers Rolle in den lebhaften sowjetischen Kunstdiskussionen der zwanziger und dreißiger Jahre ist bisher kaum etwas bekannt. Die Vielfalt aus Übereinstimmungen und Gegensätzen in Programmen und Statuten, Diskussionen, Experimenten und Ausstellungen der Moskauer Kunstszene der zwanziger Jahre kann nur angedeutet werden, ist allenfalls ahnbar angesichts der verschiedenen Künstlervereinigungen und Gruppierungen, deren Zugehörigkeit wiederum wechselte. So vertraten die Maler der »Assoziation der Maler des revolutionären Rußland«, entstanden 1922, und 1928 in »Assoziation der Maler der Revolution« umbenannt, die Losung des »heroischen Realismus«. Dieser Vereinigung schloß sich 1926 die Gruppe der »Moskauer Maler« an, die wiederum zeitweise Maler der Vereinigung »Karobube« in sich aufgenommen hatte. Schon 1927 organisierten sich die »Moskauer Maler« zur »Gesellschaft der Moskauer Maler« (OMCh). Es gab eine ganze Reihe weiterer Künstlergruppen, u. a. die 1925 entstandene Gesellschaft »Die vier Künste«, der sich wiederum die 1924 entstandene Malergruppe »Der Feuervogel« anschloß. Unter anderem war 1925 aus dem künstlerisch-technischen Institut in Moskau (WCHUTEMAS) die »Gesellschaft der Stankowisten« (OST) hervorgegangen, eine der produktivsten Künstlergruppen, die ihre Erfahrungen mit konstruktiven Experimenten für eine realistische und revolutionäre Malerei und Agitationsgraphik nutzbar zu machen verstand. Der Maler Alexander Labas, den Stankowisten zugehörig und Vogeler bis zuletzt in Freundschaft verbunden, äußerte, Vogeler habe dieser Gruppe nahegestanden.

Was drängte ihn in Richtung gerade dieser Moskauer Maler, von denen er viele gut kannte? Etwa die unbewußte Affinität zu einer *geheimen Ornamentik* in den neuen Sujets jener Maler? Der Kritiker J. W. Tugendhold hob 1927 als positive Wirkung der Stankowisten hervor, daß sie in die russische Malerei den Blick für den industriellen Fortschritt und die Veränderungen der Wirklichkeit gebracht hätten, die sich infolge der Oktoberrevolution vollzogen. »Bei Deinecka und Pimenow sahen wir zum erstenmal die neue Ornamentik – Geflechte von Brücken und Kränen, die durchbrochene Schönheit der neuen Stahlarchitektur.« Der Maler Pimenow erinnert sich an die OST-Periode: »Ich war bestrebt, alles wiederzugeben, was besonders zeitnah war, den zeitgenössischen Menschen, die zeitgenössische Industrie, den Sport.« Heinrich Vogeler fand in dem Bemühen der Stankowisten um Zeitnähe offenbar die stärkste Entsprechung. Darüber hinaus trat die Gruppe für das Wiedererstehen zeitbezogener Wandmalerei ein – Wandbildgestaltung als überzeu-

Alexander Labas: Porträt Heinrich Vogeler. Aquarell, 1940

gendstes bildkünstlerisches Mittel, zu allen Schichten des Volkes zu sprechen. Als dann den Werken und Bestrebungen der OST-Maler Schematismus und Beschränktheit in der Gestaltung sowie prinzipienlose Hascherei nach modernen Sensationen nachgesagt wurde, mußte sich Vogeler, obwohl selbst nicht Mitglied jener Vereinigung, davon beeindruckt fühlen. Kritisch vermerkt er die Unfruchtbarkeit vieler Kunstdiskussionen. Um so lieber hat er auf seinen vielen Reisen die Nähe derer gesucht, für die er arbeitete.

5 Vogelers Ende

Spekulativ wären alle Vermutungen darüber, welche Erweiterung Heinrich Vogelers Schaffen noch erfahren hätte, wenn die Sowjetunion nicht durch den verheerenden faschistischen Überfall in ihrer Entwicklung so ernsthaft aufgehalten worden wäre. Zweifellos wurde der fast Siebzigjährige selbst eines der unzähligen Opfer jenes Krieges.

Eben noch hatte er die Eröffnung seiner Moskauer Ausstellung erlebt, über die in der Zeitschrift »Internationale Literatur« 1941 unter anderem berichtet wurde: »50 Jahre sind seit der Zeit vergangen, da Heinrich Vogeler nach Beendigung der Düsseldorfer Kunstakademie seine künstlerische Laufbahn betreten hat. Leider fehlen in der Ausstellung Werke aus den ersten Jahrzehnten dieses Schaffens; es waren nur Bilder zu sehen, die in der Sowjetunion entstanden sind: Porträts, Gemälde und Zeichnungen sowie Aquarelle aus Karelien, Aserbaidshan, Kabardino-Balkarien und Usbekistan. Zu der feierlichen Eröffnung waren viele Moskauer Interessenten erschienen. Russische und deutsche Freunde der Kunst Heinrich Vogelers ergriffen das Wort. Heinrich Vogeler ist mit der Ausführung von Aufträgen für die Ausstellung ›Unsere Heimat‹ beschäftigt, die zu den 25-Jahr-Feiern der UdSSR (1942 – J. P.) eröffnet werden soll.« (Dieser Vogeler-Ehrung war übrigens neben anderen Ausstellungen fünf Jahre zuvor in Petrosawodsk die Darbietung einer Kollektion von mehr als neunzig Arbeiten aus den Jahren 1934–1936 vorangegangen.) – Doch wie viele Versprechen blieben durch den zweiten Weltkrieg uneingelöst, wie viele Pläne unverwirklicht. Er kam auch nicht mehr dazu, nach Rückkehr von seinem Erholungsaufenthalt »an das Porträt von Wilhelm Pieck« zu gehen, das er in Kunzewo, der Wohngegend führender Funktionäre der Komintern, malen wollte.

Infolge der Evakuierung Moskaus von Kindern, Frauen, Alten und von Bürgern deutscher Nationalität geriet Heinrich Vogeler mit anderen älteren Moskauern in das Dorf Kornejewka in Kasachstan zu einer weißrussischen Bauernfamilie, die schon um 1906/07 dort angesiedelt worden war, »Menschen, sehr abgehärtet gegen Kälte ... gesund und menschlich sehr hart. Meistens sind sie mehr Selbstversorger als Kommunisten«, notiert Vogeler. Einige kleinformatige Notizbücher und sein Manuskript »Werden« geben Auskunft über die letzten Lebensmonate. »Kein Telefon, kein Telegraf, kein Radio, Zeitung nach drei Tagen.« Die Nazitruppen standen vor Moskau. Die gewaltigen organisatorischen Probleme der Verteidigung und der Umsiedelung von Millionen mußten zu Schwierigkeiten in der Versorgung und zu Störungen im Briefverkehr mit Verwandten und Dienststellen führen.

Zu dieser Zeit befindet sich seine geschiedene zweite Frau Zofia Marchlewska wegen ihrer Polnischkenntnisse als Dolmetscherin bei der Roten Armee, und Jan Vogeler ist als Komsomolze zur Ausbildung abkommandiert. Die Verbindungen waren während der schweren Winterkämpfe vor Moskau abgebrochen. Vogelers Verwandte konnten zunächst nicht erfahren, daß er bald völlig mittellos leben mußte: seine Rente wurde ihm am Ort nicht ausgezahlt. Die Wirtsleute, selbst in großem finanziellem Druck lebend, verloren das Vertrauen zu dem Gealterten und Kranken, zu dem bei ihnen immer höher verschuldeten Pensionär. Im Januar 1942 erhält er von der Dienststelle des NKWD in Karaganda die Erlaubnis, nach Karaganda überzusiedeln, nimmt sie jedoch nicht wahr, weil zu jener Jahreszeit eine Reise ohne beste Ausstattung nicht möglich ist; Vogeler fehlen die Mittel, sie sich anzuschaffen. Etwa im Februar wird die Verbindung zu Freunden und Verwandten, die teilweise nach Moskau zurückgekehrt sind, wieder möglich; sie setzen sich für ihn ein, sammeln Geld, senden es. Im Mai läßt er sich ins Krankenhaus des benachbarten Kolchos »Budjonny«, etwa 20 Kilometer vom Kolchos »1. Mai« (Kornejewka) entfernt, einweisen. Einer an ihn Ende Mai gesandten Aufforderung, nach Karaganda zu kommen, kann er nun nicht mehr folgen.

Als Heinrich Vogeler am 14. Juni 1942 im Landkrankenhaus des Kolchos »Budjonny« stirbt, befinden sich in seinem Koffer sechsunddreißig Aquarelle, dazu Flugblattentwürfe und Aufrufe, darunter der Entwurf einer leidenschaftlichen Rundfunkrede an die deutsche Jugend gegen den Hitlerfaschismus und – das Manuskript »Werden«, ein unter Schmerzen, doch ohne Selbstmitleid geschriebenes Buch. Welche Absicht er mit seinem Erinnerungsbuch verbindet, geht aus folgender flüchtigen Notiz hervor: »Zum Vorwort. Kein Selbstporträt, andere können das machen. Ich will nur versuchen, wie die Verhältnisse, in die ein Mensch gerät, den Menschen ändern und ihn zur Änderung der Verhältnisse treiben. Vielleicht ist auch für manchen von Nutzen, Erkenntnisse daraus zu ziehen für eigene Entschließungen.«

Die Erinnerungen sind zu einem Dokument geworden, das, oft absichtslos, oft schonungslos und aufrichtig, die Entwicklung von Gedanken und Empfindungen Heinrich Vogelers beschreibt und den Spiegel zeigt, in dem er *seine* und unsere Welt sah. Das fragmentarische Manuskript ist in seinen Reflexionen auf Geschehnisse, in den Schilderungen von Vorgängen und Erlebnissen bisweilen unerhört sprachkräftiger, manchmal unbeholfener oder gefühliger, immer aber unverfälschter Ausdruck der Selbstbefragung eines alternden Künstlers über das gesellschaftliche Wesen Mensch, eine Chronik, darin sowohl bewahrt ist das »Es war einmal« als auch das uns daraus ansprechende, zukunftsgewisse »Es wird einmal sein«, ein Stück ganz eigener Geschichte.

Wenn man sein Werk überschaut, wird deutlich, wieviel diesem Kunstschaffenden der Mensch als Darstellungsgegenstand bedeutet hat – Menschen in ihrer landschaftlichen Verwurzelung, Menschen in ihrem Tätigsein, Menschen in ihrem gerechten Kampf, Porträts als konzentrierter Ausdruck von Persönlichkeit, auch *seiner* Persönlichkeit.

Er, von dem Rainer Maria Rilke 1902 sagte, man werde ihn »als einen Vorläufer empfinden, als einen bescheidenen und kleinen Anfänger großer Zukünfte«, er, dessen Aufmerksamkeit dem Werden eines neuen Menschen und den Möglichkeiten einer neuen Zeit galt, er – es sei mit allem Vorbedacht gesagt – *ist* dieser neue Mensch geworden.

»Ich gehe einen mir noch unbekannten Weg. Aber ich weiß, daß er mitten im Menschen endet« – eigenartig ist es schon, wie ein einziger Satz, in seiner Ungewißheit und in seiner Selbstsicherheit zugleich, die Grundsituation eines Menschen charakterisiert, all sein Suchen, sein vielfältiges Wirken in sich sammelt und ihn durch alle Umwege und Unwägbarkeiten begleitet.

Im Atelier bei dem Moskauer Maler Alexander Labas, der seinen Freund Heinrich Vogeler mehrmals porträtiert hat, notierte der Autor dieses Nachworts im Dezember 1979 die Worte: »Er arbeitete bis zuletzt. – Ich glaube nicht, daß es irgend jemanden gibt, der etwas Schlechtes über ihn sagen kann. Er war ein reiner Mensch. Wir nannten ihn den letzten Ritter. Er war ein edler Charakter, ein guter Freund.«

Joachim Priewe

Berlin, im Dezember 1986

CHRONIK ZUM BUCH »WERDEN«

Die Datenliste ist als Verständnishilfe für die Lektüre des Buches gedacht, setzt also dessen Kenntnis voraus; sie erhebt keinen Anspruch auf Vollständigkeit und soll nur, soweit bekannt, die reale Zeitfolge hinter den teilweise beträchtlichen Verschiebungen, Lükken und Raffungen in Vogelers Erinnerungen deutlich machen.

1872 *Dezember 12:* Johann Heinrich Vogeler geboren; zweites von sieben Kindern des Bremer Eisengroßhändlers Carl Eduard Vogeler (1836–1894) und seiner Frau Marie Louise geb. Förster (gest. 1924) aus Hameln. (Das erste und das dritte Kind starben früh.) Geschwister:
1. Franz (1876–1915, gefallen), verheiratet seit 1902 mit Philine Vogeler; 1904 Geschäftsführer seines Bruders Heinrich; 1905 richtet er die »Worpsweder Kunsthalle« ein, die nach seinem Tod von Philine Vogeler (gest. 1952) weitergeführt wird; 1908 Leiter der »Worpsweder Werkstätte Franz Vogeler« für Einrichtung und Möbelbau in Tarmstedt, die hauptsächlich nach Vogelers Entwürfen arbeitet;
2. Eduard (1877–1932), Landwirt, Geflügelzüchter in Adiek;
3. Henny, später verheiratete Walther;
4. Marie, später verheiratete Paarmann (beide Schwestern heirateten Offiziere).

1878 Besuch der Handelsschule, später der Realschule.

1888 Mit den Eltern zur Kur in Baden-Baden.

1889 *Juli/August:* Fritz Mackensen (1866–1953), Otto Modersohn (1865–1943) und Hans am Ende (1864–1918, kriegsverwundet) kommen nach Worpswede.

1890 *Oktober:* Beginn des Studiums an der Kunstakademie Düsseldorf; u. a. bei Adolf Schill (1848–1911), Architekt und Kunstgewerbler; Peter Janssen (1844–1908), Historienmaler; Arthur Kampf (1864–1950), Porträtist und Historienmaler (1933: »Der 30. Januar 1933«).
Abwendung vom »akademischen Naturalismus«.
Bekanntschaft mit dem Kunststudenten Otto Sohn (1877 bis 1949).

1891 *Oder 1892:* Eifelwanderung (von Aachen nach Trier).
Mitglied der studentischen Künstlerverbindung »Tartarus« (Vogeler erhält den Spitznamen Mining).
Bekanntschaft mit dem Bremer Fritz Overbeck (1869–1909), der 1893–1905 zum Kreis der Worpsweder Maler gehört.

1892 Mit den Freunden Robert (Weise?) aus Stuttgart und dessen Vetter Peter Hoffmann Reise nach Sluis (Holland) zu Malstudien. Besuch bei Otto Sohn in St. Anna ter Muiden und bei dem Landschaftsmaler Paul Baum (1859–1932) in Knocke sur Mer.
Besichtigung Brügges.
Herbst: Wegen Cholera-Epidemie mit den Freunden über Brüssel und Genua zu Malstudien nach Rapallo.
November: Auf Drängen des Vaters Rückkehr an die Kunstakademie Düsseldorf. Kunstgewerbliche und buchkünstlerische Studien.

1894 *April:* Bildungsreise nach Paris, Besuch bei dem Freund Robert (Weise?).
Mai: Aufenthalt in Worpswede, erster Anschluß an die dortige Künstlergruppe, der Mackensen, Modersohn, am Ende, Overbeck und der in Ostendorf bei Bremerhaven wohnende Maler Carl Vinnen (1863–1922) angehören. Hans am Ende führt Vogeler später in die Radiertechnik ein.
Bekanntschaft mit Martha Schröder (1879–1961), seiner späteren Frau, jüngster Tochter einer Worpsweder Lehrerswitwe (später kunstgewerblich tätig, Bildweberin, Webelehrerin).
Herbst: Tod des Vaters. Verkauf der Firma.

1895 *April/Mai:* Ausstellung der Worpsweder Maler in der Bremer Kunsthalle.
Spätsommer: Der Bauerndichter Hermann Allmers (1821 bis 1902) aus Rechtenfleth an der Unterweser zu Besuch in Worpswede.
August: Die Worpsweder Gemeinschaftskollektion zur Jahresausstellung der Münchener Künstlergenossenschaft im Münchener Glaspalast macht die Gruppe allgemein bekannt. Es folgen Ausstellungen in den bedeutendsten deutschen Kunstzentren.
Oktober 1: Ankauf des Grundstücks am Weyerberg in Worpswede-Ostendorf (Bauernhaus mit vier Morgen Land), erste bauliche Veränderungen und Erweiterung des Hauses.

1896 Zweite Ausstellung der Worpsweder im Münchener Glaspalast.
Mitglied der Genossenschaft »Pan«.

1897 Aufenthalt in Dresden zur Beteiligung an der Internationalen Kunstausstellung mit Gemälden und Radierungen. Bekanntschaft mit dem Geiger Egon Petri, mit Helene Crambach, der Frau des türkischen Konsuls, bei der Martha Schröder 1898 einige Zeit wohnt, um Kunstgewerbe, Literatur, Musik und Sprachen kennenzulernen.
Sommer: Formelle Gründung des »Künstler-Vereins Worpswede«.

1898 Die ersten Buchillustrationen erscheinen (bis 1914 zu ca. 100 Büchern).
Auf der Wiener Graphischen Ausstellung Auszeichnung mit der Kleinen goldenen Medaille.
Bis 1901: Umbau des Hauses im Empirestil.
Frühjahr: Reise nach Florenz, im April Bekanntschaft mit Rainer Maria Rilke (1875–1926), dessen Buch »Mir zur Feier« (1900) Vogeler mit Buchschmuck versieht.
September 7: Paula Becker (1876–1907) übersiedelt nach Worpswede, bis 1899 Schülerin von Fritz Mackensen.
Oktober: Reise nach Dresden. Erste Einzelausstellung in Dresden.
November 21: Besuch bei Rilke in Berlin.
Dezember 25: Rilke zu Gast bei Vogeler; er feiert Weihnachten mit in Vogelers Bremer Elternhaus und übersendet nach der Abreise zu Silvester den Hausspruch für den Barkenhoff.

1899 *Winter:* Längere Zeit in Dresden, zur Dresdener Deutschen Kunstausstellung. Ankauf des Gemäldes »Mein Haus« (Barkenhoff) durch die Dresdner Galerie.
Der Gedichtband »Dir« (Liebesgedichte für Martha), mit eigenen Illustrationen, erscheint bei Schuster und Loeffler, Leipzig (1922 erscheint im Insel-Verlag, Leipzig, das 7.–8. Tausend).
Die Mappe »An den Frühling« (10 Radierungen und ein Titelblatt) erscheint mit großem Erfolg im Insel-Verlag, Leipzig, (bis in die zwanziger Jahre von der Worpsweder Familie zum Verkauf nachgedruckt).
April: In der Darmstädter Zeitschrift der Stilkunstbewegung, »Deutsche Kunst und Dekoration«, erscheint ein erstes »Sonderheft Heinrich Vogeler«.
Juni: Der Schriftsteller Carl Hauptmann (1858–1921), Freund Modersohns, in Worpswede.
Juli: Auf Vorschlag Modersohns Auflösung des »Künstler-Vereins Worpswede« (Modersohn, Overbeck und Vogeler treten aus).
Sommer: Mit den Malerinnen Clara Westhoff (1878–1954)

und Marie Bock (1867–1956; in Worpswede 1896 bis kurz nach 1900) Fahrradtour durch Schleswig-Holstein nach der dänischen Insel Rømø.

September: Reise nach Meißen, Dresden, Leipzig.

Oktober: Auf Einladung des Bremers Rudolf Alexander Schröder (1878–1962, des späteren Dichters und Innenarchitekten) Reise über Köln und Straßburg nach München: Übernahme der graphischen Gestaltung von Heft 1–3, 1900 (d. i. das zweite Quartal), der von Schröder und dessen »Adoptivvetter« Alfred Walter Heymel (1878–1914, 1907 geadelt) sowie Otto Julius Bierbaum (1865–1910) herausgegebenen Zeitschrift »Die Insel«.

Entwürfe für Einrichtungsteile der (hauptsächlich von Schröder entworfenen) luxuriösen Wohnung Heymels in der Leopoldstraße. In der Folge auch in Bremen Einrichtungsentwürfe (Rutenhof, Kunsthandlung Storm).

Dezember: Paula Becker und Marie Bock stellen in der Bremer Kunsthalle aus, vernichtende Kritik des Bremer Schriftstellers und erfolgreichen Malers Arthur Fitger.

Weihnachten: Besuch bei Mutter und Schwestern in Florenz.

1900 *Februar 23:* Faschingsfest in München mit Ausgabe der »Halbinsel«.

Bis 18. April: In München.

Januar bis Juni: Erste Pariser Reise Paula Beckers. Sie lernt dort Bilder Paul Cézannes kennen, ist mit Clara Westhoff (1898 Schülerin Max Klingers, Ende 1899 Schülerin Rodins) zusammen.

März 20–25: Besuch bei Carl Hauptmann in Schreiberhau; Briefwechsel und gegenseitige Besuche folgen.

Juni: Mit Modersohn, Overbeck und Marie Bock zur Weltausstellung in Paris.

Ende Juli: Rilke Gast auf dem Barkenhoff (Gesellschaften, Lesungen, Berichte seiner zweiten Rußlandreise). Anfang Oktober Abreise. Auch Carl Hauptmann für mehrere Tage in Worpswede.

Rilke macht in der Folge Vogeler in russischen Kunstkreisen bekannt.

September 26: Mit Rilke und Worpsweder Freunden Besuch der Carl-Hauptmann-Premiere »Ephraims Breite« in Hamburg.

Dezember 1: In Berlin Treffen mit Rilke, Carl und dessen Bruder Gerhart Hauptmann und Lou Andreas-Salomé anläßlich einer Vogeler-Interieur-Ausstellung bei »Keller und Reiner«. Einige Tage bei Rilke in Berlin-Schmargendorf.

1901 *März 3:* Trauung mit Martha Schröder in der Kirche von Heeslingen bei Zeven.
Hochzeitsreise nach Amsterdam, Sluis, Antwerpen, Brügge, St. Anna ter Muiden (Besuch bei Otto Sohn). »... bei den alten Meistern glückselig ...« (an Rilke, o.D.).
April 27: Rilke und Clara Westhoff heiraten. Sie wohnen bis Sommer 1902 in Westerwede (Dezember 12: Geburt ihrer Tochter Ruth); Vogeler leitet die Um- und Ausbauarbeiten an ihrem Wohnhaus.
Mai 25: Otto Modersohn und Paula Becker heiraten. Die drei Paare nannten sich »die Familie«, der Barkenhoff war ihr geselliger Mittelpunkt.
Dezember 23: Geburt der ersten Tochter, Marieluise (»Mieke«; gest. 1945 in Guerreavaka/Mexiko) Goldschmiedin, Grafikerin, Malerin; heiratete nach mehrjähriger Lebensgemeinschaft 1940 in New York den exilierten Schriftsteller Gustav Regler (1898–1963), der sich zwischen 1928 und 1933 auch in Worpswede aufhielt.

1902 *Februar 15:* Aufführung von Maurice Maeterlincks Schauspiel »Schwester Beatrix« in der wiedereröffneten Bremer Kunsthalle unter Leitung Rilkes (Regie) und Vogelers (Bühnenbild, Kostüme).
April: Im zweiten Vogeler-Sonderheft der Zeitschrift »Deutsche Kunst und Dekoration« erscheint Rilkes Aufsatz »Heinrich Vogeler«. Die Monographie »Worpswede«, die Rilke noch in Westerwede schreibt (erschienen 1903), enthält ebenfalls einen Abschnitt »Heinrich Vogeler« (»Da haben wir ein Leben, welches sich mit Mauern umgeben und darauf verzichtet hat, sich über diese Grenzen hinaus auszudehnen. Ein Leben nach innen. Und dieses Leben verarmt nicht.«).
Frühsommer: Aufenthalt Rilkes in Worpswede.
Sommer: Reise auf die nordfriesischen Inseln Pellworm und Hallig Hooge.
Nach Mitte November: Mit Martha Reise nach Rom.

1903 Mit Otto Sohn zusammen, der sich seit 1902 in Italien aufhält. Weiterreise nach Neapel (Fresken Hans von Marées'); tiefer Eindruck von Pompeji. Rückkehr Ende März.
Februar–März: Zweiter Aufenthalt Paula Modersohn-Bekkers in Paris. Ehepaar Rilke ebenfalls in Paris.
Ab April: Arbeit an dem Gemälde »Das Konzert« (auch »Sommerabend« genannt).
Sommer: Rilke und Frau zu Gast auf dem Barkenhoff: letzter längerer Aufenthalt.

August 4: Geburt der Tochter Bettina; heiratete 1922 den Architekten, Maler und Bildhauer Walter Müller (1901–1975), ist später in Worpswede als Hand- und Bildweberin tätig und lebt dort in Martha Vogelers Haus; ihr Sohn Hans Georg Müller (geb. 1924), der Intarsiendesigner wurde, fertigt u. a. Möbel der ehemaligen Vogelerschen »Worpsweder Werkstätte«.

September 25: Im Vorstand des neugegründeten Worpsweder Verschönerungsvereins (bis 1917): 1904–1912 Vorsitzender, 1905–1914 auch in der Baukommission (Bauberatungsstelle).

Etwa Jahresende: Beginn der Arbeit für die Neugestaltung der Güldenkammer im Bremer Rathaus (bis 1905).

Etwa seit diesem Jahr, auch unter dem Eindruck der für Vogeler »grenzenlosen Wirrnisse in der bildenden Kunst« (an Carl Hauptmann, 3. Juni), stärkere Hinwendung zu Architektur, Kunstgewerbe, Inneneinrichtung.

1905 Das Musterheft »Vogeler-Zierat, ausgeführt nach Zeichnungen von Heinrich Vogeler in der Rudhardschen Gießerei in Offenbach« erscheint, was zum Protest des Insel-Verlags führt, der seine Rechte an den Zeichnungen geltend macht; der Streit wird durch Heymel beigelegt.

Februar: Arbeitsaufenthalt in Dresden.

Februar–April: Dritter Parisaufenthalt Paula Modersohn-Beckers.

März–April: Heinrich mit Martha Vogeler, seiner Schwester Marie, Otto Modersohn und Paulas Schwester Milly Becker zehn Tage in Paris; mit Paula Modersohn-Becker zusammen. (Bilder u.a. von Gauguin, Seurat, van Gogh, Matisse.)

April: Beginn einer nervösen Sehstörung.

Juni: Auf der Nordwestdeutschen Kunstausstellung in Oldenburg hat Vogeler einen eigenen Raum für eine Retrospektive seiner Gemälde, Aquarelle, Zeichnungen und kunstgewerblichen Arbeiten (u. a. das Gemälde »Das Konzert« oder »Sommerabend«). Vogeler nennt das seine »Abschiedsvorstellung« (an Eugen Diederichs, 23. März 1905). Er erhält die Große Goldene Medaille für Kunst und Wissenschaft.

Oktober–November: Mit Otto und Paula Modersohn nach Soest, Hagen, Münster (Modersohns Heimat). Besuch des von dem Industriellen, Kunstsammler und Mäzen Karl Ernst Osthaus (1874–1921) in Hagen gegründeten Folkwang-Museums für moderne Kunst.

November: Abschluß der Arbeit an der Güldenkammer.

Dezember 7: Geburt der Tochter Martha (»Mascha«); seit

1933 verheiratet mit dem Bauunternehmer Hermann Schnaar (gefallen 1945); lebt in Worpswede und betreibt im »Haus im Schluh« eine Pension.
Seit 1905: Der Maler und Architekt Carl Weidemeyer (1882–1976) lebt in Worpswede und Bremen, Freundschaft mit Vogeler.

1906 *Januar 3 bis etwa Ende Februar:* In Begleitung des Bremer Teefarmers Freudenberg Seereise auf dem Reichspostdampfer »Ziethen« von Genua aus nach Ceylon, zur Ausheilung des Augenleidens. Exkursion zu einer Kokafarm im Innern Ceylons. Tiefer Eindruck buddhistischer Skulptur.
Februar bis Frühjahr 1907 (mit Unterbrechungen): Vierter Parisaufenthalt Paula Modersohn-Beckers, vorübergehende Trennung von ihrem Mann, der dann im Herbst und Winter 1906/07 nach Paris kommt; künstlerische Anregung Paulas durch Bernhard Hoetger (1874–1949), der sich 1900–1906 in Paris aufhält.
»Zimmer einer jungen Frau« (mit Rosenservice zum Toilettentisch) für die Dritte Deutsche Kunstgewerbeausstellung in Dresden (heute im Landesmuseum Bremen).
Oktober/November: Besuch der Pariser Ausstellung »Salon d'automne«.
Winter: Einstellung des Architekten Alfred Schulze (geb. 1886) für Vogelers Entwurfs- und Kontrollarbeiten als Vorsitzender der Baukommission im Worpsweder Verschönerungsverein.

1907 Entdeckung der Werke Maxim Gorkis.
Reise nach Łódź auf Einladung eines Textilfabrikanten.
Vergrößerung des Barkenhoffgrundstücks auf 14 Morgen durch Kauf des Lehmbruchs der alten Ziegelei vom Bremer Bürgermeister Dr. Marcus.
Januar–Februar: Besuch in Schreiberhau bei Carl Hauptmann; Rückreise über Berlin.
Oktober 5–6: Vogeler Mitbegründer des Deutschen Werkbundes in München.
Herbst 1907: Urlaub in Partenkirchen mit Martha. Ehekrise.
Oktober bis Ende 1910: Beteiligung am Bau der seit 1903 geplanten Kleinbahn Bremervörde-Osterholz. Im Auftrag des Worpsweder Verschönerungsvereins Entwurf des Bahnhofs Worpswede (Einweihung 24. Dezember 1910); auch die Bahnhöfe Osterholz, Weyermoor und Weyerdeelen-Umbeck sind von Vogeler entworfen; Inneneinrichtung auch der Bahnhöfe Bremervörde und Gnarrenburg durch die inzwischen begründete »Worpsweder Werkstätte« (siehe 1908).

November 20: Tod Paula Modersohn-Beckers. Otto Modersohn zieht im folgenden Jahr nach Fischerhude.

1908 Mit dem Bruder Franz Einrichtung der »Worpsweder Werkstätte Franz Vogeler« für Möbelbau in Tarmstedt (Serienmöbel nach Vogelers Entwürfen). Vogeler reproduziert zunehmend sein künstlerisches Schaffen im Kunstgewerbe.

Erneute Um- und Erweiterungsbauten am Barkenhoff.

Jahresende: Reise mit Otto Modersohn nach Berlin, um bei Cassirer eine Paula-Modersohn-Becker-Ausstellung vorzubereiten.

1909 Der ehemalige Jurastudent Ludwig Bäumer (1888–1928, Selbstmord in Berlin) kommt nach Worpswede, lernt Martha Vogeler kennen und lieben.

Juli 6–18: Englandreise Vogelers mit einer Studiengruppe (200 Teilnehmer) der Deutschen Gartenstadt-Gesellschaft (deren Mitglied Vogeler seit 1908 ist) über London nach Liverpool (Arbeiter-Gartenstadt Port Sunlight), Aufenthalt in den Elendsvierteln von Glasgow und Manchester, Bekanntschaft mit dem jüdischen Arzt und Kunstsammler Dr. Emil Löhnberg (1871–1926) aus Hamm, dessen Wohnung Vogeler im folgenden Jahr teilweise neu einrichtet und dem er den Ankauf mehrerer Bilder von Paula Modersohn-Becker vermittelt.

Winter: Plan zu einer Arbeitersiedlung für die »Worpsweder Werkstätte«.

1910 *Etwa in diesem Jahr:* Endgültiger Zerfall der Ehe.

Auf der Brüsseler Weltausstellung, wohin Vogeler mit seiner Frau reist (u. a. Einrichtung eines Damenzimmers), erhält die Worpsweder Werkstätte Goldene, Silberne und Bronzene Medaillen.

Juli 23–24: Emil Löhnberg zu Gast in Worpswede.

Das große Triptychon »Melusinenmärchen« entsteht wahrscheinlich in diesem Jahr.

Bei der Ausstellung in der Bremer Kunsthalle findet Vogeler nicht die erhoffte Resonanz. »Ich bin völlig vergessen« (an Heymel, Weihnachten 1910).

1911 *Bis 1914:* Oft auf (manchmal monatelangen Auftrags-) Reisen.

April: Mit den Worpsweder Malerfreunden Carl Emil Uphoff (1885–1971; seit 1911 in Worpswede) und Curt Stoermer (1891–1976; 1911–1919 in Worpswede) nach Paris. Letztes freundschaftliches Zusammentreffen mit Rilke.

Carl Vinnens konservativ-nationalistischer Aufruf von 1911

»Protest deutscher Künstler« gegen die moderne (besonders die französische) Malerei und ihren Ankauf durch Museen (»große Gefahr für unser Volkstum«) wird von Arthur Kampf, Hans am Ende und Fritz Mackensen unterstützt, jedoch nicht von Vogeler und von Modersohn, der sich offen dagegen engagiert.

Juni: Nach Brüssel; Bau des Hauses für die Familie der Tänzerin Charlotte Bara (eigentlich: Bachrach) in Brüssel.

Juni 9–11: Zur Tagung des Deutschen Werkbundes in Dresden.

Sommer: Auftragsreise in die Schweiz (Meiringen), größere Architekturarbeit.

August: Der Worpsweder Kirchenvorstand lehnt Vogelers Grabmalentwurf für Paula Modersohn-Becker ab (das Grabmal wird später von Hoetger ausgeführt).

September 3: Im Gartentheater des Barkenhoffs wird Carl Emil Uphoffs Tragödie »Potiphar« uraufgeführt.

1912 Entwurf und Einrichtung des Löhnbergschen Landhauses im Stryk bei Willingen (Waldeck), wohin Vogeler später (bis 1931) mehrmals zu längeren Aufenthalten zurückkehrt.

Januar: Rilke lehnt Vogelers Entwürfe zu seinem Gedichtzyklus »Marienleben« ab (Brief Rilkes an den Leiter des Insel-Verlages, Anton Kippenberg, vom 6. Januar: »Die Vogelersche Kunst ist vielleicht nie mehr gewesen, als sie jetzt ist, nur daß wir sie eben gleichsam immer unter der verschwiegenen Bedingung hinnahmen, daß sie noch etwas mehr werde. Darum scheint sie uns nun, in ihrem Stehengebliebensein, gleich unzulänglich …«).

Februar 16: Rücktritt Vogelers vom Vorsitz des Worpsweder Verschönerungsvereins.

Herbst: Auftragsreise nach Salzburg, Wien, München, Würzburg.

Spätherbst: Aufenthalt in Berlin, Charlottenburg, Kantstraße 90, in eigener Wohnung (bis 1913).

1913 Im Vorstand des Vereins deutscher Buchgewerbekünstler.

Januar: Mitarbeit an der Paula-Modersohn-Becker-Ausstellung in Hagen (weitere Ausstellungen folgen in München, Frankfurt a.M. und anderen Städten).

Sommer: Weitere Auftragsreisen.

Seit Oktober: Wieder (für mehrere Monate) in Berlin-Charlottenburg. Dort u. a. Arbeit für Bahlsens Keksfabrik (Serie der »Bahlsen-Zwerge«).

November: Aufenthalt im Löhnbergschen Landhaus in Willingen (Waldeck).

1914 Auswanderungsgedanken: Orkney- oder Shetlandinseln. »Meine Kunst ist tot. Was ich vom Leben wollte, ist ohne Sinn ...« (an Martha Vogeler, Frühjahr 1914).
Bernhard Hoetger siedelt sich in Worpswede an, beginnt sein erstes Wohnhaus (»Brunnenhof«) zu bauen.
Juli 24: Teilnahme an der Werkbundausstellung in Köln.
August 1: Kriegserklärung des Deutschen Reiches an Rußland.
September 14: Mit Curt Stoermer kriegsfreiwillig zu den Oldenburger Dragonern (sein Freund Heymel ist von dort, schon krank, an die Front gegangen, stirbt am 26. November in Berlin).
Dezember: Zur Ausbildung im 2. Schneeschuhbataillon über München (Besuch bei Clara Westhoff) nach Partenkirchen. Unteroffizier beim Bataillonstrain.
Vogelers freiwilliger Kriegsdienst wird in der Presse für die Kriegspropaganda ausgenutzt.

1915 Im Auftrag des Worpsweder Kriegervereins beginnt Bernhard Hoetger das 18 m hohe Siegesmal »Niedersachsenstein« zu bauen (vollendet 1922 als Heldendenkmal).
Februar: Einsatz in den Karpaten, Führer einer Versorgungsgruppe.
April: Zur Nachrichtenabteilung beim Stab des XXIV. Reservekorps unter General Friedrich von Gerok (1854–1937) versetzt. Zusammentreffen mit Harry Graf Kessler, dem ehemaligen Mitherausgeber des »Pan«, von dem Vogeler am 22. Juni ein (verschollenes) Porträt fertigstellt.
August: Beim Vormarsch durch Galizien bis Brest-Litowsk, danach ostwärts bis Kolki, Rukli.

1916 *Mai 1:* Karl Liebknecht organisiert auf dem Potsdamer Platz in Berlin eine Antikriegskundgebung, verteilt Flugblätter und wird verhaftet. (Vgl. Vogelers »Märchen vom lieben Gott«.)
Ende Oktober bis Dezember: Während der Brussilow-Offensiven der russischen Armee mit Rittmeister Graf Kessler auf Frontinspektion.

1917 *März 12* (Februar 27 in russischer Zählung): Nach revolutionären Massenaktionen Bildung einer provisorischen großbürgerlichen Regierung in Petersburg; am 15. Abdankung des Zaren. Sowjets (Räte) der Arbeiter und Bauern agieren gegen die provisorische Regierung: »Doppelherrschaft«. (Vogeler im Briefentwurf an General von Gerok, 22. März: »Bewahrheitet sich die Nachricht von der Zurückberufung des alten Kropotkin aus der Verbannung und die Berufung Gorkis zu verantwortungsvollen Ämtern, so weiß jeder ...,

daß in Rußland Männer an die Spitze kommen, die ihr Leben eingesetzt haben für den Frieden.«)
Etwa März: Mit dem Stab des Reservekorps Gerok an die rumänische Front (seit Dezember 1916 war Rumänien in strategisch wichtigen Gebieten besetzt); Standort Kézdi Vásárhely.
Zeitweise abkommandiert als Artilleriebeobachter zu einer ungarischen Einheit am Ojtoz-Paß, als Offiziersbegleiter auf Frontinspektion in den Transsilvanischen Alpen.
Sommer: Von der österreichischen Heeresleitung Erzherzog Joseph zu einer Donaureise abkommandiert und beauftragt, Propagandazeichnungen für die strategische »mitteleuropäische Linie« unter Deutschlands Oberherrschaft anzufertigen (seit 1915 arbeitete Ludwig Roselius für die deutsche Propaganda auf dem Balkan). Von Maros Vásárhely aus über Smederova (Semendria), Orşova, Turnu-Severin, Bukarest, Tutrakan ans Schwarze Meer nach Brăila und über Ploieşti, Braşov (Kronstadt) zurück zum Generalkommando in Kézdi Vásárhely.
November 7 (Oktober 25 nach russischer Zählung): Beginn der sozialistischen Revolution der russischen Bolschewiki, vom Petersburger bewaffneten Aufstand ausgehend; am folgenden Tag verabschiedet der II. Gesamtrussische Sowjetkongreß das »Dekret über den Frieden«. (Vogeler berichtet später, am 15. September 1919, im Brief an Johannes Plenge: »... der Kriegsfreiwillige sitzt beim Nachrichtenoffizier eines Generalkommandos, alle geheimen russischen Nachrichten, die aufgefangen wurden, gingen durch seine Hand; die großzügige Menschlichkeit der Verordnungen, die Organisation des Bildungswesens, die Organisation der Arbeit machen einen so tiefgehenden Eindruck auf den Muskoten, daß er offen mit Vorgesetzten und mit höchsten Stellen spricht ... Man lächelte über meine idealen Kinderträume ...«)
November: Mit dem Stab des Reservekorps Gerok, XXIV. Generalkommando, nach Frankreich. (Vogeler widmet 1917 sein Mappenwerk »Aus dem Osten. 60 Kriegszeichnungen aus dem Kriegsgebiet Karpathen, Galizien-Polen, Rußland«: »... von Gerok, Exzellenz, in dankbarer Verehrung ... ein Denkmal den tapferen Kameraden ... Sie alle kämpften und fielen für den großen Frieden der Menschheit«.)
Urlaub auf dem Barkenhoff (auch Ludwig Bäumer auf Urlaub).
Zur persönlichen Verwendung des Generals Gerok in Tailly

(Fronthinterland) stationiert, danach mit dem Stab in die Nähe von Verdun.

Dezember: Vogeler organisiert eine »Ausstellung von Werken feldgrauer Künstler in der Champagne, Vouziers 1917«.

Dezember 22 bis 1918, März 3: Friedensverhandlungen zwischen dem Deutschen Reich, Österreich-Ungarn (und Bulgarien, Türkei) einerseits und Sowjetrußland andererseits; dies will den am 9. Januar 1918 nachträglich durch General Hoffmann geforderten riesigen Gebietsabtretungen nicht zustimmen.

1918 *Januar 11:* Vogeler kommt auf Urlaub nach Worpswede, schreibt »An den Kaiser. Protest des Unteroffiziers Vogeler gegen den Brest-Litowsker Gewaltfrieden« (enthält das »Märchen vom lieben Gott«) und sendet den Brief, mit einem Begleitschreiben vom 23. Januar an seinen Major, auch an die Oberste Heeresleitung (Ludendorff). Der Brief gelangt, zunächst während des Krieges in Kopien, dann u.a. als Flugschrift auch gedruckt (»Ein offener Brief zum Frieden unter den Menschen«), an die Öffentlichkeit. Vogeler rechnet mit einem kriegsgerichtlichen Todesurteil (Brief an seinen Major vom 23. Januar 1918).

Januar 30: Auf die Briefe hin Einlieferung in die Beobachtungsabteilung für Geisteskranke (Reservelazarett) im Bremer St.-Jürgen-Krankenhaus.

Die Radierung »Krieg und Untergang« (auch »Die sieben Schalen des Zorns« oder »Zusammenbruch« genannt) entsteht.

Anfang April: »Dienstunbrauchbarkeitszeugnis« wegen »temporären manisch-depressiven Irreseins«; in Worpswede unter Polizeiaufsicht gestellt.

Der Barkenhoff wird sonntags Treffpunkt belgischer und russischer (in der Umgebung arbeitender) Kriegsgefangener.

Frühsommer: Ausstellung neuer Bilder (u.a. das verschollene Gemälde »Der Kriegsgott«) in Worpswede.

August?: Die Tänzerin Charlotte Bara mit ihrer Mutter kurz auf dem Barkenhoff.

Vogeler hält in diesem Jahr die ersten politischen Vorträge, bezeugt sind u.a. »Kommunismus und Weltfriede« (Dezember), »Über den Expressionismus der Liebe« (18. November); letzterer erscheint mit dem Datum 20. Oktober 1918 und einem Nachsatz vom 6. November als seine erste Flugschrift in Bremen bei Hauschild 1918. Weitere Flugschriften folgen. In den nächsten Jahren, zumindest bis 1922, häufige Vortragsreisen für utopisch-revolutionäre sozialpolitische Ideen.

Oktober 28: Beginn des Kieler Matrosenaufstands, der die Novemberrevolution in Deutschland einleitet.
November 6: Bildung des Bremer Arbeiter- und Soldatenrates. Die Senatsverwaltung amtiert weiter. Ludwig Bäumer wird Mitglied des Arbeiter- und Soldatenrates.
November 7: Demonstration und Besetzung der Werft-AG »Weser« in Bremen.
November 8–11: Verhandlung und Abschluß des Waffenstillstands zwischen Deutschland und den Alliierten.
November 9: Revolutionäre Volkserhebung in Berlin. Abdankung Kaiser Wilhelms II. Der von SPD und USPD gebildete Rat der Volksbeauftragten akzeptiert die Proklamation der Republik, um die Revolution zu stoppen. Die Spartakusgruppe fordert die sozialistische Republik.
November 11: Eine Versammlung von ca. fünfzig Männern und Frauen in Vogelers Haus beschließt für den 17. November die Gründungsversammlung des Worpsweder Arbeiter- und Soldatenrates.
November 12: Vogeler im Arbeiter- und Soldatenrat der Kreisstadt Osterholz, zuständig für das Versorgungswesen (Stoermer fungiert als Schriftführer).
November 17: In Worpswede entsteht ein Arbeiter- und Soldatenrat, u. a. mit Vogeler, Stoermer, Uphoff, anschließend Tanzvergnügen.
November 18: Vortrag Vogelers im Bremer Gewerbehaus über »Expressionismus der Liebe – der Weg zum Frieden«.
Etwa November: Stoermer, Uphoff und Vogeler sind als Begründer der Worpsweder »Gemeinschaft für sozialen Frieden« öffentlichkeitswirksam für eine friedliche Ablösung des Kapitalismus (»sozialistische Volksrepublik«). Die Geschäftsstelle der Gemeinschaft ist im Barkenhoff. Sie wendet sich am 28. November auch an die »Novembergruppe« bürgerlich-expressionistischer Künstler in Berlin. Als ihre dritte Flugschrift erscheint im Februar 1919 in Bremen (Hauschild) von Vogeler »Das Wesen des Kommunismus – Der Weltfriede«; sie propagiert einen pazifistisch-utopischen Kommunismus.
Vogeler und seine Frau stehen zu der Zeit besonders unter dem Einfluß der Schriften Pjotr Alexejewitsch Kropotkins (1842–1921), des bis 1917 im Exil lebenden russischen Narodniks und führenden anarchistischen Theoretikers (seine Schrift »Die Eroberung des Brotes« mit einer Vorrede von Rudolf Rocker illustriert Vogeler 1921 für den Verlag »Der Syndikalist«).

Beginn des Kontakts mit dem ehemaligen Lehrer und sozialdemokratischen Redakteur Johann Knief (1880–1919), Bremer Führer der Gruppe »Internationale Kommunisten Deutschlands« (bis November 1918: »Internationale Sozialisten Deutschlands«), die sich gegenüber Vogelers Pazifismus und syndikalistischen Tendenzen reserviert verhält. (Knief war von Januar bis November 1918 noch in Haft.)

1919 *Januar 1:* Gründung der Kommunistischen Partei Deutschlands. (Internationale Kommunisten Deutschlands und Spartakus sind die Hauptgruppen. Ludwig Bäumer ist als einer der Vertreter der Bremer Internationalen Kommunisten Deutschlands Teilnehmer und Redner auf dem Gründungsparteitag. Martha Vogeler begleitet ihn nach Berlin.)

Vogeler, »durch vier Jahre im Felde Sozialist, Mitglied der Mehrheitspartei« (also SPD) geworden (Brief an Nikolaus Osterroth, Anfang 1919), wendet sich von der Sozialdemokratie ab und einer utopisch-anarchistisch verstandenen »kommunistischen« Politik zu.

Der erkrankte Johann Knief findet mit seiner Gefährtin Lotte (Kornfeld, später Stuche) zeitweilig Unterkunft im Barkenhoff.

Januar 10: Proklamation der Bremer Räterepublik durch USPD und KPD unter Ausschluß der SPD. (In den Rat der Volksbeauftragten – der Exekutive aus USPD und KPD – wird u.a. auch Ludwig Bäumer gewählt.)

Januar 15: Ermordung der beiden Vorsitzenden der neugegründeten KPD, Rosa Luxemburg und Karl Liebknecht. Konterrevolutionäre Aktionen in ganz Deutschland.

Vogeler flieht in den folgenden Tagen zu Löhnberg nach Hamm und von dort nach Willingen in Löhnbergs Landhaus im Stryk. Dort Verhaftung; Verhör in Korbach; am 20. Februar kommt er durch Zufall wieder frei.

Februar 4: Eroberung Bremens durch vom Freikorps Caspari unterstützte Reichstruppen (Division Gerstenberg).

März 2–6: Gründungskongreß der Kommunistischen Internationale in Moskau.

März 29: Die Bremer KPD distanziert sich durch Ausschlußverfahren von den syndikalistischen Kräften, zu denen sie auch die Worpsweder »Gemeinschaft für sozialen Frieden« zählt (bis Juli Ausschlüsse).

Anfang April: Vogeler und Uphoff reden auf einer Versammlung der Bremer KPD im Kasino; ihre pazifistischen Thesen werden von den Arbeitern »verlacht und verspottet«.

April 4: Durch die Erklärung in der »Vossischen Zeitung«

»Warum bin ich Kommunist? Antwort auf eine Anfrage« wird Vogelers neue politische Haltung allgemein bekannt.
April 6: Tod Johann Kniefs. Vogeler zeichnet ihn auf dem Totenbett und nimmt am Begräbnis teil.
April 7 bis Mai 3: Räterepublik in Bayern.
April 16–30: Generalstreik in Bremen für Aufhebung des Belagerungszustandes; führt nicht zum Erfolg.
Eine kleine landwirtschaftliche Arbeitsgemeinschaft z.T. von Intellektuellen besteht in dieser Zeit auf dem Barkenhoff.
Vogeler erhält Einladungen von Universitäten und bürgerlichen Jugendkreisen (Göttingen, Hannover, Kassel); 1920 bis 1922 sind weitere Reden bezeugt.
Mai, Nacht vom 14. zum 15.: Überfall auf den Barkenhoff durch die Reichswehr, Verhaftung Vogelers.
Mai, Nacht vom 22. zum 23.: Die Verstecke im Barkenhoff für verfolgte Anhänger der Bremer Räterepublik werden bei einer erneuten Durchsuchung gefunden.
Ende Mai(?): Entlassung aus der Haft.
Sommer: Aufbau einer landwirtschaftlichen Arbeitskommune (»Arbeitsgemeinschaft Barkenhoff«) mit zunächst etwa sechs z. T. proletarischen, anarchosyndikalistischen Mitgliedern.
Bindung an Marie Griesbach (1896–1984).
Juni: Die Worpsweder »Gemeinschaft für sozialen Frieden« gibt die erste Nummer ihrer Zeitschrift »Neubau. Gemeinnützige Grundrisse und Bausteine« heraus.
Juni 28: Unterzeichnung des Friedensvertrages in Versailles.
Dezember: In »Die Wende. Rundbrief für die revolutionäre Lehrerjugend«, 10. Blatt (Hamburg), veröffentlicht Vogeler sein Programm zur Errichtung einer Arbeitsschule auf dem Barkenhoff. Vogeler unterhält Beziehungen zu dem Kreis junger Reformpädagogen um die Zeitschrift »Die Wende«: Fritz Jöde (1887–1970), Wilhelm Lamszus (1881–1965), der sich 1921 publizistisch für die Arbeitsschule einsetzt; auch zu Max Tepp (geb. 1891), Herausgeber der Zeitschrift »Der Leib«. Briefwechsel mit Reformpädagogen wie Max Kuckei (geb. 1890), Gustav Wyneken (1875–1964), der 1906 mit Paul Geheeb die Freie Schulgemeinde Wickersdorf bei Saalfeld begründete, und Martin Luserke (1880–1968).
In diesem Jahr veröffentlicht Ludwig Roselius in seinen »Briefen« (bei Hauschild, Bremen) auch den polemischen Briefwechsel mit Heinrich Vogeler (eine veränderte Auflage mit Roselius' Bekenntnis zum Nationalsozialismus erschien 1933).

In diesem Jahr erscheint die Schrift »Siedlungswesen und Arbeitsschule« in der Reihe »Die Silbergäule«, Nr. 36, Hannover, Verlag Paul Steegemann; in ihr entwickelt Vogeler sein Wunschbild einer rätischen Organisation in ländlichen Kommunen, die zur »Keimzelle« der klassenlosen Gesellschaft werden soll.

1920 *Januar 16:* Vortrag zum Thema Expressionismus vor Studenten des Akademischen Zirkels für neue Kunst und Literatur im Auditorium Maximum der Universität Münster. Vogeler hat seit Oktober 1919 das Angebot, im Treppenhaus des dortigen Instituts für wirtschaftliche Staatswissenschaften (Direktor: Prof. Johannes Plenge) ein Wandgemälde zu schaffen, das Roselius stiften will. Der kurze Briefwechsel führt jedoch zum Bruch mit Plenge, der (wie Roselius) Vogeler »den Schwindel des Gefühlskommunismus« vorwirft.

Januar 17: Vortrag in Bremen über »Die Arbeitsschule und ihre Bedeutung für den Sozialismus«.

Februar 20: Vogeler soll an der Gründung der syndikalistischen Allgemeinen Arbeiterunion Deutschlands (AAUD) beteiligt gewesen sein (wird jedenfalls in ihr aktiv), einem Zusammenschluß von linkssektiererisch revolutionären, auf Betriebsebene aufgebauten Wirtschaftskampforganisationen der Arbeiter außerhalb der von der Sozialdemokratie beherrschten Massengewerkschaften. Ein Großteil der Bremer Werftarbeiter hält zur AAUD. Sie steht der wenig später, am 3./4. April, gegründeten linkssektiererischen Kommunistischen Arbeiterpartei Deutschlands (KAPD) nahe, mit deren zeitweilig führendem Mitglied Otto Rühle (1874–1943; 1919 Arbeitserziehungsprogramm »Erziehung zum Sozialismus«; Bruch mit der KPD Februar 1920) Vogeler befreundet ist. (Die Mitglieder der Barkenhoffkommune bezeichnen sich jedoch als »freie kommunistische Bündler«.) Rühle, mit Franz Pfemfert, dem Herausgeber der Zeitschrift »Die Aktion«, befreundet, arbeitet vom Herbst 1921 bis 1925 in der neugegründeten, ebenfalls syndikalistischen »Allgemeinen Arbeiterunion (Einheitsorganisation)«; er beruft sich für sein »Kommunistisches Schulprogramm« (1920) auch auf Vogeler.

März: Walter Hundt (1897–1975) tritt als landwirtschaftliche Fachkraft in die Arbeitskommune ein, erhält bald leitende Funktion im »Betriebsrat«.

Rede Vogelers in Hamburg vor der »Freideutschen Jugend«.

März–April: Aus dem vom Kapputsch (13.–17. März) verursachten Generalstreik geht die 100 000 Mann starke Rote Ruhrarmee hervor. Revolutionäre Kämpfe an der Ruhr.

Sommer: Martha Vogeler trennt sich von Vogeler und dem Barkenhoff; sie errichtet für sich und ihre Töchter mit Hilfe der Arbeitskommune Barkenhoff (diese nimmt 40000 Mark Hypothek auf, und Vogeler verpfändet seine Lebensversicherung) das »Haus im Schluh« (heute Vogeler-Archiv) und betreibt dort Handweberei.
Aufbau der »Arbeitsschule Barkenhoff« (etwa zwölf Erwachsene und zehn Kinder, darunter spätestens seit 1921 auch Waisenkinder). Die Arbeitskommune wirkt vorbildhaft auf die »Freideutsche Jugend«. Man schätzt über 10000 Besucher pro Jahr.
Eberhard (Ebo) Osthaus (geb. 1900), Sohn von Karl Ernst Osthaus, lebt auf dem Barkenhoff, siedelt 1922 nach dem Tod des Vaters auf dem Hohenhof bei Hagen.
In diesem Jahr Beginn der Arbeit an den Wandbildern der Barkenhoffdiele (Öl auf Gips). Walter Hundt, mit Schnitzerei im Gebälk, und der Gürtler Friedrich (Fidi) Harjes (1888–1952), mit Metall-Treibarbeit, sind an der Raumgestaltung beteiligt. Bis 1923 entsteht die Mehrzahl der Bildkomplexe, weitere folgen 1924/25, im Sommer 1926 konzeptionelle Veränderungen (Übermalungen) und Ausbesserungen.
Juni 11–19: Teilnahme an der Reichsschulkonferenz in Berlin für den Entwurf eines Reichsschulgesetzes. Vogeler vertritt im Ausschuß für Arbeitsunterricht sein Arbeitsschulkonzept.
Sommer: Der Zimmermann August Freitäger kommt auf den Barkenhoff.
Marie Griesbach verbindet sich mit Walter Hundt. Urlaub mit Marie Griesbach in St. Peter an der Nordsee (Schleswig-Holstein) bei der geschiedenen Ilse Stoermer.
Wandmalereien mit Walter Müller im Worpsweder Café Heidehof (später durch Brand zerstört).
Die Schrift »Die Freiheit der Liebe in der kommunistischen Gesellschaft« erscheint in Hamburg (Verlag Konrad Hanf) mit der Widmung: »Marie! Deine Liebe zeugte dieses kleine Werk. Deine Freundschaft zeigte mir zielfreie Wandlung zur Tat, zeigte mir letzte Hingabe an die Befreiung der Liebe von allen Fesseln des Besitzes am Menschen, den Weg zur Erfüllung Mensch«.
September/Oktober/Dezember: Die Arbeitskommune veröffentlicht »Monatsbriefe«.
Oktober 1: Der Hamburger Gartenarchitekt Leberecht Migge (1881–1935) gründet die »Intensive Siedlerschule« auf dem »Sonnenhof« in Worpswede, pachtet später den »Moor-

hof« bei Moorende (18 Morgen) dazu, der aber im Herbst 1921 abbrennt. Migge bezieht den Barkenhoff in sein Siedlerschulungsprogramm ein.
Oktober 2–6: Tagung des Bundes entschiedener Schulreformer in Berlin-Lankwitz. Rede Vogelers: »Arbeitsschule und Menschentum«.
November 3: Vortrag vor dem Akademischen Zirkel der Universität Münster über »Kosmisches Werden und menschliche Erfüllung«.
Die Broschüre »Proletkult. Kunst und Kultur in der kommunistischen Gesellschaft« erscheint als Nr. 54 der Reihe »Die Silbergäule« (Hannover, Paul Steegemann).

1921 Bernhard Hoetger baut sein neues Wohnhaus in Worpswede und übergibt den »Brunnenhof« dem Wunderheiler und Magnetiseur Paul Fiedler.
Die Schrift »Die Arbeitsschule als Aufbauzelle der klassenlosen menschlichen Gesellschaft« erscheint bei Konrad Hanf in Hamburg (als programmatische Grundlage der »Arbeitsschule Barkenhoff«).
Januar 1–3: Siedlerkonferenz mit etwa 20 Teilnehmern auf dem Barkenhoff, Referenten u.a. Leberecht Migge, Paul Robien (aus Stettin), Vogeler, Friedrich Harjes, Walther von Hollander. (Die Arbeitsschule unterhält Beziehungen zu andern Siedlungsversuchen.)
Februar: Erste Einladung zum Besuch der Sowjetunion (Gewerkschaftskongreß) durch Alfons Goldschmidt und den Ingenieur Maurice Disch (er gehört zur linksextremen KPD-Opposition um die Hamburger Fritz Wolffheim und Heinrich Laufenberg, von deren »nationalbolschewistischen« Tendenzen – und jeglichem Nationalismus – sich Vogeler bereits 1920 in Heft 10 der Zeitschrift »Aktion« scharf distanziert hat).
Februar–März: Vorträge in Hamburg und Frankfurt a.M.
März: Vortrag über »Gemeinschaftsschule und Siedlung« auf der Tagung der Entschiedenen Jugend Deutschlands (EJD) in Lauenburg an der Elbe.
Im Jahresverlauf auch Vorträge (evtl. durch Vogelers Mitarbeiter) im Ruhrgebiet.
Frühjahr: Bezug des neuerrichteten »Bienenhauses« auf dem Barkenhoff-Grundstück.
Mai: Geburt von Marie Griesbachs und Walter Hundts Sohn Mining.
Juni–Juli: Friedrich Wolf (1888–1953), seit längerem mit Vogeler bekannt, und seine Frau Käthe (1888–1961) auf dem

Barkenhoff. Wolf verläßt ihn im August nach der Trennung von seiner Frau bald wieder, Käthe Wolf bleibt länger; ist tätig als Gymnastiklehrerin. Wolf schreibt am 9. Juni an seine spätere Frau Else Dreibholz: »... der hiesige schwere Kampf mit Böden, Mensch und Umwelt verbraucht die Barkenhöffer sehr schnell; der Barkenhoff frißt Menschen ...« (vgl. dazu Wolfs Drama »Kolonne Hund«).

Juni 11–14: Erste Tagung der Christ-Revolutionäre in Stuttgart. Vogeler spricht (»Von der Phrase zur Tat«).

Juli 15: Vortrag in Remscheid.

August 10: Der Arbeitsschule, die in immer größere Finanznot gerät, wird die beantragte staatliche Anerkennung (und damit Subventionierung) als Versuchsschule verweigert, da sie den bestehenden Staat ablehnt.

Vorträge in Jena, Erfurt, Leipzig (»... uns steht das Messer an der Kehle, ich gehe (gezwungenermaßen) ganz in die Agitation, da wir zusammenbrechen, wenn wir jetzt nicht getragen werden durch die Bewegung der Jugend gegen dies verwesende Alter!« – Brief an Hans Albert Förster, 1921, vermutlich September).

August 12: Auf Initiative der Komintern wird unter Leitung Clara Zetkins aus Anlaß der Hungerkatastrophe in Sowjetrußland das Berliner Komitee (»Auslandskomitee«) »Arbeiterhilfe für die Hungernden in Rußland« gebildet; Vogeler schließt sich gemeinsam mit vielen Intellektuellen dem Gründungsaufruf an, der der Beginn der Internationalen Arbeiterhilfe (IAH) mit ihren zahlreichen regionalen Komitees ist.

September 21: Die Arbeitsschule Barkenhoff reicht zur Anerkennung als gemeinnütziger eingetragener Verein ihre Satzungen beim Amtsgericht Lilienthal ein (am 10. November anerkannt). Unterzeichnet sind: August Freitäger, Hedwig Hölken, Walter Hundt, Käthe Wolf, Marie Griesbach, Otto Schoppmann (Lehrer auf dem Barkenhoff) und Heinrich Vogeler. Die Arbeitsschule beruht nach ihren Satzungen auf Gemeinbesitz und Ausschaltung des Geldverhältnisses nach innen. Vogeler bleibt aber rechtlich Besitzer des Hofes.

Spätherbst: Der Schweizer Drucker und Redakteur Fritz Jordi (1903–1938) besucht die Arbeitskommune. Er war im Juni von der Kommunistischen Partei der Schweiz zum III. Kongreß der Komintern in die Sowjetunion delegiert. Er erwägt, sich der Barkenhoffkommune anzuschließen.

November 21: Der Anarchosyndikalist Friedrich Harjes verläßt den Barkenhoff, zieht nach Lesum, um ein eigenes Anwesen zu gründen; er führte später eine Metallwerkstatt.

Dezember: In der Zeitschrift »Junge Menschen« veröffentlichen Paul Robien, Vogeler und Friedrich Harjes Richtlinien für einen zu gründenden internationalen Naturschutzbund »Naturwarte«.
Dezember 4: Vortrag in Leipzig über die Arbeitsschule.
Dezember 8: Vortrag in Dresden über die Arbeitsschule.

1922 Trennung Ludwig Bäumers von Martha Vogeler.
Januar 5: Vogeler publiziert in der von Alfred Daniel, Gregor Gog und Max Bollacher herausgegebenen Zeitschrift »Weltwende. Kampfschrift des Christ-Revolutionärs« (3. Jg., Nr. 1) den Artikel »Revolution«. Auch in der »Aktion«, in »Der freie Arbeiter« (Organ der Föderation kommunistischer Anarchisten Deutschlands), im »Syndikalist« (Organ der Freien Arbeiter-Union Deutschlands) und anderen Periodika sind Artikel erschienen.
Die finanziellen Schwierigkeiten der Arbeitskommune vergrößern sich während der Inflation; im Juli hat die Mark $1/_{100}$ des Vorkriegswertes, im Oktober $1/_{1000}$; der Währungsverfall beschleunigt sich bis Oktober 1923.
Juli 29–August 4: »Nordische Jugendtagung« in der Nähe von Burg Ludwigstein; Vogeler nimmt teil.
Ab Sommer: Zofia (Sonja) Marchlewska (1898–1983), Tochter des polnischen Kommunisten, Luxemburg- und Lenin-Mitarbeiters Julian Marchlewski (1866–1925) und seiner Frau Bronislawa Genrichowa (Bronka; 1866–1952), zeitweise auf dem Barkenhoff; wohnt in dem Worpsweder Haus von Vogelers Mutter; sie ist befreundet mit Liselotte Dehmel (geb. 1897), der Tochter des Dichters Richard Dehmel.
Herbst: Über Fritz Jordi, der in diesem Jahr wieder Worpswede besucht hat, Anschaffung eines Sägegatters (aus einer Erbschaft Jordis) zur Verbesserung der Einnahmen für die Arbeitsschule. Die technische Leitung hat der Ingenieur Maurice Disch (1919–1922 auf dem Barkenhoff, siehe Februar 1921), den Vogeler später wegen Unterschlagung verklagt.
Aufenthalt nach überstandener Krankheit in Löhnbergs Landhaus in Willingen (Waldeck).
November 30: Auf Initiative Julian Marchlewskis Gründung der Internationalen Roten Hilfe (IRH, russische Sektion: MOPR = Internationale Organisation der Hilfe für die Kämpfer der Revolution) in Moskau während des IV. Weltkongresses der Komintern, Vorsitzender wird Julian Marchlewski.
Ende des Jahres erscheint in Bremen in Roselius' Angelsach-

sen-Verlag zum 50. Geburtstag von Vogeler seine den Quäkern gewidmete Sammelschrift »Friede«.

1923 Fritz Jordi kauft, vom Barkenhoff-Experiment angeregt, Fontana Martina bei Ascona am Lago Maggiore, um dort zu siedeln.

Januar, Nacht vom 27./28.: Während eines Kostümfestes Razzia in der Worpsweder Gaststätte Brunnenhof.

März: Zofia Marchlewska reist ab nach Berlin. Sie erwartet von Vogeler ein Kind.

Frühjahr: Ausstellung in Philine Vogelers Worpsweder Kunsthalle.

April: Reise nach Wien auf Einladung des Instituts für Kulturforschung (Prof. Erwin Hanslik).

Mai 2: Zofia Marchlewska ändert durch Scheinheirat mit Ludwig Kröber ihren Familiennamen, um Repressionen als Tochter Marchlewskis zu entgehen.

Mai, Nacht vom 9./10.: Brand des Brunnenhofes.

Mai 17: Vogeler, eingeladen von Julian Marchlewski, wird von der Arbeitskommune zu »einer zweimonatigen Reise nach Rußland« beurlaubt. In Berlin Absprachen mit der Internationalen Roten Hilfe, die zur finanziellen Sicherung der Arbeitsschule 15–20 Kinder gegen Entgelt auf dem Barkenhoff unterbringen wird.

Juni 1: Gründung der »Gesellschaft der Freunde des neuen Rußland« in Berlin auf Initiative der Internationalen Arbeiterhilfe. Vogeler wird Mitglied (wie auch z. B. Albert Einstein, Heinrich Mann, Ernst Toller, Samuel Fischer, Ernst Rowohlt, Hans Baluschek, Bruno Taut, Otto Klemperer, Leopold Jessner, Max Pechstein).

Mitte Juni: Mit Zofia Marchlewska Reise zu Schiff bis Reval (Estland) und weiter per Bahn über Leningrad nach Moskau. Wohnung bei Julian Marchlewski und seiner Frau Bronislawa im Kreml.

Juli 1: Der Barkenhoff wird das erste Kinderheim der Roten Hilfe in Deutschland. Sie ist förderndes Mitglied der Arbeitsschule. (Bis 1931 werden hierher gesundheitsgeschädigte Kinder politischer Gefangener sowie Kriegs- und Revolutionswaisen zur mehrwöchigen Erholung geschickt. Die Neueinrichtung des Hauses wird zum Teil mit Spenden finanziert.)

Etwa Sommer: Marie Griesbach verläßt wegen der Spannungen mit kommunistischen Angehörigen der Arbeitsschule (u. a. Klara Möller) den Barkenhoff. (Die Familie Hundt siedelt ab 1924 in Ohlenstedt.)

Oktober 9: Geburt des Sohnes Jan Jürgen in Moskau.
Oktober 22–25: Der Aufstand der Hamburger Arbeiter unter Führung der KPD wird niedergeschlagen.
November: Stabilisierung der Mark. Die revolutionäre Nachkriegskrise in Deutschland geht zu Ende.
Arbeit am Gemälde »Die Geburt des neuen Menschen«.
Winter 1923 bis Juni 1924: Vogeler in Moskau als Leiter der Kunst- (russ. abgekürzt: Iso-) Abteilung in der 1922 gegründeten »Kommunistischen Universität der nationalen Minderheiten des Westens« (KUNMS), einer Parteischule (Rektor: Julian Marchlewski), später erweitert zur Internationalen Leninschule der Komintern; Zeichen- und Malunterricht, Herstellung von Plakaten, Gestaltung von Propagandamaterial, Arbeit für die dramatischen Agitprop-Aufführungen der Studenten und für Publikationen der Roten Hilfe.
Etwa November: Egon Petri gastiert in Moskau; freundschaftlicher Verkehr mit Vogeler und Zofia Marchlewska.
Übersiedlung der Familie in zwei Zimmer des Studentenwohnheims der KUNMS.
Die Hoffnung, von der Sowjetunion aus den Barkenhoff unterstützen zu können, erweist sich als unreal.

1924 *Januar:* Besuch Liselotte Dehmels in Moskau (hilft bei der Pflege Jans).
Januar 21: Tod Lenins.
Februar 12: Wilhelm Pieck und Clara Zetkin übernehmen die Leitung der Roten-Hilfe-Organisationen in Deutschland.
Vogeler beginnt während seines ersten sowjetischen Aufenthalts die künstlerische Form der Komplexbilder zu entwikkeln. Bis er diese Kompositionstechnik um 1936 unter dem Einfluß der Kunstkritik besonders im Moskauer Künstlerverband aufgibt, sind etwa 15 solcher Gemälde entstanden. »Das montageartige Nebeneinander der Beziehungen« befriedigt ihn schließlich selbst nicht mehr.
März: Kleine Ausstellung in Moskau, die anschließend nach Worpswede oder Bremen geschickt wird.
Mai 22: Zofia reist mit ihren Eltern (der Vater ist schwer krank), Jan und Liselotte Dehmel auf die Krim (Erholungsheim Muchalatka).
Mai 25 bis Ende Juni: Vogeler fährt, wie schon im Winter 1923, mit Studenten zur mittlerweile wieder ersehnten Landarbeit in die Gegend nördlich von Moskau.
Juli: Reise zur Familie auf die Krim.
Etwa September: Rückkehr mit Zofia Marchlewska und Jan zu Schiff über Hamburg (Worpswede und Berlin). (Käthe

Kollwitz berichtet unter dem 24. September: »Vogeler sagte, er war in Deutschland so müd und hoffnungslos geworden, in Rußland hat das Leben ihn wieder gepackt.«)
Oktober 1: Gründung der Roten Hilfe Deutschlands (RHD) als selbständige Sektion der Internationalen Roten Hilfe. Vorsitzender: Wilhelm Pieck, Vogeler wird Mitglied des Zentralvorstandes. (Wahrscheinlich ist er in dieser Zeit bereits Mitglied der KPD.)
November 27: Tod der Mutter in Bremen.
Ausstellung von Werken der sowjetischen Reise in Worpswede oder Bremen.
Dezember 23: Vogeler überträgt den Barkenhoffbesitz auf die Rote Hilfe Deutschlands (»Quieta« Erholungsstätten GmbH, Berlin). Formal wurde ein Kaufpreis festgesetzt. Die RHD behielt das Heim bis 1932.

1925 »Reise durch Rußland. Die Geburt des neuen Menschen« erscheint im Carl Reissner Verlag, Dresden, mit Schwarzweißabbildungen u. a. von seit 1923 entstandenen Komplex-Zeichnungen und -Gemälden.
Intensive Weiterarbeit an den Barkenhoff-Wandbildern in Worpswede (auch 1926).
Februar 2: Der Landrat in Osterholz verfügt die Schließung des Heims Barkenhoff wegen staatsfeindlicher Beeinflussung der Kinder; die Verfügung wird nach Verhandlungen und Umbesetzung in der Heimleitung (Rücktritt des Lehrers Ernst Behm) rückgängig gemacht.
März 22: Tod Julian Marchlewskis in Nervi bei Genua; Beisetzung der Urne am 5. April in Berlin-Friedrichsfelde in der Nähe der Grabstätte Rosa Luxemburgs (1950 nach Warschau übergeführt).
Mai 25: Auf der Gründungsversammlung Beitritt zu einer von Carl Emil Uphoff angeregten »Wirtschaftlichen Vereinigung Worpsweder Künstler«. Die Vereinigung betreibt gemeinsame Ausstellungs- und Verkaufsarbeit in den Ausstellungen von Philine Vogeler und an dem von Hoetger neu erbauten »Café Worpswede« (»Große Kunstschau«). Auch Martha und Marieluise Vogeler, Otto Tügel, Karl Jakob Hirsch, Walter Müller, Carl Weidemeyer, Otto Modersohn (Fischerhude) und Walter Hundt (Ohlenstedt) treten bei. (Die Vereinigung bestand bis 1936.)
Ende Juni bis September (Oktober?): Im Auftrag der Roten Hilfe Reise nach Karelien (Petrosawodsk – 11./12. Juli fünfter Jahrestag der Karelischen ASSR –, Kondostroi, Kiwatsch-Wasserfälle, Kandalakscha, Chiwine, Kola) bis Murmansk

(Ende Juli). Plan, später längere Zeit in Karelien zu arbeiten.
Juli 17: Selbstauflösung des Vereins Arbeitsschule Barkenhoff in Abwesenheit Vogelers. Einzige Gegenstimme: August Freitäger.
Ab Juli 31: Rückkehr zu Schiff über Alexandrowsk nach Archangelsk und die Dwina hinauf nach Kotlas, von dort nach Moskau. Danach Rückkehr nach Berlin.
Herbst(?): Ausstellung der Komplexbilder im Berliner Karl-Liebknecht-Haus (Zentrale der KPD) am Bülowplatz.
Mit den Komplexbildern als Agitationstafeln auf Vortragsreisen über die Sowjetunion im Ruhrgebiet und in Thüringen. Weitere Vortragsreisen in den folgenden Jahren.
November 10: Erneute Reise in die Sowjetunion zu künstlerischer Auftragsarbeit für einen Kongreß (IRH?). Wahrscheinlich entstehen in der Folge die später zerstörten Wandbilder für einen Saal des Moskauer Zentralkomitees der Internationalen Roten Hilfe (nach Zofia Marchlewska: acht Porträts von deutschen und sowjetischen Kommunisten sowie Bilder zur IRH).

1926 Carl Meffert (Clément Moreau, geb. 1903) kommt nach Berlin, Kunststudium bis 1929 u. a. bei Emil Orlik und Käthe Kollwitz.
Januar 30: Scheidung von Martha Vogeler.
Wahrscheinlich März 10: Rückkunft Vogelers aus Moskau.
Etwa Frühsommer: Veränderung und Ausbesserung der Barkenhoff-Wandbilder während einer Rekonstruktionsphase des Kinderheims, das am 25. Juli mit dem neuen Lehrer Karl Ellrich feierlich wieder eröffnet wird (22 Plätze für Kinder).
Mai: Beteiligung mit 49 Arbeiten an der Moskauer 8. Ausstellung der »Assoziation der Künstler des revolutionären Rußland« (Thema: »Leben der Völker der UdSSR«).
Beteiligung an der Ausstellung »Revolutionäre Kunst des Westens« in Moskau.
Juli: Im Auftrag der Roten Hilfe erneute Reise – mit Zofia Marchlewska – über Leningrad nach Moskau. Wohnung im Kreml. Jan befindet sich zeitweise in einem Arbeiterkinderheim in Horst (heute poln. Niechorze) an der Ostsee (Leitung: Dr. Gertrud Badenheuer).
Juli 20: Tod Felix Dzierżyńskis, des polnischen Mitarbeiters von Lenin, Begründers der sowjetischen Tscheka, Vorsitzenden des Obersten Volkswirtschaftsrates; Vogeler zeichnet ihn auf dem Totenbett.
September–Oktober: Auf eigene Kosten Reise mit Zofia

Marchlewska und deren russischem Bekannten Maurice Leiteisen (Sohn eines finnischen Leninmitarbeiters; in den dreißiger Jahren im Moskauer Kollektiv für Raketentechnik) sowie dessen Freund Alexej (Sascha) in die tadshikische und die usbekische Sowjetrepublik: Taschkent, Ura-Tjube, über den Obordon-Paß ins Serawschantal, Pendshikent, Samarkand, allein weiter nach Aschchabad, Krasnowodsk, Baku. Im Oktober wieder in Moskau.

Oktober 20: Heirat mit Zofia Marchlewska in Moskau.

November 6: Tod Emil Löhnbergs. Vogeler bringt einen Nachruf in der Zeitschrift »Der sozialistische Arzt«.

November 10: Aufforderung des Landratsamts Osterholz an das Zentralkomitee der Roten Hilfe Deutschlands, einen Teil der Barkenhoff-Bilder (»in diesem Sommer gemalt«) zu entfernen, weil sie »revolutionäre Gewalttätigkeiten verherrlichen«.

Etwa Jahresende: Rückkehr Vogelers nach Deutschland. Wohnung in Berlin, Hausburgstr. 21, bei Klose, danach in kleiner Atelierwohnung in Lichterfelde, Elisabethstraße 33, Gartenhaus. (Dort sucht ihn Carl Meffert auf.)

1927 *Januar–Februar:* Breite Pressepolemik in Deutschland gegen die Entfernung der Barkenhoff-Bilder.

Ende Januar: Verhängung der inkriminierten Gemälde.

Die Protestschrift und Dokumentation »Polizeiterror gegen Kind und Kunst« erscheint im Verlag der Roten Hilfe: Mopr-Verlag Berlin, herausgegeben von der Roten Hilfe Deutschlands, bearbeitet von Meta Kraus-Fessel (die im Preußischen Ministerium für Volkswohlfahrt tätig war). Gegen die Vernichtung der Barkenhoff-Bilder protestieren u.a. Felix Boenheim, Eduard Fuchs, Lion Feuchtwanger, Salomo Friedländer (Mynona), Manfred Georg, George Grosz, Hans Grundig, Emil Gumbel, Hermann Hesse, Kurt Hiller, Max Hodann, Eric Johannsson, Alfred Kerr, Gustav Kiepenheuer, Egon Erwin Kisch, Käthe Kollwitz, Georg Kolbe, Wilhelm Lachnit, Wilhelm Lamszus, Berta Lask, Georg Ledebour, Rudolf Leonhard, Friedrich Maase, Heinrich und Thomas Mann, Paul Oestreich, Alfons Paquet, Max Pechstein, Erich Reiss, Paul von Schoenaich, Kurt Tucholsky, Veit Valentin, Armin T. Wegner, Friedrich Wolf, Alfred Wolfenstein, Heinrich Zille, Carl Zuckmayer.

März: Clara Zetkin wird Vorsitzende der Internationalen Roten Hilfe. Über Zofia Marchlewska ist Vogeler ihr freundschaftlich verbunden.

Seit etwa März: Zusammenarbeit mit dem Maler Franz Edwin Gehrig-Targis (1896–1968) beim Aufbau einer kommunistischen Gruppe im Reichswirtschaftsverband (seit 1927: Reichsverband) Bildender Künstler (RWVBK), an der sich u. a. Otto Nagel, Rudolf Schlichter, George Grosz, John Heartfield beteiligen.

Mai 1: Umzug mit der Familie von Berlin-Lichterfelde nach Berlin-Britz, in die von Martin Wagner und Bruno Taut projektierte »Hufeisensiedlung« (Gartengestaltung: Leberecht Migge); Wohnung: Onkel-Bräsig-Straße 138. In der Nähe wohnt der Freund Erich Mühsam mit seiner Frau Kreszenzia (»Zenzi«). Verkehr mit Erich Weinert, Käthe Kollwitz, Hans Baluschek, Carl Meffert, der zeitweise bei Zofia Marchlewska wohnt.

Mai: Ausstellung von zehn Komplexbildern auf der Berliner Jahresausstellung des Kartells der Vereinigten Verbände bildender Künstler Berlins im Landesausstellungsgebäude am Lehrter Bahnhof gleichzeitig mit einer Moskauer Kollektion sowjetischer Plakate aus der Zeit des Bürgerkriegs (1919 bis 1921), deren Ausstellung von Vogeler angeregt und von der »Gesellschaft der Freunde des neuen Rußland« realisiert wurde.

Mai 21: Wahrscheinlich werden zum 2. Reichskongreß der Roten Hilfe Deutschlands handkolorierte Negativplatten von Fotos der Komplexbilder im Berliner Sportpalast projiziert (maximal 3 m Höhe). Vogeler hat den Saalschmuck und die bildliche Ausgestaltung übernommen.

Danach erneute Vortragsreisen u.a. nach Hannover, Emden, Bremen (dort im November) mit den handkolorierten Negativplatten.

Juni 2: Teilnahme an der Einweihung des von Hoetger erbauten Paula-Modersohn-Becker-Hauses in Bremen, einer Stiftung von Ludwig Roselius.

Herbst: Diego Rivera besucht Worpswede und besichtigt die Barkenhoffbilder. Vogeler mit Sohn Jan anwesend.

Oktober: Beteiligung an der Berliner KPD-Ausstellung »Zehn Jahre Sowjetunion« im Gartensaal der Kindlbrauerei (Hermannstraße, Neukölln) mit zehn Komplexbildern.

Seit etwa Herbst bis etwa Ende 1930: Vogeler, in großer wirtschaftlicher Not, arbeitet als Zeichner und Maler in dem seit 1926 bestehenden Architektenbüro von Herbert Richter-Luckian (1944 als Widerstandskämpfer hingerichtet) in Berlin-Wilmersdorf (Arbeitsgemeinschaft »Die Kugel«): Gestaltung von Reklameplakaten, Dioramen, großen Modellen für Industrieausstellungen (Pavillongestaltung) im Auftrag großer Firmen; u. a. »Früchtepavillon« und Dioramen für die Ausstellung »Die Ernährung« 1928 (5. Mai–12. August), »Gaslichttempel« und Dioramen für die Ausstellung »Gas und Wasser«, 1929 (19. April–21. Juli). Vogeler gestaltet vor allem Dioramen. Auch Marieluise Vogeler ist hier zeitweise beschäftigt.

Dezember 1–3: Weitere Lichtbildvorträge in Hamburg und Altona (auf einer Vortragsreise in Nord- und Mitteldeutschland).

1928 Fritz Jordi siedelt wieder in Fontana Martina.

Januar 28: Wahl in den Vorstand des Reichsverbandes Bildender Künstler.

Januar 30: Erste Versammlung der Arbeitsgemeinschaft kommunistischer Künstler im RVBK (Vogeler ist an der Teilnahme verhindert).

März 21: Mitbegründer der Assoziation Revolutionärer Bildender Künstler Deutschlands, die nach monatelanger Vorbereitungsarbeit in Berlin gebildet wird (ARBKD, »ASSO«; seit der ersten Reichskonferenz vom 31. Oktober–1. November 1931: Bund Revolutionärer Bildender Künstler Deutschlands – BRBKD; Schwesterorganisation der »Assoziation der Künstler des revolutionären Rußland« – AChRR), Vogeler ist Ausschußmitglied.

April: Beteiligung am Kongreß des Arbeiter-Theater-Bundes in Berlin, auf dem der kommunistische Flügel die Führung übernimmt (Artur Pieck wird Vorsitzender).

Sommer (evtl. 1927?): In St. Peter-Ording entsteht ein bisher unveröffentlichtes Heft mit Aufzeichnungen über die damalige Lebenskrise.

Jahresende bis Anfang Januar 1929: Mit Zofia Marchlewska und Sohn Jan in Fontana Martina bei Fritz Jordi und dessen Sohn Peter.

Dezember 30: Eine rechtsoppositionelle Fraktion der KPD um Heinrich Brandler und August Thalheimer konstituiert sich als eigene Gruppierung KPD (O) außerhalb der KPD; Vogeler sympathisiert mit ihr, da nach seiner Meinung der damalige politische Kurs der KPD, wie er öffentlich erklärt, »die Kommunistische Partei von den Massen isolierte«; er arbeitet zunächst für eine Konkurrenzorganisation der RHD: »Internationale Hilfsvereinigung für die Angehörigen politischer Gefangener« (IHV), die von der KPD (O), unter anderen von Jacob Schlör (1888–1956; ehemals Sekretär der RHD), neu aufgebaut wird.

1929 Ausschluß aus der KPD, Vogeler bleibt seitdem parteilos; er bezeichnet sich später als »verdrängten Kommunisten«.

Etwa erste Jahreshälfte: In der Arbeitsgemeinschaft »Die Kugel« enge Freundschaft mit der Malerin Ursula Dehmel (geb. 1896); geschiedene Frau des Arztes Heinrich Dehmel, Schwägerin Liselotte Dehmels, Schülerin Emil Orliks.
Vogeler trennt sich zeitweilig von seiner Frau und wohnt mehrere Monate in Ursula Dehmels Wohnung in Berlin-Grunewald, Reinerzstraße 12.
März–Mai: Bühnenbildgestaltung zu Friedrich Wolfs »Kolonne Hund« (Schauspiel über die Barkenhoffkommune) für den Arbeiter-Theater-Bund Berlin (Regie: Gustav von Wangenheim), Aufführung am 10. Mai in der »Neuen Welt«, Hasenheide.
Mai: Beteiligung an der ersten Ausstellung der ARBKD »Kapital und Arbeit in der bildenden Kunst« (Europahaus, Berlin).
Mai: Mit Ursula Dehmel, deren Kindern Fine und Beate sowie mit Jan erneuter, mehrwöchiger Aufenthalt in Fontana Martina.
Oktober 13–14: Auf dem Reichskongreß der Roten Hilfe Deutschlands verläßt Vogeler den Zentralvorstand der RHD, nachdem sein Antrag auf Wiederaufnahme aller ausgeschlossenen ehemaligen Mitglieder abgelehnt wurde. Er bleibt Mitglied der RHD. Pressepolemik im Oktober/November.
Oktober 25: Zusammenbruch der New-Yorker Börse. Beginn der weltweiten Wirtschaftskrise.
November 28: Artikel in der »Roten Fahne«: »Zum Fall Vogeler genügt es festzustellen, daß er, der sich von der Brandler-Clique dazu mißbrauchen ließ, auf dem letzten Reichskongreß ein Pamphlet gegen die Rote Hilfe zu verbreiten, von diesem Kongreß einmütig verurteilt wurde und daraufhin die Tagung verließ.«

1930 *Oder 1929:* Trennung von Ursula Dehmel, die sich mit dem Tischler Wilhelm Moll (1900–1944, Selbstmord als Widerstandskämpfer im Zuchthaus Brandenburg) liiert.
Wohnsitz wieder in Berlin-Britz bei Zofia Marchlewska.
Mitarbeit als »Sympathisant« in der Berlin-Schmargendorfer Straßenzelle der KPD, zu der auch Ursula Dehmel und Wilhelm Moll gehören.
August: Die Rote Hilfe zeigt auf dem Barkenhoff eine Vogeler-Ausstellung »Das neue Rußland«.

1931 Bewerbung um einen Arbeitsauftrag in der UdSSR.
Ende Februar bis Ende April: Letzter Erholungsaufenthalt in Willingen bei Löhnberg; landwirtschaftliche Arbeiten.

Wahrscheinlich Juni: Erneute Reise, ohne Zofia Marchlewska und Sohn Jan, in die Sowjetunion zur Mitarbeit im neugeschaffenen Allunionskomitee für Standardisierung des Bauwesens (WKS), Gruppe Landwirtschaftliches Bauen. Der sowjetische Ingenieur Friedrich Lengnik (1873–1936), Kampfgefährte Julian Marchlewskis und Lenins, Vorsitzender des Allunionskomitees, vermittelt diesen Auftrag.
August 18–September 18: Mit dem Berliner Architekten Walter Hämer Reise durch Sowchosen in der südlichen Sowjetunion (u.a. Steppengebiete nördlich des Kaukasus) zum Studium der ländlichen Bauwirtschaft. Aufenthalt am entstehenden Wasserkraftwerk Dneprostroi. Entwürfe für landwirtschaftliche Anlagen.
Oktober: In Moskau im Standardisierungskomitee tätig.
Mitarbeit an Fritz Jordis Zeitschrift »Fontana Martina« (erscheint in ca. 250 Exemplaren von Oktober 1931 bis November 1932).

1932 Mitarbeit im Moskauer Internationalen Büro Revolutionärer Künstler (IBRK bzw. russ. MBRCh; bis 1936).
Beteiligung an der Moskauer Ausstellung »Revolutionäre Kunst in den Ländern des Kapitalismus«.
Etwa Februar: Ausstellung in Moskau im Museum für neue westliche Kunst. In der Presse Kritik an den Komplexbildern (»Versuch mit untauglichen Mitteln«). Vogeler charakterisiert sie als Entwürfe zu Wandgemälden in den Klubs der Werktätigen.
März 31: Die Rote Hilfe schließt wegen zu hoher Kosten das Kinderheim Barkenhoff.
Frühling: Zofia Marchlewska und Jan übersiedeln in die Sowjetunion. Vogeler wohnt mit ihnen und Bronislawa Marchlewska in Moskau, »Haus der Regierung«, am dem Kreml gegenüberliegenden Moskwa-Ufer: Uliza Serafimowa 2. Zofia Marchlewska, die vor 1932 vorwiegend an der sowjetischen Handelsmission in Berlin arbeitete, ist in den Folgejahren vorwiegend in Parteiverlagen tätig.
Etwa Juni/Juli: Auflösung der Gruppe des Standardisierungskomitees, in der Vogeler arbeitet; die erforderlichen industriellen Grundlagen für ihre Tätigkeit fehlen noch.
Juni bis Juli 13: Zur Kur in einem Sanatorium in Kislowodsk (Nordkaukasus).
September: Vogeler will sich nicht als »freier Künstler« etablieren (und isolieren) und läßt sich beim (1933 wieder aufgelösten) Moskauer Laboratorium für Biontisierung (Keimstimulierung) der Saat anstellen:

Oktober 18: Abreise aus Moskau.
Oktober–Dezember: Leiter der Propagandaabteilung »Bio« auf einer Baumwollversuchsstation bei Taschkent; bis Dezember als Bevollmächtigter des Moskauer Laboratoriums Reisen auf Sowjetgüter in Usbekistan, Raum Kokand, Fergana, um Standorte für ein neues Versuchsgut zu prüfen.
Dezember 12–18: Ludwig Roselius veranstaltet zu Vogelers 60. Geburtstag in den Propagandaräumen der Firma Kaffee HAG aus seiner Sammlung eine Ausstellung von Vogelers graphischem Werk – in der Presse ein Anlaß, wieder den »Märchenprinzen« zu feiern.
Clara Zetkin gratuliert »dem aufrechten, selbstlosen revolutionären Kämpfer, der jederzeit alles für seine Ideale einsetzt ..., dem grundgütigen Menschen, dem aus bittersten Enttäuschungen stets neues Hoffen und aus brennenden persönlichen Schmerzen große Freude für andere erwächst. ... in treuer Wertschätzung, Freundschaft und Dankbarkeit für all die Anregungen und Ermutigungen, die ich von Ihnen empfangen habe ...«

1933 *Januar 30:* Die Errichtung der faschistischen Diktatur in Deutschland beginnt.
Das ganze Jahr über ist Vogeler in Moskau als Kunstkritiker engagiert an der vom österreichischen Gesandten Otto Pohl herausgegebenen, für das Ausland bestimmten deutschsprachigen Wochenzeitung »Moskauer Rundschau« (Nr. 4–52) und widmet sich wieder der Malerei.
Juni 20: Tod Clara Zetkins in Moskau. Vogeler zeichnet sie auf dem Totenbett.
Sommer bis Septemberanfang: Aufenthalt in Karelien.

1934 Die Propagandabroschüre »Das Dritte Reich« (34 satirische Schwarz-weiß-Tuschzeichnungen von Vogeler mit Versen von Johannes R. Becher) erscheint in diesem Jahr beim Verlag Zwei Welten, Moskau, im Auftrag der Komintern.
Das Moskauer Staatliche Museum der neuen westlichen Kunst kauft das Komplexgemälde »Hamburger Arbeiter« an.
März: Erneuter Aufenthalt in Karelien am Weißen Meer, zum ersten Mal im Winter. Für das Staatliche Karelische Landeskundemuseum in Petrosawodsk entstehen weitere Aquarelle und Zeichnungen (heute im Kunstmuseum Petrosawodsk).
Ab April: Vogeler gibt (auch während späterer Karelienaufenthalte) Malunterricht im Petrosawodsker Haus der Volkskunst.
Sommer: Vor dem I. Unionskongreß der Sowjetschriftsteller

(18. August bis 1. September) Besuch Marieluise Vogelers mit ihrem Lebensgefährten Gustav Regler in Moskau. (Sie bleiben vom 7. Juli bis Oktober; Regler dreht in Moskau mit Joris Ivens einen Propagandafilm für die Volksabstimmung am 13. Januar 1935 im Saargebiet über den Anschluß an Nazideutschland.)
September: Im Anschluß an den Schriftstellerkongreß Reise in die Wolgadeutsche Republik (gegen die Nazi-Kampagne »Brüder in Not«) zusammen mit Erwin Piscator, Gustav Regler, Marieluise Vogeler, Ernst Fabri.

1935 *Januar:* Erneut zur Erholung in Kislowodsk.
Mit Will Lammert (1892–1957) ist Vogeler in diesem Jahr Leiter des Zeichenzirkels im Klub ausländischer Arbeiter in Moskau (Herzen-Straße).
Ab April 5 (Vertragsabschluß): Arbeit mit den drei sowjetischen Malern G. N. Popow, M. W. Popowa und M. A. Smirnow als künstlerischer Leiter (Generalentwurf) an einer Ausstellung der Internationalen Roten Hilfe (IRH, russ.: MOPR): »Der Weltfaschismus und die internationale Solidarität der Arbeiterklasse«. Sie wird am 30. Mai im Moskauer Kulturpark »Maxim Gorki« eröffnet. Vogeler fertigt »Maketten und Panneaus«, malt auf größeren Tafeln Szenen vom Terror im Nazireich und stellt sein Komplexbild zur IRH aus. (Die IRH, mit mehreren Millionen Mitgliedern in 73 Ländern, davon etwa 10 Millionen in der Sowjetunion, unterstützte u. a. auch die Exulanten aus den faschistischen Staaten.)
Juli 25–August 20: Der VII. Weltkongreß der Kommunistischen Internationale in Moskau zieht für die weitere Arbeit Schlußfolgerungen u. a. auch aus der Niederlage der deutschen Arbeiterklasse und aus der erfolgreichen Volksfrontpolitik in Frankreich: Er kritisiert sektiererische Tendenzen in den kommunistischen Parteien und leitet die Wende zur Strategie der Einheitskampffront der Arbeiterklasse und zur Bildung der antifaschistischen Volksfront ein.
August: Vogeler-Ausstellung in Moskau, veranstaltet vom Internationalen Büro Revolutionärer Künstler in der Interbase (»Pavillon der ausländischen Arbeiter«) des Kulturparks »Maxim Gorki« (mit Komplexbildern, Aquarellen und Studien).
August 30: Tod von Henri Barbusse in Moskau; Vogeler gestaltet die Dekoration für eine Trauerfeier in einem Moskauer Klubhaus.
Oktober (bis 27): Zur Kur in Sotschi-Mazesta.

Bis 1936: Mit dem Bühnenbildner Teo Otto Arbeit an der Filmarchitektur zu Gustav von Wangenheims Dimitroff-Film »Borzy« (»Kämpfer«; aufgeführt am 1. Dezember 1936, mit Lotte Loebinger als Mutter Lemke und Heinrich Greif als Eickhoff – beide von Vogeler 1938 porträtiert).

Bis 1941: Mitarbeit an der Moskauer Zeitschrift »Internationale Literatur« (5 Artikel; 1938–1941 erscheinen hier auf Anregung Johannes R. Bechers seine Reiseberichte).

1936 *Sommer bis Herbst (Ende September?):* Erneuter Aufenthalt in Karelien im Auftrag des Ausstellungskomitees »Industrie des Sozialismus«.

August 8: Marieluise Vogeler erneut für längere Zeit mit Gustav Regler in Moskau. (Regler arbeitet dort an einer Loyola-Biographie und geht anschließend zu den Internationalen Brigaden nach Spanien.)

Herbst: Ausstellung im Petrosawodsker Haus der Volkskunst mit über neunzig Arbeiten zu Karelien. Als wahrscheinlich letztes Komplexbild entsteht »Holzarbeit in Karelien« (im Krieg verschollen).

Bis 1941: Häufige Aufenthalte im Landhaus von Bronislawa Marchlewska in Tscheljuskinskaja.

Gregor Gog beschreibt dies in einem Artikel für den Freund Vogeler zum 65. Geburtstag: »Wald, eine Wiese, junge Apfel- und Kirschbäume, die er gepflanzt hat, Erdbeerbeete, Blumen ... Er ist verbunden mit der Erde, wie ein Bauer. Vielleicht könnte man an das Holzhaus ein Atelier anbauen ...? Das wäre das Glück des Alters. Und dann wieder irgendwohin hinaus zu den Genossen Kollektivbauern! Unter ihnen und mit ihnen leben und schaffen.«

1937 Das Ölgemälde »Im Walde« wird vom ZK der KPdSU für eines seiner Kinderheime angekauft.

Etwa Februar: Vogeler stellt im Ausstellungsraum des Moskauer Künstlerverbandes u. a. neue Bilder aus Karelien aus, die er für die Ausstellung »Industrie des Sozialismus« mitgebracht hat. Alfred Durus wertet die »kleinen Ölbilder mit Flößen« als »Anfang eines neuen Weges« und hebt die Qualität der Porträts hervor.

Juli 26: Auftrag für 32 Illustrationen zu einem deutschsprachigen Kinderbuch (Text: Hedda Zinner) für den Staatsverlag in Engels; der Druck kommt nicht zustande, weil die fertigen Zeichnungen »die sowjetische Wirklichkeit entstellen«. Vogeler protestiert und verlangt die Auszahlung des Honorars.

Anfang September: Vogelers Buch über Frans Masereel, mit

dem er befreundet ist, erscheint russisch im Staatlichen Kunstverlag, Moskau – Leningrad.
November bis 1941: Unter anfänglicher Anleitung des Puppenspielers Sergej Obraszow Fertigung von Handpuppen (im Krieg in Odessa vernichtet) und Entwürfe zu Dekorationen für das 1939 eröffnete Puppentheater im Staatlichen Deutschen Kollektivistentheater Odessa (Leiterin dieses Laientheaters war bis 1939 Ilse Berend-Groa, seit 1945 verheiratete Fogarasi). Unter anderen entstanden Puppen zu Grimms Märchen »Tischlein deck dich ...«, zu »Faust«, zu Schillers »Handschuh« und Goethes »Zauberlehrling«).
Jahresende bis 1938: Arbeit für das Zentrale Antireligiöse Museum in Moskau (»Die Religion des Dritten Reiches«, »Faschistische Weihnachten«).

1938 Mitarbeit an der Exilzeitschrift »Das Wort« (u.a. erscheinen der autobiographische Aufsatz zur Expressionismus-Diskussion »Erfahrungen eines Malers« und »Paula Modersohn-Becker. Zum Gedächtnis einer Frühverstorbenen«).

1939 Aufenthalt in Odessa beim Deutschen Kollektivistentheater. Die Barkenhoff-Wandbilder werden durch den derzeitigen privaten Besitzer vernichtet. Auf der NS-Gau-Kulturwoche in Worpswede wird die Ausstellung von Vogelers Werken verweigert.
Außer der Arbeit für die Odessaer Puppenbühne entstehen für dasselbe Kollektivistentheater, das in ländlichen Gegenden gastiert, Bühnenbilder zu Gustav von Wangenheims »Die Friedensstörer« und Shakespeares »Was ihr wollt« (Regie: Ilse Berend-Groa). Auch Vorarbeiten zu Inszenierungen von »Wilhelm Tell« und »Stella« sind belegt.
Seit Mai 1: Vogeler bezieht eine Rente von 200 Rubel. Seine durchschnittlichen monatlichen Honorare liegen laut Abrechnungsbuch 1938 bei 600 Rubel, 1939 bei 700 Rubel, 1940 bei 450 Rubel, 1941 (bis zum Kriegsausbruch) bei 700 Rubel.
Mai–August: Im Auftrag des Moskauer Museums der Völker der UdSSR dreimonatige Reise im südlichen Kaukasus (Aserbaidshan): Kolchos »Lenin« und Barytbergwerk bei Kirowabad, deutscher Kolchos Helenendorf; Aufenthalt vom 15. Juni bis 20. August in der Karabachischen ASSR: Stepanakert, Schuscha, Staatsgut Lyssogorsk, Latschin, kurdischer Bergkolchos; zurück über Baku, Erholungsaufenthalt in Mardakian. (Ein Notizbuch aus dieser Zeit zählt 20 kleine und 17 große Aquarelle auf.)
August 23: Sowjetisch-deutscher Nichtangriffsvertrag. (Er bedingt auch eine Drosselung der öffentlichen deutschen an-

tifaschistischen Arbeit in der Sowjetunion und teilweise Umstellung der Arbeit der Exilierten auf andere Themen.)
Wahrscheinlich beginnt oder verstärkt Vogeler in der Folge die Arbeit an seinen Lebenserinnerungen.
September 1: Einfall der deutschen Truppen in Polen. Beginn des zweiten Weltkriegs.

1940 In Heft 1 (1940) der »Internationalen Literatur« wird Vogelers Schaffen in einem Aufsatz von Alfred Durus vorgestellt.
Vogeler erwägt, ein oder zwei Jahre in einem deutschen Kolchos des sowjetischen Südens zu arbeiten.
März 17: Die Bremer Baumwolleinkäufer Fritz Grobien und George Hirschfeld besuchen Vogeler in Moskau; er berichtet vom Neubau eines Atelierhauses für Moskauer Künstler, in dem er ein Atelier bekommen werde. »Er hatte sehr schwere Zeiten wegen dieser Verfolgungen durchgemacht, wo sehr viele Leute – auch von seinen Bekannten – getötet wurden ... Er erzählte uns von den Gefahren, denen er ausgesetzt gewesen war. Aber er war der Überzeugung nach Kommunist, und er wollte auch mit der Heimat keine Verbindung haben.«
September – Oktober 31: In Verbindung mit dem Moskauer Museum der Völker der UdSSR für die Ausstellung »Unsere Heimat« (geplant für 1942) und durch Vermittlung Johannes R. Bechers Reise im Nordkaukasus (Kabardino-Balkarische ASSR): deutscher Weinkolchos »Karl Marx« in Gnadenburg, Kolchos »Dschulat« in Arik. Von Naltschik aus über Gundelen Wanderung das Baksantal hinauf an den Gebirgskamm (über Tyrnyaus und Tegenekli). Zurück über Naltschik. Arbeitsergebnis laut eigenen Notizen: 11 Ölbilder, 26 Aquarelle, 33 Zeichnungen.

1941 *März 7:* Offizielle Scheidung der Ehe mit Zofia Marchlewska, um Wohnungsangelegenheiten zu regeln.
Mai 26–Juni 10: Moskauer Personalausstellung aus Anlaß von Vogelers fünfzigjährigem Arbeitsjubiläum, mit einer Auswahl von 79 Ölgemälden, Aquarellen und Zeichnungen aus den Jahren 1924–1941 (hauptsächlich ab 1936) im Ausstellungssaal des Moskauer Künstlerverbandes (MOSSCh); Eröffnung durch Wilhelm Pieck, Einleitungstexte des Katalogs von Erich Weinert und Alfred Durus.
Juni: Urlaub in einem Erholungsheim des Moskauer Bolschoi Theaters im Tulaer Gebiet (Tarussa).
Juni 22: Überfall der deutschen Truppen auf die Sowjetunion. Vogeler arbeitet danach (ähnlich wie Erich Weinert, Friedrich Wolf, Gustav von Wangenheim und Alfred Ku-

rella) für die deutsche Unterabteilung (Oberst Braginski) in der Propagandaabteilung der Politischen Hauptverwaltung der Roten Armee an Flugblattentwürfen für die Front-Gegenpropaganda.

Juli: Reden im Moskauer Rundfunk an die deutschen Künstler (Juli 8 und öfter), an die deutschen Bauersfrauen (Juli 13).

August 23: In Deutschland wird wegen Vogelers Rundfunkrede an die deutschen Künstler der Presse die Erwähnung seines Namens untersagt. (Vogelers Name findet sich auch auf der Sonderfahndungsliste UdSSR des Reichssicherheitshauptamtes für die Besetzung Moskaus.)

September 13: Zusammen mit deutschstämmigen Sowjetbürgern und Exulanten Evakuierung aus Moskau in einem der ersten Transporte (allgemeine Evakuierung im Oktober). Jan Vogeler wird nicht evakuiert, da er von der Roten Armee reklamiert ist. Zofia Marchlewska ist bereits dienstverpflichtet.

Anfang Oktober: Ankunft mit einer Gruppe Moskauer deutsch-russischer Pensionäre im Kolchos »1. Mai«, Poststelle Kornejewka, Rayon (Bezirk) Woroschilow (heute: Uljanowski Rayon), Oblast (Gebiet) Karaganda, Kasachische SSR. Unterkunft und Verpflegung (gegen Bezahlung von 150 Rubel monatlich) in der russischen Kolchosbauernfamilie Lukjanenko.

Überarbeitung und Fortsetzung des Erinnerungsbuches »Werden«; Aquarelle; Entwürfe für Rundfunkreden; Zeichnungen und Texte für Front-Flugblätter, die Vogeler über eine Dienststelle des Bezirks-NKWD (Dienststelle des Ministeriums für innere Angelegenheiten) an die Politische Hauptverwaltung der Roten Armee sendet.

Oktober – Dezember: Schlacht um Moskau. Die Verbindungen zu den ebenfalls evakuierten oder dienstverpflichteten Verwandten und Freunden Vogelers sind in der allgemeinen Evakuierungswelle (insgesamt 25 Millionen Umsiedler) offensichtlich zunächst abgebrochen, die Rente erreicht ihn und andere Evakuierte nicht. Er kann seinen Lebensunterhalt nicht bezahlen und muß beim Wirt und anderen Evakuierten Schulden machen.

Bis November 13: Bis zum Wintereinbruch Beteiligung an Erdarbeiten für ein Rückhaltebecken. Da Vogeler für den harten Winter ungenügend ausgerüstet ist und nichts anschaffen kann, wird er im Kolchos nicht weiter beschäftigt.

Bis April 1942: Vogelers altes Blasenleiden und die Sklerose verschlimmern sich. Er gerät immer mehr in äußerste Not.

Dezember 10: Verbot aller Schriften Vogelers in Deutschland.

1942 *Januar 24:* Vogeler erhält von der Dienststelle des NKWD in Karaganda die Erlaubnis, nach Karaganda überzusiedeln, nimmt sie jedoch nicht mehr wahr, offenbar da in dieser Jahreszeit Reisen ohne beste Ausrüstung nicht möglich ist.

Januar 25: Unter dem von 60 deutschen Künstlern, Politikern und Gewerkschaftern der sowjetischen Emigration unterzeichneten Moskauer »Aufruf an das deutsche Volk« findet sich auch Vogelers Name.

Februar: Die Verbindung zu Freunden und Verwandten, die teilweise nach Moskau zurückgekehrt sind, ist wieder belegt; sie setzen sich für ihn ein, sammeln Geld und senden es.

April: Vogelers Schulden bei seinem Wirt übersteigen inzwischen 500 Rubel; dieser verweigert ihm schließlich die Verpflegung. Am 2. April ergeht von Moskau aus eine Anordnung zur Auszahlung der Pension.

Mai: Vogeler hat alle Schulden abgezahlt. Aufnahme ins Landkrankenhaus des benachbarten Kolchos »Budjonny«, ca. 20 km vom Kolchos »1. Mai« entfernt.

Mai 29: Erneut Aufforderung, nach Karaganda zu kommen.

Juni 14: Tod im Landkrankenhaus des Kolchos »Budjonny« (Bezirk Woroschilow) und auch dort beigesetzt.

1986 Erneuerung des Grabes; der auf Beschluß des zuständigen Bezirkssowjets neu gesetzte Grabstein trägt über den Lebensdaten die russische Inschrift: »Künstler-Kommunist Heinrich Eduardowitsch Vogeler«.

ANMERKUNGEN

WERDEN

Zu Überlieferung und Entstehung

Im Nachlaß Erich Weinerts befinden sich zwei Mappen mit Papieren Heinrich Vogelers, die aus dessen Hinterlassenschaft in Kornejewka (Kasachstan) stammen; dorthin war Vogeler während des Krieges, am 13. September 1941, vor Beginn der Schlacht um Moskau evakuiert worden.

Die erste Mappe enthält hauptsächlich Text- bzw. Bild-Text-Entwürfe für antifaschistische Frontpropaganda, an denen er, seine letzte Moskauer Tätigkeit fortsetzend, in Kasachstan weitergearbeitet hat. Auch Entwürfe für Rundfunkreden und Briefe sind enthalten, weiterhin kleine Notizhefte oder -blöcke unterschiedlichen Inhalts aus der Zeit vor und nach der Evakuierung, dazu das Mitgliedsbuch der Künstlergewerkschaft, das Moskauer Buch der Kassa wsaipomostschi (Kasse für gegenseitige Hilfe) und ein ungenutzter, für Kornejewka ausgeschriebener Talonblock der akademischen Pension.

In der zweiten Mappe befanden sich die ungeordneten, nur teilweise und unterschiedlich paginierten handschriftlichen Manuskripte und Entwürfe zum Buch »Werden«, aus denen Vogelers Exilgefährte Erich Weinert auf Bitten Wilhelm Piecks erstmals die »Erinnerungen« zusammengestellt und zu Vogelers 80. Geburtstag 1952 herausgegeben hat.

Einer russischen Übergabenotiz zufolge sind diese Handschriften und Dokumente am 3. September 1943 von sowjetischer Seite (Unterschrift: Scharonow) an Wilhelm Pieck übergeben worden. Weinert äußerte in einem Brief vom 18. Februar 1952 an Zofia Marchlewska dazu, das Material sei damals hauptsächlich auf sein Drängen bei der deutschen Parteiführung durch die sowjetischen Behörden gerettet und an die Partei übergeben worden. Von Wilhelm Pieck wurden sie dann am 10. Juli 1949 Erich Weinert zur »literarischen Verwertung« überlassen.

In der Einführung zur ersten Ausgabe der »Erinnerungen« berichtet Weinert von der Entstehung der Manuskripte: »In seinen letzten Lebensjahren vor dem Kriege hatte Heinrich Vogeler oft unter uns gesessen. Seiner Natur nach war er nicht gesprächig. Wenn man ihn aber anzuregen verstand, so konnte er zuweilen lebhaft und lange aus seinen Lebenserinnerungen erzählen. Welche seltsamen Wege war dieser Mann gegangen, welche Begegnungen, Erlebnisse und Erschütterungen waren notwendig, um sich aus den Rosenketten einer romantischen Märchenwelt zu befreien und zum vorbehaltlosen Mitkämpfer in den Reihen der klassenbewußten Arbeiter zu werden! Wir drängten ihn, seine Lebenserinnerungen doch nicht nur im kleinen Kreis von Freunden zu erzählen, sondern sie aufzuschreiben. Der Vorschlag gefiel ihm; er ging an die Arbeit. Der Kriegsausbruch unterbrach sein Vorhaben. Aber er setzte seine Aufzeichnungen in Kasachstan fort.«

Angeregt wurde Vogeler offenbar vor allem von Erich Weinert: mit ihm war er befreundet, und ihn hat er zweimal porträtiert; Weinert stellt es in dem Brief vom 26. Januar 1948 an Martha Vogeler so dar: »In den Jahren 1939 bis 1941 wohnte ich in Moskau nicht weit von Heinrich Vogeler und sah ihn, wenn er nicht auf Reisen war, sehr oft bei mir. Er beschäftigte sich hauptsächlich, auf meine Anregungen hin, damals sehr eifrig mit der Abfassung seiner Lebenserinnerungen, von denen ein Teil zu seinem siebzigsten Geburtstag erscheinen sollte.« Aus Vogelers Brief vom 20. Oktober 1941 an Theodor Plievier kann geschlossen werden, daß auch er bei der Arbeit »als Freund und Berater« geholfen hat. Vogeler machte außerdem seit 1938 mit sehr lebendigen Reiseberichten in der Zeitschrift »Internationale Literatur« (Moskau) auf sein Schreibtalent aufmerksam. Die deutschen Genossen im Moskauer Schriftstellerverband stimmten dem Vorhaben ebenfalls zu: In den Kornejewkaer Nachlaßpapieren (erste Mappe) blieb auch der Entwurf einer Eingabe aus Kornejewka an das NKWD (die zuständige Dienststelle des Volkskommissariats des Inneren) vom Frühjahr 1942 erhalten, worin Vogeler notiert, für die Fortsetzung seiner »antifaschistischen Arbeit als Schriftsteller und als Graphiker« sei »das enge Zusammenarbeiten mit unseren antifaschistischen Kadreleuten, mit den Mitgliedern der Auslandskommission der Sowjetschriftsteller, Genossen Becher, J.R., Weinert, E., Wangenheim, G., und Friedrich Wolf, notwendig. ... Mir hatten die antifaschistischen Kadres der Ausländischen Kommission der Sowjetschriftsteller den Vorschlag gemacht, anhand meiner eigenen Lebenserfahrung und Entwicklung ein Buch Erinnerungen zu schreiben ...« (Als Vogeler dies notierte, waren seine Freunde wie auch die Verwandten aus Moskau evakuiert bzw. an anderen Orten der Sowjetunion im Einsatz.)

Zur Entstehung des Manuskripts im einzelnen können vorläufig fast nur Vermutungen angestellt werden, die sich aus dem Zustand der Handschrift, aus den überlieferten Texten einzelner, sehr unterschiedlicher Arbeitsstufen ergeben.

In der zweiten, (der Manuskript-) Mappe sind über 350 Blatt, d.h. etwa 650 hauptsächlich mit Tinte (bei den letzten Aufzeichnungen auch mit Bleistift) beschriebene Seiten unterschiedlichen Formats aus verschiedenen Entstehungsphasen enthalten. Der größte Teil sind Blätter in der Größe 23x30 cm. Teilweise sind sie mit verschiedenen Stopftwist- oder Zwirnsorten zu Lagen zusammengefügt. Weinert erwähnt die Heftung in seinem Vorwort, sie stammt folglich mit Sicherheit von Vogeler. Soweit sie vorhanden ist, kann der vorgesehene Zusammenhang relativ eindeutig erschlossen werden. Doch hat der Autor auf leere Stellen, Rückseiten und einzelne Blätter neue Texte eingetragen, die nur teilweise in den Zusammenhang einzuordnen sind. Das heißt, auch diese letzte, zusammengeheftete Fassung wurde Vogeler beim Weiterschreiben wieder zur Vorstufe.

Von den ca. 350 Blättern des Gesamtkonvoluts sind 125, vorwiegend im Schreibheftformat, eindeutig Vorarbeiten zum ersten und zweiten Buch. Einige Blätter sind überschrieben »Bildnisse« oder »Bildnisse von Personen und Typen«. Hier werden, offenbar als Vorarbeit, einzelne Figuren für das geplante größere Werk charakterisiert. Auch einige Blätter mit Notizen über die Worpsweder Landschaft (»Hammestimmungen« oder »Das Moor« überschrieben) gehören zu dieser Arbeitsstufe, in der vor allem für das jetzige erste Buch der Stoff gesammelt und gesichtet wurde. Diese »Bildnisse« sind offensichtlich vor dem Einfall der deutschen Truppen in die Sowjetunion entstanden. Der Beginn der Arbeit liegt jedoch vermutlich nicht vor 1938: Auf der Rückseite eines der frühen Blätter mit »Bildnissen« und Notizen finden sich Aufzeichnungen im Zusammenhang mit einem Briefentwurf an Alexej Tolstoi vom Jahre 1940. Für andere Blätter einer sehr frühen Stufe der Erinnerungen hat der Autor Rückseiten einer Typoskriptkopie seines Aufsatzes »Paula Modersohn-Becker« verwendet, der 1938 in Heft 11 der Moskauer Zeitschrift »Das Wort« erschien. Vogeler hat möglicherweise nach Abschluß des sowjetisch-deutschen Nichtangriffsvertrags (August 1939) von den deutschen Freunden seinen offiziellen Auftrag zu dem Buch erhalten. Die neue außenpolitische Situation bedingte für die Exilierten eine teilweise Umstellung ihrer Arbeit auf andere Themen. Seit 1933 hatte Vogeler in der Sowjetunion öffentliche antifaschistische Arbeit geleistet. Sicher wird er ab Herbst 1939 wenn nicht mit dem Schreiben begonnen, so doch zumindest intensiver an den Erinnerungen gearbeitet haben. Mit Sicherheit entstanden Entwürfe zum ersten, zweiten und dritten Buch in Moskau.

Anfangs probierte der Autor verschiedene Darstellungsweisen aus. Seine eigene Charakteristik in den »Bildnissen« entwirft er als »Bildnis Johannes«, von sich in der dritten Person schreibend. Einzelne »Bildnisse«, z. B. von Roselius oder von der roten Marie, werden schon zu längeren Texten der späteren Erinnerungen ausgeweitet. In ihnen wird über »Johannes« immer in der dritten Person berichtet. Nach Papier und Schrift zu urteilen, entstanden jedoch etwa zur gleichen Zeit auch Entwürfe in der Ich-Form. Ein großer Teil der jetzt vorliegenden Entwürfe zum dritten Buch vom Abschnitt »Moskau 1926« an bis zur Reise 1931 in die Sowjetunion ist nur in dieser frühen Textstufe vorhanden.

In den meisten *Entwurfs*manuskripten zum ersten und zweiten Buch wird nur vom Künstler Johannes (in der dritten Person) erzählt. Die Blätter sind oft mehrmals überarbeitet. Hier war eine mehr lockere erzählerische, »romanhafte« Form des Ganzen intendiert: Ohne Rücksicht auf Chronologie ging Vogeler jeweils von einer sinnträchtigen, symbolhaften Situation aus, an die er in großen Rückblenden Erinnerungen und Erlebnisse des Malers Johannes anknüpfen wollte. Auch die anderen Personen seines Lebenskreises tragen hier zumeist erfundene Namen. Martha Schröder z. B. heißt Elke Mohn, Paula Becker Inge Paulsen. Für Johannes – auch Johann Steffens genannt – tauchen noch andere Vornamen, z. B. Gert und Dietrich, auf. Ob aus dieser frühen Intention einige fiktive Elemente (abgesehen von Erinnerungsfehlern, zeitlichen Raffungen und Umstellungen) in die letzte Fassung eingebracht wurden, kann beim gegenwärtigen Forschungsstand nicht entschieden werden. Schon jetzt findet sich jedoch durch die bislang unvollkommen erschlossenen Quellen manches bestätigt, was zunächst wie bewußte Erfindung erscheinen könnte.

Der Versuch, eine verschlüsselte Autobiographie zu schreiben, wurde schon während der Arbeit an dieser Fassung aufgegeben. Danach wurde nur noch chronologisch in der Ich-Form erzählt; so sind eine Anzahl der Entwurfsblätter zum ersten Buch, mehr oder weniger gründlich überarbeitet und in die Ich-Form transformiert, der letzten Fassung eingefügt. (Das Manuskript zum zweiten Buch ist fast vollständig, ohne inhaltlich größere Abweichungen, auch in der Er-Form vorhanden.)

Das Experimentieren mit einer mehr künstlerischen Erzählform erwies sich für die Endfassung als sinnvoll: Deren stimmungshafter poetischer Reiz, besonders im ersten Buch, geht gerade von solchen symbolhaften, genauer gestalteten Szenen der frühen Fassung aus, die als Ruhepunkte im Fluß der Zeit Allgemeingültiges zu beschreiben versuchen.

Eines der Blätter aus der Er-Form trägt auf der Rückseite den

Vermerk: »durcharbeiten. Okt. 1941«. Das Material wurde demnach aus Moskau mit nach Kornejewka gebracht: Anfang Oktober kam Vogeler dort an. Das bestätigt auch Zofia Marchlewskas Aussage, große Teile der Erinnerungen seien bereits in Moskau geschrieben worden. Eine Anzahl Blätter aus diesen Vorstufen muß Vogeler in Moskau zurückgelassen haben; sie liegen heute als Teil des Moskauer Nachlasses im Archiv der Akademie der Künste der DDR, Berlin, und enthalten auch einen zusammenhängenden Entwurf zum ersten und zweiten Buch (die dargestellte Person heißt hier noch Dietrich Steffens).

Daß die letzte Fassung (in der ersten Person bei relativ chronologischem Vorgehen) erst im Kolchos »Erster Mai« (Poststelle Kornejewka) entstand, schreibt Vogeler selbst in der schon zitierten Eingabe von Frühjahr 1942. Bis zur Übergabe des Barkenhoff-Besitzes an die Rote Hilfe – also bis zum Ende des jetzigen zweiten Buches – sei das Manuskript »im Rohbau fertig«. Allerdings: »Zur künstlerischen Gestaltung dieses literarischen Rohmaterials, das hier entstand und schon mehr als 150 Seiten umfaßt, gibt es hier innerhalb einer sehr geräuschvollen Kolchosbauernfamilie keine Möglichkeit.« Begonnen wurde aber auch die letzte Fassung mit ziemlicher Sicherheit schon in Moskau. Am Schluß des Abschnittes »Heimkehr« in der letzten Fassung des ersten Buches steht auf einem Blatt die Notiz: »Ungefähr 55 Seiten. Bis hierher als Probe mit der Maschine abschreiben. H. V.« (Dazu wird in Kornejewka kaum Aussicht gewesen sein.) Und auf der Rückseite eines Manuskriptblattes im Abschnitt »Rainer Maria Rilke« (erstes Buch) steht die ausradierte, nicht sicher entzifferbare Notiz: »Fertiges Manuskript 1885–1900[?]. Fertig ver ... [?] H. V. Okt. 1941 durchgesehen«.

Welche Teile der letzten Fassung in dem Evakuierungsort noch entstanden, läßt sich teilweise nur vermuten: Da Vogeler sehr viel Entwurfsmaterial zum zweiten Buch mit auf die Reise nahm, ist es sehr wohl möglich, daß die letzte Fassung zumindest dieses Teils erst in Kornejewka, hauptsächlich durch Übertragung aus der Entwurfsfassung in die Ich-Form, entstand. Erstes und zweites Buch ergeben 152 Seiten, sie könnten das genannte »Rohmaterial« sein.

Vogeler plante zunächst noch, über das Biographische hinaus später sein künstlerisches Schaffen stärker zu berücksichtigen. In einem der Notizhefte des fast Neunundsechzigjährigen findet sich dazu die Bemerkung von November oder Dezember 1941: »Ich habe eine ganze Reihe von Aquarellen gemalt, aber nun bei dem Frost kann ich nicht mehr, da sich nach langem Stehen im Eiswind ein neuer Schmerz eingestellt hat, unterhalb des Herzens, den ich mir nicht erklären kann, zumal er ganz sporadisch auftritt und manchmal auf Stunden verschwindet. Zum ersten Mal in meinem Leben habe ich das Gefühl, daß der Tod schon in mir spazierengeht und seinen Ausweg sucht. Was ich an Werten hier habe, ist ein umfangreiches Manuskript über mein Leben, das über Sojus sowjetskich pisatelej, inokomissio [Auslandskommission des Sowjetischen Schriftstellerverbandes], an den Schriftsteller Theodor Plievier weitergegeben werden soll, einige Anfangskapitel fehlen noch, das Ganze ist überhaupt nur das rohe Gerüst für eine große künstlerische Arbeit, die in enge Beziehung zu meiner malerischen Arbeit gebracht werden muß, damit die Wechselbeziehung zwischen Leben und künstlerischem Schaffen klar zum Ausdruck kommt.« Offenbar sind die Anfangskapitel erst danach in der Endfassung entstanden. Bis zum Abschnitt »Auf der Düsseldorfer Akademie« sind die meisten Blätter in der Ich-Form neugeschrieben worden. Doch könnte das Wort »Anfangskapitel« sich auch auf den *Schluß* des ersten Buches beziehen. Wie die Entwürfe belegen, bereitete er Vogeler erhebliche Schwierigkeiten.

Erst sehr spät ist in den Manuskripten der Titel und die Unterteilung in drei »Bücher« dokumentiert. In einem der Notizhefte aus Mappe 1 des Weinert-Nachlasses findet sich ein zweiteiliger Aufriß des Werkes, der wegen seiner letzten Zeile 1942 in Kornejewka entstanden sein muß und dessen Datierungsirrtümer zeigen, daß Vogeler für sein Manuskript nur punktuell auf autobiographisches Material und andere Quellen zurückgreifen konnte, zumeist jedoch auf das Gedächtnis angewiesen war:

»Das Buch, das ich in zwei Bänden schreibe, soll heißen ›Werden‹.

Es beginnt mit der sorgenlosen Jugendzeit, zeigt aber immer einen Drang zum Gestalten aus einer Art von Heimatlosigkeit heraus. Die führende Person wird zum Sucher, und Gestalten wird seine Lebensäußerung, nimmt seine Kräfte so in Anspruch, daß er die besten Menschen, mit denen und für die er gestaltet, verliert, da er die schöpferischen Kräfte der Geliebten und Freunde nicht mitzureißen versteht und sie sich ihre eigenen Wege erkämpfen.

Die Leere und die Vereinsamung und Kälte des Gefühlslebens ihm gegenüber treibt ihn als Kriegsfreiwilligen in den Krieg, den er für sich Anfang des Jahres 1918 durch eine Aktion beendet. Jetzt geht der Weg über Irrenhaus, Gefängnis, Polizeiaufsicht, immer nähere Verbindung mit der Arbeiterklasse zur revolutionären kommunistischen Erkenntnis. Aus seinem Besitz macht er eine Arbeitskommune mit einer Reihe von Arbeitern. In dieser Utopie wird ihm der letzte Rest seiner kleinbürgerlich-pazifistischen Einstellung zerschlagen. Die Arbeitskommune geht zu Grunde, er verschenkt seinen Besitz an die Rote Hilfe, für ein Kinderheim der Kinder politischer Gefangener.

II. Buch Sowjetrußland

II. Buch, 1. Teil

1923 Reise nach Sowjetrußland
1924 Reise durch Karelien, Murmansk nach Archangelsk.
Arbeit als ISO-Leiter auf der Universität der Nationalen Minderheiten des Westens.
1924 Zurück nach Deutschland. Britz. [!]
1925/26 Moskau, Arbeit für die MOPR.
Reise durch Usbekistan-Tadshikistan.
1927 Zurück in Britz.
1928 Parteischwierigkeiten, werde als Sympathisierender einer Straßenzelle in Schmargendorf angegliedert, mache große Parteiarbeit.
1929 Arbeite bei Richter für Ausstellung am Kurfürstendamm.
1930 Arbeit für Richter. Panorama Kaffee.

2. Teil

1931 Berufung durch Genossen Lengnik, den ich auf der Architekturausstellung in Berlin führte. Allunionskomitee für Standardisierung.
1932 Laboratorium für Biontisation.
1933 Antifaschistische Arbeit für Komintern.
1934 Karelien.
1935 Karelien.
1936 Bilder nach Skizzen.
1937 Antifaschistische Arbeit für Zentrales antireligiöses Museum.
1938 Karelien. Bilder Holzindustrie.
1939 Aserbaidshan für Museum der Völker der UdSSR.
1940 Kabardino-Balkarien.
1941 Antifaschistische Arbeit.
1942 Antifaschistische Arbeit.«

Die spätere Aufteilung in drei Bücher zeichnet sich in diesem Aufriß schon ab.

Die Notizen machen auch deutlich, in welchem Maße das Buch »Werden« fragmentarisch geblieben ist. Das erste und zweite Buch wird als »Rohmaterial« angesehen, das noch einer künstlerischen Bearbeitung bedarf. (Auch die Wiederholungen, z. B. zu Paula Bekker- Modersohn, weisen darauf hin.) Für das dritte Buch liegen nur einzelne, nicht miteinander zusammenhängende Entwürfe vor. Außerdem zeigt sich, daß Vogeler die Wende- und Schwerpunkte seiner Lebenstätigkeit etwas anders akzentuiert sah, als manche Kenner und Kritiker sich immer noch vorzustellen pflegen. So schrieb z. B. sein ehemaliger Mäzen Ludwig Roselius während des zweiten Weltkrieges am 14. März 1942 unverblümt an Walter Hundt über den späten, im Krieg antifaschistisch tätigen Vogeler: »Es ist eine Jammer für den Namen und auch für die deutsche Kunst. Es müssen so viele sterben, weshalb ist *er* nicht rechtzeitig gestorben?«

Die Erstausgabe

Am 11. Dezember 1952, vier Monate vor seinem Tode, schrieb der schwer erkrankte Erich Weinert an Wilhelm Pieck, als er ihm ein Exemplar der gerade erschienenen »Erinnerungen« Vogelers übersandte, dies Buch verdanke seine Entstehung eigentlich Piecks mittelbarer Anregung. Weinert hat aus dem unfertigen und sicherlich wegen mangelhafter Ordnung noch unfertiger *erscheinenden* Manuskript, in strenger stilistischer Redaktion ein Ganzes, einen fortlaufenden, sprachlich geglätteten Text, kurz: ein lesbares Buch gemacht, ohne klar zwischen Vorstufen und »letzter« Fassung zu trennen. Im Mittelpunkt seines Interesses stand, wie er im Vorwort schreibt, die Entwicklung des bürgerlich-humanistischen Künstlers zum »vorbehaltlosen Mitkämpfer in den Reihen der klassenbewußten Arbeiter«. Offenbar deshalb hat Weinert gestrafft, ohne jedoch inhaltlich wichtige Akzente zu verändern oder Retuschen anzubringen. Er hat auf Vogelers viel allgemeineren und weitergreifenden, allerdings wenig attraktiven Buchtitel »Werden« und auf die meisten der zersplitternden und nicht sehr konsequent angebrachten Abschnittsüberschriften verzichtet. Das Manuskript wurde großräumiger gegliedert (teilweise auch unter Verwendung der originalen Abschnittsüberschriften), und manches Episodische blieb weg. Auch Partien um Paula Modersohn-Beckers Schaffen, das vorbildhaft für Vogelers eigenes Streben nach malerischer Monumentalität war und dem er verhältnismäßig großen Raum einräumte, wurden verknappt. Es fehlen auch einige Ansätze, das eigene Kunstschaffen zu charakterisieren. All das führte zu größtmöglicher Geschlossenheit und gedanklicher – wenn auch nicht chronologischer – Folgerichtigkeit. Andererseits hat Weinert in dem Bestreben, möglichst viel aufzunehmen, an einzelnen Stellen frühe Fassungen mit verwendet, wobei Texte in der dritten Person von ihm in die erste Person transformiert wurden. Mit wenigen überleitenden Einzelsätzen hat er an einigen Stellen solche Texte aneinandergefügt. Das Entwurfskapitel »1927–1928. Ursula« aus dem dritten Buch ließ er dagegen ganz weg. Nach Äußerung Li Weinerts den neuen Herausgebern gegenüber geschah dies mit Rücksicht auf die damals noch lebende zweite Frau Vogelers, Zofia Marchlewska.

Als Schluß setzte Weinert unter dem Titel »Die neue Heimat« Vogelers Reisebericht für die Moskauer Zeitschrift »Internationale

Literatur. Deutsche Blätter« (Heft 12, 1938): »Landschaften und Menschen des Sowjetnordens« – ein sinnvoller Abschluß, da Vogeler in der Sowjetunion ein besonders enges Verhältnis zur karelischen Landschaft aufbaute und diese Republik oft bereiste.

Zur Neuausgabe

Seit 1952 hat die Entwicklung des einstigen arrivierten Jugendstilkünstlers Vogeler zum Kommunisten zunehmendes Interesse in der Forschung gefunden. Das Geheimnis seiner Persönlichkeit, seiner inneren Motivationen, bleibt faszinierend für viele. Sein tragisches Schicksal im Großen Vaterländischen Krieg der Sowjetunion gegen den deutschen Faschismus wurde oft für antikommunistische Ressentiments mißbraucht. Über den künstlerischen Werdegang und die ästhetische Bewertung der verschiedenen Schaffensphasen sind die Meinungen geteilt. Wegen der anhaltenden Wirkung Vogelers und vieler bislang noch immer offener Fragen oder »weißer Flekken« in der Forschung wurde bei der Neuausgabe zugunsten größtmöglicher Vollständigkeit und Manuskripttreue auf Weinerts verdienstvolle erste Ausgabe in ihrer relativ geschlossenen Form verzichtet. Das Werk wird nun ediert, ohne den Fragmentcharakter zu verdecken. Aus dem schlecht geordneten Konvolut wurde die letzte Fassung auf Grund des Textzusammenhangs sowie des Papier- und Handschriftcharakters in der nach heutigen Kenntnissen bestmöglichen Reihenfolge rekonstruiert. Da auch das erste und zweite Buch nicht vollständig sind, wurden alle Texte der letzten Fassung, die nicht einzuordnen waren, sowie diejenigen Passagen aus größeren Entwürfen, die inhaltlich nicht in die letzte Fassung eingearbeitet sind, jeweils im Anschluß an das erste und zweite Buch gedruckt. Die direkte Zuordnung zu den Büchern war nötig, weil Vogeler sich in der letzten Fassung auch auf solche Entwürfe bezieht. Die Anordnung dieser Texte und Entwürfe folgt dem chronologischen Ablauf der letzten Fassung bzw. Vogelers Lebensgeschichte.

Weinerts strenge stilistische Redaktion wurde weitgehend zurückgenommen; die Eigenarten des Stils offenbaren etwas vom Charakter, von der geistigen und besonders landschaftlichen Herkunft des Schreibers. So wurde nur bei grammatikalisch-syntaktischen Fehlern, die nicht im landschaftsgebundenen Sprachgebrauch begründet sind, und bei mißverständlichen Satzbildungen redaktionell eingegriffen. Dabei wurde auch die Weinertsche Redaktion, wenn diese der Sprachform des Manuskripts am nächsten kam, an einzelnen Stellen beibehalten. Zur besseren Orientierung sind einige fehlende Abschnittsüberschriften von den Herausgebern in [ ] hinzugefügt.

Bemerkungen zu einzelnen Manuskriptteilen

5 *Erinnerungen* – Unter diesem von Vogeler nur in seinen Notizen mehrmals verwendeten Titel erschien die von Weinert herausgegebene Erstausgabe. Er wurde zur bibliographischen Information als Untertitel hinzugefügt.

7 *Vorwort* – Nachträglich, sicher erst in Kornejewka, auf die Manuskriptrückseite von Blatt 3 des ersten Buches notiert. Die Zitate hatte sich Vogeler mit anderen Exzerpten aus Marx vor der Evakuierung in eines der mitgeführten Notizheftchen (Weinert-Nachlaß, Mappe 1) eingetragen und sie offensichtlich daraus entnommen. (Vgl. Marx, »Die deutsche Ideologie«, Teil 1, und »Ökonomisch-Philosophische Manuskripte«, Teil 1). Das Zitat »Es wird nicht ausgegangen ...« verwendete Vogeler bereits 1937 für den Schluß seiner Masereel-Einleitung. (Siehe auch »Gedanken über Kunst«, S. 351 ff. dieses Bandes.)

18 *Auf der Düsseldorfer Akademie* – Auf der Rückseite des Manuskriptblatts ist mit Bleistift vermerkt: »Eifeltour?«

38 *Jugend. Träume und Sehnsüchte* – Neben der Überschrift ist vermerkt: »Gedicht aus ›Dir‹« (offenbar war ein Motto aus Vogelers Gedichtband »Dir« vorgesehen).

54 *Straßen Tangers* – Hinter dem Ortsnamen ist ein Fragezeichen notiert. (Wilhelm II. reiste erst im März 1905 dorthin.) Hier wie auch an vielen anderen Stellen schreibt Vogeler nach dem Gedächtnis; es ist nicht möglich, alle bisher bekannten Zeitverschiebungen und Irrtümer Vogelers zu kommentieren. Vergleichsmöglichkeiten bietet die Chronik, S. 505–540.

71 *Rainer Maria Rilke* – Hier beginnt eine neue, nicht eindeutig anschließende und zusammenhängende Lage des Manuskripts. Der Anschluß ist auch angesichts der chronologischen Unstimmigkeiten nicht gesichert.

91 *andere kunstgewerbliche Aufträge* – Am Rand ist notiert: »Brüssel« (vgl. S. 98).

99 *Viermaster ... »Preußen«* – Hinter beide Worte setzt Vogeler ein Fragezeichen. Vogeler fuhr mit dem Dampfer »Ziethen« (Auskunft Werner Hohmann); die »Preußen« war ein Fünfmaster.

111 *Die polnische Reise* – Am Ende des Abschnittes sind drei Sätze gestrichen: »Der Herbst brachte mich nach Brüssel zu der Frau meines Freundes Löhnberg. In Brüssel war eine kleine persönliche Ausstellung meiner Arbeiten organisiert, die ich einrichten mußte. Ich kam erst Ende November zurück.«

113 *Paulas Tod* – Rechts über der Überschrift steht: »Aus ihren Briefen« (offenbar sollte daraus ein Motto genommen werden).

114 *Wenn man so das ganze Leben Paulas übersah* – Die folgenden Partien sind wörtliche Übernahmen aus Vogelers Artikel »Paula Modersohn-Becker« (»Das Wort«, Moskau, Heft 11, 1938).

134 *mit einem Architekten* – Vogeler schreibt: »mit dem Architekten« (gemeint ist offenbar Alfred Schulze). Damit bezieht er sich wahrscheinlich auf das Fragment »Architekturarbeit«, vgl. S.142ff.

139 *[Zum Abschnitt »Rainer Maria Rilke«]* – Aus einem in der dritten Person gehaltenen Entwurf; dort als Rückblick zugeordnet der Heimkehr aus der Beobachtungsabteilung für Geisteskranke. Erst durch diesen Text wird der (vorherige) Satz in der letzten Fassung (S. 72) genau verständlich: »Wie angewurzelt blieb sie stehen ...«

140 *[Zum Abschnitt »Ausbau des Barkenhoffs«]* – Aus einem Entwurf von vier Seiten, dort auf Seite 3; sie ist überschrieben: »Gottlieb und die Pferde«. (Zur Verwendung des Namens »Johannes« für den Erzähler Heinrich Vogeler vgl. die Anmerkungen S. 544.)

[Maskerln in Partenkirchen] – Später Entwurf (Kornejewka?), auf der Rückseite eines Blattes vom Abschnitt »Rom und Pompeji«. Zeitlich gehört er etwa zwischen den Abschnitt »Rom und Pompeji« und »Ausbau des Barkenhoffs« (S. 90). In einem früheren Entwurf zu diesem Text, der noch als Rückblick an die Militärzeit 1914 in Partenkirchen angeknüpft ist, heißt es: »Hier hatte er ... die wunderbaren Schneefelder unterhalb der Alpspitze kennengelernt. Aber auch hier wurde der Aufenthalt in Partenkirchen getrübt, weil eines Tages der schöne junge Freund mit dem Nußknackergesicht, der Gitarrenspieler mit den betörenden hawaiischen Gesängen, erschien und Johannes sich häufig sehr isoliert fühlte.« (Vgl. S. 141; hier ist nicht Ludwig Bäumer gemeint.)

141 *Straßburg 1908* – Ausführlicher Entwurf zum Abschnitt »Straßburg« (S.127ff.).

142 *[Carl Hauptmann]* – Später Entwurf (Kornejewka?), auf die Rückseite eines Manuskriptblatts des Abschnitts »Fischerhude« geschrieben mit Vermerk: »Vor: die polnische Reise«. Vgl. den Abschnitt »1908« (S.123f.).

[Architekturarbeit] – Später Entwurf, sicher erst in Kornejewka entstanden: von den zwei Blättern gehört eines zur Rückseite eines sowjetischen Kriegsplakats. Zur Einordnung vgl. den Schluß des Abschnitts »Straßburg« (S. 130) und den Abschnitt »Ich lasse dich nicht« (S. 135f.), vgl. auch die Anmerkung zu S.134.

146 *Bildnisse. Johannes* – Doppelseitig beschriebenes Einzelblatt aus den frühen Entwürfen. Etwa dem Abschnitt »Am Main 1912«

(S. 131) zuzuordnen. Ansatzweise in die Ich-Form korrigiert, was unser Text nicht berücksichtigt.

147 *[Löhnberg]* – Einzelner, nicht datierbarer Entwurf; zwei zusammengeklebte Blätter, auf denen auch der Entwurf »Melusinenwandbild« (S. 150) und der letzte Absatz des Abschnitts »Straßburg« (S. 130) notiert ist.

149 *Die Brüssler Bekannten* – Später Entwurf (Kornejewka?), auf die Rückseite eines frühen Entwurfs zur Novemberrevolution geschrieben. Gemeint ist hier die Weltausstellung von 1910 in Brüssel (vgl. S. 98). Für Meyer taucht in dem Abdruck eines Briefes auch die Schreibung Maiér auf.

150 *[Melusinenwandbild]* – Entwurf, s. Anmerkung zu S. 147. Das Triptychon »Melusine« entstand 1910.

151 *Weg zur Krisis. 1912/13* – Aus einer längeren frühen Entwurfsfassung für mehrere Abschnitte, die zu großen Teilen in die letzte Fassung übernommen wurde. Vgl. die Anmerkung zu S. 273.

153 *[Reflexion über Kunst]* – Später Entwurf (Kornejewka?) auf einem Einzelblatt, das auch den Abschnitt »Erkenntnisse über meine Lage beim Stab 1917« (zweites Buch, S. 196) enthält. Obwohl von Vogeler noch dem ersten Buch zugeordnet, gehört er in der letzten Fassung inhaltlich zum zweiten Buch, vgl. S. 157.

155 *Zweites Buch. Krieg* – Diese Überschrift kommt nur als Zuordnungsverweis (»Buch Krieg«, »II. Buch«) in anderen Manuskriptteilen vor; sie ergibt sich auch aus den Überschriften zum ersten und dritten Buch.

166 *Rilke ... die Hand reichen* – Im Entwurf heißt es außerdem: »Kalt, abweisend nahm Rilke die Begrüßung des alten Freundes auf. Er fühlte in diesem Uniformierten ... einen Menschen, der sein Vertrauen gebrochen hat ...«

184 *auf die »Kunstreise«* – Am Seitenrand ist notiert: »Belgrad Türkeninsel fehlt«. Dazu heißt es in den Entwürfen: »Eine türkische Insel in der Donau mit rein türkischer Bevölkerung erregte noch Johannes' Verwunderung. Sie wurde auf dem Berliner Kongreß 1878 vergessen und blieb türkisch.«

196 *Erkenntnisse meiner Lage beim Stab 1917* – Der Text steht ohne Zuordnungszeichen auf einem Einzelblatt mit dem Vermerk »II. Buch – Text einfügen 1917/18« (vgl. die Anmerkung zu S. 153).

254 *[Einweihung der Böttcherstraße]* – Der Abschnitt ist auf drei gesonderte Blätter geschrieben und trägt auf dem letzten Blatt den Vermerk »III. Buch«. Chronologisch gehört er dorthin; vgl. die Chronik, Juni 1927. Doch sind die Blätter nachträglich durch Verweis und Fadenheftung an dieser Stelle eingeordnet worden. Offenbar sah Vogeler keine Einordnungsmöglichkeit

im dritten Buch. Vgl. zu dem Abschnitt auch den Brief vom 28. Juni 1927 (S. 416).

271 *[Übergabe des Barkenhoffs]* – Der Anschluß an den vorigen Abschnitt ist nicht eindeutig; doch handelt es sich um den Schlußabschnitt des zweiten Buches: er ist zusammen mit dem »Kapitel 1« des dritten Buches auf zwei zusammengeheftete Einzelblätter geschrieben und hat den Vermerk »Ende des zweiten Buches ›Werden‹«.

273 *[Ehekrise]* – Aus einer Entwurfsfassung, die mit dem Abschnitt »Weg zur Krisis« zusammengeklebt ist (vgl. die Anmerkung zu S. 151); direkt anschließend an S. 125: »... den Lebensweg zu bedrohen.« Später ist flüchtig (als Zuordnungsvermerk?) die Jahreszahl 1913 davorgesetzt worden. Vgl. die Chronik, 1909/10.

277 *Typen vom Sommer 1918 bis Mai 1919* – Vgl. S. 229f. Aus den Entwurfsmanuskripten »Bildnisse von Personen« (vgl. S. 543).
Studienzeit Sommer 1918 ... Die Kräfte reichen nicht? – Aus einem vierseitigen Entwurfsmanuskript, nachträglich unvollständig in die Ich-Form korrigiert; entspricht etwa den Abschnitten S. 214–221. Was sich in der letzten Fassung wiederholt, ist hier weggelassen.

279 *Notizen, Bremen ...* – (Möglicherweise erst in Kornejewka) auf die Rückseite von Blatt 2 des Manuskripts zum ersten Buch eingetragen.

280 *Abzug* – Vgl. S. 241.
Wohltat der Armut – In einem Entwurfsmanuskript heißt es dazu bei Martha Vogelers Auszug aus dem Barkenhoff: »Johannes verschwand für einige Zeit und gab den Genossen den Auftrag, der Familie zu helfen beim Umzug. Sie halfen gern, denn nun wurde der Platz frei, daß sie ihre eigenen Familien und Kinder auf den Hof holen konnten ... Sentimentale Gefühle kamen bei ihm nicht auf, als er den völlig leeren Hof wiedersah. Die neue Arbeitskommune hatte sich schon so gut wie möglich eingerichtet. Die großen, leeren glatten Wände der Diele erfreuten ihn, das Fehlen jedes zierenden Reichtums tat so wohl. ... Die Einsamkeit der letzten Tage, als Johannes große Wanderungen unternahm und viel an einsamen Stellen rastete, um sich selber klarzuwerden, hatte ihm Festigkeit gegeben. Die tiefen Gegensätze zu seiner Frau wurden nun erst fruchtbar und trieben zu immer neuen Konsequenzen.«
Walter Geisteswissenschaft – An anderer Stelle der Entwürfe heißt es über Marie Griesbachs Verbindung mit Walter Hundt: »Der revolutionäre Schwung ihrer Jugend landete in der Geisteswissenschaft Steiners.«

280 *[Jugendbewegung und Anfänge der Arbeitskommune]* – Aus einem längeren Entwurfsmanuskript zum zweiten Buch (42 Blatt), dort direkt an das Ende der Bremer Räterepublik anschließend. Später ansatzweise in die Ich-Form korrigiert.

281 *[Roselius]* – Aus einer frühen Entwurfsstufe in der Ich-Form, Schreibheftformat (15x20 cm). Vgl. den Abschnitt »Zwei Welten«, S. 257–263. Dort wie hier zitiert Vogeler teilweise wörtlich aus Roselius' Sammelband »Briefe«, Bremen 1919.

286 *[Vorträge in Münster und Göttingen]* – Aus einem frühen Entwurf mit der Überschrift »Bildnisse. Roselius«, 24 Seiten in Schreibheftformat; anfangs der Name Johannes nachträglich in die Ich-Form geändert. Vgl. auch die Anmerkung zu S. 322.

288 *Bildnisse von Personen* – Entwürfe auf Einzelblättern DIN A 4 (wie »Typen vom Sommer 1918 bis Mai 1919«).

292 *[Trennung von Martha Vogeler]* – Aus einem Entwurfsmanuskript, 18 Seiten eines Abrißblocks (14,5x19 cm), direkt an den Abschnitt »Die Begegnung« (vgl. S. 228) anschließend.

293 *Die Barkenhoff-Wandbilder* – Drei Seiten aus dem gleichen Entwurfsmanuskript wie der vorige Text. Vgl. S. 246.

298 *Hoetgers Ideologie* – Einzelner Entwurf (6 Seiten DIN A 4) zum Abschnitt »Hoetger«, S. 263–266.

301 *Kapitel 1* – Die Überschrift lautet »III. B., Kp. 1, Anfang des III. Buches ›Werden‹«. Erst das Kapitel »Zentralasien 1926« trägt den Zuordnungsvermerk »III. Buch Sowjetrußland«.

303 *Fontana Martina bei Ascona ... Berlin* – Zu diesem zusammenhängenden Text, der teilweise auf Einzelblättern, teilweise auf Rückseiten von Manuskriptblättern am Anfang des zweiten Buchs geschrieben wurde, gibt es eine zweite, aber kürzere Fassung mit der Überschrift »Jordi«, die Erich Weinert bei seiner Herausgabe verwendet hat. Es konnte nicht entschieden werden, welches die letzte Fassung ist, hier ist deshalb der ausführlichere Text verwendet. (Außerdem vgl. S. 343 ff.) Die chronologisch zu frühe Anordnung der beiden Abschnitte ergibt sich aus dem Schlußabsatz.

307 *[Bruno-Taut-]Siedlung* – Der Raum ist freigelassen; wahrscheinlich sollte der Name des Architekten eingesetzt werden. (Die Britzer Neubauten wurden nach ihrem Zentralbau auch Hufeisensiedlung, nach ihren Straßennamen Fritz-Reuter-Siedlung genannt.)

junger Mensch – Damit dürfte Carl Meffert gemeint sein; vgl. auch die Wiederholung im Abschnitt »1927–1928. Ursula« (S. 335).

308 *Die Mutter ...* – Der Raum für den Namen ist zweimal freigelassen. Nach Auskunft von Fine Jacoby, der Tochter Ursula Dehmels, dürfte es sich um Gertrud Badenheuer handeln.

309 *Zentralasien 1926* – Vogeler hatte eine Beschreibung dieser Reise bereits in Fritz Jordis Zeitschrift »Fontana Martina« (Heft 4–7, 1931/32) unter dem Titel »Reisen in Zentralasien« veröffentlicht. Der neue Entwurf entstand, nach Schrift und Papier zu schließen, vor der Evakuierung. Er wurde in Kornejewka flüchtig in die Ich-Form korrigiert und etwas erweitert, dann mit den Abschnitten »Moskau 1926«, »1927. Komplexbilder« und »1927–1928. Ursula« zusammengeheftet. Diese weiteren Abschnitte, auf kleineres (Schreibheft-) Format in der Ich-Form geschrieben und mehrmals überarbeitet, sind ebenfalls offensichtlich – auch der Handschrift nach zu urteilen – schon vor der Evakuierung entstanden; am Schluß ist vermerkt: »Kann mit der Maschine geschrieben werden. H.V.«

319 *[Auf der Reise nach Baku]* – Schluß eines längeren Entwurfsmanuskripts über Roselius, direkt an Roselius' Besuch im Bienenhaus anschließend (Abschnitt »Zwei Welten«, S. 257–263). Vgl. auch S. 348.

322 *[Angebot von Ludwig Roselius]* – Aus dem Entwurf »Bildnisse. Roselius«; vgl. die Anmerkung zu S. 286. Dort als Vorgriff eingefügt in die Zeit von etwa 1922.

323 *Moskau 1926 … 1927 [Komplexbilder] … 1927–1928 U[rsula]* – S. die Anmerkung zu S. 309. Neben der letzten Überschrift steht: »NB Atelier in Dahlem«.

350 *Bildnisse. Johannes … [Bildnisse. Sonja]* – Zwei Einzelblätter einer frühen Entwurfsstufe. Die Überschrift des zweiten Blattes ist wahrscheinlich nachträglich abgeschnitten. Zum Bildnis Sonjas vgl. die dritte Anmerkung zu S. 441.

351 *Gedanken über Kunst … Vorfrühling Moskau* – Entwürfe aus dem Moskauer Nachlaßteil Vogelers, Archiv der Akademie der Künste der DDR.

355 *Moskau [Fliegerangriffe]* – Entwurf, in Kornejewka auf die Rückseite eines Manuskriptblattes der letzten Fassung des ersten Buches notiert. (In dem genannten »Mietshaus der Regierung« war Vogelers Wohnung.)

356 *Notizen zum III. Band Sowjetrußland [Evakuierung]* – Entwurf auf vier zusammengehefteten DIN-A-4-Blättern, etwa November 1941, Kornejewka.

357 *NKWD* – (russ.) Abkürzung für Narodni Kommissariat Wnutrennych Del: Volkskommissariat für innere Angelegenheiten (oder dessen Dienststelle am Ort).

359 *Lenrai* – (russ.) Kurzwort für Leninski rayon: Der Stadtbezirk »Lenin« im Moskauer Zentrum.

360 *Inokommissio* – (russ.) Auslandskommission (des Schriftstellerverbandes; vgl. S. 542).

360 *p./otd.* – (russ.) Abk. für potschtowoje otdelenie: Poststation.
Selsowjet – (russ.) Dorfsowjet.

361 *Sud* – (russ.) Gericht.

362 *Kooperative* – (russ.) Verkaufsstelle.

364 *Stolowaja* – (russ.) Kantine, Gaststätte.
MTS – (russ.) Abkürzung für Maschino-Traktorskaja Stanzija: Maschinen-Traktoren-Station.
III. B[uch] K[ornejewka] ... Sibirien, die Menschen – Entwurf; wie aus dem Text ersichtlich, um den 18. April 1942 entstanden; auf Rückseiten von Manuskriptblättern des ersten Buches geschrieben.

375 *Walenki* – Filzstiefel.

376 *Oblast ... Rayon* – (russ.) Bezeichnungen für Verwaltungseinheiten: (größeres) Gebiet und Kreis (in einer Oblast).

379 *[Entwürfe, vermutlich zum Nachwort]* – Offenbar entstanden beide Texte in Kornejewka, sie sind flüchtig auf je einen kleinen Zettel notiert. Die Rückseite des einen enthält den Entwurf zu einem Flugblattgedicht »Still deckt der Winter Hitlers Todessaat ...« Es gibt keinen Beweis dafür, daß dies Entwürfe für ein Nachwort sind. Der erste Text könnte auch den Entwürfen zum zweiten Buch zugeordnet werden (vgl. S. 347).

LEBENSZEUGNISSE VOGELERS 1923–1942

Briefe

Zur biographischen Einordnung der Briefe siehe auch die Chronik (S. 505–540).

388 *Rollbrief* – Er besteht aus aneinandergeklebten Blättern; in den handschriftlichen Text sind vierzehn farbige Skizzen eingestreut (vgl. Abbildungen S. 389f.).

391 *Bulgarien* – Nach einem Offiziersputsch am 9. Juni 1923 wurde die kommunistische Partei und die Bauernpartei des am selben Tage ermordeten Ministerpräsidenten Stambulijski verboten. Im Land herrschte Belagerungszustand und Terror.

395 *Sievers* – Bernhard Sievers, Landwirt, propagierte den Einsatz landwirtschaftlicher Maschinen.
Neue Ökonomische Politik – Nach der Zeit der ausländischen Interventionen und des Bürgerkriegs wurden in der Sowjetunion

gewisse Privatisierungstendenzen (z.B. der private freie Handel) gefördert, um Industrie und Landwirtschaft anzukurbeln und so die sozialistischen Elemente des Wirtschaftslebens aufbauen zu können. Die NÖP fand in den dreißiger Jahren mit dem Sieg des Sozialismus ihr Ende. Trotzki wandte sich von seinem abstrakt-kommunistischen Standpunkt aus gegen diese scheinbare, noch von Lenin eingeleitete, Restaurationspolitik, deren historische Bedingtheit auch Vogeler bei seinem ersten Aufenthalt in der Sowjetunion nicht begriff.

396 *Böse* – Hermann Böse, Leiter des Bremer Arbeiter-Gesangvereins; gehörte zu den Gästen des Barkenhoffs.

398 *Schönhaar* – Eugen Schönhaar (1848–1934), kommunistischer Politiker; u. a. im Exekutivkomitee der Internationalen Roten Hilfe; wurde von der Gestapo ermordet.

Ebringen – Jordi bot der Roten Hilfe sein Anwesen in Ebringen bei Freiburg als Schwestersiedlung zum Barkenhoff an (wie er auch zunächst auf Mitwirkung der Roten Hilfe bei der Siedlungsarbeit in Fontana Martina hoffte).

NEP – Abkürzung für Nowaja Ekonomitscheskaja Politika: (russ.) Neue Ökonomische Politik (vgl. die zweite Anmerkung zu S.395).

404 *komme ... nachmittags* – Die Postkarte ist nach Worpswede adressiert an »Frau Sofie [folgt ein unleserlich gemachter Name, vermutlich: Kröber]«; vgl. dazu die erste Anmerkung zu S.413.

405 *Ehescheidung* – Auf der Rückseite des Briefes ist eine zustimmende Antwort Martha Vogelers vom 8. Mai konzipiert, worin es heißt: »Das einfachste ist wohl, Du nimmst einen Rechtsanwalt, der sich dann mit mir in Verbindung setzt.«

407 *zur Gesandtschaft* – Vermutlich in der Scheidungsangelegenheit.

408 *Kongreß* – Wahrscheinlich ein Kongreß der Internationalen Roten Hilfe in Moskau.

Franz – Wahrscheinlich Eugen Schönhaar.

410 *Schreiben an Landrat* – Vgl. zu diesem Brief S.323–327 und die Chronik, 10. November 1926ff.

Redslob – Edwin Redslob (1884–1973), leitete mehrere Kunstsammlungen, 1911 in Bremen; 1920–1933 Reichskunstwart im Ministerium des Innern.

411 *24. 1. 27[?]* – Vogeler schreibt »24. II.«; doch wird in der Folge vom (offensichtlich) vorausliegenden 1. Februar geschrieben. Die Jahreszahl ist unleserlich. Wenn die erschlossene Datierung richtig ist, kann mit der neuen Wohnung nur Lichterfelde, Elisabethstr.33, gemeint sein.

Gottlieb – Gottlieb Saemann, Landwirt, ursprünglich Diener auf dem Barkenhoff.

411 *eingliedern* – Offenbar ist die im Auftrag der KPD zu leistende Arbeit im Reichswirtschaftsverband Bildender Künstler gemeint (vgl. die Chronik, März 1927).

413 *Kröber* – Um Verfolgungen als Tochter des bekannten ehemaligen führenden polnischen Kommunisten Marchlewski zu entgehen (z. B. bei eventuell nötigen polnischen Durchreisen), hatte Zofia Marchlewska ihren Namen durch Scheinheirat geändert.

[Beilage] – Wegen möglicher Erbschaftskonsequenzen wurde wieder der Rechtsanwalt eingeschaltet. Am 13. August sandte Martha Vogelers Rechtsanwalt Wolfgang Pohl die Erklärung an Heinrich Vogelers Berliner Rechtsanwalt Curt Rosenfeld.

414 *Veröffentlichung und Verwertung* – Vgl. den Brief vom 28. Juni 1927.

Alexanderstraße – In der Berliner Kleinen Alexanderstraße befand sich das Karl-Liebknecht-Haus, die Zentrale der KPD.

415 *Verband* – Offenbar der Reichswirtschaftsverband Bildender Künstler; zu den Briefen an Gehrig-Targis vgl. die Chronik, 1927/28.

KJ – Abkürzung für: Kommunistischer Jugendverband.

416 *Kurt Becker* – Der Bruder Paula Modersohn-Beckers; vgl. S. 255 und die Chronik, 2. Juni 1927.

Tarmstedt – Vgl. die Chronik, 1908.

Sache mit Jan – Vgl. den Brief vom 15. April 1927. Am 10. September mahnte Martha Vogeler ihren Rechtsanwalt, die Erklärung abzusenden.

Philine – Die Witwe Franz Vogelers; vgl. die Chronik, 1872.

417 *31.[?] Dez[ember 1927?]* – Die Lesung ist unsicher.

Architekturbüro – Vgl. die Chronik, Herbst 1927.

Fraktion – Des Reichswirtschaftsverbandes Bildender Künstler.

SDS – Abkürzung für: Schutzverband Deutscher Schriftsteller.

418 *Platz für uns* – Für die zu gründende Arbeitsgemeinschaft kommunistischer Künstler im Reichswirtschaftsverband Bildender Künstler.

Becher-Sache – Gemeint ist der Hochverratsprozeß gegen Johannes R. Becher wegen seines Romans »Levisite oder Der einzig gerechte Krieg«, der am 16. Januar 1928 beginnen sollte, wegen vieler Protestaktionen zunächst verschoben wurde und im August des Jahres unter eine Amnestie fiel.

419 *Walter* – Vermutlich Walter Müller, der Mann Bettina Vogelers.

421 *[Berlin-Grunewald ...]* – Vgl. die Chronik, 1929, und den folgenden Brief.

Druckerei – Gemeint sind wahrscheinlich Vorbereitungen des ehemaligen Druckers Jordi, um in Fontana Martina den Druck eigener Schriften zu ermöglichen. Vom Oktober 1931 bis November 1932 druckte er dort seine Halbmonatsschrift »Fontana Martina«.

421 *Wir sind ... sehr in Arbeit* – Gemeint ist die Arbeitsgemeinschaft »Die Kugel«.

422 *Lichtbaustoff* – Es handelt sich um Entwicklungsarbeiten in der Arbeitsgemeinschaft »Die Kugel« (vgl. den vorigen Brief).

423 *Reichskongreß der RHD* – Vgl. die Chronik, 30. Dezember 1928, 13./14. Oktober 1929 und 1930 sowie Vogelers Darstellung S. 336 ff.
»Feind der RH« – Die Hintergründe von Vogelers Zerwürfnis mit der RH und KPD sind nicht genügend aufgeklärt. In einem fragmentarisch überlieferten autobiographischen Überblick (aus dem Besitz Jan Vogelers) heißt es zum Jahr 1928: »Vogeler kam in Gegensatz zur KPD, machte große politische Fehler in der Gewerkschaftsfrage. Das Parteibillett wurde ihm entzogen, und aus der Mitgliedschaft der Roten Hilfe wurde er gestrichen. – In der Mopr-Angelegenheit beging Vogeler den großen politischen Fehler, die vorübergehende Notlage des Kinderheims dazu zu benutzen, von der Roten Hilfe das Heim in eigene Verwaltung zurückzugeben [gemeint: »-zufordern«]. – Die politische Ausnutzung dieser schweren Entgleisung durch Feinde der KPD einerseits, andererseits die dumme und bösartige Entstellung, daß Vogeler den Hof als Privatbesitz zurück haben wollte, brachte ihn zur Besinnung. Er reiste nach Worpswede, hörte von der Verwaltung des Kinderheimes, daß es mit der Ernährung der Kinder nicht zum besten stände. Vogeler unternahm sofort in Bremen eine Aktion für das Kinderheim der Roten Hilfe, und bald kam eine gute Sendung Reis, Kaffee, Zucker usw. auf dem Kinderheim an [vgl. dazu S. 341]. In der Parteiangelegenheit hatte Vogeler seinen Wohnsitz in Berlin von Britz nach Schmargendorf verlegt.«
blöde Taktik – Vgl. die zweite Anmerkung zu S. 428.
von den toten Dörfern – Gemeint ist offenbar Fontana Martina.
Propaganda mit dem Cetstoff – Gemeint sind Arbeiten in der Arbeitsgemeinschaft »Die Kugel«.

424 *Sie fotografiert* – Zofia Marchlewska hatte Fritz Jordi im Februar 1930 eingeladen, mit ihr in der Sowjetunion eine Foto-Agitationszeitschrift zu gründen: »Du – Leitung der Druckerei und literarische Mitarbeit. Ich – Foto-Redaktion. Mining, Ursula [Dehmel] – künstlerische Leitung. Hugo [Jordi, Fritz Jordis jüngster Bruder, der 1932 in Zürich die Schrift »Die Krise der internationalen Arbeiterbewegung« veröffentlichte] – politische und geschäftliche Leitung. Lisa [Janson, Freundin der Vo-

gelers in Moskau] – Redaktion der Sowjet-Seite. Mensch!!! Das soll eine Fotozeitung werden, daß die Welt staunt.« (»Fontana Martina«, Faksimiledruck der von Fritz Jordi und Heinrich Vogeler 1931/32 in Ronco bei Ascona herausgegebenen Halbmonatsschrift, mit einem Anhang herausgegeben von Dietger Pforte, Gießen/Lahn 1976, S.XLVI und Anm.)

424 *Den Kindern* – Hier sind Ursula Dehmels Kinder gemeint; offenbar wohnte Vogeler noch bei ihr in Berlin-Grunewald.

Opfer der Maikämpfe – Die Berliner Maidemonstration der KPD von 1929 war von der sozialdemokratisch regierten Polizei brutal zusammengeschossen worden. Es gab in den folgenden Kämpfen 31 Tote und Hunderte von Verwundeten. In Wedding und Neukölln hatten die Arbeiter Barrikaden gebaut.

425 *Die Wendung* – Sie bezieht sich auf die Tagung des ZK der KPD vom 20./21. März 1930, wo beschlossen wurde, die sozialdemokratischen Arbeiter verstärkt in die politischen Kämpfe einzubeziehen, die Arbeit in den Freien Gewerkschaften zu fördern, um die Massenbasis der Partei zu verbreitern.

Brubbacher – Vermutlich Fritz Brupbacher, Schweizer Arzt, Freund des jungen Willi Münzenberg, Mittelpunkt eines anarchistisch-syndikalistischen Intellektuellenkreises.

426 *Du willst drucken?* – Vgl. die zweite Anmerkung zu S.421.

427 *Umliegend ein Brief* – Eine Maria Lendla aus Neukölln bittet um »Offerte in Radierungen und Ölgemälde« unter Preisangabe. »Dauernde Lieferung erforderlich. (Massenabsatz.)«

428 *O[pposition]* – Gemeint ist die KPD(O); vgl. die Chronik, 1929. Welcher Art Vogelers Verhältnis zur KPD(O) noch 1931 war, ist ungeklärt. Im Oktober/November-Heft 1930 der Zeitschrift »Entscheidung. Freie Blätter für sozial-religiöses Wirken«, hrsg. von Carl Stegmann und Hilmar von Hinüber, Jg. 2, Heft 1, wird ein Brief Vogelers vom 30. September 1930 abgedruckt (Auskunft Werner Hohmann), in dem es heißt: »Gelingt es uns nicht, in *einem halben Jahre die arbeitenden Massen zur Einheit zu bringen*, so ist die völlige Versklavung aller arbeitenden Kräfte sicher. ... Den Mechanismus, den Bürokratismus der kommunistischen Partei immer wieder bis in die Wurzeln zu zerstören, ist und sind die Hauptaufgaben der Arbeiten von unten, von den Betrieben aus. Ihr letztes und alles umfassendes Ausdrucksmittel ist das kommunistische System der Räteordnung, das von unten die schaffenden Kräfte löst und einem gemeinsamen Ziele zuführt.« Weiter heißt es: »Nationalismus, Personenkult, Zersetzung der Massenorganisationen« seien »Krankheitskeime innerhalb der KPD, die nur durch Gesunderhaltung der Arbeiterschichten in den Betrieben liquidiert werden können.«

Vgl. Vogelers eigene Aussage, S. 336ff., und die zweite Anmerkung zu S.423.

428 *RGO* – Abkürzung für: Revolutionäre Gewerkschaftsopposition. Die Aufstellung eigener Wahlvorschläge zu den Betriebsrätewahlen der Gewerkschaften in den Jahren 1929–1931 brachte in einzelnen Betrieben und Industriegebieten zwar Erfolge für die kommunistischen Gewerkschafter, doch entstand auch die Gefahr zunehmender Isolierung von der Masse der anders gewerkschaftlich organisierten Arbeiter.

RF – Abkürzung für: »Die Rote Fahne«, das Zentralorgan der KPD, und (hier) für: Rote Front, die unter der KPD vereinten politischen Kräfte.

429 *»Bonifazius Kreuzer«* – In der ersten Nummer der Zeitschrift »Fontana Martina« (Oktober 1931) erschien (unter Vogelers Namen) nur der kurze Artikel: »Der Weg zur Barbarei«, in dem es u. a. auch um die Stellung der Kirche als »Dienerin der jeweiligen herrschenden Klasse« geht.

Jan zu holen – Er befand sich im Kinderheim in St. Peter-Ording an der Nordsee (vgl. den Brief vom 22. Februar).

432 *An B.N. Ternowez* – Der damalige Direktor des Moskauer »Museums für neue westliche Kunst«, das in das heutige Puschkinmuseum der Bildenden Künste aufging. Ternowez arrangierte zahlreiche Ausstellungen westeuropäischer Künstler. Vgl. die Chronik, März 1932. Vogelers Komplexbild »Hamburger Arbeiter« wurde von dem Museum angekauft (heute befindet es sich in der Leningrader Ermitage). Auch das Revolutionsmuseum und das Museum der Roten Armee in Moskau besitzen Bildwerke Vogelers.

433 *»Udarnik«* – (russ.) wörtlich: Stoßarbeiter; soviel wie: Aktivist.

436 *das Museum* – Das Staatliche Karelische Landeskundemuseum in Petrosawodsk besitzt eine große Zahl von Zeichnungen und Aquarellen, die auf Vogelers Karelienreisen entstanden.

439 *[Sotschi-Mazesta]* – Ortsangabe nach Auskunft Jan Vogelers.

440 *den Meerritt* – Der Briefkopf ist eine Farbstiftzeichnung Vogelers: Ein Badender reitet in den Wellen am Badestrand mit dem Dreizack in der Hand auf einem Delphin.

der Alten – So wurde Bronislawa Marchlewska im weiteren Bekanntenkreis genannt. (Vgl. auch die dritte Anmerkung zu S.468.

Sie malen zu können – Vogeler lernte den durch Verwundungen gelähmten und blinden Schriftsteller, dessen Roman »Wie der Stahl gehärtet wurde« 1934 erschienen war, durch die Vermittlung seiner Schwiegermutter Bronislawa Marchlewska kennen. Mit dem Brief übergab er das fertige Porträt an den Schriftsteller. Von fremder Hand (wahrscheinlich Bronka Marchlewskas) ist auf dem Blatt die russische Übersetzung hinzugefügt. Ostrowski starb noch im Dezember. Die erste Ausführung des Porträts hängt heute im Ostrowski-Museum, Moskau. (Vogelers Porträtskizze am Krankenbett Ostrowskis siehe S. 440.)

441 *Sepp* – Vermutlich Sepp Schwab, kommunistischer Politiker und Propagandist; zu der Zeit Leiter der deutschen Redaktion des Moskauer Rundfunks.

Datsche – Das Landhaus von Bronislawa Marchlewska in Tscheljuskinskaja bei Moskau (vgl. die Chronik, 1936).

werde ich mich dort einrichten – In einem Notizblock aus Kornejewka (Nachlaß Weinert, Mappe 1) heißt es: »In Tscheljuskin, in der Siedlung der alten Bolschewiki, hatte Bronka eine Datsche in dem schönsten Teil des alten Kiefernwaldes, ein sonniges Wiesenstück, umrahmt von alten dicken Bäumen. Bronka liebte dies Stückchen Erde und verlebte ihre schönsten Stunden in diesem Walde. Ich selber war mit diesem Stück sehr verbunden, suchte durch Feldarbeit und Anlage von Obst und Erdbeerbeeten den Wert zu erhöhen. Machte aber nach dem Urteil Br[onkas] alles falsch. Sie gehörte zu den Menschen, die immer ein letztes Wort, und ein Wort der Verneinung, des Besserwissens, haben mußten. Dann frug sie sogenannte Agronomen, die ihr die unmöglichsten Ratschläge einbliesen. Ich mit meinen landwirtschaftlichen Erfahrungen, verlor schließlich in diesen ewigen Kämpfen den Willen, dort noch einen Spatenstich zu tun, und so verkam die ganze schöne Anlage. – Zudem liebte es Sonja nicht, mich draußen dort zu sehen, und Bronka hatte den heißesten Wunsch, daß Sonja zu diesem Platz ein warmes Gefühl aufbringen möge und in dieser herrlichen Natur Ruhe und Erholung finden sollte. Aber das kam nur in den seltensten Fällen vor. Warum? Sonja, dieses weibliche Wesen, das aus überheblichem Stolz und auf der anderen Seite aus Minderwertigkeitsgefühlen zusammengesetzt war, fand immer unter allen Menschengruppen einen oder ein paar Menschen, die sie so verachtete, daß sie in der Nähe dieser Menschen nicht leben zu können glaubte. Nun vermietete Bronka aber im Sommer mein Zimmer, in dem ich eine Zeit Winter und Sommer gewohnt hatte, an Freunde, an sympathische Genossen, um Gelder aufbringen zu können, die sie ihrer Tochter zuführte. Immer waren unter diesen Mietern Elemente, die es ausschlossen, daß Sonja auf der Datsche ihre ruhigen Erholungszeiten zubrachte. Ich fuhr selten heraus, da ihr meine Einstellung zur Bronka nicht gefiel, denn trotz aller Auseinandersetzungen half ich der Alten in praktischen Fragen, was die Datsche anging, und fuhr stets mit ihr heraus, wenn sie mich nötig hatte; was von Sonja als eine feige Charakterlosigkeit ausgelegt wurde. – Es war doch nicht nur wegen Bronka, sondern ich liebe die Natur dieses schönen Stückchens Erde heiß und würde leicht[?] wieder meine ganze Kraft einlegen, um die verkommene Wildnis wieder in Gang zu bringen.«

auf der Insel – Vgl. den folgenden Brief.

442 *Kem-Ostrow* – (russ.) Insel Kem.

Lessosawod – (russ.) Holzverarbeitungswerk.

do wostrebowanija – (russ.) postlagernd.

443 *Stolowaja* – (russ.) Gaststätte, Kantine.

444 *»Obstscheshitije«* – (russ.) Hier: Gemeinschaftsunterkunft.

Sawod – (russ.) Werk.

»kupaetsa!« – (russ.) er badet!

446 *rasryshenije* – (russ.) Erlaubnis.

die 350 – Offenbar ist eine Geldsumme gemeint.

MBRCh – Abkürzung für Meshdunarodni Bjuro Revoluzionnych Chudoshnikow: (russ.) Internationales Büro Revolutionärer Künstler, in dem Vogeler seit 1932 mitarbeitete.

Wseko-Kontraktierung – Wseko: (russ.) Kurzwort für Wsesojusny Komitet Sowjetskich Chudoshnikow: (russ.) Allunionskomitee des sowjetischen Künstlerverbandes (bei dem Vogeler einen Arbeitsvertrag abschließen will).

Die Alte – Vgl. die zweite Anmerkung zu S. 440.

449 *Patophon* – Grammophon (nach der französischen Firma Pathé Cinéma, die als eine der ersten solche Geräte herstellte).

453 *die Karte blieb bis heute liegen* – Vogelers Karte hat den Ausgangsstempel: Moskau, 16.12.1939.

An Gustav Regler [Moskau, etwa Frühjahr 1940] – Der Brief ist nach Reglers Abwendung von der kommunistischen Bewegung entstanden; er stammt, als Reinschrift, aus dem Besitz Jan Vogelers.

Einsatz Deines Lebens – Regler wurde im Spanienkrieg schwer verwundet.

454 *die politischen Beweggründe* – Gemeint ist vor allem der deutsch-sowjetische Nichtangriffsvertrag vom August 1939, dessen Notwendigkeit von einem großen Teil der westeuropäischen linken Intelligenz nicht verstanden wurde.

großzügige … Hilfe – Regler war auf Intervention u. a. von Eleanor Roosevelt und Ernest Hemingway aus dem Internierungslager Vernet im Frühjahr 1940 freigekommen und floh bei Einmarsch der deutschen Truppen zunächst in die USA.

455 *vor September 1940* – Die Reise in die Kabardino-Balkarische ASSR wird noch nicht erwähnt; danach die ungefähre Datie-

rung. Auf der Rückseite eines Manuskriptblattes zu den »Bildnissen«, d.h. zu ersten Entwürfen der Erinnerungen (Weinert-Nachlaß, Mappe 2) finden sich folgende undatierbare Notizen, die die gleichen Probleme wie der Briefentwurf an Tolstoi reflektieren:

»1. Kann ein Maler vom Schreibtisch aus, ohne Abstand von seiner Arbeit zu haben, zum sozialistischen Realismus kommen?

2. Kann ein Maler, ohne räumlich die Möglichkeit zu haben, nach lebendem Modell zu studieren, zum sozialistischen Realismus kommen?

3. Kann ein Maler ohne engste Verbindung mit den schöpferischen Kräften der Masse zum sozialistischen Realismus kommen?

4. Kann eine kurze Kommandierung in einen Betrieb genügen, um mehr wie eine Impression vom neuen Leben zu geben?

5. Welches ist der Weg, den jetzt vorherrschenden dekorativen Impressionismus zu überwinden und den Maler zum Gestalter des neuen Lebens zu machen, ihn zu einer großen monumentalen Kunst vorwärtszuführen, die mit der ganzen Leidenschaft den Realitäten, dem neuen Menschen, dem neuen Leben der Stalinschen Epoche gerecht wird?

6. Hat der Sowjetmaler, der aus dem Westen kommt und dessen Kunst Züge eines nationalen Charakters trägt, dessen Kunst eine gewisse Tradition, ein kulturelles Erbe in sich verwirklicht, nicht das Recht, von *dieser* Ausdrucksform aus den Weg zum sozialistischen Realismus zu suchen?

7. Welche materiellen Hilfen werden dem Maler gegeben, dessen ernstes Streben in dieser Richtung anerkannt ist? H. Vogeler« (Vgl. auch in den Entwürfen zum dritten Buch S. 351 f.)

455 *Kommandierungen* – Russizismus für: Dienst-, Studienreisen.

Karelien ... Aserbaidshan – Vgl. die Chronik 1924 und 1939.

Bolschoi Sowjet – (russ.) Oberster Rat (des Künstlerverbandes).

MOSSCh – Abkürzung für Moskowski Sojus Sowjetskich Chudoshnikow: (russ.) Moskauer (Gebiets-)Verband der sowjetischen Künstler.

Wsekochud – Siehe die vierte Anmerkung zu S. 446.

456 *Usbekistan* – Vgl. die Chronik, September-Oktober 1926.

457 *der ersten Nummer ... »Das Wort«* – Wahrscheinlich ist Vogelers Artikel »Erfahrungen eines Malers. Zur Expressionismus-Diskussion« gemeint (»Das Wort«, Jg. 3, Heft 6/1938). Die Zeitschrift erschien 1936–1939 in Moskau.

Mus[eum] Nar[odow] SSSR – (russ.) Museum der Völker der UdSSR (vgl. die Chronik, Mai–August 1939).

459 *Nascha Rodina* – (russ.) Unsere Heimat. Die unionsweite Ausstellung sollte 1942 zum 25. Jahrestag der Oktoberrevolution

stattfinden (vgl. die Chronik, September–Oktober 1940). Vgl. auch den Brief vom 22. März 1941.

459 *Narkomsem* – Kurzwort für Narodni Komissariat Semledelija: (russ.) Landwirtschaftsministerium.

460 *Komitet po delam iskustw* – (russ.) Komitee für Kunstangelegenheiten.

462 *»IL«* – In der »Internationalen Literatur, Deutsche Blätter«, Moskau, erschienen Vogelers Berichte von seinen Reisen in der Sowjetunion.

463 *Selsowjet* – (russ.) Dorfsowjet.
»ladno« – (russ.) schon gut!

465 *An Bronislawa Marchlewska* – Der Geburtstagsbrief hat den Moskauer Postankunftsstempel vom 22. Juni 1941, dem Tag des deutschen faschistischen Überfalls auf die Sowjetunion.

466 *Radium* – Scherzhaft gebräuchlich für Radio.

467 *An Gustav von Wangenheim* – Der Entwurf ist auf eines der Blätter im Nachlaß Weinert (Mappe 1) notiert, worin auch vier Entwürfe für Reden im Moskauer deutschsprachigen Rundfunk enthalten sind. Auf dem betreffenden Blatt sind Fragmente von Entwürfen zu Reden an die deutsche Jugend und an die deutschen Bäuerinnen notiert. Es ist unbekannt, ob und welche Rede Vogeler mit einem derartigen Begleitschreiben abgesandt hat. Als Beispiel wird im folgenden eine Rede abgedruckt, die vollständig, betitelt und adressiert ist:

»Nemezkaja Redakzija, radiokomitet Moskwa, tow[aristsch] Schwab; ot Vogeler G. E., Kas[achskaja] ASSR, obl[ast] Karaganda, ray[on] Woroschilow, Kolchos ›1. Mai‹, p[otschtownoe] otd[elenie] Kornejewka.

Für die deutsche Jugend:

II

Brennende Sowjetstädte wurden die Scheiterhaufen und das Grab der deutschen Jugend, das Grab jugendlicher Hoffnungen.

Deutsche faschistische Siege wurden Etappen des Todes, Etappen zum Untergang einer Armee, die dem größenwahnsinnigen Hirngespinst eines Abenteurers, dessen Lebenselement Krieg ist, nachjagte.

Einst war die Quelle der Kraft der deutschen Jugend der Kampf für Recht und Freiheit, der Kampf um die Erfüllung der Sehnsüchte und des Strebens der großen Dichter und Denker *aller* Zeiten und *aller* Völker, der Gestalter der humanistischen Gedankenwelt der zivilisierten Menschheit.

Deutsche Jugend, wofür kämpft ihr heute? Wofür gingen Millionen deutscher Menschen in Elend und Tod? – Sie gaben ihre Kraft und ihr Leben hin, sie mußten sehen, wie ihr eigenes Volk dahinsiecht, um die Gewaltherrschaft einer nicht arbeitenden faschistischen Herrenkaste aufzurichten, die die Geißel der Gestapo über die unterdrückten ausgeraubten freiheitsliebenden Völker Europas schwingt und über das eigene deutsche Volk.

Dazu hatte Hitler es nötig, alle Mittel der Lüge, der Verdummung und des bestialischen Terrors anzuwenden; er mußte das Denken des deutschen Volkes abschaffen und jede demokratische Regung im Keime ersticken.

Fühlt ihr nicht, ihr Jugendlichen, wie schon die faschistische Schule die Gehirne der Kinder sterilisierte, unempfänglich machte für die großen Ideale, die der deutschen Jugend vorschwebten? So wurde die Gedankenöde der Jugend aufnahmefähig für die geforderte Meinung, für das Hitlersche Weltbild, begrenzt von einer horizontlosen Hitlerphantasie: Großdeutschlands – weltenfern von jeder geistigen Bindung mit den Völkern der Erde, fern von jedem Humanismus, reif für das leere Brüllen der verlogenen Hitlerphrasen über das deutsche Land, reif für den Terror gegen jede demokratische Regung.

Während des Krieges gegen das befreundete Sowjetrußland wucherten auf der breiten Öde der sterilisierten Gehirne dieser Jugend die sadistischen, perversen Untergangserscheinungen hoch. Aus den deutschen Soldaten wurden feige grausame Räuber und Lustmörder, wenn ihnen waffenlose Bevölkerung, Greise, Frauen und Kinder, gegenüberstand: deutsche Jugend als ein Ekel und ein Schrecken für die Träger alter deutscher Soldatenehre.

Aber wir wissen auch, daß es noch eine andere, eine gesunde deutsche Jugend gibt. Aus vielen, vielen Tagebuchblättern und Briefen von Gefallenen und Gefangenen erkannten wir, daß die Goebbelsschen Lügenkampagnen von der siegreichen Vernichtung der Roten Armee und der baltischen Flotte keinen Glauben fanden, daß der Glaube an den Sieg des Abenteurers Hitler dahin ist, der Glaube an das III. Reich. Wir wissen, daß der leidenschaftliche Wunsch seines Unterganges lebt, zur Rettung Deutschlands, zur Einigung der demokratischen Völker, die die Welt von der Pest des Hitlerfaschismus befreien werden und zum friedlichen Aufbau und Austausch der nationalen Güter kommen wollen. Eint Euch, deutsche Jugend, mit allen fortschrittlichen Menschen unseres Vaterlandes zum vernichtenden Schlag.

Heinrich Vogeler«

468 *Eingabenentwurf* – Die beiden folgenden Eingabenentwürfe sind auf einem Schreibheftblatt im Nachlaß Weinert, Mappe 1, enthalten. Nur der als zweiter geschriebene ist eindeutig aus dem Text auf Januar 1942 zu datieren.
polit[ische] Uprawl[enie] RKKA – Verkürzung für: Politische Hauptverwaltung der Roten Arbeiter-und-Bauern-Armee; die gebräuchliche Abkürzung war GlawPURKKA oder PUR.
Akad[emie] »Frunse« – Die Kriegsakademie »Frunse« war eine ganz andere Dienststelle; die Politische Hauptverwaltung war aber zeitweise in deren Gebäude untergebracht. (Auskunft Werner Hohmann. – Bis etwa Kriegsausbruch hatte Bronislawa Marchlewska im Ausbildungssektor Sprachen in leitender Funktion an der Kriegsakademie gearbeitet.)
Sajawlenie – (russ.) Gesuch, Eingabe.
nach Moskau zurückkommandiert – In ein Notizheft des Kornejewkaer Nachlasses (Weinert, Mappe 1) hat Vogeler, offenbar als Übersetzung einer erhaltenen russischen Nachricht, folgendes eingetragen: »Brief von UNKWD, Kar[agandaer] Obl[ast], Nar[odny] Otdel UNKWD. Komn[ata] Nr. 79, tow[aristsch] Maksimow: In der Frage um Ihre Rückkehr an Ihren früheren Wohnplatz: wird erlaubt nach Ende des Krieges. Wenn Sie [sich] die Möglichkeit vorstellen, in der Stadt Karaganda zu sein, wenden Sie sich in dieser Frage an die UNKWD des Kar[agandaer] Obl[ast], Komnata 79, M[aksimow], 24.I.1942.«
Chudoshnik – (russ.) Künstler.
469 *Buran* – (russ.) Schneesturm.
Ubornaja – (russ.) Klosett.
An Bronislawa Marchlewska – Die Postkarte ist nach Miass (Gebiet Tscheljabinsk, östlich des Ural) adressiert, wohin Bronislawa Marchlewska mit Altbolschewiken aus Moskau evakuiert war.
470 *An Erich Weinert* – Das Datum des Poststempels ist unleserlich, die Karte hat zwei Ankunftsstempel: Moskau, 27. bzw. 28.6.42. Die römische Ziffer bedeutet wahrscheinlich, daß Vogeler zwei Karten gleichzeitig abgesandt hat (II enthielt dann die Fortsetzung).

Autobiographische Texte

471 *[Nachbemerkung zu »Reise durch Rußland«]* – Aus: Heinrich Vogeler-Worpswede, »Reise durch Rußland. Die Geburt des neuen Menschen«, Carl Reißner Verlag, Dresden o. J. (1925), S. 63f. Der überschriftlose Text wird eingeleitet mit dem Satz:

»Auf besondere Bitte gab Heinrich Vogeler für den Almanach des Verlages Carl Reißner folgendes literarische Selbstbildnis:«.

472 *[Künstlerischer Entwicklungsgang]* – Typoskript aus dem Archiv des Puschkinmuseums der Bildenden Künste, Moskau; entstanden für die Vogelerausstellung von 1932; reproduziert in: Heinrich Vogeler, »Ausstellungsberichte für die ›Moskauer Rundschau‹ ...«, hrsg. von Karl-Robert Schütze, Berlin 1983.

473 *[Lebensabriß]* – Typoskript aus dem Archiv des Puschkin-Museums der Bildenden Künste, Moskau; entstanden für die Vogeler-Ausstellung 1932; reproduziert in: Heinrich Vogeler, »Ausstellungsberichte für die ›Moskauer Rundschau‹ ...«, hrsg. von Karl-Robert Schütze, Berlin 1983.

475 *»Winterkulturkommando ...«* – Das verschollene Komplexbild ist einfarbig reproduziert in: Christine Hoffmeister, »Heinrich Vogeler – Die Komplexbilder«, Worpsweder Verlag 1980.

476 *im Karl-Liebknecht-Haus* – Vgl. die Chronik, Herbst 1925.
Kunstausstellung am Lehrter Bahnhof – Vgl. die Chronik, Mai 1927.
AChR – AChRR: Abkürzung für den Künstlerverband »Assoziation der Künstler des revolutionären Rußland« (bestand 1922–1928).
RKP(B) – Seit der Umbenennung 1925 nicht mehr gebräuchliche Abkürzung für die Kommunistische Partei der Sowjetunion (KPdSU).

QUELLENNACHWEIS ZU DEN LEBENSZEUGNISSEN

Akademie der Künste der DDR, Berlin, Abteilung Literaturarchive: Schreiben an Johannes R. Becher, an Gustav von Wangenheim, an die Politische Hauptverwaltung der Roten Arbeiter- und Bauern-Armee, an Jan Vogeler (Mai/Juni 1939), an Erich Weinert.

Institut für Marxismus-Leninismus beim ZK der SED, Berlin, Zentrales Parteiarchiv: Schreiben an Julian Marchlewski, an Bronislawa Marchlewska (25. März 1925), an die Rote Hilfe (MOPR).

Nationale Forschungs- und Gedenkstätten der klassischen deutschen Literatur, Goethe- und Schillerarchiv, Weimar: Schreiben an den Insel-Verlag.

Nikolai-Ostrowski-Museum, Moskau: Schreiben an Nikolai Ostrowski.

Puschkin-Museum der bildenden Künste, Moskau: Schreiben an B. N. Ternowez.

Staatliche Museen zu Berlin, Nationalgalerie, Archiv: Schreiben an die Kinder der Arbeitsschule Barkenhoff (in der Autographensammlung), an Zofia Marchlewska (29. November 1924), an Franz Edwin Gehrig-Targis, an Gregor Gog (?), an Bronislawa Marchlewska (September 1940, 17. Juni 1941), an Gustav Regler und Marieluise Vogeler (Juli/August 1939), an die Rote Hilfe (20. November 1926), an Alexej Tolstoi, an die Familie in Moskau (2. September 1933, 29. Juni 1936), an Jan Vogeler (27. Juni 1936).

Worpsweder Archiv, Worpswede: Schreiben an Martha Vogeler, an Walter Hundt.

Thomas Friedrich, Berlin: Schreiben an Fritz Jordi (im Besitz von Pietro Jordi, Ronco / Ascona).

Werner Mittenzwei, Berlin: Schreiben an Fritz Jordi (Mai 1930).

Margret Morel-Plievier, Avegno: Schreiben an Theodor Plievier.

Hans Georg Müller, Worpswede: Schreiben an Marie Louise Vogeler, an Henny Förster, an Henny Walther, an Gustav Regler (etwa Ende 1932).

Jan Vogeler, Moskau: Schreiben an Zofia Marchlewska (29. November 1924), an Jan Vogeler (Oktober 1935), an Gustav Regler (Frühjahr 1940), an Bronislawa Marchlewska (19. Mai 1942).

»Fontana Martina. Vollständiger Faksimile-Druck ...«, hrsg. von Dietger Pforte, Gießen/Lahn 1976: Schreiben an Fritz Jordi (Februar/März 1924).

Walter Hundt, »Bei Heinrich Vogeler in Worpswede«, Worpswede 1981: Schreiben an Walter Hundt (10. September 1931).

Heinrich Vogeler, »Reise durch Rußland«, Dresden 1925: »Nachbemerkung«.
Heinrich Vogeler, »Ausstellungsberichte für die ›Moskauer Rundschau‹«, hrsg. von Karl Robert Schütze, Berlin 1983: »Künstlerischer Entwicklungsgang«, »Lebensabriß«.

BILDNACHWEIS

Foto-Vorlagen stellten freundlicherweise zur Verfügung:
Akademie der Künste der DDR, Berlin, Erich-Weinert-Archiv (2), Friedrich-Wolf-Archiv (1)
Archiv der Zeitschrift »Bildende Kunst«, Berlin (2)
Deutsche Bücherei, Leipzig (1)
Archiv Werner Hohmann, Wallenhorst (3)
Museum für Deutsche Geschichte, Berlin (3)
Archiv Jenny Neumann-Labas, Moskau (1)
Staatliche Museen zu Berlin, Archiv Nationalgalerie (4)
Jan Vogeler, Moskau (5)
Alle weiteren Fotos Archiv Rütten & Loening, Berlin

Die Reproduktionsarbeiten wurden von Dietmar Riemann ausgeführt.

PERSONENREGISTER

Erfaßt werden nur Namen von allgemeinem biographischen, politischen oder gesellschaftlichen Interesse.

ZU DIESER AUSGABE

Die Lebenserinnerungen Heinrich Vogelers werden hier erstmals vollständig nach den Handschriften aus Erich Weinerts Nachlaß publiziert. Das bedeutet auch, daß gegenüber ihrer ersten Bearbeitung durch Weinert (1952) ihr fragmentarischer Charakter deutlicher hervortritt. Entwürfe zu einzelnen Abschnitten der Erinnerungen, die Vogeler nicht in die Endfassung übernahm, wurden bei der Ordnung der Handschriften ausgewertet und der letzten Fassung jeweils gesondert beigegeben, wenn sie inhaltlich Neues enthalten oder andere Akzente setzen.

Für die Beschreibung von Vogelers Leben nach 1923 (das dritte Buch: »Sowjetrußland«) sind nur wenige Entwürfe vorhanden. Da dieser Zeitraum bislang kaum erforscht ist, sind ihm in einem von den Herausgebern zusammengestellten, gesonderten Teil Lebenszeugnisse Vogelers, vor allem Briefe, zugeordnet, die weitere Informationen geben oder neue Akzente setzen. (Vogelers Korrespondenz ist noch kaum erschlossen; vermutlich existiert ein Vielfaches von dem, was uns zugänglich wurde.) Außer Li Weinert, die aus dem Archiv ihres Mannes die Materialien zur Verfügung stellte, sind wir folgenden Archiven bzw. Besitzern zu Dank verpflichtet, die uns Vogeler-Texte zugänglich machten: Akademie der Künste der DDR, Berlin; Thomas Friedrich, Berlin-West; Werner Hohmann, Wallenhorst; Werner Mittenzwei, Berlin; Margret Morel-Plievier, Avegno; Hans Georg Müller, Worpswede; Puschkin-Museum der bildenden Künste, Moskau; Nationale Forschungs- und Gedenkstätten der klassischen deutschen Literatur, Goethe- und Schillerarchiv, Weimar; Staatliche Museen zu Berlin, Nationalgalerie; Worpsweder Archiv, Worpswede; Jan Vogeler, Moskau; Zentrales Parteiarchiv im Institut für Marxismus-Leninismus beim ZK der SED, Berlin.

Anstelle ausführlicher Einzelerläuterungen ist im Anhang eine Liste von Daten aus Vogelers Leben zusammengestellt, soweit sie aus der Sekundärliteratur und einzelnen zugänglichen Quellen zu entnehmen waren. Diese »Chronik zum Buch ›Werden‹« ist eng auf die Erinnerungen und auf die Lebenszeugnisse der Zeit nach 1923 bezogen und soll, da es keine zulängliche Vogeler-Biographie gibt, die reale Zeitfolge, soweit uns bekannt, hinter den bewußten oder irrtümlichen Verschiebungen, Lücken und Raffungen in dem fragmentarischen Werk deutlich machen sowie einige für Vogelers Biographie wichtige Bezüge zur Zeitgeschichte herstellen. Eine ganz aus den Quellen erarbeitete und weniger auf den Zufall angewiesene »Chronik *von Vogelers Leben*« hätte erhebliche Leerstellen auszufüllen, sicher auch Daten zu rektifizieren; sie hätte das künstlerische und schriftstellerische Werk zu berücksichtigen.

Eine Auswahlbibliographie zu Vogeler findet sich in: Heinrich Vogeler, »Das neue Leben. Ausgewählte Schriften zur proletarischen Revolution und Kunst«, hrsg. und eingeleitet von Dietger Pforte, Darmstadt und Neuwied 1972 (Sammlung Luchterhand 103).

Die Illustrationen sind in erster Linie nach biographischen Gesichtspunkten ausgewählt. Dem Charakter dieses Buches des Alters entsprechend, wurde dabei das Spätwerk bevorzugt, dessen eigenständige Leistung und Besonderheit noch wenig erkannt und gewürdigt ist.

Die Texte Vogelers sind redaktionell durchgesehen und in Orthographie wie Interpunktion behutsam den heute gültigen Regeln angeglichen. Im einzelnen wird in den Anmerkungen über die Textgestalt wie über Entstehung und Überlieferung Auskunft gegeben. Kyrillische Buchstaben sind nach der Steinitzschen Umschrift wiedergegeben. Hinzufügungen der Herausgeber stehen in []. Fragliche Lesungen einzelner Wörter sind durch angehängtes [?] gekennzeichnet.

Unser Dank für Hinweise und Unterstützung verschiedenster Art gilt zunächst den befragten Zeitgenossen Vogelers: Li Weinert†, Berlin; Jan Vogeler, Moskau; Herta Brundig, Weimar; Fine Jacobi-Dehmel, Berlin; Jenny Neumann-Labas, Moskau; Gertrud Müller, Berlin.

Werner Hohmann hat auf Grund seiner reichen Quellenkenntnis zu Vogelers sowjetischer Zeit wichtige Hinweise u. a. bei der Erarbeitung der »Chronik zum Buch ›Werden‹« gegeben, die in Abstimmung mit seiner gleichzeitig entstehenden Publikation erarbeitet wurde. Ihm gilt unser besonderer Dank. Für weitere wichtige Hinweise ist zu danken: Walter Fähnders, Osnabrück; Christine Hoffmeister, Berlin; Ulrich Linse, München; Jutta Schlott, Schwerin; Karl-Robert Schütze, Berlin-West; Bernd Stenzig, Rosengarten; Oskar Wehling, Berlin-West, und dem Lektor Wulf Kirsten, Weimar.

Für Text, Chronik und Anmerkungen zeichnet Paul-Gerhard Wenzlaff verantwortlich.

INHALT

WERDEN

LEBENSZEUGNISSE VOGELERS 1923–1942

ANHANG